INTERNATIONAL COMMITTEE OF HISTORICAL SCIENCES
COMITÉ INTERNATIONAL DES SCIENCES HISTORIQUES
LAUSANNE — PARIS

INTERNATIONAL BIBLIOGRAPHY OF HISTORICAL SCIENCES

INTERNATIONALE BIBLIOGRAPHIE DER GESCHICHTSWISSENSCHAFTEN
BIBLIOGRAFIA INTERNACIONAL DE CIENCIAS HISTORICAS
BIBLIOGRAPHIE INTERNATIONALE DES SCIENCES HISTORIQUES
BIBLIOGRAFIA INTERNAZIONALE DELLE SCIENZE STORICHE

VOLUME LII
1983

Edited with the Contribution of the National Committees
by Jean Glénisson and Michael Keul

Published with the assistance of Unesco
and under the patronage of the
International Council for Philosophy and Humanistic Studies

K·G·SAUR   MÜNCHEN · NEW YORK · LONDON · PARIS

CIP-Kurztitelaufnahme der Deutschen Bibliothek

International bibliography of historical sciences = Internationale Bibliographie der Geschichtswissenschaften = Bibliografia internacional de ciencias historicas / Internat. Committee of Historical Sciences, Lausanne, Paris. Ed. with the contribution of the National Committees. — München, New York, London, Paris: Saur.
    ISSN 0074-2015
    Erscheint jährl.

Vol. 45/46. 1976/77ff. — 1980ff.
    Auf d. Haupttitels. auch: Comité International des Sciences Historiques. — Bis Vol. 43/44. 1974/75 im Verl. Colin, Paris.

NE: International Committee for Historical Sciences; 1. PT; 2. PT

Copyright © 1987
by K. G. Saur Verlag KG München
Printed and bound in the Federal Republic of Germany.
All rights reserved. No part of this publication may be reproduced, stored in a retrieval system or transmitted in any form or by any means, electronic, mechanical, photocopying, recording, or otherwise, without permission in writing from the publisher.

Printed by grafik + druck GmbH & Co, München
Bound by Thomas Buchbinderei GmbH, Augsburg

ISSN 0074-2015
ISBN 3-598-20407-8

The International Bibliography of Historical Sciences is published under the supervision of a « Bibliographical Commission » composed of :

Monsieur Boyd C. SHAFER, Tucson, Arizona (U.S.A.),
Monsieur Ernesto de LA TORRE VILAR, México
Honorary President ;

Madame Hélène AHRWEILER, Paris,
Monsieur Jean GLÉNISSON, Paris
President ;

Monsieur Michael KEUL, Paris
Secretary ;

Mademoiselle Odile GRANDMOTTET, Paris
Treasurer ;

Monsieur Girolamo ARNALDI, Rome
Monsieur Eric H. BOEHM, Santa Barbara, Calif.
Monsieur G. EDWARDS, Londres
Monsieur Hermann HEIMPEL, Göttingen
Monsieur Thomas T. HELDE, Washington, D.C.
Monsieur Vasilij N. BABENKO, Moscou
Monsieur Takeshi KIDO, Tokyo
Monsieur Jaroslav PURS, Prague
Monsieur STEFANESCU, Bucarest
Members

This volume was edited by Mr. **Jean GLÉNISSON**, directeur de l'Institut de recherche et d'histoire des textes (C.N.R.S.), and Mr. **Michael KEUL**, C.N.R.S., Paris.

A list of correspondents of the International Committee of Historical Sciences who have collaborated in the preparation of this volume is given on pages XV-XVIII.

NOTICE

THE UNESCO general conference adopted, during its second session in Mexico City, in november 1947, the following resolution :

« The Director General is instructed to develop international co-operation in the field of philosophy and humanistic studies by grants-in-aid or contracts for financial assistance to the International Council of Philosophy and Humanistic Studies.

In return, the Director-General shall secure the Council's collaboration with a view to :

a) Encouraging the creation of international organizations in branches of humanistic studies, where such organizations do not exist and where the need for them has been felt ;

b) Facilitating the dissemination of ideas and the spread of knowledge, more particularly by the organization of congresses and committees of enquiry, the publication of works of reference, information or synthesis throwing light upon insufficiently known aspects of certain cultures ;

c) Promoting and co-ordinating, within each subject field, bibliographical work in accordance with resolution 6.52 and studying the possibility of establishing rules for abstracting which may be applied within the fields of philosophy and humanistic studies ;

d) Obtaining the help of international organizations and specialists in humanistic studies in the carrying out of Unesco's programme. »

The subvention which was given in fulfillement of this resolution has, only for a part, permitted the International Committee of historical Sciences to publish the present volume.

For information concerning the other bibliographical publications recommended by UNESCO, see the descriptive notes at the end of the present volume.

CONTENTS

	Pages
FOREWORD	IX
MEMBERS OR DELEGATES OF THE NATIONAL HISTORICAL COMMITTEES AND INTERNATIONAL ORGANIZATIONS CONTRIBUTORS TO VOL. LII OF THE « INTERNATIONAL BIBLIOGRAPHY OF HISTORICAL SCIENCES »	XIII
SCHEME	XVII
GENERAL HISTORICAL BIBLIOGRAPHIES	XXIII
BIBLIOGRAPHY	1
INDEX OF NAMES	317
GEOGRAPHICAL INDEX	370

FOREWORD

The International Bibliography of Historical Sciences is a selective and descriptive bibliography, and the works it mentions, both books and articles, are arranged according to a methodical and chronological scheme originally drawn up and established by the Bibliographical Commission of the International Committee of Historical Sciences; the scheme has been revised only in the details.

An exposition of the principles which were followed in the choice of works included and of the rules which were observed for their presentation in the present volume, is set out below.

A. Manner of Selection.

In agreement with the wish expressed by the Bibliographical Commission of the C. I. S. H., the Drafting Bureau is actuated by the twin concern of preserving for the I. B. O. S. H. its character of a general bibliography comprehending the whole field of historical sciences, and of putting at the disposal of historians as also librarians the essential facts of historical production throughout the world, in one complete volume appearing annually.

In view of the multiplication of specialized bibliographies, it has in fact appeared more than ever necessary to offer to isolated scholars and even scientific establishments unable to obtain all these bibliographies, the means of keeping informed, each year, of the advancement of historical science. But it was also desirable that these bibliographies be mentioned, and this has been done in two different ways : firstly, we have listed, outside the systematic inventory and immediately preceding it, the great international or national bibliographies dealing with one of the historical disciplines or giving the historical production of a country and in which a conspectus of works connected with this discipline or this country is given; on ther other hand, in the systematic inventory, at the head of each division or subdivision are mentioned particular bibliographies devoted to one question, one author or one province or state, and which find their logical position in that division or sub-division ; in the latter case the bibliographies are preceded by an asterisk (*).

In order to justify its existence as a working instrument of a high scientific standard and of international application the I. B. O. H. S. only mentions books or articles with a wider scope than the narrow field of local preoccupations, and rejects also reviews which are mere presentations or of courtesies. Likewise re-editings, translations, descriptions of research which do not include new elements of information, exhibition catalogues without commentary, typed or stencilled works and works of popularization and propaganda have been eliminated, as also from a mere material point of view, those books or articles whose descriptive card was incomplete and could not be rectified by the Drafting Bureau.

On the other hand the compilers have been careful to describe those works which through slight or of apparently only local interest, make an obvious contribution to general history or to the solution of current problems ; this is the case of certain reports on excavations and of articles bearing on controversial subjects touching the history of institutions or civilization : in this case, as whenever the title of an article was too vague, it has been followed whenever possible by a brief remark or by a date in brackets for the reader's orientation. Herein can be found an effort which will not fail to be useful to those who use the I. B. O. H. S., and which can be increased in future volumes without incurring the temptation to transform this essentially *selective* and *descriptive* bibliography into an analytical and critical one, this double character being in fact reserved to specialized bibliographies.

Unlike the greater number of national bibliographies, the I. B. O. H. S. does not limit the works included by any fixed date ; that is to say that works connected with the most recent history find a place in it, notably those connected with international relations (P 10) ; at the same time the selection had to be correspondingly stricter.

By this conception, the I. B. O. H. S. keeps a physiognomy peculiar to itself ; it has no tendency towards substituting for any existing bibliography, but while avoiding as far as possible a double role, it allows to be necessary that amount or overlapping which is profitable in the scholarly world.

B. *Rules of Presentation.*

Within each division or subdivision, the works are presented in alphabetical order of their authors. Slavonic, Chinese, Japanese, Hebraïc and Arabic names are transcribed into Latin characters and placed according to the order of the Latin alphabet, but characters with diacritics, for instance č, ć, š, ś are considered as if ordinaries c, s. Germanic and Scandinavian names are classed according to the function of the developed value of letters of inflection : ä, ö, ø, ü become ae, oe, ue. Mac, Mc, M' are indexed as if Mac.

Anonymous or collective works are classed alphabetically according to the initial of the key word in the title, for instance : « Congress (fourteenth) of the Learned Societies... » At the same time, in subdivision B 3c, Miscellanies are put down in the alphabetical order of the names of the scholars to whom they are dedicated, which names are printed in the heavy type.

Also in heavy type are the names of scholars who have been the object of an important biographical notice (B § 3 b) and these of Saints (G § 4, I § 13 d) ; in both cases the works are indicated in the alphabetical order of the people concerned.

When a subdivision contains a distribution of the works by countries, (B § 6 b, K § 2) the countries are indicated in the alphabetical order of the French form of their name, whatever the language which was used in the work which mentions it, and whatever the language in which the volume of I. B. O. H. S. is published.

As it has been done for the bibliographies peculiar to a division or subdivision, the publications of texts which had their place in the alphabetical list of each division or subdivision have been extracted and transferred to the head of the alphabetical list and immediately following the list of bibliographies ; these publications of texts have been distinguished by being preceded by two asterisks. Thus the reader has immediately before his eyes the bibliographies and editions of the most recent texts bearing on a particular question or period. However, concerning the texts, the procedure of two asterisks (**) has not been adopted in chapters E, F, G, H and I, each of which already has a division especially devoted to the texts.

When the current year has been marked by the commemoration of an important historical event the works to which this commemoration has led are grouped separately and under a special title at the end of the subdivision where this event finds its normal place. Besides these commemorations, several books or articles are sometimes devoted to the same question or to the same person. In that case, the works in question are all arranged in the alphabetical order of their authors under one number corresponding to the wording of the question or to the name of the person which are themselves to be found in their alphabetical place in the subdivision.

When a work which has been in circulation for three or four years has been the object of a review every succeeding year, only the name of the author is cited plus the essential of the title, preceded by a reference to the number of the last volume of the I. B. O. H. S. in which it was quoted ; it is thus possible to follow from year to year the state of the criticism which the publication of a book has provoked.

Where the « collation » of works is concerned, the unification of references to pages, plates and illustrations, etc. has been sought as far as possible, by putting them into either French or English these being the two languages which have the most words or initial letters of words of an identical meaning in common.

The transferring of works interesting for one part to a section other than their logical one, transferences indicated by « *Cf. n°...* » have been grouped at the end of each section.

In the index, of names of authors and persons, the names of Saints, Popes and Roman Emperors are written in their Latin form.

MEMBERS OR DELEGATES

OF THE NATIONAL HISTORICAL COMMITTEES AND THE INTERNATIONAL ORGANIZATIONS CONTRIBUTORS TO VOL. LII OF THE « INTERNATIONAL BIBLIOGRAPHY OF HISTORICAL SCIENCES »[1]

GERMANY (DEMOCRATIC REPUBLIC)

Dr. Peter WICK, Leiter der Abteilung Information und Dokumentation des Zentralinstituts für Geschichte der Akademie der Wissenschaften der DDR (Berlin).– Dr. Lutz NOACK, Deutsche Bücherei (Leipzig).

GERMANY (FEDERAL REPUBLIC)

Dr. Dr. h.c. Hermann HEIMPEL, em. o. Prof., ehem. Direktor des Max-Planck-Institut für Geschichte (Göttingen).- Frau Gisela ENGELSINGSCHICK (Bielefeld).- Erick GREVELDING (Bielefeld).

AUSTRIA

Univ.-Prof. Dr. Wolfdieter BIHL, Institut für Geschichte, Universität Wien (Wien).

BELGIUM

Léon ZYLBERGELD, archiviste adjoint de la ville de Bruxelles (Bruxelles)

BULGARIA

Mme Emilia KOSTOVA, attachée de recherches à l'Institut d'Histoire auprès de l'Académie Bulgare des Sciences (Sofia).

CANADA

Normand St PIERRE. Directeur de la Bibliothèque des Archives publiques du Canada (Ottawa).

DENMARK

Bent JORGENSEN. Chief Librarian, Aalborg Universitetsbibliotek (Aalborg).

---

1. Classification in the alphabetic order of the French form of the names of countries.

UNITED STATES OF AMERICA

Thomas T. HELDE, professor of history, Georgetown University (Washington, D.C.).

FINLAND

Mme Pirjo NEUVONEN, conservateur à la Bibliothèque de l'université de Turku (Turlu).— Mme Ilse VAHAKYRO, conservateur à la Bibliothèque de l'université de Turku (Turku).

FRANCE

Michael KEUL, C.N.R.S. (Paris).

GREAT BRITAIN

Louis B. FREWER, formerly librarian, Rhodes House Library (Oxford).

GREECE

Mme Loukia DROULIA, Directeur du Centre de recherches néo-helléniques de la Fondation Nationale de la Recherche Scientifique (Athènes).

HUNGARY

Ferenc MUCSI, sous-directeur de l'Institut des sciences historiques de l'Académie des Sciences de Hongrie (Budapest).

IRELAND

Dr. Art COSGROVE, on behalf of the Irish Committee of Historical Sciences, University College (Dublin).

ISRAEL

Mrs Libby KAHANE, Reference Service, The Jewish National and University Library (Jerusalem).

ITALY

Giunta Centrale per gli Studi Storici (Roma).— Prof. Margherita BETTONI, ordinaria di Lettere Italiane e Storia negli Istituti superiori.— Prof. Manuela AIRES, ordinaria di Lettere Italiane e Storia Istituti superiori.

JAPAN

Takeshi KIDO, professor of history, the University of Tokyo (Tokyo).

LUXEMBURG

Gilbert TRAUSCH, directeur de la Bibliothèque nationale (Luxembourg).

NORWAY

Dr. Wilhelm K. STØREN, conservateur en chef de la Bibliothèque de l'université de Trondheim (Trondheim).

NETHERLANDS

Th. S.H. BOS, membre du Bureau de la Commission de l'État pour l'histoire néerlandaise (Gouda).

POLAND

Doc. dr hab. Wieslaw BIENKOWSKI, directeur du Service de Documentation scientifique de l'Institut d'Histoire de l'Académie polonaise des Sciences (Krakow).

PORTUGAL

José Gentil DA SILVA, maître de conférences à la Faculté des Lettres et des Sciences Humaines, université de Nice (Nice).

ROMANIA

Dr phil. Michael KEUL, C.N.R.S. (Paris).

SWEDEN

Adam HEYMOWSKI, docteur ès lettres, conservateur en chef de la bibliothèque Bernadotte (Stockholm).

SWITZERLAND

Pierre SURCHAT, docteur ès lettres, Bibliothèque nationale Suisse (Berne)

CZECHOSLOVAKIA

Prof. Dr. Jaroslav PURS, membre titulaire de l'Académie Tchécoslovaque des Sciences, directeur de l'Institut d'Histoire tchécoslovaque et mondiale de l'Académie Tchécoslovaque des Sciences.

U.S.S.R.

Dr. R. MDIVANI, Chef de la Division pour l'information bibliographique de l'Institut d'Information scientifique en sciences sociales, Académie des Sciences de l'U.R.S.S. (Moscou).

INTERNATIONAL ORGANIZATIONS

Fondation Égyptologique Reine Élisabeth (Bruxelles) : Bibliographie Papyrologique (sur fiches) rédigée par Marcel HOMBERT et Georges NACHTERGAEL.

SCHEME

GENERAL HISTORICAL BIBLIOGRAPHIES
(p. XXIII-XXVI)

A
AUXILIARY SCIENCES
(p. 1-10)

§ 1. Palaeograhy. 1-20.– § 2. Diplomatics. 21-26.– § 3. History of the book. 27-64.– § 4. Chronology. 65-72.– § 5. Genealogy. 73-75.– § 6. Sigillography and heraldry. 76-94.– § 7. Numismatics and metrology. 95-147.– § 8. Linguistics. 148-171.– § 9. Historical geography and history of geography. 172-214.– § 10. Iconography. 215-220.

B
MANUALS, GENERAL WORKS AND WORKS ON LARGE PERIODS
(p. 11-45)

§ 1. Historical meetings and organizations. 221-249.– § 2. Archives, libraries and museums (*a*. Archives ; *b*. Libraries ; *c.* Museums). 250-311.– § 3. History of historical sciences (*a*. General ; *b*. Biographies ; *c.* Collected papers). 312-515.– § 4. Methodology, philosophy and teaching of history. 516-614.– § 5. Ethnography and folklore. 615-663.– § 6. General history (*a. Universal* history ; *b*. History by countries). 664-791.– § 7. Theory of the state and of society. 792-803.– § 8. Constitutional and legal history. 804-818.– § 9. Economic and social history. 819-865.– § 10. History of civilization, science and education. 866-906.– § 11. History of art. 907-932.– § 12. History of religions (*a*. General ; *b*. Special studies). 933-988.– § 13. History of philosophy. 989-993.– § 14. History of literature. 994-1007.

C
PREHISTORY
(p. 46-53)

§ 1. General. 1008-1052.– § 2. Palaeolithic and Mesolithic. 1053-1075.– § 3. Neolithic. 1076-1109.– § 4. Bronze age. 1110-1128.– § 5. Iron age. 1129-1148.– § 6. Peoples of Europe outside of ancient Greece and Italy. 1149-1171.

D

THE ANCIENT EAST
(the Hellenistic states included)
(p. 54-62)

§ 1. The ancient world in general. 1172-1203.– § 2. The Near East in general. 1204-1215.– § 3. Egypt. 1216-1260.– § 4. Cyrene. 1261-1263.– § 5. Mesopotamia. 1264-1282.– § 6. Hittites. 1283-1291.– § 7. Jews and Semitic peoples to the end of the ancient world. 1292-1359.– § 8. Iran. 1360-1369.

E

GREEK HISTORY
(p. 63-75)

§ 1. Classical world in general. 1370-1400.– § 2. Prehellenic epoch. 1401-1405.– § 3. Sources and criticism of sources. 1406-1449.– § 4. General and political history. 1450-1489.– § 5. History of law and institutions. 1490-1515.– § 6. Economic and social history. 1516-1542.– § 7. History of litteratureé philosophy and science. 1543-1657.– § 8. Religion and mythology. 1658-1669.– § 9. Archaeology and history of art. 1670-1702.

F

HISTORY OF ROME, ANCIENT ITALY AND THE ROMAN EMPIRE
(p. 76-90)

§ 1. The peoples of Italy. 1703-1707.– § 2. The Etruscans. 1708-1717.– § 3. Sources and criticism of sources. 1718-1759.– § 4. General and political history. 1760-1857.– § 5. History of law and institutions. 1858-1914.– § 6. Economic and social history. 1915-1967.– § 7. History and literature, philosophy and science. 1968-2031.– § 8. Religion and mythology. 2032-2035.– § 9. Archaeology and history of art. 2036-2102.

G

EARLY HISTORY OF THE CHURCH TO GREGORY THE GREAT
(p. 91-97)

§ 1. Sources. 2103-2159.– § 2. General. 2160-2177.– § 3. Special studies. 2178-2254. – § 4. Hagiography. 2255-2278.

SCHEME XIX

H

BYZANTINE HISTORY (SINCE JUSTINIAN)
(p. 98-102)

§ 1. Sources. 2279-2295.– § 2. General. 2296-2308.– § 3. Special studies. 2309-2385.

I

HISTORY OF THE MIDDLE AGES
(p. 103-132)

§ 1. Sources and criticism of sources. 2386-2478.– § 2. General works. 2479-2515.– § 3. Political history (*a*. General ; *b*. 476-900 ; *c*. 900-1300 ; *d*. 1300-1500). 2516-2667.– § 4. Jews. 2668-2690.– § 5. Islam. 2691-2705.– § 6. Vikings. 2706-2708.– § 7. History of law and institutions. 2709-2756.– § 8. Economic and social history. 2757-2871.– § 9. History of civilization, literature and education. 2872-2941.– § 10. History of art (*a*. General ; *b*. Special studies). 2942-2978.– § 11. History of music. 2979-2986.– § 12. History of philosophy. 2987-3009.– § 13. History of the Church (*a*. General ; *b*. History of the Popes ; *c*. Monastic history ; *d*. Hagiography ; *e*. Special studies). 3010-3110.– § 14. Settlements. Place names. Town-planning. 3111-3137.

K

MODERN HISTORY. GENERAL WORKS
(p. 133-186)

§ 1. General. 3138-3211.– § 2. History by coutries. 3212-4461.– § 3. Discoveries. 4462-4471.

L

MODERN RELIGIOUS HISTORY
(p. 187-199)

§ 1. General. 4472-4497.– § 2. Roman catholicism (*a*. General ; *b*. History of the Popes ; *c*. Special studies ; *d*. Religious orders ; *e*. Missions). 4498-4599.– § 3. Orthodox Church. 4600-4611.– § 4. Protestantism. 4612-4739.– § 5. Non-Christian religions and sects. 4740-4786.

SCHEME

M

HISTORY OF MODERN CULTURE
(p. 200-230)

§ 1. General. 4787-4847.– § 2. Academies and intellectual organizations. 4848-4868.– § 3. Education. 4869-4981.– § 4. The Press. 4982-5012.– § 5. Philosophy. 5013-5132. – § 6. Exact, natural, medical sciences and technique. 5133-5257.– § 7. Literature (*a*. General ; *b*. Renaissance ; *c*. Classicism ; *d*. Romanticism and after). 5258-5404.– § 8. Art and industrial art (*a*. General ; b. Architecture ; *c*. Sculpture, painting, etching and drawing ; *d*. Decorative, popular and industrial art). 5405-5497.– § 9. Music, theatre and cinema. 5498-5572.

N

MODERN ECONOMIC AND SOCIAL HISTORY
(p. 231-268)

§ 1. Political economy. 5573-5604.– § 2. General economic history. 5605-5706.– § 3. Industry mining and transportation. 5707-5846.– § 4. Trade. 5847-5893.– § 5. Agriculture and agricultural problems. 5894-6012.– § 6. Money and finance. 6013-6074. § 7. Demography and town-planning. 6075-6144.– § 8. Social history. 6145-6374.– § 9. Working class movement and socialism. 6375-6513.

O

MODERN LEGAL AND CONSTITUTIONAL HISTORY
(p. 269-273)

§ 1. General history of law. 6514-6538.– § 2. History of constitutional law. 6539-6561.– § 3. Public law and institutions. 6562-6585.– § 4. Civil and penal law. 6586-6610.– § 5. International law. 6611-6614.

P

HISTORY OF INTERNATIONAL RELATIONS
(p. 274-305)

§ 1. General. 6615-6674.– § 2. History of colonization (*a*. General ; *b*. Asia ; *c*. Africa ; *d*. America ; *e*. Oceania). 6675-6862.– § 3. From 1500 to 1789 (*a*. General ; *b*. 1500-1648 ; *c*. 1648-1789). 6863-6930.– § 4. From 1789 to 1815. 6931-6950.– § 5. From 1815 to 1910. 6951-7009.– § 6. From 1910 to 1935. The first World War. 7010-7097. – § 7. From 1935 to 1945. The Second World War (*a*. General ; *b*. Diplomacy. Economy ; *c*. Military operations ; *d*. Resistance). 7098-7279.– § 8. From 1945. 7280-7388.

SCHEME

R
ASIA
(p. 306-312)

§ 1. General. 7389-7393.— § 2. Western and central Asia. 7394-7422.— § 3. Indian subcontinent and Ceylon. 7423-7456.— § 4. Southeast Asia. 7457-7476.— § 5. China. 7477-7537.— § 6. Japan (before 1868). 7538-7541.— § 7. Korea. 7542.

S
AFRICA
(to its colonization)
(p. 313)

N°s 7543-7561.

T
AMERICA
(to its colonization)
(p. 314)

N°s 7562-7581.

U
OCEANIA
(to its colonization)
(p. 315)

N°s 7582-7598.

GENERAL HISTORICAL BIBLIOGRAPHIES

I. [Allemagne] : Jahresberichte für deutsche Geschichte. Hrsg. v. d. Akad. d. Wiss. d. DDR, Zentralinst. f. Gesch., Abt. Inf. u. Dok. N.F. [Jg. 28/29. 1976-1977. Cf. Bibl. 78-79, n°.*I*] Jg. 30/31. 1978-1979, mit Nachträgen. Jg. 32/33. 1980-1981, mit Nachträgen. Verantw. : Hans-Stephan Brather. Mitarb. bei d. bibliogr. Bearb. : Deutsche Bücherei. Verantw. : Lutz Noack. Berlin, Akad.-Verl., 81-83, 2 vol. in-8°, 934, 1155 p.

II. Année (L') philologique. Bibliographie critique et analytique de l' antiquité gréco-latine (fondée par J. Marouzeau). [T. 51. Cf. Bibl. 82, n°*I.*] T. 52 : Bibliographie de l'année 1981 et compléments des années antérieures. Publ. par Juliette Ernst et par Viktor Poeschl et William C. West, avec la collab. de Marianne Duvoisin-Bammate, Ingrid Robbe-Grillet, Pierre Langlois, Claude-Lise Foult, Pierre-Paul Corsetti et Helga Gaertner. Paris, Les Belles-Lettres, 83, in-8°, XXXVI-807 p.

III. [Art et archéologie] : Archäologische Bibliographie. Deutsche Archäologisches Institut. [1981. Cf. Bibl. 82, n°*II.*] 1982. Von Werner Hermann in Zusammenarbeit mit Hubertus Manderscheid u. Gunhild Jenewein. Berlin, de Gruyter, 83, in-4°, XXXVIII-433 p.— Répertoire d'art et d'archéologie (de l'époque paléo-chrétienne à 1939). Publ. sous la dir. du Comité Français d'Histoire de l'Art, avec une subvention de l'UNESCO sur la recommandation du Conseil International de la Philosophie et des Sciences Humaines. [1982. Cf. Bibl. 82, n°*II.*] 1983. Nouv. série, t. 19, n° 1-5. Paris, Centre de Documentation Sciences humaines (CNRS), 83, 5 vol. in-4, 204, 221, 202, 211, 230p.

IV. [Autriche] : Osterreichische historische Bibliographie. Austrian historical bibliography. Hrsg. v. Günther Hödl u. Wolfdieter Bihl. [1980. Cf. Bibl. 82, n°*III.*] 1981. Bearb. v. Günther Hödl, Herbert Paulhart, Wolfdieter Bihl, Ulrike Winkler. Salzburg, Neugebauer ; Santa Barbara, Calif., Clio, 83, in-8, 361 p.— Osterreichische historische Bibliographie. Fünf-Jahres-Register. Austrian historical bibliography. Five-year index. 1975-1979. Bearb. v. Günther Hödl, Herbert Paulhart, Ursula Pisecky, Ulrike Winkler. Salzburg, Neugebauer ; Santa Barbara, Calif., Clio, 83, in-8, 566 p.

V. [Belgique] : Bibliographie de l'histoire de Belgique. Bibliografie van de geschiedenis van België. [1981. Cf. Bibl. 82, n°*IV.*] 1982. Sous la dir. de - Onder leiding van R. Van Eenoo. *R. belge Philol. Hist.*, 83, t. 61, p. 895-1004.

VI. [Canada] : Canadiana. Cf. Bibl. 82, n° *VI.*] 1983. Ottawa, National Library of Canada = Bibliothèque nationale du Canada, 83, 9 vol. in-4, 2069, A-2757, B-682, C-685, D-495, E-110 p.— Recent publications relating to Canada, prepared in the editorial office of University of Toronto-Press by Bradley Adams. [Cf. Bibl. 82, n° *VI.*] *Canad. hist. R.*, 83, vol. 64, p. 106-124, 299-316, 420-440, 614-635.

VII. [Celtes] : Bibliographie (livres, périodiques). *Et. celtiques*, 83, vol. 20, n° 1, p. 335-361. [Cf. Bibl. 81, n° *VIII.*].

VIII. [Finlande] : Finländsk historisk litteratur. Bibliografiskt urval. 1981, 1982. (La littérature historique de la Finlande. Une sélection bibliographique. [1980. Cf.

Bibl. 82, n° *VII.*] 1981, par Gun Grönroos, 1982, par Cecilia Riska. *Hist. T. f. Finland*, 83, t. 68, p. 206-228, 464-481.

IX. [France] : Bibliographie annuelle de l'histoire de France, du cinquième siècle à 1958. [Année 1981. Cf. Bibl. 82, n° *VIII.*] Année 1982. Fondée à l'initiative du Comité français des Sciences historiques, rédigée principalement à partir des collections de la Bibliothèque nationale par Colette Albert-Samuel, Brigitte Moreau et Sylvie Postel-Lecocq. Paris, Ed. du CNRS, 83, in-8, LXXXIX-868 p.

X. [Grande-Bretagne] : Annual bibliography of British and Irish history. Royal historical society. General editor : G.R. Elton. Publications of [1981. Cf. Bibl. 82, n° *IX.*] 1982. Brighton a. Atlantic Highlands, N.J., Harvester Press, 83, in-8, IX-203 p.

XI. International Committee of Historical Sciences. Comité International des Sciences Historiques. Lausanne-Paris. International bibliography of historical sciences. Internationale Bibliographie der Geschichtswissenschafte. Bibliografia internacional de ciencias historicas. Bibliographie internationale des sciences historiques. Bibliografia internazionale delle scienze storiche. [Vol. L. Cf. Bibl. 82, n° *XI.*] Vol. LI : 1982. Ed. with the contribution of the national committees by Jean Glénisson and Michael Keul. Publ. with the assistance of UNESCO and under the patronage of the International Council for Philosophy and Humanistic Studies. München, New York, London a. Paris, 86, in-8, XXV-399 p.

XII. [Irlande] : Irish historiography, 1970-1979. Ed. by Joseph Lee. Cork, Cork Univ. Pr., 81, in-8, 238 p.

XIII. [Luxembourg] : Bibliographie d'histoire luxembourgeoise pour l'année [1981. Cf. Bibl. 82, n° *XIII.*] 1982 (avec compléments des années précédentes). Luxembourg, Bibliothèque nationale, 83, in-8, 67 p.

XIV. [Norvège] : Bibliografi over Norges offentlige publikasjoner. (Bibliography of Norwegian governmental and administrative publication). Publ. by Universitetsbiblioteket i Oslo. Vol. [26. Cf. Bibl. 82, n° *XIV.*] 27 : 1982. Part 1 : Books. Oslo, Univ. forl., 83, 288 p.– Norsk Bokfortegnelse. (The Norwegian national bibliography.) Arskatalog [1981. Cf. Bibl. 82, n° *XIV.*] 1982. Utarb. ved Universitetsbiblioteket i Oslo, Norske avd. Utg. av Den norske bokhandlerforening. Oslo, 83, in-4, 576 p.

XV. [Pays-Bas] : Repertorium van boeken en tijdschriftartikelen betreffende de geschiedenis van Nederland verschenen in [1980. Cf. Bibl. 82, n° *XV.*] 1981 (met aanvullingen uit voorafgaande jaren). Samengesteld door Th. S. H. Bos. (Répertoire de livres et d'articles de revues concernant l'histoire des Pays-Bas parus en 1981 avec compléments pour les années précédentes. Comp. par -.) 's-Gravenhage, Nijhoff, 83, in-8, LXIX-395 p.

XVI. [Pologne] : Bibliografia historii Polski XIX wieku. (Bibliographie d'histoire de la Pologne du XIXe s.) T. 2 : 1832-1864. P. 4, vol. 2. Sous la réd. de Wladyslaw Chojnacki. Auteurs : Anna Dzierzbicka et autres. Wroclaw, Zakl. Narod. im. Ossolinskich, 83, in-8, XXXVIII-649 p. (Pol. Akad. Nauk. Inst. Hist.) [Cf. Bibl. 82, n° *XVI.*].

XVII. [Roumanie] : Tafta (Lucia), Isticioaia-Budura (Tatiana). Bibliographie historique 1979 [suite de Bibl. 82, n° *XVII.*]. *R. roumaine Hist.*, 83, t. 22, p. 183-195, 273-

284, 403-412.

XVIII. [Suisse] : Bibliographie der Schweizergeschichte. Bibliographie de l'histoire suisse. [1980. Cf. Bibl. 82, n° *XVIII.*] 1981. Bearb. von / Etablie par Pierre Louis Surchat. Hrsg. v. d. Schweizer Landesbibliothek / Publ. par la Bibliothèque nationale suisse. Bern, Eidgenöss. Druck- u. Materialzentrale, 83, in-8, XXIV-222 p.

XIX. [Tchécoslovaquie] : Bibliografie dejin Ceskoslovenska za rok [1972. Cf. Bibl. 82, n° *XIX.*] 1973. (Bibliographie der Geschichte der Tschechoslowakei für das Jahr 1973). Edit. : Veroslav Myska, Lumir Nesvadbik, Anna Skorupova. Praha, Academia, 83, in-8, 356 p.

"This will clearly become the standard reference work on the middle ages."

Lexikon des Mittelalters

3. Band:
Codex Wintoniensis – ca. Etzel
1128 Seiten, Leinen
sFr. 418.– / DM 448,–
ISBN 3 7608 8903 4

"Readers with a modest knowledge of German will find the lexicon easy to read..."
The Agricultural History Review

"A particular innovation is the breadth of the horizon: in addition to written records, the material culture also gets a generous hearing; we can welcome the fact that the area of attention covers not only central Europe but also Scandinavia, Southern Europe, Byzantium and the Near East. The inclusion of the Arab-Islamic cultural spheres and of Judaism are particularly effective in appreciation and outlook."
Philosophy and History

Artemis

P.O.B. 440254/55 D-8000 München 40

**Ask for our Specialfolder
«Lexikon des Mittelalters».**

A

AUXILIARY SCIENCES

§ 1. Palaeography. 1-20. - § 2. Diplomatics. 21-26. - § 3. History of the book. 27-64. - § 4. Chronology. 65-72. - § 5. Genealogy.73-75. - § 6. Sigillography and heraldry. 76-94. - § 7. Numismatics and metrology. 95-147. - § 8. Linguistics. 148-171. - § 9. Historical geography and history of geography. 172-214. - § 10. Iconography. 215-220.

§ 1. Palaeography.

1. BREVEGLIERI (Bruno). Materiali per lo studio della scrittura minuscola latina: I papiri letterari. Scrittura e Civ., 83, a. 7, p. 5-49.

2. CAVALLO (Guglielmo). Libri, scritture, scribi a Ercolano. Introd. allo studio dei materiali greci. Presentazione delle tav. e ind. a cura di M. CAPASSO e T. DORANDI. Napoli, Macchiaroli, 83, in-4, 84 p. (64 tav.). (Boll. del Centro internaz. per lo studio dei papiri ercolanesi, 13, suppl., 1)

3. Chartae latinae antiquiores. Facsimile-edition of the Latin charters prior to the ninth cent. Ed. by Albert BRUCKNER a. Robert MARICHAL. 14: France. [1. Cf. Bibl. 82, n° 2.] 2. Publ. by Hartmut ATSMA a. Jean VEZIN. Dietikon-Zürich, Urs Graf, 83, in-fol., X-86 p.

4. Chartae latinae antiquiores. Facsimile-edition of the Latin charters prior to the ninth cent. Ed. by Albert BRUCKNER a. Robert MARICHAL. 20, 21, 22: Italy, 1-3. Publ. by Armando PETRUCCI a. Jan-Olof TJÄDER. Dietikon-Zürich, 82-83, 3 vol. in-fol., XII-111, IX-61, IX-70 p.

§ 5. DUFOUR (Jean). Manuscrits de Moissac antérieurs au milieu du XIIe siècle et nouvellement identifiés: description codicologique et paléographique. Scriptorium, 83, vol. 36, p. 147-173.

6. GASPARRI (Françoise). Enseignement et techniques de l'écriture du moyen âge à la fin du XVIe siècle. Scrittura e Civ., 83, a. 7, p. 201-222.

7. GENDRE (Renato). La scrittura runica. Una "messa a punto". Cultura e Scuola, 83, a. 22, n° 88, p. 7-17 (4 tav.).

8. HAENENS (Albert d'). Ecrire, utiliser et conserver des textes pendant 1500 ans: la relation occidentale à l'écriture. Scrittura e Civ., 83, a. 7, p. 225-260.

9. ISSERLIN (B.S.). The antiquity of the Greek alphabet. Kadmos, 83, vol. 22, p. 151-163.

10. LEJEUNE (Michel). Rencontres de l'alphabet grec avec les langues barbares au cours du Ier millénaire avant J.-C. In: Modes de contacts ... [Cf. n° 241], p. 731-753.

11. MAZAL (Otto). Österreichische Beiträge zur Handschriftenkunde 1970 bis 1982. Ein Arbeitsbericht. Codices manuscripti, 82, Bd 8, p. 41-51.

12. MILLARES CARLO (Agostín). Tradado de paleografía española. Con la colab. de José Manuel RUIZ ASENSIO. T. 1: Testo. T. 2, 3: Láminas. 3a ed. Madrid, Espasa-Calpe, 83, 3 vol. in-8, 432, 376, 376 p.

13. MILOV (L.V.). O "Slove o polku Igoreve" (Paleografija i arkheografija rukopisi, čtenie "rusiči"). (On "The lay of Igor's host": palaeography and archaeography of the manuscript, the reading of "rusichi".) Ist. SSSR, 83, n° 5, p. 82-106.

14. PALMA (Marco). Alle origini del "tipo di Nonantola": nuove testimonianze meridionali. Scrittura e Civ., 83, a. 7, p. 141-149 (8 tav.).

15. PETRUCCI (Armando), ROMEO (Carlo). Scrittura e alfabetismo nella Salerno del IX secolo. Scrittura e Civ., 83, a. 7, p. 51-112 (18 tav.).

16. QUAEGEBEUR (Jan). De la préhistoire de l'écriture copte. Orientalia lovanensia per., 82, t. 13, p. 125-136.

17. ROTT-ŻEBROWSKI (Teotyn). Historia pisma ruskiego. (Histoire de l'écriture ruthène.) Lublin, Uniw. Marii Curie-Skłodowskiej, 83, in-8, 142 p.

18. ŠEVELENKO (A. Ja.). Latinskaja rukopisnaja kniga. (Latin manuscript books.) Vopr. Ist., 83, n° 4, p. 97-113.

19. SHENDGE (Malati J.). The use of seals and the invention of writing. J. econ. soc. Hist. Orient, 83, vol. 26, n° 2, p. 113-136.

20. WILSON (Nigel Guy). A mysterious Byzantine scriptorium: Ioannikios and his collegues [12th cent.]. Scrittura e Civ., 83, a. 7, p. 161-176.

§ 2. Diplomatics.

21. DEREINE (Charles). Etude critique des chartes accordées par Robert Ier (1072) et Robert II (1093) de Flandre à l'abbaye de Watten [dépt. du Nord, France]. R. bénédictine, 83, t. 93, p. 80-107.

22. HLAVÁČEK (Ivan). Několik úvah o diplomatice, jejích dějinách, potřebách a perspektivách (U příležitosti 300. výročí vydání Mabillonova epochálního díla.) (Einige Überlegungen über die Diplomatik, ihre Geschichte, Bedürfnisse und Perspektiven. Anläßlich d. 300. Jubiläums des epochalen Werkes v. Mabillon.) Sborn. arch. Prací, 83, vol. 33, p. 3-31.

23. KÖLZER (Theo). Urkunden und Kanzlei der Kaiserin Konstanze, Königin von Sizilien (1195-1198). Köln u. Wien, Böhlau, 83, in-8, VIII-202 p. (15 pl.). (Beih. z. Codex diplomat. Regni Siciliae, 2) [Cf. n° 2400.]

24. LOHRMANN (Dietrich). Formen der Enumeratio bonorum in Bischofs-, Papst- und Herrscherurkunden (9.-12. Jahrhundert). Arch. f. Diplomatik, 80 [83], Bd 26, p. 281-311.

25. SAUPE (Lothar). Die Unterfertigung der lateinischen Urkunden aus den Nachfolgestaaten des Weströmischen Reiches. Vorkommen u. Bedeutung v. d. Anfängen bis z. Mitte d. 8. Jh. Beitr. z. Gesch. d. Unterfertigung im Mittelalter. Kallmünz, Laßleben, 83, in-8, IX-162 p. (Münchener hist. Stud. Abt. Gesch. Hilfswiss., 20. Münchener Univ.-Schriften, Phil. Fak.)

26. STOJANOW (Valery). Die Entstehung und Entwicklung der osmanisch-türkischen Paläographie und Diplomatik. Mit e. Bibliographie. Berlin, Schwarz, 83, in-8, V-329 p. (Islamkundl. Untersuchungen, 76)

Cf. n° 2614.

§ 3. History of the book.

* 27. Bibliographie der Buch- und Bibliotheksgeschichte. Bearb. v. Horst MEYER. [Bd 1. Cf. Bibl. 82, n° 27.] Bd 2: 1982. Mit Nachträgen aus 1980 u. 1981. Bad Iburg, Bibliogr. Verl. Meyer, 83, in-8, 416 p.

* 28. BULUȚĂ (Gheorghe). Bibliographie (L'histoire du livre et des bibliothèques roumaines). R. roumaine, 83, t. 37, n° 8-9, p. 197-210.

* 29. CHAMBERS (Bettye Thomas). Bibliography of French Bibles: Fifteenth and sixteenth-century French language editions of the Scriptures. Genève, Droz, 83, in-4, XVII-549 p. (Travaux d'Humanisme et Renaissance, 192)

* 30. URBAN (Helmut). Buchdruck des 16. und 17. Jahrhunderts. Literaturbericht [1978-1979. Cf. Bibl. 80, n° 29.] 1980-1982. Gutenberg-Jb., 83, Jg. 58, p. 255-258.

31. APANOVIČ (E.M.). Rukopisnaja svetskaja kniga XVIII v. na Ukraine. (Secular manuscript books of the 19th cent. in the Ukraine.) Ist. sbornik. Kiev, Nauk. dumka, 83, 222 p. (AN USSR, Centr. nauč. b-ka)

32. Bibliothèque nationale [Paris]. Département des Imprimés. Catalogue des incunables de la Réserve des Imprimés. T. 2, fasc. [2. Cf. Bibl. 82, n° 31.] 3: P-R. Réd. par Ursula BAURMEISTER, Annie CHARON-PARENT, Dominique COQ, Antoine CORON et Albert LABARRE. Paris, Bibliothèque nationale, 83, in-4, p. 355-528.

33. Books and society in history. Papers of the Association of college and research libraries, rare books and manuscripts Pre-Conference, 24-28 June 1980, Boston (Massachusetts). New York a. London, R. R. Bowker, 83, in-8, XXIII-254 p.

34. BORSA (Gedeon). Wann wurde in Österreich zum ersten Mal gedruckt? Biblos [Wien], 83, Bd 32, H. 2, p. 132-140.

35. BOZZOLO (Carla), ORNATO (Ezio). Pour une histoire du livre manuscrit au moyen âge. Trois essais de codicologie quantitative. I: La production du livre manuscrit en France du Nord. II: La constitution des cahiers dans les manuscrits en papier d'origine française et le problème de l'importation. III: Les dimensions des feuillets dans les manuscrits français du moyen âge. [Nouv. éd. avec suppl.] Paris, Ed. du C.N.R.S., 83, in-8, 408 p. [T. 1. Cf. Bibl. 80, n° 34.]

36. CAILLET (Maurice). Les reliures anglaises des XVIe et XVIIe siècles de la bibliothèque du Collège des Irlandais à Paris. R. franç. Hist. Livre, 82 [83], a. 51, n. sér., n° 37, p. 517-542.

37. DREGHICIU (Doina). Cartea românească veche de pe valea Sebeșului (Catalog). (Le livre roumain ancien dans la vallée du Sebeș - Catalogue.) Apulum, 81, t. 19, p. 487-498; 82, t. 20, p. 491-505; 83, t. 21, p. 263-278. [Rés. franç.]

38. Drevnerusskoe iskusstvo. Rukopisnaja kniga. (Old Russian art. Manuscript books.) Otv. red.: O. I. PODOBEDOVA. Moskva, Nauka, 83, 400 p. (ill.).

39. Drukarze dawnej Polski od XV do XVIII wieku. T. 1: Małopolska. Cz. 1: Wiek XV-XVI. (Les typographes de l'ancienne Pologne, du XVe au XVIIIe s. T. 1: Petite Pologne. P. 1: XVe-XVIe siècles.) Ouvrage collectif sous la réd. d'Alodia KAWECKA-GRYCZOWA. Auteurs: Danuta BACEWICZOWA et al. Wrocław, Zakł. Narod. im. Ossolińskich, 83, in-8, XV-392 p. (Książka w Dawnej Kulturze Pol., 10)

40. EISENSTEIN (Elizabeth L.). The printing revolution in early modern Europe. London a. New York, Cambridge U.P., 83, in-8, XIV-297 p.

41. Gelehrte Bücher vom Humanismus bis zur Gegenwart. Vom 6.-9. Mai 1981 in d. Herzog-August-Bibliothek. Hrsg. v. Bernhard FABIAN u. Paul RAABE. Wiesbaden,

3. HISTORY OF THE BOOK

Harrassowitz, 83, in-8, VIII-193 p. (Ill.). (Ref. d. ... Jahrestreffens d. Wolfenbütteler Arbeitskreises f. Gesch. d. Buchwesens, 5. Wolfenbütteler Schr. z. Gesch. d. Buchwesens, 9)

42. GILISSEN (L.). La reliure occidentale antérieure à 1400, d'après les manuscrits de la Bibliothèque royale Albert Ier à Bruxelles. Turnhout, Brepols, 83, in-4, 181 p. (75 pl.). (Bibliologia, 1)

43. Histoire de l'édition française. Sous la dir. d'Henri-Jean MARTIN et de Roger CHARTIER, en collab. avec Jean-Pierre VIVET. T. 1: Le livre conquérant, du moyen âge au milieu du XVIIe siècle. Paris, Promodis, 83, in-4, 632 p. (48 p. de pl.).

44. HOBSON (Antony). Les reliures italiennes de la bibliothèque de François Ier. R. franç. Hist. Livre, 83, a. 51, n. sér., n° 36, p. 406-426.

45. HORSFALL (Nicholas). The origins of the illustrated book [in ancient Egypt]. Aegyptus, 83, a. 63, p. 199-216 (11 pl.).

46. Imprimé (L') au Québec: aspects historiques (18e-20e siècles). Sous la dir. de Yvan LAMONDE. Québec, Inst. québécois de recherche sur la culture, 83, in-8, 368 p. (Culture savante, 2) [Contient: GALARNEAU (Claude). Livre et société à Québec (1760-1859): état des recherches, p. 127-144. - GALLICHAN (Gilles). L'édition gouvernementale au Québec depuis le 18e siècle, p. 269-288 p. - GREER (Allan). L'alphabétisation et son histoire au Québec: état de la question, p. 25-52. - HARE (John), WALLOT (Jean-Pierre). Les imprimés au Québec (1760-1820), p. 77-126. - LABRIE (Vivian). L'imprimé et les traditions orales: réflexion sur le problème et exemple de méthode, p. 53-76. - LAJEUNESSE (Marcel). La lecture publique au Québec au 20e siècle: l'ambivalence des solutions, p. 189-206. - LAMONDE (Yvan). La recherche récente en histoire de l'imprimé au Québec, p. 9-24. - LEMIRE (Maurice). Les relations entre écrivains et éditeurs au Québec au 19e siècle, p. 207-224. - LE MOINE (Roger). Le catalogue de la bibliothèque de Louis-Joseph Papineau (1786-1871), p. 167-188. - MORIN (Yvan). Les bibliothèques privées à Québec d'après les inventaires après décès (1800-1819), p. 145-166. - NADEAU (Vincent). Au commencement était le fascicule: aux sources de l'édition québecoise contemporaine pour la masse, p. 243-254. - PROVOST (Sylvie). A propos d'enquêtes sur la consommation littéraire, p. 255-268. - ROBERT (Lucie). Prolégomènes à une étude sur les tranformations du marché du livre au Québec (1900-1940), p. 225-242. - VEZINA (Raymond). L'image imprimée: état de la question, P. 289-368.]

47. Ivan Fedorov i vostočnoslavjanskoe knigopečatenie. (Ivan Fedorov and East Slavonic book-printing.) Sbornik statej. Sost.: M. B. BOTVINNIK, A. F. KORŠUNOV. Minsk, Nauka i tekhnika, 83, 224 p.

48. JACOBSON SCHUTTE (Anne). Printed Italian vernacular religious books 1465-1550: a finding list. Genève, Droz, 83, in-4, XI-470 p. (Travaux d'Humanisme et Renaissance, 194)

49. JOYCE (Donald Franklin). Gatekeepers of black culture: blackowned book publishing in the United States, 1817-1981. Westport, Conn., Greenwood Press, 83, in-8, XIV-249 p. (Contrib. to Afro-Am. a. African Stud., 70)

50. JOYCE (William L.) a. others. Printing and society in early America. Worcester, Mass., Am. Antiquarian Soc., 83, in-8, XII-322 p. (Hist. of the Book in Am. Culture)

51. Knižnoe iskusstvo SSSR. (Book art of the USSR.) V 2-kh t. Redkol.: D. A. ŠMARINOV, D. S. BISTI, V. V. LAZURSKIJ. T. 1: Illjustracija. Moskva, Kniga, 83, 275 p. (ill.).

52. LÖKKÖS (Antal). Les incunables de la Bibliothèque de Genève. Catalogue descriptif. Genève, Bibliothèque publ. et univ., 82, in-4, 293 p. (pl.).

53. MACHET (Anne). Le marché du livre français en Italie au XVIIIe siècle. R. Et. ital., 83, n. sér., t. 29, n° 4, p. 193-222.

54. MARINESCU (Florin). Elzevier editions in the library of the Romanian Academy in Bucharest. R. roumaine Hist., 83, t. 22, p. 127-136.

55. MÂRZA (Iacob). Ediţii Elzevier în Biblioteca Batthyaneum din Alba Iulia. (Editions Elzevier dans la Bibliothèque Batthyaneum d'Alba Iulia [Roumanie].) Stud. Comun. Arheol.-Ist. [Muzeul Brukenthal], 82, t. 21, p. 325-341.

56. NORRINGTON (A.L.P.). Blackwell's, 1879-1979, the history of a family firm. Oxford, Blackwell, 83, in-8, 202 p. (ill.).

57. PAYNE (Michael), THOMAS (Gregory). Literacy, literature and libraries in the fur trade. Beaver, 83, Outfit 313, p. 44-53.

58. ROOSEN-RUNGE (Heinz). Neue Wege zur Erforschung von illuminierten Handschriften und Drucken der Gutenberg-Zeit. Gutenberg-Jb., Jg. 58, p. 89-104.

59. SCHMERUK (Hone). Defuse Yiddish be-Italia. (Yiddish printing in Italy.) Italia, 82, vol. 3, n° 1-2, p. 112-175 (fac-sim.). [Eng. summary]

60. SCHUBERT (Ursula), SCHUBERT (Kurt). Jüdische Buchkunst. T. 1. Graz, Akad. Druck- u. Verlagsanst., 83, in-4, 159 p. (72 p. Abb.). (Buchkunst im Wandel d. Zeiten, 3)

61. Studien zum Buch- und Bibliothekswesen. Im Auftr. d. Deutsch. Staatsbibliothek hrsg. v. Friedhilde KRAUSE u. Hans-Erich TEITGE. [Bd 1. Cf. Bibl. 81, n° 48.] Bd 2, 3. Leipzig, Bibliogr. Inst., 82-83, 2 vol. in-4, 91, 89 p. (Abb.).

62. TISHBY (Peretz). Defuse eres ivriim.

(Hebrew incunabula.) Kiryat Sefer, 83, vol. 58, n° 4, p. 808-857 (pl.).

63. Valori bibliofile din patrimoniul cultural naţional. Cercetări şi valorificare. (Livres de valeur dans le patrimoine culturel national [de la Roumanie]. Recherches et mise en valeur.) Vol. 1. Rîmnicu Vîlcea, Consiliul Culturii şi Educatiei socialiste, Muzeul judeţean, 80, in-8, 445 p. - Vol. 2. Bucureşti, Consiliul Culturii şi Educaţiei socialiste, 83, in-8, 567 p.

64. Verzeichnis der im deutschen Sprachbereich erschienenen Drucke des XVI. Jahrhunderts. VD 16. Hrsg. v. d. Bayer. Staatsbibliothek München u. d. Herzog-August-Bibliothek Wolfenbüttel. Red.: Irmgard BEZZEL. Abt. 1: Verfasser - Körperschaften - Anonyme. Bd 1: Aa-Az. Stuttgart, Hiersemann, 83, in-fol., LXXII-683 p.

Cf. n°s 2883, 2952.

§ 4. Chronology.

65. BARTA (Winfried). Zur Entwicklung des ägyptischen Kalenderwesens. Z. f. ägypt. Sprache, 83, Bd 110, p. 16-26.

66. BORISOV (N.S.). K izučeniju datirovannykh letopisnykh izvestij XIV-XV vekov. (On the study of dated chronicle news of the 14th-15th centuries.) Ist. SSSR, 83, n° 4, p. 124-131.

67. BRIND'AMOUR (P.). Le calendrier romain. Recherches chronologiques. Ottawa, Ed. de l'Univ., 83, in-8, 384 p. (Coll. d'études anc., 2)

68. DAUX (Georges). Le calendrier de Thorikos au Musée J. Paul Getty. Antiquité class., 83, vol. 52, p. 150-174.

69. Ó CRÓINÍN (Dáibhí). Mó - Sinnu moccu Min, and the computus of Bangor. Peritia, 82, vol. 1, p. 291-295. - IDEM. A seventh-century Irish computus from the circle of Cummianus. Proc. Roy. Ir. Acad., 82, vol. 82C, p. 405-430.

70. PENAOD (G.). Le lustre et le siècle selon le calendrier de Coligny. Et. indo-europ., 83, n° 5, p. 35-50.

71. SCHMIDT-CHAZAN (Mireille). La datation dans les chroniques universelles françaises du XIIe au XIVe siècle. C.R. Acad. Inscript., 82 [83], nov.-déc., p. 778-829.

72. WEIDEMANN (Margarete). Zur Chronologie der Merowinger im 6. Jahrhundert. Francia [München], 82 [83], Bd 10, p. 471-513.

§ 5. Genealogy.

73. GRÖSSING (Helmuth). Zur ältesten Geschichte der Fürsten und Grafen Dietrichstein. Carinthia I, 83, Jg. 173, p. 149-169.

74. ÖHRNBERG (Kaj). The offspring of Fāṭima. Dispersal and ramification. Helsinki, the Finnish Oriental Soc., 83, in-8, 167 p. (Studia orientalia, 54)

75. Personnes et familles à la Martinique au XVIIe siècle, d'après recensements et terriers nominatifs. Publ. par Jacques PETITJEAN ROGET et Eugène BRUNEAU-LATOUCHE. Aulnay-sous-Bois, Soc. d'Hist. de la Martinique, 83, 2 vol. in-8, ens. XXX-729 p.

§ 6. Sigillography and heraldry.

76. Armorial général et nobiliaire français. Publ. par Hubert LAMANT. T. 9: Deripis - Des Essars. T. 10: Des Essarts - Despatis. Eaubonne, l'Auteur, 82-83, 2 vol. in-8, 317, 316 p. [Cf. Bibl. 81, n° 72]

77. BARNEA (Ion). Sigilii bizantine inedite din Dobrogea. (Sceaux byzantins inédits de la Dobroudja.) Pontica, 83, t. 16, p. 263-272.

78. BASCAPÈ (Giacomo C.), DEL PIAZZO (Marcello). Insegne e simboli - araldica pubblica e privata medievale e moderna. Con la cooperazione di Luigi BORGIA. Roma, Ministero per i Beni Culturali e Ambientali, 83, XVI-1064 p. (ill.).

79. BOOCHS (Wolfgang). Siegel und Siegeln im Alten Ägypten. Sankt Augustin, Richarz, 82, in-8, 128 p. (Kölner Forsch. z. Kunst u. Altertum, 4)

80. CAHEN (Gilbert). Catalogue des sceaux [des Archives départementales de la Moselle]: sceaux pendants et sceaux plaqués du haut moyen âge. Archives départementales de la Moselle. [T. 1. Cf. Bibl. 82, n° 76.] T. 2: Sceaux laïques (fin), seigneurs (de I à Z), juridictions, municipalités, officiers et bourgeois. Metz, Archives départementales, 83, in-4, II-438 p. (pl.).

81. CERNOVODEANU (Dan). Les influences de l'art héraldique français sur l'art héraldique roumain. Hidalguía, 83, a. 31, p. 693-701.

82. Corpus der minoischen und mykenischen Siegel. Akad. d. Wiss. u. d. Lit. Mainz. Begr. v. Friedrich MATZ. Im Auftr. d. Komm. f. Archäologie hrsg. v. Ingo PINI. [Bd 10. Cf. Bibl. 80, n° 69.] Bd 1. Suppl.: Athen, Nationalmuseum. Bearb. v. J. A. SAKELLARAKIS. Berlin, Mann, 82, in-4, 230 p. (Ill.).

83. FRIEDLANDER (Alan). Le premier sceau de juridiction gracieuse dans le Midi [de la France]: le sigillum curie biterris [Béziers]. Bibl. Ec. Chartes, 83, t. 141, livr. 1, p. 23-35.

84. GIGNOUX (Philippe), GYSELEN (Rika). Sceaux sassanides de diverses collections privées. Leuven, Peters, 82, in-4, 208 p. (30 pl.).

85. GUTH (Morand). Die franziskanischen Siegel in der Straßburger Ordensprovinz von den Anfängen bis zum Ende des 16. Jahrhunderts. Arch. Egl. Alsace, 83, t. 42, p. 191-225.

86. HESSEN (Otto von). Langobardische Königssiegel aus Italien. Frühmittelalterl. Stud., 83, Bd 17, p. 148-152.

87. LEAF (William). Saracen and crusader heraldry in Joinville's History of Saint Louis. J. roy. asiatic Soc., 83, n° 2, p. 208-214.

88. LENTAKĒS (A.). To archontoloi tēs Mēlou kai ta oikosēma tou. (Les archontes de Milo et leurs armoiries.) Mēliaka, 83, t. 1, p. 227-427.

89. MEYER-NOIREL (Germaine). Répertoire général des ex-libris français, des origines à l'époque moderne, 1496-1920. T. 1: A. Tomblaine, l'Auteur, 83, n. pag. (ill.).

90. MORRISSON (C.), SEIBT (W.). Sceaux de commerciaires byzantins du VIIe siècle trouvés à Carthage. R. numism. [Paris], 82, vol. 24, p. 222-240.

91. Origines (Les) des armoiries. Académie internat. d'héraldique. 2e Colloque internat. d'héraldique, Bressanone, 5-9.X. 1981. Ed. par Hervé PINOTEAU, Michel PASTOUREAU, Michel POPOFF. Paris, Léopard d'Or, 83, in-4, 172 p. (ill.).

92. PASTOUREAU (Michel). La genèse des armoiries: emblématique féodale ou emblématique familiale? Cah. Héraldique, 83, t. 4, p. 85-95. - IDEM. L'héraldique en Provence médiévale. Chron. méridionale, 82, n° 2, p. 58-63.

93. VAIVRE (Jean-Bernard de). Notes d'héraldique et d'emblématique à propos de la tapisserie de L'Apocalypse d'Angers. C.R. Acad. Inscript., 83, janv.-mars, p. 95-134.

94. WALDSTEIN-WARTENBERG (Berthold). Heraldik des Souveränen Malteser-Ritterordens. Adler, 83, Ser. 3, Bd 11, p. 19-47.

Cf. n° 1688.

§ 7. Numismatics and metrology.

95. ABRAMEA (Anna). Nomismatikoi "thēsauroi" kai memonōmena nomismata apo tēn Peloponnēso (6os-7os ai.). ("Trésors" numismatiques et monnaies isolées provenant du Péloponnèse, VIe-VIIe s.) Symmeikta, 83, t. 5, p. 49-90.

96. ANTHONY (J.). Collecting Greek coins. London, Longman, 83, in-8, 312 p.

97. ARIEL (O.T.). A survey of coin finds in Jerusalem (until the end of the Byzantine period). Studii biblici francisc., 82, t. 32, p. 273-326.

98. ASDRACHAS (Spyros I.). Nomismatikes prosarmoges 16-17 ai. Rythmiseis kai antidraseis. (Réformes monétaires aux XVIe-XVIIe siècles. Réglementations et réactions.) Historica [Athènes], 83, vol. 1, n° 1, p. 19-34.

99. BANKEL (H.). Zum Fußmaß attischer Bauten des 5. Jahrhunderts v. Chr. Mitt. d. deutsch. archäol. Inst. Athen, 83, Bd 98, p. 65-99.

100. BESLEY (E.), BLAND (R.). Cunetio treasure: Roman coinage of the 3rd century. London, Brit. Museum, 83, in-4, 192 p. (ill.).

101. BETLYON (John Wilson). The coinage and mints of Phoenicia. The pre-Alexandrine period. Chico, Calif., Scholars Press, 82, in-8, XI-171 p. (10 pl.). (Harvard Semitic Monogr., 26)

102. BLACKBURN (Mark). Early mediaeval coins from Lincoln and its Shire, c. 770-1100. London, Council for Brit. Archaeol., 83, in-4, 46 p. (ill.).

103. BOULNOIS (Lucette). Poudre d'or et monnaies d'argent au Tibet (principalement au XVIIIe siècle). Paris, Ed. du C.N.R.S., 83, in-4, 245 p. (25 ill.). (Cah. népalais)

104. CALLU (Jean-Pierre). La monnaie de l'empire romain: une numismatique quantitative. B. Assoc. Budé, 83, p. 55-65.

105. CHEMETSOV (A.V.). Types of Russian coins of the 14th and 15th centuries. London, Brit. Archaeol. Rep., 83, in-4, 274 p. (ill.).

106. CHIRILĂ (Eugen), MATEI (Alexandru V.). Tezaurul monetar de la Cuceu. Contribuţii la studiul circulaţiei monetare în nordul Daciei preromane în sec. I î. e. n. (Le trésor monétaire de Cuceu [Roumanie]. Contribution à l'étude de la circulation monétaire dans le Nord de la Dacie préromane au Ier s. av. n. è.) Acta Musei porolissensis, 83, t. 7, p. 101-118.

107. CIOBOTEA (Dinică). Circulaţia monetară în Oltenia în preajma constituirii statului feudal independent Ţara Românească (sec. X-XIV). (La circulation monétaire en Olténie à l'époque de la constitution de l'Etat féodal indépendant de Valachie, Xe-XIVe s.) Arh. Olteniei, 83, t. 2, p. 74-86.

108. Corpus des trésors monétaires antiques de la France. Sous la dir. de X. LORIOT et D. NONY. [1. Cf. Bibl. 82, n° 108.] 2: Nord - Pas-de-Calais. Par Roland DELMAIRE. Paris, Soc. franç. de Numismatique, 83, in-4, 105 p. (cartes).

109. Corpus nummorum saeculorum IX-XI qui in Suecia reperti sunt. - Catalogue of coins from the 9th-11th centuries found in Sweden. - Verzeichnis der in Schweden gefundenen Münzen des 9.-11. Jahrhunderts. Vol. [16/1. Cf. Bibl. 80, n° 88.] 1: Gotland, 3-4: Dahlhem-Fröjel. Vol. 8: Östergötland, 1: Älvestad - Viby. Ed. Brita MALMER. Stockholm, Almqvist a. Wiksell, 83, 3 vol. in-4, XXXI-323, XXVII-303, XXVII-149 p. (ill., maps).

110. DAVIDOVIČ (E.A.). Istorija denežnogo obraščenija srednevekovoj Srednej Azii (Med. monety XV - pervoj četverti XVI v. v Maverannakhre). (History of money circulation in medieval Central Asia. Copper money of the 15th - first quarter of the 16th cent. in Mavera-un-nahr.) Moskva,

Nauka, 83, 359 p. (ill.). (AN SSSR. In-t vostokovedenija)

111. DEMO (Z.). Münzfunde aus der Zeit des Gallienus im Gebiet zwischen den Flüssen Sava und Drava. Ein Beitrag z. militärpolit., ökon. u. wirtschaftlich-monetären Gesch. d. südl. Pannonien um d. Mitte d. 3. Jh. n. Chr. Acta archaeol. [Ljubljana], 82, vol. 33, p. 258-498.

112. DEMOUGEOT (Emilienne). A propos des Solidi gallici du Ve siècle apr. J.-C. R. hist., 83, a. 107, t. 270, n° 547, p. 3-30.

113. DEROC (Antonin). Les monnaies gauloises d'argent de la vallée du Rhône. Paris, Belles lettres, 83, in-8, XI-115 p. (13 pl., 7 cartes). (A. litt. Univ. Besançon, 281. Centre de recherches d'hist. anc., 48: Etudes de numismatique celtique, 2)

114. DONOIU (Ion). Efigii feminine pe monedele romane. (Effigies féminines sur les monnaies romaines.) Prefață de Nichita STĂNESCU. București, Sport-Turism, 83, 127 p.

115. DUMAS (Françoise), BARRANDON (Jean-Noël). Le titre et le poids de fin des monnaies sous le règne de Philippe Auguste (1180-1223). Cah. Ernest Babelon, 82, n° 1, p. 3-104.

116. FROLOVA (N.A.). The coinage of the Kingdom of Bosporus, A.D. 242-341/2. Tr. from the Russ. by H.B. WELLS. London, Brit. Archaeol. Rep., 83, in-4, 388 p. (ill.).

117. GARNIER (Bernard). Les enquêtes métrologiques du milieu du XVIIIe siècle [en France]. Métrologie pour les états des prix de subdélégation. Cah. Métrologie, 83, t. 1, p. 21-121.

118. GIARD (J.B.). Le monnayage de l'atelier de Lyon, des origines au règne de Caligula (43 av. J.-C. - 41 ap. J.-C.). Wetteren, Numismatique romaine, 83, in-4, 154 p. (42 pl.). (Numism. romaine. Essais, recherches et doc., 14)

119. HAHN (Wolfgang). Die administrativen Grundlagen der Typenvariation in der älteren bayerischen Münzprägung und ihre Signifikanz für die Datierung der ersten böhmischen Herzogsmünzen. Numismat. Notizen z. Gesch. d. Pfalzgrafen u. d. Burggrafen in Regensburg. Jb. f. Numism. u. Geldgesch., 81/82 [83], Bd 31/32, p. 103-115.

120. Journées numismatiques de Saint-Omer, 4 et 5 juin 1983. Etudes et travaux. B. Soc. franç. Numism., 83, a. 38, n° 6, p. 333-361.

121. KINDLER (A.). The coinage of Bostra. Warminster, Aris a. Phillips, 83, in-4, 160 p. (ill.).

122. KOPICKI (Edmund). Katalog podstawowych typów monet i banknotów Polski oraz ziem historycznie z Polską związanych. (Catalogue des types essentiels des monnaies et billets de banque de la Pologne et des terres historiquement unies à la Pologne.) T. 8, [P. 1. Cf. Bibl. 82, n° 124.] P. 2: Monety śląskie okresu nowożytnego. (Les monnaies silésiennes de l'époque moderne.) Warszawa, 83, in-8, 251 p. (Pol. Tow. Archeolog. i Numizmat. Komisja Numizmat.)

123. KRAUSKOPF (I.). Zur Datierung der etruskischen Löwenkopfmünzen. Mitt. d. deutsch. archäol. Inst. Rom, 83, Bd 90, p. 223-232.

124. LACAM (Guy). La fin de l'empire romain et le monnayage or en Italie 455-493. Vol. 1, 2. Paris, l'Auteur, 83, 2 vol. in-fol., 600 p., album de 300 pl.

125. METCALF (D.M.). Coinage of the Crusades and the Latin East in the Ashmolean Museum, Oxford. London, Brit. Museum (Roy. Numism. Soc.), 83, in-4, 252 p. (ill.).

126. MITREA (Bucur). Un tezaur de monede bizantine descoperit la Constanța. (Un trésor de monnaies byzantines découvert à Constanța.) Pontica, 83, t. 16, p. 239-262.

127. MORRISSON (C.), BARRANDON (J.N.), POIRIER (J.). Nouvelles recherches sur l'histoire monétaire byzantine. Evolution comparée de la monnaie d'or à Constantinople et dans les provinces d'Afrique et de Sicile. Jb. d. österr. Byzantinistik, 83, Bd 33, p. 267-287.

128. MUKHAMADIEV (A.G.). Bulgaro-tatarskaja monetnaja sistema XII-XV vv. (The Bulgarian-Tatar monetary system in the 12th-15th cent.) Moskva, Nauka, 83, 187 p. (ill.).

129. MUTZ (Alfred). Römische Waagen und Gewichte aus Augst und Kaiseraugst. Augst, Römermuseum, 83, in-6, 64 p. (39 Abb.). (Augster Museumshefte, 6)

130. Proceedings of the International Numismatic Convention on Greek Imperials, Jerusalem, 2nd - 5th Jan. 1983. Ed. by D. BARAG a. A. KINDLER. Israel numism. J., 82-83, vol. 6-7.

131. RATHBONE (D.W.). The weight and measurements of Egyptian grains. Z. f. Papyrol. u. Epigr., 83, Bd 53, p. 265-275.

132. ROMAN (D.). Numismatique et autorité en Gaule transalpine. B. Assoc. Budé, 83, p. 371-378.

133. ROSS (Lester A.). Archaeological metrology: English, French, American and Canadian of weights and measures for North American Historical Archaeology. Ottawa, Parks Canada, 83, in-8, 123 p. (Hist. a. Archaeol., 68)

134. ROYMANS (N.), VAN DEN SANDEN (W.). Celtic coins from the Netherlands and their archaeological context. Ber. Rijksd. oudh. Bodemonderzoek, 80 [83], vol. 30, p. 173-254.

135. SCHNEIDER (Konrad). Hamburgs

Münz- und Geldgeschichte im 19. Jahrhundert bis zur Einführung der Reichswährung. Koblenz, Numismat. Verl., 83, in-8, 72 p. (Beitr. z. Gesch. Hamburgs, 22)

136. SOKOLOVA (I. V.). Monety i pečati Vizantijskogo Khersona. (Coins and seals of Byzantine Chersonesus.) Leningrad, Iskusstvo, 83, 176 p. (ill.).

137. STAHL (Alan M.). The Merovingian coinage of the region of Metz. Louvain-la-Neuve, Institut supérieur d'Archéol. et d'Hist. de l'Art, 82, VII-200 p. (fig.).

138. STAZIO (Attilio). Monetazione greca e indigena nella Magna Grecia. In: Modes de contacts ... [Cf. n° 241], p. 963-978.

139. Studies in numismatic method presented to Philip Grierson. New York, Cambridge U. P., 83, XXX-337 p.

140. SZABÓ (M.). Audoleon und die Anfänge der ostkeltischen Münzprägung. Alba Regia, 83, vol. 20, p. 43-56.

141. THOMPSON (Margaret). Alexander's drachm mints. 1: Sardis and Miletus. New York, American Numismatic Soc., 83, 98 p. (38 pl.). (Numism. Stud., 16)

142. TROXELL (Hyla A.). The coinage of the Lycian league. New York, American Numismatic Soc., 82, XIX-255 p. (Numism. Notes a. Monogr., 162)

143. VAN REY (Manfred). Einführung in die rheinische Münzgeschichte des Mittelalters. Mönchengladbach, Stadtarchiv, 83, in-8, 232 p. (Ill., Kt.). (Beitr. z. Gesch. d. Stadt Mönchengladbach, 17)

144. VONS (P.). Metamorphosed Roman denarii from Velsen (N.H.). Helinium, 83, t. 23, fasc. 1, p. 13-45 (9 fig., 5 tables).

145. WEILLER (Raymond). Monnaies antiques découvertes au Grand-Duché de Luxembourg. Berlin, Gebr. Mann, 83, in-4, 348 p. (14 pl.). (Röm.-german. Komm. d. Deutsch. Archäol. Inst. zu Frankfurt a. M. - Musée de l'Etat de Luxembourg)

146. WEISER (W.). Die Münzreform des Aurelian. Z. f. Papyrol. u. Epigr., 83, Bd 53, p. 279-295.

147. WITTHÖFT (Harald). Maß und Gewicht im 9. Jahrhundert. Fränkische Traditionen im Übergang von d. Antike z. Mittelalter. Vjschr. f. Sozial- u. Wirtschaftsgesch., 83, Bd 70, p. 457-482.

Cf. n°s 502, 1808, 1824, 2035, 2841.

§ 8. Linguistics.

148. Altpolnische (Die) Orthographien des 16. Jahrhunderts. Eingel. u. hrsg. v. Stanislaw URBAŃCZYK unter Mitwirkung v. Reinhold OLESCH. Köln u. Wien, Böhlau, 83, in-8, XI-208 p. (Slavist. Forsch., 37)

149. ARVIN (Vasile). Român, românesc, România. Studiu filologic. (Roumain, Roumanie. Etude philologique.) Bucureşti, Ed. ştiinţ. şi enciclop., 83, in-8, 238 p.

150. BONFANTE (Giuliano), BONFANTE (Larissa). The Etruscan language. An introduction. Manchester, Manchester U.P., 83, in-8, 174 p. (37 fig.).

151. BRÂNCUŞ (Grigore). Vocabularul autohton al limbii române. (Le vocabulaire autochtone de la langue roumaine.) Bucureşti, Ed. ştiinţ. şi enciclop., 83, in-8, 196 p.

152. BUSSMANN (H.). Lexikon der Sprachwissenschaft. Stuttgart, Kröner, 83, in-8, XXXIII-603 p. (Kröners Taschenausgabe, 452)

153. DAN (Ilie). Contribuţii la istoria limbii române. (Contributions à l'histoire de la langue roumaine.) Iaşi, Junimea, 83, in-8, 200 p.

154. DE SIMONE (Carlo). L'influenza linguistica greca nell'Italia antica: problemi generali. In: Modes de contacts ... [Cf. n° 241], p. 755-784.

155. Deutsches Rechtswörterbuch. Wörterbuch d. älteren deutsch. Rechtssprache. In Verbindung mit d. Akad. d. Wiss. hrsg. v. d. Heidelberger Akad. d. Wiss. Bd 7, [H. 7. Cf. Bibl. 80, n° 121.] H. 8. H. 9: Konzil (Forts.) - Kreisbote (Anfang). H. 10: Kreisbote (Forts.) - Krönung (Abschluß v. Bd 7). Weimar, Böhlau, 81-83, 3 vol. in-4, Sp. 1121-1280, 1281-1440; VIII p., Sp. 1441-1600.

156. DUHOUX (Yves). Introduction aux dialectes grecs anciens. Problèmes et méthodes. Recueil de textes traduits. Louvain-la-Neuve, Cabay, 83, in-8, 111 p. (14 cartes et tabl.). (Sér. pédagog. de l'Inst. de Linguistique de Louvain, 12)

157. FISCHER (I.). Traits spécifiques du latin "danubien". Stud. clas., 83, vol. 21, p. 67-91.

158. GERAGHTY (Paul A.). The history of the Fijian languages. Honolulu, Univ. of Hawaii Press, 83, in-8, XXV-483 p. (maps). (Oceanic Linguistics spec. Publ., 19)

159. GIACOMELLI (R.). Graeca Italica. Studi sul bilinguismo-diglossia nell'Italia antica. Brescia, Paideia, 83, in-8, 231 p. (Studi gramm. e ling., 15)

160. Glossaria bilingua in papyris et membranis reperta. Hrsg. u. komment. v. Johannes KRAMER. Bonn, Habelt, 83, in-4, 183 p. (Papyrol. Texte u. Abh., 30)

161. GUILLAUME (Gabriel), CHAUVEAU (Jean-Paul). Atlas linguistique et ethnographique de la Bretagne romane, de l'Anjou et du Maine. [Vol. 1. Cf. Bibl. 67-77, n° 133.] Vol. 2: Flore, terre, temps, maison. Paris, Ed. du C.N.R.S., 83, in-fol., 336 p. (312 cartes).

162. GUKHMAN (M.M.), SEMENJUK (N.M.). Istorija nemeckogo literaturnogo jazyka IX-XV vv. (History of the German literary

language of the 9th - 15th cent.) Moskva, Nauka, 83, 200 p. (AN SSSR. In-t jazykoznanija)

163. HUSSON (Geneviève). Oikia: le vocabulaire de la maison privée en Egypte d'après les papyrus grecs. Paris, Publ. de la Sorbonne, 83, in-8, 341 p. (34 ill.). (Papyrologie, 2)

164. Nouveau glossaire nautique d'Augustin JAL. Révision de l'édition publiée en 1848. 3: C. 4: D-E. Paris, Ed. du C.N.R.S., 80-83, 2 vol. in-8, p. 167-382 (24 p. de pl.); XXVI p., p. 382-600 (20 p. de pl.).

165. PERUZZI (E.). Il greco e le lingue dell'Italia primitiva. Veltro, 83, a. 27, p. 67-81.

166. POPESCU-SIRETEANU (Ion). Limbă și cultură populară. Din istoria lexicului românesc. (Langue et culture populaire. De l'histoire du lexique roumain.) București, Ed. științ. și enciclop., 83, in-8, 320 p.

167. Praktika IIe Symposio Glossologias tou Boreiohelladikou Chōrou. Epeiros - Makedonia - Thrakē. (Actes du IIe Colloque de Linguistique de la Grèce du Nord. Epire - Macédoine - Thrace.) 13-15 avril 1978. Thessalonique, Hidryma Meletōn Chersonēsou tou Aimou, 83, in-8, 384 p.

168. WITHERS (C.W.J.). Gaelic in Scotland, 1698-1981. Edinburgh, J. Donald, 83, 350 p.

169. WOLF (Lothar), HUPKA (Werner). Altfranzösisch. Entstehung und Charakteristik. Eine Einführung. Darmstadt, Wiss. Buchges., 81, in-8, XII-219 p.

170. ZUNTZ (Günther) Griechischer Lehrgang. 1: Lektionen. 2: Exercitia, Vokabular. 3: Appendix Grammatica. Göttingen, Vandenhoeck u. Ruprecht, 83, 3 vol. in-8, zus. 884 p. (10 Abb.). (Studienh. z. Altertumswiss., 15, 1-3)

171. Zur Ausbildung der Norm der deutschen Literatursprache (1470-1730). Akad. d. Wiss. d. DDR, Zentralinst. f. Sprachwiss. [5. Cf. Bibl. 81, n° 126.] 6: PAVLOV (Vladimir M.). Zur Ausbildung der Norm der deutschen Literatursprache im Bereich der Wortbildung (1470-1730). Von d. Wortgruppe zur substantiv. Zusammensetzung. Berlin, Akad.-Verl., 83, in-8, 150 p. (Bausteine z. Sprachgesch. d. Neuhochdeutschen, 56)

Cf. n°s 364, 843, 2932, 2941.

§ 9. Historical geography and history of geography.

* 172. Bibliographie d'histoire de la géographie et de géographie historique, [1979. Cf. Bibl. 82, n° 179.] 1980. Réd. par Roger HERVE. Paris, Comité des travaux hist. et sci., section de géographie, 83, in-8, 163 p.

* 173. PALMER (M.), PALMER (Ronald Vere). The mapping of Bermuda, a bibliography of printed maps and charts, 1548-1970. London, Holland Press, 83, in-4, 74 p. (ill.).

* 174. Recent cartographic literature, ed. by Barbara J. GUTSELL. [Cf. Bibl. 82, n° 181.] Cartographica, 83, vol. 20, n° 3, p. 100-106; n° 4, p. 99-103.

* 175. STAGL (Justin). Apodemiken. Eine räsonnierte Bibliographie d. reisetheoret. Lit. d. 16., 17. u. 18. Jh. Mitarbeit v. Klaus ORDA u. Christel KÄMPFER. Paderborn, Schöningh, 83, in-8, 119 p. (Quellen u. Abh. z. Gesch. d. Staatsbeschreibung u. Statistik, 2)

** 176. Documents inédits sur André Thévet, cosmographe du Roi [de France], publ. et prés. par Jean BAUDRY. Paris, Musée-Galerie de la SEITA, 83, in-4, 48 p. (ill.).

177. AGBUNOV (M.V.). Materialy po antičnoj geografii Pričernomor'ja. (The ancient geography of the Northwest Black Sea coastal region.) Vestn. drevn. Ist., 83, n° 4, p. 110-118.

178. Atlas pentru istoria României. (Atlas pour l'histoire de la Roumanie.) Coordonator: Ștefan PASCU. Intocmit de: Ion ARDELEANU, Dumitru BERCIU, Ion CUPȘA, Gheorghe MATE1, Camil MUREȘAN, Ștefan PASCU, Ștefan ȘTEFĂNESCU, Dumitru TUDOR. București, Ed. didactică și pedag., 83, 84 cartes (18 doc. cartographiques).

179. BATER (James A.), FRENCH (R.A.). Studies in Russian historical geography. London, Academic Press, 83, 2 vol. in-8, 250, 250 p.

180. BESANÇON (J.), SANLAVILLE (P.). Aperçu géomorphologique sur la vallée de l'Euphrate. Paléorient, 81 [83], vol. 7, n° 7, p. 5-18.

181. BROC (Numa). Les explorateurs français du XIXe siècle reconsidérés. R. franç. Hist. Outre-Mer, 82, t. 69, n° 256, p. 237-273; n° 257, p. 323-359. - IDEM. Quelle est la plus ancienne carte "moderne" de la France? A. Géogr., 83, a. 92, n° 513, p. 513-530.

182. BROWNE (Janet). The secular ark: studies in the history of biogeography. New Haven, Conn., Yale U.P., 83, in-8, X-273 p.

183. Călători români în Africa (însemnări de călătorie de D. Bolintineanu, V. Alecsandri, N. Bibescu, etc.). Studiu, antologie și note de Mircea ANGHELESCU. București, Sport-Turism, 83, in-8, 338 p. (30 fig.).

184. CARTER (Harold). Introduction to urban historical geography. London, E. Arnold, 83, in-4, 320 p. (ill., maps).

185. CONTRERAS (Remedios). Diversas ediciones de la Cosmografía de Ptolemeo en la Biblioteca de la Real Academia de la Historia [Madrid]. B. real Acad. Hist.

[Madrid], 83, t. 180, p. 245-323.

186. COURVILLE (Serge). Espace, territoire et culture en Nouvelle-France: une vision géographique. R. Hist. Amérique franç., 83, vol. 37, p. 417-429.

187. Cyclades (Les). Matériaux pour une étude de géographie historique. Table ronde réunie à l'Univ. de Dijon les 11, 12 et 13 mars 1982. Paris, Ed. du C.N.R.S., 83, in-4, 248 p. (ill.).

188. DESTOMBES (Marcel). Wang P'an, Liang chou et Matteo Ricci: essai sur la cartographie chinoise de 1593 à 1603. In: Appréciation par l'Europe ... [Cf. n° 224], p. 47-65.

189. DÖRFLINGER (Johannes). Die österreichische Kartographie im 18. und zu Beginn des 19. Jahrhunderts unter bes. Berücksichtigung der Privatkartographie zwischen 1780 und 1820. Bd 1: Österreichische Karten des 18. Jahrhunderts. Wien, Verl. d. Österr. Akad. d. Wiss., 84, in-8, 351 p. (24 Abb.). (Österr. Akad. d. Wiss., Phil.-hist. Kl., S.-B., 427. Veröff. d. Komm. f. Gesch. d. Mathematik, Naturwiss. u. Medizin, 42)

190. FIERRO (Alfred). La Société de Géographie [française], 1821-1946. Genève, Droz, 83, in-8, 356 p. (Publ. de l'Ecole Prat. des Hautes Etudes, IVe Section: Sci. hist. et philol., Hautes Et. médiévales et mod., 52)

191. FOSS (Theodore Nicholas). Reflections on a Jesuit Encyclopedia: Du Halde's Description of China (1735). In: Appréciation par l'Europe ... [Cf. n° 224], p. 67-77.

192. GOETZMANN (William H.), SLOAN (Kay). Looking far north: the Harriman expedition to Alaska, 1899. Princeton, Conn., Princeton U.P., 83, in-8, XXV-144 p. (ill., maps).

193. GREEN (Michael). The Syrian and Lebanese topographical data in the story of Sinuhe. Chron. Egypte, 83, t. 58, fasc. 115/116, p. 38-59.

194. Historical (An) geography of Scotland. Ed. by G. WHITTINGTON a. I. D. WHYTE. London, Academic Press, 83, XIV-282 p.

195. JÄGER (Eckhard). Prussia-Karten 1542-1810. Gesch. d. kartograph. Darstellung Ostpreußens vom 16. bis 19. Jh. Entstehung d. Karten - Kosten - Vertrieb - Bibliogr. Katalog. Weißenhorn, Konrad, 82, in-4, 324 p. (225 Abb., 13 Taf.).

196. Kartenhistorisches Colloquium, Bayreuth 1982. Vorträge u. Berichte. Hrsg. v. Wolfgang SCHARFE, Hans VOLLET u. Erwin HERRMANN in Verb. mit d. Arbeitskreis "Gesch. d. Kartographie" d. Deutsch. Ges. f. Kartographie u. d. Hist. Ver. f. Oberfranken. Berlin, Reimer, 83, in-4, 227 p. (Abb.).

197. KONTI (B.). Symbolē stēn historikē geōgraphia tou nomou Argolidas. (Contribution à la géographie historique du nome d'Argolide.) Symmeikta, 83, t. 5, p. 169-202.

198. LAMARRE (Christine). Carte de la province de Bourgogne au XVIIIe siècle. A. Bretagne, 83, t. 55, n° 219, p. 145-180.

199. Landesbeschreibungen Mitteleuropas vom 15. bis 17. Jahrhundert. Im Herder-Inst. Marburg a. d. Lahn, 10.-13. Nov. 1980. Hrsg. v. Hans-Bernd HARDER. Köln u. Wien, Böhlau, 83, in-8, VII-285 p. (Kt.). (Vortr. d. ... internat. Tagung d. Slawenkomitees, 2. Schr. d. Komitees d. Bundesrepublik Deutschland z. Förderung d. Slaw. Studien, 5)

200. LLOBREGAT (Enrique A.). Relectura del Ravennate. Dos calzadas, una mansión inexistante y otros datos de la geografía antigua del país valenciano. Lucentum, 83, t. 2, p. 225-242.

201. MITTMANN (S.). Die Küste Palästinas bei Herodot. Z. d. deutsch. Palästina-Ver., 83, Bd 99, p. 130-140.

202. MOREAU (Jean). Supplément au dictionnaire de géographie historique de la Gaule et de la France. Sources, compléments et mise à jour du dictionnaire de 1972 [Cf. Bibl. 72, n° 185.] Paris, Picard, 83, in-8, XII-322 p.

203. NORTON (W.). Historical analysis in geography. London, Longman, 83, in-8, 240 p. (ill.).

204. PIOTROWICZ (Ludwik). Atlas do historii starożytnej. (Atlas de l'histoire de l'Antiquité.) Wrocław, Państw. Przedsiębiorstwo Wydawn. Kartograf., 83, in-4, 12 p.

205. PITTE (Jean-Robert). Histoire du paysage français. T. 1: Le sacré, de la préhistoire du XVe siècle au XVIe siècle. T. 2: Le profane, du XVIe siècle à nos jours. Paris, Tallandier, 83, 2 vol. in-8, 238, 203 p. (pl.). (Approches)

206. POTTS (D.T.). Archaeological perspectives on the historical geography of the Arabian peninsula. Münstersche Beitr. z. ant. Handelsgesch., 83, Bd 2, n° 2, p. 113-124.

207. RACKHAM (O.). Observations on the historical ecology of Boeotia. Annu. british School Athens, 83, vol. 78, p. 291-351.

208. Bibl. 82, n° 206. SKRYNNIKOV (R.G.). Sibirskaja ėkspedicija Ermaka. (The Siberian expedition of Ermak.) - CR: Ju. A. Limonov, Vopr. Ist., 83, n° 7, p. 140-143.

209. SOPOCKO (A.A.). Istorija plavanija V. Beringa na bote "Sv. Gavriil" v Severnyj Ledovityj okean. (History of V. Bering's voyage in the "Saint Gavriil" to the North Arctic ocean.) Moskva, Nauka, 83, 246 p. (ill.). (AN SSSR. Dal'nevost. nauč. centr. In-t istorii, arkheologii narodov Dal. Vostoka)

210. Tabula Imperii Romani. M 30: Condate, Glevum, Londinium, Lutetia. London, Publ. for the British Acad. by Oxford U. p., 83, in-8, XVI-109 p. (ill., plans, map).

211. TATHAM (A.). Charting the Kattegat, a study of marine cartography of the Napoleonic period. London, Univ., King's College Dept. of Geogr., 83, in-4, 24 p. (fig., tab.).

212. TYACKE (Sarah). English map making, 1500-1650. London, Brit. Library, 83, in-4, 176 p. (ill.).

213. WHITTINGTON (G.), WHYTE (I.D.). Historical geography of Scotland. London, Academic Press, 83, in-8, 324 p.

214. Zur Entwicklung der Geographie vom Mittelalter bis zu Carl Ritter. Hrsg. v. Manfred BÜTTNER. Paderborn, Schönigh, 82, in-8, 248 p. (Abh. z. Gesch. d. Geogr. u. Kosmologie, 3)

Cf. n°s 2001, 2216, 2500, 3139.

§ 10. Iconography.

215. BASCHET (Jérôme). Image du désordre et ordre de l'image: représentations médiévales de l'enfer. Médiévales, 83, n° 4, p. 15-36.

216. BAYARD (Jean-Pierre). Le Diable dans l'art roman. Paris, Ed. de la Maisnie, 82, in-4, 86 p. (16 pl.).

217. GUTMANN (Joseph). The Jewish sanctuary. Leiden, Brill, 83, in-4, XI-34 p. (48 pl.). (Iconography of religions, Section 23: Judaism, 1)

218. Iconographie et littérature: d'un art à l'autre. Recueil publ. par le Centre d'étude et de recherche d'hist. des idées et de la sensibilité de l'Univ. de Rouen. Paris, Presses univ. France, 83, in-8, 217 p.

219. REYNOLDS (Roger E.). Image and text: the liturgy of clerical ordination in early medieval art. Gesta, 83, vol. 22, n° 1, p. 27-38.

220. SCHILLER (Getrud). Ikonographie der christlichen Kunst. [Bd 4. Cf. Bibl. 81, n° 203.] Bd 2: Die Passion Jesu Christi. 2., durchges. Aufl. Gütersloh, Mohn, 83, in-4, 671 p. (816 Ill.).

Cf. n°s 561, 1756, 2095.

B

MANUALS, GENERAL WORKS AND WORKS ON LARGE PERIODS

§ 1. Historical meetings and organizations. 221-249. - § 2. Archives, Libraries and Museums (a. Archives; b. Libraries; c. Museums). 250-311. - § 3. History of historical sciences (a. General; b. Biographies; c. Collected papers). 312-515. - § 4. Methodology, philosophy and teaching of history. 516-614. - § 5. Ethnography and folklore. 615-663. - § 6. General history (a. Universal history; b. History by countries). 664-791. - § 7. Theory of the state and of society. 792-803. - § 8. Constitutional and legal history. 804-818. - § 9. Economic and social history. 819-865. - § 10. History of civilization, science and education. 866-906. - § 11. History of art. 907-932. - § 12. History of religion (a. General; b. Special studies). 933-988. - § 13. History of philosophy. 989-993. - § 14. History of literature. 994-1007.

§ 1. Historical meetings and organizations.

221. Actes du Colloque de l'Association française des historiens des idées politiques, Aix-en-Provence, 26-27 septembre 1981, Université de droit, d'économie et des sciences d'Aix-Marseille. Aix-en-Provence, Presses univ. d'Aix-Marseille, 83, in-8, 106 p. - Actes du 2e Colloque de l'Association française des historiens des idées politiques, Toulouse, oct. 1982. A. Univ. Sci. soc. Toulouse, 83, t. 31, p. 5-199.

222. Actes du 105e Contrès national des Sociétés savantes, Caen, 1980. Section d'hist. mod. et contemp. T. 1: La diffusion du savoir de 1610 à nos jours. Questions diverses. Paris, Comité des Travaux hist. et sci., 83, in-8, 590 p.

223. Actes du Symposium international d'histoire forestière, Nancy, 24-28 septembre 1979. [Cf. n° 822.]

224. Appréciation par l'Europe de la tradition chinoise à partir du XVIIe siècle. Actes du 3e Colloque internat. de Sinologie, Centre de Recherches interdisciplinaires de Chantilly (CERIC), 11-14 sept. 1980. Paris, Belles Lettres, 83, in-8, X-291 p. (La Chine au temps des Lumières, 6) [Cf. n°s 188, 191, 370, 373, 978, 4593, 4594, 4598, 4599, 5098, 5235, 7490, 7514.]

225. Architecture et société, de l'archaïsme grec à la fin de la République romaine. Actes du Colloque internat. organisé par le C.N.R.S. et l'Ecole franç. de Rome (Rome, 2-4 déc. 1980). Paris, Ed. du C.N.R.S.; Rome, Ecole franç. de Rome, 83, in-8, 576 p. (fig.). (Coll. de l'Ec. franç. de Rome, 66) [Cf. n°s 1151, 1207, 1672, 1675, 1690, 2044, 2050, 2052, 2061, 2098.]

226. BLOCH (Raymond). Rapport sur les activités de l'Ecole française de Rome pendant l'année 1982-1983. C. R. Acad. Inscript., 83, p. 605-617. - HEURGON (Jacques). Rapport sur les activités de l'Ecole française de Rome pendant l'année 1981-1982. C. R. Acad. Inscript., 82, p. 689-702.

227. Correspondances (Les), problématique et économie d'un genre littéraire: écrire, publier, lire. Actes du Colloque internat. Les Correspondances, Nantes, 4-7 oct. 1982. Nantes, Univ. de Nantes, 83, in-8, 474 p.

228. DEMARGNE (P.). Rapport sur l'état et l'activité de l'Ecole française d'Athènes pendant l'année 1982-1983. C. R. Acad. Inscript., 83, p. 510-517.

229. Deutschland und die französische Revolution. 17. Deutsch-Franz. Historikerkolloquium d. Deutsch. Hist. Inst. Paris, Bad Homburg, 29. Sept. - 2. Okt. 1981. Hrsg. v. Jürgen VOSS. München u. Zürich, Artemis, 83, in-8, XV-338 p. (Beih. d. Francia, 12)

230. DROBIŽEV (V.Z.), LIGI (Kh. M.), PIVOVAR (E.I.). K itogam VIII Meždunarodnogo kongressa po ekonomičeskoj istorii. (On the results of the 8th Internat. Congress on economic history.) Ist. SSSR, 83, n° 4, p. 61-74.

231. Eight International Economic History Congress, Budapest, 1982. Chief editor: Zsigmond Pál PACH. "A" themes. "B" themes. Budapest, Akad. Kiadó, 2 vol. in-8, 190, 912 p. (pl.).

232. Festschrift zum 100-jährigen Bestehen der Papyrussammlung der Österreichischen Nationalbibliothek: Papyrus Erzherzog Rainer (P. Rainer Cent.). 1: Texband. 2: Tafelband. Wien, Hollinek, 83, 2 vol. in-4, XXIV-519 p., 129 Taf. (1 Mikrofiche)

233. 150- [Hundertfünfzig] Jahr-Feier Deutsches Archäologisches Institut Rom. Ansprachen u. Vorträge, 4.-7. Dez. 1979.

Mainz, von Zabern, 82, in-4, 209 p. (88 Taf., Kt.). (Mitt. d. deutsch. archäol. Inst. Rom, Erg.-H., 25)

234. Impact (The) of American culture. Proceedings of an international seminar in Turku, April 17-18, 1982. Ed. by Eero KUPARINEN a. Keijo VIRTANEN. Turku, 83, in-8, 146 p. (Publ. Inst. Hist., General Hist., Univ. Turku, 10)

235. Istorija, kul'tura, ètnografija i fol'klor slavjanskikh narodov. IX Meždunar. s"ezd slavistov. Doklady sov. delegacii. (History, culture, ethnography a. folklore of Slavic peoples. 9th Internat. Congress of historians a. philologists of the Slavs. Reports of the Soviet delegation.) Dekol.: L. A. ASTAF'EVA, V.I. ZLYDNEV, I.I. KOSTJUŠKO i dr. Moskva, Nauka, 83, 296 p.

236. JOHANNSEN (Robert W.). The forty-eight annual meeting. J. south. Hist., 83, vol. 49, n° 1, p. 73-98.

237. KSENOFONTOVA (I.V.). Vsesojuznaja naučnaja konferencija "Kul'turnye vzaimosvjazi narodov Srednej Azii i Kavkaza s okružajuščim mirom v drevnosti i srednevekov'e" (Moskva, 7-12 dekabrja 1981 g.). (The All-Union scientific conference on "Cultural contacts of Central Asia and the Caucasus with the surrounding world in Antiquity and the Middle Ages".) Vestn. drevn. Ist., 83, n° 1, p. 224-227.

238. Kulikovskaja bitva v istorii i kul'ture našej Rodiny. Materialy jubilejnoj nauč. konferencii. (The battle of Kulikovo [1380] in the history and culture of our fatherland. Material of the anniversary scientific conference.) Gl. red., B. A. RYBAKOV. Moskva, Izd-vo MGU, 83, 312 p. (ill.).

239. LEITSCH (Walter), STOY (Manfred). Das Seminar für Osteuropäische Geschichte der Universität Wien 1907-1948. Wien, Köln u. Graz, Böhlau, 83, in-8, 304 p. (Wiener Archiv f. Gesch. d. Slawentums u. Osteuropas, 11)

240. MERRITT (Lucy Shoe). History of the American School of Classical Studies in Athens, 1939-1980. Athens, Am. School of Class. Stud.; c/o. Princeton, N.J., Inst. for Advanced Stud., 83, in-8, XV-411 p. (16 pl.).

241. Modes de contacts et processus de transformation dans les sociétés anciennes. Actes du colloque de Cortone (24-30 mai 1981), organisé par la Scuola normale superiore [de Pise] et l'Ecole franç. de Rome, avec le Centre de recherche d'hist. anc. de l'Univ. de Besançon. Forme di contatto e processi di trasformazione nelle società antiche. Atti del convegno di Cortona (24-30 maggio 1981), organizzato dalla Scuola normale superiore [di Pisa] e dall'Ecole franç. de Rome, con la collab. del Centre de rech. d'hist. anc. de l'Univ. de Besançon. Pisa, Scuola norm. sup.; Rome, Ec. franç. de Rome, 83, in-8, 1123 p. (Coll. de l'Ec. franç. de Rome, 67) [Cf. n°s 10, 138, 154, 1036, 1128, 1157, 1158, 1177, 1199, 1206, 1208, 1209, 1211, 1235, 1236, 1267, 1286, 1293, 1304, 1318, 1333, 1364, 1477, 1504, 1510, 1513, 1525, 1533, 1540, 1613, 1656, 1661, 1665, 1703, 1705, 1707, 1711, 1776, 1872.]

242. PETRESCU-DÎMBOVIȚA (Mircea). Institutul de istorie şi arheologie "A. D. Xenopol" la 40 ani. Realizări şi perspective. (40 ans de l'Institut d'histoire et archéologie "A. D. Xenopol" [Iaşi, Roumanie]. Réalisations et perspectives.) A. Inst. Ist. Arheol. Iaşi, 82, t. 19, p. I-XXIII.

243. Philadelphia (The) meeting, October 28-31, 1982 [of the Soc. for the Hist. of Technology]. Technol. a. Cult., 83, vol. 24, n° 3, p. 469-492.

244. Roma, Constantinopoli, Mosca. Atti del 1° Seminario internaz. di studi storici "Da Roma alla Terza Roma", 21-23 aprile 1981. Napoli, Ed. scientifica ital., 83, in-8, XIX-570 p. (fig., pl.).

245. SCHIEDER (Theodor). Organisation und Organisationen der Geschichtswissenschaft. Edgar C. Bonjour zum 85. Geburtstag. Hist. Z., 83, Bd 237, p. 265-287.

246. SCHMIDT (Walter). Die Gründung der Historikergesellschaft der DDR 1958. Ihr Beitr. z. Durchsetzung d. Marxismus-Leninismus in d. Geschichtswissenschaft der DDR Ende der fünfziger / Anfang der sechziger Jahre. Z.f. Geschichtswiss., 83, Jg. 31, H. 8, p. 675-690.

247. Sixty-third (The) annual meeting of the American Catholic Historical Association. Cath. hist. R., 83, vol. 69, n° 2, p. 249-267.

248. Sjezd (V.) československých historiků. (Der 5. Kongresss d. tschechoslowak. Historiker.) Acta Univ. Carolinae, Philos. et hist., 81, vol. 5, Studia historica, 83, vol. 23, 181 p.

249. ZEZINA (M.R.). VI Meždunarodnyj simpozium specialistov po istorii SSSR universitetov socialističeskikh stran. (The 6th Internat. Symposium of specialists on the USSR history from universities of socialist countries.) Ist. SSSR, 83, n° 3, p. 204-209.

Cf. n°s 91, 200, 750, 863, 973, 1058, 1127, 1178, 1680, 1768, 1919, 3145, 3148, 3200, 4318, 4495, 4807, 4820, 5158, 5353, 5424, 5449, 5562, 5609, 6131, 7000.

§ 2. Archives, Librairies and Museums.

a. Archives.

* 250. National union catalog of manuscript collections. [Vol. 21. Cf. Bibl. 82, n° 253.] [Vol. 22:] Catalog 1982. Washington, D.C., Libr. of Cong., 83, in-4, LXIV-281 p.

251. A PRATO (Giovanni Battista Bar). L'archivio della famiglia Prato e i regesti delle sue pergamene dei secoli XIV e XV.

2. ARCHIVES, LIBRAIRIES AND MUSEUMS

Studi trentini Sci. stor., 81, a. 60, p. 259-303; 82, a. 61, p. 115-180.

252. Archives nationales [Paris]. Correspondance à l'arrivée en provenance de la Louisiane. [T. 1. Cf. Bibl. 76-77, n° 266.] T. 2: Articles C 13 A 38 à 54, C 13 B 1, C 13 C 1 à 5. Paris, Archives nationales, 83, in-8, p. 494-771.

253. BERNER (Richard C.). Archival theory and practice in the United States: a historical analysis. Seattle, Univ. of Washington Press, 83, in-8, XV-219 p.

254. BEYLERIAN (Arthur). Les grandes puissances, l'Empire ottoman et les Arméniens dans les archives françaises, 1914-1918. Paris, Univ. de Paris I, 83, in-8, LXIV-792 p.

255. ÇETIN (Attilâ). Les archives de la Présidence du Conseil (Başbakanlik Arşivi) à Istanbul. In: Etudes médiévales ... [Cf. n° 328], p. 27-54.

256. CHARON-BORDAS (Jeannine). Archives nationales [Paris]. Cour des Pairs, procès politiques. T. 1: La Restauration. Inventaire des articles CC 499 à 545. T. 2: La Monarchie de Juillet, 1830-1835. Inventaire des articles CC 546 à 670. Paris, Archives nationales, 82-83, 2 vol. in-4, 106, 259 p. (pl.).

257. CONLON (Patrick). A short-title calendar of "Hibernia" vol. 3 (1877-88) in the general archives of the Friars Minor, Rome. Collectanea hibern., 79-80, vol. 21-22, p. 160-204; 82, vol. 23, p. 86-115. [Cf. Bibl. 78-79, n° 276.]

258. COX (Richard J.). American archival history: its development, needs, and opportunities. Am. Archivist, 83, vol. 46, n° 1, p. 31-41.

259. COX (Richard J.). A century of frustration: the movement for a state archives in Maryland, 1811-1935. Maryland hist. Mag., 83, vol. 78, n° 2, p. 106-117.

260. FOSTER (Janet), SHEPPARD (Julia). British archives. London, Macmillan, 83, in-8, 560 p.

261. Vacat.

262. GEARY (James W.). Catholic archives in a public institution: a case study of the arrangement between Kent State University and the diocese of Youngstown, Ohio. Am. Archivist, 83, vol. 46, n° 2, p. 175-182.

263. HARVEY (P.D.A.), Archives in Britain: anarchy or policy? Am. Archivist, 83, vol. 46, n° 1, p. 22-30.

264. HOFF-WILSON (Joan). Access to restricted collections: the responsibility of professional historical organizations. Am. Archivist, 83, vol. 46, N° 4, p. 441-448.

265. Inwentarz akt Władysława Sikorskiego 1894-1940. (Inventaire des actes de Władysław Sikorski 1984-1940.) Ed.: Artur PALASIEWICZ, Andrzej PIBER, Krzysztof SIKORSKI. Warszawa, Bibl. Narod., 83, in-8, 113 p. (Archiwum Akt Nowych, Bibl. Narod.)

266. JØRGENSEN (Harold). The publication policies and practices of the nordic archives. Am. Archivist, 83, vol. 46, n° 4, p. 400-413.

267. KOŁODZIEJ (Edward). Inwentarze akt konsulatów polskich w Niemczech 1918-1939. (Inventaire des actes des consulats polonais en Allemagne 1918-1939.) Opole, Inst. Śląski, 83, in-8, 119 p.

268. MacFARLANE (Alan). Guide to English historical records. London, Cambridge U. P., 83, in-8, 134 p.

269. Nachlässe (Die) in den deutschen Archiven (mit Ergänzungen aus anderen Beständen). Bearb. v. Wolfgang A. MOMMSEN. [T. 1. Cf. Bibl. 70/71, n° 394.] T. 2. Boppard (Rhein), Boldt, 83, in-8, X p., p. 583-1648. (Verzeichnis d. schriftl. Nachlässe in deutsch. Arch. u. Bibl., 1. Schr. d. Bundesarch., 17)

270. OLIVIER (Jean-Marie), MONEGIER DU SORBIER (Marie-Aude). Catalogue des manuscrits grecs de Tchécoslovaquie. Paris, Ed. du C.N.R.S., 83, in-4, 278 p. (28 pl.). (Doc., études et répertoire publ. par l'Inst. de Recherche et d'Hist. des Textes)

271. PURCELL (Mary). Dublin diocesan archives: Murray papers (a calendar). Arch. hibern., 82, vol. 36, p. 29-121.

272. Répertoire des archives centrales de la Jeunesse ouvrière chrétienne. C.N.R.S., Institut d'Hist. du Temps présent. [Réd. par Michel CREPU, Michel LAUNAY, Suzanne JEAN et Jean-Pierre RIOUX.] Paris, Institut d'Hist. du Temps présent, 83, in-8, 97 p.

273. ROSS (Rodney A.). Waldo Gifford Leland: archivist by association. Am. Archivist, 83, vol. 46, n° 3, p. 264-276.

274. RUSSELL (Mattie U.). The influence of historians on the archival profession in the United States. Am. Archivist, 83, vol. 46, n° 3, p. 277-285.

275. Sources of the history of Asia and Oceania in the Netherlands. [Pt. 1. Cf. Bibl. 82, n° 281.] Pt. 2: Sources 1796-1949. Comp. by Frits G. P. JAQUET. München, New York, London a. Paris, K. G. Saur, 83, in-4, 547 p. (Guides to the sources for the history of nations. 3rd series: North Africa, Asia a. Oceania - Guides des sources de l'hist. des nations. 3e sér.: Afrique du Nord, Asie et Océanie)

276. TIERNEY (Mark). Calendar of "Irlande", vol. 1, 2 and 3; 4, 5 and 6, in the collection "Europe" 1918-29, in the Archives Diplomatiques, Paris. Collect. hibern., 79-80, vol. 21-22, p. 205-237; 82, vol. 23, p. 116-146.

277. TOULLELAN (Pierre-Yves). Inventaire provisoire des Archives de Polynésie française (1860-1914). B. Soc. Et. océaniennes, 83, t. 19, n° 224, p. 1399-1408.

278. Übersicht über die Bestände des Niedersächsischen Hauptstaatsarchivs in Hannover. [Bd 2. Cf. Bibl. 68-69, n° 505.] Bd 3. Bearb. v. Manfred HAMANN. Göttingen, Vandenhoeck u. Ruprecht, 83, in-4, IV-977 p. (2 Kt.). (Veröff. d. Niedersächs. Archivverwaltung, 42)

279. VOSKRESENSKAJA (N.O.). Žurnal "Sovetskie arkhivy" i voprosy komplektovanija gosudarstvennogo arkhivnogo fonda SSSR i ispol'zovanija ego materialov v sovetskoj istoriografii. (The review "Soviet archives" and problems of stocking the state archives funds of the USSR and using their material in soviet historiography.) Ist. SSSR, 83, n° 4, p. 82-90.

Cf. n° 80.

b. Libraries.

* Cf. n°s 27, 28.

** 280. Catalogue (Le) de la bibliothèque de l'abbaye de Saint-Victor de Paris de Claude de Grandrue, 1514. Introd.: Historique de la bibliothèque, par Gilbert OUY. Présentation de l'édition par Véronika GERZ-von BUREN. Texte et index établis par Véronika GERZ-von BUREN, en collab. avec Raymonde HUBSCHMID et Catherine REGNIER. Concordances, établies par Gilbert OUY. Paris, Ed. du C.N.R.S, 83, 797 p.

281. Bibliographie (La) matérielle. Présentée par Roger LAUFER. Table ronde organisée pour le C.N.R.S. par Jacques PETIT. Paris, Ed. du C.N.R.S., 83, in-8, 178 p.

282. Bibliotheken (Die) der Nordischen Länder in Vergangenheit und Gegenwart. Hrsg. v. Christian CALLMER u. Torben NIELSEN. Wiesbaden, Reichert, 83, in-8, XII-298 p. (33 Taf.). (Elemente d. Buch- u. Bibliothekswesens, 9)

283. Bibliothèque nationale [Paris]. Département des manuscrits. Catalogue général des manuscrits latins. Tables. Par Denise BLOCH, Marie-Pierre LAFFITTE et Jacqueline SCLAFER. [T. 1. Cf. Bibl. 82, n° 286.] T. 2, 1-2: Table des incipit, femmes bibliques. Paris, Bibliothèque nationale, 83, 2 vol. in-4, VII-1194 p.

284. BILL (E.G.W.). Catalogue of manuscripts in Lambeth Palace Library. MSS. 2341-3119 (excluding MSS. 2690-2750). London, Oxford U.P., 83, in-8, 400 p.

285. CAMP (John). Bibliothèques et universités en France, 1789-1881. B. Bibl. France, 83, t. 28, n° 2, p. 155-166.

286. Catalogue général des manuscrits des bibliothèques publiques de France. T. 62: Grenoble. 2e supplément. Paris, Ed. du C.N.R.S., 83, in-4, XVI-583 p.

287. DINET (Dominique). Les bibliothèques monastiques de Bourgogne au XVIIIe siècle. Hist. Econ. et Soc., 83, a. 2, n° 2, p. 281-302.

288. HALKIN (François). Catalogue des manuscrits hagiographiques de la Bibliothèque nationale d'Athènes. Bruxelles, Soc. des Bollandistes, 83, in-8, 206 p. (Subsidia hagiogr., 66)

289. HÖRBERG (Norbert). Libri Sanctae Afrae. St. Ulrich u. Afra zu Augsburg im 11. u. 12. Jh. nach Zeugnissen d. Klosterbibliothek. Göttingen, Vandenhoeck u. Ruprecht, 83, in-8, 330 p. (Veröff. d. Max-Planck-Inst. f. Gesch., 74. Studien z. Germania Sacra, 15)

290. Katalog der datierten Handschriften in der Schweiz in lateinischer Schrift vom Anfang des Mittelalters bis 1550. Hrsg. v. M. BURCKHARDT, P. LADNER u. M. STEINMANN. 2: Die Handschriften der Bibliotheken Bern-Porrentruy, in alphabet. Reihenfolge. Bearb. v. B. M. v. SCARPATETTI, unter Mitw. v. T. BITTERLI [u.a.]. Zürich, Urs Graf, 83, LIII-268 p. (334 p. Ill.).

291. KER (Neil Ripley). Mediaeval manuscripts in British libraries. [Vol. 2. Cf. Bibl. 76-77, n° 320.] Vol. 3: Lampeter-Oxford. London, Oxford U.P., 83, in-8, 770 p.

292. LAMONDE (Yvan), OLIVIER (Daniel). Les bibliothèques personnelles au Québec: inventaire analytique et préliminaire des sources. Montréal, Bibliothèque nationale du Québec, 83, in-8, 132 p.

293. LE MOINE (Roger). Catalogue de la bibliothèque de Louis-Joseph Papineau. Ottawa, Univ. d'Ottawa, Centre de recherche en civilisation canadienne-franç., 83, in-8, 339 p.

294. O roli bibliotek v kommunističeskom vospitanii, v pod"eme kul'turnogo urovnja sovetskikh ljudej. Novye dokumenty N. K. Krupskoj. (On the role of libraries in the communist education, in the raising of the standard of culture of the soviet people. New documents of N. K. Krupskaya.) Vopr. Ist. KPSS, 83, n° 4, p. 42-51.

295. PAPAIOANNOU (Apostolos). La biblioteca della comunità greco-orientale di Trieste. Trieste, Comunità Greco-Orientale di Trieste, 82, in-8, 318 p.

296. PEGG (Michael A.). A catalogue of German reformation pamphlets (1516-1550) in Swiss libraries. Baden-Baden, Koerner, 83, in-8, 467 p. (Bibliotheca bibliographica Aureliana, 99)

297. PHILIP (Ian). The Bodleian Library in the 17th and 18th centuries. London, Oxford U.P., 83, in-8, 150 p. (Lyell Lect.)

298. PLETICHA (Eva). Adel und Buch. Studien zur Geisteswelt d. fränkischen Adels am Beispiel seiner Bibliotheken vom 15. bis z. 18. Jh. Neustadt (Aisch), Degener, 83, in-8, IX-342 p. (Veröff. d. Ges. f. Fränk. Gesch., Reihe 9: Darst. aus d. fränk. Gesch., 33)

299. ŞTREMPEL (Gabriel). Catalogul manuscriselor românești. (Catalogue des manuscrits roumains.) Vol. 2: B.A. R.

[Biblioteca Academiei Române, Bucureşti], 1601-3100. Bucureşti, Ed. ştiinţ. şi enciclop., 83, in-8, 504 p.

300. TROPPER (Christine). Schicksale der Büchersammlungen niederösterreichischer Klöster nach der Aufhebung durch Joseph II. und Franz (II.) I. Mitt. d. Inst. f. österr. Gesch.-Forsch., 83, Bd 91, H. 1-2, p. 95-150.

Cf. n°s 32, 36, 44, 46, 52, 54, 55, 61, 5184.

c. Museums.

301. AVRAM (Alexandru). Gravura franceză, secolele XVI-XVIII. Catalogul colecţiilor cabinetului de stampe al muzeului Brukenthal. (La gravure française, XVIe-XVIIIe s. Catalogue des collections du cabinet des estampes du musée Brukenthal [à Sibiu].) Sibiu, Muzeul Brukenthal, 82 [83], in-4, 119 p. (ill.).

302. BERNUS (Marthe), NAFFAH (Christiane). Les collections ottomanes dans les musées français. In: Etudes médiévales ... [Cf. n° 328], p. 93-125 (6 pl.).

303. BOCCI PACINI (P.). Considerazioni sulla storia del Museo Archeologico di Firenze. B. Arte Minist. pubbl. Istruz., 83, a. 68, n° 17, p. 93-108.

304. ÇAĞMAN (Filig). Les collections médiévales turques du musée de Topkapı Saray et d'autres musées de Turquie. In: Etudes médiévales ... [Cf. n° 328], p. 81-91 (2 pl.).

305. Corpus vasorum antiquorum Deutschland. [48-50. Cf. Bibl. 82, n° 306.] 51: Würzburg, Martin-von-Wagner-Museum, 3. Bearb. v. I. WEHGARTNER. München, Beck, in-4, 72 p. (52 Taf.).

306. Corpus vasorum antiquorum. France. [31. Cf. Bibl. 82, n° 307.] 32: Musée du Louvre, fasc. 21: Index muséographique et analytique des fasc. 15 à 20. Centre Jean Charbonneaux. Sous la dir. de Laurence VILLARD. Paris, de Boccard, 83, in-fol., 109 p.

307. Corpus vasorum antiquorum. The Netherlands. 5: Leiden, Rijksmuseum van Oudheden. Fasc. 3, by M. F. VOS. Leiden, Brill, in-4, IX-86 p. (64 drawings, 54 pl.).

308. Corpus vasorum antiquorum. Sweden. 1: Museum of classical antiquities, Lund. Fasc. 1, by Paul ÅSTRÖM, Barbo FIRZELL, Carole GILLIS a. Berit WELLS. 2: Medelhavsmuseet and National Museum, Stockholm. Fasc. 1, by Mary BLOMBERG, Madeleine von HELAND, Charlotte Thune MALMGREN a. Charlotte WIKANDER. Stockholm, Almqvist och Wiksell, 80-83, 2 vol. in-4, 63 p. (ill., 25 pl.); 102 p. (ill., 40 pl.).

309. Din tezaurul documentar sucevean. Catalog de documente 1393-1849. (Du trésor documentaire de Suceava [Roumanie]. Catalogue de documents 1393-1849.) Intocmit de Vasile Gh. MIRON, Mihai Ştefan CEAUŞU, Gavril Sevastita IRIMESCU. Bucureşti, Direcţia Generală a Arhivelor Statului, 83, in-8, 752 p.

310. Galeria naţională. Pictura românească în Muzeul de Artă al R. S. România. (La Galerie nationale. La peinture roumaine dans le Musée d'art de la R. S. de Roumanie [à Bucarest].) Prezentare de Alexandru CEBUC. Bucureşti, Muzeul de Artă, 83, 396 p.

311. HUNTER (Laurence J.K.). Elias Ashmole, 1617-1692: the founder of the Ashmolean Museum and his world - exhibition catalogue. Oxford, Ashmolean Museum, 83, in-4, XII-80 p. (ill.).

Cf. n°s 125, 1710.

§ 3. History of historical sciences.

a. General.

** 312. Şcoala Ardeleană (antologie de texte). (L'Ecole Transylvaine. Anthologie de textes.) Vol. 1, 2. Ed. critică, note bibliografice şi glosar de Florea FUGARIU. Introd. de Dumitru GHIŞE şi Pompiliu TEODOR. Bucureşti, Minerva, 83, 2 vol. in-8, LV-952, 991 p.

313. ABRAMOWICZ (Andrzej). Dzieje zainteresowán starożytnich w Polsce. Cz. 1: Od średniowiecza po czasy saskie i świt oświecenia. (Histoire de l'intérêt pour l'Antiquité en Pologne. P. 1: Du moyen âge à l'époque saxonne et à l'aube du siècle des Lumières.) Wrocław, Zakł. Narod. im. Ossolińskich, 83, in-8, 205 p. (Pol. Akad. Nauk, Inst. Hist. Kult. Mater.)

314. Au berceau des Annales: le milieu strasbourgeois. L'histoire en France au début du XXe siècle. Actes du Colloque de Strasbourg (11-13 oct. 1979). Publ. par Charles Olivier CARBONELL, Georges LIVET. Toulouse, Presses de l'Inst. d'Etudes polit. de Toulouse, 83, in-8, 293 p.

315. BJÖRK (Ragnar). Den historiska argumenteringen: konstruktion, narration och kolligation - förklaringsresonemang hos Nils Ahnlund och Erik Lönnroth. (Historical argumentation: construction, narration and colligation - N. Ahnlund's a. E. Lönnroth's explanatory arguments.) Stockholm, Almqvist a. Wiksell, 83, in-8, 340 p. (Studia hist. Upsaliensia, 132) [Eng. summary]

316. BOIA (Lucian). Le XIXe siècle - le siècle de l'histoire? A. Univ. Bucureşti, Ist., 83, t. 32, p. 3-17. - IDEM. Durata istoriei: metamorfozele unui concept. (La durée de l'histoire: les métamorphoses d'un concept.) R. Ist., 83, t. 36, n° 6, p. 588-604.

317. BORGHERO (Carlo). La certezza e la storia. Cartesianesimo, pirronismo e conoscenza storica. Milano, Angeli, 83, in-8, X-435 p.

318. BREISACH (Ernst). Historiography: ancient, medieval, and modern. Chicago, Univ. of Chicago Press, 83, in-8, XII-487 p.

319. Briefe zur Geschichte der siebenbürgischen Altertumskunde I. Hrsg. v. Volker WOLLMANN. Bucureşti, Kriterion, 83, in-8, 284 p.

320. BUSINO (Giovanni). Pareto, Croce, les socialismes et la sociologie. Genève, Droz, 83, in-8, 204 p. (Travaux de Droit, d'Econ., de Sociol. et de Sci. pol., 138)

321. CÂRŢÂNĂ (Iulian). Le Danube dans l'historiographie roumaine. A. Univ. Bucureşti, Ist., 83, t. 32, p. 91-97.

322. CONSTANTINIU (Florin). Iobăgia în istoriografia românească. (Le servage dans l'historiographie roumaine.) Studii Mater. Ist. medie, 83, t. 19, p. 57-114. [Rés. franç.]

323. CURTICĂPEANU (V.). L'historiographie roumaine, facteur dynamique de la conscience historique et nationale (fin du XIXe s. - début du XXe s.). A. Univ. Bucureşti, Ist., 83, t. 32, p. 35-50.

324. CZOK (Karl). Über Traditionen sächsischer Landesgeschichte. Berlin, Akad.-Verl., 83, 44-XXX p. (S.-B. d. Sächs. Akad. d. Wiss. zu Leipzig, Philol.-hist. Kl., 123/4)

325. DEISENROTH (Alexander). Deutsches Mittelalter und deutsche Geschichtswissenschaft im 19. Jahrhundert. Irrationalität u. polit. Interessse in d. deutsch. Mediävistik zw. aufgeklärtem Absolutismus u. 1. Weltkrieg. Rheinfelden, Schäuble, 83, in-4, 372 p. (Reihe d. Forsch., 11)

326. DOKOUPIL (Lumír). Ceská a slovenská historiografie do vystoupení školy Gollovy. Materiály. (Die tschechische u. slowakische Geschichtsschreibung bis z. Auftreten d. Schule Jaroslav Golls. Materialien.) Ostrava, Pedagogická fakulta, 83, in-8, 234 p.

327. EMBREE (Ainslie T.). The tradition of mission - Asian studies in the United States, 1783 and 1938. J. asian Stud., 83, vol. 43, n° 1, p. 11-20.

328. Etudes médiévales et patrimoine turc. Volume publ. à l'occasion du centième anniversaire de la naissance de Kemal Atatürk, avec les contributions de O. ASLANAPA, Z. BALOĞLU, M. BERNUS et al., réunies et prés. par Janine SOURDEL-TOMINE. Paris, Ed. du C.N.R.S., 83, in-8, 273 p. (Cultures et civilis. médiévales, 1) [Cf. n°s 255, 302, 304, 369, 2405, 2463.]

329. FAUGÈRES (Arlette), FERRÉ (Régine). Répertoire des historiens français pour la période moderne et contemporaine. Paris, Ed. du C.N.R.S., 83, in-8, 360 p.

330. FISCHER (Holger). Politik und Geschichtswissenschaft in Ungarn. Die ungar. Gesch. von 1918 bis z. Gegenwart in d. Historiographie seit 1956. München u. Wien, Oldenbourg, 83, in-8, 177 p. (Untersuchungen z. Gegenwartskunde Südosteuropas, 19)

331. FITZSIMONS (M.A.). The past reconquered: great historians and the history of history. Notre Dame a. London, Univ. of Notre Dame Press, 83, in-8, IX-230 p.

332. FRYDE (E.B.). Humanism and Renaissance historiography [c. 1300-1600]. London, Hambledon, 83, in-8, 242 p. (History ser., 21)

333. Geschichtswissenschaftliche (Das) Erbe von Karl Marx. Hrsg. v. Wolfgang KÜTTLER. Berlin, Akad.-Verl., 83, in-8, IX-268 p.

334. GLATZ (Ferenc). Backwardness, nationalism, historiography. East european Quar., 83, vol. 17, n° 1, p. 31-40.

335. GOLDSTEIN (Doris S.). The professionalization of history in Britain in the late nineteenth and early twentieth centuries. Stor. della Storiogr., 83, n° 3, p. 3-27.

336. GRELL (Chantal). Les origines de Rome: mythe et critique. Essai sur l'histoire au XVIIe et au XVIIIe siècles. Hist., Ec. et Soc., 83, a. 2, n° 2, p. 255-280.

337. HAMBERG (Erik). Historiska sällskapet i Uppsala 1786-1800. (The Historical Society of Uppsala, 1786-1800.) Lychnos, 83, vol. 49, p. 28-50. [Eng. summary]

338. HAMEROW (Theodore S.). Guilt, redemption, and writing German history. Am. hist. R., 83, vol. 88, n° 1, p. 53-72.

339. HECKER (Hans). Russische Universalgeschichtsschreibung. Von d. "Vierziger Jahren" d. 19. Jh. bis z. sowjet. "Weltgeschichte" (1955-1965). München u. Wien, Oldenbourg, 83, in-8, XVI-376 p. (Stud. z. modernen Gesch., 29)

340. HEITZER (Heinz), KÜTTLER (Wolfgang). Eine Revolution im Geschichtsdenken: Marx, Engels, Lenin u. d. Geschichtswissenschaft. Berlin, Dietz, 83, in-8, 269 p. (Abb.).

341. HERLIHY (David). The American medievalist: a social and professional profile. Speculum, 83, vol. 58, n° 4, p. 881-890.

342. HORVÁTH (Pavel). Slovenská historiografie v období pred národným obrodením. (Die slowakische Historiographie in d. Zeit vor d. nationale Wiedergeburt.) 1, 2. Hist. Čas., 83, vol. 31, p. 85-110, 231-250.

343. IOSA (Mircea). Opinii asupra istoriografiei problemei agrare din România (1913-1921). (Opinions sur l'historiographie du problème agraire en Roumanie, 1913-1921.) R. Ist., 83, vol. 36, n° 6, p. 560-575.

344. Istoriografija i istočnikovedenie istorii stran Azii i Afriki. Vyp. 7. (Historiography and sources of the history of Asian a. African countries.) Sbornik.

Otv. red.: G. Ja. SMOLIN. Leningrad, Izd-vo LGU, 83, 129 p.

345. JAECK (Hans-Peter). Das "Geheimnis" der europäischen Revolutionen: Marx rezensiert Guizot (1850). Stor. della Storiogr., 83, n° 4, p. 84-98.

346. JANN (Rosemary). From amateur to professional: the case of the Oxbridge historians. J. brit. Stud., 83, vol. 22, n° 2, p. 122-147.

347. KENYON (John Philipps). History men: the historical profession in England since the Renaissance. London, Weidenfeld a. Nicolson, 83, in-8, 336 p.

348. KIENIEWICZ (Stefan). Historyk a świadomość narodowa. (L'historien et la conscience nationale.) Warszawa, Czytelnik, 82 [83], in-8, 357 p. [Hist. de l'historiographie, XIXe-XXe s.]

349. KUDRNA (Jaroslav). Ke kritice pozitivismu v současné buržoazní německé, francouzské a italské historiografii 19. a 20. století. (Zur Kritik d. Positivismus in d. zeitgenössischen bourgeoisen deutschen, franz. u. ital. Geschichtsbreibung d. 19. u. 20. Jh.) Brno, Univ. J. E. Purkyně, 83, in-8, 151 p. - IDEM. Zu einigen Fragen des Methodenstreits in der französischen Historiographie um 1900. Storia della Storiogr., 83, n° 3, p. 62-78.

350. LEMNY (Ştefan). Instrumentarul cercetării istorice din ţara noastră. Scurt istoric. (Les instruments de la recherche historique de notre pays [la Roumanie]. Bref historique.) A. Inst. Ist. Arheol. Iaşi, 82, t. 19, p. 461-477.

351. LEŠČENKO (N.F.). K istorii stanovlenija marksistskoj istoričeskoj školy v Japonii. (On the history of the emergence of a Marxist historical school in Japan.) Vopr. Ist., 83, n° 2, p. 70-86.

352. LUDWIG (Michael). Tendenzen und Erträge der modernen polnischen Spätmittelalterforschung unter bes. Berücksichtigung d. Stadtgeschichte. Berlin, Duncker u. Humblot, 83, in-8, 157 p. (Osteuropastudien d. Hochschulen d. Landes Hessen. 1: Gießener Abh. z. Agrar- u. Wirtschaftsforsch. d. europ. Ostens, 128)

353. MIOZZI (Massimo). La scuola storica romana (1926-1943). 1: Profili di storici. Roma, Storia e Lett., 83, in-8, 255 p.

354. MORTON (Desmond). E. P. Thompson dans les arpents de neige: les historiens canadiens-anglais et la classe ouvrière. R. Hist. Amerique franç., 83, vol. 37, p. 165-184.

355. NILSSON (Göran B.). Svenska andefattigdomens betydelse: en historiografisk essä om humaniora på undantag. (Swedish humanities in a backwater.) [Svensk] Hist. T., 83, vol. 103, p. 3-31. [Eng. summary]

356. PARKER (Christopher). English historians and the opposition to positivism.

Hist. a. Theory, 83, vol. 22, n° 2, p. 120-145.

357. Parole (Le) di Clio e l'Illuminismo. 1: RICUPERATI (Giuseppe). Linguaggio e mestiere dello storico nel primo settecento. 2: TORTAROLO (Edoardo). Sul linguaggio della storiografia illuministica. Studi stor., 83, a. 24, p. 7-36, 37-53.

358. PASCU (Ştefan). La condition des historiens roumains à la fin du XIXe siècle et au début du XXe siècle. M. Secţiei Ştiinţe ist. Acad. R. S. România, 83, t. 8, p. 53-62.

359. PHILLIPS (Mark). The disenchanted witness: participation and alienation in Florentine historiography. J. Hist. Ideas, 83, vol. 44, n° 2, p. 191-206.

360. PORTER (Frank W.) III. Salvaging the past: the roots of modern archaeology in Maryland, 1900-1940. Maryland hist. Mag., 83, vol. 78, n° 2, p. 143-157.

361. RABB (Theodore K.). The development of quantification in historical research. J. interdisc. Hist., 83, vol. 13, n° 4, p. 591-602.

362. SCHMIDT (Walter). Die Geschichtswissenschaft der DDR in den fünfziger Jahren. Ihre Konstituierung als sozialist. Geschichtswissenschaft. Z. f. Geschichtswiss., 83, Jg. 31, H. 4, p. 291-312.

363. SKLENAR (K.). Archaeology in Central Europe: the first 500 years. Leicester, U.P., 83, in-8, 192 p. (ill., maps).

364. Slavjanovedenie i balkanistika v zarubežnykh stranakh. (Slav and Balkan philology a. history in foreign countries.) Otv. red.: A. S. MYL'NIKOV. Moskva, Nauka, 83, 335 p. (AN SSSR. In-t slavjanovedenija i balkanistiki)

365. ŞTEFĂNESCU (Ştefan). L'historiographie roumaine dans le contexte international de la fin du XIXe siècle et du début du XXe siècle. A. Univ. Bucureşti, Ist., 83, t. 32, p. 77-90.

366. SZAFRAN-SZADKOWSKA (Lucyna). Zagadnienie etnogenezy Słowian w historiografii polskiej w okresie od średniowiecza do końca XIX stulecia. (Le problème de l'ethnogenèse des Slaves dans l'historiographie polonaise, du moyen âge à la fin du XIXe s.) Opole, 83, in-8, 143 p. (Wyższa Szkoła Pedagog. im. Powstańców Śląskich w Opolu. Studia i Monografie, Ser. B, 85)

367. SZENDREY (Thomas). Hungarian historiography and European currents of thought from the late Baroque to early romanticism, 1700-1830. In: Society in change [Cf. n° 495], p. 391-411.

368. Türkenkriege (Die) in der historischen Forschung. Von Zygmunt ABRAHAMOWICZ u. a. Wien, Deuticke, 83, in-8, 184 p. (Forsch. u. Beitr. z. Wiener Stadtgesch., 13)

369. ÜNAL (Rahmi Hüseyin). La part des

chercheurs turcs dans l'étude de l'art turc. In: Etudes médiévales ... [Cf. n° 328], p. 67-80.

370. VAN KLEY (Edwin J.). Chinese history in seventeenth-century European reports. A prospectus. In: Appréciation par l'Europe ... [Cf. n° 224], p. 195-210.

371. WILS (Lode). De grootnederlandse geschiedschrijving. (L'historiographie des grands Pays-Bas [Belgique et Pays-Bas].) R. belge Philol. Hist., 83, t. 61, p. 322-366.

372. WILSHER (J.C.). "Power follows property" - social and economic interpretations in British historical writing in the eighteenth and early nineteenth centuries. J. soc. Hist., 83, vol. 16, n° 3, p. 7-26.

373. WITEK (John W.). Chinese chronology: a source of Sino-European widening horizons in the eighteenth century. In: Appréciation par l'Europe ... [Cf. n° 224], p. 223-252.

374. WOODHEAD (Christine). An experiment in official historiography: the post of Sehnameci in the Ottoman empire, c. 1555-1605. Wiener Z. f. d. Kde d. Morgenlandes, 83, Bd 75, p. 157-182.

375. ZAZOFF (Peter), ZAZOFF (Hilde). Gemmensammler und Gemmenforscher. Von einer noblen Passion zur Wissenschaft. München, Beck, 83, XII-285 p. (55 Abb., 48 Taf.).

376. Bibl. 82, n° 393. ZEVELEV (A.I.). Leninskaja koncepcija istorikopartijnoj nauki. (Lenin's conception of historical and party science.) - CR: A. A. Kulakov, Vopr. Ist. KPSS, 83, n° 10, p. 118-121; F. D. Ryženko, Vopr. Ist., 83, n° 8, p. 103-105.

377. ZUB (Alexandru). Biruit-au gîndul (note despre istorismul românesc). (La victoire de la pensée. Notes sur la pensée historique roumaine.) Iaşi, Junimea, 83, in-8, 383 p.

Cf. n°s 4801, 5107.

b. Biographies[1].

378. WOLLMANN (Volker). Johann Michael Ackner (1782-1862). Leben u. Werk. Cluj-Napoca, Dacia, 82, in-8, 284 p. [Ackner: siebenbürg. Historiker]

379. KIEFFER (Jean-Luc). Anquetil-Duperron: l'Inde en France au XVIIIe siècle. Paris, Belles Lettres, 83, in-8, 389 p.

380. ARON (Raymond). Mémoires. Paris, Julliard, 83, in-8, 778 p. - DRAUS (Franciszek). La dialectique de la liberté dans la pensée de Raymond Aron. R. europ. Sci. soc., 83, vol. 65, p. 143-184. - HOFFMANN (Stanley). Raymond Aron et la théorie des relations internationales. Polit. étr., 83, a. 48, n° 4, p. 841-857.

1. Classification in the alphabetic order of the names of the historians.

381. CESANA (Andreas). Johann Jakob Bachofens Geschichtsdeutung. Eine Untersuchung ihrer geschichtsphilos. Voraussetzungen. Basel, Boston u. Stuttgart, Birkhäuser, 83, in-8, 240 p. (Basler Beitr. z. Philos. u. ihrer Gesch., 9)

382. HORN (Maurycy). Majer Bałaban - wybitny historyk Żydów polskich i pedagog 1877-1942 (W czterdziestolecie śmierci). (Majer Bałaban - éminent historien des Juifs polonais et pédagogue, 1877-1942. Pour le quarantième anniversaire de sa mort.) B. żyd. Inst. hist., 82 [83], a. 32, n° 3-4, p. 3-15.

383. KUČERA (Jan P.), RAK (Jiří). Bohuslav Balbín a jeho místo v české kultuře. (V. Balbín und seine Stelle in d. tschechischen Kultur.) Praha, Vyšehrad, 83, in-8, 415 p.

384. BĂLCESCU (Nicolae). Opere. Scrieri istorice, politice şi economice. (Oeuvres. Ecrits historiques, politiques et économiques.) Vol. 2: 1848-1852. Ed. critică de G. ZANE şi Elena G. ZANE. Bucureşti, Ed. Acad., 82, in-8, 303 p.

385. George Bariţ şi contemporanii săi. [Vol. 5. Cf. Bibl. 81, n° 319.] Vol. 6: Corespondenţa primită de la Iordache Mălinescu, Nicolae Nifon Bălăşescu, Gavril Munteanu, Ştefan Moldovan. (G. Bariţ et ses contemporains. Vol. 6: Correspondance reçue de ...) Editie de Ştefan PASCU, Ioan CHINDRIŞ, Ioan GABOR. Coordonator: Ştefan PASCU. Bucureşti, Minerva, 83, in-8, 448 p.

386. NORE (Ellen). Charles A. Beard: an intellectual biography. Carbondale, Southern Illinois U.P., 83, in-8, XII-322 p.

387. ŠANSKIJ (D.N.). Iz istorii russkoj istoričeskoj mysli: I. N. Boltin. (From the history of Russian historical thought: I. N. Boltin.) Moskva, Izd-vo MGU, 83, 150 p.

388. VENTURINO (Diego). Metodologia della ricerca e determinismo astrologico nella concezione storica di Henry de Boulainvilliers. R. stor. ital., 83, a. 95, fasc. 2, p. 389-418.

389. TEODOR (Pompiliu). Gheorghe I. Brătianu - istoricul. Dimensiunile operei. (Brătianu - l'historien. Les dimensions de l'oeuvre.) A. Inst. Ist. Arheol. Iaşi, 83, t. 20, p. 233-247.

390. GEMELLI (Giuliana). Fernand Braudel e le metamorfosi del tempo storico. Intersezioni, 81, a. 1, n° 2, p. 425-445. - MAKKAI (László). Ars historica: on Braudel. Review, 83, vol. 6, n° 4, p. 435-453.

391. HINCKER (François). Jean Bruhat (1905-1983). A. hist. Révol. franç., 83, a. 55, n° 251, p. 188-192.

392. Bibliographie des écrits d'Henri Brunschwig. In: Etudes africaines ... [Cf. n° 479], p. XIX-XXIII.

393. SCHULIN (Ernst). Burckhardts Potenzen- und Sturmlehre. Zu seiner Vorlesung über d. Studium d. Gesch. (d.

Weltgeschichtl. Betrachtungen). Heidelberg, Winter, 83, in-8, 30 p. (S.-B. d. Heidelb. Akad. d. Wiss., Philos.-hist. Kl., Jg. 1983/2)

394. CIOBANU (Radu Ştefan). Pe urmele stolnicului Constantin **Cantacuzino** [biografie]. (Sur les traces du "stolnic" C. Cantacuzino.) Bucureşti, Sport-Turism, 83, in-8, 336 p. (32 pl.).

395. KAPLAN (Fred). Thomas **Carlyle**: a biography. Ithaca, N.Y., Cornell U.P., 83, in-8, 614 p.

396. DU BOURGUET (Pierre). **Champollion** et les études coptes. B. Soc. franç. Egyptol., 82, n° 95, p. 62-75. - HARTLEBEN (Hermine). Champollion: sa vie et son oeuvre, 1790-1832. Paris, Pygmalion, 83, in-8, 620 p. (pl.). - YOYOTTE (Jean). Champollion et le panthéon égyptien. B. Soc. franç. Egyptol., 82, n° 95, p. 76-108.

397. RĂDULESCU (Maria Eliza). Bibliographie des écrits de l'académicien Emil **Condurachi**. A. Univ. Bucureşti, Ist., 82, t. 31, p. 5-14.

398. BOUCHEZ (Daniel). Un défricheur méconnu des études extrême-orientales: Maurice **Courant** (1865-1935). J. asiatique, 83, t. 271, n° 1-2, p. 43-150.

399. Bibliographie de Jean **Cousin** (1926-1980) [établie par Serge ANTES]. In: Hommages à J. Cousin [Cf. n° 480], p. 13-18.

400. ADAMSON (Walter L.). Benedetto **Croce** and the death of ideology. J. mod. Hist., 83, vol. 55, n° 2, p. 208-236. - GAROSCI (Aldo). Croce e la politica. R. stor. ital., 83, a. 95, fasc. 2, p. 282-313. - STOPPINO (Mario). Croce e il liberalismo. Politico, 83, a. 48, n° 2, p. 205-234.

401. PERNEE (Lucienne). Bibliographie des travaux d'Edouard **Delebecque**. In: Mélanges E. Delebecque [Cf. n° 482], p. III-XIV.

402. DAHAN (Gilbert). Hommage à François **Delpech**]1935-1982]. R. Et. juives, 83, t. 142, p. 229-232.

403. CACCIATORE (G.). **Dilthey** e la storiografia tedesca dell'Ottocento. Studi stor., 83, a. 24, p. 55-89. - CANTILLO (G.). Conoscenza storica e teoria della storia: Dilthey e Droysen. Ibid., p. 91-126.

404. GAWLAS (Sławomir). Świadomość narodowa Jana Długosza. (La conscience nationale de Jean **Długosz**.) Stud. źródłozn., 83, vol. 27, p. 3-66.

405. DRUŽININ (Nikolaij Michajlovič). Erinnerungen und Gedanken eines Historikers. Übers. v. Beate ESCHMENT, mit Anm. u. einem Nachwort hrsg. v. Hans-Heinrich NOLTE. Göttingen u. Zürich, Muster-Schmidt, 83, in-8, 135 p. (Zur Kritik d. Geschichtsschreibung, 2)

406. MOMIGLIANO (Arnaldo). Premesse per una discussione su Georges **Dumézil**. R. stor. ital., 83, a. 95, fasc. 2, p. 245-251.

407. CAQUOT (André). André **Dupont-Sommer**, 1900-1983. R. deux Mondes, 83, n° 10, p. 104-110. - DUVAL (Paul-Marie). André Dupont-Sommer. C. R. Acad. Inscript., 83, avril-juin, p. 291-295.

408. BELOUDĒS (Giorgōs). Ho Jakob Philipp **Fallmerayer** kai hē genesē tou hellēnikou historismou. (J. Ph. Fallmerayer et la naissance des études historiques grecques.) Athènes, Hetaireia Meletēs Neou Hellēnismou, 82, in-8, 84 p.

409. HUBERT (Jean). Notice sur la vie et les travaux de M. Roger **Fawtier**. C. R. Acad. Inscript., 83, juillet-octobre, p. 471-482.

410. CAILLAT (Colette). Jean **Filliozat**, 1906-1982. J. asiatique, 83, t. 271, n° 1-2, p. 1-24. [Avec bibliographie]

411. GALASSO (Giuseppe). L'ultimo feudalismo meridionale nell'analisi di Giuseppe Maria **Galanti**. R. stor. ital., 83, a. 95, fasc. 2, p. 262-281.

412. ANDRAE (Carl Göran). Siare och nationalmonument: historikern Erik Gustaf **Geijer**, 1783-1847. (Prophet and monument: E. G. Geijer, the historian, 1783-1847.) Stockholm, Almqvist a. Wiksell, 83, in-4, 14 p. (Skr. rörande Uppsala univ., C, 46) [Eng. summary]

413. CONSANTINIU (Florin). Hommage à Valentin Al. **Georgescu**. Bibliographie sélective. R. Et. sud-est europ., 83, t. 21, n° 4, p. 361-370.

414. GHOSH (P.R.). **Gibbon**'s dark ages. Some remarks on the genesis of the Decline and Fall. J. roman Stud., 83, vol. 73, p. 1-23.

415. Francesco **Guicciardini** 1483-1983 nel V centenario della nascita. Firenze, Olschki, 83, in-8, VI-302 p. (Istit. naz. di Studi sul Rinascimento, Studi e Testi, 9)

416. SCHOCHOW (Werner). Ein Historiker in der Zeit. Versuch über Fritz **Hartung** (1883-1967). Jb. f. d. Gesch. Mittel- u. Ostdeutschl., 83, Bd 32, p. 219-250.

417. B. P. **Haşdeu** şi contemporanii săi români şi străini. Corespondenţa primită. (B. P. Haşdeu et ses contemporains roumains et étrangers; Correspondence reçue.) Vol. 1. Ediţie de Nicolae MECU, Viorica NIŞCOV, Al. SĂNDULESCU, Mihai VORNICU. Coordonare şi studiu introd.: Al. SĂNDULESCU. Vol. 2. Coordonare şi studiu introd.: Al. SĂNDULESCU. Text stabilit şi note de Dorina BOCŞAN-DECUSARĂ, Nicolae MECU, Viorica NIŞCOV. Bucureşti, Minerva, 82-83, 2 vol. in-8, XIX-404, 336 p.

418. In Memoriam Hans **Herzfeld**. Jb. f. d. Gesch. Mittel- u. Ostdeutschl., 83, Bd 32, p. 1-116. [Contient: RITTER (Gerhard A.). Hans Herzfeld - Persönlichkeit u. Werk, p. 13-91. - BERGES (Wilhelm). Reden zum 70. u. 80. Geburtstag von Hans Herzfeld. Aus d. Nachlaß hrsg. v. Dietrich KURZE, p. 93-107.]

419. Otto **Hintze** und die moderne Geschichtswissenschaft. Ein Tagungsbericht. Hrsg. v. Otto BUSCH u. Michael ERBE. Berlin, Colloquium-Verl., 83, in-8, XIII-208 p. (Einzelveröff. d. Hist. Komm. zu Berlin, 38)

420. LEWANDOWSKY (Ignacy). "De historica facultate libellus" de Stanislas **Ilowski**. Les premières refléxions théoriques sur l'histoire en Pologne. Stor. della Storiogr., 83, n° 4, p. 71-83.

421. BODEA (Cornelia). Corespondenţa lui Nicolae **Iorga** cu românii americani. (La correspondance de N. Iorga avec des Roumains américains.) 1: Perioada 1904-1913. R. Ist., 83, t. 36, n° 5, p. 510-518. - DASCĂLU (Nicolae). Nicolae Iorga's visit to the United States of America, Canada and Mexico (January - March, 1930). R. roumaine Hist., 83, t. 22, p. 115-125.

422. DOROVSKÝ (Ivan). Konstantin **Jireček**. Život a dílo. (Leben und Werk.) Brno, Univ. J. E. Purkyně, 83, in-8, 230 p.

423. MICHAEL (Reuven). I. M. **Jost**, avi ha-historiografia ... (I. M. Jost, founder of the modern Jewish historiography.) Jerusalem, Magnes Press, 83, in-8, XVI-218 p. (fac-sims., portr.).

424. HAGENBUCHNER (Albertine), SPÄGELE (Udo). Bibliographie der Werke von A. **Kammenhuber**. In: Festschrift A. Kammenhuber [Cf. n° 493], p. 5-13.

425. STOURZH (Gerald). Robert a. **Kann** - a memoir from Austria. Austrian Hist. Y. B., 81-83, vol. 27-28, p. 25-28. - WINTERS (Stanley B.). The forging of a historian: Robert A. Kann in America, 1939-1976. Ibid., p. 3-24.

426. WOJNAROWICZ (Stanisława). Bibliografia prac prof. dr hab. Adama Kerstena. (Bibliographie des travaux du prof. dr Adam **Kersten**.) Lublin, 83, in-8, 10 p. (Uniw. Marii Curie-Skłodowskiej. Bibl. Główna. Oddz. Informacji Nauk. Bibliografie Osobowe, 9)

427. PIOTROVSKIJ (B.B.), SAMSONOV (A. M.), BORISOV (Ju. S.). K 75-letiju akademika M. P. Kima. (75 years of academician M. P. **Kim**.) Ist. SSSR, 83, n° 3, p. 218-221.

428. VARDY (S.B.), VARDY (Agnes Huszar). Béla K. **Király**, the man and the historian. In: Society in change [Cf. n° 495], p. 3-21.

429. V. O. **Ključevski**. Neopublikovannye proizvedenija. (V. O. Kluchevsky. Unpublished works.) Otv. red.: M. V. NEČKINA. Moskva, Nauka, 83, 416 p. (AN SSSR. Arkhiv AN SSSR. Nauč. sovet po probl. istorii ist. nauki)

430. Ludwik **Kolankowski** 1882-1982. Materiały sesji w stulecie urodzin. (L. Kolankowski 1882-1982. Matériaux du colloque tenu à l'occasion du centenaire de sa naissance.) Réd. Andrzej TOMCZAK. Toruń, 83, in-8, 89 p. (Uniw. Mikolaja Kopernika.

Rozprawy)

431. Bibl. 82, n° 446. LEVANDOVSKIJ (A.A.). Iz istorii krizisa russkoj buržuazno-liberal'noj istoriografii: A. A. **Kornilov**. (From the history of the crisis of Russian bourgeois-liberal historiography: A. A. Kornilov.) - CR: M. G. Vandalkovskaja, Vopr. Ist., 83, n° 4, p. 126-129.

432. KOLMER (Lothar). G. Ch. **Lichtenberg** als Geschichtsschreiber. Pragmatische Geschichtsschreibung u. ihre Kritik im 18. Jh. Arch. f. Kulturgesch., 83, Bd 65, p. 371-415.

433. **MACAULAY** (Lord T. B.). Selected letters. Ed. by Thomas PINNEY. London, Cambridge U.P., 83, in-8, 317 p.

434. METZ (Karl Heinz). Die Resurrektion der Geschichte. Ein Beitrag z. hist. Denken Jules **Michelets** u. zur Entstehung d. Nationalismus im 19. Jh. Arch. f. Kulturgesch., 83, Bd 65, p. 451-478.

435. ABRUDAN (Paul), STOIA (Mircea). Documente inedite privind călătoria lui Theodor **Mommsen** în Transilvania pentru studierea inscripţiilor romane din Dacia. (Documents inédits sur le voyage de Th. Mommsen en Transylvanie en vue d'étudier les inscriptions romaines de Dacie.) Sargetia, 82-83, t. 16-17, p. 241-250.

436. SMITH (Dennis). Barrington **Moore**, Jr.: a critical appraisal. Armonk, N.Y., M. E. Sharpe, 83, in-8, VIII-195 p.

437. Portrait of a friendship: selected correspondence of Samuel Eliot **Morison** and Lincoln Colcord, 1921-1947. Ed. by Parker Bishop ALBEE, Jr. New England Quar., 83, vol. 56, n° 2, p. 166-199; n° 3, p. 398-424.

438. ROBAYE (René). Droit romain en Belgique: oeuvres et bibliographie de Gabriel **Mudée**. R. int. Droit Antiquité, 83, 3e sér., t. 30, p. 193-209.

439. KNEPPE (Alfred), WIESHÖFER (Josef). Friedrich **Münzer**. Ein Althistoriker zwischen Kaiserreich u. Nationalsozialismus. Zum 20. Okt. 1982. Mit e. kommentierten Schriften-Verz. v. Hans-Joachim DREXHAGE. Bonn, Habelt, 83, in-8, VIII-310 p. (Ill., graph. Darst.).

440. **NIEBUHR** (Barthold Georg). Briefe. Neue Folge, 1816-1830. Hrsg. v. Eduard VISCHER. 1: Briefe aus Rom (1816-1823). 2: Briefe aus St. Gallen, Bonn, Berlin (1823-1825). 3: Briefe aus Bonn (1826-1830). Bern u. München, Francke, 80-83, 3 vol. in-8, 1003, 515, 643 p.

441. PAPASTRATĒS (Orestēs Thr.). Ho Geōrgios N. **Papanikolaou** kai to ereunetiko tou ergo. (G. N. Papanikolaou et son oeuvre de recherche.) Archeion euboïkōn Meletōn, 83, vol. 25, p. 7-18 (8 tabl.).

442. BELCIN-PLEŞCA (Cornelia). South-East Europe in Vasile **Pârvan**'s work. R. Et. sud-est europ., 83, t. 21, p. 219-227. - CATARGIU (Virgil Emilian). Vasile Pârvan - filosof al istoriei. (V. Pârvan -

3. HISTORY OF HISTORICAL SCIENCES

philosophe de l'histoire.) Iaşi, Junimea, 82, in-8, 206 p. - VETIŞANU (Vasile). Vasile Pârvan - idealul uman şi valorile vieţii. (V. Pârvan - l'idéal humain et les valeurs de la vie.) Bucureşti, Albatros, 83, in-8, 160 p. - ZUB (Alexandru). Pe urmele lui Vasile Pârvan. (Sur les traces de V. Pârvan.) Bucureşti, Sport-Turism, 83, in-8, 383 p.

443. SOUBEILLE (Georges). Plaidoyer pour un cicéronien: Pierre de Paschal, historiographe royal (1522-1565). R. franç. Hist. Livre, 83, a. 51, n° 38, p. 3-22.

444. VISSER (E.). Schriftenverzeichnis Friedrich Pfister. Würzburg. Jb. f. d. Altertumswiss., 83, N.F., Bd 9, p. 231-240.

445. TIKHVINSKIJ (I.L.), KUMANEV (V. A.). Akademik B. B. Piotrovskij - učenyj-patriot, geroj socialističeskogo truda. (Academician B. B. Piotrovskij - a scholar patriot, hero of socialist labour.) Nov. novejš. Ist., 83, n° 4, p. 200-203. - TIKHVINSKIJ (S.L.), KOVAL'CENKO (I.D.), SUSLOV (V.A.). K 75-letiju akademika B. B. Piotrovskogo. (75 years of academician B. B. Piotrovsky.) Ist. SSSR, 83, n° 1, p. 213-215.

446. MICHALKIEWICZ (Stanislaw). Zainteresowania i kierunki badań naukowych Kazimierza Popiolka. (Intérêts et orientation des recherches scientifiques de Kazimierz Popiolek.) Zaranie śląskie, 82 [83], a. 45, n° 1-2, p. 11-26.

447. ANGELESCU (Constantin C.). George Popovici, istoric al dreptului român. (G. Popovici, historien du droit roumain.) A. Inst. Ist. Arheol. Iaşi, 83, t. 20, p. 221-231. [Popovici: 1863-1905]

448. MUIR (Edward). The Leopold von Ranke manuscript collection of Syracuse University: the complete catalogue. Syracuse, N.Y., Syracuse U. P., 83, in-8, XXI-288 p.

449. SÁNCHEZ DE LA VEGA (J.). Karl Reinhardt y la filología clásica en el siglo XX. Madrid, Fund. Pastor de est. clás., 83, in-8, 122 p. (Cuad. de la Fund. Pastor, 30)

450. CONZE (Werner). Hans Rothfels. Hist. Z., 83, Bd 237, p. 311-360.

451. Activitatea ştiinţifică a profesorului Ion I. Russu (cu prilejul împlinirii vîrstei de 70 de ani). (L'activité scientifique du prof. Ion I. Russu - à l'occasion de son 70e anniversaire.) A. Inst. Ist. Arheol. Cluj-Napoca, 82, t. 25, p. 401-415.

452. TOPOLSKI (Jerzy). Jan Rutkowski (1886-1949) and his conception of synthesis in historical science. Stor. della Storiogr., 83, n° 3, p. 44-61.

453. BAUTIER (Robert-Henri). Notice sur la vie et les travaux de Charles Samaran. C. R. Acad. Inscript., 83, p. 582-604. - FAVIER (Jean). Charles Samaran (1879-1982). Bibl. Ec. Chartes, 83, t. 141, livr. 2, p. 410-426. - MARICHAL (Robert). Charles Samaran (1879-1982). C. R. Acad. Inscript., 82, p. 630-634.

454. NAROČNICKIJ (A.L.), POLJAKOV (Ju. A.), KUMANEV (G.A.). K 75-letiju akademika A. M. Samsonova. (75 years of academician A. M. Samsonov.) Ist. SSSR, 83, n° 1, p. 215-218.

455. GRAFTON (Anthony). Joseph Scaliger. A study in the history of classical scholarship. 1: Textual criticism and exegesis. London a. New York, Oxford U.P., 83, in-8, XI-359 p. (Oxford-Warburg Stud.)

456. PIETRI (Charles). William Seston (1900-1983). Mél. Ec. franç. Rome, Antiquité, 83, t. 95, n° 2, p. 535-539.

457. DUICU (Serafin). Pe urmele lui Gheorghe Şincai. (Sur les traces de Gh. Şincai.) Bucureşti, Sport-Turism, 83, in-8, 355 p.

458. KAZHDAN (Alexander). Michail Jakolevich Sjuzjumov (20 nov. 1893 - 1er mai 1982) et les études byzantines. Byzantion, 83, vol. 53, p. 250-257.

459. MOSS (B.H.). Albert Soboul, in memoriam, 1914-1982. Sci. a. Soc., 83, vol. 47, p. 226-230.

460. STACEY (Charles Perry). A date with history: memoirs of a Canadian historian. Ottawa, Deneau, 83, in-8, 293 p. - CR: C. Armstrong, Canad. hist. R., 84, vol. 65, p. 264-265.

461. CHRISTOPHE (J.) Publications d'Henri Stern. In: Mosaïque [Cf. n° 512], p. 7-12.

462. CAQUOT (André). Stefan Strelcyn (1918-1981) [avec bibliographie de ses travaux]. Abbay, 80-82 [83], cah. 11, p. 9-22.

463. ALFÖLDY (Géza). Sir Ronald Syme, "Die römische Revolution" und die deutsche Althistorie. Heidelberg, Winter, 83, in-8, 42 p. (S.-B. d. Heidelb. Akad. d. Wiss., Philos.-hist. Kl., 1983/1)

464. Oeuvre (L') scientifique de Victor-Louis Tapié. Colloque tenu dans le cadre de l'Institut de France, le samedi 18 déc. 1982. 25e anniversaire de "Baroque et classicisme", 1957-1982. Hist., Econ. et Soc., 83, a. 2, n° 3, p. 373-428.

465. WIŚNIEWSKI (Stanisław). Eugeniusz Tarle, historyk epoki napoleońskiej. (Eugène Tarle, historien de l'époque napoléonienne.) Warszawa, Państw. Wydawn. Nauk, 83, in-8, 330 p.

466. TAYLOR (Alan J.P.). A personal history. London a. New York, Atheneum, 83, in-8, 278 p.

467. ČISTJAKOVA (E.V.). Pis'mennyj istočnik v trudakh akademika M. N. Tikhomirova (k 90-letiju so dnja roždenija). (Written sources in acad. M. N. Tikhomirov's works - on the occasion of the 90th anniversary of his birthday.) Ist. SSSR, 83, n° 5, p. 122-130.

468. Bibliography of W. J. **Verdenius** 1936-1982. Mnemosyne, 83, t. 36, p. 2-13.

469. TRISTRAM (Robert J.). Explanation in the New Science: on **Vico**'s contribution to scientific sociohistorical thought. Hist. a. Theory, 83, vol. 22, n° 2, 146-177.

470. GLENISSON (Jean). Jeanne **Vieilliard** (1894-1979). Bibl. Ec. Chartes, 82 [83], t. 140, livr. 2, p. 362-371.

471. FAIVRE (Alexandre). Cyrille **Vogel** (1919-1982). Cah. Civ. méd., 83, a. 26, p. 281-285. - IDEM. Bibliographie de Cyrille Vogel. R. Sci. relig., 83, a. 57, p. 4-9. - MUNIER (Charles). En mémoire du professeur Cyrille Vogel (1919-1982). Ibid., p. 1-3.

472. BREUER (S.). Max **Weber** und die evolutionäre Bedeutung der Antike. Saeculum, 82, Bd 33, p. 174-192. - EDEN (Robert). Bad conscience for a Nietzschean age: Weber's calling for science. R. Politics, 83, vol. 45, n° 3, p. 366-392. - HENNIS (Wilhelm). El problema central de Max Weber. R. Est. pol., 83, t. 33, p. 49-99. - MOMMSEN (Wolfgang J.). Max Weber und die historiographische Methode seiner Zeit. Stor. della Storiogr., 83, n° 3, p. 28-43.

473. ZUB (Alexandru). L'historiographie roumaine à l'âge de la synthèse: A. D. **Xenopol**. Bucureşti, Ed. ştiinţ. şi enciclop., 83, in-8, 104 p. - IDEM. A. D. Xenopol. Un modèle épistémologique. R. roumaine, 83, vol. 37, n° 4-5, p. 36-45. - IDEM. A la recherche des principes fondamentaux de l'histoire: A. D. Xenopol. A. Univ. Bucureşti, Ist., 83, t. 32, p. 51-58.

c. Collected papers[1].

474. Althistorische Studien. Hermann **Bengtson** zum 70. Geburtstag dargebracht v. Kollegen u. Schülern. Hrsg. v. Heinz HEINEN. In Verb. mit Karl STROHEKER u. Gerold WALSER. Wiesbaden, Steiner, 83, in-8, 257 p. (Ill.). (Historia. Einzelschr., 40)

475. Beiträge zur Altertumskunde Kleinasiens. Festschrift f. Kurt **Bittel**. Hrsg. v. R. M. BOEHMER u. H. HAUPTMANN. Bd 1: Text. Bd 2: Tafeln. Mainz (Rhein), v. Zabern, 83, 2 vol. in-fol., XII-553, 112 p. (Ill., graph. Darst., 2 Bl. Beil.).

476. W kręgu badań nad sztuką polską. Studia z historii sztuki i kultury [ofiarowane Profesorowi doktorowi Piotrowi Bohdziewiczowi w 85 rocznicę urodzin]. (Au cercle des recherches sur l'art polonais. Etudes d'histoire d'art et de culture [offertes au prof. dr Piotr **Bohdziewicz** pour le quatre-vingt-cinquième anniversaire de sa naissance].) Sous la réd. de Karol MAJEWSKI. Lublin, Kat. Uniw. Lub., 83, in-8, 154 p.

477. New frontiers in American-East Asian relations: essays presented to Dorothy **Borg**. Ed. by Warren I. COHEN. New York, Columbia U.P., 83, in-8, XXIV-294 p. (Stud. of the East Asian Inst., Columbia Univ.) [Cf. n°s 6632, 6641, 6650, 6653, 6983, 7304, 7315, 7391.]

478. Essays on the prehistory of Southwestern Asia, presented to Robert J. **Braidwood**. [Cf. n° 1028.]

479. Etudes africaines offertes à Henri **Brunschwig**. Paris, Ed. de l'Ecole des Hautes Etudes en Sci. soc., 82, in-8, XXXVII-426 p. [Cf. n°s 392, 4886, 5847, 5858, 6709, 6715, 6718, 6747, 6753, 6758, 6760, 6764, 7545, 7555.]

480. Hommages à Jean **Cousin**. Rencontres avec l'antiquité classique. Paris, Belles Lettres, 83, in-8, 306 p. (A. litt. Univ. Besançon, 273)

481. Naród - kultura - osobowość. Księga poświecona Profesorowi Józefowi Chałasińskiemu. (Nation - culture - personnalité. Livre offert au Prof. Józef **Chałasiński**.) Com. de réd.: Antonina KŁOSKOWSKA et autres. Wrocław, Zakł. Narod. im. Ossolińskich, 83, in-8, 760 p. (Pol. Akad. Nauk Wydz. I Nauk Społ. Komitet Nauk Socjolog.)

482. Mélanges Edouard **Delebecque**. Marseille, Laffitte, 83, in-8, XX-501 p.

483. Pascua mediaevalia. Studies voor Prof. Dr. J. M. **De Smet**. Red.: R. LIEVENS, E. VAN MINGROOT et al. Louvain, Univ. Pers, 83, in-4, XII-691 p. (Mediaevalia Lovaniensia, Ser. 1: Studia, 10

484. Platonismus und Christentum. Festschrift für Heinrich **Dörrie**. Hrsg. v. Horst D. BLUME u. Friedhelm MANN. Münster, Aschendorff, 83, in-8, XVI-328 p. (22 pl.). (Jb. f. Antike u. Christentum, Erg.-Bd, 10)

485. Actes du colloque Présence de l'architexture et de l'urbanisme romains. Hommage à Paul **Dufournet**. Paris, Belles Lettres, 83, in-8, 432 p. (ill.).

486. Religion, société et politique. Mélanges en hommage à Jacques **Ellul**. Paris, Presses univ. France, 83, in-8, XIV-866 p. (ill.).

487. Deutscher Konservatismus im 19. und 20. Jahrhundert. Festschrift f. Fritz **Fischer** zum 75. Geburtstag u. zum 50. Doktorjubiläum. Dirk STEGMANN [u. a.] (Hrsg.). Bonn, Neue Ges., 83, in-8, XV-370 p. [Cf. n°s 3280, 6559, 7075.]

488. **Geijer** jubilett i Uppsala 1983: föreläsningar hållna vid symposium 12 och 13 januari 1983. (Erik Gustaf Geijer jubilee: lectures at the symposium, 12th-13th January, 1983.) Stockholm, Almqvist

---

1. Alphabetical list of names of the scholars to whom the Collected papers have been presented. The numbers between brackets at the end of a notice refer to the papers published in the Collected papers; these papers will be found in the section of the Bibliography according to their subject.

a. Wiksell Internat., 83, in-8, 144 p. (ill.). (Skr. rörande Uppsala univ., C, 45)

489. Cronache ercolanesi. Volume dedicato a Marcello **Gigante** nel suo sessantesimo compleanno. B. Centro internaz. Studio Papiri ercolanesi, 83, a. 13, 191 p. (ill., tav.). - Syzētēsis. Studi sull'epicureismo greco e romano offerti a Marcello Gigante. Vol. 1, 2. Napoli, Macchiaroli, 83, 2 vol. in-8, 702 p. compless. (Bibl. della Parola del Passato, 16)

490. Studia antiqua et archaeologica. I. Corolla memoriae Nicolae **Gostar** dedicata. Coordonatori: Silviu SANIE, Attila LÁSZLÓ. Cuvînt înainte: Vasile CRISTIAN. Iaşi, Univ. "Al. I. Cuza", 83, in-8, 261 p.

491. Documenta barbarorum. Festschrift für Walther **Heissig** zum 70. Geburtstag. Hrsg. v. Klaus SAGASTER u. Michael WEIERS. Wiesbaden, Harrassowitz, 83, in-8, XXXVII-435 p. (Ill., graph. Darst., Kt.). (Veröff. d. Societas Uralo-Altaica, 18)

492. Album Amicorum Nicolas-N. **Huyghebaert** O.S.B. [Vol. 1. Cf. Bibl. 82, n° 514.] Vol. 2. Sacris erudiri, 83, t. 26, IX-378 p. [Cf. n°s 2882, 3030, 3071, 5277.]

493. Festschrift Annelies **Kammenhuber**, 19. März 1982. Hrsg. v. Gabriella FRANTZ-SZABÓ unter Mitw. v. S. HEINHOLD-KRAMER u. I. HOFFMANN. Orientalia, 83, n. s., vol. 52, fasc. 1, 200 p.

494. Aus Kirche und Reich. Studien zu Theologie, Politik u. Recht im Mittelalter. Festschr. f. Friedrich **Kempf** zu seinem 75. Geburtstag u. 50jährigen Doktorjubiläum. Hrsg. v. Hubert MORDEK. Sigmaringen, Thorbecke, 83, in-8, XXII-532 p.

495. Society in change: studies in honor of Béla K. **Király**. Ed. by Steven Bela VARDY, Agnes Huszar VARDY. Boulder, Colo., East European Monographs, 83, in-8, XII-680 p. (East European Monogr., 132) [Cf. n°s 367, 428, 2884, 3247, 3349, 3350, 3446, 4026, 6967, 7130, 7192.]

496. Studia z dziejów i kultury Zachodniej Słowiańszczyzny. Materiały z sezji poświęconej pamięci profesora dra Wojciecha Kočki. (Etudes sur l'histoire et la culture des Slaves Occidentaux. Matériaux de la session consacrée au souvenir du prof. dr Wojciech Kočka.) Sous la réd. de Jan ŻAK et Janusz OSTOJA-ZAGÓRSKI. Poznań, 83, in-8, 153 p. (Uniw. im. A. Mickiewicza w Poznaniu. Archeologia, 20)

497. Festschrift für Andreas **Kraus** zum 60. Geburtstag. Hrsg. v. Pankraz FRIED u. Walter ZIEGLER. Kallmünz (Opf.), Laßleben, 82, in-8, VIII-477 p. (Ill., graph. Darst.). (Münchener hist. Stud., Abt. bayer. Gesch., 10) [Cf. n°s 2534, 2565, 2572, 3369, 3371, 3402, 6238, 6560, 6905.]

498. Staat und Gesellschaft in Mittelalter und früher Neuzeit. Gedenkschrift für Joachim **Leuschner**. Hrsg. vom Hist. Seminar d. Univ. Hannover. Göttingen, Vandenhoeck u. Ruprecht, 83, in-8, 315 p. (1 Ill.).

499. Magistère (Le). Institutions et fonctionnements. Hommage à H. de **Lubac**. Introd. de J. DORÉ. Rech. Sci. relig., 83, t. 71, n° 1-2, p. 4-308.

500. Tria corda. Scritti in onore di Arnaldo **Momigliano**. A cura di E. GABBA. Como, New Press, 83, in-8, 307 p. (Bibl. Athenaeum, 1)

501. Festschrift für Robert **Muth** zum 65. Geburtstag am 1. Januar 1981 dargebracht von Freunden und Kollegen. Hrsg. v. P. HÄNDEL u. W. MEID. Innsbruck, Inst. f. Sprachwiss., 83, in-8, 631 p. (Innsbrucker Beitr. z. Kulturwiss., 22)

502. Studia Paolo **Naster** oblata. 1: Numismatica antiqua. Ed. Simone SCHEERS. 2: Orientalia antiqua. Ed. Jan QUAEGEBEUR. Leuven, Peeters, 82, 2 vol. in-8, XXXIII-342 p. (40 pl.); XII-343 p. (19 pl.). (Orientalia Lovaniensia Analecta, 12, 13)

503. Hommage au R. P. Patrick **O'Reilly**. J. Soc. Océanistes, 82, t. 38, n° 74-75, 297 p.

504. Niederlande und Nordwestdeutschland. Studien z. Regional- u. Stadtgesch. Nordwestkoninentaleuropas im Mittelalter u. in d. Neuzeit. Franz **Petri** z. 80. Geburtstag. Hrsg. v. Wilfried EHBRECHT u. Heinz SCHILLING. Köln u. Wien, Böhlau, 83, in-4, XXXII-527 p. (1 Ill., graph. Darst., 21 Kt.). (Städteforschung, Reihe A: Darst., 15)

505. PETRY (Ludwig). Dem Osten zugewandt. Gesammelte Aufsätze z. schlesischen u. ostdeutschen Gesch. Festgabe z. 75. Geburtstag Ludwig **Petry**. Sigmaringen, Thorbecke, 83, in-8,XVIII-480 p. (Ill., graph. Darst., Kt.). (Quellen u. Darst. z. schles. Gesch., 22)

506. Politik und Konfession. Festschrift für Konrad **Repgen** zum 60. Geburtstag. hrsg. v. Dieter ALBRECHT [u. a.]. Berlin, Duncker u. Humblot, 83, in-8, 591 p. (1 Ill.). [Cf. n°s 3253, 3258, 3274, 3402, 4474, 4548, 4561, 4591.]

507. Szkice z historii socjologii polskiej. (Essais sur l'histoire de la sociologie polonaise [dédiés à Paweł **Rybicki** pour le 80e anniversaire de sa naissance et le 60e anniversaire de son travail scientifique].) Ouvrage collectif réd. par Kazimierz Zbigniew SOWA. Warszawa, Pax, 83, in-8, 427 p.

508. Hommages à Robert **Schilling**. Ed. par H. ZEHNACKER et G. HENTZ. Paris, Belles Lettres, 83, in-8, 546 p. (ill.). (Coll. d'Etudes latines, Sér. scientif., 37)

509. Rozprawy z filozofii i socjologii. (Traités de philosophie et de sociologie [offerts à Tadeusz Szczurkiewicz].) Réd. par Józef PAWLAK. Toruń, Uniw. Mikołaja Kopernika, 83, in-8, 179 p.

510. Ideal and reality in Frankish and Anglo-Saxon society. Studies presented to J. M. **Wallace-Hadrill**. Oxford, Blackwell, 83, in-8, XIV-345 p.

511. Hommage à Albert **Soboul**, 1914-1982. A. hist. Révol. franç., 82 [83], a. 54, n° [spécial] 250, p. 513-626.

512. Mosaïque: recueil d'hommages à Henri **Stern**. Ouvrage publ. avec le concours du C.N.R.S. Paris, Recherche sur les Civilisations, 83, in-4, 374 p. (237 pl.).

513. Developing the West: essays on Canadian history in honor of Lewis H. **Thomas**. [Cf. n° 3471.]

514. New Testament (The) and Gnosis. Essays in honour of Rober McL. **Wilson**. Ed. by A. H. B. LOGAN a. A. J. M. WEDDERBURN. Edinburgh, Clark, 83, in-8, XII-258 p.

515. Francja - Polska XVIII-XIX w. Studia z dziejów kultury i polityki poświęcone Profesorowi Andrzejowi Zahorskiemu w sześćdziesiątą rocznicę urodzin. (France - Pologne, XVIIIe-XIXe s. Etudes sur l'histoire de la culture et politique offertes au Prof. Andrzej **Zahorski** pour le 60e anniversaire de sa naissance.) Com. de réd.: Antoni MĄCZAK et al. Warszawa, Państw. Wydawn. Nauk., 83, in-8, 359 p.

Cf. n°s 139, 708, 898, 1153, 1179, 1256, 1834, 1836, 1998, 2779, 3400, 6508.

§ 4. Methodology, philosophy and teaching of history.

* 516. Craft (The) of public history: an annotated select bibliography. Ed. by David F. TRASK, Robert W. POMEROY, III. Westport, Conn., Greenwood Press, 83, in-8, XIX-481 p.

517. ABRAMS (Philip). Historical sociology. Ithaca, N.Y., Cornell U.P., 82, in-8, XVIII-353 p.

518. ANCHOR (Robert). Realism and ideology: the question of order. Hist. a. Theory, 83, vol. 22, n° 2, p. 107-119.

519. ANDERSON (Wilda C.). Dispensing with the fixed point: scientific law as historical event. Hist. a. Theory, 83, vol. 22, n° 3, p. 264-277.

520. ANKERSMIT (F.R.). Narrative logic: a semantic analysis of the historian's language. The Hague, Boston a. London, Nijhoff, 83, in-8, VIII-265 p. (Martinus Nijhoff Philos. Libr., 7)

521. AUER (Leopold). Mittelalterliche Kriegsgeschichte als Forschungsproblem. Francia [München], 82 [83], Bd 10, p. 449-463.

522. AULIE (Richard P.). Evolution and special creation: historical aspects of the controversy. Proc. am. philos. Soc., 83, vol. 127, n° 6, p. 418-462.

523. BARG (M.A.). O kategorii "ističeskoe vremja" (metodologičeskij aspekt). (On the category "historical times". Methodological aspect.) Ist. SSSR, 83, n° 6, p. 82-100.

524. BATTINI (Michele). Vis a tergo. Civiltà, società e storia secondo E. Durkheim e M. Mauss. Stor. della Storiogr., 83, n° 4, p. 30-70.

525. BEREZOWSKI (Stanisław). Metody badań rozwoju regionów gospodarczych. (Les méthodes des recherches sur le développement des régions économiques [XIXe-XXe s.].) Roczn. Dziej. społ. gosp., 82 [83], vol. 43, p. 1-13.

526. BERMEJO BARRERA (José C.). Psicoanálisis del conocimiento histórico. Madrid, Akal, 83, in-8, 180 p. (Akal Bolsillo, 87)

527. BERNER (Ulrich). Das Christusverständnis als Gegenstand universalgeschichtlicher Betrachtungen. Saeculum, 83, Bd 34, p. 187-200.

528. Bibliographie et informatique. Les disciplines humanistes et leurs bibliographies à l'âge de l'informatique. Table ronde du C.N.R.S., Besançon, 19 et 20 nov. 1982. Documents et communications. Ed. par G. VARET. Paris, Ed. de la Maison des Sci. de l'Homme, 83, in-8, 178 p. (Trav. du Centre de documentation et bibliogr. philos. de l'Univ. de Franche-Comté)

529. BOGUE (Allan G.). Clio and the bitch goddess: quantification in American political history. Beverly Hills, Calif., Sage, 83, in-8, 279 p. (New Approaches to Social Sci. Hist., 3)

530. BOOTH (M.B.). Skills, concepts, and attitudes: the development of adolescent children's historical thinking. Hist. a. Theory, 83, vol. 22, n° 4, p. 101-117.

531. BOURDÉ (Guy), MARTIN (Hervé). Les écoles historiques. Paris, Ed. du Seuil, 83, in-8, 341 p. (Points-Histoire)

532. BRENNER (Reuven). History - the human gamble. Chicago, Univ. of Chicago Press, 83, in-8, XIV-247 p.

533. CANFLORA (Luciano). Analogie et histoire. Hist. a. Theory, 83, vol. 22, n° 1, p. 22-42.

534. CARON (François). Histoire technique et histoire économique. Hist., Econ. et Soc., 83, a. 2, n° 1, p. 7-17.

535. CHARTIER (Roger). Histoire intellectuelle et histoire des mentalités: trajectoires et questions. In: Hist. des sciences et mentalités [Cf. n° 560], p. 277-307.

536. CLARK (Stuart). French historians and early modern popular culture. Past a. Present, 83, n° 100, p. 62-99.

537. CLAXTON (Robert H.). Climate and history: from speculation to systematic study. Historian, 83, vol. 45, n° 2, p. 220-236.

538. COUTAU-BEGARIE (Hervé). Le phénomène "Nouvelle Histoire". Stratégie et idéologie des nouveaux historiens. Paris, Economica, 83, in-8, 354 p.

539. CRAIG (Gordon). The historian and the study of international relations. Am. hist. R., 83, vol. 88, n° 1, p. 1-11. [Presidential address, Am. Hist. Assoc., 1982]

540. DE VRIES (Willem A.). Meaning and interpretation in history. Hist. a. Theory, 83, vol. 22, n° 3, p. 253-263.

541. DUŢU (Alexandru). L'histoire des mentalités et la comparaison des cultures. R. roumaine Hist., 83, t. 22, n° 4, p. 293-301.

542. EGAN (Kieran). Accumulating history. Hist. a. Theory, 83, vol. 22, n° 4, p. 66-80.

543. EICHHORN (Wolfgang), BAUER (Adolf). Zur Dialektik des Geschichtsprozesses. Studien über die materiellen Grundlagen d. hist. Entwicklung. Berlin, Akad.-Verl., 83, in-8, 316 p. (Schr. z. Philos. u. ihrer Gesch., 33)

544. Entwicklungsprobleme der marxistisch-leninistischen Geschichtswissenschaft in der UdSSR und in der DDR. Im Auftr. d. Komm. d. Historiker d. DDR u. d. UdSSR hrsg. v. Alfred ANDERLE. Halle/S., Martin-Luther-Univ. Halle-Wittenberg, 83, in-8, 357 p. (Kongreß- u. Tagungsberichte d. Martin-Luther-Univ. Halle-Wittenberg. Wissenschaftl. Beitr. d. Martin-Luther-Univ. Halle-Wittenberg, 54, C 30)

545. FITZGERALD (James). History in the curriculum: debate on aims and values. Hist. a. Theory, 83, vol. 22, n° 4, p. 81-100.

546. FOGEL (Robert William), ELTON (G.R.). Which road to the past. Two views of history. New Haven, Conn., Yale U.P., 83, in-8, VII-136 p.

547. FRÄNGSMYR (Tore). Vetenskapens roll i historien. (The role of science in history.) Lychnos, 83, vol. 49, p. 166-174. [Eng. summary]

548. FRASER (Derek), SUTCLIFFE (Anthony). The pursuit of urban history. London, E. Arnold, 83, in-8, 512 p. (ill.).

549. Frontlinjer i historiefaget: moderne historieskrivning i internasjonalt perspektiv. (Front lines in history research: Modern history writing in international perspective.) Nils Johan RINGDAL, editor. Oslo, Univ.forl., 83, 164 p.

550. FURE (Eli). Skipperskjønn og stokastikk. (Probability models in the methodology of history.) [Norsk] Hist. T., 83, vol. 62, p. 404-418. [Eng. summary]

551. FURE (Odd-Bjørn). Problemer, metode og teori i historieforskningen. Historie- og vitenskapsoppfatning i Jens Arup Seips teoretiske produksjon. (Problems, method and theory in historical research. The general conception of history and science in the theoretical output of Jens Arup Seip.) [Norsk] Hist. T., 83, vol. 62, p. 373-403. [Eng. summary]

552. FURET (François). Beyond the Annales. J. mod. Hist., 83, vol. 55, n° 3, p. 389-410.

553. GARRARD (John). Social history, political history and political science. J. soc. Hist., 83, vol. 16, n° 3, p. 105-122.

554. GAUNT (David). Memoir on history and anthropology. Stockholm, Humanist.-samhällsvet. forskningsradet, 82, in-8, 87 p.

555. Geschichte, Ideologie, Politik. Auseinandersetzungen mit bürgerl. Geschichtsauffassungen in d. BRD. Hrsg.: Peter BACHMANN. Berlin, Dietz, 83, in-8, 293 p.

556. Geschichtsunterricht und Geschichtsbewußtsein - L'enseignement de l'histoire et conscience historique. Deutsch-franz. Kolloquium in Dortmund, 23. bis 25.9.1982. Hrsg. v. Hans Georg KIRCHHOFF, Dieter TIEMANN. Dortmund, Dortmunder Ges. f. Schulgesch., 83, in-8, 131 p. (Dortmunder Arbeiten z. Schulgesch. u. zur hist. Didaktik, 3)

557. GIRARDET (Raoul). Du concept de génération à la notion de contemporanéité. R. Hist. mod., 83, t. 30, p. 257-270.

558. GLEASON (Philip). Identifying identity: a semantic history. J. am. Hist., 83, vol. 69, n° 4, p. 910-931.

559. GORDY (Michael). Reading Althusser: time and the social whole. Hist. a. Theory, 83, vol. 22, n° 1, p. 1-21.

560. Histoire des sciences et mentalités. Journée organisée par le Centre internat. de Synthèse, Paris, 19 mars 1983. R. Synthèse, 83, t. 104, sér. 3, n° 111-112, p. 267-415. [Cf. n° 535.]

561. Historiens (Les) et les sources iconographiques. C.N.R.S., Institut d'Hist. mod. et contemporaine. Table ronde du 27 nov. 1981 [à Paris]. Paris, Inst. d'Hist. mod. et contemp., 83, in-8, 81 p.

562. JACQUESSON (Guy). Ordinateur et manuscrit: propositions pour une généalogie des textes. Médiévales, 82, n° 2, p. 122-139.

563. JENSEN (Richard). How democracy works: the linkage between micro and macro political history. J. soc. Hist., 83, vol. 16, n° 3, p. 27-34. - IDEM. The microcomputer revolution for historians. J. interdisc. Hist., 83, vol. 14, n° 1, p. 91-112.

564. KELLEY (Donald R.). Hermes, Clio, Themis: historical interpretation and legal hermeneutics. J. mod. Hist., 83, vol. 55, n° 4, p. 644-668.

565. KHVOSTOVA (K.V.). Rol' količestvennykh metodov v istoričeskom poznanii. (Quantitative methods in historical research. Vorp. Ist., 83, n° 4, p. 62-76.

566. Kontroll och kontrollerade: formell och informell kontroll i ett historiskt perspektiv. Red. Jan SUNDIN. (Control and

the controlled: formal a. informal control from a historical angle. Ed. by Jan SUNDIN.) Umeå, Univ., Hist. inst., 83, in-4, 266 p. (ill.). (Forskningsrapporter från Hist. inst. vid Umeå univ., 1)

567. KOSTIAINEN (Auvo). "Uuden historian" nousu. Amerikkalaisen historiankirjoituksen suuntautuminen toisen maailmasodan jälkeen. (The rise of the "New History". Main trends in United States historiography after the Second World War.) Turku, 83, in-8, 63 p. (A. Univ. Turkuensis, Ser. C, 41) [Eng. summary]

568. LACAPRA (Dominick). Rethinking intellectual history: texts, contexts, language. Ithaca, N.Y., Cornell U.P., 83, in-8, 350 p.

569. LEE (P. J.). Teaching and philosophy of history. Hist. a. Theory, 83, vol. 22, n° 4, p. 19-49.

570. LEVI-STRAUSS (Claude). Histoire et ethnologie. A. Ec., Soc., Civ., 83, a. 38, n° 6, p. 1217-1231.

571. LIENESCH (Michael). Historical theory and political reform: two perspectives on Confederation politics. R. Politics, 83, vol. 45, n° 1, p. 94-115.

572. LÜSEBRINK (Hans-Jürgen). L'imaginaire social et ses focalisations en France et en Allemagne à la fin du XVIIIe siècle (propositions méthodologiques pour l'étude d'un champ-carrefour entre l'histoire littéraire et l'histoire des mentalités). R. roumaine Hist., 83, t. 22, p. 371-383.

573. MAGIDOV (V.M.). Kinodokumenty: problemy istočnikovedčeskogo analiza i ispol'zovanija v istoričeskikh issledovanijakh. (Cinema documents: problems of source analysis and their use in historical research.) Ist. SSSR, 83, n° 1, p. 92-103.

574. MAJOR-POETZL (Pamela). Michel Foucault's archaeology of western culture: toward a new science of history. Chapel Hill, Univ. of North Carolina Press, 83, in-8, XIII-281 p.

575. MARKOV (D.F.). Sravnitel'no-istoričeskie i kompleksnye issledovanija v obščestvennykh naukakh. Iz opyta izučenija istorii i kul'tury narodov Centr. i Iugo-Vost. Evropy. (Comparative-historical and complex research in social sciences. By the experience of the study of history a. culture of the peoples of Central a. Southeastern Europe.) Moskva, Nauka, 83, 237 p. (AN SSSR. In-t slavjanovedenijy i balkanistiki)

576. Metodica predării istoriei României. (La méthode de l'enseignement de l'histoire de Roumanie.) Autori: Elena ENE, Georgeta SMEU, Rea Silvia BĂRBULEANU, Gloria CEACALOPOL. Coordonator: Georgeta SMEU. București, Ed. didactică și pedag., 83, in-8, 259 p.

577. Metodologičeskie i filosofskie problemy istorii. (Methodological a. philosophical problems of history.) Sbornik. Otv. red. A. P. OKLADNIKOV, A. L. JANŠIN. Novosibirsk, Nauka, 83, 352 p. (AN SSSR. Sib. otd-nie. In-t istorii, filologii i filosofii)

578. MILLER (John William). The philosophy of history, with reflections and aphorisms. London, Norton, 83, in-8, 192 p.

579. NABRINGS (Arie). Historismus als Paralyse der Geschichte. Arch. f. Kulturgesch., 83, Bd 65, p. 157-212.

580. OAKESHOTT (Michael). On history and other essays. Oxford, Blackwell, 83, in-8, 204 p.

581. OTTO (Stephan). Rekonstruktion der Geschichte. Zur Kritik d. hist. Vernunft. T. 1: Historisch-krit. Bestandsaufnahme. München, Fink, 82, in-8, 175 p. (Die Geistesgesch. u. ihre Methoden, 6. Münchner Univ.-Schr., Inst. f. Geistesgesch. u. Humanismus)

582. PADDAYYA (K.). Myths about the new archaeology. Saeculum, 83, Bd 34, p. 70-104.

583. PASKOV (S.S.). Problema vsemirnoj istorii v sovremennoj japonskoj filosofii i metodologii istorii. (World history in the context of modern Japanese philosophy a. methodology of history.) Vopr. Ist., 83, n° 5, p. 61-73.

584. PATZE (Hans). Landesgeschichte. [T. 1. Cf. Bibl. 82, n° 609.] T. 2. Jb. d. hist. Forsch., 81 [82], p. 11-33.

585. PAZDUR (Jan). Historia kultury materialnej czy archeologia przemysłowa? (Histoire de la culture matérielle ou archéologie industrielle?) Nauka polska, 83, a. 31, n° 1-2, p. 37-51.

586. PERÉNYI (János). Om det historiska studiet av idéer: ett metodologiskt bidrag. (On the historical study of ideas: a methodological contribution.) Stockholm, Univ., Avd. för idéhist., 82, in-4, 39 leaves. (Idéhist. uppsatser, 1)

587. PETRIKOVITS (Harald von). Der diachorische Aspekt der Kontinuität. Von d. Spätantike zum frühen Mittelalter. Göttingen, Vandenhoeck u. Ruprecht, 82, in-4, p. 212-224. (Nachrichten d. Akad. d. Wiss. in Göttingen, Philol.-hist. Kl., Jg. 82, 5)

588. POMIAN (Krzystof). Le passé: de la foi à la connaissance. Débat, 83, n° 24, p. 151-168.

589. PURŠ (Jaroslav). Historiometrie v Československu. (Historiometrik in d. Tschechoslowakei.) Hist. Geogr. [Praha], 83, vol. 21, p. 9-36.

590. Research in the history of economic thought: a methodology. The craft of the historian of economic thought. Ed. by Warren J. SAMUELS. Vol. 1. Greenwich, Conn., Jai Press, 83, in-8, 275 p.

591. RIEDENAUER (Erwin). Die Geschichte des Alpenraums als Feld überregionaler Forschung. Z. f. bayer. Landesgesch., 83,

Bd 46, p. 593-606.

592. RÜSEN (Jörn). Historische Vernunft. Grundzüge einer Historik. 1: Die Grundlagen der Geschichtswissenschaft. Göttingen, Vandenhoeck u. Ruprecht, 83, in-8, 157 p. (Kleine Vandenhoeck-Reihe, 1489) – IDEM. Erklärung und Theorie in der Geschichtswissenschaft. Stor. della Storiogr., 83, n° 4, p. 3-29.

593. RUSSO (François). Nature et méthode de l'histoire des sciences. Paris, Libr. scientif. et technique, 83, in-8, 503 p.

594. SCHLEIER (Hans). Zum idealistischen Historismus in der bürgerlichen deutschen Geschichtswissenschaft. Jb. f. Gesch., 83, Bd 28, p. 133-154.

595. SCHLERETH (Thomas J.). Material culture studies and social history research. J. soc. Hist., 83, vol. 16, n° 4, p. 111-144.

596. SCHÜTTE (Hans-Friedrich). Landesgeschichte im ideologischen Wandel. Einige Betrachtungen zu methodischen Fragen. Z. d. Ges. f. schleswig-holstein. Gesch., 83, Bd 108, p. 11-49.

597. SEIFERT (Arno). "Verzeitlichung". Zur Kritik einer neueren Frühneuzeitkategorie. Z. f. hist. Forsch., 83, Bd 10, p. 447-477.

598. SEIP (Jens Arup). Problemer og metode i historieforskningen. (Problems and methods in historical research.) Oslo, Gyldendal, 83, 298 p. (Fakkelbok, 492)

599. SHEMILT (Denis). The devil's locomotive. Hist. a. Theory, 83, vol. 22, n° 4, p. 1-18.

600. SIMIONESCU (Paul). Etnoistoria. Convergență interdisciplinară. (L'ethnohistoire – convergence interdisciplinaire.) București, Ed. Acad., 83, in-8, 121 p.

601. SMEU (Georgeta). Formarea concepției științifice materialist dialectice prin predarea istoriei. Metodologie. (La formation de la conception scientifique matérialiste-dialectique par l'enseignement de l'histoire. Méthodologie.) București, Ed. didactică și pedag., 83, in-8, 203 p.

602. SOMMERBAUER (Ludwig Heinz). Konzeptanalyse des Geschichtsunterrichtes und der Schulhistoriographie in Österreich und Frankreich im 20. Jahrhundert. Untersucht am Beispiel d. Darstellung d. Barockzeitalters in d. Lehrbüchern. Wien, Verb. d. Wiss. Ges. Österreichs, 83, in-8, V-240 p. (Diss. d. Univ. Wien, 159)

603. STANG (Haakon). The centre-periphery myth of the world: Origin of universalism in Eurasia. Oslo, 82, in-4, 119 p. (ill.). (Papers / Chair in conflict a. peace research, Univ. of Oslo, 93)

604. STEARNS (Peter N.). Social and political history. J. soc. Hist., 83, vol. 16, ,° 3, p. 3-6.

605. STOCKLEY (David). Empathetic reconstruction in history and history teaching. Hist. a. Theory, 83, vol. 22, n° 4, p. 50-65.

606. SURMAN (Zdzisław). Seminarium Historyczne Uniwersytetu Wrocławskiego (1843-1918). (Le Séminaire Historique de l'Université de Wrocław, 1843-1918.) Śląski Kwart. hist. Sobótka, 83, a. 37, n° 1, p. 63-81.

607. TARTAKOVSKIJ (A.G.). Social'nye funkcii istočnikov kak metodologičeskaja problema istočnikovedenija. (Social functions of sources as a methodological problem of source study.) Ist. SSSR, 83, n° 3, p. 112-130.

608. THOMAS (Hugh). The teaching of Welsh history in secondary schools of Wales. London, Hist. Assoc., 83, in-8, 44 p.

609. THROWER (James). Marxist-Leninist "scientific atheism" and the study of religion and atheism in the USSR. Amsterdam, Berlin a. New York, Mouton, 83, in-8, XXVIII-500 p. (Religion a. reason, 25)

610. TOPOLSKI (Jerzy). Teoria viedzy historycznej. (La théorie de la science historique.) Poznań, Wydawn. Pozn., 83, in-8, 509 p.

611. VIERHAUS (Rudolf). Handlungsspielräume. Zur Rekonstruktion historischer Prozesse. Hist. Z., 83, Bd 237, p. 289-309.

612. Vom Anderen und vom Selbst. Beiträge zu Fragen d. Biographie u. Autobiographie. Hrsg. v. Reinhold GRIMM u. Jost HERMAND. Königstein/Ts., Athenäum, 82, in-8, 197 p.

613. WOODS (Robert L.) Jr. Individuals in the rioting crowd: a new approach. J. interdisc. Hist., 83, vol. 14, n° 1, p. 1-24.

614. ZOTOV (A.F.), VORONCOVA (Ju.V.). Sovremennaja buržuaznaja metodologija nauki. (Contemporary bourgeois methodology of science.) Moskva, Izd-vo MGU, 83, 208 p.

§ 5. Ethnography and folklore.

* 615. Indians of the United States and Canada: a bibliography [of periodical literature, 1973-1982]. Vol. 2. Dwight L. SMITH, editor. Santa Barbara, Calif., a. Oxford, Clio, 83, in-8, XV-343 p. (Clio bibliogr. ser., 9) [Vol. 1, 1974, only available on microfiche]

* 616. ROY (Zo-Ann). Bibliographie des contes, récits et légendes du Canada français. Recueillis et annotés par Zo-Ann ROY. Boucherville, Qué., Proteau, 83, in-8, 326 p.

617. Afrikanskij sbornik. Istorija, ètnografija. (African collection. History, ethnography.) Otv. red.: D. A. OL'DEROGGE.

Moskva, Nauka, 83, 135 p. (AN SSSR. In-t ètnografii) [Cf. Bibl. 82, n° 649]

618. BAHLOUL (Joëlle). Nourritures de l'altérité: le double langage des Juifs algériens en France. A. Ec., Soc., Civ., 83, a. 38, p. 325-340.

619. BEAUJARD (Philippe). Princes et paysans: les Tanala de l'Ikongo. Un espace social du Sud-Est de Madagascar. Paris, L'Harmattan, 83, in-8, 670 p.

620. BERNŠTAM (T.A.). Russkaja narodnaja kul'tura Pomor'ja v XIX - načale XX v. Ètnogr. očerki. (Russian traditional culture of the region of the White Sea coast to the Northern Urals in the 19th - beginning of the 20th cent.) Leningrad, Nauka, 83, 232 p. (ill.). (AN SSSR. In-t etnografii)

621. BROMLEJ (Ju.V.). Očerki teorii ètnosa. (Essays on the theory of ethnos.) Moskva, Nauka, 83, 412 p. (AN SSSR. In-t ètnografii)

622. BROMLEJ (Ju.V.), KUZ'MINA (L.P.). Vtoroj kongress Meždunarodnogo obščestva ètnologii i fol'klora Evropy. (The second congress of the International society for European ethnology and folklore.) Sovet. Ètnogr., 83, n° 2, p. 130-136.

623. CARAMAN (Petru). Colindatul la români, slavi şi la alte popoare. Studiu de folclor comparat. (Cantiques de Noël chez les Roumains, les Slaves et d'autres peuples. Etude de folklore comparé.) Ediţie îngrijită de Silvia CIUBOTARU. Prefaţa: Ovidiu BÎRLEA. Bucureşti, Minerva, 83, in-8, 637 p.

624. CHAUMEIL (Jean-Pierre). Voir, savoir, pouvoir. Le chamanisme chez les Yagua du Nord-Est péruvien. Paris, Ed. de l'Ecole des Hautes Etudes en Sci. soc., 83, in-8, 352 p. (fig., pl.). (Recherches d'hist. et de sci. soc., 8)

625. ČISTOV (K.V.). Iz istorii sovetskoj ètnografii 30-80 godov XX veka. K 50-letiju Instituta ètnografii AN SSSR. (From the history of Soviet ethnography in the 30s-80s of the 20th cent., on the occasion of the 50th anniversary of the Institute of ethnography.) Sovet. Ètnogr., 83, n° 3, p. 3-18.

626. Croyances et traditions populaires en Normandie. Rencontre de Cerisy-la-Salle. R. Dépt. Manche, 83, t. 25, fasc. 97-98, 110 p.

627. COLLIER (George A.). The Inca and Aztec states, 1400-1800: anthropology and history. London, Academic Press, 83, in-8, 475 p. (Stud. in Anthrop.)

628. DAICU (Iordan), STROESCU (Sabina Cornelia). Dicţionarul folcloriştilor. [Vol. 1:] Folclorul literar românesc. (Le dictionnaire des folkloristes. Vol. 1: Le folklore littéraire roumain.) Prefaţă de Ovidiu BÎRLEA. Bucureşti, Ed. ştiinţ. şi enciclop., 79, in-8, 503 p. - Vol. 2: Folclorul muzical, coregrafic şi literar românesc. (Le folklore musical, corégraphique et littéraire roumain.) Bucureşti, Litera, 83, in-8, 248 p.

629. DAMON (Frederick H.). On the transformation of Muyuw into Woodlark Island [Papua New Guinea]. Two minutes in December, 1974. J. pacific Hist., 83, vol. 18, n° 1-2, p. 35-56.

630. Fol'klore i istoričeskaja ètnografija. (Folklore and historical ethnography.) Otv. red.: R. S. LIPEC. Moskva, Nauka, 83, 261 p. (ill.). (AN SSSR. In-t ètnografii)

631. FRANCIS (Daniel), MORANTZ (Toby). Partners in furs: a history of the fur trade in Eastern James Bay, 1600-1870. Toronto, Univ. Press, 83, in-8, 200 p. - CR: C. A. Bishop, Beaver, 84, Outfit 315, p. 60-61. B. G. Trigger, Canad. hist. R., 83, vol. 64, p. 570-571. D. Chevrier, Rech. amérindiennes Québec, 83, vol. 13, p. 323-324.

632. GEWERTZ (Deborah B.). Sepik River societies: a historical ethnography of the Chambri and their neighbours. New Haven, Conn., a. London, Yale U.P., 83, in-8, X-256 p. (ill., maps).

633. GOŁĘBIOWSKI (Łukasz). Lud polski - jego zwyczaje i zabobony. (Le peuples polonais - ses coutumes, ses superstitions.) Warszawa, Wydawn. Artyst. i Filmowe, 83, in-8, 325 p. [Réprod. photo-offset de l'éd. Warszawa 1830] - IDEM. Ubiory w Polszcze od najdawniejszych czasów aż do chwil obecnych sposobem dykcyonarza ułożone i opisane. (Le costume en Pologne, des temps ancien à nos jours, mis en ordre et décrit sous forme de dictionnaire.) Warszawa, Wydawn. Artyst. i Filmowe, 83, in-8, IV-308 p. [Réprod. photo-offset de l'éd. Warszawa 1830]

634. GRIBANOV (P.V.). Naselenie Beliza: etnopolitičeskaja obščnost' v processe stanovlenija. (The population of Belize: the emerging of an ethno-political community.) Sovet. Ètnogr., 83, n° 1; p. 66-75.

635. KAHN (Miriam). Sunday Christians, Munday sorcerers: selective adaption to missionization in Wamira [Papua New Guinea]. J. pacific Hist., 83, vol. 18, n° 1-2, p. 96-112.

636. Kalendarnye obyčai i obrjady v stranakh zarubežnoj Evropy. (Calendar customs and rites in the countries of Europe.) Vyp. 4: Istoričeskie korni i razvitie obyčaev. (Historical roots and development of customs.) Redkol.: S. A. TOKAREV (Otv. red.) i dr. Moskva, Nauka, 83, in-8, 222 p. (ill.). (AN SSSR. In-t ètnografii)

637. KERNS (Virginia). Women and ancestors: Black Carib kinship and ritual [in Belize]. London, Univ. of Illinois Press, 83, in-8, XV-229 p.

638. KILANI (Mondher). Les cultes du cargo mélanésiens: mythe et rationalité en anthropologie. Lausanne, Ed. d'En bas, 83, in-8, 202 p. (cartes). (Le Forum anthropologique)

3. ETHNOGRAPHY AND FOLKORE

639. KOLLIAS (Aristeidēs). Arbanites kai hē katagōgē tōn Hellēnōn. Historikē, laographikē, politistikē, glossologikē episkopēsē. (Les Albanais et l'origine des Grecs. Examen historique, folklorique, culturel, linguistique.) Athènes, l'Auteur, 83, in-8, XV-510 p. (ill.).

640. KONAKOV (N.D.). Komi okhotniki i rybolovy vo vtoroj polovine XIX - načale XX v. (Kul'tura promysl. naselenija tež. zony evrop. Severo-Vostoka). (Komi hunters and fishers in the 2nd half of the 19th - beginning of the 20th cent. Culture of producers' population in the taiga zone of north-eastern Europe.) Moskva, Nauka, 83, 248 p. (AN SSSR. Komi fil. In-t jaz. lit. i istorii)

641. Kultura i życie społeczne Azji Środkowej. Z polskich badań dawnych i współczesnych. (Culture et vie sociale d'Asie Centrale [XIXe-XXe s.]. Recherches polonaises anciennes et contemporaines.) Ouvrage collectif sous la réd. de Zbigniew JASIEWICZ. Poznań, 83, in-8, 164 p. (Uniw. im. Adama Mickiewicza w Poznaniu. Etnografia, 10)

642. Legende populare românești. (Légendes populaires roumaines.) Ediție de Octav PĂUN și Silviu ANGELESCU. București, Albatros, 83, in-8, 288 p.

643. LOULE-THEODORAKE (Nitsa). Hemeis hoi tsinganoi. (Nous les tziganes.) Athènes, Karamperopoulos, 83, in-8, 170 p.

644. MACK (John), ROBERTSHAW (Peter). Culture history in the Southern Sudan: archaeology, linguistics and ethno-history. London, Thames a. Hudson, 83, in-4, 184 p. (ill.). (Brit. Inst. in E. Africa)

645. MACINTYRE (Martha). Warfare and the changing context of "kune" [commerce] on Tubetube [Engineer Group, Papua New Guinea]. J. pacific Hist., 83, vol. 18, n° 1-2, p. 11-34.

646. MARAUD (S.). Futuna: ethnologie et actualité. Nouméa, Soc. d'Etudes hist. de la Nouv.-Calédonie, 83, in-8, 424 p. (Publ. de la Soc. d'Et. hist. de la Nouv.-Calédonie, 33)

647. MARKEL (Hanni). Prima generație de folcloriști sași. (La première génération de folkloristes saxons [de Transylvanie].) Anu. de Folclor, 83, n° 3-4, p. 184-216.

648. MINENKO (N.A.). Fol'klor v žizni zapadnosibirskoj derevni XVIII - 60-kh godov XIX v. (Folklore in the life of the West Siberian village, from the 18th cent. to the 1860s.) Sovet. Ètnogr., 83, n° 3, p. 86-97.

649. MORANTZ (Toby Elaine). An ethnohistoric study of eastern James Bay Cree social organization, 1700-1850. Ottawa, National Museums of Canada, 83, in-8, 199 p. (Paper / Canadian Ethnology Service, 88 = Dossier / Service canadien d'ethnologie, 88)

650. MOSER (Rupert). Aspekte der Kulturgeschichte der Ngoni in der Mkoa wa Ruvuma, Tanzania: Materialien z. Kultur-u. Sprachwandel. Wien, Afro-Pub.; Bern, Schweiz. Afrikages., 83, in-8, 314 p. (Veröff. d. Institute f. Afrikanistik u. Ägyptologie d. Univ. Wien, 24. Veröff. d. Schweiz. Afrikages., 3/4. Beiträge z. Afrikanistik, 17)

651. MOURGUES (Marcelle). Les danses de Provence: symbolisme et technique des danses typiques de Provence. Marseille, Laffitte, 83, in-8, 219 p. (ill.).

652. PAPADOPOULOS (Stelios). Hē chalkotechnia ston hellēniko chōro, 1900-1975. Kata tis prophorikes martyries tōn chalkourgōn. Symbolē stin ethnografikē technologia. (L'art de la gravure sur métaux dans l'espace grecque, 1900-1975. D'après les témoignages oraux des graveurs. Contribution à la technologie ethnographique.) Nauplio, Peloponnesiako Laographiko Hidryma, 82, in-4, 219 p. (ill.).

653. PAYNE (Kenneth W.), MURRAY (Stephen O.). Historical inferences from ethnohistorical data: Boasian views. J. Hist. behavioral Sci., 83, vol. 19, n° 4, p. 335-340.

654. PINIES (Jean-Pierre). Figures de la sorcellerie languedocienne: brèish, endevinaire, armièr. Paris, Ed. du C.N.R.S., 83, in-8, IX-324 p.

655. Praktika IVe Symposio Laographias tou Boreiohelladiou Chōrou. Epeiros - Makedonia - Thrakē. (Actes du IVe Colloque de folklore de la Grèce du Nord. Epire - Macédoine - Thrace.) Iōannina, 10-12 oct. 1979. Thessalonique, Hidryma Meletōn Chersonēsou tou Aimou, 83, in-8, 279 p.

656. Rasy i narody. Sovremennye etničeskie i rasovye problemy. (Races and peoples. Contemporary ethnic and racial problems.) Ežegodnik. Vyp. 13. Otv. red.: I. R. GRIGULEVIČ. Moskva, Nauka, 83, 285 p. (AN SSSR. In-t ètnografii) [Cf. Bibl. 82, n° 702.]

657. RODRIGUE (Denise). Le cycle de Pâques au Québec et dans l'Ouest de la France. Québec, Presses de l'Univ. Laval, 83, in-8, 333 p. (Les Archives de folklore, 24)

658. SABBAN (Françoise). Le système de cuissons dans la tradition culinaire chinoise. A. Ec., Soc., Civ., 83, a. 38, p. 341-368.

659. SAMPSON (Adamantios). Hē laïkē katoikia stis Boreies Sporades. (L'habitat populaire dans les Sporades du Nord.) Archeion euboïkōn Meletōn, 83, vol. 25, p. 37-95 (108 pl.).

660. Bibl. 82, n° 708. SEMENOVA (L.N.). Očerki istorii byta i kul'turnoj žizni Rossii. Pervaja polovina XVIII v. (Essays on Russia's history of mode of life and cultural life, first half of the 18th cent.) - CR: N. M. Moleva, Vopr. Ist., 83, n° 8, p. 110-112.

661. SETTAS (Dem. Chr.). Dēmotika tragoudia tēs Boreias Euboias. (Chansons

populaires du Nord de l'Eubée.) Archeion euboïkōn Meletōn, 83, vol. 25, p. 97-252 (8 pl.).

662. SIMIONESCU (Paul). Pitoresc rural şi extravaganţă orientală în vestimentaţia din tîrgurile şi oraşele Ţării Româneşti şi Moldovei. (Pitturesque rural et extravagance orientale du vêtement dans les bourgs et villes de la Valachie et Moldavie.) R. Etnogr. Folclor, 83, t. 28, n° 2, p. 132-148.

663. SOKOLOVA (Z.P.). Social'naja organizacija khantov i mansi v XVIII-XIX vv. Probl. fratrii i roda. (Social organization of the Khanty and Mansi in the 18th a. 19th cent.) Moskva, Nauka, 83, 325 p. (AN SSSR. In-t ėtnografii)

Cf. n°s 3720, 6359, 7436.

§ 6. General history.

a. Universal history.

* 664. Bibliographie internationale de l'Humanisme et de la Renaissance. [T. 13. Cf. Bibl. 82, n° 720.] T. 14: Travaux parus en 1978. Genève, Droz, 83, in-8, CLXII-922 p.

* 665. Historical periodicals directory. [Vol. 1. Cf. Bibl. 81, n° 601.] Vol. 2: Europe: west, north, central, and south. Ed. by Erich H. BOEHM a. others. Santa Barbara, Calif., a. Oxford, Clio, 83, in-8, XV-597 p. (Clio Periodicals Directories)

* 666. Pacific history bibliography and comment. [1982. Cf. Bibl. 82, n° 723.] 1983. Canberra, The Journal of Pacific Hist., Australian National Univ., 83, in-8, 90 p.

* 667. SCHMIDT (Christian D.). Bibliographie zur osteuropäischen Geschichte. Verzeichnis d. zwischen 1965 u. 1974 veröff. Literatur in westeurop. Sprachen z. osteurop. Gesch. bis 1945. Unter Mitarbeit v. M.-P. de GROEN, J. L. H. KEEP, A. PEETRE hrsg. v. Werner PHILIPP. Wiesbaden, Harrassowitz, 83, in-8, LXIX-1059 p.

* Cf. n° XI.

** 668. Preußen, Deutschland, Polen im Urteil polnischer Historiker. Eine Anthologie. Hrsg. v. Lothar DRALLE. Mit e. Vorw. v. Klaus ZERNACK. Bd 1: Millenium Germano-Polonicum. Berlin, Colloquium-Verl., 83, in-8, VIII-193 p. (Einzelveröff. d. Hist. Komm. zu Berlin, 37. Reihe Anthologien, 2: Publ. z. Gesch. d. deutsch-poln. Beziehungen, 4)

669. AVRIL (François), BARRAL I ALTET (Xavier), GABORIT-CHOPIN (Danielle). Les royaumes d'Occident. T. 4: Le monde roman, 1060-1220. 1: Le temps des croisades. 2: Les royaumes d'Occident. Paris, Gallimard, 83, in-8, 445 p.

670. BISKUP (Marian). Preußen und Polen. Grundlinien u. Reflexionen. Jb. f. Gesch. Osteuropas, 83, Bd 31, p. 1-27.

671. Bližnij i Srednij Vostok. Ėkonomika i istorija. (Near East and Middle East. Economics and history.) Sbornik statej. Otv. red.: Ju. V. GANKOVSKIJ. Moskva, Nauka, 83, 279 p. (AN SSSR. In-t vostokovedenija)

672. Byzanz in der europäischen Staatenwelt. Eine Aufsatzsammlung. Hrsg. v. Jürgen DUMMER u. Johannes IRMSCHER. Berlin, Akad.-Verl., 83, VIII-229 p. (28 p. Abb.). (Berliner byzantin. Arbeiten, 49)

673. Cultures juives méditerranéennes et orientales. Paris, Syros, 82, in-8, 397 p. (Combat pour la Diaspora)

674. Dukhovnaja kul'tura slavjanskikh narodov. Literatura. Fol'klor. Istorija. (Spiritual culture of the Slavic peoples. Literature. Folklore. History.) Sbornik. Redkol.: M. P. ALEKSEEV i dr. Leningrad, Nauka, 83, 382 p. (AN SSSR. In-t rus. lit. Puškin. dom)

675. Essays on frontiers in world history. College Station, Univ. of Texas Press, 83, in-8, 165 p.

676. FREJDZON (V.I.). K probleme perkhoda ot feodal'noj narodnosti k nacii v stranakh Central'noj i Jugo-Vostočnoj Evropy. (Concerning the problem of transition from the feudal nationality to the nation in the countries of Central and South-Eastern Europe.) Nov. novejš. Ist., 83, n° 4, p. 49-67.

677. GEISS (Imanuel). Geschichte griffbereit. [3. Cf. Bibl. 81, n° 613.] 4: Begriffe. Die sachsystemat. Dimension d. Weltgesch. Reinbeck b. Hamburg, Rowohlt, 83, in-8, 745 p. (rororo, 6238. rororo-Handbuch)

678. Geschichte Afrikas. Von d. Anfängen bis z. Gegenwart. [T. 2. Cf. Bibl. 76-77, n° 797.] T. 3: Afrika vom zweiten Weltkrieg bis zum Zusammenbruch des imperialist. Kolonialsystems. Verf. v. e. Autorenkoll. unter Leitung v. Christian MÄHRDEL. Berlin, Akad.-Verl., 83, in-8, VI-309 p. (Abb., 4 Beil.).

679. Gesellschaftliche Umgestaltungen in der Geschichte. Wege u. Formen, Führungs- und Triebkräfte. Ausgewählte Materialien. VII. Historiker-Kongreß d. DDR (Berlin, 6. bis 9. Dez. 1982). Berlin, Hist.-Ges. d. DDR, 83, 171 p. (Wissenschaftl. Mitt. / Historiker-Ges. d. DDR, 1/2)

680. Historia tēs Makedonias. Apo ta prohistorika chronia hōs to 1912. Epoptēssyntonistēs Apost. E. BAKALOPOULOS. (Histoire de la Macédoine. Depuis les temps préhistoriques jusqu'en 1912. Inspecteurcoordinateur: Apost. E. BAKALOPOULOS.) Thessalonique, Hetaireia Makedonikōn Spoudōn, 83, in-8, 187 p.

681. KIENIEWICZ (Jan). Historia Półwyspu Iberyjskiego. Cz. 1: Od czasów prehistorycznych do nowożytności. (Histoire

de la Péninsule Ibérique. P. 1: Des temps préhistoriques aux temps modernes.) Warszawa, 83, in-8, 170 p. (Uniw. Warsz. Katedra Iberystyki)

682. McNEILL (William H.). The pursuit of power: technology, armed force and society since A.D. 1000. Oxford, Blackwell, 83, in-8, X-405 p. [Am. ed. Cf. Bibl. 82, n° 742]

683. MIZRUCHI (Ephraim H.). Regulating society: marginality and social control in historical perspective. New York, Free Press, 83, in-8, XI-207 p.

684. Pologne-France. Dix siècles de relations politiques, culturelles et économiques. Avant-propos et réd.: Andrzej TOMCZAK. Auteurs: Karol GÓRSKI et autres. Warszawa, Książka i Wiedza, 83, in-8, 629 p.

685. PRINZ (Friedrich). Europäische Aspekte der Geschichte Böhmens. Z. f. Ostforsch., 81 [83], Jg. 30, p. 1-18.

686. TAPSELL (R.F.). Monarchs, rulers, dynasties and kingdoms of the world. London, Thames a. Hudson, 83, in-8, 512 p. (ch.).

687. THOMAS (Keith). Man and the natural world: a history of the modern sensibility. New York, Pantheon, 83, 425 p.

688. UNSTEAD (Robert John). History of the world. London, Black, 83, in-8, 608 p. (ill.).

689. Wegbereiter der deutsch-slawischen Wechselseitigkeit. Mit Unterstützung zahlreicher Freunde d. deutsch-slaw. Wechselseitigkeit. Eduard WINTER u. Günther JAROSCH (Hrsg.). Mit e. Anhang v. Günther JAROSCH: Bibliographie d. wissenschaftl. Arbeiten Eduard Winters. Berlin, Akad.-Verl., 83, in-8, 450 p. (Quellen u. Stud. z. Gesch. Osteuropas, 26)

690. Wörterbuch der Geschichte. Bd 1: A-K. Bd 2: L-Z. Berlin, Dietz, 83, 2 vol. in-8, 653 p., p. 655-1237.

Cf. n° 504.

b. History by countries[1].

Afghanistan.

691. ROMODIN (V.A.). Očerki po istorii i istorii kul'tury Afganistana, seredina XIX - pervaja tret' XX v. (Essays on the history of Afghanistan and its culture, middle of the 19th - first third of the 20th cent.) Moskva, Nauka, 83, 191 p. (ill.). (AN SSSR. In-t vostokovedenija)

Germany.

* 692. Mecklenburgische Bibliographie. Regionalbibliographie f. d. Bezirke Rostock, Schwerin u. Neubrandenburg. Berichtsjahr [1980. Cf. Bibl. 82, n° 757.] 1981. Nachtr. 1945-1980. Bearb. v. Grete GREWOLLS. Schwerin, Wiss. Allgemeinbibliothek d. Bez. Schwerin, 83, in-8, 131 p.

* 693. Quellenkunde der deutschen Geschichte. Bibliographie d. Quellen u. d. Lit. z. deutsch. Gesch. Dahlmann-Waitz. Unter Mitw. zahlr. Gelehrter hrsg. im Max-Planck-Inst. f. Gesch. v. Hermann HEIMPEL u. Herbert GEUSS. 10. Aufl. [4. Buch, Lfg. 40-42. Cf. Bibl. 82, n° 758.] Allgemeiner Teil: Landesgeschichte. Lfg. 43: Abschn. 108 - Abschn. 110 (Anfang). Lfg. 44: Abschn. 110 (Schluß) - Abschn. 112 (Anfang). Lfg. 45: Abschn. 112 (Schluß) - Abschn. 115 (Anfang). Stuttgart, Hiersemann, 83, 3 vol. in-4, 40, 40, 40 Bl.

* 694. Sächsische Bibliographie. Regionalbibliographie f. d. Bezirke Dresden, Karl-Marx-Stadt u. Leipzig. Hrsg. v. d. Sächs. Landesbibliothek Dresden. [Berichtsjahr 1980. Cf. Bibl. 81, n° 636.] Berichtsjahr 1981, 1982. Nachträge aus früheren Jahren. Zusammengest. v. Johannes JANDT, Hans-Joachim MÜLLER u. Rosemarie WÜNSCHE. [Fünfjahresregister 1971-1975. Cf. Bibl. 78-79, n° 770.] Fünfjahresregister 1976-1980. Bearb. v. Johannes JANDT u. Rosemarie WÜNSCHE. Dresden, Sächsische Landesbibliothek, 82-83, 3 vol. in-8, VI-154, VIII-163, 165 p.

* 695. Serbska bibliografija. Sorbische Bibliographie [1971-1975. Cf. Bibl. 78-79, n° 771.] 1976-1980. Cułkowna red.: Měrćin WAŁDA-WALDE. Budyšin (Bautzen), Domowina, 83, in-8, 467 p. (Spisy Instituta za Serbski Ludospyt, 56)

* 696. Thüringen-Bibliographie. Regionalbibliographie für die Bezirke Erfurt, Gera u. Suhl. Bearb. v. Doris KUHLES. [1978. Cf. Bibl. 82, n° 760.] 1979-1980. Mit Nachtr. Weimar, Nationale Forsch.- u. Gedenkstätten d. klass. deutsch. Literatur, 83, in-8, 354 p.

* Cf. n° I.

** 697. Dokumente zur Geschichte von Staat und Gesellschaft in Bayern. Hrsg. v. d. Komm. f. Bayer. Landesgesch. [Abt. 2, Bd 4; Abt. 3, Bd 5. Cf. Bibl. 78-79, n° 773.] Abt. 3: Bayern im 19. u. 20. Jahrhundert. Bd 8: Kultur u. Kirchen. Unter Mitw. v. Werner K. BLESSING bearb. v. Rolf KIESSLING u. Anton SCHMID. München, Beck, 83, in-8, VII-482 p.

698. BÖHNER (K.). Mainz im Altertum und im frühen Mittelalter. Gymnasium, 83, Bd 90, p. 369-388.

699. Deutsche Geschichte. Hrsg. v. Heinrich PLETICHA. Bd 1: Vom Frankenreich zum Deutschen Reich 500-1024. Bd 2: Von den Saliern zu den Staufern 1024-1152. Bd

---

1. Classification in the alphabetical order of the French form of the names of countries.

3: Die staufische Zeit 1152-1254. Bd 4: Vom Interregnum zu Karl IV. 1254-1378. Bd 5: Das ausgehende Mittelalter 1378-1517. Bd 6: Reformation und Gegenreformation 1517-1618. Bd 7: Dreißigjähriger Krieg und Absolutismus 1618-1740. Bd 8: Aufklärung und Ende des Deutschen Reiches 1740-1815. Bd 9: Von der Restauration bis zur Reichsgründung 1815-1871. Bd 10: Bismarck-Reich und Wilhelminische Zeit 1871-1918. Gütersloh, Lexikothek, 83, 10 vol. in-8, je 384 p. (Ill., graph. Darst., Kt.).

700. Deutsche Geschichte. In 12 Bd. Hrsg. vom Zentralinstitut f. Gesch. d. Akad. d. Wiss. d. DDR. Hrsg.-Kollegium: Horst BARTEL (Leiter). [Bd 1. Cf. Bibl. 82, n° 761.] Bd 3: Die Epoche des Übergangs vom Feudalismus zum Kapitalismus von den siebziger Jahren des 15. Jh. bis 1789. Autorenkollektiv: Adolf LAUBE [u.a.]. Berlin, Deutsch. Verl. d. Wiss., 83, in-4, 592 p. (Abb.).

701. Ežegodnik Germanskoj istorii (Yearbook of German history.) [1980. Cf. Bibl. 82, n° 763.] 1981. Redkol.: D. A. DAVIDOVIČ (i. o. gl. red.) i dr. 1982. Redkoll.: B. A. AJZIN (gl. red.) i dr. Moskva, Nauka, 83, 2 vol., 303, 253 p. (AB SSSR. In-t vseobšč. istorii. Komis. istorikov SSSR i GDR)

702. Geschichte Niedersachsens. Hrsg. v. Hans PATZE. [Bd 1. Cf. Bibl. 76-77, n° 838.] Bd 3, Teil 2: Kirche und Kultur von der Reformation bis zum Beginn des 19. Jahrhunderts. Hildesheim, Lax, 83, in-8, VIII-895 p. (Ill.). (Veröff. d. Hist. Komm. f. Niedersachsen u. Bremen, 36)

703. KRAUS (Andreas). Geschichte Bayerns. Von d. Anfängen bis z. Gegenwart. Geleitwort v. Max SPINDLER. München, Beck, 83, in-8, 805 p.

704. Neunhundert Jahre Geschichte der Juden in Hessen. Beiträge zum polit., wirtschaftl. u. kulturellen Leben. Bearb. v. Christiane HEINEMANN. Wiesbaden, Komm. f. Gesch. d. Juden in Hessen, 83, in-8, 512 p. (Schr. d. Komm. f. Gesch. d. Juden in Hessen, 6)

705. Westfälische Geschichte. Hrsg. v. Wilhelm KOHL. Bd 1: Von den Anfängen bis zum Ende des Alten Reiches. Bd 2: Das 19. und 20. Jahrhundert. Politik u. Kultur. Düsseldorf, Schwann, 82, 2 vol. in-8, XVI-823, VI-556 p. (Veröff. d. Hist. Komm. f. Westfalen, 43)

Austria.

* 706. WUNSCHHEIM (Johannes). Bibliographie zur oberösterreichischen Geschichte. Linz, Oberösterr. Landesarchiv, 82, in-8, XI-308 p. (Mitt. d. Oberösterr. Landesarch., Erg.-Bd, 5)

* Cf. n° IV.

---

707. BURMEISTER (Karl Heinz). Geschichte Vorarlbergs. Ein Überblick. 2. Aufl. Wien, Gesch. u. Politik; München, Oldenbourg, 83, in-8, 235 p. (Gesch. d. österr. Bundesländer)

708. Domus Austriae. Eine Festgabe Hermann Wiesflecker zum 70. Geburtstag. Hrsg. v. Walter HOFLECHNER, Helmut MEZLER-ANDELBERG u. Othmar PICKL. Graz, Akad. Druck- u. Verl.-Anst., 83, in-8, XXX-445 p.

709. Österreich. Von der Staatsidee z. Nationalbewußtsein. Studien u. Ansprachen mit e. Bildteil z. Gesch. Österreichs. Hrsg. v. Georg WAGNER. Wien, Österr. Staatsdruckerei, 82, XXII-735 p.

710. POLTAVSKIJ (M.A.). Stanovlenie i razvitie avstrijskoj narodnosti do serediny XIX v. (Formation and development of the Austrian nationality before the revolution of 1848.) Vopr. Ist., 83, n° 3, p. 47-59.

711. RIEDMANN (J.). Geschichte Tirols. Wien, Gesch. u. Politik; München, Oldenbourg, 82, in-8, 314 p. (ill.). (Gesch. d. österr. Bundesländer)

Belgium.

* 712. Bulletin d'histoire de Belgique [1979-1981. Cf. Bibl. 82, n° 771.] 1981-1982. R. Nord, 83, t. 65, n° 259, p. 757-854.

* Cf. n° V.

Bulgaria.

713. Bulgaria 1300. Proceedings of the Symposium on Slavic cultures: Bulgarian contributions to Slavic cultures, an internat. conference dedicated to the celebration of the thirteen hundredth anniversary of the founding of the Bulgarian State, Columbia Univ. in the City of New York, Nov. 14, 1980. Ed. by Rado L. LENCEK, Riccardo PICCHIO, Hristo A. HRISTOV a. Kujo KUEV. Sofia, Sofia Press, 83, in-8, 205 p.

714. Trzynaście wieków Bułgarii. Materiały polsko-bułgarskiej sesji naukowej. Warszawa, 28-30 X 1981. (Treize siècles de Bulgarie. Matériaux de la session scientif. polono-bulgare. Varsovie, 28-30 oct. 1981.) Réd.: Janusz SIATKOWSKI. Wrocław, Zakł. Narod. im. Ossolińskich, 83, in-8, 348 p. (Pol. Akad. Nauk, Inst. Słowianoznawstwa. Prace Slawist., 32)

Cyprus.

* Cyprus. Comp. by Paschalis M. KITROMILIDES a. Marios EVRIVIADES. Santa Barbara, Calif., a. Oxford, Clio, 82, in-8, XX-195 p. (World bibliogr. ser., 28)

Spain.

716. Histoire de la Catalogne. Sous la dir. de J. NADAL I FARRERAS et Philippe WOLFF. Toulouse, Privat, 82, in-8, 560 p. - Història de Catalunya. Dir. por J. NADAL

I FARRERAS y Philippe WOLFF. Barcelona, Oikos-Tau, 83, in-8, 588 p.

717. Historia de Granada. 1: De las primeras culturas al Islam. Por F. MOLINA GONZÁLEZ, J. M. ROLDÁN HERVÁS. Granada, Don Quijote, 83, in-8, 363 p. (22 lám.).

718. MARTÍNEZ DIEZ (Gonzalo). Historia de la provincia de Burgos. Burgos, Aldecoa, 83, in-8, 216 p.

Ethiopia.

* 719. Bibliographie [analytique de l'histoire de la civilisation éthiopienne]. [Cf. Bibl. 82, n° 777.] Abbay, 80-82 [83], cah. 11, p. 251-284.

Finland.

* 720. Finland. Comp. by J. E. O. SCREEN. Santa Barbara, Calif., a. Oxford, Clio, 81, in-8, XV-213 p. (World bibliogr. ser., 31)

* 721. RANTANEN (Tuula), PÄRSSINEN (Leena). Suomen historiallinen bibliografia 1961-1970. - Finsk historisk bibliografi. - Finnish historical bibliography. Helsinki, 83, in-8, XXVII-647 p. (Käsikirjoja/Suomen hist. seura, 9)

* Cf. n° VIII.

France.

* 722. Bibliographie lorraine, contenant la nomenclature des ouvrages parus jusqu'à nos jours et concernant les duchés de Lorraine et de Bar, les Trois-Evêchés, les départements de Meurthe-et-Moselle, Meuse, Moselle et Vosges, les départements et les pays circonvoisins. T. 5, [1. Cf. Bibl. 78-79, n° 794.] 2: Haas (Jean-Philippe) - Hypolitte (Charles-Victor). Metz, Acad. nat. de Metz, 83, in-4, p. 83-185.

* 723. Bibliographie normande [1980. Cf. Bibl. 81, n° 654.] 1981 (bibliographie annuelle), établie par Michel NORTIER, avec le concours de J.-J. BERTAUX. A. Normandie, 82 [83], a. 32, n° 4, p. 371-473.

* 724. CHAUNEY (Martine). Bibliographie bourguignonne. [16e sér. Cf. Bibl. 82, n° 779.] 17e série: 1981. 18e série: 1982. A. Bourgogne, 82, t. 54, n° 216, p. 1-103; 83, t. 55, n° 220, p. 1-104.

* 725. CUENOT (René). Bibliographie lorraine. [T. 47. Cf. Bibl. 82, n° 781.] T. 48: 1981. T. 49: 1982. A. Est, 82, suppl., 72 p.; 83, suppl., 77 p.

* 726. HENWOOD (Philippe). Bulletin historique: l'histoire maritime en Bretagne. Essai d'orientation bibliographique (1945-1983). M. Soc. Hist. Archéol. Bretagne, 83, t. 60, p. 239-262.

* 727. Table trentennale des publications de la Société de l'histoire de Paris et de l'Ile-de-France. 5e série: 1954-1978. Paris, Ed. du C.N.R.S., 83, in-4, 40 p.

* 728. VERNON (Claire). Bibliographie de la France méridionale: publications de l'année [1980. Cf. Bibl. 81, n° 653.] 1981. A. Midi, 82 [83], t. 94, n° 160, p. 465-627.

* Cf. n° IX.

729. Dictionnaire de biographie française. Publ. sous la dir. d'Henri TRIBOUT DE MOREMBERT. T. 16, [fasc. 91. Cf. Bibl. 82, n° 786.] fasc. 92: Girdaudou - Goislard de Montsabert. Paris, Letouzey et Ané, 83, in-4, col. 258-512.

730. FAYOLLE (Gérard). Histoire du Périgord. T. 1: De la préhistoire à la Révolution. Périgueux, Fanlac, 83, in-8, 351 p.

731. Franzuzskij Ežegodnik. [1980. Cf. Bibl. 82, n° 787.] 1981. (French Yearbook.) Stat'i i materialy po istorii Francii. Redkol.: V. V. ZAGLADIN (Gl. red.) i dr. Moskva, Nauka, 83, 264 p. (ill.). (AN SSSR. In-t vseobšč. istorii)

732. GUIRAL (Pierre), AMARGIER (Paul). Histoire de Marseille. Paris, Mazarine, 83, in-8, 371 p. (ill.).

733. Histoire d'Albi. Sous la dir. de Jean-Louis BIGET. Toulouse, Privat, 83, in-8, 356 p. (ill., pl.). (Pays et villes de France)

734. Histoire de Chartres et du pays chartrain. Sous la dir. d'André CHEDEVILLE. Toulouse, Privat, 83, in-8, 324 p. (pl.). (Pays et villes de France)

735. Histoire de Dunkerque. Sous la dir. d'Alain CABANTOUS. Toulouse, Privat, 83, in-8, 312 p. (pl.). (Pays et villes de France)

736. Histoire de la France urbaine. Sous la dir. de Georges DUBY. [T. 3. Cf. Bibl. 81, n° 665.] T. 4: La ville de l'âge industriel, le cycle haussmannien. Sous dir. de Maurice AGULHON. Paris, Ed. du Seuil, 83, in-4, 665 p. (ill.).

737. Histoire de la Savoie. Sous la dir. de Jean-Pierre LEGUAY. T. 1: La Savoie des origines à l'an mil, histoire et archéologie. Rennes, Ouest-France, 83, in-8, 442 p. (ill.).

738. Histoire de Reims. Sous la dir. de Pierre DESPORTES. Toulouse, Privat, 83, in-8, 444 p. (pl.). (Pays et villes de France)

739. Histoire du Havre et de l'estuaire de la Seine. Sous la dir. d'André CORVISIER. Toulouse, Privat, 83, in-8, 335 p. (ill., 16 pl.). (Pays et villes de France)

740. Histoire du Périgord. Sous la dir. d'Arlette HIGOUNET-NADAL. Toulouse, Privat, 83, in-8, 325 p. (ill., pl.). (Pays et villes de France)

741. Nouveau dictionnaire de biographie alsacienne. T. [1. Cf. Bibl. 82, n° 796.]

2: Bas à Bec. Strasbourg, Fédération des Soc. d'Hist. et d'Archéol. d'Alsace, 83, in-8, p. 77-148.

Great Britain.

* Cf. n° X.

742. COWAN (Ian B.), SHAW (Duncan). The Renaissance and Reformation in Scotland. Edinburgh, Scot. Acad. Press, 83, in-4, 272 p.

743. COWARD (Barry). The Stanleys: Lords Stanley and Earls of Derby, 1385-1672. The origins, wealth and power of a landowning family. Manchester, Univ. Press, 83, in-8, 268 p. (Chetham Soc.)

744. PEARSON (John). Stags and serpents, the story of the House of Cavendish and the Dukes of Devonshire. London, Macmillan, 83, in-8, 256 p. (ill.).

745. Research on British history in the Federal Republic of Germany, 1978-1983. Ed. by Lothar KETTENACKER a. Wolfgang J. MOMMSEN. London, German hist. Inst., 83, in-8, 327 p.

Greece.

746. Hellinikē Historikē Hetaireia. 4 Panhellenio historiko Synedrio. Praktika. (Société historique de Grèce. IVe Congrès historique panhellénique. Actes.) Thessalonique, 83, in-8, 227 p. (ill.). [Cf. n°s 1947, 2187, 2318, 2364, 2379.]

747. Makedonia. 4000 chronia hellēnikēs historias kai politismou. (Macédoine. 4000 ans d'histoire et de culture grecques.) Sous la dir. de M. B. SAKELLARIOU. Athènes, Ekdotikē Athenōn, 82, in-4, 576 p.

748. PHOROPOULOS (N.L.). Historia tēs Ikarias apo tou onomasthentos Peiratikou polemou tōn Rōmaiōn (67 p. Chr.) mechri tēs eis tous Tourkous hypotagēs autēs (1501 m. Chr.). (Histoire d'Ikaria depuis la guerre des Romains appelée guerre des Pirates, 67 av. J.-C., jusqu'à la soumission de celle-ci aux Turcs, 1501 apr. J.-C.) Dodekanēsiaka Chronika, 83, t. 9, p. 259-264.

749. RONTOGIANNES (P.). Historia tēs nēsou Leukadas. (Histoire de l'île de Leucade.) Vol. 2. Athènes, Hetairia Lefkadikōn Meletōn, 82, in-8, p. 688-924.

750. Thessalonikē (Hē) metaxy Anatolēs kai Dysēs. (Thessalonique entre Orient et Occident. Actes du congrès organisé à l'occas. du 40e anniversaire de la Soc. d'Etudes Macédoniennes, Thessalonique, 30 oct. - 1er nov. 1980.) Thessalonikē, Hetaireia Makedonikōn Spoudōn, 82, in-8, 144 p.

Iran.

751. Cambridge (The) history of Iran.

[Vol. 4. Cf. Bibl. 74-75, n° 1009.] Vol. 3, Pt. 1, 2: The Seleucid, Parthian, and Sasanian periods. Ed. by Ehsan YARSHATER. London a. New York, Cambridge U. P., 83, 2 vol. in-8, LXXV-624, XIX-627 p.

Ireland.

* Cf. n° XII.

752. O'BEIRNE (Ranelagh John). A short history of Ireland. London a. New York, Cambridge U.P., 83, in-8, 280 p.

Italy.

753. NORWICH (John Julius). The Italian world; history, art and the genius of a people. London, Thames a. Hudson, 83, in-4, 268 p. (ill.,pl.).

754. Storia d'Italia. Diretta da Giuseppe GALASSO. 3: Il Mezzogiorno, dai Bizantini a Federico II. Torino, UTET, 83, in-8, XVI-840 p. [Cf. Bibl. 82, n° 825.]

Japan.

755. Japonija. Ežegodnik. [1981. Cf. Bibl. 82, n° 828.] 1982. (Japan. Yearbook.) Gl. red.: I. I. KOVALENKO. Moskva, Nauka, 83, 335 p. (ill.). (AN SSSR. In-t vseobšč. istorii)

Luxemburg.

* Cf. n° XIII.

756. DEMUTH (Joseph). Das unbekannte und geheimnisvolle Luxemburg. Chronik eines kleinen, großen Landes. Bd 6. Luxemburg, Impr. Saint-Paul, 83, in-8, 273 p.

Morocco.

757. DZIUBIŃSKI (Andrzej). Historia Maroka. (Histoire du Maroc.) Wrocław, Zakł. Narod. im. Ossolińskich, 83, in-8, 503 p.

758. ZAFRANI (Haïm). Mille ans de vie juive au Maroc. Histoire et culture, religion et magie. Paris, Maisonneuve et Larose, 83, in-8, 315 p. (Judaïsme en terre d'Islam, 1)

Mongolia.

759. Istorija Mongol'skoj Narodnoj Respubliki. (History of the Mongolian People's Republic.) 3-e izd. pererab. i dip. Al. red.: G. P. OKLADNIKOV. Moskva, Nauka, 83, 661 p. (ill.). (AN SSSR. Akad. nauk MNR)

6. GENERAL HISTORY

Norway.

* Cf. n° XIV.

Netherlands.

* Cf. n° XV.

Poland.

* Cf. n° XVI.

---

760. Dzieje Szczecina. (Histoire de Szczecin.) Sous la réd. de Gerard LABUDA. T. 1: Pradzieje Szczecina. (T. 1: Préhistoire de Szczecin.) Sous la réd. de Władysław FILIPOWIAK et G. LABUDA. Auteurs: Maciej CZARNECKI et autres. Warszawa, Państ. Wydawn. Nauk., 83, in-8, 633 p.

761. HALECKI (Oscar). History of Pland. 2nd rev. ed. by Antony POLONSKY. London, Routgledge, 83, in-8, 457 p. (maps).

762. HOENSCH (Jörg K.). Geschichte Polens. Stuttgart, Ulmer, 83, in-8, 383 p. (Uni-Taschenbücher, 1251)

763. Polski Słownik Biograficzny. (Dictionnaire biographique polonais.) Réd.: Emanuel ROSTWOROWSKI. T. 27, C. [1, 2. Cf. Bibl. 82, n° 833.] 3-4. Wrocław, Zakł. Narod. im. Ossolińskich, 83, in-4, p. 409-831. (Pol. Akad. Nauk, Inst. Hist.)

Romania.

* 764. ALDEA (Ioan Al.). Apulum. Acta Musei Apulensis. Vol. XI-XX (1973-1982). Indice de autori. (Index des auteurs.) Apulum, 83, t. 21, p. 449-472.

* 765. BĂDĂRĂU (Gabriel), BUZATU (Gh.), CIOBANU (Veniamin) et. al. Tabla de materii a tomurilor XI (1974) - XX (1983) (Din Anuarul Institutului de Istorie şi Arheologie "A. D. Xenopol"). (Table des matières des tomes XI-XX (1974-1983.) A. Inst. Ist. Arheol. Iaşi, 83, t. 20, p. 639-693.

* 766. BERCEA (Elena), CORDOŞ (Eva), MÎNDRUŢ (Stelian). Acta Musei Napocensis. Bibliografie I-XX (1964-1983). Acta Musei napocensis, 83, t. 20, annexe, 46 p.

* 767. CONSTANTINESCU (Justin), FIRAN (Florea), NEDELCEA (Tudor). Arhivele Olteniei (1922-1943). Bibliografie. (Bibliographie de la revue "Les Archives d'Olténie".) Bucureşti, Ed. ştiinţ. şi enciclop., 83, in-8, 376 p.

* 768. [Revista] Dacoromania. Bibliografie. (Bibliographie de la revue Dacoromania [1920-1948, vol. 1-11].) Coordonatori: Ioan PĂTRUŢ, Vasile BREBAN. Autori: Ioana ANGHEL, Vasile BREBAN, Elena COMŞULEA et al. Bucureşti, Ed. ştiinţ. şi enciclop., 83, in-8, 852 p.

* Cf. n° XVII.

** 769. Documenta Romaniae historica. B: Ţara Românească (Valachie.) [Vol. 4. Cf. Bibl. 81, n° 708.] Vol. 5: 1536-1550. Volum întocmit de Damaschin MIOC şi Marieta Adam CHIPER. Bucureşti, Ed. Acad., 83, in-8, XXXI-455 p.

** 770. Documente turceşti privind istoria României. (Documents turcs concernant l'histoire de la Roumanie.) [Vol. 1. Cf. Bibl. 76-77, n° 934.] Vol. 2: 1774-1791. Intocmit de Mustafa Ali MEHMED. Bucureşti, Ed. Acad., 83, in-8, 530 p.

** Cf. n° 309.

---

771. BINDER (Pál). Közös múltunk. Románok, magyarok, németek és délszlávok feudalizmus kori falusi és városi együttéléséről. (Traditions communes. La vie en commun des Roumains, des Magyars, des Allemands et des Slaves du Sud à l'époque féodale.) Bucureşti, Kriterion, 82, in-8, 399 p.

772. MUŞAT (Mircea), ARDELEANU (Ion). De la statul geto-dac la statul român unitar. (De l'Etat géto-dace à l'Etat roumain unitaire.) Bucureşti, Ed. ştiinţ. şi enciclop., 83, in-8, 727 p.

773. PASCU (Ştefan). Ce este Transilvania? Civilizaţia transilvană în cadrul civilizaţiei româneşti. Was ist Siebenbürgen im Rahmen der rumänischen Kultur? Cluj-Napoca, Dacia, 83, in-8, 414 p. [Zweisprachige Ausgabe]

774. Probleme fundamentale ale istoriei României. Manual. (Problèmes fondamentaux de l'histoire de Roumanie. Manuel.) Autori: Ştefan PASCU, Ştefan ŞTEFĂNESCU, Dumitru BERCIU et al. Colegiul de redacţie: Titu GEORGESCU, Gheorghe I. IONIŢA, Ioan SCURTU, Ştefan CIOBANU. Bucureşti, Ed. didactică şi pedag., 83, in-8, 216 p.

775. STOICESCU (Nicolae). The continuity of the Romanian people. Bucureşti, Ed. ştiinţ. şi enciclop., 83, in-8, 312 p. - IDEM. Unitatea românilor în Evul Mediu. (L'unité des Roumains au Moyen Age.) Bucureşti, Ed. Acad., 83, in-8, 184 p.

776. Taten und Gestalten. Bilder aus der Vergangenheit der Rumäniendeutschen. Bd 1: 12.-18. Jahrhundert. Autoren: Hans BARTH, Paul BINDER, Luzian GEIER [u. a.]. Besorgt u. eingel. v. Dieter DROTLEFF. Cluj-Napoca, Dacia, 83, in-8, 172 p.

777. THEODORU (Radu), DRAGU (Marin). Carpaţii româneşti, cetate şi drumeţie. Rolul Munţilor Carpaţi în istoria militară românească. (Les Carpates roumaines, forteresse et passage. Le rôle des Carpates dans l'histoire militaire roumaine.) Bucureşti, Ed. militară, 83, in-8, 311 p.

778. WINDISCH (Rudolf). Die Herkunft der Rumänen im Lichte der deutschen Forschung. Vox romanica, 82, Bd 41, p. 46-72.

Cf. n° 178.

Switzerland.

* 779. Bibliographie der Berner Geschichte. Hrsg. v. d. Burgerbiblithek Bern = Bibliographie de l'histoire bernoise. 1982. [Red. v. Mathias BÄBLER.] Bern, Burgerbibliothek, 83, in-8, XXI-172 p.

* 780. FAVEZ (Pierre-Yves), GLOOR (Pierre). Lausanne. Bibliographie établie à l'occas. du 500e anniversaire de l'unification des deux villes. Lausanne, Bibliothèque municipale, 82, in-8, VI-178 p. (20 ill.).

* Cf. n° XVIII.

Czechoslovakia.

* Cf. n° XIX.

781. JANÁČEK (Josef). Malé dějiny Prahy. (Kleine Geschichte Prags.) 3. umgearb. Aufl. Praha, Panorama, 83, in-8, 368 p.

782. Juden (Die) in den böhmischen Ländern. Vorträge d. Tagung d. Collegium Carolinum in Bad Wiessee vom 27.-29. Nov. 1981. Hrsg. v. Ferdinand SEIBT. München u. Wien, Oldenbourg, 83, in-8, 368 p. (Ill., Kt.).

783. PROVAZNÍK (Vladimír). Ústí, město nad Labem. (Ústí, die Stadt an der Elbe.) Ústí nad Labem, Severočeské nakladatelství, 83, in-8, 384 p.

Turkey.

* 784. Turkologischer Anzeiger [TA 8. Cf. Bibl. 82, n° 846.] (TA 9). Wiener Z. f. d. Kde d. Morgenlandes, 83, Bd 75, p. *1-*247.

785. Genocid armjan v Osmanskoj imperii. (The genocide of Armenians in the Ottoman Empire.) Sbornik dokumentov i materialov. 2-e izd., dop. Pod red. M. G. NERSISJANA. Erevan, Ajastan, 83, 683 p.

786. ROUX (Jean-Pierre). Histoire des Turcs. Paris, Fayard, 83, in-8, 389 p.

Union of Soviet Socialst Republics.

787. Arkheografičeskij ežegodnik. (Archeographical yearbook.) Redkol.: S. O. ŠMIDT (otv. red.) i dr. [1981. Cf. Bibl. 82, n° 848.] Za 1982 god. Moskva, Nauka, 83, 303 p. (AN SSSR. Otd-nie istorii. Arkheogr. komis.

788. BAZYLOW (Ludwik). Historia Rosji. T. 1, 2. (Histoire de la Russie.) Warszawa, Państw. Wydawn. Nauk., 83, 2 vol. in-8, 389, 540 p.

789. Handbuch der Geschichte Rußlands. Hrsg. v. Manfred HELLMANN [u. a.]. [Bd 1, 1. Cf. Bibl. 81, n° 725.] Bd 3: 1856-1945. Von d. autokrat. Reformen zum Sowjetstaat. Unter Mitarbeit v. Dietrich BEYRAU u. a. Hrsg. v. Gottfried SCHRAMM. Halbbd 1. Stuttgart, Hiersemann, 83, in-8, IX-908 p.

790. Istorija Ukrainskoj SSR. (History of the Ukrainian SSR.) Gl. redkol.: Ju. Ju. KONDUFOR (gl. red.) i dr. V 10-ti t. [T. 2. Cf. Bibl. 82, n° 851.] T. 3: Osvoboditel'naja vojna i vossoedinenie Ukrainy s Rossiej. Načalo razloženija feodalizma i zaroždenie kapitalističeskikh otnošenij (vtoraja polovina XVII - XVIII v.). (The liberatory struggle and the reunification of the Ukraine with Russia. The beginnings of the disintegration of feodalism and the emergence of capitalistic relations - 2nd half of the 17th - 18th cent.) Redkol: G. Ja. SERGIENKO (otv. red.) i dr. T. 4: Ukraina v period razloženija i krizisa feodal'no-krepostničeskoj sistemy. Otmena krepostnogo prava i razvitie kapitalizma. (The Ukraine in the period of the disintegration and crisis of the feodal serfdom system. The abolution of the serfdom law and the development of capitalism.) Redkol.: N. N. LEŠČENKO (otv. red.) i dr. T. 5: Ukraina v period imperializma. Nač. XX v. (The Ukraine in the period of imperialism, beginning of the 20th cent.) Redkol.: V. G. SARBEJ (otv. red.) i dr. Kiev, Nauk. dumka, 83, 3 vol., 719, 694, 558 p. (ill.).

791. Vspomogatel'nye istoričeskie discipliny. (Auxiliary historical sciences.) Sbornik statej. [T. 13. Cf. Bibl. 82, n° 854.] T. 14, 15. Redkol.: N. E. NOSOV (otv. red.) i dr. Leningrad, Nauka, 83, 2 vol., 310, 233 p. (AN SSSR. Otd-nie istorii. Arkheogr. komis. Leningr. otd-nie)

Cf. n° 238.

§ 7. Theory of the state and of society.

* 792. Bibliografia politica. Storia delle idee e scienza dei comportamenti. Vol. 3: 1976. Firenze, Olschki, 83, in-8, 369 p. [Vol. 1 e 2 pubbl. come supplementi bibliogr. alla rivista: Il Pensiero politico, 1976, 1978]

793. ABELLÁN (Joaquín). Liberalismo alemán del siglo XIX: Robert von Mohl. R. Est. pol., 83, t. 33, p. 123-145.

794. BRAUD (Philippe), BURDEAU (François). Histoire des idées politiques depuis la Révolution. Paris, Montchrestien, 83, in-8, 696 p.

795. BREIL (Winfried). Republik ohne Demagogie. Ein Vergleich d. soziopolit. Anschauungen von Polybios, Cicero u. Alexander Hamilton. Bochum, Brockmeyer, 83, in-8, 211 p. (Bochumer hist. Stud., Alte Gesch., 6)

796. DACKE (Bärbel). Zur Entwicklung der marxistisch-leninistischen Theorie vom staatsmonopolistischen Kapitalismus in den zwanziger Jahren in der Sowjetunion. Jb. f. Wirtschaftsgesch., 83, T. 2, p. 63-76.

797. DUTTON (P.E.). Illustre civitatis et populi exemplum. Plato's Timaeus and the transmission from Calcidius to the end of the twelfth century of a tripartite scheme of society. Med. Stud. 83, vol. 46, p. 79-119.

798. GÖTTSCHING (Paul). Justus Mösers Staats- und Geschichtsdenken. Der Nationsgedanke d. aufgeklärten Ständetums. Staat, 83, Bd 22, n° 1, p. 33-61.

799. QUAGLIONI (Diego). Tirannide e tirannicidio nel tardo cinquecento francese: la Anacephalaeosis di Pierre Grégoire, detto il Tolosano (1540-1597). Pens. pol., 83, a. 16, n° 3, p. 341-356.

800. QUIGLEY (Carroll). Weapons systems and political stability: a history. Washington, D. C., Univ. Press of America, 83, in-8, XVII-1043 p.

801. RODRÍGUEZ AGUILERA DE PRAT (Cesareo). La teoría del Estado en la España de los Austrias. R. Est. pol., t. 36, p. 131-158.

802. TÖPFER (Bernhard). Ursache für Fortschritte und Stagnationserscheinungen in der Feudalgesellschaft. Z. f. Geschichtswiss., 83, Jg. 31, p. 132-146.

803. WIPPERMANN (Wolfgang). Die Bonapartismustheorie von Marx und Engels. Stuttgart, Klett-Cotta, 83, in-8, 318 p. (Gesch. u. Theorie d. Politik, Unterreihe A: Gesch., 6)

Cf. n° 221.

§ 8. Constitutional and legal history.

* 804. Anuario de historia del derecho español. Indices, con una Breve historia del Anuario, por A. GARCÍA-GALLO. Anu. Hist. Derecho español, 82, t. 51 bis, LIIII-413 p.

* 805. BOULET-SAUTEL (Marguerite), SAUTEL (Gérard), VANDENBOSSCHE (André). Bibliographie en langue française d'histoire du droit [Ve s. - 1875.] concernant l'année [1978. Cf. Bibl. 81, n° 749.] 1979, 1980. Ouvrage éd. avec le concours du C.N.R.S. et de l'Univ. de Droit, d'Econ. et de Sci. soc. de Paris. Saint-Maur, Fac. de Droit et Science pol., Univ. de Paris Val de Marne (Paris XII), 82-83, 2 vol. in-8, IX-249, IX-220 p.

806. BOARI (Marco). Qui venit contra iura. Il furiosus nella criminalistica dei secoli XV e XVI. Milano, Giuffrè, 82, in-8, 164 p. (Univ. di Macerata, Pubbl. della Fac. di Giurisprudenza, 35)

807. BRUGUIERE (Marie-Bernadette), GILLES (Henri), SICARD (Germain). Introduction à l'histoire des institutions françaises, des origines à 1792. Toulouse, Privat, 83, in-8, 324 p.

808. CAMERON (Joy). Prisons and punishments in Scotland from the Middle Ages to the present day. Edinburgh, Canongate Publ., 83, in-8, 320 p.

809. Deutsche Verwaltungsgeschichte. 1: Vom Spätmittelalter bis zum Ende des Reiches. Hrsg. v. Kurt G. A. JESERICH, Hans POHL, Georg-Christoph von UNRUH. Stuttgart, Deutsche Verl.Anst., 83, in-8, XXIV-941 p.

810. EBEL (Friedrich). Kulmer Recht - Probleme und Erkenntnisse. Beitr. z. Gesch. Westpreußens, 83, n° 8, p. 9-26.

811. FELECETTI (Francesco). Evoluzione storica del Parlamento inglese. Cosenza, Pellegrin, 83, in-8, 325 p.

812. GARRISON (Francis). Histoire du droit et des institutions. [T. 1. Cf. Bibl. 76-77, n° 996.] T. 2: La société, des temps féodaux à la Révolution. Paris, Montchrestien, 83, in-8, 456 p.

813. GOETZE (Jochen). Der Anteil Lübecks an der Entwicklung des Seerechts. 1: Das Mittelalter bis 1530. Z. d. Ver. f. lübeck. Gesch., 83, Bd 63, p. 129-143.

814. GÓRALSKI (Zbigniew). Urzędy i godności w dawnej Polsce. (Les fonctions et dignités en Pologne ancienne.) Warszawa, Lud. Spółdz. Wydawn., 83, in-8, 281 p. [Hist. de l'administration jusqu'au XVIIIe s.]

815. HOF (Hagen). Wettbewerb im Zunftrecht. Zur Verhaltensgeschichte d. Wettbewerbsregelung durch Zunft u. Staat, Reich u. Landesherr bis zu d. Stein-Hardenbergischen Reformen. Köln u. Wien, Böhlau, 83, in-8, XXVIII-311 p. (Diss. z. Rechtsgesch., 1)

816. PÉREZ-PRENDES (José Manuel). Curso de historia del derecho español. Vol. 1: Parte general. Madrid, Univ. Complutense, Fac. de Derecho, 83, in-8, 950 p.

817. PICHLER (Johannes W.). Necessitas. Ein Element d. mittelalterl. u. neuzeitl. Rechts. Dargestellt am Beispiel österr. Rechtsquellen. Berlin, Duncker u. Humblot, 83, in-8, 269 p. (Schr. z. Rechtsgesch., 27)

818. PRETOT (Xavier). Le pouvoir de faire grâce. R. Droit public. Sci. pol. France Etr., 83, n° 6, p. 1525-1569.

§ 9. Economic and social history.

* 819. Bibliographie internationale de la démographie historique. International bibliography of historical demography. [1982. Cf. Bibl. 82, n° 890.] 1983. Comité internat. des Sciences historiques, Société de démographie historique, Union internat. pour l'étude scientif. de la population. Rouen, Lecerf, 83, in-8, XV-140 p.

* 820. Dějiny výrobních sil v české historické práci. (Geschichte der Produktivkräfte in der tschechischen Historiographie. Bibliographie.) Zusammengestellt v. František JÍLEK, Jaroslava JÍLKOVÁ. [1973. Cf. Bibl. 81, n° 757.]

1974, 1975. Praha, Národní technické muzeum, 81-83, 2 vol. in-8, 512, 452 p.

* 821. GILLISPIE (Raymond), KIRKHAM (Graeme). Select bibliography of writings in Irish economic and social history published in [1977, 1978. Cf. Bibl. 78-79, n° 929.] 1979, 1980. Ir. econ. soc. Hist., 80, vol. 7, p. 99-100; 81, vol. 8, p. 113-124. - KEATING (Carla), KIRKHAM (Graeme). Select bibliography ... published in 1981, 1982. Ibid., 82, vol. 9, p. 80-93; 83, vol. 10, p. 100-114.

822. Actes du Symposium international d'histoire forestière, Nancy, 24-28 septembre 1979. T. 1, 2. Nancy, Ecole nat. du Génie rural, des Eaux et des Forêts, 82, 2 vol. in-8, 318, 340 p. (ill.).

823. BARRAU (Jacques). Les hommes et leurs aliments. Esquisse d'une histoire écologique et ethnologique de l'alimentation humaine. Paris, Messidor-Temps actuels, 83, in-8, 382 p. (ill.).

824. Bevölkerung, Wirtschaft und Gesellschaft. Stadt-Land-Beziehungen in Deuschland u. Frankreich, 14. bis 19. Jh. Hrsg. v. Neithard BULST, J. HOOCK u. F. IRSIGLER. Trier, Auenthal, 83, in-8, 333 p. (graph. Darst., Kt.).

825. BIDEAU (Alain). Les mécanismes auto-régulateurs des populations traditionnelles. A. Ec., Soc., Civ., 83, a. 38, n° 5, p. 1040-1057.

826. BRANTLINGER (Patrick). Bread and circuses: theories of mass culture as social decay. Ithaca, N.Y., Cornell U.P., 83, in-8, 307 p.

827. BRIGGS (Asa, Lord). The social history of England. London, Weidenfeld a. Nicolson, 83, in-4, 320 p. (ill., pl.).

828. BUNTA (Magda), KATONA (Imre). Az erdélyi üvegművesség a századfordulóig. (De l'histoire de la fabrication du verre en Transylvanie jusqu'au XXe siècle.) Bucureşti, Kriterio, 83, in-8, 160 p.

829. BUSH (Michael Laccohee). European nobility. Vol. 1: Noble privilege. Manchester, Univ. Press, 83, in-8, 303 p.

830. CLARK (Peter). The English alehouse, a social history, 1200-1830. London, Longman, 83, in-8, 368 p.

831. CLAVEL-LEVEQUE (Monique), LORCIN (Marie-Thérèsè), LEMARCHAND (Guy). Les campagnes françaises. Précis d'histoire rurale. Paris, Ed. sociales, 83, in-8, 312 p.

832. CLEMENT (Pierre-A.). Les chemins à travers les âges en Cévennes et Bas-Languedoc. Montpellier, Presses du Languedoc, 83, in-8, 376 p.

833. DENOON (Donald). Settler capitalism: the dynamics of dependent development in the southern hemisphere. New York, Oxford U.P., 83, in-8, IV-280 p.

834. Deutsches Handwerk in Spätmittelalter und früher Neuzeit. Sozialgesch. - Volkskunde - Literaturgesch. [Hrsg.] Von Rainer S. ELKAR. Göttingen, Schwartz, 83, in-8, 328 p. (Göttinger Beitr. z. Wi.- u. Sozialgesch., 9)

835. DOLCH (M.). Vom Ursprung des luftgefüllten Lederballs. Stadion, 81 [83], Bd 7, p. 53-97.

836. DUBLER (Anne-Marie). Geschichte der Luzerner Wirtschaft: Volk, Staat u. Wirtschaft im Wandel der Jahrhunderte. Luzern u. Stuttgart, Rex, 83, in-8, 312 p. (Abb.).

837. FLANDRIN (Jean-Louis). Le goût et la nécessité: sur l'usage des graisses dans les cuisines d'Europe occidentale (XIVe-XVIIIe s.). A. Ec., Soc., Civ., 83, a. 38, p. 369-401. - IDEM. La diversité des goûts et des pratiques alimentaires en Europe, du XVIe au XVIIIe siècle. R. Hist. mod., 83, t. 30, p. 66-83.

838. GALLET (Jean). La seigneurie bretonne (1450-1680): l'exemple du Vannetais. Paris, Publications de la Sorbonne, 83, in-8, 648 p.

839. GOODY (Jack). The development of the family and marriage in Europe. New York, Cambridge U.P., 83, in-8, XII-308 p. (Past a. Present)

840. GUILLERME (André). Le temps de l'eau. La cité, l'eau et les techniques, Nord de la France, fin IIIe - début du XIXe siècle. Seyssel, Ed. du Champ Vallon, 83, in-8, 263 p.

841. HAENEL (Thomas). Die Bewertung des Suizides im Laufe der Geschichte. Eine Übersicht. Medizinhist. J., 83, Bd 18, p. 213-226.

842. Hagira we-hityashvut be-Israel u-va-amim. (Emigration and settlement in Jewish and general history: a collection of essays.) Ed. by Avigdor SHINAN. Jerusalem, Zalman Shazar Center, 82, in-8, 11-413 p. (diagr., maps).

843. Handwerk (Das) in vor- und frühgeschichtlicher Zeit. Bericht über d. Kolloquien d. Komm. f. d. Altertumskunde Mittel- u. Nordeuropas in d. Jahren 1977-1980. Hrsg. v. Herbert JANKUHN [u. a.]. T. 1: Historische und rechtshistorische Beiträge und Untersuchungen zur Frühgeschichte der Gilde. T. 2: Archäologische und philologische Beiträge. Göttingen, Vandenhoeck u. Ruprecht, 81-83, 2 vol. in-8, 415, 776 p. (Ill., graph. Darst., Kt.). (Abh. d. Akad. d. Wiss. in Göttingen, phil.-hist. Kl., Folge 3, 122, 123)

844. HASENFRATZ (Hans-Peter). Zum sozialen Tod in archaischen Gesellscahften. Saeculum, 83, Bd 34, p. 126-137.

845. HOWELL (Cicely). Land, family, and inheritance in transition: Kibworth Harcourt, 1280-1700. London a. New York, Cambridge U. P., 83, in-8, XVI-332 p.

846. JULLIAN (Marcel), MEYER (Charles).

Histoire de France des commerçants. Paris, Laffont, 83, in-8, 381 p. (ill.).

847. Kölner Neubürger, 1356-1798. [T. 1-3. Cf. Bibl. 74-75, n° 1126.] T. 4: Index und Nachträge. Bearb. v. Joachim DEETERS. Unter Mitarb. v. Arnold LASOTTA [u.a.]. Teilw. bearb. v. Hugo STEHKÄMPER [u.a.]. Köln u. Wien, Böhlau, 83, in-8, 767 p. (Mitt. aus d. Stadtarchiv von Köln, 64)

848. LEONE (Alfonso). Profili economici della Campania aragonese. Napoli, Liguori, 83, in-8, 195 p.

849. LITWIN (Henryk). Magnateria polska 1454-1648. Kształtowanie się stanu. (Les magnats polonais 1454-1648. Formation d'un état.) Przegl. hist., 83, vol. 74, p. 451-470.

850. MANTAU (Udo). Die Geschichte des schwedischen und des deutschen Bauernstandes - ein Vergleich. Z. f. Agrargesch., 83, Bd 31, n° 1, p. 70-86.

851. MOTTA (Giovanna). Strategie familiari e alleanze matrimoniali in Sicilia nell'età della transizione (sec. XIV-XVIII). Firenze, Olschki, 83, in-8, 148 p. (Bibliot. dell'Arch. stor. ital., 23)

852. MUSALLAM (B.F.). Sex and society in Islam: birth control before the nineteenth century. London a. New York, Cambridge U. P., 83, in-8, IX-176 p. (Cambridge Stud. in Islamic Civ.)

853. Paura (La) dei padri nella società antica e medievale. A cura di E. PELLIZER e N. ZORZETTI. Roma e Bari, Laterza, 83, in-8, 240 p.

854. POSTNIKOVA-LOSEVA (M.M.), PLATONOVA (N.G.). Zolotoe i serebrjanoe delo XV-XX vv. (Territorija SSSR). (Gold and silver business in the 15th-20th cent. Territory of the USSR.) Moskva, Nauka, 83, 375 p. (ill.). (AN SSSR. VNII iskusstvoznanija M-va kul'tury SSSR. Gos. ist. muzej)

855. Precious metals in the later medieval and early modern world. By J. F. RICHARDS a. others. Durham, N.C., Carolina Acad. Press, 83, in-8, IX-502 p.

856. RECHE (Albert). Dix siècles de la vie quotidienne à Bordeaux Paris, Seghers, 83, in-8, 325 p. (pl.).

857. RYDER (M.L.). Sheep and man. London, Duckworth, 83, in-8, 846 p. (266 fig.).

858. SBORONOS (N.). Diagramma oikonomikēs historias tēs Thessalonikēs (4os - 19os aiōnas). (Diagramme d'histoire économique de Thessalonique, IVe - XIXe s.) Archaiologia, 83, t. 7, p. 66-71.

859. SPANG (Paul). Das Bier und die Brauereien in Luxemburgs Geschichte. Hémecht, 83, Bd 35, p. 93-105 (ill.).

860. Statistiques historiques du Canada. 2e éd. F. H. LEACY, rédacteur en chef. Ottawa, Statistiques Canada / Féderation canadienne des sciences sociales, 83, in-8, env. 800 p. - Eng. version: Historical statistics in Canada.

861. Suomen taloushistoria. 3: Historiallinen tilasto. (The economic history of Finland. 3: Historical statistics.) Toim. - Ed. by Kaarina VATTULA. Helsinki, Tammi, 83, in-8, XXXI-470 p. (ill.). [1. Cf. Bibl. 80, n° 789]

862. THEOCHARĒS (Rēginos Th.). Archaia kai byzantinē oikonomikē historia. (Histoire économique antique et byzantine.) Athēna, Papazēsēs, 83, in-8, 218 p.

863. Villa - curtis - grangia. Landwirtschaft zwischen Loire u. Rhein von d. Römerzeit zum Hochmittelalter. 16. Deutschfranz. Historikerkolloquium d. Deutsch. Hist. Inst. Paris, Xanten, 28.9. - 1.10. 1980. Hrsg. v. Walter JANSSEN u. Dietrich LOHRMANN. Préf. de Charles HIGOUNET. München u. Zürich, Artemis, 83, in-8, XI-281 p. (Ill., graph. Darst., Kt.). (Beihefte der Francia, 11)

864. WEISS (Wisso). Zeittafel zur Papiergeschichte. Leipzig, Fachbuchverl., 83, in-8, 684 p.

865. WHEATON (Barbara Ketcham). Savoring the past: the French kitchen und table from 1300 to 1789. Philadelphia, Univ. of Pennsylvania Press, 83, in-8, XXI-341 p.

Cf. n° 322.

§ 10. History of civilization, science and education.

* 866. Bibliographie Geschichte der Technik. Hrsg. v. d. Sächs. Landesbibliothek Dresden. [Jg. 21. Cf. Bibl. 82, n° 941.] Jg. 22. Berichtsjahr 1982. Bearb. v. Michael LETOCHA u. Peter HESSE unter Mitarb. v. Siegfried SAUER u. unter Fachberatung v. Rolf SONNEMANN. Dresden, Sächs. Landesbibliothek, 83, in-8, XXXI-433 p.

* 867. Bibliography of the history of medicine. [Nr. 15, 16. Cf. Bibl. 82, n° 942.] Number 17: 1981. Number 18: 1982. Washington, U. S. Government Printing Office, 82-83, 2 vol. in-8, 240, 305 p.

* 868. Bulletin of the history of medicine. Index to volumes and supplements 1933-1982. Baltimore, Md., Johns Hopkins U. P., 83, 195 p.

* 869. Bulletin signaletique 522: Histoire des sciences et des techniques. 1983: Vol. 37, n° 1-4 et Tables annuelles. Paris, Ed. du C.N.R.S., 83, 5 vol. in-4, 94, 80, 86, 124, 167 p.

* 870. Current work in the history of medicine. N°s 113-116: January - December 1982. N°s 117-119: January -September 1983. London, Wellcome Inst., 82-83, 2 vol. in-8, 533, 418 p.

* 871. GOODWIN (Jack). Current bibliography in the history of technology [1980. Cf. Bibl. 82, n° 945.] 1981. Technol. a.

Culture, 83, vol. 24, n° 2, p. 316-398.

* 872. JAYAWARDENE (S.A.). Reference books for the historian of science. London, Science Museum, 83, in-8, 242 p.

* 873. SONNET (Martine). Bibliographie d'histoire de l'éducation française: titres parus au cours de l'année [1979. Cf. Bibl. 82, n° 944.] 1980 et suppléments des années antérieures. Hist. Education, 83, n°s 19-20, 218 p.

---

874. BOORSTIN (Daniel J.). The discoverers. New York, Random House, 83, in-8, XVI-745 p.

875. CAMP (Wesley D.). The roots of Western civilization. Vol. 1: From ancient times to 1715. Vol. 2: From the Enlightenment to the 1980's. London, Wiley, 83, 2 vol. in-8, 248, 318 p.

876. Celebration (A) of medical history. The fiftieth anniversary of the Johns Hopkins Institute of the history of medicine and the Welch medical Library. Baltimore, Md., Johns Hopkins U. P., 82, in-8, VII-228 p.

877. CHAPMAN (J.C.). Settlement in North Britain, 1000 B.C. - A.D. 1000. London, Brit. Archaeol. Rep., 83, in-4, 356 p. (ill., fig.).

878. CLASSEN (Peter), WOLGAST (Eike). Kleine Geschichte der Universität Heidelberg. Berlin, Heidelberg u. New York, Springer, 83, in-8, VII-119 p.

879. CORSI (Pietro), WEINDLING (Paul). Information sources in the history of science and medicine. London, Butterworth, 83, in-8, 548 p.

880. Geschichte der Naturwissenschaften. Hrsg. v. Hans WUSSING, Sonja BRENTJES [u. a.]. Leipzig, Edition Leipzig, 83, in-4, 564 p. (Abb.).

881. GURIKOV (V. A.). Stanovlenie prikladnoj optiki XV-XIX vv. (The formation of applied optics, 15th - 19th cent.) Moskva, Nauka, 83, 188 p. (ill.). (Istorija nauki i tekhniki / AN SSSR)

882. HOPKINS (Donald R.). Princes and peasants: smallpox in history. Foreword by George L. LYTHCOTT. Chicago, Univ. of Chicago Press, 83, in-8, XX-380 p.

883. HÜBNER (Wolfgang). Zodiacus Christianus: jüdisch-christliche Adaptationen des Tierkreises von der Antike bis zur Gegenwart. Königstein, Hain, 83, in-8, 238 p. (Beitr. z. klass. Philol., 138)

884. Issledovanija po istorii mekhaniki. (Research on the history of mechanics.) Sbornik statej. Otv. red. A. T. GRIGOR'JAN. Moskva, Nauka, 83, 286 p. (AN SSSR. In-t istorii estestvoznanija i tekhniki)

885. Istoria gîndirii și creației științifice și tehnice românești. (Histoire de la pensée et de la création scientiques et techniques roumaines.) Vol. 1: Din antichitate pînă la formarea științei moderne. (Depuis l'antiquité jusqu'à la naissance de la science moderne.) Sub redacția lui Ștefan PASCU. Comitetul de redacție: Ioan ARITON, Ștefan PASCU, Cristofor SIMIONESCU, et al. Autori: Ștefan PASCU, Cornelia BUCUR, Maria BOCȘE et al. București, Ed. Acad., 82, in-8, 392 p.

886. Istoria învățămîntului în România. (Histoire de l'enseignement en Roumanie.) Coordonator: Ștefan PASCU. Comitetul de coordonare: N. ANDREI, Șt. BĂLAN, Elena BÂRBULESCU et al. Vol. 1: De la origini pîna la 1821. (Des origines à 1821.) Colectivul de redacție: Ștefan PASCU (redactor responsabil), Anghel MANOLACHE, Gheorghe PÂRNUȚĂ, Ion VERDEȘ. București, Ed. didactică și pedagog., 83, in-8, 512 p.

887. Istorija i metodologija estestvennykh nauk. (History and methodology of natural sciences.) Redkol.: D. I. GORDEEV (predsedatel' i gl. red.) i dr. [Vyp. 27-29. Cf. Bibl. 82, n° 957.] Vyp. 30: Fizika. Moskva, Izd-vo MGU, 83, 200 p. (ill.). (MGU. Sekcija istorii i metodol. estestvoznanija Učenogo soveta Mosk. Un-ta po estestv. naukam)

888. JAGGER (Cedric). Royal clocks: the British monarchy and its timekeepers, 1300-1900. London, Hale, 83, in-4, 352 p. (ill., pl.).

889. KNIBIEHLER (Yvonne), FOUQUET (Catherine). La femme et les médecins, analyse historique. Paris, Hachette, 83, in-8, 333 p.

890. KUHLEN (Franz-Josef). Zur Geschichte der Schmerz-, Schlaf- und Betäubungsmittel in Mittelalter und früher Neuzeit. Mit e. Geleitw. v. Rudolf SCHMITZ. Stuttgart, Deutscher Apotheker-Verl., 83, in-8, XIV-445 p. (24 Ill. u. graph. Darst.). (Quellen u. Stud. z. Gesch. d. Pharmazie, 19)

891. LANDES (David S.). Revolution in time: clocks and the making of the modern world. Cambridge, Mass., Belknap Press of Harvard U. P., 83, in-8, XVIII-482 p.

892. MATVIEVSKAJA (G.P.), ROZENFEL'D (B.A.). Matematiki i astronomy musul'manskogo srednevekov'ja i ikh trudy (VIII-XVII vv.). (Mathematicians and astronomers of the Moslem middle ages and their works, 8th - 17th cent.) Kn. 1. Moskva, Nauka, 83, 479 p. (AN SSSR. In-t istorii estestvoznanija i tekhniki. AN UzSSR. In-t matematiki)

893. MAZOUER (Charles). Théâtre et carnaval en France jusqu'à la fin du XVIe siècle. R. Hist. Théâtre, 83, a. 35, p. 147-161.

894. NUTTON (V.). The seeds of disease: an explanation of contagion and infection from the Greeks to the Renaissance. Medical Hist., 83, vol. 27, p. 1-34.

895. PARKER (Derek), PARKER (Julia).

History of astrology. London, Deutsch, 83, in-8, 224 p. (ill., pl.).

896. PARKER (Rowland). Town and gown: the seven hundred years' war in Cambridge. London, P. Stephens, 83, in-4, 176 p. (maps).

897. PENTOGALOS (Gerasimos E.). Eisagōgē stēn historia tēs iatrikēs. (Introduction à l'histoire de la médecine.) Thessalonique, Paratērētēs, 83, in-8, 314 p.

898. Perspektiven der Pharmaziegeschichte. Festschrift für Rudolf Schmitz zum 65. Geburtstag. Hrsg. v. Peter DILG unter Mitarb. v. Guido JÜTTNER [u. a.]. Graz, Akad. Druck- u. Verl.-Anst., 83, in-8, XVIII-497 p. (Ill.). [Mit Schriftenverzeichnis R. Schmitz, p. 441-458]

899. ROMAN (Elena). Tipologia mecanismelor de aprindere a armelor de foc medievale din colecţiile Muzeului Brukenthal. (La typologie des mécanismes des armes à feu médiévales des collections du Musée Brukenthal [à Sibiu, Roumanie].) Studii Mater. Ist. medie, 83, t. 16, p. 251-274.

900. ŠTVERÁK (Vladimír). Stručné dějiny pedagogiky. (Kurze Geschichte der Pädagogik.) Praha, Stát. pedagog. nakl., 83, in-8, 380 p.

901. REYNOLDS (Terry S.). Stronger than a hundred men: a history of the vertical water wheel. Baltimore, Md., Johns Hopkins U. P., 83, in-8, XVIII-453 p. (Johns Hopkins Stud. in the Hist. of Technology, new ser., 7)

902. TREDER (Hans-Jürgen). Große Physiker und ihre Probleme. Studien z. Gesch. d. Physik. Berlin, Akad.-Verl., 83, in-8, 284 p. (Abb.).

903. TSILIMINGRA (Kaitē). Hō choros. Historia - ekpaideusē - dēmiourgia. (La danse. Histoire - enseignement - création.) Athènes, Melissa, 83, in-8, 277 p.

904. VOVELLE (Michel). La mort en l'Occident de 1300 à nos jours. Paris, Gallimard, 83, in-8, 793 p. (ill.).

905. Vseobščaja istorija khimii. (World history of chemistry.) Redkol.: G. V. BYKOV i dr. Stanovlenie khimii kak nauki. (The emergence of chemistry as a science.) Otv. red. Ju. I. SOLOV'EV. Moskva, Nauka, 83, 463 p. (ill.). (AN SSSR. In-t istorii estestvoznanija i tekhniki)

906. WEISERT (Hermann). Geschichte der Universität Heidelberg. Kurzer Überblick 1386-1980. Heidelberg, Winter, 83, in-8, VIII-136 p.

§ 11. History of art.

* 907. Bibliographie [zur Kunstgeschichte] des Jahres [1981. Cf. Bibl. 82, n° 974.] 1982 mit Nachträgen. Abgeschlossen am 1. Mai 1983. Bearb. v. Hilda LIETZMANN. München u. Berlin, Deutscher Kunstverl., 83, in-8, 130 p. (Z. f. Kunstgesch., Bd 46, Bibliogr. Teil)

* 908. CAROZZA (Maria Eloisa). Annuario bibliografico di storia dell'arte. Anno 25-26. Modena, Mucchi, 83, in-8, XVIII-480 p.

* 909. GERO (Jules). Bibliographie du vitrail français. Paris, Porte étroite, 83, in-4, X-239 p.

* Cf. n° III.

910. Allgemeines Künstlerlexikon. Die bildenden Künstler aller Zeiten u. Völker. Erarb., red. u. hrsg. v. Günter MEISSNER u. e. Redaktionskoll. unter internat. Mitwirkung. Bd 1: Aa - Alexander. Leipzig, E. A. Seemann, 83, in-8, XLVII-1024 p.

911. ANGHEL (Gheorghe). Consideraţii privind tipologia bisericilor şi mănăstirilor fortificate din ţările române (sec. XIII-XVII). (Considérations sur la typologie des églises et des monastères fortifiés des pays roumains.) Apulum, 82, t. 20, p. 155-173.

912. BINFORD (Lewis R.). Working at archaeology. London, Academic Press, 83, in-8, 489 p. (Stud. in Archaeol.)

913. BROCKHAUS (Heinz Alfred). Europäische Musikgeschichte. Bd 1: Europäische Musikkulturen von den Anfängen bis zur Spätrenaissance. Berlin, Neue Musik, 83, in-8, 776 p. (Abb.).

914. BRUMFIELD (William Craft). Gold in azure: a 1000 years of Russian architecture. London, Kudos a. Godine, 83, in-4, 448 p. (ill., pl.).

915. CORNELL (Sara). Art, a history of changing style. London, Phaidon Press, 83, in-4, 456 p. (ill., pl.).

916. CRAIG (Maurice). The architecture of Ireland: from the earliest times to 1880. London, Batsford, 82, in-8, 358 p. (ill.).

917. Ecclesia Metropolitana Pragensis Catalogus collectionis operum artis musicae. Pars 1: Auctorum nominibus signata opera manu scripta. A - Z. Composuit Jiří ŠTEFAN. Praha, Supraphon, 83, in-8, 484 p.

918. FILARSKA (Barbara). Początki architektury chrześcijańskiej. (Les origines de l'architecture chrétienne.) Lublin, 83, in-4, 298 p. (Tow. Nauk. Kat. Uniw. Lub. Źródła i Monografie, 112)

919. GOWING (Lawrence). History of art. London, Macmillan, 83, in-4, 1008 p. (1218 ill., 774 pl.).

920. GROMYKO (Anat. A.). O tradicionnom iskusstve Tropičeskoj Afriki (Kul'tura i maski). (On traditional arts of tropical Africa.) Nar. Azii Afr., 83, n° 3, p. 40-49.

921. HOTZ (Joachim). Der Deutsche Orden als Bauherr in Franken [13.-18. Jh.]. Jb. f. fränk. Landesforsch., 83, Bd 43, p.

117-140 (Ill.).

922. Hrady, zámky a tvrze v Čechách, na Moravě a ve Slezsku. (Burgen, Schlösser und Festen in Böhmen, Mähren und Schlesien.) [Vol. 1. Cf. Bibl. 82, n° 844.] Vol. 2: Severní Morava. (Nordmähren.) Edit. František SPURNÝ u. a. Praha, Svoboda, 83, in-4, 357 p. (36 fig.).

923. IL'IN (I.A.). Istorija iskusstva i êstetiki. (History of art and aesthetics.) Izbr. stat'i. Moskva, Iskusstvo, 83, 288 p.

924. Istorija russkoj muzyki. (History of Russian music.) V 10-ti t. T. 1: Drevnaja Rus' XI-XVII vekov. (Ancient Russia, 11th-17th cent.) Ju. V. KELDYŠ. Moskva, Muzyka, 83, 383 p. (VNII iskusstvoznanija M-va kul'tury SSSR)

925. KELLER (Donald R.), RUPP (David). Archaeological survey in the Mediterranean area. London, Brit. Archaeol. Rep., 83, in-4, 416 p. (ill.).

926. KIENE (Michael). Die Grundlagen der europäischen Universitätsbaukunst [13.-18. Jh.]. Z. f. Kunstgesch., 83, Bd 46, p. 63-115 (Abb.).

927. MORRIS (Richard). The church in British archaeology. London, Council for Brit. Archaeol., 83, in-4, 132 p. (ill.).

928. Musikgeschichte in Bildern. Begr. v. Heinrich BESSELER u. Max SCHNEIDER. Hrsg. v. Werner BACHMANN. Bd 1: Musikethnologie. [Lfg. 10. Cf. Bibl. 82, n° 982.] Lfg. 8: COLLAER (Paul), ELSNER (Jürgen). Nordafrika. Unter Mitarb. v. Brahim BAHLOUL u. a. Leipzig, Deutsch. Verl. f. Musik, 83, in-4, 205 p. (Abb.).

929. Omanut ho-zorfut bi-gehilot h-mizrah. (The art of the goldsmith and silversmith in Jewish communities in the East.) Pe'amim, 82, vol. 11 (ill.).

930. PARADEISĒS (Alexandros). Phrouria kai kastra tēs Helladas. (Forteresses et citadelles de la Grèce.) Athènes, Eustathiadēs, 83, 3 vol. in-8, 224 p. (101 ill.); 324 p. (107 ill.); 320 p. (87 ill.).

931. SIMION (Victor). Imagine şi legendă. Motive animaliere în arta evului mediu românesc. (Image et légende. Motifs animaliers dans l'art du moyen âge roumaine.) Bucureşti, Meridiane, 83, in-8, 192 p.

932. WIESSNER (Gernot). Christliche Kultbauten im Tur Abdīn [Türkei]. T. II: Kultbauten mit longitudinalem Schiff. [Tafelbd. Cf. Bibl. 82, n° 989.] Textband. Wiesbaden, Harrassowitz, 83, in-4, X-261 p. (37 Pläne).

§ 12. History of religions.

a. General.

* 933. Bulletin signalétique 527. Histoire et sciences religieuses. Revue trimestrielle. Vol. [36. Cf. Bibl. 82, n° 990.] 37, n°s 1-4 et tables annuelles. Paris, C.N.R.S., Centre de documentation sciences humaines, 83, 5 vol. in-4, 201, 189, 216, 230, 276 p.

* 934. Elenchus bibliographicus 1983. Ephem. theol. lovanienses, 83, t. 59, n° 2-3, 557* p.

* 935. Internationale Zeitschriftenschau für Bibelwissenschaft und Grenzgebiete. Hrsg. v. B. LANG. Bd 27: 1980/1981. Bd 28: 1981/1982. Bd 29: 1982/1983. Düsseldorf, Patmos, 83, 3 vol. in-8, XIV-452, XIV-464, XIV-478 p.

* 936. VAN BELLE (A.). Bibliographie. [Cf. Bibl. 82, n° 991.] R. Hist. ecclés., 83, t. 78, n° 1, p. 5*-684*.

---

937. Dictionnaire d'histoire et de géographie ecclésiastique. T. 20, [fasc. 114. Cf. Bibl. 82, n° 994.] Fasc. 115-116: Geilon - Gérard. Fasc. 117-118: Gérard - Giffoni. Sous la dir. de Roger AUBERT, assisté de J.-P. HENDRICKX et J.-P. SOSSON. Paris, Letouzey et Ané, 83, 2 vol. in-4, col. 257-768, 769-1280.

938. Dictionnaire de spiritualité ascétique et mystique. T. 12, fasc. 76-77: Pacaud-Pawlowski. Paris, Beauchesne, 83, in-8, 702 col. [Cf. Bibl. 81, n° 880.]

939. ELIADE (Mircea). Histoire des croyances et des idées religieuses. [2. Cf. Bibl. 78-79, n° 1051.] 3: De Mahomet à l'âge des réformes. Paris, Payot, 83, in-8, 361 p. (Bibl. historique)

940. Gestalten der Kirchengeschichte. Hrsg. v. Martin GRESCHAT. Bd 3, 4: Mittelalter, 1, 2. Bd 5, 6: Die Reformationszeit, 1, 2. Bd 7: Orthodoxie und Pietismus. Bd 8: Die Aufklärung. Berlin, Köln u. Mainz, Kohlhammer, 81-83, 6 vol. in-8, 336, 338, 355, 335, 394, 398 p. (ill.).

941. Handbuch der Dogmengeschichte. Hrsg. v. Michael SCHMAUS [u.a.]. Bd 4: Sakramente - Eschatologie. [Fasz. 1b. Cf. Bibl. 82, n° 996.] Fasz. 2: NEUNHEUSER (Burkhard). Taufe und Firmung. 2., neubearb. Aufl. Freiburg (Breisgau), Basel u. Wien, Herder, 83, in-4, 149 p.

942. Handbuch der Dogmen- und Theologiegeschichte. Hrsg. v. Carl ANDRESEN. Bd [1. Cf. Bibl. 82, n° 997.] 2: Die Lehrentwicklung im Rahmen der Konfessionalität. Göttingen, Vandenhoeck u. Ruprecht, 82, in-8, 664 p.

943. LANCZKOWSKI (Günter). Einführung in die Religionsgeschichte. Darmstadt, Wiss. Buchges., 83, in-8, V-113 p. (Die Theologie)

944. PELIKAN (Jaroslav). The Christian tradition: a history of the development of doctrine. [Vol. 3. Cf. Bibl. 78-79, n° 1055.] Vol. 4: Reformation of church and dogma (1300-1700). Chicago, Univ. of Chicago Press, 83, in-8, LI-424 p.

945. Reallexikon für Antike und Christentum. Sachwörterbuch z. Auseinandersetzung d. Christentums mit d. antiken Welt.

Im Auftr. d. Rhein.-Westfäl. Akad. d. Wiss. bearb. im Franz-Joseph-Dölger-Inst. an d. Univ. Bonn. Hrsg. v. Theodor KLAUSER [u.a.]. [Begr. v. Franz Joseph DÖLGER u. a.] [Bd 11. Cf. Bibl. 81, n° 887.] Bd 12: Gottesschau (Visio beatifica) – Gürtel. Stuttgart, Hiersemann, 83, in-8, VIII p., 1278 Sp.

946. Supplément au Dictionnaire de la Bible. Sous la dir. de Henri CAZELLES et André FEUILLET. T. 9, fasc. 53: Ras Shamra – refuge. T. 10, fasc. 54: Règne de Dieu – Religion d'Israël. T. 10, fasc. 55: Religion d'Israël – Résurrection de Jésus. T. 10, fasc. 56: Résurrection de Jésus – Romains (Epître). T. 10, fasc. 57: Romains (Epître) – Routes. Paris, Letouzey et Ané, 79-83, 5 vol. in-4, col. 1225-1510, 252 col., col. 253-508, 509-764, 765-1019. [Cf. Bibl. 70-71, n° 1331.]

947. Theologische Realenzyklopädie. In Gemeinschaft mit Horst Robert BALZ [u. a.] hrsg. v. Gerhard KRAUSE u. Gerhard MÜLLER. [9, 10. Cf. Bibl. 82, n° 1001.] Bd 11: Familie – Futurologie. Bd 12, Lfg. 1/2, 3/4. Berlin u. New York, de Gruyter, 83, 3 vol. in-4, IV-800, 320 p., p. 321-640.

948. Westminster (The) dictionary of Church history. Ed. by J. C. BRAUER. London, S.P.C.K., 83, in-8, 888 p.

Cf. n° 609.

b. Special studies.

* 949. ARATÓ (Paulo). Bibliographia historiae pontificiae [1980-1981. Cf. Bibl. 82, n° 1005.] 1982-1983. Arch. Hist. pontificiae, 83, t. 21, p. 345-588.

* 950. Archivum historiae pontificiae. Index, vol. 1-20 (1963-1982). Arch. Hist. pontif., 83, t. 21, p. 1*-31*.

* 951. Bibliografia missionaria. [Anno 45. Cf. Bibl. 82, n° 1007.] Anno 46: 1982. fondata dal P. Giovanni ROMMERSKIRCHEN, continuata dal P. Willi HENKEL, con l'assistenza del P. Giuseppe METZLER. Città del Vaticano, Pontificia Univ. Urbaniana, 83, in-8, 395 p.

* 952. Bibliographia carmelitana annualis [1979, 1980. Cf. Bibl. 81, n° 892.] 1981, 1982. Carmelus, 83, vol. 29, fasc. 2, p. 281-449; 83, vol. 30, fasc. 2, p. 275-499.

* 953. Bibliographie [zur Konziliengeschichte]. Zusammengestellt von José GOÑI GATZAMBIDE u. A. LUMPE. Annu. Hist. Conciliorum, 83, Jg. 14, p. 249-256, 478-480. [Cf. Bibl. 73, n° 816]

* 954. Bulletin de spiritualité monastique. Collectanea cisterc., 83, t. 45, p. 177-266.

* 955. Elenchus bibliographicus biblicus. T. [58-59. Cf. Bibl. 80, n° 876.] 60: 1979. Ed. Peter NORBERT et Robert NORTH. T. 61: 1981. Ed. Robert NORTH. Roma, Pontif. Inst. Bibl., 82-83, 2 vol. in-8, 1083, 1295 p.

* 956. HALKIN (François). Analecta Bollandiana. Inventaire hagiographique des tomes 1 à 100 (1882-1982). Bruxelles, Soc. des Bollandistes, 83, in-8, 444 p.

* 957. LEDOYEN (Henri). Bulletin d'histoire bénédictine. Tome X [suite de Bibl. 82, n° 1010]. R. bénédictine, 83, t. 93, p. 741*-859*.

959. ATTWATER (Donald) Penguin dictionary of saints. 2nd ed., rev. a. updated by Catherine Rachel JOHN. Harmondsworth, Pengui, 83, in-8, 351 p. (Penguin reference books)

960. BACKMUND (Norbert). Monasticon Praemonstratense, id est Historia circariarum atque canoniarum candidi et canonici ordinis Praemonstratensis. 2., völlig neubearb. u. vermehrte Aufl. T. 1, Ps. 1, 2. Berlin u. New York, de Gruyter, 83, 2 vol. in-8, LXXX-247 p., p. 275-584.

961. BAMBECK (M.). Fischer und Bauern gegen Philosophen und sonstige Großkopfete: ein christl. Topos in Antike u. Mittelalter. Mittellat. Jb., 83, Bd 18, p. 29-50.

962. BARON (Salo Wittmayer). A social and religious history of the Jews: late middle ages and era of European expansion, 1200-1650. [Vol. 17. Cf. Bibl. 80, n° 879.] Vol. 18: The Ottoman Empire, Persia, Ethiopia, India, and China. New York, Columbia U. P.; Philadelphia, Jewish Publ. Soc. of Am., 83, in-8, VII-620 p.

963. Beiträge zur mecklenburgischen Kirchengeschichte. Hrsg. v. Bernhart JÄHNIG. Köln u. Wien, Böhlau, 83, in-8, VI-159 p. (Abb.). (Schr. z. mecklenb. Gesch., Kultur u. Landeskunde, 6)

964. BOZZY (John). The mass as a social institution, 1200-1700. Past a. Present, 83, n° 100, p. 29-61.

965. CULIANU (Ioan Petru). Psychanodia. 1: A survey of the evidence concerning the ascension of the soul and its relevance. Leiden, Brill, 83, in-8, XV-81 p. (Et. prélim. aux religions orient. dans l'Empire romain, 99)

966. DELUMEAU (Jean). Le péché et la peur. La culpabilisation en Occident (XVIIe-XVIIIe s.). Paris, Fayard, 83, in-8, 742 p.

967. Diocèse (Le) de Lyon. Sous la dir. de Jacques GADILLE. Paris, Beauchesne, 83, in-8, 352 p. (7 ill., cartes).

968. Diocèse (Le) de Toulouse. Sous la dir. de Philippe WOLFF. Paris Beauchesne, 83, in-8, 311 p. (ill.).

969. DUMEZIL (Georges). La courtisane et les seigneurs colorés, et autres essais. Vingt-cinq esquisses de mythologie. Paris, Gallimard, 83, in-8, 246 p.

970. Economie (L') cistercienne: géographie, mutations du moyen âge aux temps modernes. 3es Journées internat. d'hist., Centre culturel de l'abbaye de Flaran, 16-18 sept. 1981. Auch, Centre dépt. du Tourisme du Gers, 83, in-8, 228 p.

971. EDWARDS (David L.). Christian England. Vol. [1. Cf. Bibl. 81, n° 881.] 2: From the Reformation to the 18th century. London, Collins, 83, in-8, 512 p.

972. From Sabbath to Lord's Day. A bibliographical, historical and theological investigation. Ed. by D. A. CARSON. Grand Rapids, Mich., Zondervan, 82, in-8, 444 p.

973. Histoire des miracles. Actes de la 6e Rencontre d'hist. relig. tenue à Fontevraud, les 8 et 9 oct. 1982. Angers, Presses de l'Univ., 83, in-8, 198 p.

974. Historia et spiritualitas cartusiensis. Colloquii quarti internationalis acta, Gandavi-Antverpiae-Brugis, 16-19 sept. 1981. Destelbergen, J. de Grauwe, 83, in-8, 371 p. (fig.).

975. JOHANSEN (Øystein). Nordiske lån i før-kristen samisk religion? (Nordic loans in pre-Christian Lapp religion?) Viking, 83, vol. 46, p. 124-137. [Eng. summary]

976. LECUYER (Joseph). Le sacrement de l'ordination. Recherche historique et théologique. Paris, Beauchesne, 83, in-8, 281 p. (Théologie hist., 65)

977. LERNER (Robert E.). The powers of prophecy: the Cedar of Lebanon vision from the Mongol onslaught to the dawn of the Enlightenment. Berkeley a. Los Angeles, Univ. of California Press, 83, in-8, XIII-249 p.

978. LESLIE (Donald D.). Assimilation and survival of Muslims in China. In: Appréciation par l'Europe ... [Cf. n° 224], p. 107-129.

979. LURKER (Manfred). Adler und Schlange. Tiersymbolik im Glauben und Weltbild der Völker. Tübingen, Wunderich, 83, in-8, 295 p. (64 Abb.).

980. MOLNÁR (Amedeo). Prohyb teologického myšlení. Přehledné dějiny dogmatu. (Die Entwicklung des theolog. Denkens. Übersicht über die Dogmengeschichte.) Praha, Kalich, 82, in-8, 440 p.

981. Najstarsze historie o częstochowskim obrazie Panny Maryi. XV i XVI wiek. (Les plus anciennes histoires concernant l'icône de Notre Dame [de Częstochowa], XVe-XVIe s.) Extraites de manuscrits et livres anciens et éd. par Henryk KOWALEWICZ. Trad. des textes [du latin et de l'allemand] par H. KOWALEWICZ, Monika KOWALEWICZOWA. Introd. aux textes par H. KOWALEWICZ, Zofia ROZANOW. Warszawa, Pax, 83, in-8, 240 p.

982. NASRALLAH (Joseph). Histoire du mouvement littéraire dans l'Eglise melchite, du Ve au XXe siècle. T. 3, I: 969-1250. II: 1250-1516. T. 4: Période ottomane, 1516-1900. I: 1516-1724. Louvain, Peeters, 79-83, 3 vol. in-4, 416, 217, 316 p.

983. Pratiques de la confession, des Pères du Désert à Vatican II. Quinze études d'histoire, Groupe de La Bussière. Paris, Ed. du Cerf, 83, in-8, 298 p.

984. Saints and their cults. Studies in religious sociology, folklore and history. With intr. a. annotated bilbliography by Stephen WILSON. London a. New York, Cambridge U.P., 83, in-8, XII-435 p. (fig., maps).

985. Saints (Les) et les Stars. Le texte hagiographique dans la culture populaire. Etudes présentées à la Soc. d'ethnol. franç., Musée des Arts et Traditions populaires, 1979. Paris, Beauchesne, 83, in-8, 302 p. (fig.).

986. SCHATZ (Heribert). Geschichte des Bistums Limburg. Mainz, Ges. f. Mittelrhein. Kirchengesch., 83, in-8, XL-494 p. (Ill., Kt.). (Quellen u. Abh. z. mittelrh. Kirchengesch., 48)

987. SCHIMMEL (Annemarie). Der Islam im indischen Subkontinent. Darmstadt, Wiss. Buchges., 83, in-8, V-163 p. (Grundzüge, 48)

988. WIRTH (Jean). La naissance du concept de croyance (XIIe-XVIIe siècles). Bibl. Humanisme Renaissance, 83, t. 45, p. 7-58.

Cf. n°s 288, 921, 2672, 7465.

§ 13. History of philosophy.

989. Geschichte der Philsophie. [Bd 1. Cf. Bibl. 76-77, n° 1197.] Bd 2: Die Philosophie der Antike, 2: GRAESER (Andreas). Sophistik und Sokratik, Plato und Aristoteles. München, Beck, 83, in-8, 345 p. (Beck'sche Elementarbücher)

990. Global history of philosophy. Ed. by John C. PLOTT. Vol. 1: The Axial Age. Vol. 2: The Han-HellenisticBactrian period. Vol. 3: The Patristic-Sutra period. Wheatley, Oxford, Motilal Books, 83, 3 vol. in-8, 240, 344, 604 p.

991. KONDYLĒS (Panagiotēs). Hē kritikē tēs metaphysikēs stēn neoterē skepsē. Apo ton opsimo Mesaiona hos to telos tou Diaphotismou. (La critique de la métaphysique dans la pensée moderne. Depuis le moyen âge tardif jusqu'à la fin de l'Aufklärung.) Athènes, Gnōsē, 83, in-8, 437 p.

992. LEVEY (Santina M.). Lace, a history. Leeds, W. S. Maney, 83, in-4, 508 p. (ill.).

993. SORABJI (R.). Time, creation, and the continuum. Theories in antiquity and the early middle ages. London, Duckworth, 83, in-8, XVIII-473 p.

§ 14. History of literature.

* 994. Bibliographie. [Etablie par Rose-

Marie MOUDOUES et collab.] R. Hist. Théâtre, 82 [83], a. 34, n° 4, p. 305-577. [Cf. Bibl. 81, n° 941]

* 995. Bibliographie der deutschen Sprach- und Literaturwissenschaft. [Bd 21. Cf. Bibl. 82, n° 1056.] Bd 22: 1982. Frankfurt (Main), Klostermann, 83, in-8, LXVII-774 p.

* 996. Bibliographie der französischen Literaturwissenschaft - Bibliographie d'histoire littéraire française. [Bd 19. Cf. Bibl. 82, n° 1056a.] Bd 20: 1982. Bearb. u. hrsg. v. Otto KLAPP. Frankfurt (Main), Klostermann, 83, in-8, 761 p.

* 997. JAMISON (Robert), DICK (Joachim). Rhetorik - Topik - Argumentation. Bibliographie zur Redelehre u. Rhetorikforschung im deutschsprach. Raum 1945-1979/80. Stuttgart, Frommann-Holzboog, 83, in-8, 349 p.

* 998. Revista de istorie şi teorie literară. Index bibliografic adnotat (1952-1981). (Revue d'Histoire et Théorie littéraire. Index bibliogr. annoté, 1952-1981.) Elaborat de Tiberiu MIHAIL. Bucureşti, 83, in-8, 338 p.

* 999. Bibliografia literatury polskiej Nowy Korbut. (Bibliographie de la littérature polonaise "Nowy Krobut" [Nouveau Korbut].) Réd. en chef: Kazimierz BUDZYK [de l'année 1963]. Literatura pozytywizmu i Młodej Polski. (La littérature du positivisme et de la "Jeune Pologne".) Ouvrage collectif éd. par Zygmunt SZWEYKOWSKI et Jaroslaw MACIEJEWSKI. T. [17. Cf. Bibl. 81, n° 937.] 16, Vol. 1: Hasla osobowe T - Ż. Uzupełnienia haseł osobowych t. 13-15. (Auteurs T - Ż. Suppl. des auteurs t. 13-15.) Ed.: Wiesława ALBRECHT-SZYMANOWSKA, Anna POLAKOWSKA, Izabella TERESIŃSKA. Warszawa, Państw. Inst. Wydawn., 82 [83], in-8, 530 p. (Inst. Badań Liter. Pol. Akad. Nauk)

1000. Fabelforschung. Hrsg. v. Peter HASUBEK. Darmstadt, Wiss. Buchges., 83, in-8, VIII-405 p. (Wege d. Forsch., 572)

1001. Geschichte der deutschen Literatur. Von den Anfängen bis zur Gegenwart. [Bd 11. Cf. Bibl. 76-77, n° 1209.] Bd 12: Literatur der BRD (Bundesrepublik Deutschland). Von e. Autorenkollektiv unter Leitung v. Hans Joachim BERNHARD. Berlin, Volk u. Wissen, 83, in-8, 639 p.

1002. GRINBERG (Martine) KINSER (Sam). Les combats de carnaval et de carême. Trajets d'une métaphore. A. Ec., Soc., Civ., 83, a. 38, n° 1, p. 65-98.

1003. Istorija vsemirnoj literatury. (History of world literature.) V 9-ti t. Gl. red.: G. P. BERDNIKOV (gl. red.) i dr. T. 1. Redkol.: I. S. BRAGINSKIJ (otv. red.) i dr. Moskva, Nauka, 83, 583 p. (AN SSSR. In-t mirovoj lit. im. A. M. Gor'kogo)

1004. KIŠKIN (L.S.). Češsko-russkie literaturnye i kul'turno-istoričeskie kontakty. Razyskanija, issled., soobšč. (Czech-Russian literary and cultural-historical contacts.) Moskva, Nauka, 83, 367 p. (ill.). (AN SSSR. In-t slavjanovedenija i balkanistiki)

1005. Polish literature in the culture of Christian Europe. Lublin, Cath Univ. of Lublin, 83, in-8, 81 p. (Univ. Handbook, Ser. Year-Long Course of Pol. Language a. Culture for Foreign Students, the Summer School of Pol. Language a. Culture, 1) [Essais du colloque internat. sur Les sources chrétiennes communes des nations d'Europe, Rome, 3-7 nov. 1981]

1006. Virtus und Fortuna. Zur deutschen Literatur zw. 1400 u. 1720. Festschrift f. Hans-Gert Roloff zu seinem 50. Geburtstag. Hrsg. v. Joseph P. STRELKA u. Jörg JUNGMAYR. Bern, Frankfurt (Main) u. New York, Lang, 83, in-8, 628 p.

1007. ZEGKINĒS (Eustratios). Historia tēs tourkikēs logotechnias. (Histoire de la littérature turque.) Thessalonique, l'Auteur, 83, in-8, 198 p.

C

PREHISTORY

§ 1. General. 1008-1052. - § 2. Palaeolithic and Mesolithic. 1053-1075. - § 3. Neolithic. 1076-1109. - § 4. Bronze age. 1110-1128. - § 5. Iron age. 1129-1148. - § 6. Peoples of Europe outside of ancient Greece and Italy. 1149-1171.

§ 1. General.

* 1008. APPLEBOOM (Th. G.), BOURGEOIS (J.), DE LAET (S. J.), GOB (A.), LESENNE (M.), VERHAEGE (F.). Bibliographie archéologique [1981. Cf. Bibl. 82, n° 1069.] 1982 et compléments d'années antérieures). Helinium, 83, t. 23, p. 175-194, 282-301. [Belgique, Pays-Bas, Luxembourg]

* 1009. Bibliographie générale sur la préhistoire et la protohistoire de l'Asie du Sud-Ouest. [Cf. Bibl. 82, n° 1069.] Paléorient, 82]83], vol. 8, n° 2, p. 117-128.

* 1010. Bibliographie zur Archäozoologie und Geschichte der Haustiere (1980-1981). Hrsg. v. H. H. MÜLLER. Berlin, Akad. d. Wiss., Zentralinst. f. Alte Gesch. u. Archäol., 82, in-8, 46 p. [1970-1971. Cf. Bibl. 72, n° 977]

* 1011. Bibliographie zur Ur- und Frühgeschichte [der DDR]. 1. 3. 1981 bis 28. 2. 1982, 1. 3. 1982 bis 28. 2. 1983, mit Nachträgen. Zusammengestellt v. E. GRINGMUTH-DALLMER. Ausgrabungen u. Funde, 82, Bd 27, H. 6, p. 285-324; 83, Bd 28, H. 6, p. 263-306.

* Cf. n° III.

1012. Arkheologičeskie otkrytija 1981 goda. (Archaeological discoveries in [1980. Cf. Bibl. 81, n° 962.] 1981.) Otv. red. B. A. RYBAKOV. Moskva, Nauka, 83, 517 p. (ill.). (AN SSSR. In-t arkheologii)

1013. Arkheologičeskij sbornik. (Archaeological collection.) Pod red. B. B. PIOTROVSKOGO. Vyp 23: Voprosy proiskhoždenija i khronologii skifskoj kul'tury. (Vol. 23: Problems of the origin and chronology of Scythian civilization.) Vyp. 24: Materialy i issledovanija po arkheologii SSSR. (Materials and studies concerning the archaeology of the USSR.) Leningrad, Iskusstvo, 83, 2 vol., 104, 120 p. (ill.). (Gos. Ermitaž.)

1014. BAHN (Paul G.). Pyrenean prehistory. A palaeoeconomic survey of the French sites. Warminster, Aris a. Phillips, 83, in-4, 512 p. (80 fig., 41 tables, 30 maps).

1015. BINFORD (Lewis R.). In pursuit of the past: decoding the archaeological record. With the editorial collab. of John F. CHERRY a. Robin TORRENCE. London, Thames a. Hudson, 83, in-8, 256 p. (147 ill., plans, maps).

1016. BRAIDWOOD (Linda S.), BRAIDWOOD (Robert J.), HOME (Bruce), REED (Charles A.), WATSON (Patty Jo). Prehistoric archaeology along the Zagros flanks. Chicago, Univ. of Chicago Press, 83, in-4, 695 p. (244 fig., 59 tabl.). (Oriental Instit. Publ., 105)

1017. CAVENDISH (Richard). Prehistoric England. London, Weidenfeld a. Nicolson, 83, in-4, 160 p. (ill., pl.).

1018. Człowiek i środowisko w pradziejach. (L'homme et son milieu à l'époque préhistorique.) Sous la réd. de Janus Krzysztof KOZŁOWSKI, Stefan Karol KOZŁOWSKI. Warszawa, Państw. Wydawn. Nauk., 83, in-4, 344 p.

1019. DAVIS (S.J.M.). Climatic change and the advent of domestication: the succession of ruminant artiodactyls in the late Pleistocene-Holocene period in the Israel region. Paléorient, 82 [83], vol. 8, n° 2, p. 5-15.

1020. DENNELL (Robin). European economic prehistory: a new approach. London a. New York, Academic Press, 83, in-8, XII-217 p. (29 fig., 12 tables).

1021. DIKOVA (T.M.). Arkheologija južnoj Kamčatki v svjazi s problemoj rasselenija ajnov. (Archaeology of South Kamchatka in connection with the problem of the settling of the Ainu.) Moskva, Nauka, 83, 231 p. (ill.). (AN SSSR. Dal'nevost. nauč. centr. Sev.-Vost. kompleks, NII)

1022. DULINICZ (Marek). Niektóre aspekty zastosowania w archeologii geograficznych metod analizy przestrzennej osadnictwa. (Certains aspects de l'application en archéologie des méthodes géographiques de l'analyse spatiale de la colonisation.) Kwart. Hist. Kult. mater., 83, a. 31, n° 3, p. 299-315.

1023. DUMITRESCU (Vladimir), BOLOMEY (Alexandra), MOGOŞANU (Florea). Esquisse d'une préhistoire de la Roumanie jusqu'à la fin de l'âge du bronze. Bucureşti, Ed. ştiinţ. şi enciclop., 83, in-8, 223 p.

1024. FOWLER (Peter Jon). The farming of prehistoric Britain. London, Cambridge U. P., 83, in-8, 246 p. (ill.).

1025. FRITZ (Volkmar). Paläste während der Bronze- und Eisenzeit in Palästina. Z. d. deutsch. Palästina-Ver., 83, Bd 99, p. 1-41 (26 Abb.).

1026. HACHMANN (Rolf). Bericht über die Ergebnisse der Ausgrabungen in Kāmid el-Lōz in den Jahren 1971 bis 1974. Bonn, Habelt, 82, in-4, 216 p. (22 Fig., 41 Taf.). (Saarbrücker Beitr. z. Altertumskunde, 32)

1027. HERRMANN (Joachim) Naturgeschichtliches Erbe und gesellschaftliche Gesetze. Probleme d. Herausbildung d. Menschheit. Jb. d. Akad. d. Wiss. d. DDR, 83, Jg. 1981, p. 153-174.

1028. Hilly flanks (The) and beyond. Essays on the prehistory of Southwestern Asia, presented to Robert J. Braidwood, 15 November 1982. Ed. by T. Cuyler YOUNG, Philip E. L. SMITH a. Peder MORTENSEN. Chicago, Oriental Inst. of the Univ. of Chicago, 83, 374 p. (97 fig.). (Stud. in Oriental Civi., 36)

1029. Istorija pervobytnogo obščestva. Obšč. voprosy. Problemy antroposociogeneza. (History of primitive society.) Otv. red. Ju. V. BROMLEJ. Moskva, Nauka, 83, 432 p. (ill.). (AN SSSR. In-t ètnografii)

1030. Izyskanija po mezolitu i neolitu SSSR. (Research on the Mesolithic and Neolithic of the USSR.) Sbornik statej. Otv. red. L. Ja. KRIŽEVSKAJA. Leningrad, Nauka, 83, 192 p. (ill.). (AN SSSR. In-t arkheologii)

1031. KELLER (D.R.), RUPP (D.W.). Archaeological survey in the Mediterranean area. Oxford, Brit Archaeol. Rep., 83, in-4, XVII-416 p. (ill.). (Brit. archaeol. Rep., Internat. Ser., 155)

1032. KILIAN (Lothar). Zum Ursprung der Indogermanen. Forschungen aus Linguistik, Prähistorie u. Anthropologie. Bonn, Habelt, 83, in-8, 248 p. (66 Abb.). (Habelt-Sachb., 3)

1033. KOBYLINA (M.M.). Stranicy rannej istorii Fanagorii. (Pages from the early history of Phanagoria.) Sovet. Arkheol., 83, n° 2, p. 51-62.

1034. KRUK (Janusz), PRZYWARA (Lesław). Roślinność potencjalna jako metoda rekonstrukcji naturalnych warunków rozwoju społeczności pradziejowych. (Potential vegetation as a method of reconstructing the natural development conditions of prehistoric communities.) Arkheol. Polski, 83, vol. 28, fasc. 1, p. 19-50.

1035. LEROI-GOURHAN (André). Les chasseurs de la préhistoire. Paris, Pétailié, 83, in-8, 148 p. (Traversées)

1036. LILLIU (Giovanni). Civiltà nuragica: origine e sviluppo. In: Modes de contacts ... [Cf. n° 241], p. 315-333.

1037. LÓPEZ MONTEAGUDO (G.). Expansión de los "verracos" y características de su cultura. Madrid, Univ. Complutense, 83, in-8, VIII-761 p. (25 lám., 34 mapas).

1038. Midian, Moab and Edom: history and archaeology of Late Bronze and Iron Age Jordan and North-West Arabia. Sheffield, Journal for the Study of the Old Testament, 83, in-8, 172 p. (ill., plans, maps).

1039. MOORE (James), KEENE (Arthur S.). Archaeological hammers and theories. London, Acad. Press, 83, in-8, 328 p. (Stud. in Archaeol.)

1040. Nástin evropského pravěku. (Abriß der europäischen Urgeschichte.) Von Jan BOUZEK, Miroslav BUCHVALDEK, Lubomír KOŠNAR, Irena PAVLŮ, Karel SKLENÁŘ, Jiří SLÁMA, Evžen STROUHAL, Slavomil VENCL. Praha, Univerzita Karlova, 82, in-4, 195 p. (Praehistorica, 9)

1041. OKLADNIKOV (A.P.). Drevnee poselenie Kondon (Priamur'e). (The ancient settlement of Kondon, Amur region.) Novosibirsk, Nauka, 83, 160 p. (ill.). (AN SSSR. Sib. otd-nie. In-t istorii, filologii i filosofii)

1042. Pamjatniki kul'tury. Novye otkrytija. Pis'mennost'. Iskusstvo. Arkheologija. (Monuments of culture. New discoveries. Written relics. Art. Archaeology.) Ežegodnik 1981. Redkol.: D. S. LIKHAČEV (predsedatel') i dr. Lenigrad, Nauka, 83, 511 p. (ill.). (AN SSSR. Nauč. sovet po istorii mir. kul'tury)

1043. PIGGOTT (Stuart). The earliest wheeled transport: from the Atlantic coast to the Caspian sea. London, Thames a. Hudson; Ithaca, N.Y., Cornell U. P., 83, in-4, 272 p. (142 fig.).

1044. Proceedings of the First International Symposium ^{14}C and archaeology, Groningen, 1981. Ed. by W. G. MOOK a. H. T. WATERBOLK. Strasbourg, Conseil d'Europe, 83, in-4, 525 p. (ill.).

1045. SPITERY (Eliane). La paléonotolgie des maladies osseuses constitutionnelles. Paris, Ed. du C.N.R.S., 83, in-4, 135 p. (52 fig., 10 phot., 4 tabl.). (Paléoécologie de l'homme fossile, 6)

1046. TER-AKOPJAN (N.B.). Vzgljady K. Marska na istoriju pervobytnogo obščestva i ponjatie obščestvenno-èkonomičeskoj formacii. (The views of Karl Marx on the history of primitive society and the concept of the socio-economic formation.) Sovet. Ètnogr., 83, n° 4, p. 3-19.

1047. TREUIL (René). Le néolithique et le bronze ancien égéens. Les problèmes stratigraphiques et chronologiques, les techniques, les hommes. Paris, De Boccard, 83, in-8, XX-542 p. (267 ill., 7 pl.).

(Bibl. des Ecoles franç. d'Athènes et de Rome, 248)

1048. Urgeschichte in Baden-Württemberg. Hrsg. v. Hansjürgen MÜLLER-BECK. Unter Mitarb. v. Gerd ALBRECHT [u. a.]. Zeichn. u. Rekonstruktionen v. Ingrid u. Burkard PFEIFROTH. Stuttgart, Theiß, 83, in-8, 545 p. (Ill., graph. Darst.).

1049. WALDREN (William H.). Balearic prehistory, ecology and culture. The excavation a. study of certain caves, rock shelters a. settlements. Vol. 1-3. Oxford, Brit. Archaeol. Rep., 83, 3 vol. in-4, 774 p. (62 pl. a. plans).

1050. WESTERBERG (Karin). Cypriote ships from the Bronze Age to c. 500 B. C. Göteborg, P. Åström, 83, in-8, 119 p. (ill.). (Stud. in Mediterr. archaeol., Pocket-book, 22)

1051. WILSON (Bob). Ageing and sexing animal bones from archaeological sites. London, Brit. Archaeol. Rep., 83, in-4, 268 p. (fig.).

1052. ZÜCHNER (Christian). Beiträge zur Geschichte der süd- und ostspanischen Felsmalerei. Madrider Mitt., 83, Bd 24, p. 1-31 (11 Abb.).

Cf. n° 760.

§ 2. Palaeolithic and Mesolithic.

1053. Adlun in the stone age. The excavations of D. A. E. Garrod in the Lebanon 1958-63. Ed. by Derek A. ROE. London, Brit. Archaeol. Rep., 83, in-8, XXIII-455 p. (ill., tab.). (Brit. archaeol. Rep., Internat. Ser., 159)

1054. Animals and archaeology. I: Hunterers and their prey. Ed. by Juliet CLUTTON-BROCK a. Caroline GRIERSON. London, Brit. Archaeol. Rep., 83, in-4, 350 p. (136 fig. a. tables). (Brit. archaeol. Rep., Internat. Ser., 163)

1055. BAILEY (Geoffrey). Hunter-gatherer economy in prehistory: a European perspective. London, Cambridge U.P., 83, in-4, 247 p. (dr., tab.).

1056. Bilzingleben. Homo erectus - seine Kultur u. seine Umwelt. [T. 1. Cf. Bibl. 80, n° 986.] T. 2. Berlin, Deutsch. Verl. d. Wiss., 83, in-8, 258 p. (Abb.). (Veröff. d. Landesmuseums f. Vorgesch. in Halle, 32)

1057. CELERIER (Guy), MOSS (Emily H.). L'abri-sous-roche de Pont-d'Ambon à Bourdeilles (Dordogne). Un gisement magdalénien-azilien. Micro-traces et analyse fonctionnelle de l'industrie lithique. Gallia Préhist., 83, t. 26, fasc. 1, p. 81-107 p. (fig.).

1058. Changements (Les), leurs mécanismes, leurs causes dans la culture du VIIe au VIe millénaire av. J.-C. en Europe. Kraków, 83, in-8, 278 p. (Univ. Varsoviensis, Univ. Jagellonica. Archaeologia interregionalis. Varia Univ. Jagell., 176) [Ma-tériaux du symposium consacré aux cultures mésolithiques, organisé au cours du IXe Congrès des Sci. pré- et protohist., Nice, 14 nov. 1976]

1059. CHAVAILLON (Jean), CHAVAILLON (Nicole). Les habitats paléolithiques de Melka-Kunturé (Ethiopie) (évolution des techniques et des structures). Abbay, 80-82 [83], cah. n° 11, p. 23-45 (pl.).

1060. CLARK (Geoffrey A.). The Asturian of Cantabria: early holocene hunter-gatherers in Northern Spain. Tucson, Univ. of Arizona Press, 83, in-8, 184 p. (fig.). (Anthropol. Papers of the Univ. of Arizona, 41)

1061. COLLINS (Desmond). Palaeolithic man in Europe. London, Junction Bks., 83, in-8, 320 p. (ill.).

1062. CRANKSHAW (Shelley). Handaxes and cleavers: selected Acheulian industries. London, Brit. Archaeol. Rep., 83, in-4, 283 p. (ill., fig.).

1063. DELLUC (Brigitte), DELLUC (Gilles). Les grottes ornées de Domme (Dordogne: La Martine, Le Mammouth et Le Pigeonnier). Gallia Préhist., 83, t. 26, fasc. 1, p. 7-80 (fig.).

1064. DEREVJANKO (A.P.). Paleolit Dal'nego Vostoka i Korei. (The Palaeolithic of the Far East and Korea.) Novosibirsk, Nauka, 83, 216 p. (ill.). (AN SSSR. Sib. otd-nie. In-t istorii,filologii i filosofii)

1065. EVINS (Mary A.). The fauna from Shanidar Cave: Mousterian wild goat exploitation in Northeastern Iraq. Paléorient, 82 [83], vol. 8, n° 1, p. 37-58 (6 fig., 10 tables).

1066. KOLOSOV (Ju. G.). Must'erskie stojanki rajona Belogorska (K voprosu periodizacii ran. paleolita Kryma). (Mousterian sites of the Belogorsk region. Contribution to the division into periods of the early Palaeolithic of the Crimea.) Kiev, Nauk. dumka, 83, 208 p. (ill.). (AN SSSR. In-t arkheologii)

1067. MÜLLER-BECK (H.). Zur Morphologie altpaläolithischer Steingeräte. Ethnogr.-archäol. Z., 83, Bd 24, p. 401-433 (44 Abb., 1 Diagr.).

1068. OŠIBKINA (S.V.). Mezolit bassejna Sukhony i Vostočnogo Prionež'ja. (The Mesolithic of the Sukhona basin and the eastern part of the Onezhskoe lake region.) Moskva, Nauka, 83, 295 p. (ill.). (AN SSSR. In-t arkheologii)

1069. OTTE (Marcel), VANDERMOERE (Nele), HEYSE (Irénée), LEOTARD (Jean-Marc). Maldegem [Flandre-Orientale] et le paléolithique récent du Nord-Ouest européen. Helinium, 83, t. 24, fasc. 2, p. 105-126 (13 fig.).

1070. Quaternary coastlines and marine archaeology. Towards the prehistory of land bridges and continental shelves. Ed. by P. M. MASTERS a. N. C. FLEMING. London, Academic Press, 83, in-8, 540 p.

1071. RONEN (Avraham). Transition from Lower to Middle Palaeolithic and the origins of modern man. London, Brit. Archaeol. Rep., 83, in-4, 330 p. (ill., fig.).

1072. SABATIER (Maurice). Les rongeurs des sites pléistocènes de Melka-Kunturé (Ethiopie). Abbay, 80-82 [83], cah. n° 11, p. 45-71 (6 pl.).

1073. Tekhnologija proizvodstva v épokhy paleolita. (Technology of production in the Palaeolithic.) Pod. red. A. N. ROGAČEVA. Leningrad, Nauka, 83, 208 p. (ill.). (AN SSSR. In-t arkheologii)

1074. THEVENIN (André). Les galets gravés et peints de l'abri de Rochedane (Doubs) et le problème de l'art azilien. Gallia Préhist., 83, t. 26, fasc. 1, p. 139-188 (fig.).

1075. VILLA (Paola). Terra Amata [Nice] and the middle Pleistocene archaeological record of Southern France. Berkeley, Los Angeles a. London, Univ. of California Press, 83, in-4, XXIV-303 p. (58 fig., 36 tables). (Univ. of Calif. Publ. in Anthrop., 13)

§ 3. Neolithic.

1076. Ancient France. Neolithic societies and their landscapes, 6000-2000 b.c. Ed. by Christopher SCARRE. Pref. by Glyn DANIEL. Edinburgh, Univ. Press, 83, in-8, VIII-390 p. (ill., maps).

1077. BALCER (Bogdan). Wytwórczość narzędzi kamiennych w neolicie ziem Polski. (La fabrication des outils de pierre pendant le néolithique sur les terres de la Pologne.) Wrocław, Zakł. Narod. im. Ossolińskich, 83, in-8, 338 p. (Pol. Akad. Nauk, Inst. Hist. Kult. Mater.)

1078. BECK (C.A.), BOCQUET (A.). Découverte à Charavines (Isère) d'ambre néolithique provenant de la mer Baltique. C. R. Acad. Inscript., 82, p. 725-729.

1079. BOGUCKI (Peter I.). Early Neolithic subsistence and settlement in the Polish lowlands. London, Brit. Archaeol. Rep., 83, in-4, 166 p. (23 fig.).

1080. BOLOMEY (Alexandra). Contribuţie la cunoaşterea economiciei animale a culturii Boian în lumina materialelor de la Căscioarele, jud. Călăraşi. (Contribution à la connaissance de l'économie animale de la civilisation Boian à la lumière des matériaux de Căscioarele, district de Călăraşi [Roumanie].) Cercet. arheol., 82, t. 5, p. 169-193.

1081. CASSANO (Selene M.), MANFREDINI (A.). Studi sul neolitico del Tavoliere della Puglia. Indagine territoriale in un'area-campione. Oxford, Brit. Archaeol. Rep., 83, in-4, 292 p. (124 ill., maps). (Brit. archaeol. Rep., Internat. Ser., 160)

1082. COMŞA (Eugen). La chasse en Olténie à l'époque néolithique. Dacia, 83, t. 27, n° 1-2, p. 185-192. - IDEM. Creşterea animalelor domestice în cursul epocii neolitice pe teritoriul Dobrogei. (L'élevage des animaux domestiques en Dobroudja à l'époque néolithique.) Pontica, 83, t. 16, p. 17-27. - IDEM. Curente sudice în neoliticul României. (Courants méridionaux dans le néolithique de Roumanie.) R. Ist., 83, t. 36, n° 5, p. 478-496. - IDEM. Neoliticul din România. (Le néolithique en Roumanie.) Bucureşti, Ed. ştiint. şi enciclop., 82, in-8, 112 p. - IDEM. Vînătoarea în timpul epocii neolitice de pe întinsul Transilvaniei, Banatului şi Crişanei. (La chasse pendant le néolithique sur le territoire de la Transylvanie, du Banat et de la Crişana.) Sargetia, 82-83, t. 16-17, p. 77-94.

1083. CORNEVIN (Marianne). Les néolithiques du Sahara central et l'histoire générale de l'Afrique. B. Soc. préhist. franç., 82 [83], t. 79, n° 10-12, p. 439-450.

1084. DODD-OPRIŢESCU (Ann). Vecinii estici şi nord-estici ai triburilor Cucuteni-Tripolie. (Les voisins des tribus Cucuteni-Tripolje à l'est et au nord-est.) Studii Cercet. Ist. veche Arheol., 83, t. 34, p. 222-234. [Rés. franç.]

1085. DRAGOMIR (Ion T.). Eneoliticul din sud-estul României. Aspectul cultural Stoicani-Aldeni. (L'énéolithique dans le Sud-Est de la Roumanie. Le faciès Stoicani-Aldeni.) Bucureşti, Ed. Acad., 83, 184 p.

1086. FRASER (David). Land and society in Neolithic Orkney. London, Brit. Archaeol. Rep., 83, in-4, 281 p. (ill., fig.).

1087. GAURON (Edmond), MASSAUD (Jean). La nécropole de Chenon. Etude d'un ensemble dolménique charentais. Avec la collab. de R. LOTTE, A. et F. QUESNEL. Paris, Ed. du C.N.R.S., 83, in-4, 192 p. (12 pl.). (Suppl. à Gallia Préhist., 18)

1088. HAALAND (Randi). Migratory herdsmen and cultivating women: the structure of Neolithic seasonal adaptation in the Khartoum Nile environment. Bergen, 82, VII-254 p. (ill.). [Thesis, Univ. of Bergen]

1089. HOWELL (John M.). Settlement and economy in neolithic northern France. London, Brit. Archaeol. Rep., 83, in-4, XIX-209 p. (fig., maps). (Brit. archaeol. Rep., Internat. Ser., 159)

1090. HRISTOVA (Aksenia). Notes sur les industries néolithiques de la pierre taillée en Bulgarie. Anatolica, 83, n° 10, p. 17-45 (10 fig., carte).

1091. HUYSECOM (E.). Les sépultures mégalithiques en Belgique. Inventaire et essai de synthèse. B. Soc. roy. belge Anthrop. Préhist., 83, t. 93, p. 63-85.

1092. INDRELID (Svein), MOE (Dagfinn). Februk på Hardangervidda i yngre steinalder. (Stock-keeping on the Hardanger mountain plateau during the Neolithic period.) Viking, 83, vol. 46, p. 36-71 (ill.). [Eng. summary]

1093. Inventaire des mégalithes de la France. [6. Cf. Bibl. 80, n° 949.] 7: Aveyron. I: L'Ouest aveyronnais: Causses de Limogne et de Villeneuve. Par Jean CLOTTES et Claude MAURAND. Paris, Ed. du C.N.R.S., 83, in-4, 121 p. (63 fig., 10 pl.). (Suppl. à Gallia Préhist., 1/7)

1094. KAVTARADZE (G.). K khronolgii épokhi éneolita i bronzy Gruzii. (Contribution to the chronology of the Neolithic and Bronze Age in Georgia.) Tbilisi, Mecniereba, 83, 154 p. (AN GSSR. Arkheol. komis., In-t istorii, arkheologii i étnografii. Centr. arkheol. issled.)

1095. LAZAROVICI (Gheorghe), NEMETI (Ioan). Neoliticul dezvoltat în nord-vestul României (Sălajul, Sătmarul şi Clujul). (Le néolithique développé dans le Nord-Ouest de la Roumanie: Sălaj, Sătmar, Cluj.) Acta Musei porolissensis, 83, t. 7, p. 17-60.

1096. MARINESCU-BÎLCU (Silvia). In legătura cu cîteva opinii privind originea şi evoluţia neoliticului şi eneoliticului pe teritoriul Moldovei. (A propos de certaines opinions sur l'origine et l'évolution de l'époque néo-énéolithique de Moldavie.) Studii Cercet. Ist. veche Arheol., 83, t. 34, p. 116-128. [Rés. franç.]

1097. MEURERS-BALKE (J.). Siggeneben-Süd. Ein Fundplatz d. frühen Trichterbecherkultur an d. holstein. Ostseeküste. Neumünster, Wachholtz, 83, in-4, 136 p. (Abb., 96 Taf.). (Offa-Bücher, 50)

1098. ØSTMO (Einar). Megalittgraven pa Skjeltorp i Skjeberg. (The Megalithic grave at Skjeltorp in Skjeberg.) Viking, 83, vol. 46, p. 5-35 (ill.). [Eng. summary]

1099. OLAUSSON (Deborah S.). Flint and groundstone axes in the Scanian Neolithic. An evaluation of row materials based on experiment. Lund, Gleerup, 83, in-8, 72 p. (28 fig., 19 tables). (Scripta minora Regiae Soc. Humaniorum Literarum Lundensis, 1982-1983, 2)

1100. PEÑALVER (X.). Estudios de los menhires de Euskal Herria. Munibe, 83, t. 35, n° 3-4, p. 355-450 (64 fig., 15 fot.).

1101. Progrès récents dans l'étude du néolithique ancien. Actes du Colloque internat. organisé à Gand les 21 et 22 mai 1982. Ed. par S. J. DE LAET. Brugge, De Tempel, 83, in-4, 127 p. (Dissertationes archaeol. Gandenses, 21)

1102. PRYOR (Frederic L.). Causal theories about the origins of agriculture. Research in econ. Hist., 83, vol. 8, p. 93-124.

1103. SEMENOV (S. A.), KOROBKOVA (G. F.). Tekhnologija drevnejšikh proizvodstv. Mezolit-éneolit. (Technology of ancient productions. Mesolithic-Neolithic.) Leningrad, Nauka, 83, 255 p. (ill.). (AN SSSR. In-t arkheologii)

1104. SENNA-MARTINEZ (João Carlos). Ideologia e práticas funerárias no megalitismo das Beiras: a sepultura periférica do quadrante NW da mamoa do dólmen n° 1 dos Moinhos de Vento, Arganil. R. Hist. econ. soc. [Lisboa], 83, n° 11, p. 1-27 (14 fig.).

1105. SIMON (Mihai). Cu privire la relaţia dintre "cultura" Varna şi cultura Gumelniţa. (A propos de la relation entre la "culture" de Varna et la culture Gumelniţa.) Studii Cercet. Ist. veche Arheol., 83, t. 34, p. 305-319 (7 fig.). [Rés. franç.]

1106. TCHERNOV (E.), BAR-YOSEF (O.). Animal exploitation in the Pre-Pottery Neolithic B period at Wadi Tbeik, Southern Sinai. Paléorient, 82 [83], vol. 8, n° 2, p. 17-37.

1107. URSULESCU (Nicolae). Contribuţii la cunoaşterea evoluţiei şi pozitiei cronologice a culturii Starčevo-Criş pe teritoriul Moldovei. (Contributions à la connaissance de l'évolution et de la position chronologique de la civilisation Starčevo-Criş sur le territoire de la Moldavie [Roumanie].) Suceava, 83, t. 10, p. 261-381.

1108. VAN ZEIST (Willem), BUITENHUIS (Aylke). A palaeobotanical study of neolithic Erbaba, Turkey. Anatolica, 83, n° 10, p. 47-89 (14 fig., 19 tables).

1109. WILLMS (C.). Obsidian im Neolithikum und Aneolithikum Europas. Ein Überblick. Germania, 83, Jg. 61, H. 2, p. 327-531 (1 Abb., 5 Kt.).

§ 4. Bronze age.

1110. AVILA (Robert A. J.). Bronzene Lanzen- und Pfeilspitzen der griechischen Spätbronzezeit. München, Beck, 83, in-4, 167 p. (64 p. Ill., Kt.). (Prähist. Bronzefunde, Abt. 5, 1)

1111. BADER (Tiberiu). Die Fibeln in Rumänien. München, Beck, 83, in-4, 144 p. (62 p. Ill., Kt.). (Prähist. Bronzefunde, Abt. 14, 6)

1112. CANER (Ertuğrul). Fibeln in Anatolien. 1. München, Beck, 83, in-4, XII-223 p. (82 p. Ill., Kt.). (Prähist. Bronzefunde, Abt. 14, 8)

1113. EOGAN (G.). The hoards of the Irish later Bronze Age. Dublin, Univ. College, 83, in-4, XXV-331 p. (108 fig., 9 tabl., 6 pl.).

1114. FORTIN (M.). Recherches sur l'architecture militaire de l'âge du bronze à Chypre. Echo Monde class., 83, vol. 27, p. 206-219.

1115. GEDIGA (Bogusław). Wczesnobrązowe osiedla obronne na ziemiach polskich. (Fortified settlements from the early Bronze Age in Poland.) Archaeol. Polski, 83, vol. 28, fasc. 2, p. 321-350.

1116. GEDL (Marek). Die Nadeln in Polen. 1: Frühe und ältere Bronzezeit. München, Beck, 83, in-4, IX-135 p. (60 p. Ill., Kt.). (Prähist. Bronzefunde, Abt. 13, 7)

1117. HULT (Gunnel). Bronze age ashlar masonry in the eastern Mediterranean: Cyprus, Ugarit, and neighbouring regions. Göteborg, P. Åström, 83, in-4, 132 p. (102 ill.). (Stud. in Mediterr. Archaeol., 66)

1118. KATINČAROV (R.). Etat des recherches sur l'âge du bronze en Bulgarie du Sud-Est. B. Inst. archéol. bulgare, 81, vol. 36, p. 117-140.

1119. LEANU (Valeriu). Tracii carpato-dunăreni în marile migraţii egeene (sec. XIV î. e. n.). (Les Thraces carpato-danubiens à l'époque des grandes migrations égéennes, XIVe s. av. J.-C.) Cercet. arheol., 83, t. 6, p. 175-204.

1120. LITTAUER (Mary Aiken), CROUWEL (Joost H.). Chariots in late Bronze Age Greece. Antiquity, 83, vol. 57, p. 187-192.

1121. LYONNET (B.). Etablissements chalcolithiques dans le Nord-Est de l'Afghanistan: leurs rapports avec les civilisations du bassin de l'Indus. Paléorient, 81 [83], vol. 7, n° 2, p. 57-74 (7 fig., 3 pl.).

1122. Nadeln (Die) in Westungarn. Bd 1. Von Jiří ŘÍHOVSKÝ. München, Beck, 83, in-4, XI-55 p. (40 p. Ill., Kt.). (Prähist. Bronzefunde, Abt. 13, 10)

1123. NIGĀHBĀN ('Izzat U.). Metal vessels from Marlik. München, Beck, 83, in-4, VIII-100 p. (Ill.). (Prähist. Bronzefunde, Abt. 2, 3)

1124. POULSEN (J.). Landwirtschaft und Bevölkerungsverhältnisse in der dänischen Bronzezeit. Z. f. Archäol., 83, Jg. 17, p. 145-158 (2 Abb.).

1125. RAŽĪD (Şubḥī Anwar). Gründungsfiguren im Iraq. München, Beck, 83, in-4, 48 p. (39 p. Ill.). (Prähist. Bronzefunde, Abt. 1, 2)

1126. SHAY (Talia). Minhage ha-qevura biriho ... (Burial practices at Jericho during the Intermediate Bronze period.) Tel-Aviv, 81, in-4, 280 p. [Thesis. Tel-Aviv Univ. - Eng. summary]

1127. Struktur och förändring i bronsålderns samhälle: rapport från det Tredje nordiska symposiet för bronsåldersforskning i Lund 23-25 april 1982. (Structure and change in Bronze Age society: a report from the 3rd Nordic symposium on Bronze Age in Lund, 23-25 April, 1982.) Lund, Lunds univ. Hist. mus., 83, in-4, 192 p. (ill., maps). (Univ. of Lund, Inst. of archaeol., Report ser., 17) [Swedish, Danish, Norwegian a. English texts]

1128. VAGNETTI (Lucia). I Micenei in Occidente. Dati acquisti e prospettive future. In: Modes de contacts ... [Cf. n° 241], p. 165-185.

Cf. n^os, 1250, 1693.

§ 5. Iron age.

1129. BABEŞ (Mircea). Paftalele Latène tîrzii din sud-estul Europei. (Die spätla- tènezeitlichen Plattengürtelhaken Südosteuropas.) Studii Cercet. Ist. veche Arheol., 83, t. 34, p. 196-221 (12 fig.). [Deutsche Zsfassung]

1130. COLLIS (John) a. others. Deuxième âge du fer en Auvergne et en Forez et ses relations avec les régions voisines. Sheffield, Univ., Dept. of Prehist. a. Archaeol., 83, in-4, 380 p. (ill.).

1131. CUNLIFFE (Barry) Danebury: anatomy of an Iron age hillfort. London, Batsford, 83, in-4, 192 p. (ill., pl.).

1132. DETYS (Simone). Les bois sculptés des sources de la Seine. Paris, Ed. du C.N.R.S., 83, in-4, 224 p. (28 fig., 132 pl.). (Suppl. à Gallia, 42)

1133. ERY (K.K.). Comparative statistical studies on the physical anthropology of the Carpathian basin population between the 6th and the 12th centuries B. C. Alba Regia, 83, vol. 20, p. 89-141.

1134. GAL (Zvi). Ha-Galil ha-taḥton bi-tequfat ha-barzel. (The Lower Galilee in the Iron age.) Tel-Aviv, 82, in-4, 177 l. (ill., maps). [Thesis. Tel-Aviv Univ. - Eng. summary]

1135. HINGST (H.). Die vorrömische Eisenzeit Westholsteins. Neumünster, Wachholtz, 83, in-4, 191 p. (87 Taf., 26 Kt.). (Offa-Bücher, 45)

1136. HOFSETH (Ellen Høigård). Fjellressursenes betydning i yngre jernalders økonomi. (Importance of mountains resources in Younger Iron age economy.) Stavanger, Arkeol. mus., 81, in-4, 75 p. (ill.). (AmS-skrifter, 5)

1137. IRIMIA (Mihai). Date noi privind necropolele din Dobrogea în a doua epocă a fierului. (Données nouvelles concernant les nécropoles en Dobroudja du 2e âge du fer.) Pontica, 83, t. 16, p. 69-143.

1138. LEBEAU (Marc). La céramique de l'âge du fer II-III à Tell Abou Danné et ses rapports avec la céramique contemporaine en Syrie. [Publ. par le] Comité belge de recherches hist., épigr. et archéol. en Mésopotamie [et le] Centre de recherche d'archéol. orientale, Univ. de Paris I. Paris, Recherche sur les Civilisations, 83, in-4, 527 p. (ill.). (Cahier, 12)

1139. LORENZ (H.). Forschungen zur Archäologie der Kelten in der Bundesrepublik Deutschland (1976-1980). 1. Teil. Et. celtiques, 83, t. 20, p. 209-301.

1140. MARSTRANDER (Lyder). Inntrøndelag i romertid: gravfunn og bosetning. (Central Trøndelag in the Roman age: Finds and settlements.) Trondheim, Mus. of the Royal Norw. Soc. of Sci., 83, in-4, 229 p. (ill., diagr., fig., maps). (Gunneria, 43)

1141. METZLER (Jeannot). Ausgrabungen am Hauptwall des keltischen Oppidums auf dem Titelberg [Luxemburg]. Hémecht, 83, Bd 35, p. 277-310 (ill.).

1141. METZLER (Jeannot). Ausgrabungen am Hauptwall des keltischen Oppidums auf dem Titelberg [Luxemburg]. Hémecht, 83, Bd 35, p. 277-310 (ill.).

1142. MOSCALU (Emil). Ceramica tracogetică. (La céramique thraco-gète.) București, Muzeul Național de Istorie, 83, in-8, 516 p. (fig.).

1143. NORTMANN (Hans). Die vorrömische Eisenzeit zwischen unterer Weser und Ems. Mit e. Einf. v. Dieter ZOLLER. Mainz (Rhein), v. Zabern, 83, in-4, XII-211 p. (31 Abb., 85 Taf., Kt.). (Ammerlandstudien, 1. Röm.-german. Forsch., 41)

1144. Przemiany ludnościowe i kulturowe I tysiąclecia p. n. e. na ziemiach między Odrą a Dnieprem. Materiały z polsko-radzieckiego sympozjum paleodemograficznego, Warszawa, 6-9 grudnia 1977. (Les transformations de la population et de la culture au Ier millénaire av. n. è. sur les terres entre l'Oder et le Dniepr. Matériaux du symposium paléodémographique polono-soviétique, Varsovie, 6-9 déc. 1977.) Réd.: Witold HENSEL. Wrocław, Zakł. Narod. im. Ossolińskich, 83, in-8, 504 p. (Pol. Akad. Nauk Komitet Nauk Demograficznych)

1145. ROOS (Anna-Maria). Zur frühen grauen Drehscheibenware auf der Iberischen Halbinsel. Madrider Mitt., 83, Bd 24, p. 153-176 (7 Abb.).

1146. SÎRBU (Valeriu). Cîmpia Brăilei în secolele V-III î. e. n. Descoperiri arheologice și interpretări istorice. (La plaine de Brăila aux Ve-IIIe s. av. n. è. Découvertes archéologiques et interprétations historiques.) Studi Cercet. Ist. veche Arheol., 83, t. 34, p. 11-41 (12 fig.). [Rés. franç.]

1147. SPINDLER (Konrad). Die frühen Kelten. Stuttgart, Reclam, 83, in-8, 447 p. (114 Abb., 16 Taf.).

1148. VASILIEV (Valentin). Probleme ale cronologiei Hallstattului în Transilvania. (Problèmes de la chronologie Hallstatt en Transylvanie.) Acta Musei napocensis, 83, t. 20, p. 33-57.

§ 6. Peoples of Europe outside of ancient Greece and Italy.

** 1149. Quellen zur Geschichte der Alamannen. [4. Cf. Bibl. 80, n° 1054.] 5: Weitere hagiographische Texte und amtliches Schriftgut. Übers. v. Camilla DIRLMEIER. Durchges. u. mit Anm. vers. v. Klaus SPRIGADE. Zeittafel ca. 530-750 bearb. v. Klaus SPRIGADE. Sigmaringen, Thorbecke, 83, in-4, 28 p. (Schr. d. Heidelberger Akad. d. Wiss., Komm. f. Alamann. Altertumskunde, 8)

1150. ALEXANDRESCU (Petre). Le groupe des trésors thraces du Nord des Balkans. I. Dacia, 83, t. 27, n° 1-2, p. 45-66.

1151. ALMAGRO-GORBEA (Martin). Arquitectura y sociedad en la cultura ibérica [preromana]. In: Architecture et société [Cf. n° 225], p. 387-414.

1152. BENEA (Doina). Contribuții la istoria Banatului în secolele III-IV e. n. în lumina unor recente descoperiri arheologice. (Contributions à l'histoire du Banat aux IIIe-IVe s. à la lumière de quelques découvertes archéologiques récentes.) Studii Ist. Banatului, 83, t. 9, p. 213-225.

1153. Between and beyond the walls: essays on the prehistory and history of North Britain in honour of George Jobey. Ed. by R. MIKET, C. BURGESS. London, Wiley, 83, in-8, 350 p. (120 ill.).

1154. BEUTNER (Wilhelm). Vergessene Vergangenheit: ein Rückblick in die german.-röm. Frühzeit bis z. ersten Berührung d. Germanen mit d. Römern bei Noreia 113 v. Chr. Kiel, Johannes-Verl., 83, in-8, 161 p. (Kte)

1155. BLÁZQUEZ (José-María). Primitivas religiones ibéricas. 2: Religiones preromanas. Madrid, Cristianidad, 83, in-8, 556 p. (186 ill.).

1156. BOUZEK (Jan). Caucasus and Europe and the Cimmerian problem. Sborn. nár. Mus. v Praze. Rad. A. - Hist., 83, vol. 37, p. 177-232.

1157. CEKA (Neritan). Processi di trasformazione nell'Illiria del Sud durante il periodo arcaico. In: Modes de contacts ... [Cf. n° 241], p. 203-218.

1158. DAUBIGNEY (Alain). Relations marchandes méditerranéennes et procès des rapports de dépendance (magu- et ambactes) en Gaule protohistorique. In: Modes de contacts ... [Cf. n° 241], p. 659-683.

1159. GAUL (Jerzy). Migracje grup ludzkich w pierwszej połowie I tysiąclecia n. e. w Europie Środkowej w świetle znalezisk przedmiotów miniaturowych i symbolicznych. (Migrations of human groups in the first five centuries A.D. in Central Europe in the light of finds of miniature and symbolic objects.) Archeol. Polski, 83, vol. 28, fasc. 2, p. 351-401.

1160. Germanen (Die). Geschichte u. Kultur d. german. Stämme in Mitteleuropa. Ein Handbuch in 2 Bdn. Ausgearb. v. e. Autorenkollektiv unter d. Leitung v. Bruno KRÜGER. [Bd 1. Cf. Bibl. 76-77, n° 1419.] Bd 2: Die Stämme u. Stammesverbände in d. Zeit vom 3. Jh. bis z. Herstellung d. polit. Vorherrschaft d. Franken. Berlin, Akad.-Verl., 83, in-8, 713 p. (Abb. Kt.). (Veröff. d. Zentralinst. f. Alte Gesch. u. Archäol. d. Akad. d. Wiss. d. DDR, 4)

1161. GLODARIU (Ioan). Arhitectura dacilor, civilă și militară, sec. II î. e. n. - I e. n. (L'architecture des Daces, civile et militaire, IIe s. av. n. è. - Ier s. de n. è.) Cluj-Napoca, Dacia, 83, in-8, 196 p.

1162. GLODARIU (Ioan), COSTEA (Florea). Așezarea dacică de la Șercaia (jud. Brașov). (L'établissement dace de Șercaia, district de Brașov.) Cumidava, 83, t. 13,

6. PEOPLES OF EUROPE OUTSIDE OF ANCIENT GREECE AND ITALY

n° 2, p. 9-42.

1163. HÄUSLER (Alexander). Beiträge zum Stand der Sarmatenforschung. Z. f. Archäol., 83, Jg. 17, p. 159-194.

1164. HAIMOVICI (Sergiu). Caractéristiques des cheveaux des Gètes découverts dans la nécropole de Zimnicea [Roumanie]. Dacia, 83, t. 27, n° 1-2, p. 79-107.

1165. Inventaria archaeologica. Corpus des ensembles archéolog. Union Internat. des Sciences Préhist. et Protohist. Sous la dir. de M.-E. MARIËN. Deutsche Demokratische Republik. Im Auftr. d. Zentralinst. f. Alte Gesch. u. Archäol. d. Akad. d. Wiss. d. DDR hrsg. v. Joachim HERRMANN. [H. 1. Cf. Bibl. 82, n° 1238.] H. 2: SCHMIDT-THIELBEER (Erika). Bl. DDR 13-22, römische Kaiserzeit. Grabinventare der frühröm. Kaiserzeit aus d. Kreisen Dessau, Bernburg u. Köthen. Berlin, Deutsch. Verl. d. Wiss., 83, in-4, 14 p. (Abb.).

1166. PADRÓ I PARCERISA (Josep). Egyptian-type documents from the Mediterranean littoral of the Iberian peninsula before the Roman conquest. 1: Introductory survey. 2: Study of the material from the western Languedoc to Murcia. Leiden, Brill, 80-83, 2 vol. in-8, 74 p. (28 pl.); VI-146 p. (37 pl.). (Et. prélim. aux religions orient. dans l'Empire romain, 65)

1167. ROMAN (Yves). Un axe économique au Ier siècle avant J.-C., 125 av. J.-C - 14 ap. J.-C.: de Narbonne à Bordeaux. Lyon, Presses univ., 83, in-8, 333 p. (ill.).

1168. SCHUTZ (Herbert). The prehistory of Germanic Europe. New Haven, Conn., Yale U. P., 83, VIII-421 p.

1169. SOLOMONIK (E.I.). Iz ėpigrafiki Khersonesa. (Inscriptions from the Chersonesus.) Vestn. drevn. Ist., 83, n° 4, p. 66-87.

1170. WHITAKER (Ian). Late classical and early mediaeval accounts of the Lapps (Sami). Classica et Mediaevalia, 83, vol. 34, p. 283-303.

1171. WOLFRAM (Herwig). Geschichte der Goten. Von d. Anfängen bis z. Mitte d. 6. Jh. München, Beck, 83, in-8, 295 p. (1 Kt.). (Beck'sche Sonderausgaben)

Cf. n°s 843, 1139, 1147, 1771, 1935, 2744.

D

THE ANCIENT EAST

(the Hellenistic states included)

---

§ 1. The ancient world in general. 1172-1203. - § 2.The Near East in general. 1204-1215. - § 3. Egypt. 1216-1260. - § 4. Cyrene. 1261-1263. - § 5. Mesopotamia. 1264-1282. - § 6. Hittites. 1283-1291. - § 7. Jews and semitic peoples to the end of the ancient world. 1292-1359. - § 8. Iran. 1360-1369.

§ 1. The ancient world in general.

* 1172. Bibliographie [de la mosaïque antique], 1980-1981 et compléments des années antérieures. B. Inf. Assoc. int. Et. Mosaïque ant., 83, n° 9, p. 117-471.

* 1173. Bibliographie papyrologique 1983. Rédigée par Marcel HOMBERT et Georges NACHTERGAEL. Bruxelles, Fondation égyptol. Reine Elisabeth, 83, 6 envois de fiches.

* 1174. MODRZEJEWSKI (Joseph). Chronique. Droit de l'antiquité. Egypte gréco-romaine et monde hellénistique. [Cf. Bibl. 82, n° 1257.] R. hist. Droit franç. étr., 83, a. 61, n° 1, p. 153-171; n° 3, p. 454-481.

* 1175. MODRZEJEWSKI (Joseph). Papyrologie juridique. [20e rapport. Cf. Bibl. 81, n° 1157.] 21e rapport (textes et travaux publ. de sept. 1979 à sept. 1982). Studia Doc. Hist. Iuris, 83, t. 49, p. 513-699.

* 1176. Testi recentamente pubblicati. [Cf. Bibl. 82, n° 1259.] Aegyptus, 83, a. 63, p. 259-296.

* Cf. n° III.

1177. ANNEQUIN (Jacques). Capital marchand et esclavage dans le procès de transformation des sociétés antiques. In: Modes de contacts ... [Cf. n° 241], p. 637-658.

1178. Apocalypticism in the Mediterranea world and the Near East. Proceedings of the internat. colloquium on apocalypticism, Uppsala, August 12-17, 1979. Ed. by David HELLHOLM. Tübingen, Mohr, 83, in-8, XI-876 p.

1179. Archéologie du Levant. Recueil à la mémoire de Roger Saidah. Lyon, Maison de l'Orient; diff. Paris, de Boccard, 83, in-8, 502 p. (ill.). (Coll. de la Maison de l'Orient méditerr., 12. Sér. archéol., 9)

1180. BERGER (Peter A.). Herrschaftsform Stadt. Eine soziolog. Rekonstruktion d. Stadtgesch. im Altertum. Mit e. Nachw. v. Klaus EDER. München, Acadmic, 83, in-8, 259 p. (Reihe Stadt- u. Regionalsoziologie, 8)

1181. BRENTJES (Burchard). Alte Siegelkunst des Vorderen Orients. Leipzig, E. A. Seemann, 83, in-8, 223 p. (Abb.).

1182. BRYCE (T.R.). Political unity in Lycia during the "dynastic" period. J. near east. Stud., 83, vol. 42, n° 1, p. 31-42.

1183. Città (La) antica come fatto di cultura. Atti del convegno di Como e Bellagio, 16-19 giugno 1979. Como, Soc. Archeol. Comense, 83, in-8, 410 p. (ill.).

1184. CRĂCIUNOIU (Cristian). Corăbii străbune (arheologie navală). (Navires anciens: archéologie navale.) Vol. 1, 2. București, Sport-Turism, 83, 2 vol., 196, 160 p.

1185. Femme (La) dans les sociétés antiques. Actes des colloques de Strasbourg (mai 1980 et mars 1981). Ed. par Edmond LEVY. Strasbourg, AECR, 83, in-8, 156 p. (Contrib. et trav. de l'Inst. d'Hist. romaine, Univ. de Strasbourg II)

1186. FREZOULS (Edmond). Urbanisme et société. Réflexions sur l'Orient ancien. Mél. Ec. franç. Rome, Antiquité, 83, vol. 95, p. 305-333.

1187. Griechenland, die Agäis und die Levante während der "Dark Ages" vom 12. bis zum 9. Jahrhundert v. Chr. Akten d. Symposions v. Stift Zwettl (N.Ö.), 11.-14. Okt. 1980. Hrsg. v. S. DEGER-JALKOTZKY. Wien, Verl. d. Österr. Akad. d. Wiss., 83, in-8, 456 p. (S.-B. d. Österr. Akad. d. Wiss., Philos.-hist. Kl., 418)

1188. IL'IN (G.F.). Drevnevostočnoe obščestvo i problemy ego social'no-ėkonomičeskoj struktury. (Ancient oriental society and problems of its socio-economic structure.) Vestn. drevn. Ist., 83, n° 3, p. 13-38.

1189. Istorija Drevnego Vostoka; Zaroždenie drevnejšikh klassovykh obščestv i pervye očagi rabovlad. civilizacii. (History of the Ancient East. Origin of the ancient class societies and first hearths of the slave-holding civilisation.) Pod. red.: I. M. D'JAKONOVA. Č. 1: Mesopotamija. Moskva, Nauka, 83, 534 p. (ill.).

1190. KUNTZMANN (Raymond). Le symbolisme des jumeaux au Proche-Orient ancien. Naissance, fonction et évolution d'un symbole. Paris, Beauchesne, 83, in-8, 260 p. (Beauchesne Religions, 12)

1191. LA GENIERE (J. de). Asie Mineure et Occident. Quelques considérations. Parola del Passato, 82, a. 37, p. 163-181.

1192. MANN (U.). Der Ernst des heiligen Spiels. Eranos-Jb., 82, Jg. 51, p. 9-58.

1193. MEIGGS (Russell). Trees and timber in the ancient Mediterranean world. London a. New York, Oxford U.P., 83, in-8, XVIII-553 p. (8 ill., 11 tab., 2 plans, 16 pl., 7 maps).

1194. Modes de contact et processus de transformation dans les sociétés anciennes. Forme di contatto e processo di trasformazione nelle società antiche. Actes du colloque de Cortone (24-30 mai 1981), organisé par la Scuola Normale Superiore [di Pisa] et l'Ecole franç. de Rome, avec la collab. du Centre de Recherche d'Hist. anc. de l'Univ. de Besançon. Pisa, Scuola Norm. Sup.; Roma, Ecole franç. de Rome; diff. Paris, de Boccard, 83, in-4, 1164 p. (ill., pl.). (Coll. de l'Ec. franç. de Rome, 67)

1195. RIES (Gerhard). Prolog und Epilog in Gesetzen des Altertums. München, Beck, 83, in-8, 248 p. (Münchener Beitr. z. Papyrusforsch. u. antiken Rechtsgesch. 76)

1196. ŠČAPOVA (Ju. L.). Očerki istorii drevnego stelkodelija (Po materialam doliny Nila, Bliž. Vostoka i Evropy). (Essays on the history of ancient glass-work. According to materials of the Nile valley, the Near East and Europe.) Moskva, Izd-vo MGU, 83, 199 p. (ill.).

1197. SILVER (Morris). Karl Polanyi and markets in the ancient Near East: the challenge of the evidence. J. econ. Hist., 83, vol. 43, n° 4, p. 795-830.

1198. Sources for ancient history. Ed. by Michael CRAWFORD. London, Cambridge U.P., 83, in-8, XI-238 p. (ill., dr.). (Sources of Hist.)

1199. SMADJA (Elisabeth). Modes de contact, sociétés indigènes et formation de l'Etat numide au second siècle av. notre ère. In: Modes de contacts ... [Cf. n° 241], p. 685-702.

1200. Trade in ancient economy. Ed. by Peter GARNSEY, Keith HOPKINS a. C. R. WHITTAKER. Berkeley a. Los Angeles, Univ. of Calif. Press; London, Chatto a. Windus, 83, in-8, XXVI-230 p. (maps).

1201. VAN SETERS (John). In search of history: historiography in the ancient world and the origins of biblical history. New Haven, Conn., Yale U.P., 83, in-8, XIII-399 p.

1202. ZACCAGNINI (Carlo). Patterns of mobility among ancient near eastern craftsmen. J. near east. Stud., 83, vol. 42, n° 4, p. 245-264.

1203. ZAZOFF (Peter). Die antiken Gemmen. München, Beck, 83, in-4, LI-446 p. (82 Abb., 132 Taf.). (Handbuch d. Archäol.)

Cf. n° 502.

§ 2. The Near East in general.

* 1204. CARDASCIA (Guillaume). Chronique. Droits de l'antiquité. Droits cunéiformes. R. hist. Droit franç. étr., 83, a. 61, n° 1, p. 101-132. [Cf. Bibl. 78-79, n° 1341]

1205. Bibl. 82, n° 1286. ARDZINBA (V.G.). Rituały i mify drevnej Anatolii. (Rites and myths of ancient Anatolia.) - CR: L. S. Bajun, M. A. Dandamaev, Vestn. drevn. Ist., 83, n° 2, p. 162-166; E. V. Antonova, Nar. Azii Afr., 83, n° 2, p. 198-202.

1206. ASHERI (David). Fra ellenismo e iranismo. Studi sulla società e cultura di Xanthos nell'età achemenida. Bologna, Pàtron, 83, in-8, 191 p. (Ideologia e memoria, 3) - IDEM. Fra ellenismo e iranismo: il caso di Xanthos fra il V e IV sec. a. C. In: Modes de contacts ... [Cf. n° 241], p. 485-502.

1207. BAMMER (Anton). Architecture et société en Asie Mineure au IVe siècle. In: Architecture et société [Cf. n° 225], p. 271-301.

1208. BOUZEK (Jan). Les Cimmériens en Anatolie. In: Modes de contacts ... [Cf. n° 241], p. 145-161.

1209. CORSARO (Mauro). Le forme di dipendenza nella chora del re e in quella cittadina dell'Asia Minore ellenistica. In: Modes de contacts ... [Cf. n° 241], p. 523-548.

1210. HANFMANN (George M. A.), MIERSE (William E.). Sardis from prehistoric to Roman times: results of the archaeological exploration of Sardis, 1958-1975. Cambridge, Mass., Harvard U. P., 83, in-4, XXXV-528 p. (ill.).

1211. LORDKIPANIDZE (Othar D.). La Géorgie à l'époque hellénistique. Dialogues Hist. anc., 83, t. 9, p. 197-216. - IDEM. The Greco-Roman world and ancient Georgia (Colchis and Iberia). In: Modes de contacts ... [Cf. n° 241], p. 123-144.

1212. METZGER (Martin). Gottheit, Berg und Vegetation in vorderasiatischer Bildtradition. Z. d. deutsch. Palästina-Ver., 83, Bd 99, p. 54-94 (40 Abb.).

1213. NISSEN (Hans J.). Grundzüge einer Geschichte der Frühzeit des Vorderen Orients. Darmstadt, Wiss. Buchges., 83, in-8, XV-220 p. (36 Abb., 1 Kt.). (Grundzüge, 52)

1214. ÖZGEN (Engin). The Urartian chariot reconsidered. I: Representational evidence, 9th-7th centuries B.C. Anatolica, 83, n° 10, p. 111-131 (19 fig.).

1215. YENER (K. Aslıhan). The production, exchange and utilization of silver and lead metals in ancient Anatolia. Anatolica, 83, n° 10, p. 1-15 (4 fig.).

Cf. n° 475.

§ 3. Egypt.

* 1216. Annual egyptological bibliography. Bibliographie égyptologique annuelle. [1978. Cf. Bibl. 82, n° 1296.] 1979. Compiled by / Composée par L. M. J. ZONHOVEN, with the collab. / avec la collab. de Inge HOFMANN and / et Jacob J. JANSSEN. Warminster, Wilts., Aris a. Phillips, 83, in-8, XIII-305 p.

* 1217. Bibliografia metodica degli studi di egittologia e di papirologia. [Cf. Bibl. 82, n° 1298.] Aegyptus, 83, a. 63, p. 313-381.

* 1218. DECKER (Wolfgang). Bibliographie zum Sport im Alten Ägypten für die Jahre 1980 und 1981 nebst Nachträgen aus früheren Jahren. Stadion, 81, Bd 7, p. 153-172.

* 1219. MENU (Bernadette). Chronique. Droits de l'antiquité. Egypte pharaonique. [Cf. Bibl. 81, n° 1176.] R. hist. Droit franç. étr., 83, a. 61, n° 1, p. 133-151.

* Cf. n°s 1173-1176, 1433.

** 1220. KALLIXEINOS of Rhodes. The grand procession of Ptolemy Philadelphus. Ed. by E. E. RICE. London a. New York, Oxford U. P., 83, in-8, VIII-225 p. (Oxford class. a. philos. monogr.)

** 1221. Sammelbuch griechischer Urkunden aus Ägypten. Im Auftr. d. Straßburger Wiss. Ges. begonnen v. Friedrich PREISIGKE. Fortgef. v. Friedrich BILABEL u. Emil KIESSLING. Hrsg. v. Hans-Albert RUPPRECHT unter Mitarb. v. Joachim HENGSTL. Bd 14, H. [1. Cf. Bibl. 81, n° 1183.] 2 (Nr. 11264-12219). Wiesbaden, Harrassowitz, 83, in-4, p. 193-534.

** 1222. SEGAL (J.-B.). Aramaic texts from North Saqqarâ with some fragments in Phoenician. With contrib. of H.-S. SMITH. London, Egypt Explor. Soc., 83, in-4, XIX-217 p. (38 pl.). (Texts from excavations, Mem., 6)

───────

1223. ABEL (K.). Polybius Buch 14: Res Aegyptii. Historia [Wiesbaden], 83, Bd 32, p. 268-286.

1224. ALLAM (S.). Familien und Besitzverhältnisse in der altägyptischen Arbeitersiedlung von Deir-el-Medineh. R. int. Droits Antiquité, 83, 3e sér., t. 30, p. 17-39.

1225. ALTENMÜLLER (Hartwig). Bemerkungen zu den Königsgräbern des Neuen Reichs. Stud. z. altägypt. Kultur, 83, Bd 10, p. 25-61.

1226. ASSMANN (Jan). Re und Amun. Die Krise d. polytheist. Weltbilds im Ägypten d. 18.-20. Dynastie. Göttingen, Vandenhoeck u. Ruprecht, 83, in-8, XI-309 p. (Orbis biblicus et orientalis, 51)

1227. BLUMENTHAL (Elke). Die erste Koregenz der 12. Dynastie. Z. f. ägypt. Sprache, 83, Bd 110, H. 2, p. 104-121.

1228. BOGOSLOVSKIJ (E.S.). Drevneegipetskie mastera. Po materialam iz Der el'Medina. (Ancient Egyptian masters. On the material from Deir-el-Medineh.) Moskva, Nauka, 83, 366 p. (AN SSSR. In-t vostokovedenija)

1229. BONNEAU (Danielle). Loi et coutume en Egypte. Un exemple: les marais du Fayoum appelés drymoi. J. econ. soc. Hist. Orient, 83, vol. 26, p. 1-13.

1230. BRANDL (Baruch). The Tel Masos scarab: a suggestion for a new method for the interpretation of royal scarabs. Scripta hierosolymitana, 82, vol. 28, p. 371-405 (pl.).

1231. CADELL (Hélène). Le village fayoumique aux époques ptolémaïque et romaine. Rec. Soc. J. Bodin, 83, vol. 41, p. 365-390.

1232. CLARYSSE (Willy), VAN DER VEKEN (G.). The eponymous priests of Ptolemaic Egypt (P. L. Bat. 24): chronological lists of the priests of Alexandria and Ptolemais with a study of the Demotic transcriptions of their names. With the assist. of S. P. VLEEMING. Leiden, Brill, 83, in-4, X-165 p. (Papyrol. Lugduna Batava, 24)

1233. DARIS (Sergio). Papiri non ossirinchiti ad Ossirinco. Studia payrol., 83, t. 22, p. 121-133.

1234. DAVIS (Whitney). Artists and patrons in predynastic Egypt. Stud. z. altägypt. Kultur, 83, Bd 10, p. 119-139.

1235. DOMADONI (Sergio). L'Egitto achemenide. In: Modes de contacts ... [Cf. n° 241], p. 27-43.

1236. DUNAND (Françoise). Grecs et Egyptiens en Egypte lagide. Le problème de l'acculturation. In: Modes de contacts ... [Cf. n° 241], p. 45-87.

1237. Egypt and the Hellenistic world. Proceedings of the Internat. Colloquium, Leuven, 24-26 May 1982. Ed. by E. VAN'T DACK, P. VAN DESSEL a. W. VAN GUCHT. Lovanii, Kathol. Univ. Leuven, 83, in-8, XXVII-442 p. (4 pl.). (Studia hellenist., 27)

1238. FRANKE (Detlef). Altägyptische Verwandtschaftsbezeichnungen im Mittleren Reich. Hamburg, Borg, 83, in-8, IV-400 p. (Hamburger ägyptolog. Stud., 3)

1239. GUTGESELL (Manfred). Die Datierung der Ostraka und Papyri aus Deir el-Medineh und ihre ökonomische Interpretation. T. 1: Die 20. Dynastie. Bd 1, 2. Hildesheim, Gerstenberg, 83, 2 vol. in-8, XX-303 p., p. 305-627. (Hildesheimer ägyptolog. Beitr., 18, 19)

1240. HARARI (Ibram). La capacité juridique de la femme au Nouvel Empire. R. int. Droits Antiquité, 83, 3e sér., t. 30, p. 41-54.

1241. HINKEL (Friedrich W.). Pyramide oder Pyramidenstumpf? Ein Beitr. zu Fragen d. Planung, konstruktiven Baudurchführung u. Architektur d. Pyramiden v. Meroe. [Teil A, B. Cf. Bibl. 81, n° 1207.] Teil C u. D. Z. f. ägypt. Sprache, 82, Bd 109, p. 127-147 (Abb.).

1242. HUSSAIN (A. Gouda). Magnetic prospecting for archaeology in Kom Oshim and Kiman Faris, Fayoum, Egypt. Z. f. ägypt. Sprache, 83, Bd 110, p. 36-51.

1243. KAPLONY (Peter). Der Schreiber, das Gotteswort und die Papyruspflanze. Mit neuen Untersuchungen z. unterägypt. Königtum. Z. f. ägypt. Sprache, 83, Bd 110, p. 143-173.

1244. Karnak-Nord V: Le trésor de Thoutmosis Ier. 1: JACQUET (Jean). Etude architecturale. 1: Texte. 2: Planches. Le Caire, Inst. franç. d'Archéol. orientale, 83, 2 vol. in-4, 162 p.; 12 p. (66 p. de pl.).

1245. KEEL (Othmar). Der Pharao als "Vollkommene Sonne". Ein neuer ägypto-palästinischer Skarabäentyp. Scripta hierosolymitana, 82, vol. 28, p. 406-529 (pl.).

1246. KITCHEN (K.A.). Pharaoh triumphant: the life and times of Ramesses II. Warminster, Aris a. Phillips, 83, in-8, 280 p. (78 ill.).

1247. Löwentempel (Der) von Naq'a in der Butana (Sudan). 1: Forschungsberichte u. Topographie. Von Ingrid GAMER-WALLERT u. Karola ZIBELIUS. 2: Baubeschreibung. Von Jürgen BRINKS. Wiesbaden, Reichert, 83, 2 vol. in-4, 100 p. (54 Abb., 1 Taf.); 62 p. (49 Abb., 8 Pläne). (Tübinger Atlas d. Vorderen Orients, Beihefte, Reihe B: Geisteswiss., 48/1, 2)

1248. MODRZEJEWSKI (Joseph). Le statut des Hellènes dans l'Egypte lagide. Bilan et perspectives de recherches R. Et. grecques, 83, vol. 96, p. 241-268.

1249. ORRIEUX (Claude). Les papyrus de Zénon. L'horizon d'un Grec en Egypte au IIIe siècle av. J.-C. Préface d'Edouard WILL. Paris, Macula, 83, in-8, 261 p. (plans, cartes). (Coll. Deucalion)

1250. RIDWĀN ('Ali). Die Kupfer- und Bronzegefäße Ägyptens (von den Anfängen bis zum Beginn der Spätzeit). München, Beck, 83, in-4, 193 p. (89 p. Ill., Kt.). (Prähist. Bronzefunde, Abt. 2, 2)

1251. ROTH (Ann Macy). Some new texts of Herihor and Ramesses IV in the great hypostyle hall at Karnak. J. near east. Stud., 83, vol. 42, n° 1, p. 43-54.

1252. SAMUEL (Alan E.). From Athens to Alexandria. Hellenism and social goals in Ptolemaic Egypt. Lovanii, Kathol. Univ. Leuven, 83, in-8, XI-130 p. (Studia hellenist., 26)

1253. SAYED (Ramadan el-). La déesse Neith de Saïs. 1: Importance et rayonnement de son culte. 2: Documentation. Le Caire, Inst. franç. d'Archéol. orientale, 82, 2 vol. in-4, VII-204 p., p. 205-715 (15 pl.). (Biblioth. d'étude, 86/1, 2)

1254. SCHOLL (Reinhold). Sklaverei in den Zenonpapyri: eine Untersuchung zu d. Sklaventermini, zum Sklavenerwerb u. zur Sklavenflucht. Trier, Trierer hist. Forsch., 83, in-8, 251 p. (2 Taf.). (Trierer hist. Forsch., 4)

1255. STUČEVSKIJ (I. A.). "Pritesnenie" "pervogo žreca" Amuna Amenkhotepa i vtorženie vojsk "carskogo syna Kuša" Panekhsi. (The "persecution" of Amenhotep, "first priest" of Amon, and the incursion of the troops of Panehsi, "king's-son of Cush". Vestn. drevn. Ist., 83, n° 1, p. 3-20.

1256. Studies in Egyptian religion, dedicated to professor Jan Zandee. Ed. by Matthieu HEERMA VAN VOSS, Dirk Jan HOENS et al. Leiden, Brill, 83, in-8, 150 p. (ill.). (Stud. in the Hist. of Religions, 43)

1257. THOMAS (J. David). The epistrategos in Ptolemaic and Roman Egypt. [1. Cf. Bibl. 74-75, n° 1610.] 2: The Roman epistrategos. Opladen, Westdeutsch. Verl., 82, in-8, 247 p. (Abh. d. Rhein.-Westf. Akad. d. Wiss., Sonderr.: Papyrologica Coloniensia, 6)

1258. TRIGGER (Bruce G.) a. others. Ancient Egypt, a social history. London, Cambridge U. P., 83, in-8, XIII-450 p. (dr., tabs.).

1259. WARD (William A.). Index to Egyptian administrative and religious titles of the Middle Kingdom. With a glossary of words a. phrases used. Beirut, American Univ. of Beirut, 82, in-4, XXII-221 p.

1260. ŽABKAR (V.L.). Six hymns to Isis in the sanctuary of her temple at Philae and their theological significance. 1. J. egypt. Archaeol., 83, vol; 69, p. 115-137.

Cf. n[os] 45, 65, 79, 131, 163, 193, 1166, 1799.

§ 4. Cyrene.

1261. Excavations at Sidi Krebish, Benghazi (Berenice). 1: Buildings, coins, inscriptions, architectural decoration. Ed. by J. A. LLOYD et al. Summary of dated deposits. Ed. by B. M. KENRICK. Tripoli,

Dept. of Ant., 82, XXIII-431 p. (71 ill., 32 pl.). (Libya antiqua, suppl., 5)

1262. LARONDE (André). Kainopolis de Cyrénaïque et la géographie historique. C. R. Acad. Inscript., 83, p. 67-85.

1263. LÜDERITZ (Gert). Corpus jüdischer Zeugnisse aus der Cyrenaika. Mit e. Anh. v. Joyce M. REYNOLDS. Wiesbaden, Reichert, 83, in-8, XVI-235 p. (Ill., Kt.). (Beih. z. Tübinger Atlas d. Vorderen Orients. Reihe B: Geisteswiss., 53)

§ 5. Mesopotamia.

* Cf. n° 1204.

** 1264. KÄRKI (Ilmari). Die sumerischen und akkadischen Königsinschriften der altbabylonischen Zeit. 2: Babylon. Helsinki, The Finnish Oriental Soc., 83, in-4, VIII-50 p. (Studia orientalia, 55/1)

** 1265. KLENGEL (Horst). Altbabylonische Texte aus Babylon. Berlin, Akad.-Verl., 83, 17-L p. (Vorderasiat. Schriftdenkmäler d. Staatl. Museen zu Berlin, 22 = N. F., 6)

** 1266. Textes administratifs des salles 134 et 160 du palais de Mari. Transcrits, trad. et commentés par Jean-Marie DURAND. Paris, Geuthner, 83, in-4, X-596 p. (Archives royales de Mari, 21)

1267. BOTTERO (Jean). Sumériens et "Accadiens" en Mésopotamie ancienne. In: Modes de contacts ... [Cf. n° 241], p. 7-26.

1268. DANDAMAEV (M.A.). Vavilonskie piscy. (Babylonian scribes.) Moskva, Nauka, 83, 245 p. (AN SSSR. In-t vostokovedenija)

1269. DANIEL (Constantin). Civilizaţia sumeriană. (La civilisation sumérienne.) Bucureşti, Sport-Turism, 83, in-8, 275 p. (23 p. de pl.).

1270. ELLIS (Maria de Jong). Correlation of archaeological and written evidence for the study of Mesopotamian institutions and chronology. Am. J. Archaeol., 83, vol. 87, n° 4, p. 497-507.

1271. GALTER (Hannes D.). Der Gott Ea/Enki in der akkadischen Überlieferung. Eine Bestandsaufnahme d. vorhandenen Materials. Graz, dbv-Verl. f. d. Techn. Univ. Graz, 83, in-8, X-306 p. (Diss. d. Karl-Franzens-Univ. Graz, 58)

1272. Glossar zu den altsumerischen Bau- und Weihinschriften. Bearb. v. Hermann BEHRENS u. Horst STEIBLE. Wiesbaden, Steiner, 83, in-8, XXIII-424 p. (Freiburger altorient. Stud., 6)

1273. JACOBSEN (Thorkild). Salinity and irrigation agriculture in antiquity: Diyala basin archaeological projects. Report on essential results, 1957-1958. Malibu, Calif., Undena, 82, XII-129 p. (20 pl., 6 plans). (Bibliotheca mesopotamica, 14)

1274. KLENGEL-BRANDT (Evelyn). Siegelabrollung auf altbabylonischen Tontafeln aus Babylon. Altoriental. Forsch., 83, Bd 10, p. 65-106 (Abb.).

1275. Mesopotamien und seine Nachbarn. Polit. u. kulturelle Wechselbeziehungen im alten Vorderasien vom 4.-1. Jahrtausend v. Chr. XXVe Rencontre assyriologique internat., Berlin, 3.-7. Juli 1978. T. 1, 2. Hrsg. v. Hans-Jörg NISSEN, Johannes RENGER. Berlin, Reimer, 82, 2 vol. in-8, XVII-382 p.; V p., p. 383-664 (59 Taf., graph. Darst., Kt.).

1276. PARPOLA (Simo). Assyrian library records. J. near est. Stud., 83, vol. 42, n° 1, p. 1-30.

1277. PARPOLA (Simo). Tieteen kehitys muinaisessa Mesopotamiassa. (Development of sciences in ancient Mesopotamia.) Soc. Sci. fennica, Vuosik., 82 [83], t. 60, p. 107-118.

1278. Reallexikon der Assyriologie und vorderasiatischen Archäologie. Begr. v. Erich EBELING u. Bruno MEISSNER, fortgeführt v. Ernst WEIDNER u. Wolfram von SODEN. Hrsg. v. Otto D. EDZARD unter Mitw. v. P. CALMEYER [u. a.]. [Bd 1-3. Cf. Bibl. 70-71, n° 1801.] Bd 4: Ha - Hystapes. Bd 5: Ia - Kizzuwatna. Bd 6: Klagegesang - Libanon. Berlin u. New York, de Gruyter, 75-83, 3 vol. in-4, XXIV-549, XX-631, XVIII-650 p. (Abb., Taf.).

1279. ROCHBERG-HALTON (F.). Stellar distances in early Babylonian astronomy: a new perspective on the Hilprecht text (HS 229). J. near east. Stud., 83, vol. 42, n° 3, p. 209-218.

1280. SCHAEFFER-FORRER (Claude F.-A.). Corpus des cylindrs-sceaux de Ras Shamra-Ugarit et d'Enkomi-Alasia. T. 1. Paris, Recherche sur les civilisations, 83, in-4, 211 p. (photos et dessins). (Synthèse, 13)

1281. SHERWIN-WHITE (S.M.). Babylonia chronicle fragments as a source for Seleucid history. J. near east. Stud., 83, vol. 42, n° 4, p. 265-270.

1282. STARR (Ivan). The rituals of the diviner. Malibu, Calif., Undena, 83, IX-145 p. (Bibliotheca mesopotamica, 12)

Cf. n°s 1138, 1189.

§ 6. Hittites.

** 1283. Keilschrifturkunden aus Boghazköi. Akad. d. Wiss. d. DDR, Zentralinst. f. Alte Gesch. u. Archäol. [H. 51. Cf. Bibl. 81, n° 1242.] H. 52: ARCHI (Alfonso). Hethitische Orakeltexte und Texte verschiedenen Inhalts. H. 53: JAKOB-ROST (Liane). Festritual für Telipinu von Kasha und andere hethitische Rituale. Berlin, Akad.-Verl., 83, 2 vol. in-4, VII-50, IX-50 Bl.

** 1284. KOŠAK (Silvin). Hittite inventory texts (CTH 241-250). Heidelberg,

Winter, 82 [83], in-8, VII-332 p. (Texte d. Hethiter, 10)

1285. ALP (Sedat). Beiträge zur Erforschung des hethitischen Tempels. Kultanlagen im Lichte der Keilschrifttexte. Neue Deutungen. Ankara, Türk Tarih Kurumu Basımevi, 83, in-4, XXXIV-382 p. (13 Taf.).

1286. ARCHI (Alfonso). L'Anatolia pregreca. In: Modes de contacts ... [Cf. n° 241], p. 465-484.

1287. BITTEL (Kurt). Hattuscha – Hauptstadt der Hethiter. Geschichte u. Kultur e. altoriental. Großmacht. Köln, DuMont, 83, in-8, 200 p. (Ill., graph. Darst.). (Du Mont-Dokumente)

1288. GÜTERBOCK (Hans G.). The Hittites and the Aegean world. 1: The Ahhiyawa problem reconsidered. Am. J. Archaeol., 83, vol. 87, n° 2, p. 133-138.

1289. HOUWINK TEN CATE (Philo H. J.). The history of warfare according to Hittite sources: the annals of Hattusilis I. Anatolica, 83, n° 10, p. 91-109.

1290. KOHLMEYER (Kay). Felsbilder der hethitischen Großreichszeit. Acta praehist. et archaeol., 83, Bd 15, p. 7-153 (42 Fig., 40 Taf., Kt.).

1291. NEVE (P.). Die Ausgrabungen aus Boğazköy-Ḫattuša 1982. Archäol. Anz., 83, p. 427-454.

§ 7. Jews and Semitic peoples to the end of the ancient world.

* 1292. RADICE (R.). Filone di Alessandria. Bibliografia generale 1937-1982. Napoli, Bibliopolis, 83, in-8, 331 p. (Elenchos, Collana di testi e studi, 8)

1293. ALMAGRO-GORBEA (Martín). Colonizzazione [fenicia] e acculturazione nella peninsola iberica. In: Modes de contacts ... [Cf. n° 241], p. 429-461.

1294. ALONSO SCHOKEL (Luis), SICRE DÍAZ (José Luis). Job. Comentario teológico y literario. Madrid, Cristiandad, 83, in-8, 634 p.

1295. ALVAR (J.). Aportaciones al estudio del Tarshish bíblico. R. Studi fenici, 82, a. 10, p. 211-230.

1296. AMIR (Yehoshua). Die hellenistische Gestalt des Judentums bei Philon von Alexandrien. Neukirchen-Vluyn, Neukirchener Verl., 83, in-8, 219 p. (Forsch. z. jüd.-christl. Dialog, 5)

1297. AMUSIN (I.D.). Kumranskaja obščina. (The Qumran community.) Moskva, Nauka, 83, 328 p. (ill.). (AN SSSR. In-t vostokovedenija)

1298. AUGUSTIN (Matthias). Der schöne Mensch im Alten Testament und im hellenistischen Judentum. Frankfurt (Main) u. Bern, Lang, 83, in-8, 314 p. (Beitr. z. Erforsch. d. Alten Test. u. d. ant. Judentums, 3)

1299. BAR-ILAN (Meir). Ha-Pulmus ben ḥakhamim le-kohanim. (Polemics between sages and priests towards the end of the days of the Second Temple.) Ramat Gan, 82, in-4 302 l. [Thesis, Bar Ilan Univ. – Eng. summary]

1300. BARRE (Michael L.). The god-list in the treaty between Hannibal and Philip V of Macedonia. A study in the light of the ancient Near Eastern treaty tradition. Baltimore, Md., Johns Hopkins U.P., 83, in-4, XV-220 p. (Johns Hopkins Near Eastern Stud.)

1301. BECK (Pirhiya). The drawings from Horvat Teiman (Kuntillet 'Ajrud). Tel-Aviv, 82, vol. 9, n° 1, p. 3-68 (fig., pl.).

1302. BENDOR (Zvi). Bet ha-av ha-yisraeli lemin ha-hitnaḥlut we-ad sof yeme ha-melukha. (The Israelite bet-ab from the settlement to the end of the monarchy.) Jerusalem, 82, in-4, 346 p. [Thesis, Hebrew Univ. of Jer. – Eng. summary]

1303. BLENKINSOPP (Joseph). A history of prophecy in Israel: from the settlement in the land to the Hellenistic period. Philadelphia, Westminster Press, 83, in-8, 288 p. – IDEM. Wisdom and law in the Old Testament. The ordering of life in Israel and early Judaism. London a. New York, Oxford U. P., 83, in-8, X-174 p. (Oxford Bible ser.)

1304. BONDI (Sandro Filippo). I Fenici in Occidente. In: Modes de contacts ... [Cf. n° 241], p. 379-407.

1305. BRINGMANN (Klaus). Hellenistische Reform und Religionsverfolgung in Judäa. Eine Untersuchung z. jüd.-hellenist. Geschichte (175-163 v. Chr.). Göttingen, Vandenhoeck u. Ruprecht, 83, in-8, 162 p. (Abh. d. Akad. d. Wiss., Phil.-hist. Kl., Folge 3, 132)

1306. CARMICHAEL (C.M.). The Ten Commandments. Oxford, Centre for Postgraduate Hebrew Stud., 83, in-8, II-27 p. (Ninth Sacks Lecture)

1307. CASETTI (P.). Gibt es ein Leben nach dem Tod? Eine Auslegung von Psalm 49. Freiburg/Schweiz, Univ.-Verl.; Göttingen, Vandenhoeck u. Ruprecht, 82, in-8, 315 p. (Orbis biblicus et orientalis, 44)

1308. CHILTON (B.D.). The glory of Israel. The theology and provenience of the Isaiah Targum. Sheffield, JSOT Press, 83, in-8, X-178 p. (J.S.O.T., supp., 23)

1309. CLEMENTS (R.E.). A century of Old Testament study. Rev. ed. Guilford, Lutterworth, 83, in-8, VIII-183 p.

1310. COHEN (S.J.D.). Masada. Literary tradition, archaeological remains, and the credibility of Josephus. J. jewish Stud., 82, vol. 33, p. 385-405.

1311. CROWN (Alan D.). Studies in Samaritan scribal practices and manuscript history. Vol. 1: Manuscript prices and values. Manchester, J. Rylands Univ. Libr., 83, in-8, 23 p.

1312. DEMERLIAC (Jean-Gabriel), MEIRAT (J.). Hannon et l'empire punique. Paris, Belles Lettres, 83, in-8, 359 p. (ill.). (Coll. Confluents)

1313. DOTHAN (Moshe). Hammath Tiberias. Early synagogues and the Hellenistic and Roman remains. Jerusalem, Israel Explor. Soc., 83, in-4, 88 p. (5 fig., 6 plans, 36 pl.).

1314. DOTHAN (Moshe), NETZER (Y.). Ashdod, IV: excavation of Area M. 'Atiqot, 82, vol. 15 (pl., maps).

1315. EPSZTEIN (Léon). La justice sociale dans le Proche-Orient ancien et le peuple de la Bible. Préf. de Henri CAZELLES. Paris, Ed. du Cerf, 83, in-8, 273 p.

1316. Erez Yisrael meḥurban bayit sheni we-ad ha-kibbush ha-muslemi. (Eretz Israel from the destruction of the Second Temple to the Muslim conquest. Vol. 1: Political, social a. cultural history.) Ed. Zvi BARAS, Shmuel SAFRAI, Yoram TSAFRIR, Menahem STERN. Jerusalem, Yad Izhak Ben-Zvi, 82, in-8, XVII-512 p. (ill., plans, portr., maps).

1317. FINKELSTEIN (Israel). Hafirot Izbet Sartah. (The Izbet Sartah excavations and the Israelite settlement in the hill country.) Tel-Aviv, 83, in-4, 435 l. (maps). [Thesis, Tel-Aviv Univ. - Eng. summary]

1318. GARBINE (Giovanni). Gli Ebrei in Palestina: yahvismo e religione fenicia. In: Modes de contacts ... [Cf. n° 241], p. 899-910.

1319. GARCÍA CORDERO (M.). El Hades de los antiguos helenos y el Sheol de los hebreos. Helmantica, 83, t. 34, p. 197-228.

1320. GEVA (Hillel). Excavations in the Citadel of Jerusalem, 1979-1980: preliminary report. Israel Explor. J., 83, vol. 33, n° 1-2, p. 55-71 (fig., pl.).

1321. GEVA (Shulamit). Ha-tarbut ha-ḥomrit be-ezor mamlekhet Yisrael. (The material culture in the area of the kingdom of Israel during the 8th and 7th cent. B. C.) Jerusalem, 81, in-4, 262 p. [Thesis, Hebrew Univ. of Jerusalem. - Eng. summary]

1322. GILEAD (Chaim). Sippur miḥemet Gideon be-Midian. (Gideon's war against Midian, Judges 6-8.) Meth Mikra, 83, vol. 28, n° 1, p. 29-38.

1323. GREEN (Alberto R.). Regnal formulas in the Hebrew and Greek texts of the Book of Kings. J. near east. Stud., 83, vol. 42, n° 3, p. 167-180.

1324. HANS (Linda-Marie). Karthago und Sizilien. Die Entstehung u. Gestaltung d. Epikratie auf d. Hintergrund d. Beziehungen d. Karthager zu d. Griechen u. d. nichtgriech. Völkern Siziliens (6.-3. Jh. v. Chr.). Hildesheim, Zürich u. New York, Olms, 83, in-8, X-274 p. (Ill.). (Hist. Texte u. Stud., 7)

1325. HELTZER (Michael). The internal organization of the kingdom of Ugarit (royal service-system, taxes, royal economy, army and administration). Wiesbaden, Reichert, 82, in-8, XXXI-212 p.

1326. HIRSCHFELD (Yizhar). Ancient wine presses in the Park of Aijalon. Israel Explor. J., 83, vol. 33, n° 3-4, p. 207-218 (fig., pl.).

1327. HUROWITZ (Avigdor Victor). Beniyyat bate miqdash bamigra. (Temple building in the Bible in light of Mesopotamian and North-West Semitic writings.) Jerusalem, 83, in-4, 394 leaves. [Thesis, Hebrew Univ. of Jerusalem. - Eng. summary]

1328. KILIAN (Rudolf). Jesaja 1-39. Darmstadt, Wiss. Buchges., 83, in-8, VII-161 p. (Erträge d. Forsch., 200)

1329. LANCEL (Serge). La colline de Byrsa à l'époque punique. Introduction à la connaissance de Carthage. Paris, Recherche sur les civilisations, 83, in-4, 60 p. (ill.).

1330. LANIADO (Ezra). Yehude Mosul. (The Jews of Mosul, from the Samarian exile to "Operation Ezra and Nehemia".) Tirat Karmel, Ha-makhon Leheqer Yahadut Mosul, 81, in-8, 416 p. (ill., fac-sim., portr.).

1331. LEVINE (Lee I.). Excavations at the synagogue of Ḥorvat ʿAmmudim. Israel Explor. J., 82, vol. 32, n° 1, p. 1-12 (pl.).

1332. LEWY (Yohanan). Julian the Apostate and the building of the Temple. Jerusalem Cathedra, 83, vol. 3, p. 70-96 (ill.).

1333. LIVERANI (Mario). Dall'acculturazione alla deculturazione. Considerazioni sul ruolo dei contatti politici ed economici nella storia siro-palestinese pre-ellenistica. In: Modes de contacts ... [Cf. n° 241], p. 503-522.

1334. LURIA (Ben-Zion). Gezerotaw shel Antiochus. (The edicts of Antiochus Epiphanes.) Beth Mikra, 83, vol. 29, n° 1, p. 47-59. [Eng. summary]

1335. MILLAR (Fergus). The Phoenician cities. A case-study of Hellenisation. Proc. Cambridge philol. Soc., 83, vol. 29, p. 54-71.

1336. MOSCATI (Sabatino). Cartaginesi. Milano, Jaca Book, 82, in-8, 267 p. (176 tav.). (Le grande stagioni)

1337. MÜLLER (Karlheinz). Das Judentum in der religionsgeschichtlichen Arbeit am Neuen Testament. Eine krit. Rückschau auf d. Entwicklung einer Methodik bis zu d. Qumranfunden. Frankfurt (Main) u. Bern,

Lang, 83, in-8, 227 p. (Judentum u. Umwelt, 6)

1338. OPPENHEIMER (Aharon). Babylonia Judaica in the Talmudic period. Wiesbaden, Reichert, 83, in-8, 548 p. (Tübinger Atlas d. Vorderen Orients, Beihefte, Reihe B: Geisteswiss., 47)

1339. PATRICH (Joseph). Isur pesel u-temuna be-qerev ha-nabatim. (Prohibition of a graven image among the Nabateans - the testimony of the maṣṣebot-cult.) Cathedra, 82, vol. 26, p. 47-104 (ill.).

1340. RABELLO (A.M.). L'osservanza delle feste ebraiche nell'impero romano. Scripta class. israel., 81-82, vol. 6, p. 57-84.

1341. RAJAK (Tessa). Josephus: the historian and his society. London, Duckworth, 83, in-8, 245 p. (Class. Life a. Letters)

1342. REVIV (Hanoch). Mosad ha-zeqenim be-yisrael. (The Elders in ancient Israel.) Jerusalem, Magnes Press, 83, in-8, IV-193 p.

1343. SAFRAI (Ze'ev). Mivne ha-mishpaḥa bi-tequfat ha-Mishna weha-Talmud. (Family structure during the period of the Mishna and the Talmud.) Milet, 83, vol. 1, p. 129-156. [Eng. summary]

1344. SCHÄFER (Peter). Geschichte der Juden in der Antike. Die Juden Palästinas v. Alexander d. Großen bis z. arab. Eroberung. Stuttgart, Kath. Bibelwerk, 83, in-8, 288 p. (16 p. Abb.).

1345. SCHÄFER-LICHTENBERGER (Christa). Stadt und Eidgenossenschaft im Alten Testament. Eine Auseinandersetzung mit Max Webers Studie "Das antike Judentum". Hrsg. v. Georg FOHRER. Berlin u. New York, de Gruyter, 83, in-8, XII-485 p. (Z. f. d. alttest. Wiss., Beiheft, 156)

1346. SCHMITT (Götz). Ein indirektes Zeugnis der Makkabäerkämpfe. Wiesbaden, Reichert, 83, in-8, 80 p. (Tübinger Atlas d. Vorderen Orients, Beihefte, Reihe B: Geisteswiss., 49)

1347. SCHWARTZ (Joshua). Aliya from Babylonia during the Amoraic Period (200-500 C.E.). Jerusalem Cathedra, 83, vol. 3, p. 58-69 (map).

1348. SHATZMAN (Israel). Ẓava ubeayot bitaḥon bemamlekhet Hordus. (Herod's kingdom: army and security problems.) Milet, 83, n° 1, p. 75-98.

1349. Shloshim shenot arkhiologia be-Erez-Yisrael. (Thirty years of archaeology in Eretz-Israel, 1948-1978, presented to Joseph Aviram.) Ed. by B. MAZAR. Jerusalem, Israel Explor. Soc., 81, in-8, XX-219 p. (ill., fac-sim., 16 p. of pl.).

1350. SILVER (Morris). Prophets and markets. The political economy of ancient Israel. The Hague, Nijhoff, 83, in-8, XII-306 p.

1351. SIMONETTI (A.). Sacrifici umani e uccisioni rituali nel mondo fenicio-punico. Il contributo delle fonti letterarie classiche. R. Studi fenici, 83, a. 11, p. 91-111.

1352. SMITH (Morton). Helios in Palestine. Eretz-Israel, 82, vol. 16, p. 199*-214*.

1353. STEMBERGER (Günter). Die römische Herrschaft im Urteil der Juden. Darmstadt, Wiss. Buchges., 83, in-8, XI-183 p. (Erträge d. Forsch., 195)

1354. STERN (Ephraim). Excavations at Tel Dor, 1981: preliminary report. Israel Explor. J., 82, vol. 32, n° 2-3, p. 107-117 (fig., pl.).

1355. STERN (Menahem). Hit'abdutam shel Eleazar ben Yair ... (The suicide of Eleazar ben Jair and his men at Masada, and the "Fourth Philosophy".) Zion, 82, vol. 47, p. 367-398. [Eng. summary]

1356. TUSA (Vincenzo). La Sicilia fenicio-punica. Dialogues Hist. anc., 83, vol. 9, p. 237-285.

1357. TZAFERIS (Vassilios). The ancient synagogue at Ma'oz Ḥayyim. Israel Explor. J., 82, vol. 32, n° 4, p. 215-244 (pl.).

1358. WACHOLDER (Ben Zion). The dawn of Qumran. The Sectarian Torah and the Teacher of Righteousness. Cincinnati, Hebrew Union Coll. Press, 83, in-8, XVIII-310 p. (Monogr. of the Hebrew Union Coll., 8)

1359. WENNING (R.), ZENGER (E.). Die verschiedenen Systeme der Wassernutzung im südlichen Jerusalem und die Bezugnahme darauf in biblischen Texten. Ugarit-Forsch., 82, Bd 14, p. 279-294.

Cf. n°s 475, 842, 1025, 1263, 1774, 1794, 1843, 2087, 2210.

§ 8. Iran.

1360. BALCER (Jack Martin). The Greeks and the Persians: the processes of acculturation. Historia [Wiesbaden, 83, Bd 32, p. 257-267.

1361. BIGWOOD (J.M.). The ancient accounts of the battle of Cunaxa [401 B.C.]. Am. J. Philol., 83, vol. 104, n° 4, p. 340-357.

1362. BOFFO (L.). La conquista persiana delle città greche d'Asia Minore. Roma, Accad. dei Lincei, 83, in-8, 70 p.

1363. BRIANT (Pierre). Communautés de base et économie royale en Asie achéménide et hellénistique. Rec. Soc. J. Bodin, 83, vol. 41, p. 315-343.

1364. BUCCI (Onorato). L'impero achemenide como ordinamento giuridico sovranazionae e arta come principio ispiratore di uno "jus commune Persarum" (data). In: Modes de contacts ... [Cf. n° 241], p. 89-122. - IDEM. L'impero persiano come ordinamento giuridico sovranazionale, 1-2: Classi sociali e forme di dipendenza giuridica in diritto persiano antico precedentemente all'impero achemenide e in età achemenide. Apollinaris, 83, a. 56, p. 264-287, 656-704.

1365. COOK (J.M.). The Persian empire. London, Melbourne a. Toronto, Dent, 83, in-8, VII-275 p. (13 ill., 24 pl.).

1366. DĄBROWA (Edward). La politique de l'Etat parthe à l'égard de Rome - d'Artaban II à Vologèse I (ca. 11-79 de n. è.) et les facteurs qui la conditionnaient. Kraków, 83, in-8, 182 p. (Rozprawy Habilitacyjne Uniw. Jagiell., 74)

1367. KETTENHOFEN (Erich). Die römisch-persischen Kriege des 3. Jahrhunderts n. Chr. nach der Inschrift Šāhpurs I. an der Ka'be-ye Zartošt (ŠKZ). Wiesbaden, Reichert, 82, in-8, 154 p. (Tübinger Atlas d. Vorderen Orients, Beihefte, Reihe B: Geisteswiss., 55)

1368. Kunst, Kultur und Geschichte der Achämenidenzeit und ihr Fortleben. Hrsg. v. Heidemarie KOCH u. D. N. MACKENZIE. Berlin, Reimer, 83, in-4, 304 p. (29 Abb., 32 Taf., Kte). (Archäol. Mitt. aus Iran, Erg.-Bd, 10)

1369. PERIKHANJAN (A.G.). Obščestvo i pravo Irana v parfjanskij i sasanidskij periody. (Society and law of Iran in the Parthian and Sassanid periods.) Moskva, Nauka, 83, 383 p. (AN SSSR. In-t vostokovedenija)

Cf. n°s 751, 1235, 1489.

E

GREEK HISTORY

§ 1. Classical world in general. 1370-1400. - § 2. Prehellenic epoch. 1401-1405. - § 3. Sources and criticism of sources. 1406-1449. - § 4. General and political history. 1450-1489. - § 5. History of law and institutions. 1490-1515. - § 6. Economic and social history. 1516-1542. - § 7. History of literature, philosophy and science. 1543-1657. - § 8. Religion and mythology. 1658-1669. - § 9. Archaeology and history of art. 1670-1702.

§ 1. Classical world in general.

* 1370. Bibliographie zur antiken Sklaverei. Im Auftrag d. Komm. f. Gesch. d. Altertums d. Akad. d. Wiss. u. d. Lit. hrsg. v. Joseph VOGT u. Heinz BELLEN. Neu bearb. v. Elisabeth HERRMANN in Verb. mit Norbert BROCKMEYER. Teil 1: Text. Teil 2: Abkürzungsverzeichnis u. Register. Bochum, Brockmeyer, 83, 2 vol. in-8, XII-313 p., p. 321-391.

* 1371. DESANGES (Jehan) LANCEL (Serge). Bibliographie analytique de l'Afrique antique. [T. 13. Cf. Bibl. 82, n° 1420.] T. 14 (1978-79). Paris, de Boccard; Houston, Inst. for the Arts, 83, in-4, 90 p.

* 1372. ŞTEFAN (Alexandra), FISCHER (I.). Bibliografia clasică românească (1979-1980). (Bibliographie classique roumaine [1978-1979. Cf. Bibl. 81, n° 1288.] 1979-1980.) Studii clas., 83, t. 21, p. 119-136.

* Cf. n°s II, III.

1373. Ancient Macedonia. III. Papers read at the Third International Symposium held in Thessaloniki, Sept. 21-25, 1977. Thessaloniki, Inst. for Balkan Stud., 83, in-8, 305 p. (ill., pl.).

1374. Architecture et société, de l'archaïsme grec à la fin de la république romaine. Actes du Colloque internat. organisé par le C.N.R.S. et l'Ecole franç. de Rome (Rome, 2-4 déc. 1980). Rome, Ecole franç. de Rome; Paris, Ed. du C.N.R.S., 83, in-8, 576 p. (ill.). (Coll. de l'Ec. franç. de Rome, 66)

1375. BROMMER (Frank). Odysseus. Die Taten und Leiden des Helden in antiker Kunst und Literatur. Darmstadt, Wiss. Buchges., 83, in-8, X-133 p. (55 Abb., 48 Taf.).

1376. Cadastres et espace rural. Approches et réalités antiques. Table ronde de Besançon, mai 1980. Publ. sous la dir. de Monique CLAVEL-LEVEQUE. Paris, Ed. du C.N.R.S., 83, in-8, 356 p. (128 ill., 4 cartes).

1377. CAMBIANO (Giuseppe). La filosofia in Grecia e a Roma. Bari, Laterza, 83, in-8, 176 p.

1378. FINLEY (Moses). Politics in the ancient world. London a. New York, Cambridge U.P., 83, in-8, VII-152 p. (Hist. of political thought, 4)

1379. FORNARA (Charles William). The nature of history in ancient Greece and Rome. Berkeley a. Los Angeles, Univ. of California Press, 83, in-8, XIV-215 p. (Eidos, Stud. in Classical Kinds)

1380. GENTILI (Bruno), CERRI (Giovanni). Storia e biografia nel pensiero antico. Roma e Bari, Laterza, 83, in-8, XI-127 p. (Bibl. di cultura mod., 878)

1381. Geschichte des wissenschaftlichen Denkens im Altertum. Hrsg. v. F. JÜRSS. Berlin, Akad.-Verl., 82, in-8, 672 p. (Ill.). (Veröff. d. Zentralinst. f. Alte Gesch. u. Archäol. d. Akad. d. Wiss. d. DDR, 13)

1382. GUARDUCCI (Margherita). Scritti scelti sulla religione greca e romana e sul Cristianesimo. Leiden, Brill, 83, in-8, XXIV-457 p. (ill.). (Et. prélim. aux religions orient. dans l'Empire romain, 98)

1383. Images of women in antiquity. Ed. by Averil CAMERON a. Amélie KUHRT. London a. Canberra, Croom Helm, 83, in-8, XI-323 p. (ill., pl.).

1384. LEFKOWITZ (Mary). Wives and husbands. Greece a. Rome, 83, vol. 30, p. 31-47.

1385. LENDLE (Otto). Texte und Untersuchungen zum technischen Bereich der antiken Poliorketik. Wiesbaden, Steiner, 83, in-8, XXI-215 p. (67 Abb.). (Palingenesia, 19)

1386. MÜLLER (Raimar). Die Konzeption des Fortschrittes im antiken Geschichtsdenken. Berlin, Akad.-Verl., 83, in-8, 40 p. (S.-B. d. Akad. d. Wiss. d. DDR: G, 5)

1387. PAPOULIA (Basilikē). Hē archaia

Thrakē hōs historikē enotēta. (La Thrace antique en tant qu'unité historique.) Balkanika Symmeikta, 83, vol. 2, p. 7-43.

1388. PAVOLINI (C.). Ambiente e illuminazione: Grecia e Italia fra il VII e il III secolo a. C. Opus, 82, a. 1, p. 291-313.

1389. PFROMMER (M.). Italien, Makedonien, Kleinasien. Interdependenzen spätklass. u. frühhellenist. Toreutik. Jb. d. deutsch. archäol. Inst., 83, Bd 98, p. 235-285.

1390. ROLLER (Lynn). Funeral games for historical persons. Stadion, 81 [83], Bd 7, p. 1-18.

1391. ROUSSELLE (Aline). Porneia. De la maîtrise du corps à la privation sensorielle, IIe-IVe siècle de l'ère chrétienne. Paris, Presses univ. France, 83, in-8, 255 p. (Les chemins de l'histoire)

1392. SNOWDEN (Frank M.) Jr. Before color prejudice: the ancient view of blacks. Cambridge, Mass., Harvard U.P., 83, in-8, VIII-164 p. (3 maps).

1393. Symposion 1079. Vorträge z. griech. u. röm. Rechtsgeschichte (Ägina, 3.-7. Sept. 1979). In Gemeinschaft mit Hans Julius WOLFF, Arnaldo BISCARDI u. Joseph MODRZEJEWSKI hrsg. v. Panayotis DIMAKIS. Köln u. Wien, Böhlau, 83, in-8, 364 p.

1394. TACHEVA-HITOVA (Margarita). Eastern cults in Moesia Inferior and Thracia (5th cent. B.C. - 4th cent. A.D.). Leiden, Brill, 83, in-8, XXX-306 p. (92 pl., 3 maps). (Et. prélim. aux religions orient. dans l'Empire romain, 95)

1395. Théâtre et spectacles dans l'antiquité. Actes du colloque de Strasbourg, 5-7 nov. 1981. Leiden, Brill, 83, in-8, 261 p. (16 ill.). (Trav. du Centre de rech. sur le Proche-Orient et la Grèce antiques, 7)

1396. Trade and famine in classical antiquity. Ed. by Peter GARNSEY a. C. R. WHITTAKER. Cambridge, Cambridge Philol. Soc., 83, in-8, II-127 p. (Proc. of the Cambridge Philol. Soc., Suppl., 8)

1397. Unidad y pluralidad en el mundo antiguo. Actas del VI Congreso español de estudios clásicos (Sevilla, 6-11 de abril de 1981). 1: Ponencias. 2: Comunicaciones. Madrid, Gredos, 83, 2 vol. in-8, 492, 432 p. (ill.).

1398. VOGT (Joseph). Sklaverei und Humanität. Studien zur antiken Sklaverei und ihrer Erforschung. Erg.-Heft z. 2. erweit. Aufl. [Cf. Bibl. 72, n° 1311.] Wiesbaden, Steiner, 83, in-8, 78 p. (4 Ill.). (Historia, Einzelschr., 45)

1399. WINNICZUK (Lidia). Ludzie, zwyczaje, obyczaje starożytnej Grecji i Rzymu. (Hommes, coutumes, moeurs de la Grèce et de la Rome antiques.) Warszawa, Państw. Wydawn. Nauk., 83, in-8, 762 p.

1400. WYPSZYCKA (Ewa). Z problematyki badań nad zasięgiem znajomości w storżytności. (Contribution aux recherches sur l'étendue de la connaissance de l'écriture dans l'antiquité.) Przegl. hist., 83, vol. 74, p. 1-28.

Cf. n° 474.

§ 2. Prehellenic epoch.

1401. CADOGAN (Gerald). Early Minoan and Middle Minoan chronology. Am. J. Archaeol., 83, vol. 87, n° 4, p. 507-518.

1402. Minoan society. Proceedings of the Cambridge colloquium 1981. Ed. by O. KRZYSZKOWSKA a. L. NIXON. Bristol, Bristol Classical Press, 83, in-8, 355 p. (73 fig., 10 pl.).

1403. MOLČANOV (A.A.). Gosudarstvenno-političeskoe ustrojstvo minojskogo Krita po dannym antičnoj mifologo-istoričeskoj tradicii. (The social and political structure of Minoan Crete.) Vestn. drevn. Ist., 83, n° 3, p. 103-115.

1404. MYLONAS (G.E.). The cult centre of Mycenae. London, Brit. Acad., 83, in-8, 20 p. (ill.).

1405. Res Mycenaeae. Akten d. VII. Internat. Mykenologischen Colloquiums in Nürnberg vom 6.-10. April 1981. Hrsg. v. Alfred HEUBECK, Günter NEUMANN. Publ. sur la recommandation du Conseil Internat. de la Philosophie et des Sciences Humaines. Göttingen, Vandenhoeck u. Ruprecht, 83, in-8, 439 p. (14 Ill., 23 Tab. u. Kt.).

§ 3. Sources and criticism of sources.

* 1406. BRISSON (Luc). Platon 1975-1980. Avec la collab. d'Hélène IOANNIDI. Lustrum, 83, Bd 25, p. 31-320.

* 1407. METTE (Hans Joachim). Nachtrag zu dem Euripides-Bericht in Lustrum 23-24 [Cf. Bibl. 82, n° 1436]. Lustrum, 83, Bd 25, p. 5-13.

* Cf. n°s 1176, 2386.

1408. ALEXANDER OF APHRODISIAS. On fate. Text, transl. a. comm. by R. W. SHARPLES. London, Duckworth, 83, in-8, IX-310 p.

1409. ALLARD (André). La tentative d'édition des "Arithmétiques" de Diophante d'Alexandrie par Joseph Auria. R. Hist. Textes, 81 [83], t. 11, p. 99-122.

1410. ALY (W.). Index verborum Strabonianus. Manuskript zur Vorbereitung d. Strabon-Ausgabe auf d. Grundlage d. Editio maior von G. Kramer (1844-1852). Bonn, Habelt, 83, in-8, 359 p.

1411. AMANN (Ludwig). Ausgewählte Kapitel über Chirurgie und Pferdezucht im Corpus Hippiatricorum Graecorum. Übers. u. Besprechung. München, Inst. f. Paläoanatomie, 83, in-8, 163 p.

1412. Anthology (An) of Alexandrian poetry. By J. CLACK. Pittsburg, Pa., The Classical World, 82, in-8, XXXV-569 p. (The Class. World Spec. Ser.)

1413. APPEL (Josef). Die Kapitel über die Haut, die Haare und das Urogenitalsystem im Corpus Hippiatricorum Graecorum. Übers. u. Besprechung. München, Inst. f. Paläoanatomie, 83, in-8, 136 p.

1414. Archaic and classical Greece: a selection of ancient sources in translation, by Michael H. CRAWFORD a. David WHITEHEAD. London, Cambridge U.P., 83, in-8, XXIII-634 p. (15 ill., 5 maps)

1415. Attributions (catégories) (Les). Le texte aristotélicien et les prolégomènes d'Ammonios d'Hermeias. Prés., trad. et annotés par Y. PELLETIER. Montréal, Bellarmin, 83, in-8, 250 p. (Coll. Noêsis)

1416. AUBRETON (Robert). La tradition de l'Anthologie Palatine, du XVIe au XVIIIe siècle. [I. Cf. Bibl. 82, n° 1439.] II: La tradition française. R. Hist. Textes, 81 [83], t. 11, p. 1-46.

1417. Carmina epigraphica Graeca saeculorum VIII-V a. Chr. n. Ed. Petrus Allanus HANSEN. Berolini et Novi Eboraci, de Gruyter, 83, in-8, XXIII-302 p. (Texte u. Kommentare, 12)

1418. DEMOSTHENES. Rede für Ktesiphon über den Kranz. Hrsg. u. übers. v. Walter ZÜRCHER. Darmstadt, Wiss., Buchges., 83, in-8, XV-201 p. (Texte z. Forsch., 40)

1419. DIOGENE D'APOLLONIE. La dernière cosmologie présocratique. Ed., trad. et commentaire des fragments et des témoignages par André LAKS. Prés. de Jean BOLLACK. Lille, Presses univ., 83, in-8, XL-336 p. (Cah. de philol., 9)

1420. Epimerismi Homerici. T. 1: Epimerismos continens qui ad Iliadis librum 1 pertinent. Ed. by Roy D. ANDREW. Berlin, de Gruyter, 83, in-8, XXI-340 p. (Sammlung griech. u. lat. Grammatiker, 5, 1)

1421. FICHTNER (Gerhard). Corpus Galenicum. Verzeichnis d. galenischen u. pseudogalenischen Schriften. Tübingen, Inst. f. Gesch. d. Medizin, 83, in-8, 185 p.

1422. FORNARA (Charles W.). Archaic times to the end of the Peloponnesian war. Tr. from the Greek a. Latin. Rev. ed. London, Cambridge U.P., 83, in-8, 241 p. (Transl. Documents of Greece a. Rome)

1423. Four plays of Aristophanes. The clouds, The birds, Lysistrata, The frogs. Transl. by James H. MANTINBAND. Washington, D.C., U. P. of America, 83, in-8, VI-II-311 p.

1424. HAMMOND (Nicholas Geoffrey L.). Three historians of Alexander the Great: so-called Vulgate Authors, Diodorus, Justin and Curtius. London a. New York, Cambridge U. P., 83, in-8, XI-205 p. (Cambridge Class. Stud.)

1425. HIEROCLES [ALEXANDRINUS]. Kommentar zum Pythagoreischen Gedicht. Übers. v. Friedrich W. KÖHLER. Stuttgart, Teubner, 83, in-8, 102 p. (Griech. u. lat. Schriftsteller)

1426. [HIPPONAX:] Hipponactis Testimonia et fragmenta. Edidit Hentzius DEGANI. Leipzig, Teubner, 83, in-8, XXIX-226 p. (Biblioth. script. Graec. et Roman. Teubneriana)

1427. Index in Eunapii vitas sophistarum. Ed. Ivars AVOTINS, Miriam Ilner AVOTINS. Hildesheim, Zürich u. New York, Olms, 83, in-8, X-257 p. (Alpha-Omega, Reihe A, 63)

1428. Index verborum in Apollonium Rhodium. Ed. Malcolm CAMPBELL. Hildesheim, Zürich u. New York, Olms, 83, in-8, VII-292 p. (Alpha-Omega, Reihe A, 42)

1429. Inscripțiile antice din Dacia și Scythia Minor. Colecție îngrijită de D. M. PIPPIDI și I. I. RUSSU. Seria a 2-a: Inscripțiile din Scythia Minor, grecești și latine. Vol. 1: Histria și împrejurimile. (Les inscriptions antiques de la Dacie et la Scythia Minor. Recueil sous la dir. de D. M. PIPPIDI et I. I. RUSSU. 2e sér.: Les inscriptions de la Scythia Minor, grecques et latines. [Vol. 5. Cf. Bibl. 80, n° 1467.] Vol. 1: Histria et environs.) Culese, traduse, însoțite de comentari și indici de Dionisie M. PIPPIDI. București, Ed. Acad., 83, in-8, 545 p. (pl.)

1430. Lexicon in Diodorum Siculum. Ed. J. Jain MacDOUGALL. Ps 1: A-K. Ps 2: L-O. Hildesheim, Zürich u. New York, Olms, 83, 2 vol. in-8, 911, 859 p. (Alpha-Omega, Reihe A, 64)

1431. McNEAL (R.A.). On editing Herodotus. Antiquité class., 83, vol. 102, p. 110-129.

1432. MARASCO (Gabriele). Appiano e la storia dei Seleucidi (fino all'ascesa al trono di Antioco III). Firenze, Univ., 82, in-8, 199 p. (Quad. dell'Istit. di Filol. class. G. Pasquali)

1433. Oxyrhynchus (The) Papyri. Vol. [48. Cf. Bibl. 81, n° 1332.] 49. Ed. with trans. a. notes by A. BULOW-JACOBSEN, J. E. G. WHITEHORNE. Vol. 50. Ed. with trans. a. notes by R J. PARSONS, J. R. REA, E. G. TURNER et al. London, Egypt Exploration Soc., 83, 2 vol. in-4, XIX-291, XVI-286 p. (pl.). - CR: Vol. 45 [Cf. Bibl. 76-77, n° 1733], G. Foti Talamanca, Iura, 78 [82], p. 214-220. Vol. 46 [Cf. Bibl. 78-79, n° 1458], G. Foti Talamanca, Ibid., 79 [83], p. 102-109. Vol. 48 [Cf. Bibl. 81, n° 1332], J. A. Keenan, B. am. Soc. Papyrol., 82, vol. 19, p. 186-190. B. Kramer, Class. R., 83, vol. 33, p. 300-302. H.-A. Rupprecht, Z. d. Savigny-Stiftung f. Rechtsgesch., Roman. Abt., 82, Bd 99, p. 375-377.

1434. PALMIERI (Vincenzo). "Eranius" Philo, "De differentia significationis". La tradizione manoscritta di "Eranio" Filone. R. Hist. Textes, 81 [83], t. 11, p. 47-80. [Eranio: corruzione di Erennio]

1435. [PHILARETOS:] Die Schriften Peri Sphygmōn des Philaretus. Text, Übers. u. Kommentar v. John A. PITHIS. Husum, Matthiesen, 83, in-8, 263 p. (Abh. z. Gesch. d. Medizin u. d. Naturwiss., 46)

1436. PHILOSTRATOS. Das Leben des Apollonios von Tyana. Hrsg., übers. u. erl. von Vroni MUMPRECHT. München u. Zürich, Artemis, 83, in-8, 1168 p. (Slg. Tusculum)

1437. Poetae comici graeci. Vol. 4: Aristophon – Crobylus. Ed. Rudolf KASSEL, Colin AUSTIN. Berlin u. New York, de Gruter, 83, in-8, XXXII-367 p.

1438. Romrede (Die) des Aelius Aristides. Hrsg., übersetzt u. mit Erläuterungen versehen v. Richard KLEIN. Darmstadt, Wiss. Buchges., 83, in-8, X-125 p. (Texte z. Forschung, 45)

1439. SACKS (Kenneth). Historiography in the rhetorical works of Dionysius of Halicarnassus. Athenaeum [Pavia], 83, a. 61, p. 65-87.

1440. SADEK (M.M.). The Arabic Materia medica of Dioscorides. Québec, Sphinx, 83, in-8, X-229 p.

1441. SARTORI (M.). Note sulla datazione dei primi libri della Bibliotheca historica di Diodoro Siculo. Athenaeum [Pavia], 83, a. 61, p. 545-552.

1442. Scholia Demosthenica. 1: Scholia in orationes 1-18 continens. Ed. M. R. DILTS. Leipzig, Teubner, 83, in-8, XXIII-235 p. (Bibl. script. Graec. et Roman. Teubneriana)

1443. Scholia graeca in Aeschylum quae exstant omnia. Pars II, fasc. 2: Scholia in Septem adversus Thebas. Ed. by Ole Langwitz SMITH. Leipzig, Teubner, 82, in-8, XXIX-423 p. (Bibl. script. Graec. et Roman. Teubneriana)

1444. Scholia graeca in Homeri Iliadem (scholia vetera). Recensuit Hartmut ERBSE. [Vol. 4. Cf. Bibl. 76-77, n° 1719.] Vol. 6: Indices I-IV continens. Berlin, de Gruyter, 83, in-8, 634 p.

1445. Schrift (Die) des Rufus von Ephesos über die Gelbsucht in arabischer und lateinischer Übersetzung. Hrsg. v. Manfred ULLMANN. Göttingen, Vandenhoeck u. Ruprecht, 83, in-8, 87 p. (Abh. d. Akad. d. Wiss. in Göttingen, Philol.-hist. Kl., 3, 138)

1446. STEIDLE (W.). Beobachtungen zu Appians Emphylia. Hermes, 83, Bd 111, p. 402-430.

1447. TOUWAIDE (A.). L'authenticité et l'origine des deux traités de toxicologie attribués à Dioscoride. 1: Historique de la question. 2: Apport de l'histoire du texte grec. Janus, 83, vol. 70, p. 1-53.

1448. XENOPHANES. Die Fragmente. Hrsg., übers. u. erl. v. Ernst HEITSCH. Frankfurt (Main) u. Zürich, Artemis, 83, in-8, 203 p. (Slg. Tusculum)

1449. Zweifelhaftes im Corpus Aristotelicum. Studien zu einigen Dubia. Akten d. 9. Symposium Aristotelicum (Berlin, 7.-16. Sept. 1981). Hrsg. v. Paul MORAUX u. Jürgen WIESNER. Berlin u. New York, de Gruyter, 83, in-8, XII-401 p. (Peripatoi, 14)

§ 4. General and political history.

* 1450. BOURRIOT (F.). Histoire grecque. R. hist., 83, a. 107, t. 269, n° 546, p. 409-486.

* 1451. DUCAT (Jean). Sparte archaïque et classique. Structures économiques, sociales, politiques. R. Et. grecques, 83, vol. 96, 194-225.

* 1452. GOUKOWSKY (Paul). Recherches récentes sur Alexandre le Grand [1978-1982]. R. Et. grecques, 83, vol. 96, p. 225-241.

1453. ACCAME (Silvio). Stesimbroto di Taso e la pace di Callia. Misc. greca e rom., 82, a. 8, p. 125-152.

1454. ALLEN (R.E.). The Attalid kingdom: a constitutional history. London a. New York, Oxford U. P., 83, in-8, IX-251 p. (maps).

1455. BENGTSON (Hermann). Griechische Staatsmänner des 5. und 4. Jahrhunderts v. Chr. München, Beck, 83, in-8, 325 p.

1456. BERMEJO BARRERA (José C.). Galicia y los griegos. Ensayo de historiografía. Santiago de Compostela, Salvora, 82, in-8, 90 p. (Viladonga)

1457. BICHLER (Reinhold). "Hellenismus". Geschichte u. Problematik eines Epochenbegriffs. Darmstadt, Wiss. Buchges., 83, in-8, IX-219 p. (Impulse d. Forschung, 41)

1458. BLOEDOW (E.F.). Archidamus the "intelligent" Spartan. Klio, 83, Bd 65, p. 27-49.

1459. BUONOCORE (Michele). Ricerche sulla terza guerra messenica. Misc. greca e romana, 82, a. 8, p. 57-123.

1460. BURKE (Edmund M.). Philipp II and Alexander the Great. Milit. Affairs, 83, vol. 47, n° 2, p. 67-70.

1461. CHATELET (François). Périclès. Bruxelles, Complexe, 82, in-8, 295 p. (5 cartes).

1462. CLAUSS (Manfred). Sparta. Eine Einführung in seine Gesch. u. Zivilisation. München, Beck, 83, in-8, 248 p. (1 Kt.). (Beck'sche Elementarbücher)

1463. ERHARDT (Norbert). Milet und seine Kolonien. Vergleichende Untersuchung d. kultischen u. polit. Einrichtungen. Frankfurt (Main) u. Bern, Lang, 83, in-8, 588 p. (Kt.). (Europ. Hochschulschr., Reihe 3: Gesch. u. ihre Hilfswiss., 206)

1464. FINE (John V. A.). The ancient Greeks: a critical history. Cambridge, Mass., Belknap Press of Harvard U.P., 83, in-8, IX-720 p.

1465. CAGNAZZI (S.). La spedizione ateniese contro Melo del 416 a. C. Realtà e propaganda. Bari, Adriatica, 83, in-8, 115 p. (Dipart. di sci. dell'antichità dell'Univ. di Bari, Sez. stor. Doc. e Studi, 2)

1466. HANSEN (Mogens Herman). Initiative und Entscheidung. Überlegungen über die Gewaltenteilung im Athen d. 4. Jh. Konstanz, Univ.-Verl., 83, in-8, 36 p. (Xenia, Konstanzer Althist. Vorträge u. Forsch., 6) - IDEM. The Athenian "politicians", 403-322 B.C. Greek, rom. a. byzant. Stud., 83, vol. 24, p. 33-55. - IDEM. Rhetores and Strategoi in fourth-century Athens. Ibid., p. 151-180. - IDEM. Political activity and organization of Attica in the fourth century B.C. Ibid., p. 227-238.

1467. HORNBLOWER (Simon). The Greek world, 479-323 B.C. London a. New York, Methuen, 83, in-8, 354 p. (4 maps).

1468. KALLET (Lisa). Iphikrates, Timotheos, and Athens, 371-360 B.C. Greek, rom. a. byzant. Stud., 83, vol. 24, p. 239-252.

1469. KIMMIG (W.). Die griechische Kolonisation im westlichen Mittelmeergebiet und ihre Wirkung auf die Landschaften des westlichen Mitteleuropa. Jb. d. röm.-german. Zentralmus. Mainz, 83, Bd 30, p. 5-78.

1470. LOTZE (D.). Entwicklungslinien der athenischen Demokratie im 5. Jahrhundert v. Chr. Oikumene, 83, t. 4, p. 9-24.

1471. MASTROCINQUE (Attilio). Manipolazione della storia in età ellenistica. I Seleucidi e Roma. Roma, L'Erma, 83, in-8, 180 p. (9 ill.). (Univ. di Venezia, Ist. di Studi class. Pubbl. Seminario di Stor. ant., 1)

1472. Megale Hellas. Nome e immagine. Atti del XXI Convegno di studi sulla Magna Grecia, Taranto, 2-5 ottobre 1981. Taranto, Ist. per la stor. e l'archeol. della Magna Grecia, 82, in-8, 428 p. (76 tav.).

1473. MONTGOMERY (Hugo). The way to Chaeronea. Foreign policy, decision making and political influence in Demosthenes' speeches. Oslo, Universitetsforlaget, 83, in-8, 120 p.

1474. MURRAY (Oswyn). Early Greece. Stanford, Calif., Stanford U. P., 83, in-8, 319 p.

1475. NOWAK (Werner). Raub und Beute in der archaischen Zeit der Griechen. Frankfurt (Main), Haag u. Herchen, 83, in-8, II-223 p.

1476. Philip of Macedon. Ed. by M. B. HATZOPOULOS a. L. D. LOUKOPOULOS. Athens, Ekdotikē Athenōn, 83, in-4, 254 p.

1477. RENDIĆ-MIOČEVIĆ (Duje). I Greci in Dalmazia e i loro rapporti col mondo illirico. In: Modes de contacts ... [Cf. n° 241], p. 187-202.

1478. RUSCHENBUSCH (Eberhard). Tribut und Bürgerzahl im ersten athenischen Seebund. Z. f. Papyrol. u. Epigr., 83, Bd 53, p. 125-143. - IDEM. Das Machtpotenzial der Bündner im ersten athenischen Seebund (Überlegungen zu Thukydides 1, 99, 2). Ibid., p. 144-148.

1479. SEIBERT (Jakob). Das Zeitalter der Diadochen. Darmstadt, Wiss., Buchges., 83, in-8, XVI-272 p. (Erträge d. Forsch., 185)

1480. ŠELOV (D.B.). Goroda Severnogo Pričernomor'ja i Mitridat Evpator. (The North Black sea cities and Mithridates Eupator.) Vestn. drevn. Ist., 83, n° 2, p. 40-58.

1481. SORDI (Marta). La Sicilia dal 368/7 al 337/6 a. C. Roma, Bretschneider, 83, in-8, 238 p. (Testimonia Siciliae antiqua, I, 8)

1482. SPYRIDAKIS (Stylianos V.). Paros, Allaria and the Cretan Koinon. Ariadnē, 83, vol. 1, p. 9-26.

1483. STAHL (M.). Tyrannis und das Problem der Macht. Die Geschichten Herodots über Kypselos u. Periander von Korinth. Hermes, 83, Bd 111, p. 202-220.

1484. THOMPSON (Wesley). Arcadian factionalism in the 360s. Historia [Wiesbaden], 83, Bd 32, p. 149-160.

1485. TRIEBEL-SCHUBERT (Ch.). Zur Datierung des Phidiasprozesses. Mitt. d. deutsch. archäol. Inst. Athen, 83, Bd 98, p. 101-112.

1486. VATTUONE (Riccardo). Problemi spartani. La congiura di Cinadone. R. stor. Antichità, 82, a. 12, p. 19-52.

1487. VINOGRADOV (Ju. G.), KARYŠKOVSKIJ (P.O.). Kallinik syn Evksena. Problemy političeskoj i social'no-ėkonomičeskoj istorii Ol'vii vtoroj poloviny IV v. do n. ė. (Kallinikos son of Euxeinos. Problems of the political, social and economic history of Olbia in the second half of the fourth century B.C.) Vestn. drevn. Ist., 83, n° 1, p. 21-39. [Cf. Bibl. 82, n° 1496]

1488. WILL (Wolfgang). Athen und Alexander. Untersuchungen z. Gesch. d. Stadt v. 338 bis 322 v. Chr. München, Beck, 83, in-8, VIII-176 p. (Münchener Beitr. z. Papyrusforsch. u. antiken Rechtsgesch., 77) - IDEM. Callidus emptor Olynthi. Zur polit. Propaganda d. Demosthenes u. ihrer Nachwirkung. Klio, 83, Bd 65, p. 51-80.

1489. ZAHRNT (Michael). Hellas unter persischem Druck? Die griech.-pers. Beziehungen in d. Zeit vom Abschluß d. Königsfriedens bis z. Gründung d. Korinthischen Bundes. Arch. f. Kulturgesch., 83, Bd 65, p. 249-306.

Cf. n°s 1237, 1252, 1324, 1334, 1334, 1360-1362, 1378, 1763.

§ 5. History of law and institutions.

* 1490. ANAGNOSTOU-CAÑAS (B.), VELISSAROPOULOS (J.). Chronique. Droits de l'antiquité. Monde grec. [Cf. Bibl. 82, n° 1500.] R. hist. Droit franç. étr., 83, a. 61, n° 3, p. 435-454.

* Cf. n°s 1174, 1175.

1491. BRUN (Patrice) Eisphora, syntaxis, stratiotika. Recherches sur les finances militaires d'Athènes au IVe s. av. J.-C. Paris, Belles Lettres, 83, in-8, VI-193 p. (A. litt. Univ. Besançon, 284. Centre de rech. d'hist. anc., 50)

1492. CARAWAN (Edwin M.). Erotesis: interrogation in the courts of fourth-century Athens. Greek, rom. a. byzant. Stud., 83, vol. 24, p. 209-226.

1493. CLAIRMONT (Christoph). Patrios nomos: public burial in Athens during the fifth and fourth centuries B.C. The archeol., epigr.-literary a. hist. evidence. London, Brit. Archaeol. Rep., 83, in-4, XXVIII-415 p. (86 pl.). (Brit. Archaeol. Rep., Intern. ser., 161, 1-2)

1494. COHEN (David). Theft in Athenian law. München, Beck, 83, in-8, X-138 p. (Münchener Beitr. z. Papyrusforsch. u. antiken Rechtsgesch., 74)

1495. DIMAKIS (Panayotis). Stoicheia attikou dikaiou. 1: To oidogeneiakon dikaion tōn Athenōn kata tous klassikous chronous. (Eléments de droit antique. 1: Le droit de la famille à Athènes à l'époque classique.) Athēnai, Sakkoulas, 83, in-8, 348 p.

1496. DREWS (Robert). Basileus: the evidence for kingship in geometric Greece. New Haven, Conn., a. London, Yale U.P., 83, in-8, IX-141 p. (Yale Class. Monographs, 4)

1497. GEHRKE (Hans-Joachim). Der siegreiche König. Überlegungen zur hellenist. Monarchie. Arch. f. Kulturgesch., 83, Bd 64, p. 247-277.

1498. GIANNOPOULOS (Iōannēs Th.). Politeia kai ēthos. Hē Hellēnike polē tou 5ou kai 4ou aiōna p. Ch. kai hoi basikoi thesmoi tēs. (La cité grecque des V et IVe s. av. J.-C. et ses institutions de base.) Athènes, l'Auteur, 83, in-8, 237 p.

1499. HENRY (Alan S.). Honours and privileges in Athenian decrees: the principal formulae of Athenian honorary decrees. Hildesheim, Zürich u. New York, Olms, 83, in-8, XIV-380 p. (Subsidia epigraphica: Quellen u. Abh. z. griech. Epigraphik, 10)

1500. KREISSIG (Heinz). Die Dorfgemeinde im Orient in der hellenistischen Epoche. Rec. Soc. J. Bodin, 83, vol. 41, p. 301-314.

1501. LEHMANN (Gustaf Adolf). Erwägungen zur Struktur des achaiischen Bundesstaates. Z. f. Papyrol. u. Epigr., 83, Bd 51, p. 237-261.

1502. MacDOWELL (Douglas M.). Athenian laws about bribery. R. int. Droits Antiquité, 83, sér. 3, t. 30, p. 57-78.

1503. MIGEOTTE (L.). Souscriptions athéniennes de la période classique. Historia [Wiesbaden], 83, Bd 32, p. 129-148.

1504. NENCI (Giuseppe), CATALDI (Silvio). Strumenti e procedure nei rapporti tra Greci e indigeni. In: Modes de contacts ... [Cf. n° 241], p. 581-606.

1505. OLIVER (James H.). The civic tradition and Roman Athens. Baltimore, Johns Hopkins U. P., 83, in-8, XIII-166 p.

1506. PICCIRELLI (L.). Eisangelia e condanna di Temistocle. Civ. class. crist., 83, a. 4, p. 333-363.

1507. PIERART (M.). Athènes et Milet. 1: Tribus et dèmes. Mus. helveticum, 83, t. 40, p. 1-18.

1508. PRANDI (L.). Ricerche sulla concessione della cittadinanza ateniese nel V sec. a. C. Milano, Cisalpino-La Goliardica, 82, in-8, 131 p.

1509. SEALEY (Raphael). The Athenian courts for homicide. Class. Philol., 83, vol. 78, n° 4, p. 275-296.

1510. VALLET (Georges). Urbanisation et organisation de la chora coloniale grecque en Grande Grèce et en Sicile. In: Modes de contacts ... [Cf. n° 241], p. 937-956.

1511. VAN EFFENTERRE (Henri). Les communautés rurales dans la Grèce antique. Rec. Soc. J. Bodin, 83, vol. 41, p. 273-292.

1512. WALTERS (K.R.). Perikles' citizenship law. Class. Antiquity, 83, vol. 2, p. 314-336.

1513. WĄSOWICZ (Aleksandra). Urbanisation et organisation de la chora coloniale grecque autour de la mer Noire. In: Modes de contacts ... [Cf. n° 241], p. 911-936.

1514. WELWEI (Karl-Wilhelm). Die griechische Polis. Verfassung u. Gesellschaft in archaischer u. klass. Zeit. Stuttgart, Berlin, Köln u. Mainz, Kohlhammer, 83, in-8, 328 p.

1515. WHITEHEAD (David). Competitive outlay and community profit: philotimia in democratic Athens. Classica et Mediaevalia, 83, vol. 34, p. 55-74.

Cf. n°s 1393, 1573.

§ 6. Economic and social history.

* Cf. n° 1370.

1516. ANDREEV (V.N.). K. Marks o celi antičnogo proizvodstva i afinskaja ėkonomika V-IV vv. do n. e. (K. Marx on the aims of production in antiquity and the ancient evidence for the Athenian economy

6. ECONOMIC AND SOCIAL HISTORY

in the fifth and fourth cent. B.C.) Vestn. drevn. Ist., 83, n° 4, p. 3-31.

1517. ANDREEV (V.N.). Zur Kontinuität der Vermögenselite Athens vom 5. bis 3. Jahrhundert v. u. Z. Die Entstehung großer Vermögen in Athen im 5.-4. Jh. v. u. Z. Jb. f. Wirtschaftsgesch., 83, T. 1, p. 137-158.

1518. Antičnaja Grecija. Problemy razvitija polisa. (Ancient Greece. Problems of the development of the polis.) V 2-kh t. Otv. red. E. S. GOLUBCOVA. T. 1: Stanovlenie i razvitie polisa. (Appearence and development of the polis.) T. 2: Krizis polisa. (The crisis of the polis.) Moskva, Nauka, 83, 2 vol., 423, 383 p. (ill.). (AN SSSR. In-t vseobšč. istorii)

1519. Arbeitswelt (Die) der Antike. Von e. Autorengruppe d. Martin-Luther-Univ. Halle-Wittenberg. Leipzig, Koehler u. Amelang, 83, in-8, 247 p. (Abb.).

1520. BETTALLI (M.). Note sulla produzione tessile ad Atene in età classica. Opus, 83, a. 1, p. 261-278.

1521. BLAVATSKAJA (T.V.). Iz istorii grečeskoj intelligencii éllinističeskogo vremeni. (From the history of Greek intelligentsia in the Hellenistic period.) Moskva, Nauk, 83, 326 p. (ill.). (AN SSSR. In-t vseobšč. istorii)

1522. BOESSNECK (Joachim), DRIESCH (A. von den). Tierknochenfunde aus Didyma. Archäol. Anz., 83, p. 611-651.

1523. DOVER (K.J.). Homosexualität in der griechischen Antike. München, Beck, 83, in-8, 244 p.

1524. GALLET DE SANTERRE (H.). Réalités et tradition d'une province antique: la Narbonnaise. 1: L'hellénisation du Languedoc méditerranéen et du Roussillon jusqu'à la conquête romaine. B. Assoc. Budé, 83, p. 345-362.

1525. GALLO (Luigi). Colonizzazione [greca], demografia e strutture di parentela. In: Modes de contacts ... [Cf. n° 241], p. 703-728.

1526. GLUSKINA (L.M.). Fratrija i rod v strukture afinskogo polisa v IV v. do n. è. (Phratry and clan in fourth-century Athens B.C.) Vestn. drevn. Ist., 83, n° 3, p. 39-52.

1527. GRMEK (Mirko Drazen). Les maladies à l'aube de la civilisation occidentale. Recherches sur la réalité pathologique dans le monde grec préhistorique, archaïque et classique. Paris, Payot, 83, in-8, 527 p. (Médecine et sociétés, 1)

1528. HANSON (Victor Davis). Warfare and agriculture in classical Greece. Pisa, Giardini, 83, in-8, XII-168 p. (Bibl. di studi ant., 40)

1529. HODGE (A.T.). Massalia, meteorology, and navigation. Anc. World, 83, vol. 7, p. 67-88.

1530. HODKINSON (Stephen). Social order and the conflict of values in classical Sparta. Chiron, 83, Bd 13, p. 239-281.

1531. LACEY (W.K.). Die Familie im antiken Griechenland. Mainz, v. Zabern, 83, in-4, 290 p. (49 Abb.).

1532. LONGO (Oddone). Uomini e navi della flotta ateniese nella seconda metà del V secolo. Mus. patavinum, 83, a. 1, p. 221-251.

1533. MOREL (Jean-Paul). Les relations économiques dans l'Occient grec. In: Modes de contacts ... [Cf. n° 241], p. 549-580.

1534. MOSSE (Claude). La femme dans la Grèce antique. Paris, A. Michel, 83, in-8, 190 p. (L'aventure humaine)

1535. QVILLER (Bjørn). Det greske slaveri: en teori om tets opprinnelse og utvigkling frem til det fjerde århundre f. Kr. (Greek slavery: a theory of its origin and development until the 4th century B.C.) Scandia, 83, vol. 49, p. 173-209. [Eng. summary, p. 301]

1536. ROBERTSON (N.). The collective burial of fallen soldiers at Athens, Sparta and elsewhere. Ancestral custom a. modern misunderstanding. Echo Monde class., 83, vol. 27, p. 78-92.

1537. ROUILLARD (Pierre). Les colonies grecques du Sud-Est de la péninsule ibérique. Etat de la question. Parola del Passato, 82, a. 37, p. 417-429.

1538. RUSCHENBUSCH (Eberhard). Zur Wirtschafts- und Sozialstruktur der Normalpolis. A. Sc. norm. sup. Pisa, 83, a. 13, p. 171-194.

1539. SCHMIDT (J.U.). Normenwandel in der griechischen Antike von der Aristokratie zur Demokratie. Altsprachl. Unterr., 83, Bd 26, n° 2, p. 45-70.

1540. VAN COMPERNOLLE (René). Femmes indigènes et colonisateurs [grecs]. In: Modes de contacts ... [Cf. n° 241], p. 1033-1049.

1541. WICKERT-MICKNAT (Gisela). Unfreiheit im Zeitalter der homerischen Epen. 2 Teile in 1 Bd. T. 1: Studien zur Kriegsgefangenschaft u. z. Sklaverei in d. griech. Gesch. T. 2: Der unfreie Mensch in d. Odyssee. Wiesbaden, Steiner, 83, in-8, XII-260 p. (4 Taf.). (Forsch. z. ant. Sklaverei, 16)

1542. WOLSKI (Józef). Problemy budowy floty ateńskiej. (Les problèmes de la construction d'une floote athénienne [VIe-Ve s. av. J.-Chr.].) Kwart. hist., 83, a. 90, n° 3, p. 505-514.

Cf. n°s 1363, 1384, 1396, 1649, 1694, 1703, 1705.

§ 7. History of literature, philosophy and science.

1543. ADORNO (Francesco). Fisica epicurea, fisica platonica e fisica aristotelica. Elenchos, 83, a. 4, p. 207-233.

1544. AELION (R.). Euripide héritier d'Eschyle. T. 1. Paris, Belles Lettres, 83, in-8, 359 p. (Coll. d'Etudes anc.)

1545. ALINK (Marinus Johannes). De Vogels van Aristophanes. Een structuuranalyse en interpretatie. (Les Oiseaux d'Aristophane. Une analyse structurale et interprétation.) Amsterdam, Gieben, 83, in-8, III-326 p. [Eng. summary]

1546. ALPERN (Kenneth D.). Aristotle on the friendship of utility and pleasure. J. Hist. Philos., 83, vol. 21, n° 2, p. 303-316.

1547. AMBROSINO (D.). Nuages et sens. Autour des Nuées d'Aristophane. Quad. Storia, 83, a. 9, n° 18, p. 3-60.

1548. Aristoteles als Wissenschaftstheoretiker. Eine Aufsatzsammlung. Hrsg. v. Johannes IRMSCHER u. Reimar MÜLLER. Berlin, Akad.-Verl., 83, in-8, 264 p. (Schr. z. Gesch. u. Kultur d. Antike, 22)

1549. Atti del Symposium Heracliteum [Chieti], 1981. A cura di Livio ROSSETTI. 1: Studi. Roma, Ateneo, 83, in-8, 475 p.

1550. BERRY (E.). Dio Chrysostom the moral philosopher. Greece a. Rome, 83, vol. 30, p. 70-80.

1551. BERTELLI (L.). L'utopia sulla scena. Aristofane e la parodia della città. Civ. class. e crist., 83, a. 4, p. 215-261.

1552. BORODAJ (T. Ju.). Obraz mastera i značenie slova "demiurg" v dialogakh Platona. (The figure of the craftsman and the meaning of the word demiourgos in Plato's dialogues.) Vestn. drevn. Ist., 83, n° 4, p. 119-131.

1553. BRAIN (Peter). Galen's pathology. Concepts and contradictions. Durban, Univ. of Natal, 82, in-8, VIII-158 p.

1554. BRISSON (Luc). Platon, les mots et les mythes. Paris, Maspero, 83, in-8, 238 p.

1555. BROWN (Andrew L.). A new companion to Greek tragedy. With a foreword by P. E. EASTERLING. London, Croom Helm, 83, in-8, VIII-209 p. (4 pl.).

1556. BROWN (Andrew L.). The Erinyes in the Oresteia [of Aeschylus]. Real life, the supernatural, and the state. J. hell. Stud., 83, vol. 103, p. 13-34.

1557. BRUINS (E.M.). Greek geometry and its logistic. Janus, 82, vol. 69, p. 253-282.

1558. CAMPBELL (David A.). The golden lyre. The themes of the Greek lyric poets. London, Duckworth, 83, in-8, VIII-312 p.

1559. CAMPBELL (Malcolm). Studies in the Third Book of Apollonius Rhodius' Argonautica. Hildesheim, Zürich u. New York, Olms, 83, in-8, X-131 p. (Altertumswiss. Texte u. Stud., 9)

1560. CASANOVA (A.). Diogene d'Enoanda oggi. Prometheus, 83, a. 9, p. 111-138.

1561. CASERTANO (Giovanni). Il piacere, l'amore e la morte nelle dottrine dei presocratici. 1: Il piacere e il desiderio. Napoli, Loffredo, 83, in-8, 117 p. (Skepsis, 2)

1562. CHAPMAN (G.A.H.). Some notes on dramatic illusion in Aristophanes. Am. J. Philol., 83, vol. 104, n° 1, p. 1-23.

1563. CHEYNS (André). Le thymos et la conception de l'homme dans l'épopée homérique. R. belge Philol. Hist., 83, t. 60, p. 20-86.

1564. ČISTJAKOVA (N.A.) Grečeskaja epigramma VIII-II vv. do n. e. (The Greek epigram of the 8th-3rd cent. B.C.) Leningrad, Izd-vo LGU, 83, 216 p. (ill.).

1565. CYBENKO (O.P.). Polis v poėzii Nonna: pozdneantičnyj itog ėvoljucii obraza ėpičeskogo goroda. (The polis in the poetry of Nonnus: a late product of the evolution of the epic city.) Vestn. drevn. Ist., 83, n° 4, p. 45-65.

1566. DEICHGRÄBER (Karl). Die Patienten des Hippokrates. Hist.-proposograph. Beitr. zu d. Epidemien d. Corpus Hippocraticum. Wiesbaden, Steiner, 82, in-8, 41 p. (Abh. d. Geists- u. Sozialwiss. Klasse. Akad. d. Wiss. u. d. Lit. Mainz, Jg. 82, n° 9)

1567. Democrito: dall'atomo alla città. A cura di Giovanni CASERTANO. Napoli, Loffredo, 83, in-8, 193 p. (Skepsis, 1)

1568. DESPOTOPOULOS (C.). Aristote sur la famille et la justice. Bruxelles, Ousia, 83, in-8, 170 p. (Cah. de Philos. anc., 1)

1569. DESPOTOPOULOS (K. I.). Philosophia tēs historias kata Dēmokriton. (Philosophie de l'histoire selon Démocrite.) Athènes, Papazēsēs, 83, in-8, 40 p.

1570. DI MARCO (M.). Il dibattito politico nell'agone delle Supplici di Euripide. Motivi e forme. Helikon, 81-82 [83], a. 20-21, p. 163-206.

1571. DONLAN (W.). The politics of generosity in Homer. Helios, 82, vol. 9, n° 2, p. 1-15.

1572. DOVER (Kenneth J.). Thycydides "as history" and "as literature". Hist. a. Theory, 83, vol. 22, n° 1, p. 45-53.

1573. DREHER (Martin). Sophistik und Polisentwicklung. Die sophist. Staatstheorien d. 5. Jh. v. Chr. u. ihr Bezug auf Entstehung u. Wesen d. griech., vorrangig athen. Staates. Frankfurt (Main) u. Bern, Lang, 83, in-8, 183 p. (Europ. Hochschulschr., Reihe 3: Gesch. u. ihre Hilfswiss., 191) - IDEM. Die Sophisten. Parteigänger der Demokraten oder der Oligarchen? Studi

7. HISTORY OF LITERATURE,? PHILOSOPHY AND SCIENCE

Ric. Ist. Storia Firenze, 83, a. 2, p. 63-88.

1574. DUMINIL (Marie-Paule). Le sang, les vaisseaux, le coeur dans la Collection hippocratique: anatomie et physiologie. Paris, Belles Lettres, 83, in-8, 346 p. (Coll. d'Etudes anc.)

1575. ENGBERG-PEDERSEN (Troels). Aristotle's theory of moral insight. London a. New York, Oxford U. P., 83, in-8, X-291 p.

1576. EUCKEN (Christoph). Isokrates. Seine Positionen in der Auseinandersetzung mit d. zeitgenöss. Philosophen. Berlin u. New York, de Gruyter, 83, in-8, VIII-304 p. (Untersuchungen z. ant. Lit. u. Gesch., 19)

1577. Formes de pensée dans la Collection hippocratique. Actes du IVe Colloque internat. hippocratique (Lausanne, 21-26 sept. 1981). Ed. prép. par F. LASSERRE et P. MUDRY. Genève, Droz, 83, in-8, 541 p. (Publ. de la Fac. des Lettres, Univ. de Lausanne, 26)

1578. FRISCHER (Bernard). The sculpted word: Epicureanism and philosophical recruitment in ancient Greece. Berkeley, Los Angeles a. London, Univ. of California Press, 82, in-8, XXIII-325 p. (ill.).

1579. FRITZ (Kurt von). Beiträge zu Aristoteles. Berlin, de Gruyter, 83, in-8, VI-212 p.

1580. FRUTOS MEJIAS (E.). Leyenda y poder en torno a Aristóteles. Zaragoza, Libros Pórtico, 82, in-8, 292 p.

1581. GANTZ (G.). The chorus of Aischylos' Agamemnon. Harvard Stud. class. Philol., 83, vol. 87, p. 65-86.

1582. GIRARD (M.C.). La femme dans le Corpus hippocraticum. Cah. Et. anc., 83, vol. 15, p. 69-80.

1583. GOLDSTEIN (Bernard R.), BOWEN (Alan C.). A new view of early Greek astronomy. Isis, 83, vol. 74, n° 273, p. 330-340.

1584. Griechische (Die) Tragödie in ihrer gesellschaftlichen Funktion. Hrsg. v. Heinrich KUCH. Berlin, Akad.-Verl., 83, in-8, 253 p. (20 Taf.). (Veröff. d. Zentralinst. f. Alte Gesch. u. Archäol. d. Akad. d. Wiss. d. DDR, 11)

1585. HÄGLER (Rudolf-Peter). Platons "Parmenides": Probleme der Interpretation. Berlin u. New York, de Gruyter, 83, in-8, VIII-220 p. (Quellen u. Stud. z. Philos., 18)

1586. HÄNTZSCHEL (Günter). Der deutsche Homer im 19. Jahrhundert. Antike u. Abendland, 83, Bd 29, p. 49-89.

1587. HAGER (F.P.). Zur Geschichte, Problematik und Bedeutung des Begriffes Neuplatonismus. Diotima, 83, t. 11, p. 98-110.

1588. HARIG (Georg). Die philosophischen Grundlagen des medizinischen Systems des Asklepiades von Bithynien. Philologus, 83, Bd 127, p. 43-60.

1589. HOFFMANN (G.). L'enlèvement et le vol d'Hélène dans l'Agamemnon d'Eschyle. Quad. Stor., 83, a. 9, n° 17, p. 47-67.

1590. IRIBADŽAKOV (Nikolaj). Demokrit, der lachende Philosoph. Demokrits geschichtsphilos. u. soziolog. Anschauungen. Mit e. Nachtrag über Lukrez. Aus d. Bulgar. v. W. BRÜCKNER. Frankfurt (Main), Marxist. Blätter, 83, in-8, 153 p. (Ill., Kt.). (Marxist. Paperbacks, 107)

1591. IRWIN (T.H.). Euripides and Socrates. Class. Philol., 83, vol. 78, n° 3, p. 183-197.

1592. JAKOB (O.). Die Rezeption des "antiken Copernicus" Aristarch von Samos in Antike und Neuzeit. Entscheidungssituationen d. Geistesgeschichte. Anregung, 83, Bd 29, p. 299-314.

1593. KASTER (R.A.). The salaries of Libanius. Chiron, 83, Bd 13, p. 37-59.

1594. KLOSKO (George). Plato's utopianism: the political content of the early dialogues. R. Politics, 83, vol. 45, n° 4, p. 483-509.

1595. KNORR (W.). The geometry of burning-mirrors in antiquity. Isis, 83, vol. 74, p. 53-73.

1596. KOCH-HARNACK (Gundel). Knabenliebe und Tiergeschenk. Ihre Bedeutung im päderast. Erziehungssystem Athens. Berlin, Gebr. Mann, 83, in-8, 288 p. (118 Fig.).

1597. KOLB (David A.). Pythagoras bound: limit and unlimited in Plato's Philebus. J. Hist. Philos., 83, vol. 21, n° 4, p. 497-512.

1598. KRAUS (W.). Aischylos als Erotiker betrachtet. Wiener Stud., 83, N. F., Bd 17, p. 5-22.

1599. Language and thought in early Greek philosophy. Ed. by K. ROBB. La Salle, Ill., Hegeler Inst., 83, in-8, 285 p.

1600. LEINER (Wolfgang). Technikhistorische Interpretation antiker Quellentexte. Ein Beispiel aus d. Zeit Alexanders d. Großen. Technikgesch., 83, Bd 50, p. 89-99.

1601. LETOUBLON (T.). Défi et combat dans l'Iliade [d'Homère]. R. Et. grecques, 83, vol. 96, p. 27-48.

1602. Libanios. Hrsg. v. Georgios FATOUROS, Tilman KRISCHER. Darmstadt, Wiss. Buchges., 83, in-8, XIV-291 p. (Wege d. Forsch., 621)

1603. LLOYD (Geoffrey E. R.). Science, folklore and ideology: studies in the life sciences in ancient Greece. London, Cambridge U. P., 83, in-8, XI-260 p.

1604. LO SCHIAVO (A.). Omero filosofo. L'enciclopedia omerica e le origini del razionalismo greco. Prefaz. di D. MUSTI. Firenze, Le Monnier, 83, in-8, 266 p. (Bibl. del Saggiatore, 47)

1605. MACCIONI (L.). Per un Democrito matematico? At. Accad. Sci. mor. pol. Napoli, 83, a. 94, p. 23-71.

1606. McKIRAHAN (Richard D.) Jr. Aristotelian epagoge in Prior Analytics 2:21 and Posterior Analytics 1:1. J. Hist. Philos., 83, vol. 21, n° 1, p. 1-14.

1607. MALITZ (Jürgen). Die Historien des Poseidonius. München, Beck, 83, in-8, 486 p. (Zetemata, 79)

1608. MATTEI (Jean-François). L'étranger et le simulacre. Essai sur la fondation de l'ontologie platonicienne. Paris, Presses univ. France, 83, in-8, 573 p. (ill.). (Epiméthé)

1609. MEIER (Christian). Die Entstehung des Politischen bei den Griechen. Frankfurt (Main), Suhrkamp, 83, in-8, 514 p. (Suhrkamp-Taschenbuch Wiss., 427)

1610. MEILLAND (J.M.). L'anti-intellectualisme de Diogène le Cynique. R. Théol. Philos., 83, vol. 115, p. 233-246.

1611. MICALELLA (D.). Nomotheta e politico in Aristotele. Il problema della soteria tes poleos. Athenaeum [Pavie], 83, a. 61, p. 88-110.

1612. MILLER (D.G.). Improvisation, typology, culture and "the new orthodoxy": how "oral" is Homer? Washington, D.C., U. P. of America, 82, in-8, XIV-118 p.

1613. MOGGI (Mauro). L'elemento indigeno nella tradizione letteraria sulle ktiseis. In: Modes de contacts ... [Cf. n° 241], p. 979-1004.

1614. MOLES (J.). The date and purpose of the fourth kingship oration of Dio Chrysostom. Class. Antiquity, 83, vol. 2, p. 251-278.

1615. MORGAN (Michael L.). The continuity theory of reality in Plato's Hippias Major. J. Hist. Philos., 83, vol. 21, n° 2, p. 133-158.

1616. MORSINK (Johannes). Aristotle on the generation of animals: a philosophical study. Washington, D.C., U. P. of America, 82, in-8, VIII-184 p.

1617. MÜLLER (Reimar). Sozialutopisches Denken in der griechischen Antike. Berlin, Akad.-Verl., 83, in-8, 51 p. (S.-B. d. Akad. d. Wiss. d. DDR: G, 3)

1618. MÜLLER (Reimar). Zu einem Entwicklungsprinzip der epikureischen Anthropologie. Philologus, 83, Bd 127, p. 187-206.

1619. NEWELL (W.R.). Tyranny and the science of ruling in Xenophon's Education of Cyrus. J. Politics, 83, vol. 45, n° 4, p. 889-906.

1620. NOLLÉ (J.). Die "Charaktere" im 3. Epidemiebuch des Hippokrates und Mnemon von Side. Epigraphica anatol., 83, Bd 2, p. 85-98.

1621. On stoic and peripatetic ethics: the work of Arius Didymus. Ed. by William W. FORTENBAUGH. New Brunswick, N.J., a. London, Transaction Books, 83, in-8, VII-258 p. (Rutgers Univ. Stud. in class. Humanities, 1) [Conference papers]

1622. Oxford readings in Greek tragedy. Ed. by Erich SEGAL. Oxford, Oxford U. P., 83, in-8, IX-453 p.

1623. Oxford studies in ancient philosophy. Vol. 1: 1983. Ed. by Julia ANNAS. Oxford, Oxford U.P., 83, in-8, 278 p.

1624. PAPAGIOTOU (Konstantinos St.). Die ideal Form der Polis bei Homer und Hesiod. Bochum, Brockmeyer, 83, in-8, V-262 p.

1625. PELLECH (Christine). Die Odyssee [Homers] - eine antike Weltumsegelung. Berlin, Reimer, 83, in-8, 311 p. (7 Phot., 35 Kt. u. Graf.).

1626. PHILIPPSON (Robert). Studien zu Epikur und den Epikureern. Sammelband. Hrsg. v. C. Joachim CLASSEN. Hildesheim, Olms, 83, in-8, IV-354 p. (Olms-Stud., 17)

1627. PODLECKI (Anthony). Aeschylus' women. Helios, 83, vol. 10, n° 1, p. 23-47.

1628. POOL (E.H.). Clytemnestra's first entrance in Aeschylus' Agamemnon. Analysis of a controversy. Mnemosyne, 83, vol. 36, p. 71-116.

1629. PRATT (V.). Aristotle and the essence of natural history. Hist. Philos. Life Sciences, 82, vol. 4, p. 203-223.

1630. PUHVEL (J.). Homeric questions and Hittite answers. Am. J. Philol., 83, vol. 104, p. 217-227.

1631. RANKIN (H.D.). Sophists, Socratics and cynics. London a. Canberra, Croom Helm, 83, in-8, 224 p.

1632. REARDON (B.P.). travaux récents sur Dion de Pruse. R. Et. grecques, 83, vol. 96, p. 286-292.

1633. ROMILLY (Jacqueline de). Perspectives actuelles sur l'épopée homérique. Paris, Presses univ. France, 83, in-8, 41 p.

1634. SCHACHERMEYR (Fritz). Die griechische Rückerinnerung im Lichte neuer Forschungen. Wien, Verl. d. Österr. Akad. d. Wiss., 83, in-8, 415 p. (28 p. Abb., Taf.). (S.-B. d. Österr. Akad. d. Wiss., Philos.-hist. Kl., 404)

1635. SCHMID (W. Thomas). Socratic moderation and self-knowledge. J. Hist. Philos., 83, vol. 21, n° 3, p. 339-348.

1636. SCHÖPF (Hans-Georg). Die Griechen und die Natur. Berlin, Akad.-Verl., 83, in-8, 62 p. (S.-B. d. Sächs. Akad. d. Wiss. zu Leipzig, Math.-naturwiss. Kl., 116, 3)

1637. SCHWYZER (Hans R.). Ammonios Sakkas, der Lehrer Plotins. Opladen, Westdeutscher Verl., 83, in-8, 93 p. (Vortr. Rhein.-Westf. Akad. d. Wiss., Geisteswiss., G, 260)

1638. SMITH (Nicholas D.). Aristotle's theory of natural slavery. Phoenix, 83, vol. 37, p. 109-122. - IDEM. Plato and Aristotle on the nature of women. J. Hist. Philos., 83, vol. 21, n° 4, p. 467-478.

1639. SMITHSON (Isaiah). The moral view of Aristotle's Poetics. J. Hist. Ideas, 83, vol. 44, n° 1, p. 3-18.

1640. SOLMSEN (Friedrich). Plato and the concept of the soul (psyche). J. Hist. Ideas, 83, vol. 44, n° 3, p. 355-368.

1641. SPIEGEL (Nathan). Toledot ha-tragedia ha-yewanit. (The history of Greek tragedy.) Jerusalem, Magnes Press, 82, in-8, VI-390 p.

1642. STALLEY (R.F.). An introduction to Plato's Laws. Oxford, Blackwell, 83, in-8, X-208 p.

1643. STANFORD (W.B.). Greek tragedy and the emotions. An introductory study. London, Routledge, 83, in-8, VII 192 p.

1644. THOMASON (S.K.). Euclidean infinitesimals. Pacific philos. Quar., 82, vol. 63, p. 168-185.

1645. TSOPANAKES (Agapētos). Eisagōgē ston Homēro. (Introduction à Homère.) 3e éd. Thessalonique, Aphoi Kyriakidē, 83, in-8, 219 p.

1646. Twenthieth-century interpretations of the Odyssey [Homer's]. A collection of critical essays. Ed. by H. W. CLARKE. Englewood Cliffs, N.J., Prentice-Hall, 83, in-8, V-131 p.

1647. VATTUONE (Riccardo). Ricerche su Timeo. La pueritia di Agatocle. Pres. di G. SUSINI. Firenze, La Nuova Italia, 83, in-8, IV-140 p. (Pubbl. della Fac. di magistero, Univ. di Bologna, n.s., 11)

1648. VICTOR (Ulrich). (Aristoteles,) Oikonomikos. Das 1. Buch d. Ökonomik - Hrsg., Text, Übers. u. Kommentar - u. seine Beziehungen zur Ökonomikliteratur. Königstein (Ts.), Hain, 83, in-8, 214 p. (graph. Darst.). (Beitr. z. klass. Philol., 147)

1649. VIDAL-NAQUET (Pierre). Le chasseur noir. Formes de pensée et formes de société dans le monde grec. Version revue et corr. Paris, La Découverte-Maspero, 83, in-8, 488 p. (Fondations)

1650. VIDAL-NAQUET (Pierre). Platone, la storia, gli storici. Quad. Storia, 83, a. 9, n° 18, p. 61-83.

1651. VILCHEZ (M.). Sobre los períodos de la vida humana en la lírica arcaica y la tragedia griega. Emerita, 83, t. 51, p. 63-95, 215-253.

1652. WANKEL (H.). Alle Menschen müssen sterben. Varianten eines Topos d. griech. Literatur. Hermes, 83, Bd 111, p. 129-154.

1653. WHELAN (Frederick G.). Socrates and the "meddlesomeness" of the Athenians. Hist. polit. Thought, 83, vol. 4, n° 1, p. 1-29.

1654. WHITE (M.J.). Time and determinism in the Hellenistic philosophical schools. Arch. f. Gesch. d. Philos., 83, Bd 65, p. 40-62.

1655. WINNINGTON-INGRAM (R.P.). Studies in Aeschylus. Cambridge, Cambridge U. P., 83, in-8, XII-224 p.

1656. ZAMBRINI (Andrea). Idealizzazione di una terra: etnografia e propagande negli Indiká di Megastene. In: Modes de contacts ... [Cf. n° 241], p. 1105-1118.

1657. ZUCKERT (C.H.). Aristotle on the limits and satisfactions of political life. Interpretation, 83, vol. 11, p. 185-206.

Cf. n°s 480, 482, 489, 1377, 1379, 1380, 1386, 1411, 1413, 2005, 2244.

§ 8. Religion and mythology.

1658. BREMMER (J.). The early Greek concept of the soul. Princeton, N.J., Princeton U. P., 83, in-8, XII-154 p. - IDEM. Scapegoat rituals in ancient Greece. Harvard Stud. class. Philol., 83, vol. 87, p. 299-320.

1659. GHINATTI (Franco). Manifestazioni votive, iscrizioni e vita economica nei santuari della Magna Grecia. Studia patavina, 83, a. 30, p. 241-322.

1660. GIAMMARCO RAZZANO (M.C.). I Galli di Cibele nel culto di età ellenistica. Misc. greca e rom., 82, a. 8, p. 227-266.

1661. GIANGIULIO (Maurizio). Greci e non-Greci in Sicilia alla luce dei culti e delle leggende di Eracle. In: Modes de contacts ... [Cf. n° 241], p. 785-846.

1662. Gnosticisme et monde hellénistique. Actes du Colloque de Louvain-la-Neuve, 11-14 mars 1980. Publ. sous la dir. de Julien RIES, avec la collab. de Yvonne JANSSENS et de Jean-Marie SEVRIN. Louvain-la-Neuve, Inst. Oriental, 82, in-4, XXVI-502 p. (Publ. Inst. Oriental de Louvain, 27)

1663. HAUDRY (J.). Héra. 1. Et. indoeurop., 83, n° 6, p. 17-46.

1664. HENNIG (Dieter). Die heiligen Häuser von Delos. Chiron, 83, Bd 13, p. 411-495.

1665. LEPORE (Ettore), MELE (Alfonso). Pratiche rituali e culti eroici in Magna Grecia. In: Modes de contacts ... [Cf. n° 241], p. 847-897.

1666. MIKALSON (Jon D.). Athenian popular religion. Chapel Hill, Univ. of North Carolina Press, 83, in-8, XIV-172 p.

1667. PARKER (Robert). Miasma: pollution and purification in early Greek religion. London a. New York, Oxford U. P., 83, in-8, XVIII-413 p.

1668. ROBERTSON (N.). Greek ritual begging in aid of women's fertility and childbirth. Trans. Proc. am. philol. Assoc., 83, vol. 113, p. 143-169. - IDEM. The riddle of the arrhephoria at Athens. Harvard Stud. Philol., 83, vol. 87, p. 241-288.

1669. VEYNE (Paul). Les Grecs ont-ils cru à leurs mythes? Essai sur l'imagination constitutante. Paris, Ed. du Seuil, 83, in-8, 161 p.

Cf. n°s 965, 1192, 1300, 1382, 1463, 1751.

§ 9. Archaeology and history of art.

1670. AKIMOVA (L.I.). Novyj pamjatnik skul'ptury iz Pantikapeja (K probleme gekatejnov). (Hekataion problems: a new monument from Panticapaeum.) Vestn. drev-n. Ist., 83, n° 3, p. 66-87.

1671. ALSCHER (Ludger). Griechische Plastik. Bd 2, [T. 1. Cf. Bibl. 61, n° 2°78.] T. 2: Klassik. Berlin, Deutsch. Verl. d. Wiss., 83, in-8, 537 p. (77 p. Abb.).

1672. BALTY (Jean-Charles). Architecture et société à Pétra et Hégra. Chronologie et classes sociales, sculpteurs et commanditaires. In: Architecture et société [Cf. n° 225], p. 303-324.

1673. BARLETTA (Barbara A.). Ionic influence in archaic Sicily: the monumental art. Göteborg, P. Åström, 83, in-4, 360 p. (52 fig.). (Stud. in Mediterr. Archaeol., Pocketbook, 32)

1674. BAYER (E.). Fischerbilder in der hellenistischen Plastik. Bonn, Habelt, 83, 278 p. (26 Fig.). (Habelts Diss.-Drucke, Reihe Klass. Archäeol., 19)

1675. BERARD (Claude). L'héroïsation et la formation de la cité: un conflit idéologique. In: Architecture et société [Cf. n° 225], p. 43-62.

1676. BOMMELAER (J.F.). La construction du temple classique de Delphes. B. Corr. hellénique, 83, t. 107, p. 191-216.

1677. BIRLLANTE (C.). Episodi iliadici nell'arte figurata e conoscenza dell'Iliade [di Omero] nella Grecia arcaica. Rhein. Mus., 83, Bd 126, p. 97-125.

1678. GANZERT (J.). Zur Entwicklung lesbischer Kymationformen. Jb. d. deutsch. archäol. Inst., 83, Bd 98, p. 123-202.

1679. GLASER (Franz). Antike Brunnenbauten (krenai) in Griechenland. Wien, Österr. Akad. d. Wiss., 83, in-4, 203 p. (114 Taf.). (Österr. Akad. d. Wiss., Phil.-hist. Kl., Denkschr., 161)

1680. Greek renaissance (The) of the eight century B.C.: tradition and innovation. Proceedings of the Second international. symposium at the Swedish Institute in Athens, 1-5 June, 1981. Ed. by Robin HÄGG. Lund, P. Åström distr., 83, in-4, 225 p. (143 ill.). (Skr. utg. av Svenska inst. i Athen, Ser. prima in 4°, 30) [Eng. summary a. German texts]

1681. GRUNWALD (C.). Frühe attische Kampfdarstellungen. Acta praehist. et archaeol., 83, Bd 15, p. 155-203 (36 Abb.).

1682. HIRSCH-DYCZEK (Olga). Les représentations des enfants sur les stèles funéraires attiques. Kraków, Państw. Wydawn. Nauk, 83, in-8, 57 p. (Zesz. Nauk. Univ. Jagiell., 666. Prace Archeolog., 34. Studia z Archeologii Śródziemnomorskiej, 7)

1683. HOUSER (Caroline). Greek monumental bronze sculpture from the 5th to the 2nd century B.C. London, Thames a. Hudson, 83, in-fol., 132 p. (ill., pl.).

1684. IAKOVIDIS (Spyros E.). Late Helladic citadels on mainland Greece. Leiden, Brill, 83, in-4, IX-117 p. (14 fig., 20 plans, 77 pl.). (Monumenta Graeca et Romana, 4)

1685. KEBRIC (Robert B.). The painting in the Cnidian Lesche at Delphi and their historical context. Leiden, Brill, 83, in-8, IX-61 p. (Mnemosyne, Suppl., 80)

1686. Kition-Bamboula. [1. Cf. Bibl. 82, n° 1622.] 2: SALLES (Jean-François). Les égouts de la ville classique. Paris, Recherche sur les Civilisations; diff. de Boccard, 83, in-4, 120 p. (ill.). (Mémoire, 27)

1687. KNELL (Heiner). Dorische Ringhallentempel in spät- und nachklassischer Zeit. Jb. d. deutsch. archäol. Inst., 83, Bd 98, p. 203-233.

1688. MARTINI (Wolfram). Das siegelnde Individuum. Zu Ursache u. Bedeutung des Beginns d. griech.-archaischen Skarabäenglyptik. Jb. d. deutsch. archäol. Inst., 83, Bd 98, p. 1-13.

1689. Magna Grecia e mondo miceneo. Nuovi documenti. XXXII Convegno di studi sulla Magna Grecia, Taranto, 7-11 ottobre 1982. A cura di L. VAGNETTI. Taranto, Ist. per la stor. e l'archeol. della Magna Grecia, 82, in-8, 212 p. (77 tav.).

1690. MARTIN (Roland). L'espace civique religieux et profane dans les cités grecques, de l'archaïsme à l'époque hellénistique. In: Architecture et société [Cf. n° 225], p. 9-41.

1691. PAPAOIKONOMOU (Giannēs). Hē stēlē apo tē Gortyna sto Mouseio tou Loubrou. (La stèle de Gortyne au Musée du Louvre.) Ariadne, 83, vol. 1, p. 27-36.

1692. PIČIKJAN (I.R.). Aleksandr-Gerakl (greko-baktrijskij portret velikogo polkovodca). (Alexander-Heracles: a Greco-Bactrian portrait of the great military leader.) Sovet. Arkheol., 83, n° 1, p. 80-90.

1693. PREZIOSI (Donald). Minoan architectural design. Formation a. signification. Amsterdam, Berlin a. New York, Mouton, 83, in-8, XXXII-522 p. (Approaches to Semiotics, 63)

1694. RUNNELS (C.N.), MURRAY (P.M.). Milling in ancient Greece. Archaeology, 83, vol. 36, n° 6, p. 62-75.

1695. SAPRYKIN (S. Ju.). Zolotaja plastina iz Gorgipii. (A gold plaque from Gorgippia.) Vestn. drevn. Ist., 83, n° 1, p. 68-78.

1696. SCHEIBLER (Ingeborg). Griechische Töpferkunst. Herstellung, Handel u. Gebrauch d. antiken Tongefäße. München, Beck, 83, in-8, 220 p. (166 Ill.). (Becks archäol. Bibliothek)

1697. SCHMALTZ (Bernhard). Griechische Grabreliefs. Darmstadt, Wiss. Buchges., 83, in-8, XXI-253 p. (32 Taf.). (Erträge d. Forsch., 192)

1698. SCHWANDNER (E.L.), ZIMMER (G.), ZWICKER (U.). Zum Problem der Öfen griechischer Bronzegießer. Archäol. Anz., 83, p. 57-80.

1699. SNODGRASS (Anthony M.). Narration and allusion in archaic Greek art. London, Blackwell, 83, in-4, 24 p. (ill.).

1700. TOMLINSON (R.A.) Epidaurus. London, Granada, 83, 98 p. (33 ill.). (Archaeol. Sites Ser.)

1701. TRENDALL (Arthur Dale), CAMBITO-GLOU (Alexander). Red-figured vases of Apulia. 1st Supplement. London, Univ., Inst. of Class. Stud., 83, in-4, XIV-252 p. (ill.).

1702. WINTER (J.E.), WINTER (F.E.). The date of the temples near Kourno in Lakonia. Am. J. Archaeol., 83, vol. 87, n° 1, p. 3-10.

Cf. n[os] 99, 1354, 1493, 2126.

F

HISTORY OF ROME, ANCIENT ITALY AND THE ROMAN EMPIRE

§ 1. The peoples of Italy. 1703-1707. - § 2. The Etruscans. 1708-1717. - § 3. Sources and criticism of sources. 1718-1759. - § 4. General and political history. 1760-1857. - § 5. History of law and institutions. 1858-1914. - § 6. Economic and social history. 1915-1967. - § 7. History of literature, philosophy and science. 1968-2031. - § 8. Religion and mythology. 2032-2035. - § 9. Archaeology and history of art. 2036-2102.

§ 1. The peoples of Italy.

1703. D'ANDRIA (Francesco). Greci ed indigeni in Iapigia. In: Modes de contacts ... [Cf. n° 241], p. 287-297.

1704. KRASNOVSKAJA (N.A.). Problemy etničeskoj istorii Sardinija v 1 tysjačeletii do n. è. (Problems of the ethnic history of Sardinia in the 1st millennium B.C.) Sovet. Ètnogr., 83, n° 6, p. 33-47.

1705. LA GENIERE (Juliette de). Entre Grecs et non-Grecs in Italie du Sud et Sicile. In: Modes de contacts ... [Cf. n° 241], p. 257-285. [Avec un] Appendice: DEWAILLY (Martine). Acculturation et habillement en Grande-Grèce, p. 273-278.]

1706. SAULNIER (Christiane). L'armée et la guerre chez les peuples samnites (VIIe-IVe s.). Paris, de Boccard, 83, in-8, 157 p.

1707. TUSA (Vincenzo). Greci e non Greci in Sicilia. In: Modes de contacts ... [Cf. n° 241], p. 299-314.

Cf. n°s 165, 1481, 1661, 1821.

§ 2. The Etruscans.

1708. BOMATI (Y.). Les légendes dionysiaques en Etrurie. R. Et. latines, 83, a. 61, p. 87-107.

1709. BRIQUEL (Dominique). L'autochtonie des Etrusques chez Denys d'Halicarnasse. R. Et. latines, 83, a. 61, p. 65-86.

1710. Corpus speculorum Etruscorum. The Netherlands. Amsterdam, Allard Pierson Museum; The Hague, Gemeentemuseum; The Hague, Museum Meermanno-Westreenianum; Nijmegen, Rijksmuseum Kam; Utrecht, Archaeological Institute, State Univ., private collection "Meer". By Lammer Bouke VAN DER MEER. Leiden, Brill, 83, in-4, 172 p. (64 fig., 64 pl.). [Cf. Bibl. 81, n° 1497, 1498]

1711. CRISTOFANI (Mauro). I Greci in Etruria. In: Modes de contacts ... [Cf. n° 241], p. 239-255.

1712. FRONTINI (P.). La ceramica a vernice nera in Lombardia nel IV e III secolo a.C. R. archeol. Como, 83, t. 165, p. 175-198.

1713. NEMIROVSKIJ (A.I.). Ètruski: ot mifa k istorii. (The Etruscans: from myth to history.) Moskva, Nauka, 83, 261 p. (ill.).

1714. RUYT (F. de). L'originalité de la sculpture étrusque à Castro au VIe siècle avant J.-C. Antiquité class., 83, t. 52, p. 70-85.

1715. RYSTEDT (Eva). Early Etruscan akroteria from Acquarossa and Poggio Civitate (Murlio). Rom, Svenska inst. i Rom; Lund, P. Åström, 83, in-4, 169 p. (31 pl.). (Acquarossa, 4)

1716. SALSKOV ROBERTS (H.) Later Etruscan mirrors. Evidence for dating from recent excavations. Analecta romana, 83, vol. 12, p. 31-54.

1717. SCHEFFER (Charlotte). The cooking stands. Rom, Svenska inst. i Rom; Lund, P. Åström, 83, in-4, 90 p. (118 fig.). (Acquarossa, 2/2)

Cf. n°s 123, 150.

§ 3. Sources and criticism of sources.

* 1718. BENARIO (H.W.). Tacitus' Germania: a third of a century of scholarship. Quad. Storia, 83, a. 9, n° 17, p. 209-230.

* 1719. MAULEÓN (M.D.). Índices de las inscripciones latinas publicadas en el Boletín de la Real Academia de la Historia (1877-1951). Pamplona, Ed. Univ. de Navarra, 83, in-8, V-249 p.

* Cf. n°s 1176, 2386.

1720. [AURELIUS VICTOR (Sextus):] Pseu-

3. SOURCES AND CRITICISM OF SOURCES

do-Aurelius Victor. Les origines du peuple romain. Texte établi, trad. et commenté par Jean-Claude RICHARD. Paris, Belles Lettres, 83, in-8, 187 p. (Coll. des Univ. de France)

1721. BĂLUȚĂ (Cloșca L.). Fragmente de inscripții descoperite la Apulum. (Fragments d'inscriptions découverts à Apulum.) Apulum, 83, t. 21, p. 89-110.

1722. BĂLUȚĂ (Cloșca L.), RUSSU (Ion I.). Inscripții din Apulum. (Inscriptions d'Apulum.) Apulum, 82, t. 20, p. 117-133.

1723. BLANCO FREIJEIRO (Antonio). Nuevas inscripciones latinas de Itálica. B. real Acad. Hist. [Madrid], 83, t. 180, p. 1-20 (8 lám.).

1724. BLOCKLEY (R.C.). The fragmentary classicising historians of the later Roman empire: Eunapius, Olympiodorus, Priscus and Malchus. Vol. 1. Vol. 2: Text, trans. a. historiographical notes. Liverpool, F. Cairns, 81-83, 2 vol. in-8, IX-196, X-515 p. (Arca, 6, 10) - IDEM. Dexippus' chronicle and the attack by Eunapius upon it. Byzantiaka, 83, t. 3, p. 23-35.

1725. Bonner Historia-Augusta-Colloquium 1979-1981. Bonn, Habelt, 83, in-8, XI-387 p. (Antiquitas, Reihe 4: Beitr. z. Historia-Augusta-Forsch., 15)

1726. [CAELIUS RUFUS (Marcus):] Lettere di Marco Celio Rufo (Cic. fam. 1. VIII). Testo, apparato crit., introd., versione e commento di Alberto CAVARZERE. Brescia, Paideia, 83, in-8, 510 p.

1727. Catulli Veronensis liber. Ed. Werner EISENHUT. Leipzig, Teubner, 83, in-8, XVIII-119 p. (Bibl. script. Graec. et Roman. Teubneriana)

1728. CENSORINUS. De die natali liber ad Q. Caerellium. Accedit cuiusdam epitoma disciplinarum (Fragmentum Censorini). Ed. Nicolaus SALLMANN. Leipzig, Teubner, 83, in-8, XXXVIII-106 p. (2 Taf.). (Bibl. script. Graec. et Roman. Teubneriana) [Cf. n° 2012.]

1729. Vacat.

1730. CICERON. Correspondance. T. 8. Texte établi, trad. et annoté par Jean BEAUJEU. Paris, Belles Lettres, 83, in-8, 358 p. (Coll. G. Budé)

1731. Concordantia in Catonis librum De agri cultura. Ed. by Ward W. BRIGGS Jr., with the techn. assistance of Timothy R. WHITE. Hildesheim, Zürich u. New York, Olms, 83, in-4, 166 p. (Alpha-Omega, Reihe A, 70)

1732. Concordantia in Corpus Priapeorum et in Pervigilium Veneris. Ed. Hermann MORGENROTH, Dietmar NAJOCK. Hildesheim, Zürich u. New York, Olms, 83, in-8, 182 p. (Alpha-Omega, Reihe A, 59)

1733. Concordantia in Publium Papinium Statium. Ed. Joseph KLECKA. Hildesheim, Zürich u. New York, Olms, 83, in-4, VI-603 p. (Alpha-Omega, Reihe A, 57)

1734. Concordantia in Varronis libros De re rustica. Ed. by W. W. BRIGGS Jr., with the techn. assist. of T. R. WHITE a. C. G. SHIRLEY. Hildesheim, Zürich u. New York, Olms, 83, in-4, XI-366 p. (Alpha-Omega, Reihe A, 65)

1735. DARIS (Sergio). Ricerche di papirologia documentaria, [I. Cf. Bibl. 76-77, n° 1924.] II. Aegyptus, 83, a. 63, p. 117-169.

1736. DREXHAGE (Hans-Joachim). Die Expositio totius mundi et gentium: eine Handelsgeographie aus d. 4. Jh. n. Chr. Eingel., übers. u. mit einführender Literatur (Kap. XXII-LXVII) versehen. Münstersche Beitr. z. ant. Handelsgesch., 83, Bd 2, H. 1, p. 3-41.

1737. FRONTINUS (Sextus Julius). Wasserversorgung im antiken Rom. [De aquaeductu urbis Romae. Lat. u. deutsch.] Hrsg. v. d. Frontinus-Gesellschaft. München u. Wien, Oldenbourg, in-8, 216 p. (102 Abb.).

1738. In Pelagonii Artem Veterinariam concordantiae. Curantibus Klaus-Dietrich FISCHEL et Dietmar NAJOCK. Hildesheim, Zürich u. New York, Olms, 83, in-8, XIV-482 p. (Alpha-Omega, Reihe A, 48)

1739. Index verborum Ammiani Marcellini. Ed. Maria CHIABO. Ps 1: A-L. Ps 2: M-Z. Hildesheim, Zürich u. New York, Olms, 83, 2 vol. in-8, 447 p., p. 448-903. (Alpha-Omega, Reihe A, 44)

1740. LASSANDRO (D.). Le rivolte bagaudiche nelle fonti tardo-romane e medievali. Bari, Istit. di Latino, Univ. di Bari, 83, in-8, 54 p.

1741. Lexicon in Q. Claudium Quadrigarium. Hrsg. v. Sonia BASTIAN. Hildesheim, Zürich u. New York, 83, in-8, VII-74 p. (Alpha-Omega, Reihe A, 61)

1742. LOMANTO (Valeria). Concordantiae in Q. Aurelii Symmachi opera - A concordance to Symmachus. Prepared under the supervision of Nino MORINONE a. with the computer assistance of Antonio ZAMPOLLI. Hildesheim, Zürich u. New York, Olms, 83, in-4, XXXI-1112 p. (Alpha-Omega, Reihe A, 54)

1743. LOTT (Elizabeth S.). The textual tradition of the "Arethea" of Germanicus Caesar: missing links in the "μ" branch. R. Hist. Textes, 81 [83], t. 11, p. 147-158.

1744. MALAVOLTA (M.). Interiores limites. Nota ad Amm. Marc. XXIII, 5, 1-2. Misc. greca e rom., 82, a. 8, p. 587-610.

1745. NELSON (C.A.). Financial and administrative documents from Roman Egypt. Berlin, Staatl. Museen Preuß. Kulturbesitz, 83, XIV-230 p. (Ägypt. Urkunden aus d. Staatl. Museen Berlin, Griech. Urkunden, 15)

1746. NEMIROVSKIJ (A.I.). Nadpis' iz Satrika - opornyj punkt rannerimskoj istorii. (An inscription from Satricum: its importance for early Roman history.)

Vestn. drevn. Ist., 83, n° 1, p. 40-51.

1747. NEMIROVSKIJ (A.I.). Vellej Paterkul i ego istoričeskij trud. (Velleius Paterculus and his historical writings.) Vestn. drevn. Ist., 83, n° 4, p. 209-234.

1748. PISO (Ioan). Inschriften von Prokuratoren aus Sarmizegetusa. I. Z. f. Papyrol. u. Epigr., 83, Bd 50, p. 233-251.

1749. RICHARDSON (W.F.). A word index to Celsus' De medicina. Auckland, St. Leonards, 82, in-8, IV-186 p.

1750. RIZZO (S.). Catalogo dei codici della Pro Cluentio ciceroniana. Genova, Univ. di Genova, 83, in-8, 224 p. (Pubbl. dell'Ist. di Filol. class. e mediev. dell'Univ. di Genova, 75)

1751. ROCA-PUIG (Ramon) Alcestis. Hexàmetres llatins. Papyri Barcinonenses, Inv. n° 158-161. Barcelona, el Autor, 82, in-8, XIV-71 p. (7 pl.). - Cf. LEBEK (W.D.). Das neue Alcestis-Gedicht der Papyri Barcinonenses. Z. f. Papyrol. u. Epigr., 83, Bd 52, p. 1-29.

1752. SCARCIA PIACENTINI (Paola). La tradizione laudense di Cicerone ed un inesplorato manoscritto della Biblioteca Vaticana (Vat. lat., 3237). R. Hist. Textes, 81 [83], t. 11, p. 123-146.

1753. Scrittori della Storia Augusta. Introd., note crit., testo e trad. a cura di P. SOVERINI. Torino, UTET, 83, 2 vol. in-8, 1279 p. compless. (6 tav.).

1754. SPRINGER (M.). Kriegsgeschichtliche Streifzüge in der Historia Augusta. Klio, 83, Bd 65, p. 367-382.

1755. SYME (Ronald). Historia Augusta papers. London a. New York, Oxford U.P., 83, in-8, 238 p.

1756. TRAN TAM TINH (V.). Sérapis debout. Corpus des monuments de Sérapis debout et étude iconographique. Leiden Brill, 83, in-8, XX-317 p. (118 pl., carte). (Et. prélim. aux religions orient. dans l'Empire romain, 94)

1757. VERMASEREN (Maarten Jozef). Corpus cultus Iovis Sabazii (CCIS). 1: The hands. With the assist. of Ed. WESTRA a. M. B. DE BOER. Leiden, Brill, 83, in-8, XII-48 p. (8 pl., carte). (Et. prélim. aux religions orient. dans l'Empire romain, 100)

1758. VIRÉ (Ghislaine). La transmission du De astronomia d'Hygin jusqu'au XIIIe siècle. R. Hist. Textes, 81 [83], t. 11, p. 159-276.

1759. ZWIERLEIN (Otto). Prolegomena zu einer kritischen Ausgabe der Tragödien Senecas. Wiesbaden, Steiner, 83, in-8, 296 p. (14 Abb., 13 Tab., 22 Taf.). (Akad. d. Wiss. u. d. Lit. Mainz, Abh. d. Geistes- u. sozialwiss. Kl.)

Cf. n°s 1429, 1736, 1779.

§ 4. General and political history.

* 1760. CHASTAGNOL (André). Bulletin historique: Histoire de l'Empire romain. R. hist., 83, a. 107, t. 269, n° 545, p. 107-207.

* 1761. Fall (The) of Rome. A reference guide. Comp. by Alden M. ROLLINS. Jefferson, N. C., a. London, McFarland, 83, in-8, XIV-130 p.

* 1762. Rassegna bibliografia di storia romana. [Cf. Bibl. 82, n° 1695.] Labeo, 83, a. 29, p. 86-95, 200-209.

1763. AMELING (Walter). Herodes Atticus. 1: Biographie. 2: Inschriftenkatalog. Hildesheim, Zürich u. New York, Olms, 83, 2 vol. in-8, XII-175, XI-248 p. (Subsidia epigraphica, 11)

1764. ARCE MARTÍNEZ (Javier). El último siglo de la España romana, 284-409. Madrid, Alianza, 82, in-8, 192 p.

1765. Armies and frontiers in Roman and Byzantine Anatolia. Proceedings of a Colloquium held at University College, Swansea, in April 1981. Ed. by Stephen MITCHELL. London, British Archaeol. Rep., 83, in-4, IV-378 p. (22 ill., 39 pl.). (Brit. Inst. of Archaeol. at Ankara, Monogr., 5. Brit. Archaeol. Rep., Internat. Ser., 156)

1766. ASCHE (Ulrike). Roms Weltherrschaftsidee und Aussenpolitik in der Spätantike im Spiegel der Panegyrici Latini. Bonn, Habelt, 83, in-8, 212 p. (Habelts Diss.-Drucke, Reihe Alte Gesch., 16)

1767. ASTARITA (Maria Laura). Avidio Cassio. Roma, Storia e Lett., 83, in-4, 223 p.

1768. Atti del Congresso internazionale di studi flaviani (Rieti, settembre 1981). A cura di Benedetto RIPOSATI. Vol. 1, 2. Rieti, Centro di Studi Varroniani, 83, 2 vol. in-8, 444 p. compless. (ill.).

1769. Aufstieg und Niedergang der römischen Welt. Gesch. u. Kultur Roms im Spiegel der neueren Forsch. Hrsg. v. Hildegard TEMPORINI u. Wolfgang HAASE. 2: Principat. [Bd 12/1; 14, 25/1. Cf. Bibl. 82, n° 1698.] Bd 10: Politische Geschichte. Hrsg. v. Hildegard TEMPORINI. Teilband 2: Provinzen u. Randvölker. Afrika mit Ägypten (Forts.). Bd 29: Sprache und Literatur. Hrsg. v. Wolfgang HAASE. Teilband 1, 2. Bd 30: Sprache und Literatur. Teilband 1-3. Berlin u. New York, de Gruyter, 82-83, 6 vol. in-8, X-860; XV-506; IX p., p. 510-1249; XII-896; VIII p., p. 900-1443; VIII p., p. 1448-2158.

1770. AUJOULAT (Noël). Eusébie, Hélène et Julien. Byzantion, 83, t. 53, fasc. 1, p. 78-103.

1771. BARNEA (Ion). Continuitatea elementului daco-roman după părăsirea aureliană, pe baza descoperirilor paleocreștine din Transilvania în lumina ultimelor cerce-

4. GENERAL AND POLITICAL HISTORY

țări. (La continuité de l'élément daco-romain après le départ d'Aurélien, à la lumière des découvertes paléochrétiennes de Transylvanie.) Sargetia, 82-83, t. 16-17, p. 259-269.

1772. BARNEA (Ion), ILIESCU (Octavian). Constantin cel Mare. (Constantin le Grand.) București, Ed. științ. și enciclop., 82, in-8, 212 p. (45 pl.).

1773. BAUMANN (Richard A.). Lawyers in Roman republican politics: a study of the Roman jurists in their political setting, 316-83 B.C. München, Beck, 83, in-8, XXII-453 p. (Münchener Beitr. z. Papyrusforsch. u. ant. Rechtsgesch., 73)

1774. BAUMANN (Uwe). Rom und die Juden. Die römisch-jüdischen Beziehungen v. Pompeius bis z. Tode d. Herodes (63 v. Chr. - 4 v. Chr.). Frankfurt (Main), Bern u. New York, Lang, 83, in-8, VII-294 p. (Studia philos. et hist., 4)

1775. BEEBE (Keith H.). Caesarea Maritima: its strategic and political significance to Rome. J. near east. Stud., 83, vol. 42, n° 3, p. 195-208.

1776. BEJOR (Giorgio). Aspetti della romanizzazione della Sicilia. In: Modes de contacts ... [Cf. n° 241], p. 345-378.

1777. BELTRÁN LLORIS (M.). Los orígenes de Zaragoza y la época de Augusto. Estado actual de los conocimientos. Zaragoza, Institución "Fernando el Católico", 83, in-8, 51 p. (8 lám.). (Publ. de la Inst. "Fernando el Católico", 896)

1778. BENEA (Doina). Din istoria militară a Moesiei Superior și a Daciei. Legiunea a VII-a Claudia și legiunea a II-a Flavia. (Aspects de l'histoire militaire de la Mésie Supérieure et de la Dacie. La légion II, Claudia, et la légion II, Flavia.) Cluj-Napoca, Dacia, 83, in-8, 260 p.

1779. BLANC (André). Colonia Valentia. Cinq siècles d'histoire à travers les inscriptions antiques. Paris, Belles Lettres, 82, in-8, 192 p. (Le monde romain)

1780. BOGDAN-CĂTĂNICIU (Ioana). Die Klientel-Bevölkerung in Muntenien. Acta Musei napocensis, 83, t. 20, p. 67-84.

1781. BOWERSOCK (G.W.). Roman Arabia. Cambridge, Mass., Harvard U.P., 83, in-8, XIV-224 p.

1782. BULIN (Rudolf Karl). Untersuchungen zur Politik und Kriegführung Roms im Osten von 100 - 68 v. Chr. Frankfurt (Main) u. Bern, Lang, 83, in-8, 110 p. (Europ. Hochschulschr., Reihe 3: Gesch. u. ihre Hilfswiss., 177)

1783. CALTABIANO (M.). Un quindicennio di studi sull'imperatore Giuliano (1965-1980). Koinōnia, 83, a. 7, p. 15-30, 113-132.

1784. CHEVALLIER (Raymond). La romanisation de la Celtique du Pô: géographie, archéologie et histoire en Cisalpine. [1.

Cf. Bibl. 81, n° 1543.] 2: La protohistoire padane. Rome, Ecole franç. de Rome; diff. Paris, de Boccard, 83, in-4, XII-644 p. (70 pl.). (Bibl. des Ecoles franç. d'Athènes et de Rome, 249)

1785. CHRIST (Karl). Römische Geschichte und deutsche Wissenschaftsgeschichte. [Bd 1. Cf. Bibl. 82, n° 1711.] Bd 2: Geschichte und Geschichtsschreibung der römischen Kaiserzeit. Bd 3: Wissenschaftsgeschichte. Darmstadt, Wiss. Buchges., 83, 2 vol. in-8, VII-287, VIII-273 p.

1786. CIZEK (Eugen). L'époque de Trajan. Circonstances historiques et problèmes idéologiques. Paris, Belles Lettres, 83, in-8, 567 p. [Orig. roumain: Cf. Bibl. 80, n° 1485]

1787. CLARK (M.E.). Spes in the early imperial cult. The hope of Augustus. Numen, 83, vol. 30, p. 80-105.

1788. CONOLE (P.), MILNS (R.D.). Neronian frontier policy in the Balkans: the career of T. Plautius Silvanus. Historia [Wiesbaden], 83, Bd 32, p. 183-200.

1789. CRINITI (N.). La Calabria antica. Soveria Mannelli, Rubbettino, 83, in-8, 80 p.

1790. Crise et redressement dans les provinces européennes de l'empire (milieu du IIIe - milieu du IVe siècle ap. J.-C.). Actes du colloque de Strasbourg (déc. 1981). Ed. par Edmond FREZOULS. Strasbourg, AECR, 83, in-8, 199 p. (6 dessins, 1 pl.). (Contrib. et trav. de l'Inst. d'Hist. romaine, Univ. de Strasbourg III)

1791. CROKE (Brian). A. D. 476: the manufacture of a turning point. Chiron, 83, Bd 13, p. 81-119.

1792. CROKE (Brian), EMMETT (Acannam) a. others. History and historians in late antiquity. London a. New York, Pergamon, 83, in-4, IX-182 p.

1793. DALY (Lawrence J.). The report of Varro Murena's death (Dio 54.3.5). Its mistranslation and his assassination. Klio, 83, Bd 65, p. 245-261.

1794. DIXON (Suzanne). A family business: women's role in patronage and politics at Rome 80-44 B.C. Classica et Mediaevalia, 83, vol. 34, p. 91-112.

1795. DONCIU (Ramiro). Propaganda imperială la Roma în epoca lui Nero. (La propagande inpériale à Rome à l'époque de Néron. R. Ist., 83, t. 36, p. 1008-1022.

1796. DRINKWATER (John F.). Roman Gaul: the three provinces, 58 B.C. - A.D. 260. Ithaca, N.Y., Cornell U.P.; London, Croom Helm, 83, in-8, X-256 p.

1797. ECKSTEIN (A.M.). Two notes on the chronology of the outbreak of the Hannibalic war. Rhein. Mus., 83, Bd 126, p. 255-272.

1798. FEHRLE (Rudolf). Cato Uticensis. Darmstadt, Wiss. Buchges., 83, in-8,

XIV-341 p. (Impulse d. Forsch., 43)

1799. GERACI (Giovanni). Genesi della provincia romana d'Egitto. Bologna, Ed. Clueb, 83, in-8, 225 p.

1800. GIUA (M.A.). Augusto nel libro 56 della storia romana di Cassio Dione. Athenaeum [Pavia], 83, a. 61, p. 439-456.

1801. GUDEA (Nicolae). Despre granița de nord a provinciei Moesia I și sectorul vestic al frontierei de nord a provinciei Dacia Ripensis de la 275 la 378 e. n. (Sur la frontière nord de Mésie et le secteur ouest de la frontière nord de la Dacia Ripensis entre 275 et 378.) Drobeta, 82, t. 5, p. 92-114.

1802. HANTOS (Theodora). Das römische Bundesgenossensystem in Italien. München, Beck, 83, in-8, XI-196 p. (Vestigia, 34)

1803. HARMAND (J.). La conquête césarienne des Gaules: le bilan économique et humain. R. stor. Antichità, 82 [83], a. 12, p. 82-130.

1804. HEUSS (Alfred). Gedanken und Vermutungen zur frühen römischen Regierungsgewalt. Göttingen, Vandenhoeck u. Ruprecht, 83, in-8, 80 p. (Nachr. d. Akad. d. Wiss. in Göttingen, Phil.-hist. Kl., 1982, 10)

1805. HEUSS (Alfred). Grenzen und Möglichkeiten einer politischen Biographie. [Bespr. v. MEIER (Christian). Caesar. Cf. Bibl. 82, n° 1736.] Hist. Z., 83, Bd 237, p. 85-98.

1806. HOLTHEIDE (B.). Römische Bürgerrechtspolitik und römische Neubürger in der Provinz Asia. Freiburg, Hochschulverl., 83, in-8, 496 p. (Kt.). (Hochschulsammlung Philos., Gesch., 5)

1807. Indigenismo y romanización en el Conventus Asturum. Madrid, Dir. Gen. de Bellas Artes y Archivos, 83, in-8, 177 p. (lám., 2 mapas).

1808. JOHNSTON (A.). Caracalla's path. The numismatic evidence. Historia [Wiesbaden], 83, Bd 32, p. 58-76.

1809. KATZ (Barry R.). Notes on Sertorius. Rhein. Mus., 83, Bd 126, p. 44-68.

1810. KEAVENEY (Arthur). Studies in the Dominatio Sullae. Klio, 83, Bd 65, p. 185-208. - IDEM. What happened in 88. Eirene, 83, t. 20, p. 54-86.

1811. KLOFT (Hans). Caesar und die Legitimität. Überlegungen zum hist. Urteil. Arch. f. Kulturgesch., 82, Bd 64, p. 1-39.

1812. KNAPP (Robert C.). Roman Córdoba. Berkeley a. Los Angeles, Univ. of California Press, 83, in-4, XI-158 p. (15 ill., 2 maps). (Class. Stud., 30)

1813. KOZLOWSKI (J.K.). Kastellum Sablonetum und der Ausbau des rätischen Limes unter Kaiser Commodus. Chiron, 83, Bd 13, p. 497-536 (5 Abb., 1 Taf.).

1814. LANDER (J.), PARKER (S. Th.). Legio IV Maretia and the legionary camp at el-Lejjūn [Jordan]. Byzant. Forsch., 82, Bd 8, p. 185-210.

1815. LASSERE (Jean-Marie). Un conflit "routier": observations sur les causes de la guerre de Tacfarinas. Antiquités afric., 82 [83], t. 18, p. 11-25 (6 fig.).

1816. LEGG (Rodney). Romans in Britain. London, Heinemann, 83, in-8, XII-275 p. (ill., map).

1817. MACKIE (Nicola). Local administration in Roman Spain. London, Brit. Archaeol. Rep., 83, in-4, 273 p.

1818. MACKIE (Nicola K.). Augustean colonies in Mauretania. Historia [Wiesbaden], 83, Bd 32, p. 332-358.

1819. MARINESCU (Ion M.). Străini vestiți în luptele din Roma veche. Portrete istorice. (Etrangers célèbres dans les luttes de la Rome antique. Portraits historiques.) Prefață: Lucian DUMBRAVĂ. Iași, Junimea, 83, in-8, 168 p.

1820. MARTÍNEZ-PINNA (J.). Traquinio Prisco y Servio Tulio. Arch. español Arqueol., 82, t. 55, p. 35-63.

1821. MEYER (Jørgen Christian). Pre-republican Rome. An analysis of the cultural and chronological relations, 1000-500 B.C. Odense, Univ.-Press, 83, in-8, 210 p. (70 ill., 4 maps). (Analecta romana Instituti Danici, Suppl., 11)

1822. MOLES (J.). Some "last words" of M. Iunius Brutus. Latomus, 83, vol. 42, p. 763-779.

1823. MOLEV (E.A.). K voprosu o proiskhoždenii dinastii pontijskikh Mitridatov. (On the origin of the Mithridatic dynasty in Pontus.) Vestn. drevn. Ist., 83, n° 4, p. 131-139.

1824. MORAWIECKI (Lesław). Political propaganda in the coinage of the late Roman republic (44-43 B.C.). Transl. from Polish by John EDWARDS a. Dorota PALUCH. Wrocław, Zakł. Narod. im. Ossolińskich, 83, in-8, 108 p.

1825. NADEL (B.). Aspects of emperor Hadrian's policy in the northern Black Sea area. R. stor. Antichità, 82, a. 12, p. 175-215.

1826. O'FLYNN (J.M.). Generalissimos of the Western Roman empire. Edmonton, Univ. of Alberta Press, 83, in-8, XII-238 p.

1827. PARFENOV (V.N.). Poslednjaja armija Rimskoj respubliki. (The last army of the Roman republic.) Vestn. drevn. Ist., 83, n° 3, p. 53-65.

1828. PETOLESCU (Constantin C.). Sex. Iulius Possessor [texte en roumain]. Studii Cercet. Ist. veche Arheol., 83, t. 34, p. 42-56. [Rés. franç.]

1829. PETRIKOVITS (Harald von). Die römischen Provinzen am Rhein und an der oberen und mittleren Donau im 5. Jahrhundert n. Chr. Ein Vergleich. Heidelberg, Winter, 83, in-8, 42 p. (Kte). (S.-B. d. Heidelb. Akad. d. Wiss., Philos.-hist. Kl., 1983, 3)

1830. PICKERODT (Irmgard), WOLF (Jürgen). Senat und Volk. Alltagsleben, Politik u. Kultur in d. späten Republik. Hannover, Schröder, 83, in-8, 151 p.

1831. RILINGER (Rolf). Die Interpretation des Niedergangs der römischen Republik durch "Revolution" und "Krise ohne Alternative". Arch. f. Kulturgesch., 82, Bd 64, p. 279-306.

1832. Römisch-byzantinische (Das) Ägypten. Akten d. internat. Symposions 26.-30. Sept. 1978 in Trier. Mainz (Rhein), v. Zabern, 83, in-fol., VII-211 p. (137 Ill., 29 graph. Darst.). (Aegyptiaca Treverensia, 2)

1833. ROLDÁN HERVÁS (José Manuel). Granada romana. El municipio latino de Iliberri. Granada, Ed. Don Quijote, 83, in-8, 365 p. (22 il.). (Hist. de Granada, 1/2)

1834. Rom und Germanien. Dem Wirken Werner Hartkes gewidmet. Ansprachen u. Vorträge, die am 2. März 1982 auf d. v. d. Kl. Gesellschaftswiss. II in Verbindung mit d. Zentralinst. f. Alte Gesch. u. Archäol. d. AdW d. DDR zu Ehren d. 75. Geburtstages v. Werner Hartke veranstalteten wissenschaftl. Kolloquium gehalten wurden. Berlin, Akad.-Verl., 83, in-8, 120 p. (Kt.). (S.-B. d. Akad. d. Wiss. d. DDR, G, Jg. 1982, 15)

1835. Roma repubblicana fra il 509 e il 270 a. C. A cura di I. DONDERO e P. PENSABENE. Roma, Quasar, 82, in-8, 199 p. (53 tav.). (Archeol. e Storia a Roma)

1836. Rome and her northern provinces. Papers presented to S. Frere in honour of his retirement from the chair of Archaeology of the Roman Empire, Univ. of Oxford 1983. Ed. by B. HARTLEY a. J. WACHER. Gloucester, Alan Sutton, 83, XVII-313 p.

1837. ROWLAND (R.J.). Rome's earliest imperialism. Latomus, 83, vol. 42, p. 749-762.

1838. RUBINSOHN (Zeev). Der Spartakus-Aufstand und die sowjetische Geschichtsschreibung. Konstanz, Univ.-Verl., 83, in-8, 62 p. (Xenia, 7)

1839. SABBIDĒS (Alexēs G. K.). Ta chronia schēmatopoiēsēs tou Byzantiou. 284-518 m. Ch. (Les années de formation de Byzance. 284-518 après J.-Chr.) Athènes, Basilopoulos, 83, in-8, 148 p. (ill.).

1840. SANCERY (Jacques). Galba ou l'armée face au pouvoir. Paris, Belles Lettres, 83, in-8, 190 p. (Coll. Confluents)

1841. SCHUMACHER (Leonhard). Römische Kaiser in Mainz im Zeitalter des Principats (27 v. Chr. - 284 n. Chr.). Bochum, Brockmeyer, 82, in-8, 119 p. (38 Abb.).

1842. SCHWARTE (Karl-Heinz). Der Ausbruch des Zweiten Punischen Krieges. Rechtsfragen u. Überlieferung. Wiesbaden, Steiner, 83, in-8, XV-108 p. (Historia, Einzelschr., 43)

1843. SCHWARTZ (Daniel R.). Ishmael ben Phiabi and the chronology of Provincia Judaea. Tarbiz, 83, vol. 52, n° 2, p. 177-200. [In Hebrew. - Eng. summary] - IDEM. Hashayat Pontius Pilatus ... (Pontius Pilate's suspension from office: chronology and sources.) Ibid., 82, vol. 51, n° 3, p. 383-398. [Eng. summary] - IDEM. Minnuyo shel Pontius Pilatus ... (Pontius Pilat's appointment to office and the chronology of Josephus' Jewish Antiquities, books XVIII-XX.) Zion, 83, vol. 48, p. 325-345. [Eng. summary]

1844. Vacat.

1845. Staat und Herrschaft. Römische Kaiserzeit und hohes Mittelalter. Hrsg. v. Friedrich VITTINGHOFF. München u. Wien, Oldenbourg, 82, in-8, 331 p. (Hist. Z., Beih., 7)

1846. STARR (Chester G.). The Roman Empire, 27 B.C. - A.D. 476: a study in survival. London a. New York, Oxford U.P., 83, in-8, XII-206 p. (ill., fig.).

1847. STONE (Shelley C.) III. Sextus Pompey, Octavian and Sicily. Am. J. Archaeol., 83, vol. 87, n° [, p. 11-22.

1848. SYME (Ronald). Domitian. The last years. Chiron, 83, Bd 13, p. 121-146.

1849. URBAN (R.). Wahlkampf im spätrepublikanischen Rom: der Kampf um das Konsulat. Gesch. in Wiss. u. Unterr., 83, Bd 34, p. 607-622;

1850. VERA (D.). La carriera di Virius Nicomachus Flavianus e la prefettura dell'Illirico Orientale nel IV secolo d. C. 1: Pubblico e privato nei cursus honorum gentilizi della tarda antichità. 2: L'Illirico dopo la battaglia di Adrianopoli, tra Oriente e Occidente. Athenaeum [Pavia], 83, a. 61, p. 24-64, 392-426. - IDEM. Lotta politica e antagonismi religiosi nella Roma tardoantica: la vittoria sarmatica di Valentiniano II. Koinōnia, 83, a. 7, p. 133-155.

1851. VLĂDESCU (Cristian M.). Armata romană în Dacia Inferior. (L'armée romaine en Dacia Inferior.) București, Ed. militară, 83, in-8, 303 p.

1852. WANKENNE (André). Aux origines de l'Occident: l'empire romain, de la République cicéronienne à la Cité de Dieu. Namur, Presses univ., 83, in-8, 112 p.

1853. WIRTH (G.). Pompeius - Armenien - Parther: Mutmaßungen zur Bewältigung einer Krisensituation. Bonner Jb., 83, Bd 183, p. 1-60.

1854. WOLFRAM (Herwig). Zur Ansiedlung reichsangehöriger Föderaten. Erklärungsversuche u. Forschungsziele. Mitt. Inst. f. österr. Gesch.-Forsch., 83, Bd 91, p. 5-35.

1855. YAVETZ (Zwi). Julius Caesar and his public image. Ithaca, N.Y., Cornell U.P.; London, Thames a. Hudson, 83, in-8, 288 p. (Aspects of Greek a. Roman Life)

1856. ZAHARIADE (M.). Ammianus Marcellinus (27,5,2), Zosimos (4,11) şi campania lui Valens din anul 367 împotriva goţilor. (Ammien Marcelin, Zosime et la campagne de Valens contre les Goths.) Studii Cercet. Ist. veche Arheol., 83, t. 34, p. 57-70. [Rés. franç.]

Cf. n°s 132, 1171, 1332, 1353, 1366, 1367, 1378, 1471, 2243, 2555.

§ 5. History of law and institutions.

* Cf. n°s 438, 1174, 1175.

1858. AMARELLI (Francesco). Consilia principum. Napoli, Jovene, 83, in-8, 220 p.

1859. APATHY (P.). Die actio Publiciana beim Doppelkauf vom Nichteigentümer. Z. d. Savigny-Stiftung f. Rechtsgesch., Roman. Abt., 82, Bd 99, p. 158-187.

1860. ARICÒ ANSELMO (G.). Ius publicum - ius privatum in Ulpiano, Gaio e Cicerone. A. Semin. giur. Palermo, 83, a. 37, p. 445-487.

1861. BALZARINI (Marco). De iniuria extra ordinem statui. Contributo allo studio del diritto penale romano dell'età classica. Padova, CEDAM, 83, in-8, XVIII-259 p.

1862. BASSANELLI SOMMARIVA (G.). L'imperatore unico creatore ed interprete delle leggi e l'autonomia del giudice nel diritto giustinianeo. Milano, Giuffrè, 83, in-8, 135 p. (Pubbl. del Semin. giur. dell'Univ. di Bologna, 96)

1863. BASSANELLI SOMMARIVA (G.). La legge di Valentiniano III del 7 novembre 426. Labeo, 83, a. 29, p. 280-313.

1864. BAUMANN (Richard A.). The résumé of legislation in Suetonius. Z. d. Savigny-Stiftung f. Rechtsgesch., Roman. Abt., 82, Bd 99, p. 81-127.

1865. BELLONI (G.G.). Tiberio e il Senato di fronte al diritto d'asilo nelle provincie greche, in Tacito (Annales). Civ. class. e crist., 83, a. 4, p. 263-278.

1866. BIANCHI (E.). In tema d'usura. Canoni conciliari e legislazione imperiale del IV secolo. Athenaeum [Pavia], 83, a. 61, p. 321-342.

1867. BOREN (H.C.). Studies relating to the stipendium militum. Historia [Wiesbaden], 83, Bd 32, p. 427-460.

1868. BRUNT (P.A.). Princeps and equites. J. roman Stud., 83, vol. 73, p. 42-75.

1869. BÜRGE (A.). Geld- und Naturalwirtschaft im vorklassischen und klassischen römischen Recht. Z. d. Savigny-Stiftung f. Rechtsgesch., Roman. Abt., 82, Bd 99, p. 128-157.

1870. CARRIE (Jean-Michel). Le colonat du bas empire. Un mythe historiographique? Opus, 82, a. 1, p. 351-370. - IDEM. Un roman des origines: les généalogies du colonat du bas empire. Ibid., 83, a. 2, p. 205-251.

1871. CERVENCA (Giuliano). Il processo privato romano: le fonti. Bologna, Pàtron, 83, in-8, 257 p. (Studi e materiali per gli insegnamenti stor.-giur., 6)

1872. CLAVEL-LEVEQUE (Monique). La domination romaine en Narbonnaise et les formes de représentation des Gaulois. In: Modes de contacts ... [Cf. n° 241], p. 607-635.

1873. CREMADES (Ignacio), PARICIO (Javier). Dos et virtus. Devolución de la dote y sanción a la mujer romana per sus malas costumbres. Barcelon, Bosch, 83, in-8, 80 p.

1874. DALLA (Danilo). Praemium emancipationis. Milano, Giuffrè, 93, in-8, IV-104 p.

1875. DE GIOVANNI (Lucio). Per un studio delle "Institutiones" di Marciano. Studia Doc. Hist. Iuris, 83, t. 49, p. 91-146.

1876. DORUŢIU-BOILĂ (Emilia). Legaţii Moesiei inferioare între 175-180 şi 198-212. (Les légats de la Mésie Inférieure entre 175-180 et 198-212.) Studii clas., 83, t. 22, p. 109-119.

1877. ECK (Werner). Jahres- und Provinzialfasten der senatorischen Statthalter von 69/70 bis 138/139 [Cf. Bibl. 82, n° 1792.] Chiron, 83, Bd 13, p. 147-237.

1878. ERNST (W.). Periculum est emptoris. Z. d. Savigny-Stiftung f. Rechtsgesch., Roman. Abt., 82, Bd 99, p. 216-248.

1879. FASCIONE (Lorenzo). Fraus legi. Indagini sulla concezione della frode alla legge nella lotta politica e nella esperienza giuridica romana. Milano, Giuffrè, 83, in-8, X-262 p. (Quad. di Studi Senesi, 53)

1880. FERRARY (Jean-Louis). Les origines de la loi de majesté à Rome. C. R. Acad. Inscript., 83, p. 556-572.

1881. FESTY (M.). Puissance tribunicienne et salutations impériales dans la titulature des empereurs romains de Dioclétien à Gratien. R. int. Droits Antiquité, 82, vol. 29, p. 193-234.

1882. FITZ (Jenő). L'administration des provinces pannoniennes sous la bas empire romain. Bruxelles, Latomus, 83, in-4, 113 p. (Coll. Latomus, 181)

1883. FITZ (Jenő). Honorific titles of Roman military units in the 3rd century. Bonn, Habelt, 83, in-8, 327 p. (8 ill., 136 tab.).

1884. FOSSATI VANZETTI (Maria Bianchi). Vendita ed esposizione degli infanti da

Costantino a Giustiniano. Studia Doc. Hist. Iuris, 83, t. 49, p. 179-224.

1885. FRIER (B.W.). Urban praetors and rural violence. The legal background of Cicero's Pro Caecina. Trans. am. philol. Assoc., 83, vol. 113, p. 221-241.

1886. GEHRKE (H.J.). Zur Gemeindeverfassung von Pompeji. Hermes, 83, Bd 111, p. 471-490.

1887. GIMÉNEZ-CANDELA (Teresa). La "Lex Irnitana". Une nouvelle loi municipale de la Bétique. R. int. Droits Antiquité, 83, sér. 3, t. 30, p. 125-140.

1888. GIOVANNINI (Adalberto). Volkstribunat und Volksgericht. Chiron, 83, Bd 13, p. 545-566.

1889. GRAEBER (Andreas). Untersuchungen zum spätrömischen Korporationswesen. Frankfurt (Main) u. Bern, Lang, 83, in-8, 186 p. (Europ. Hochschulschr., Reihe 3: Gesch. u. ihre Hilfswiss., 196)

1890. HEINZELMANN (Martin). Gallische Prosopographie 260-527. Francia [München], 82 [83], Bd 10, p. 531-718.

1891. HOLTHEIDE (Bernard). Römische Bürgerrechtspolitik und römische Neubürger in der Provinz Asia. Freiburg (Breisgau), Hochschulverl., 83, in-8, 496 p. (Hochschulsammlung Philos., Gesch., 5)

1892. IPLIKÇIOĞLU (Sıtkı Isa Bülent). Die Repräsentanten des senatorischen Reichsdienstes in Asia bis Diokletian im Spiegel der ephesischen Inschriften. Wien, Verl. d. Wiss. Ges. Österreichs, 83, in-8, V-414 p. (Diss. d. Univ. Wien, 158)

1893. JAHN (J.). Der Sold römischer Soldaten im 3. Jahrhundert n. Chr. Bemerkungen zu ChLA 446, 473 und 495. Z. f. Papyrol. u. Epigr., 83, Bd 53, p. 217-227.

1894. KENNEDY (D.L.). Military cohorts. The evidence of Josephus, BJ, III, 4, 2 (67) and of epigraphy. Z. f. Papyrol. u. Epigr., 83, Bd 50, p. 253-263.

1895. KEPPIE (Lawrence). Colonisation and veteran settlement in Italy 47-14 B.C. London, British School at Rome, 83, in-4, XV-233 p. (ill., 8 pl., maps).

1896. LAHUSEN (Götz). Untersuchungen zur Ehrenstatue in Rom. Literar. u. epigraph. Zeugnisse. Vorw. v. U. HAUSMANN. Roma, Bretschneider, 83, in-8, XIV-166 p. (Archaeologica, 35)

1897. LEWIS (Naphtali). The compulsory public services of Roman Egypt. Firenze, Gonnelli, 82, in-8, 188 p. (Papyrol. Florentina, 11)

1898. LOBRANO (Giovanni). Il potere dei tribuni della plebe. Milano, Giuffrè, 82, in-8, VIII-340 p. (Coll. Fondazione G. Castelli, 46)

1899. LURASCHI (Giorgio). Sulle magistrature nelle colonie latine fittizie (a proposito di Frag. Atest. linn. 10-12).

Studia Doc. Hist. Iuris, 83, t. 49, p. 261-329.

1900. MANCUSO (G.). Praetoris edicta. Riflessioni terminologiche e spunti per la ricostruzione dell'attività edittale del pretore in età repubblicana. A. Semin. giur. Palermo, 83, a. 9, p. 165-183.

1901. MANGAS (J.). Hospitium y patrocinium sobre colectividades públicas: terminos sinónimos? De Augusto a fines de los Severos. Dialogues Hist. anc., 83, vol. 9, p. 165-183.

1902. MILLAR (Fergus). Empire and city, Augustus to Julian. Obligations, excuses and status. J. roman Stud., 83, vol. 73, p. 76-96.

1903. MURGA (José Luis). La addictio del Gobernador en los litigios provinciales. R. int. Droits Antiquité, 83, sér. 3, t. 30, p. 151-183.

1904. OLDENSTEIN-PFERDEHIRT (B.). Die römischen Hilfstruppen nördlich des Mains. Jb. d. röm.-german. Zentralmus., 83, Bd 30, p. 303-348.

1905. ORS (Álvaro d'). Nuevos datos de la Ley Irnitana sobre jurisdicción municipal. Studia Doc. Hist. Iuris, 83, t. 49, p. 18-50.

1906. ORS (Álvaro d'), GIMÉNEZ-CANDELA (Teresa). Fianza parcial. R. int. Droits Antiquité, 83, sér. 3, t. 30, p. 101-123.

1907. POMA (G.). Provvedimenti legislativi e attività censoria di Claudio verso gli schiavi e i liberi. R. stor. Antichità, 82, a. 12, p. 143-174.

1908. RANTZ (B.). Les droits de la femme romaine tels qu'on peut les apercevoir dans le Pro Caecina de Cicéron. R. int. Droits Antiquité, 82, t. 29, p. 265-280.

1909. SANTORO (R.). Il testamentum militis nell'età di Nerva e Traiano. At. Accad. Sci. pol. mor. Napoli, 83, a. 94, p. 187-197.

1910. SCARANO USSANI (Vincenzo). Privilegium exigendi e ideologia della città negli anni di Marco Aurelio. Labeo, 83, a. 29, p. 255-279.

1911. SIRKS (A.J.B.). The lex Junia and the effects of informal manumission and iteration. R. int. Droits Antiquité, sér. 3, t. 30, p. 211-292.

1912. SYME (Ronald). The proconsuls of Asia under Antoninus Pius. Z. f. Papyrol. u. Epigr., 83, Bd 51, p. 271-290. - IDEM. Problems about proconsuls of Asia. Ibid., Bd 53, p. 191-208.

1913. VENDRAND-VOYER (Jacqueline). Normes civiques et métier militaire à Rome sous le Principat. Clermont-Ferrand, ADOSA, 83, in-8, 348 p.

1914. ZAHARIADE (M.). Legio II Herculia. R. Et. sud-est europ., 83, t. 21, p.

247-259. [Text deutsch]

Cf. n°s 1393, 1806, 1963.

§ 6. Economic and social history.

* Cf. n° 1370.

1915. BAUMANN (Victor Heinrich). Ferma romană din Dobrogea (sec. I-IV e. n.). (La ferme romaine en Dobroudja, Ier-IVe s. de n. è.) Tulcea, Muzeul Deltei Dunării, 83, in-8, 280 p.

1916. BESNIER (R.), HOPITAL (R.). Les communautés rurales dans l'empire romain. Rec. Soc. J. Bodin, 83, t. 41, p. 431-468.

1917. BESSONE (L.). La gente Tarquinia. R. Filol. Istruz. class., 82, a. 110, p. 394-415.

1918. BIANCHI (Angelo). Aspetti della politica economico-sociale di Filippo l'Arabo. Aegyptus, 83, a. 63, p. 185-198.

1919. "Bourgeoisies" (Les) municipales italiennes aux IIe et Ier siècle av. J.-C. [Colloque international du C.N.R.S.,] Centre Jean Bérard, Institut Français de Naples, 7-10 déc. 1981. Paris, Ed. du C.N.R.S., 83, in-4, 470 p. (84 fig., 5 dépl.). (Colloques internat. du C.N.R.S., 609. Biblioth. de l'Inst. franç. de Naples, sér. 2, 6)

1920. BRÖDNER (Erika). Die römischen Thermen und das antike Badewesen. Eine kulturhist. Betrachtung. Darmstadt, Wiss. Buchges., 83, in-8, XI-306 p. (80 Taf.) [Cf. n° 2043.]

1921. BUCK (Robert J.). Agriculture and agricultural practice in Roman law. Wiesbaden, Steiner, 83, in-8, 59 p. (Historia, Einzelschr., 45)

1922. CARANDINI (A.). Columella's vineyard and the rationality of the Roman economy. Opus, 83, a. 2, p. 177-204.

1923. CURCHIN (Leonard A.). Personal wealth in Roman Spain. Historia [Wiesbaden], 83, Bd 32, p. 227-244.

1924. DOMERGUE (Claude). La mine antique d'Aljustrel (Portugal) et les tables de bronze de Vipasca. Paris, de Boccard, 83, in-8, 210 p. (36 pl.). (Publ. du Centre Pierre Paris, 9. Coll. de la Maison des Pays ibériques, 12)

1925. GIUFFRIDA IENTILE (M.). La pirateria tirrenica. Momenti e fortuna. Roma, Bretschneider, 83, in-8, 106 p. (Kokalos, Suppl., 6)

1926. HAVAS (László). Rome and the aurum sacrum. Oikumene, 83, t. 4, p. 233-248.

1927. HEINZ (Werner). Römische Thermen. Badewesen und Badeluxus im Römischen Reich. München, Hirmer, 83, in-4, 230 p. (205 Abb.). (Antike Welt)

1928. HERZIG (H.E.). Frauen in Ostia. Ein Beitr. z. Sozialgesch. d. Hafenstadt Roms. Historia [Wiesbaden], 83, Bd 32, p. 77-92.

1929. HOPKINS (Keith). Death and renewal. London a. New York, Cambridge U.P., 83, in-8, XX-276 p. (Sociological Stud. in Roman Hist., 2)

1930. JOHNE (Klaus-Peter), KOHN (Jens), WEBER (Volker). Die Kolonen in Italien und den westlichen Provinzen des Römischen Reiches. Eine Untersuchung d. literar., jurist. u. epigraph. Quellen vom 2. Jh. v. u. Z. bis zu d. Severern. Berlin, Akad.-Verl., 83, in-8, 487 p. (4 p. Abb., Kt.). (Schr. z. Gesch. u. Kultur d. Antike, 21)

1931. KNEISSL (P.). Mercator - negotiator. Röm. Geschäftsleute u. die Terminologie ihrer Berufe. Münstersche Beitr. z. ant. Handelsgesch., 83, Bd 2, n° 1, p. 73-90.

1932. KNIGHTS (B.A.) a. others. Evidence concerning the Roman military diet at Bearsden, Scotland, in the 2nd cent. A.D. J. archaeol. Sci., 83, vol. 10, p. 139-152.

1933. KRONEMAYER (Volker). Beiträge zur Sozialgeschichte des römischen Mainz. Frankfurt (Main), Bern u. New York, Lang, 83, in-8, 255 p. (Europ. Hochschulschr., Reihe 3: Gesch. u. ihre Hilfswiss., 199)

1934. KUHOFF (Wolfgang). Studien zur zivilen senatorischen Laufbahn im 4. Jahrhundert n. Chr. Ämter u. Amtsinhaber in Clarissimat u. Spektabilität. Frankfurt (Main) u. Bern, Lang, 83, in-8, 469 p. (Europ. Hochschulschr., Reihe 3: Gesch. u. ihre Hilfswiss., 162)

1935. KUNOW (Jürgen). Der römische Import in der Germania libera bis zu den Markomannenkriegen. Studien zu Bronze- u. Glasgefäßen. Neumünster, Wachholtz, 83, in-8, 208 p. (Ill., Kt.). (Göttinger Schr. z. Vor- u. Frühgesch., 21)

1936. LEVEAU (Philippe). La ville antique et l'organisation de l'espace rural: villa, ville, village. A. Ec., Soc., Civ., 83, a. 38, p. 920-942.

1937. LEWIS (Naphtali). Life in Egypt under Roman rule. London a. New York, Oxford U.P., 83, in-8, X-240 p. (8 pl., 2 maps).

1938. LILJA (Saara). Homosexuality in Republican and Augustan Rome. Helsinki, Soc. Scientiarum Fennica, 83, in-8, 164 p. (Comment. hum. litt., 74)

1939. LJAPUSTIN (B.S.). Struktura svjazej remeslennykh masterskikh s rynkom i sel'skokhozjajstvennoj okrugoj v Pompejakh 1 v. n. è. (The connections of craft workshops in Pompeii, first century A.D.) Vestn. drevn. Ist., 83, n° 2, p. 59-80.

1940. MERRIFIELD (Ralph). London: city of the Romans. Berkeley a. Los Angeles, Univ. of California Press, 83, in-8, XI-288 p.

6. ECONOMIC AND SOCIAL HISTORY

1941. MERTEN (Elke W.). Bäder und Badegepflogenheiten in der Darstellung der Historia Augusta. Bonn, Habelt, 83, in-8, VIII-151 p. (Antiquitas, Reihe 4: Beitr. z. Historia-Augusta-Forsch., 16)

1942. METUŠEVSKAJA (O.S.). Agrarnyj vopros v Rime 70-kh gg. 1 v. do n. ě. (The agrarian question in Rome in the seventies of the first century B.C.) Vestn. drevn. Ist., 83, n° 4, p. 139-149.

1943. MEYER (Jørgen Christian). Det tidlige romerske agrarsamfund. (Early Roman agraria society.) [Norsk] Hist. T., 83, vol. 62, p. 1-18. [Eng. summary]

1944. Mines et fonderies antiques de la Gaule. Table ronde du C.N.R.S., Univ. de Toulouse-Le Mirail, 21-22 nov. 1980. Paris, Ed. du C.N.R.S., 83, in-4, 329 p. (ill.).

1945. MROZEWICZ (L.). Munizipalaristokratie in Moesia Inferior. Eos, 82, t. 70, p. 299-318.

1946. PALMER (Robert E. A.). On the track of the ignoble. Athenaeum [Pavia], 83, a. 61, p. 343-361.

1947. PATOURA (S.). Emporikes scheseis tēs Byzantinēs autokratorias kai tōn laōn tou katō Dounabē (4os - 6os ai.). Archaiologikes martyries. (Relations commerciales de l'empire byzantin avec les populations du Bas-Danube, IVe - VIe s. Témoignages archéologiques.) In: Praktika 4' Panhellēniou hist. Synedriou [Cf. n° 746], p. 91-105. - IDEM. Hē Byzantinē autokratoria kai hoi laoi tou katō Dounabē. Symbolē stē meletē tōn emporikōn tous scheseōn (4os - 6os ai.). Philologikes pēges. (L'empire byzantin et les populations du Bas-Danube. Contribution à l'étude de leurs relations commerciales, IVe - VIe s. Sources philologiques.) Symmeikta, 83, t. 5, p. 333-359.

1948. PLFAUM (Hans Georg). Les carrières procuratoriennes équestres sous le haut empire romain. supplément [à Bibl. 62, n° 2145.]. Paris, Geuthner, 82, in-8, 184 p. (Inst. franç. d'archéol. du Proche-Orient, Bibl. archéol. et hist., 112)

1949. PURCELL (N.). The apparitores. A study in social mobility. Pap. brit. School Rome, 83, vol. 51, p. 125-173.

1950. RATHBONE (D.W.). Italian wines in Roman Egypt. Opus, 83, a. 2; p. 81-98.

1951. REMESAL-RODRÍGUEZ (J.). Ölproduktion und Ölhandel in der Baetica. Ein Beispiel für d. Verbindung archäol. u. hist. Forschung. Münstersche Beitr. z. ant. Handelsgesch., 83, Bd 2, H. 2, p. 91-111. [Cf. Bibl. 82, n° 1869]

1952. RICH (J.W.). The supposed Roman manpower shortage of the later second century B.C. Historia [Wiesbaden], 83, Bd 32, p. 287-331.

1953. ROBERT (Jean-Noël). Les plaisirs à Rome. Paris, Belles Lettres, 83, in-8, 232 p. (50 ill.). (Coll. Realia)

1954. SALZA PRINA RICOTTI (Eugenia). L'arte del convito nella Roma antica, con 90 ricette. Roma, L'Erma, 83, in-8, 320 p. (121 ill.). (Studia archaeol., 35)

1955. SCHLEICH (T.). Überlegungen zum Problem senatorischer Handelsaktivitäten. 1: Senatorische Wirtschaftsmentalität in moderner und antiker Deutung. Münstersche Beitr. z. ant. Handelsgesch., 83, Bd 2, H. 2, n° 65-90.

1956. SCHNEIDER (H.C.). Die Getreideversorgung der Stadt Antiochia im 4. Jahrhundert n. Chr. Münstersche Beitr. z. ant. Handelsgesch., 83, Bd 2, H. 1, p. 59-72.

1957. SELECKIJ (B.P.). Finansovaja politika optimatov i populjarov v konce 90-80-kh godov 1 v. do n. ě. (The financial policies of the optimates and populares in the 90s a. 80s of the first cent. B.C.) Vestn. drevn. Ist., 83, n° 1, p. 148-162. [Cf. Bibl. 82, n° 1874]

1958. SHAW (Brent D.). Lamasba: an ancient irrigation community. Antiquités afric., 82 [83], t. 18, p. 61-103 (2 fig., 13 tables, 5 charts).

1959. SIRAGO (V.A.). Fimminismo a Roma nel Primo Impero. Soveria Manelli, Rubbettino, 83, in-8, 233 p. (Scaffale universitario, 1)

1960. SPURR (S.). The cultivation of millet in Roman Italy. Pap. brit. School Rome, 83, vol. 51, p. 1-15.

1961. Studien zur römischen Stadtentwicklung in Italien und Thrakien. Berlin, Akad.-Verl., 83, in-8, 246 p. (Jb. f. Wirtschaftsgesch., Sonderband, 1983)

1962. SUOLAHTI (Jaakko). The stubborn tradition of an office-holding family: the Laetorii. Studia hist.]Helsinki], 83, t. 12, p. 179-187.

1963. TABORELLI (L.). Vasi di vetro con bollo monetale. Note sulla produzione, la tassazione e il commercio degli unguenti aromatici nella prima età imperiale. Opus, 82, a. 1, p. 315-340.

1964. THORNTON (L. K.), THORNTON (R. L.). Manpower needs for the public works programs of the Julio-Claudian emperors. J. econ. Hist., 83, vol. 43, n° 2, p. 373-378.

1965. TROUSSET (Pol). Le franchissement des chotts du Sud tunisien dans l'antiquité. Antiquités afric., 82 [83], t. 18, p. 45-59 (6 fig.).

1966. VEYNE (Paul). Le folklore à Rome et les droits de la conscience publique sur la conduite individuelle. Latomus, 83, t. 42, p. 3-30.

1967. VISKY (K.). Spuren der Wirtschaftskrise der Kaiserzeit in den römischen Rechtsquellen. Budapest, Akad. Kiadó, 83, in-8, 260 p.

Cf. n°s 1167, 1384, 1396, 1907, 2838.

§ 7. History of literature, philosophy and science.

* 1968. Ausone. Bibliographie objective et subjective. Ed. par Charles-Marie TERNES. B. Antiq. luxemb., 83, t. 14, 126 p.

1969. ALONSO-NÚÑEZ (José M.). Ammianus Marcellinus in der Forschung von 1970 bis 1980. Anz. f. d. Altertumswiss., 83, Bd 36, p. 1-18.

1970. ALONSO-NÚÑEZ (José M.). Die politische und soziale Ideologie des Geschichtsschreibers Florus. Bonn, Habelt, 83, in-8, 41 p.

1971. ANDRÉ (Jean-Marie). Sénèque théologien. L'évolution de sa pensée jusqu'au De superstitione. Helmantica, 83, t. 34, p. 55-71.

1972. ASMIS (Elizabeth). Rhetoric and reason in Lucretius. Am. J. Philol., 83, vol. 104, n° 1, p. 36-68.

1973. Atti del convegno virgiliano di Brindisi nel bimillenario della morte, Brindisi 15-18 ottobre 1981. Napoli, Liguori, 83, in-8, XV-390 p. (Pubbl. Istit. di Filol. latina dell'Univ. di Perugia)

1974. BALL (Robert J.). Tibullus the elegist. A critical survey. Göttingen, Vandenhoeck u. Ruprecht, 83, in-8, 253 p. (Hypomnemata, 77)

1975. ČERNJAK (A.B.). Tacit i žanr parnykh rečej polkovodcev v antičnoj istoriografii. (The length of concluding sentences in the paired speeches of Tacitus.) Vestn. drevn. Ist., 83, n° 4, p. 150-162.

1976. CHRISTES (J.). Beobachtungen zur Verfassungsdiskussion in Ciceros Werk De re publica. Historia [Wiesbaden], 83, Bd 32, p. 461-483.

1977. Colloquium Propertianum Tertium, Assisi, 29-31 maggio 1981. Atti. A cura di S. VIVONA. Assisi, Accad. Properziana del Subasio, 83, in-8, 165 p.

1978. COX (Patricia). Biography in late antiquity: a quest for the holy man. Berkeley a. Los Angeles, Univ. of California Press, 83, in-8, XVI-166 p.

1979. CRISCUOLO (U.). Sull'epistola di Giuliano imperatore al filosofo Temistio. Koinōnia, 83, a. 7, p. 89-111.

1980. CUGUSI (Paolo). Evoluzione e forme dell'epistolografia latina nella tarda repubblica e nei primi due secoli dell'impero, con cenni sull'epistolografia preciceroniana. Roma, Herder, 83, in-8, 289 p.

1981. DUE (O.S.). La position politique de Salluste. Classica et Mediaevalia, 83, t. 34, p. 113-139.

1982. EHLERS (W.W.). Frontiniana. Anmerkungen zum ersten Buch der Schrift Frontins über die Wasserversorgung Roms. Rhein. Mus., 83, Bd 126, p. 72-91.

1983. ERREN (Manfred). Einführung in die römische Kunstprosa. Darmstadt, Wiss. Buchges., 83, in-8, IX-259 p. (Die Altertumswiss.)

1984. EVANS (H.B.). Publica carmina. Ovid's books from exile. Lincoln, Univ. of Nebraska Press, 83, in-8, XI-202 p.

1985. GAMBERINI (Federico). Stylistic theory and practice in the younger Pliny. Hildesheim, Zürich u. New York, Olms, 83, in-8, XI-546 p. (Altertumswiss. Texte u. Stud., 11)

1986. GHIZZONI (Flaminio). Sulpicio Severo. Roma, Bulzoni, 83, in-8, 328 p. (Univ. degli Studi di Parma, Ist. di Lingua e Lett. lat., 8)

1987. GIANOTTI (Gian Franco). Asini e schiavi. Zoologia filosofica e ideologie della dipendenza nelle Metamorfosi apuleiane. Quad. Storia, 83, a. 9, n° 18, p. 121-153.

1988. GIRARDET (Klaus M.). Die Ordnung der Welt. Ein Beitr. z. philos. u. polit. Interpretation von Ciceros Schrift De legibus. Wiesbaden, Steiner, 83, in-8, X-260 p. (Historia, Einzelschr., 42)

1989. GOUREVITCH (Danielle). Présence de la médecine rationelle gréco-romaine en Gaule. R. archéol. Centre, 82, vol. 21, p. 203-226.

1990. GRILLI (A.). Orazio e l'epicureismo (ovvero Serm. I, 3 ed Epist. I, 2). Helmantica, 83, a. 34, p. 267-292.

1991. GRIMAL (Pierre). Virgile artisan de l'empire romain. C. R. Acad. Inscript., 82, p. 748-760.

1992. HARDIE (A.). Statius and the Silvae. Poets, patrons and epideixis in the Graeco-Roman world. Liverpool, Cairns, 83, in-8, VIII-261 p. (Classica et Mediev., 9)

1993. HARTKE (Werner). Mathematisches Kalkül in der römischen Strategie an Schelde und Maas, Rhein und Main. Militärgesch., 83, Bd 26, p. 312-332.

1994. JERPHAGNON (Lucien). Vivre et philosopher sous l'empire chrétien. Toulouse, Privat, 83, in-8, 213 p.

1995. KASTER (R.A.). Notes on primary and secondary schools in late antiquity. Trans. Proc. am. philol. Assoc., 83, vol. 113, p. 323-346.

1996. KONSTAN (David). Roman comedy. Ithaca, N.Y., Cornell U.P., 83, in-8, 182 p.

1997. LAW (W.). The insular Latin grammarians. Woodbridge, Suffolk, Boydell, 82, in-8, XIV-131 p. (Stud. in Celtic Hist., 3)

1998. Livius - Werk und Rezeption. Festschrift für Erich Burck zum 80.

7. HISTORY OF LITERATURE, PHILOSOPHY AND SCIENCE

Geburtstag. Hrsg. v. Eckard LEFEVRE, Eckart OLSHAUSEN. München, Beck, 83, in-8, 447 p.

1999. MANČAL (Josef). Untersuchungen zum Begriff der Philosophie bei M. Tullius Cicero. München, Fink, 82, in-8, 212 p. (Humanist. Bibl., 1: Abh., Texte, Skripten, 39)

2000. MARCONE (Arnaldo). Commento storico al libro VI dell'Epistolario di Q. Aurelio Simmaco. Introd., comm. stor., testo, trad., indici. Pisa, Giardini, 83, in-8, 238 p. (Bibl. di studi ant., 37)

2001. MARTELLI (F.). Introduzione alla Expositio totius mundi. Analisi etnografica e tematiche politiche in un'opera anonima del IV secolo. Bologna, Barghigiani, 82, in-8, 159 p.

2002. MOSSBRUCKER (Brigitte). Tibull und Messalla. Eine Untersuchung z. Selbstverständnis d. Dichters Tibull. Bonn, Habelt, 83, in-8, VIII-215 p. (Habelts Diss.-Drucke, Reihe Klass. Philol., 34)

2003. NOVARA (A.). Les idées romaines sur le progrès d'après les écrivains de la République. [1. Cf. Bibl. 82, n° 1908.] 2. Paris, Belles Lettres, 83, in-8, p. 561-884.

2004. Orazio. Periegesi di studio. Atti del XV Convegno di studi internazionali (7-10 ottobre 1982). Venosa, Osanna, 83, in-8, X-181 p.

2005. PAVAN (M.). Graecia capta. La cultura greca nell'Italia romana. Veltro, 83, a. 27, p. 83-96.

2006. PRATT (Norman). Seneca's drama. Chapel Hill, Univ. of North Carolina Press, 83, in-8, X-229 p.

2007. RAWSON (Elizabeth). Cicero, a portrait. Bristol, Classical Press, 83, in-8, XVI-341 p.

2008. RICHLIN (Annie). The garden of Priapus: sexuality and aggression in Roman humor. New Haven, Conn., a. London, Yale U.P., 83, in-8, XII-289 p.

2009. RÖRING (Christoph Wilhelm). Untersuchungen zu römischen Reisewagen. Koblenz, Numism. Verl. Forneck, 83, in-8, 189 p. (28 Taf., 4 Kt.).

2010. ROGGERONE (G.A.). La crisi del platonimso nel Sofisto e nel Politico. Lecce, Milella, 83, in-8, 864 p. (Univ. di Lecce, Pubbl. del Dipart. di Filos., 1)

2011. SALEMME (Carmelo). Introduzione agli Astronomica di Manilio. Napoli, Soc. ed. Napoletana, 83, in-8, 176 p. (Studi e testi dell'ant., 15)

2012. SALLMANN (Klaus). Censorinus' De die natali. Zwischen Rhetorik und Wissenschaft. Hermes, 83, Bd 111, p. 233-248. [Cf. n° 1728]

2013. SARKISSIAN (J.). Catullus 68. An intepretation. Leiden, Brill, 83, in-8, X-58 p. (Mnemosyne, suppl., 76)

2014. SCHMID (Walter). Vergil-Probleme. Göppingen, Kümmerle, 83, in-8, III-391 p. (Ill.). (Göppinger Akad., Beitr., 120)

2015. SCHMITTHENNER (W.). Die Zeit Vergils. Von d. späten Republik z. augusteischen Monarchie. Gymnasium, 83, Bd 90, p. 1-16.

2016. Seneca tragicus. Ed. by A. J. BOYLE. 83, in-8, 83 p. (Ramus Essays on Senecan Drama)

2017. SIMMS (D.L.). Water-driven saws, Ausonius, and the authenticity of the Mosella. Technol. a. Culture, 83, vol. 24, p. 635-643.

2018. SPALTENSTEIN (Fr.). Commentaire des Elégies de Maximien. Genève, Droz, 83, in-8, 340 p. (Bibliotheca Helvetica Romana, 20)

2019. SPRUTE (J.). Rechts- und Staatsphilosophie bei Cicero. Phronesis, 83, Bd 28, p. 150-176.

2020. STRASBURGER (Hermann). Vergil und Augustus. Gymnasium, 83, Bd 90, p. 41-76.

2021. Studies in Latin literature and Roman history. Ed. by C. DEROUX. 3. Bruxelles, Latomus, 83, in-4, 440 p. (Coll. Latomus, 180)

2022. TRAGLIA (A.). Problemi di letteratura latina arcaica. Cultura e Scuola, 83, a. 22, n° 85, p. 68-81.

2023. Vergil. 13 Beiträge zum Bimillenarium Vergilianum. Von Walter SCHMITTHENNER, Eckard LEFEVRE, Hermann STRASBURGER u. a. Gymnasium, 83, Bd 90, H. 1-2, p. 1-286.

2024. WALLACE-HADRILL (Andrew). Suetonius: the scholar and his Caesars. London, Duckworth, 83, in-8, VIII-216 p. (Classical Life a. Letters)

2025. WIDMER (Paul). Die unbequeme Realität. Studien z. Niedergangsthematik in d. Antike. Stuttgart, Klett-Cotta, 83, in-8, 202 p. (Sprache u. Gesch., 8)

2026. WILLE (Günther). Der Aufbau der Werke des Tacitus. Amsterdam, Grüner, 83, in-8, VIII-673 p. (Heuremata, 9)

2027. WILLIAMS (Gordon). Technique and ideas in the Aeneid [Virgil's]. New Haven, Conn., a. London, Yale U. P., 83, in-8, X-301 p.

2028. WOOD (Neal). The economic dimension of Cicero's political thought: property and state. Canad. J. polit. Sci., 83, vol. 16, n° 4, p. 739-756.

2029. WOOTEN (Cecil W.). Cicero's Philippics and their Demosthenic model. The rhetoric of crisis. Chapel Hill, Univ. of North Carolina Press, 83, in-8, XII-200 p.

2030. ZECCHINI (Giuseppe). Modelli e problemi teorici della storiografia nell'età degli Antonini. Critia stor., 83, a. 20, p. 3-31.

2031. 2000 [Zweitausend] Jahre Vergil. Ein Symposium. Hrsg. v. Viktor POESCHL. Wiesbaden, Harrassowitz, 83, in-8, VIII-222 p. (Wolfenbütteler Forsch., 24)

Cf. n°s 480, 489, 1377, 1379, 1380, 1386, 1623, 1785, 1792.

§ 8. Religion and mythology.

2032. BARTALUCCI (A.). Il neopitagorismo di Germanico. Studi class. orient., 83, a. 33, p. 133-169.

2033. GIACCHERO (Marta). Santuari indigeni nell'impero romano: i cavalieri danubiani e il cavaliere trace. Contrib. Istit. Stor. ant. Univ. S. Cuore, 83, a. 9, p. 168-195.

2034. PENATI (A.). Le seduzioni della potenza delle tenebre nella polemica anticristiana di Giuliano. Vetera Christianorum, 83, t. 20, p. 329-340. - IDEM. L'influenza del sistema caldaico sul pensiero teologico dell'imperatore Giuliano. R. Filos. neoscol., 83, a. 75, p. 543-562.

2035. TURCAN (Robert). Numismatique romaine du culte métroaque. Leiden, Brill, 83, in-8, VI-72 p. (36 p. de pl.). (Et. prélim. aux religions orient. dans l'Empire romain, 97)

Cf. n°s 965, 1382, 1394, 1756, 1757, 1787.

§ 9. Archaeology and history of art.

2036. ABAD CASAL (L.). Aspectos técnicos de la pintura mural romana. Lucentum, 82, t. 1, p. 135-171.

2037. ADAM (Jean-Pierre). Dégradation et restauration de l'architecture pompéienne. Avec la collab. de Michel FRIZOT. Paris, Ed. du C.N.R.S, 83, in-4, 62 p. (72 pl.).

2038. ANDERSON (Alastair Scott). Roman military tombstones. Aylesbury Shire Publ., 83, in-8, 64 p. (ill., fig.).

2039. BĂLUȚĂ (Cloșca L.). Pătrunderea și difuzarea sigilatelor de Rheinzabern și Westerndorf în Dacia Superior. (La pénétration et la diffusion de la "terra sigillata" de Rheinzabern et de Westerndorf dans la Dacie Supérieure.) Sargetia, 82-83, t. 16-17, p. 209-226.

2040. BARBERY (Jean), DELHOUME (Jean-Pierre). La voie romaine de piedmont Sufetula - Masclianae (Djebel Mrhila, Tunisie centrale). Antiquités afric., 82 [83], t. 18, p. 27-43 (15 fig., carte).

2041. BOWMAN (A.K.). Roman writing tablets from Vindolanda. London, Brit. Mus., 83, in-4, 48 p. (ill.).

2042. BREEZE (David J.). Roman forts in Britain. Aylesbury, Shire Publ., 83, in-8, 72 p. (ill., fig.).

2043. BRÖDNER (E.). Klimatechnik in römischen Bauten. Jber. aus Augst u. Kaiseraugst, 83, Bd 3, p. 157-174.

2044. COARELLI (Filippo). Architettura sacra e architettura privata nella tarda Repubblica. In: Architecture et société [Cf. n° 225], p. 191-217.

2045. Città e architettura nella Roma imperiale. Atti del seminario del 27 ottobre 1981 nel 25° anniversario dell'Accademia di Danimarca. Odense, Univ. Press, 83, 233 p. (ill.). (Analecta romana Inst. danici, Suppl., 10)

2046. COARELLI (Filippo). Il Foro romano. 1: Periodo arcaico. Roma, Quasar, 83, 329 p. (84 ill.).

2047. COCIȘ (Sorin), NEMEȘ (Emil). Fibule romane de la Ulpia Traiana Sarmizegetusa. (Agrafes romaines de Ulpia Traiana Sarmizegetusa.) Acta Musei napocensis, 83, t. 20, p. 433-449.

2048. CORNEA (Andrei). Mentalități culturale și forme artistice în epoca romano-bizantină (300-800). (Mentalités culturelles et formes artistiques à l'époque romano-byzantine.) Bucuresti, Meridiane, 83, in-8, 304 p.

2049. Corpus de mosaicos de España. [Fasc. 4, 5. Cf. Bibl. 82, n° 1949.] Fasc. 6: BLÁZQUEZ (José María), ORTEGA (Teógenes). Mosaicos romanos de Soria. Madrid, Inst. español de Arqueol., 83, in-4, 106 p. (38 lám.).

2050. DAVID (Jean-Michel). Le tribunal dans la basilique: évolution fonctionnelle et symbolique, de la République à l'Empire. In: Architecture et société [Cf. n° 225], p. 219-245.

2051. DIETZ (Karlheinz). Kastellum Sablonetum [bei Ellingen, Bayern] und der Ausbau des rätischen Limes unter Kaiser Commodus. Chiron, 83, Bd 13, p. 497-536.

2052. DI VITA (Antonio). Architettura e società nelle città di Tripolitania fra Massinissa e Augusto: qualche note. In: Architecture et société [Cf. n° 225], p. 355-376.

2053. DOBBINS (John J.). Excavation of the Roman villa at La Befa, Italy. London, Brit. Archaeol. Rep., 83, in-4, 203 p. (ill.).

2054. DÜRR (Carl). Die römische Großvermessung in der westlichen Schweiz bis zur Grenze Luzerns sowie im Saar- und Rheinland mit ihren vier Dutzend Steinsäulen. Basel, Dürr, 83, in-4, 64 p. (22 Ill.). (Imperium dimensurandum, 1)

2055. DURET (Luc), NERAUDAU (Jean-Pierre). Urbanisme et métamorphoses de la Rome antique. Préf. de Pierre GRIMAL. Paris, Belles Lettres, 83, in-8, 412 p. (ill., 50 p. de pl., 17 cartes et plans). (Coll. Realia)

2056. FERENCZI (István). Observații tipologice și comparative cu privire la castrele de marș romane situate în zona cetăților dacice din Munții Șurianului.

(Observations typologiques et comparatives sur les camps romains de marche situés dans le zone des fortifications daces des Monts de Şurianu.) Sargetia, 82-83, t. 16-17, p. 179-200.

2057. Fouilles de l'Ecole française de Rome à Bolsena (Poggio Moscini). [5. Cf. Bibl. 80, n° 1658.] 6: Les abords du Forum. Le côté nord-ouest (fouilles 1971-1973). Par G. HALLIER, M. HUMBERT, P. POMEY, suivi d'annexes par A. BARBET et al. Paris, de Boccard, 83, in-4, X-152 p. (77 ill.). (Mém. de l'Ec. franç. de Rome, suppl., 6)

2058. FRERE (Sheppard S.). Verulamium excavations. Vol. 2. London, Soc. of Antiq., 83, in-4, 362 p. (ill., fig.).

2059. FRERE (Sheppart S.), ST. JOSEPH (J.K.S.). Roman Britain from the air. London, Cambridge U.P., 83, in-8, 232 p. (ill., dr.). (Cambridge Air Surveys)

2060. GIL ALBARRACÍN (A.). Consctrucciones romanas de Almería. Almería, Cajal, 83, in-8, 182 p. (33 fig.). (Bibl. de Temas Almerienses. Serie: Monogr., 6)

2061. GULLINI (Giorgio). Terrazza, edificio, uso dello spazio. Note su architettura et società nel periodo medio e tardo repubblicano. In: Architecture et société [Cf. n° 225], p. 119-189.

2062. GUNNEWEG (Jan), PERLMAN (Isadore), YELLIN (Joseph). The provenience, typology and chronology of Eastern Terra Sigillata. Jerusalem, Hebrew Univ., 83, in-4, 120 p. (ill., tables, maps). (Kedem monographs of the Inst. of Archaeol., 17)

2063. Handbook (A) of Roman art. A survey of the visual arts of the Roman world. Ed. by Martin HENIG. Ithaca, N.Y., Cornell U.P.; London, Phaidon, 83, in-8, 320 p. (250 fig., 16 pl.).

2064. HANSON (William S.), MAXWELL (Gordon S.). Rome's northwest frontier: the Antonine wall. Edinburgh, Univ. Press, 83, in-8, XIV-247 p. (85 ill., plans, maps).

2065. HODGE (A.T.). Siphons in Roman aqueducts. Pap. brit. School Rome, 83, vol. 51, p. 174-221.

2066. HÖCKMANN (Olaf). Keltisch oder römisch? Bemerkungen zur Typogenese der spätröm. Ruderschiffe von Mainz. Jb. d. röm.-german. Zentralmus. Mainz, 83, Bd 30, p. 403-434.

2067. IL'INSKAJA (L.S.). Nakhodki v drevnem Lacii i ikh mesto v ponimanii tradicii ob Ênee na Zapade. (Objects found in Latium Vetus and their bearing on the Aeneas tradition in Occident.) Vestn. drevn. Ist., 83, n° 3, p. 146-158.

2068. JOBST (Werner). Provinzhauptstadt Carnuntum. Österreichs größte archäol. Landschaft. Unter Mitarbeit v. Herma STIGLITZ u. Manfred KANDLER. Wien, Österr. Bundesverl., 83, in-4, 207 p. (16 Bl. Abb.). (Ein Österreich-Thema aus d. Bundesverlag)

2069. JOHNSON (Anne). Roman forts of the 1st and 2nd centuries A.D. in Britain and the German provinces. London, Black, 83, in-8, 376 p. (pl.).

2070. JOHNSON (Stephen). Late Roman fortifications. London, Batsford; Totowa, N.J., Barnes a. Noble, 83, in-4, 315 p. (ill., maps).

2071. Journées d'études sur les aqueducs romains. Tagung über römische Wasserversorgungsanlagen, Lyon, 26-28 mai 1977. Actes. Publ. sous la dir. de J.-P. BOUCHER. Paris, Belles Lettres, 83, in-8, XI-369 p. (ill.). (Coll. d'Etudes anc.)

2072. KOCKEL (V.). Die Grabbauten vor dem Herkulaner Tor in Pomeji. Mainz, v. Zabern, 83, in-4, XII-212 p. (41 Abb., 70 Taf., Faltplan). (Beitr. z. Erschließung hellenist. u. kaiserzeitl. Skulptur u. Architektur, 1)

2073. KRIER (Jean), WAGNER (Robert). Römisches Landgut bei Wasserbillig/Langsur "an de Fréinen" [Luxemburg]. Hémecht, 83, Bd 35, p. 211-276 (ill.).

2074. LANCHA (Janine). La mosaïque cosmologique de Mérida: étude technique et stylistique. I. Mél. Casa de Velázquez, 83, t. 19, p. 17-68 (12 fig.).

2075. LANGE (Per-Adolf). Antik funktionalism: den romerska amfiteatern. (Fonctionnalisme de l'époque antique: l'amphithéâtre romain.) Finsk T., 83, t. 213-214, p. 233-243.

2076. LAUXEROIS (Roger). Le bas Vivarais à l'époque romaine: recherches sur la cité d'Alba. Paris, de Boccard, 83, in-8, 320 p. (ill., pl.). (R. archéol. de Narbonnaise, Suppl., 9)

2077. LEVEAU (Philippe). Les maisons nobles de Caesarea de Maurétanie. Antiquités afric., 82 [83], t. 18, p. 109-165 (46 fig.).

2078. McWHIRR (Alan) a. others. Romano-British cemeteries at Cirencester. Cirencester, Corinium Museum, 83, in-4, 220 p. (ill., fig.).

2079. MARVIN (Miranda). Freestanding sculptures from the baths of Caracalla. Am. J. Archaeol., 83, vol. 87, n° 3, p. 347-384.

2080. MORGAN (John D.). Palaepharsalus - the battle and the town. Am. J. Archaeol., 83, vol. 87, n° 1, p. 23-54 (pl. 8-11).

2081. MUŞEŢEANU (Crişan), ELEFTERESCU (Dan). Lampes romaines de Durostorum. Dacia, 83, t. 27, n° 1-2, p. 109-128.

2082. OLIVIER (Lucien). Le Haut-Morvan romain. Voies et sites. Dijon, Revue archéol. de l'Est et du Centre-Est, 83, in-4, 285 p. (99 ill., 1 plan, 8 cartes).

2083. OVERBECK (Bernhard). Geschichte des Alpenrheintals in römischer Zeit. Auf Grund d. archäolog. Zeugnisse. T. 1:

Topographie, Fundvorlage u. hist. Auswertung. Unter Mitarb. v. Ludwig PAULI. München, Beck, 82, in-4, 268 p. (Ill., graph. Darst., Kt.). (Münchner Beitr. z. Vor- u. Frühgesch., 20)

2084. PACKER (James), SARRING (Kevin Lee), SHELDON (Rose Mary). A new excavation in Trajan's forum. Am. J. Archaeol., 83, vol. 87, n° 2, p. 165-172.

2085. RAEDER (Joachim). Die statuarische Ausstattung der Villa Hadriana bei Tivoli. Frankfurt (Main) u. Bern, Lang, 83, in-8, 397 p. (32 Taf.). (Europ. Hochschulschr., Reihe 38: Archäologie, 4)

2086. Regione (La) sotterrata dal Vesuvio. Studi e prospettive. Atti del Convegno internazionale, 11-15 nov. 1979. Napoli, Univ. degli Studi, 82, in-8, XXX-960 p. (ill.).

2087. ROLL (Israel). The Roman road system in Judaea. Jerusalem Cathedra, 83, vol. 3, p. 136-161 (ill.).

2088. Roman urban defences in the West. Ed. by J. MALONEY a. B. HOBLEY. London, Council for Brit. Archaeol., 83, in-4, X-147 p. (123 fig., 5 maps). (Research Report, 51)

2089. SALETTI (C.). L'urbanistica di Pavia romana. Athenaeum [Pavia], 83, a. 61, p. 126-147.

2090. SCHIØLER (T.), WIKANDER (O.). A Roman water-mill in the Baths of Caracalla. Opuscula romana, 83, vol. 14, p. 47-64.

2091. SCHNURBEIN (Siegmar von). Neu entdeckte frühkaiserzeitliche Militäranlagen bei Friedberg in Bayern. Germania, 83, Bd 63, p. 529-550.

2092. SCHÖNBERGER (Hans), SIMON (Hans G.). Die Kastelle in Altenstadt. Berlin, Mann, 83, in-4, 201 p. (73 p. Ill.). (Limesforsch., 22)

2093. SKUPINSKA-LØVSET (Ilona). Funerary portraiture of Roman Palestine: an analysis of the production in its culture-historical context. Göteborg, P. Åström, 83, in-8, 365 p. (118 pl.). (Stud. in Mediterranean archaeol., Pocket-book, 21)

2094. SMALL (David B.). Studies in Roman theater design. Am. J. Archaeol., 83, vol. 87, n° 1, p. 55-68.

2095. STEVENSON (Thomas B.). Virgil miniatures. Miniature decoration in the Vatican Virgil. A study in late antique iconography. Tübingen, Wasmuth, 83, in-8, 135 p. (50 ill., 42 pl.).

2096. Studi sulla città antica: l'Emilia-Romagna. Presentazione di Guido Achille MANSUELLI. Roma, L'Erma, 83, in-8, 670 p. (65 ill., 60 tav.). (Studia archaeol., 27)

2097. ULBERT (G.), FISCHER (Th.). Der Limes in Bayern, von Dinkelsbühl bis Einig. Stuttgart, Theiß, 83, in-8, 118 p. (Ill., Kt.).

2098. VALLAT (Jean-Pierre). Architecture rurale en Campanie septentrionnale du IVe siècle av. J.-C. au Ier ap. J.-C. In: Architecture et société [Cf. n° 225], p. 247-263.

2099. VAN OSSEL (Paul). L'établissement romain de Loën à Lixhe [commune de Visé, prov. de Liège) et l'occupation rurale au Bas-Empire dans la Hesbaye liégeoise. Helinium, 83, t. 23, fasc. 2, p. 143-169 (11 fig.).

2100. WALSER (Gerold). Die römischen Straßen und Meilensteine in Rätien. Stuttgart, Württ. Landesmuseum, 83, in-8, 128 p. (28 Ill., Kte). (Kleine Schr. z. Kenntnis d. röm. Besetzungsgesch. Südwestdeutschlands, 29. Itinera romana, 4)

2101. WILSON (Roger John A.). Roman forts, a illustrated guide to the garrison posts of Roman Britain. London, Geographia, 83, in-4, 96 p. (ill.).

2102. WINKLER (Iudita), BLĂJAN (Mihai), SERVATIUS (Gustav), TOGAN (George), GIURA (Lucian). Cercetări arheologice în aşerarea romană de la Mediaş - "Gura Cîmpului" (jud. Sibiu). (Archäolog. Ausgrabungen in d. röm. Siedlung bei Mediasch - "Gura Cîmpului", Kreis Sibiu.) Apulum, 83, t. 21, p. 121-156. [Deutsche Zsfassung]

Cf. n°s 129, 485, 489, 512, 1132, 1756, 1813, 1896, 1927, 2347.

G

EARLY HISTORY OF THE CHURCH TO GREGORY THE GREAT

§ 1. Sources. 2103-2159. - § 2. General. 2160-2177. - § 3. Special studies. 2178-2254. - § 4. Hagiography. 2255-2278.

§ 1. Sources.

* 2103. DURAND (Georges Mathieu de). Bulletin de patrologie. R. Sci. philos. théol., 82, vol. 66, p. 611-638; 83, vol. 67, p. 603-633.

* 2104. PLUMACHER (Eckhard). Acta-Forschung 1974-1982. Theol. Rdschau, 83, Jg. 48, p. 1-56.

* Cf. n°s II, 1176, 2386.

2105. Acta conciliorum oecumenicorum. IV, 3: Index generalis tomorum I-IV. Pars 2: Index prosopographicus. Fasc. 1, 2. Cong. Rudolf SCHIEFFER. Berlin u. New York, de Gruyter, 82, 2 vol., XII-272 p., p. 273-509.

2106. Acta Iohannis. 1: Praefatio. Textus. 2: Textus alii. Commentarius. Indices. Cura Eric JUNOD et Jean-Daniel KAESTLI. Turnhout, Brepols, 83, 2 vol. in-8, XX-419 p., p. 420-949. (Corpus Christianorum, Ser. apocryphorum, 1, 2)

2107. Actes du concile de Chalcédoine. Sessions III-VI (la définition de la foi). Trad. par André-Jean FESTUGIERE. Préf. de Henry CHADWICK. Genève, Cramer, 83, in-8, 100 p. (Cah. d'orientalisme, 4)

2108. BASILE DE CESAREE. Contre Eunome. [T. 1. Cf. Bibl. 82, n° 2014.] T. 2: Livres 2 et 3. Introd., texte, trad. et notes de Bernard SESBOÜÉ, avec la collab. de Georges-Matthieu de DURAND et Louis DOUTRELEAU. Paris, Ed. du Cerf, 83, in-8, 355 p. (Sources chrétiennes, 305)

2109. BOUHOT (Jean-Paul). Origine et composition des "Scolies ariennes" du manuscrit Paris, B.N., lat. 8907. A propos des travaux de Roger Gryson [Cf. Bibl. 80, n° 1711]. R. Hist. Textes, 81 [83], t. 11, p. 303-323.

2110. CARLE (Paul-Laurent), O.P. L'homélie de Pâques Magnitudo de saint Fauste de Riez (ou de Lérins), fin du Ve siècle. Divinitas, 83, a. 27, fasc. 2, p. 123-154.

2111. Christen in der Wüste: drei Hieronymus-Legenden. Übers. u. erkl. v. Manfred FUHRMANN. Zürich u. München, Artemis, 83, in-8, 112 p.

2112. CHRISTENSEN (T.). The so-called Appendix to Eusebius' Historia Ecclesiastica VIII. Classica et Mediaevalia, 83, t. 34, p. 177-209.

2113. Codices Chrysostomici graeci. [IV. Cf. Bibl. 81, n° 1756.] V: Codicum Italiae partem priorem descripsit Robert E. CARTER, S. I. Paris, Ed. du C.N.R.S., 83, in-8, 312 p. (Doc., études et répertoires publ. par l'Institut de Recherche et d'Hist. des Textes)

2114. Combattimento (Il) di Adamo. Testo arabo inedito con traduzione italiana e commento: Antonio BATTISTA, Bellarmino BAGATTI. Jerusalem, Franciscan Printing Press, 82, in-8, 229 p. (ill.). (Studium biblicum francisc., Collectio minor, 29)

2115. Concordance (A) to the Apocrypha/ Deuterocanonical books of the Revised Standard Version, derived from the Bible Data Bank of the Centre Informatique et Bible (Abbey of Maredsous). Foreword by Bruce M. METZGER. Grand Rapids, Mich., Eerdmans, 83, XI-479 p.

2116. CUSCITO (G.). Il Concilio di Aquileia (381) e le sue fonti. Traduzione degli Atti del Concilio di Aquileia. Antichità altoadriat., 82, a. 22, p. 189-253.

2117. CYRIL of ALEXANDRIA (Saint). Selected letters. Ed. by Lionel R. WICKHAM. Tr. from the Gr. London, Oxford U.P., 83, in-8, LV-226 p. (Early Christian Texts)

2118. DATEMA (C.). Another unedited homily of Ps. Chrysostom on the birth of John the Baptist (BHG 847i). Byzantion, 83, vol. 53, p. 478-493.

2119. DOLBEAU (François). La Passion des Saints Lucius et Montanus. Hist. et édition du texte. R. Et. augustiniennes, 83, vol. 29, p. 39-82.

2120. Vacat.

2121. EUSEBE de CESAREE. La prépara-

2121. tion évangélique. [Livre XI. Cf. Bibl. 82, n° 2023.] Livres XII-XIII. Introd., texte, trad. et annot. par Edouard DES PLACES. Paris, Ed. du Cerf, 83, in-8, 511 p. (Sources chrétiennes, 307)

2122. FEISSEL (D.). Recueil des inscriptions chrétiennes de Macédoine du IIIe au VIe siècle. Paris, de Boccard, 83, in-8, X-290 p. (74 fac-sim., 65 pl.). (B. Corr. hellénique, suppl., 8)

2123. FULGENZIO di RUSPE. Salmo contro i Vandali ariani. Introd., testo crit., trad., comm., glossario e indici a cura di A. ISOLA. Torino, Soc. ed. internaz., 83, in-8, 176 p. (Corona Patrum, 9)

2124. GEERARD (M.). Clavis Patrum Graecorum. 1: Patres antenicaeni. Turnhout, Brepols, 83, in-4, XXVIII-283 p. (Corpus Christianorum, Ser. Graeca)

2125. GORMAN (M.M.). The early manuscript tradition of St. Augustine's Confessiones. J. theol. Stud., 83, vol. 34, p. 114-145.

2126. GREEN (Judith), TSAFRIR (Yoram). Greek inscriptions from Hammat Gader: a poem by the Empress Eudocia and two building inscriptions. Israel Explor. J., 82, vol. 32, n° 2-3, p. 77-96 (pl.).

2127. HALKIN (François). La Passion ancienne de S. Callistrate. Byzantion, 83, vol. 53, p. 233-249.

2128. HALKIN (François). Paul et Julienne martyrs à Ptolemaïs de Phénicie. Vetera Christianorum, 83, t. 20, p. 93-110.

2129. HALKIN (François). Vie et synaxaire de saint Jean Akathios ou Akatzès. Analecta bollandiana, 83, t. 101, p. 249-279.

2130. HESYCHIUS de JERUSALem. Homélies sur Job, version arménienne. 1: Homélies I-XI. 2: Homélies XII-XXIV. Ed., introd. et notes par Charles RENOUX; trad. par Charles MERCIER et Charles RENOUX. Turnhout, Brepols, in-4, 612 p. (Patrol. orient., 42/1, 2)

2131. [HIERONYMUS STRIDONIUS, Sanctus:] Saint Jérôme. Apologie contre Rufin. Introd., texte crit., trad. et notes par Pierre LARDET. Paris, Ed. du Cerf, 83, in-8, 560 p. (Sources chrétiennes, 303)

2132. [HIERONYMUS STRIDONIUS, Sanctus:] Hieronymus. Über die christliche Lebensführung. Bearb. v. Johannes B. BAUER. Übers. v. Ludwig SCHADE. München, Kösel, 83, in-8, 192 p. (Schr. d. Kirchenväter, 2)

2133. HODGSON (Robert). "Paul the Apostle and first century tribulation lists". Z. f. d. neutest. Wiss., 83, Bd 74, p. 59-80.

2134. Incontro (XI) di studiosi dell'antichità cristiana. Gli Apocrifi cristiani e cristianizzati. Augustinianum, 83, a. 23, n° 1-2, p. 5-378.

2135. Index verborum Homiliarum Festalium Hesychii Hierosolymitani. Ed.: Michael AUBINEAU. Hildesheim, Zürich u. New York, Olms, 83, in-8, XXX-370 p. (Alpha-Omega, Reihe A, 52)

2136. ISIDORO de SEVILLA, Santo. Etimologías. Ed. bilingue prep. por José ROZO RETA y Manuel A. MARCOS CASQUERO; introd. gen. de Manuel C. DÍAZ Y DÍAZ. Madrid, B.A.C., 82-83, 2 vol. in-8, 864, 624 p.

2137. JEAN CHRYSOSTOME. Commentaire sur Isaïe. Introd., texte crit. et notes par Jean DUMORTIER; trad. d'Arthur LIEFFOOGHE. Paris, Ed. du Cerf, 83, in-8, 403 p. (Sources chrétiennes, 304)

2138. JOSSA (Giorgio). Gli Apocrifi del Nuovo Testamento. Tipologia, origine e primi sviluppi. Augustinianum, 83, a. 23, p. 19-40.

2139. JUNOD (E.). Apocryphes du Nouveau Testament ou Apocryphes chrétiens anciens? Remarques sur la désignation d'un corpus et indications bibliographiques sur les instruments de travail récents. Et. théol. relig., 83, vol. 58, p. 409-421.

2140. Lateinische (Der) Text der Apokalypse des Esra. Hrsg. v. A.-Frederick J. KLIJN. Mit e. Index grammaticus v. Gerhard MUSSIES. Berlin, Akad.-Verl., 83, in-8, 103 p. (Texte u. Unters. z. Gesch. d. altchristl. Lit., 131)

2141. Lettres (Les) de saint Augustin découvertes par Johannes Divjak. Communications présentées au colloque des 20 et 21 sept. 1982. Paris, Etudes augustiniennes, 83, in-4, 390 p. - Cf. CHADWICK (Henry). New letters of St. Augustine. J. theol. Stud., 83, vol. 34, p. 425-452. - FREND (W.H.C.). The Divjak letters. New light on St. Augustin's problems, 416-428. J. eccles. Hist., 83, vol. 34, p. 497-512.

2142. MARIN (M.). Problemi di ecdotica ciprianea. Per un'edizione critica dello Pseudo-Cipriano De aleatoribus. Vetera Christianorum, 83, t. 20, p. 141-239.

2143. MENARD (Jacques). Le Traité sur la Résurrection (NH I,4). Québec, Presses de l'Univ. Laval, 83, in-8, XII-97 p. (Biblioth. copte de Nag Hammadi, Sect. Textes, 12)

2144. NAZZARO (A.V.), SANTORELLI (P.). Quae orthographica in codicibus ad tres S. Ambrosii sermones edendos adhibitis reperta sint. Vetera Christianorum, 83, t. 20, p. 241-303.

2145. NORDENFALK (Carl). Canon tables on papyrus. In: Dumbarton Oaks papers, n° 36 [Cf. n° 2301]. p. 29-38.

2146. ORBE (A.). Gli Apocrifi cristiani a Nag Hammadi. Augustinianum, 83, vol. 23, p. 83-109.

2147. ORLANDI (T.). Gli apocrifi copti. Augustinianum, 83, a. 23, p. 41-71.

2148. RODRÍGUEZ-PANTOJA (M.). Isidoro

de Sevilla. Etimologías. Estudio sobre la ortografía de los principales códices. Tabona, 83, t. 4, p. 281-311.

2149. ROLLAND (P.). Marc, première harmonie évangélique? R. biblique, 83, vol. 90, p. 23-79.

2150. ROLLAND (P.). Les Evangiles des premières communautés chrétiennes. R. biblique, 83, vol. 90, p. 161-201.

2151. SCHÄFERDIEK (Knut). Herkunft und Interesse der alten Johannesakten. Z. f. d. neutest. Wiss., 83, Bd 74, p. 247-267.

2152. SHARPE (Richard). "Vitae S. Brigidae": the oldest texts. Peritia, 82, vol. 1, p. 81-106.

2153. SOZOMENE. Histoire ecclésiastique. Livres I-II. Texte grec de l'éd. J. Bidez, introd. par Bernard GRILLET et Guy SABBAH, trad. par André-Jean FESTUGIERE, annot. par Guy SABBAH. Paris, Ed. du Cerf, 83, in-8, 388 p. (Sources chrétiennes, 306)

2154. SPELLER (L.A.). New light on the Photinians. The evidence of Ambrosiaster. J. theol. Stud., 83, vol. 34, p. 99-113.

2155. VAN DER HORST (P.W.). Hellenistic parallels to the Acts of the Apostles 1, 1-26. Z. f. d. neutest. Wiss., 83, Bd 74, p. 17-26.

2156. Vollständige Konkordanz zum griechischen Neuen Testament. Unter Zugrundelegung aller modernen krit. Textausgaben u. d. Textus receptus. Neu zusammengestellt unter Leitung v. Kurt ALAND in Verb. mit Harald RIESENFELD, H. Udo ROSENBAUM u. Christian HANNICK. Bd 1: Gesamtwortbestand. T. 1: A-λ. Teil 2: M-Ω. Hrsg.: Inst. f. Neutestamentl. Textforschung. Bearb. v. Kurt ALAND. Berlin u. New York, de Gruyter, 83, 2 vol. in-4, XVIII-752 p.; VI p., p. 753-1352. (Arb. z. Neutestamentl. Textforsch., 4)

2157. WEHNERT (Jürgen). Literarkritik und Sprachanalyse. Krit. Anmerkungen zum gegenwärtigen Stand d. Pseudoklementinen-Forschung. Z. f. d. neutest. Wiss., 83, Bd 74, p. 208-301.

2158. YOUNG (Dwight W.). Unpublished Shenoutiana in the University of Michigan Library. Scripta hierosolymitana, 82, vol. 28, p. 251-267.

2159. ZELZER (Michaela). Mittelalterliche Editionen der Korrespondenz des Ambrosius als Schlüssel zur Überlieferung der Briefbücher. Wiener Stud., 83, N.F., Bd 17, p. 160-180.

§ 2. General.

* 2160. KANNENGIESSER (Charles). Bulletin de théologie patristique [CR de 35 ouvrages]. [Rech. Sci. relig., 83, t. 71, p. 539-562. [Cf. Bibl. 82, n° 2042]

* 2161. KÜMMEL (Werner Georg). Das Urchristentum [Literaturbericht]. Theol. Rdsch., 83, N.F., Jg. 48, p. 101-128.

* Cf. n° II.

2162. BROWN (R.E.), MEIER (J.P.). Antioch and Rome. New Testament cradles of Catholic Christianity. New York, Paulist Pr., 83, in-8, 242 p.

2163. BROX (Norbert). Kirchengeschichte des Altertums. Düsseldorf, Patmos, 83, in-8, 205 p. (Leitfaden Theologie, 8)

2164. CASCIARO (José María). Qumran y el Nuevo Testamento (aspectos eclesiológicos y soteriológicos). Pamplona, Ed. Univ. de Navarra, 82, in-8, 236 p. (Publ. de la Fac. de Teol. de la Univ. de Navarra, Col. teol., 29)

2165. ČEŠKA (Josef). Římský stát a katolická církev ve IV. století. (Der römische Staat und die katholische Kirche im 4. Jh.) Brno, Univ. J. E. Purkyně, 83, in-8, 162 p. (16 fig.). (Spisy filoz. fakulty Univ. J. E. Purkyně, 240)

2166. CRAVERI (Marcello). Gesù di Nazareth dal mito alla storia. L'evoluzione di una ricerca. Cosenza, Giordano, 82, in-8, 409 p.

2167. Dizionario patristico e di antichità cristiane. Dir. da Angelo DI BERARDINO. 1: A-F. Casale Monferrato, Marietti, 83, in-8, XXV-1412 col.

2168. Evangelium (Das) und die Evangelien. Vorträge vom Tübinger Symposion 1982. Hrsg. v. P. STUHLMACHER. Tübingen, Mohr, 83, in-8, VIII-456 p. (Wiss. Untersuchungen z. N. T., 28)

2169. GRANT (Robert M.). Christian beginnings: Apocalypse to history. London, Variorum Repr., 83, in-8, 336 p.

2170. KEE (Howard Clark). Miracle in the early Christian world: a study in sociohistorical method. New Haven, Conn., Yale U. P., 83, in-8, XI-320 p.

2171. MAIBURG (U.). Und bis an die Grenzen der Erde ... Die Ausbreitung d. Christentums in d. Länderlisten u. deren Verwendung in Antike u. Christentum. Jb. f. Antike u. Christentum, 83, Jg. 26, p. 38-53.

2172. MARKUS (Robert Austin). From Augustine to Gregory the Great: history and Christianity in late antiquity. London, Variorum Repr., 83, in-8, 318 p.

2173. MEEKS (Wayne A.). The first urban Christians: the social world of the apostle Paul. New Haven, Conn., Yale U.P., 83, in-8, X-299 p. (map).

2174. OPITZ (Helmut). Die alte Kirche. Ein Leitfaden durch d. ersten 5 Jahrhunderte. Berlin, Evang. Verl.-Anst., 83, in-8, 201 p. (34 p. Abb.). (Leitfaden d. Kirchengesch., 1)

2175. PRICOCO (Salvatore). Il cristianesimo in Italia tra Damaso e Leone Magno. Catania, Fac. di Lett. e Filos., 83, in-8, 73 p. (Quad. del Syculorum Gymnasium, 12)

2176. SINISCALCO (Paolo). Il cammino di Cristo nell'impero romano. Roma e Bari, Laterza, 83, in-8, 331 p. (Coll. stor.)

2177. STOCKMEIER (Peter). Glaube und Kultur. Studien zur Begegnung v. Christentum u. Antike. Düsseldorf, Patmos, 83, in-8, 307 p.

§ 3. Special studies.

* 2178. BRAUN (René), FREDOUILLE (Jean-Claude), PETITMENGIN (P.). Chronica Tertullianea 1982. R. Et. augustiniennes, 83, vol. 29, p. 312-331.

* 2179. CROUZEL (Henri). Chronique origénienne. [Cf. Bibl. 82, n° 2060.] B. Litt. ecclés., 83, vol. 84, p. 115-124.

* 2180. JASPERT (Bernd). Bibliographie der Regula Benedicti, 1930-1980. Ausgaben und Übersetzungen. Hildesheim, Gerstenberg, 83, in-8, 207 p. (Regulae Benedicti Studia, Suppl.-Bd, 5)

2181. ABRAMOWSKI (Luise). Marius Victorinus, Porphyrius und die römischen Gnostiker. Z. f. d. neutest. Wiss., 83, Bd 74, p. 108-128.

2182. ALBERTZ (Rainer). Die "Antrittspredigt" Jesu im Lukasevangelium auf ihrem alttestamentlichen Hintergrund. Z. f. d. neutest. Wiss., 83, Bd 74, p. 182-206.

2183. ALONSO-NÚÑEZ (José M.). Die Abfolge der Weltreiche bei Polybios und Dionysius von Halikarnassos. Historia [Wiesbaden], 83, Bd 32, p. 411-426.

2184. AMIDON (Ph. R.). The procedure of St. Cyprian's synods. Vigiliae christianae, 83, t. 37, p. 328-339.

2185. ATTFIELD (Robin). Christian attitudes to nature. J. Hist. Ideas, 83, vol. 44, n° 3, p. 369-387.

2186. BARR (James). Holy scripture: canon, authority, criticism. London, Oxford U.P., 83, in-8, VI-182 p.

2187. BASSOLE (J.Y.). La mission providentielle du pouvoir impérial dans la lettre de Constantin le Grand au pape Miltiade (mai 313). In: Praktika 4' panhelleniou hist. Synedriou [Cf. n° 746], p. 49-57.

2188. BENDER (Albrecht). Die natürliche Gotteserkenntnis bei Laktanz und seinen apologetischen Vorgängern. Frankfurt (Main) u. Bern, Lang, 83, in-8, 235 p. (Europ. Hochschulschr., Reihe 15: Klass. Sprachen u. Lit., 26)

2189. BENIN (Stephen D.). Sacrifice as education in Augustine and Chrysostom. Church Hist., 83, vol. 52, n° 1, p. 7-20.

2190. BISCOP (J.L.), SODINI (J.P.). Travaux récents au sanctuaire de Saint-Siméon le Stylite (Qal'at Sem'an). C. R. Acad. Inscript., 83, p. 335-337.

2191. BRUCE (F.F.). Some thoughts on the beginning of the New Testament canon. B. John Rylands Library, 83, vol. 65, p. 37-60.

2192. BUCHHEIT (Vinzenz). Gesittung durch Bekehrung. Würzburg. Jb. f. d. Altertumswiss., 83, N.F., Bd 9, p. 179-208. [Cf. Bibl. 81, n° 1290]

2193. CATRINOIU (Ilie). Rolul Bizanțului în viața religioasă din Muntenia în secolele IV-VI în lumina izvoarelor literare şi arheologice. (Le rôle de Byzance dans la vie religieuse de Munténie aux IVe-VIe s., à la lumière des sources littéraires et archéologiques.) Biserica ortodoxă română, 83, t. 101, n° 7-8, p. 589-599.

2194. CIRILLO (Luigi). Erma e il problema dell'apocalittica a Roma. Cristianesimo nella Storia, 83, a. 4, p. 1-31.

2195. COMAN (Ioan G.). Spiritualitatea patristică daco-română şi paralele occidentale contemporane (sec. III-VII). (La spiritualité patristique daco-romaine et parallèles occidentaux contemporains.) Biserica ortodoxă română, 83, t. 101, n° 7-8, p. 565-588.

2196. CORBO (Virgilio C.). Il Santo Sepolcro di Gerusalemme. Aspetti archeologici dalle origini al periodo crociato. Jerusalem, Franciscan Printing Press, 82, 3 vol. in-4 (ill., fac-sim., plans). (Studium biblicum franciscanum, Collectio maior, 29) [Eng. summary of part 1 a. Eng. transl. of parts II a. III]

2197. CROUZEL (Henri). Les études sur Origène des douze dernières années. Et. théol. relig., 83, vol. 58, p. 97-107.

2198. CUSCITO (G.). La basilica paleocristiana di Iesolo. Per lo studio dei primi insediamenti cristiani nella laguna veneta. Aquileia, Assoc. naz. per Aquileia, 83, in-8, 75 p.

2199. DEICHMANN (Friedrich Wilhelm). Einführung in die christliche Archäologie. Darmstadt, Wiss. Buchges., 83, in-8, XIII-412 p. (Die Kunstwissenschaft)

2200. DOUGHTY (Darrell J.). The authority of the Son of Man (Mk 2,1 - 3,6). Z. f. d. neutest. Wiss., 83, Bd 74, p. 161-181.

2201. DULAEY (M.). Le chandelier à sept branches dans le christianisme ancien. R. Et. augustiniennes, 83, vol. 29, p. 3-26.

2202. ECK (Werner). Der Episkopat im spätantiken Africa: Organisatorische Entwicklung, soziale Herkunft und öffentliche Funktionen. Hist. Z., 83, Bd 236, p. 265-295.

2203. EHRMANN (B.D.). The New Testament canon of Didymus the Blind. Vigiliae christianae, 83, t. 37, p. 1-21.

3. SPECIAL STUDIES

2204. FATAS CABEZA (G.). La antigüedad cristiana en el Aragón romano. B. Mus. Zaragoza, 82, n° 1, p. 177-219.

2205. FEDALTO (Giorgio). Liste vescovili del patriarcato di Gerusalemme. 1: Gerusalemme e Palestina prima. 2: Palestina seconda e Palestina terza. Orient. christ. per., 83, a. 49, p. 5-41, 261-283.

2206. FIOCCHI NICOLAI (V.). Rassegna di archeologia cristiana, 1976-1980. R. Stor. Lett. relig., 83, a. 19, p. 91-117.

2207. FIRPO (G.). Osservazioni su temi orosiani (a proposito di alcune recenti pubblicazioni). Apollinaris, 83, t. 56, p. 233-263.

2208. FISCHER (Joseph A.). Das Konzil zu Karthago im Frühjahr 256. Annu. Hist. Concil., 83, Jg. 15, p. 1-14. [Cf. Bibl. 82, n° 2077]

2209. FLUSIN (Bernard). Miracle et histoire dans l'oeuvre de Cyrille de Scythopolis. Paris, Et. augustiniennes, 83, in-4, 263 p.

2210. FOSSUM (J.). Jewish-Christian apology and Jewish mysticism. Vigiliae christianae, 83, t. 37, p. 260-287.

2211. Frau (Die) im Urchristentum. Hrsg. v. Gerhard DAUTZENBERG [u.a.]. Freiburg i. Br., Herder, 83, in-8, 360 p. (Quaestiones disputatae, 95)

2212. FREND (W.H.C.). Early Christianity and society: a Jewish legacy in the pre-Constantinian era. Harvard theol. R., 83, vol. 76, n° 1, p. 53-72.

2213. GREGO (Igino). I giudeo-cristiani nel IV secolo: reazione, influssi. Jerusalem, Franciscan Printing Press, 82, in-8, 221 p. (ill., 8 p. of pl., map).

2214. HAAS (Christopher J.). Imperial religious policy and Valerian's persecution of the Church, A.D. 257-260. Church Hist., 83, vol. 52, n° 2, p. 133-144.

2215. HAGENDAHL (Harald). Von Tertullian zu Cassiodor: die profane literarische Tradition in dem latein. christl. Schrifttum. Göteborg, Acta Univ. Gothoburgensis, 83, in-8, 163 p. (Studia graeca et latina gothoburg., 44)

2216. HENGEL (Martin). Der Historiker Lukas und die Geographie Palästinas in der Apostelgeschichte. Z. d. deutsch. Palästina-Ver., 83, Bd 99, p. 147-183.

2217. HOMMEL (Hildebrecht). Sebasmata. Studien zur antiken Religionsgeschichte u. zum frühen Christentum. Bd 1. Tübingen, Mohr, 83, in-8, X-382 p. (12 Ill.). (Wiss. Unters. zum Neuen Testament, 31)

2218. HORN (Stephan O.). Petrou Kathedra. Der Bischof von Rom u. die Synoden v. Ephesus (449) u. Chalcedon. Paderborn, Bonifatius, 82, in-8, 291 p. (Konfessionskundl. u. kontrovers-theol. Stud., 45)

2219. KERESZTES (Paul). From the great persecution to the peace of Galerius. Vigiliae christianae, 83, t. 37, p. 379-399.

2220. KÖRTNER (Ulrich H. J.). Papias von Hierapolis. Ein Beitr. z. Gesch. d. frühen Christentums. Göttingen, Vandenhoeck u. Ruprecht, 83, in-8, 371 p. (Forsch. z. Religion u. Lit. d. Alten u. Neuen Testaments, 133)

2221. KRAUTHEIMER (Richard). Three christian capitals: topography and politics. Berkeley a. Los Angeles, Univ. of California Press, 83, in-8, XIV-167 p.

2222. KÜRZINGER (Josef). Papias von Hierapolis und die Evangelien des Neuen Testaments. Gesammelte Aufsätze. Neuausgabe u. Übersetzung d. Fragmente. Kommentierte Bibliographie. Regensburg, Pustet, 83, in-8, 250 p. (Eichstätter Materialien, Abt. 4: Philos. u. theol.)

2223. LINDBERG (David C.). Science and the early Christian church. Isis, 83, vol. 74, p. 509-530.

2224. LIEU (S.N.C.). An early Byzantine formula for the renunciation of Manichaeism: the Capita VII contra Manichaeos of "Zacharias of Mytilene". Introd., text, transl. a commentary. Jb. f. Antike u. Christentum, 83, Bd 26, p. 152-218.

2225. LIZZI (R.). Ascetismo e predicazione urbana nell'Egitto del V secolo. At. Ist. veneto Sci. Lett. Ar., 82-83, a. 141, p. 127-145.

2226. LORENZ (Rudolf). Die Christusseele im Arianischen Streit. Nebst einigen Bemerkungen zur Quellenkritik des Arius u. zur Glaubwürdigkeit d. Athanasius. Z. f. Kirchengesch., 83, Bd 94, p. 1-51.

2227. LOTTER (Friedrich). Passau im Zeitalter Severins. Ostbair. Grenzmarken, 82, Bd 24, p. 1-23. - Cf. WOLFF (Hartmut). Kritische Bemerkungen zum säkularen Severin. Ibid., p. 357-364.

2228. MacMULLEN Ramsay). Two types of conversion to early Christianity. Vigiliae christianae, 83, t. 37, p. 174-192.

2229. MALHERBE (Abraham J.). Antisthenes and Odysseus, and Paul at War. Harvard theol. R., 83, vol. 76, n° 2, p. 143-174.

2230. MARTIN (Annick). Aux origines de l'église copte: l'implantation et le développement du christianisme en Egypte (Ier-IVe siècles). R. Et. anc., 83, t. 83, p. 35-56.

2231. NEUDORFER (Heinz W.). Der Stephanuskreis in der Forschungsgeschichte seit F. C. Baur. Gießen, Brunnen-Verl., 83, in-8, 392 p. (Monogr. u. Studienb.)

2232. ORABONA (L.). Penitenza, conversione, riconciliazione ed eucaristia nella Chiesa dei primi secoli. Cassino, Sangermano, 83, in-8, 154 p.

2233. PADOVESE (Luigi). L'originalità cristiana. Il pensiero etico-sociale di alcuni vescovi norditaliani del IV secolo. Roma, Laurentianum, 83, in-8, 257 p. (Istit. francescano di spiritualità, Studi e ricerche)

2234. PALMER (D.W.). Atheism, apologetic and negative theology in the Greek apologists of the second century. Vigiliae christianae, 83, t. 37, p. 234-259.

2235. PERI (Vittorio). Concilium plenum et generale. La prima attestazione dei criteri tradizionali dell'ecumenicità [concilio di Aquileia, 381]. Annu. Hist. Concil., 83, Jg. 15, p. 41-78.

2236. PHOUNTOULĒS (I.M.). Hē mnēmē tōn Hagiōn Paterōn tēs 2' Oikoumenikēs Synodou sto Heortologio kai stēn Hymnographia. (Le souvenir des Saints Pères du IIe Concile oecuménique [Constantinople I, 381] dans le Calendrier des Fêtes et dans l'Hymnographie.) Gregorios ho Palamas, 83, t. 634, p. 61-79.

2237. PIETRI (Luce). Les abbées de basilique dans la Gaule du VIe siècle. R. Hist. Egl. France, 83, t. 69, p. 5-28.

2238. PIETRI (Luce). La ville de Tours du IVe au VIe siècle: naissance d'une cité chrétienne. Roma, Ecole franç. de Rome, 83, in-8, 853 p.

2239. POHLKAMP (Wilhelm). Tradition und Topographie. Papst Silvester I. (314-335) und der Drache vom Forum Romanum. Röm. Qsch., 83, Bd 78, p. 1-100.

2240. ROQUES (D.). Synésios de Cyrène et les migrations berbères vers l'Orient (398-413.) C. R. Acad. Inscript., 83, p. 660-677.

2241. ROQUES (René). L'univers dionysien: structure hiérarchique du monde selon le Pseudo-Denys. Paris, Ed. du Cerf, 83, in-8, 382 p.

2242. SAGE (M.M.). The persecution of Valerian and the peace of Gallienus. Wiener Stud., 83, N.F., Bd 17, p. 139-159.

2243. SANTOS YANGUAS (Narciso). Maximino el Tracio y los cristianos. Est. clás., 81-83, t. 25, p. 257-275.

2244. SAXER (V.). Le juste crucifié, de Platon à Théodoret. R. Stor. Lett. relig., 83, a. 19, p. 189-215.

2245. SCHEFOLD (Karl). Die Bedeutung der griechischen Kunst für das Verständnis des Evangeliums. Mainz, v. Zabern, 83, in-8, 113 p. (45 Taf.). (Kulturgesch. d. ant. Welt, 16)

2246. SCHMITHALS (Walter). Judaisten in Galatien? Z. f. d. neutest. Wiss., 83, Bd 74, p. 27-58.

2247. SIMONETTI (Manlio). Lettera e allegoria nell'esegesi veterotestamentaria di Didimo. Vetera Christianorum, 83, t. 20, p. 341-389.

2248. SOERRIES (R.). Frühchristliche Denkmäler in Albanien. Ant. Welt, 83, Bd 14, n° 4, p. 7-26.

2249. TIBILETTI (Giuseppe). Verginità e matrimonio in antichi scrittori cristiani. Roma, Bretschneider, 83, in-8, 260 p. (Univ. di Macerata. Pubbl. della Fac. di Lett. e Filos., 15)

2250. VAN STEKELENBURG (A.V.). Lucifugax natio. The pagan view of early Christianity. Akroterion, 83, vol. 28, p. 157-171.

2251. VERMANDER (J.M.). La polémique des apologistes latins contre les dieux du paganisme. Rech. augustiniennes, 82, vol. 17, p. 3-128.

2252. WILLIAMS (R. D.). The logic of Arianism. J. theol. Stud., 83, vol. 34, p. 56-81.

2253. WIPSZYCKA (Ewa). Patriarcha aleksandryjski i jego biskupi (IV-VII w.). (Le patriarche d'Alexandrie et ses évêques, IVe-VIIe s.) Przegl. hist., 82 [83], vol. 73, p. 177-194.

2254. WYRWA (Dietmar). Die christliche Platonaneignung in den Stromateis des Clemens von Alexandrien. Berlin u. New York, de Gruyter, 83, in-8, X-364 p. (Arb. z. Kirchengesch., 53)

Cf. n°s 484, 512, 514, 965, 1192, 1382, 1391, 1866, 1994, 3036, 3069.

§ 4. Hagiography[1].

* 2255. Bulletin augustinien pour 1982 et compléments d'années antérieures. R. Et. augustiniennes, 83, t. 29, p. 332-407.

* 2256. ALETTI (Jean-Noël). Bulletin paulinien [CR de 15 ouvrages]. Rech. Sci. relig., 83, t. 71, p. 421-442. [Cf. Bibl. 78-79, n° 1944]

* Cf. n° 956.

2257. ECKHART (Lothar). Die Heiligen der Lorcher Basilika und die Archäologie. Oberösterr. Heimatbl., 83, Jg. 36, n° 2, p. 28-41.

2258. CAPITANI (F. de). Studi su Sant'Ambrogio e i Manichei. 1: Occasioni di un incontro. 2: Spunti antimanichei nel l'Exameron ambrosiano. R. Fils. neoscol., 82, a. 74, p. 593-610; 83, a. 75, p. 3-29. - FAUST (Ulrich). Christo servire libertas est. Zum Freiheitsbegriff des Ambrosius v. Mailand. Salzburg u. Münche, Pustet, 83, in-8, 183 p. (Salzburger patrist. Studien, 3. Veröff. d. Internat. Forschungszentrums f. Grundfragen d. Wissenschaften Salzburg, N. F., 10) - LAMIRANDE (E.). Le thème de la Jérusalem céleste chez saint Ambroise. R. Et. augustiniennes, 83, vol. 29, p. 209-232.

---

1. Classification in the alphabetic order of the Latin form of the names of saints.

4. HAGIOGRAPHY

2259. CHIDESTER (David). The symbolism of learning in St. **Augustine**. Harvard theol. R., 83, vol. 76, n° 1, p. 73-90. - KOBUSCH (Th.). Das Christentum als die Religion der Wahrheit. Überlegungen zu Augustins Begriff des Kultus. R. Et. augustiniennes, 83, vol. 29, p. 97-128. - SCHMITT (Emile). Le mariage chrétien dans l'oeuvre de saint Augustin. Une théologie baptismale de la vie conjugale. Paris, Et. augustiniennes, 83, in-4, 318 p. [Cf. n° 2141]

2260. RICHARDSON (P.), SHUKSTER (M.B.). **Barnabas**, Nerva, and the Yavnean rabbis. J. theol. Stud., 83, vol. 34, p. 31-55.

2261. VAN ESBROECK (M.). La naissance du culte de saint **Barthélemy** en Arménie. R. Et. arméniennes, 83, vol. 18, p. 171-195.

2262. CHORTATOS (Titos K.), Archim. Hē hypakoē hōs monachikē aretē kata ta Askētika syngrammata tou M. Basileiou. (L'obéissance comme vertu monacale selon les écrits ascétiques de **Basile le Grand**.) Ekkl. Pharos, 83, t. 65, p. 62-74.

2263. GRĒGORIOU-IŌANNIDOU (Martha). Mia paratērēsē stē diēgēsē tōn thaumatōn tou Hag. Dēmētriou. (Une remarque dans le récit des miracles de saint **Démétrios**.) Byzantiaka, 83, t. 3, p. 83-90.

2264. HALLEU (A. de). Saint **Ephrem le Syrien**. R. théol. Louvain, 83, vol. 14, p. 328-355.

2265. [**Gregorius Nazianzenus:**] Symposium Nazianzenum (II), Louvain-la-Neuve, 25-28 août 1981. Actes du colloque international. Ed. par Justin MOSSAY. Paderborn, Schöningh, 83, in-8, IV-306 p. (Stud. z. Gesch. u. Kultur d. Altertums, Reihe 2: Forsch. zu Gregor v. Nazianz, 2)

2266. SUGANO (Karin). Das Rombild des **Hieronymus**. Frankfurt (Main) u. Bern, Lang, 83, in-8, 188 p. (Europ. Hochschulschr., Reihe 15: Klass. Sprachen u. Lit., 25)

2267. FONTAINE (Jacques). **Isidore de Séville** et la culture classique. Vol. 1, 2. 2e éd. rev. et corr. Vol. 3: Notes complémentaires et supplément bibliographique. Paris, Etudes augustiniennes, 83, 3 vol. in-8, 1013, 256 p. - GASPAROTTO (G.). Isidoro e Lucrezio. Le fonti della meteorologia isidoriana. Pres. di Jacques FONTAINE. Verona, Libr. Universitaria, 83, in-8, 187 p.

2268. [**Johannes Baptista:**] LINDESKOG (G.). Johannes der Täufer. Einige Bemerkungen z. heutigen Stand d. Forschung. Annu. swedish theol. Inst., 83, vol. 12, p. 55-83.

2269. [**Johannes Chrysostomus:**] WILKEN (Robert L.). John Chrysostom and the Jews: rhetoric and reality in the late 4th century. Berkeley a. Los Angeles, Univ. of California Press, 83, in-8, XVII-190 p. (Tranformation of the Classical Heritage, 4)

2270. [**Johannes Evangelista:**] SMALLEY (Stephen) John, Evangelist and interpreter. Exeter, Paternoster Press, 83, in-8, 287 p.

2271. BOVON (F.). Du côté de chez **Luc**. R. Théol. Philos. [Lausanne], 83, vol. 115, p. 175-189.

2272. FERREIRO (Alberto). St. **Martin of Braga**'s policy toward heretics and pagan practices. Am. benedictine R., 83, vol. 34, p. 372-395.

2273. STANCLIFFE (Clare). St. **Martin [of Tours]** and his hagiographer: history and miracle in Sulpicius Severus. London a. New York, Oxford U. P., 83, in-8, XIV-396 p. (Oxford Hist. Monogr.)

2274. GARSOÏAN (Nina G.). **Nerses** le Grand, Basile de Césarée et Eustathe de Sébaste. R. Et. armén., 83, vol. 17, p. 145-169.

2275. SHARPE (Richard). St. **Patrick** and the see of Armagh. Cambridge med. celtic Stud., 82, vol. 4, p. 33-59.

2276. Pensiero (Il) di **Paolo** nella storia del cristianesimo antico. Genova, Univ., 83, in-8, 157 p. (Pubbl. dell'Istit. di Filol. class. e medievale, 82)

2277. SCHÄFERDIEK (Knut). **Remigius** von Reims, Kirchenmann einer Umbruchszeit. Z. f. Kirchengesch., 83, Bd 94, p. 256-278.

2278. BRATOŽ (Rajko). **Severinus** von Noricum und seine Zeit. Geschichtl. Anmerkungen. Wien, Österr. Akad. d. Wiss., 83, in-8, 48 p. (3 Kt.). (Österr. Akad. d. Wiss., Philos.-hist. Kl., Denkschr., 165) - STOCKMEIER (Peter). Severin von Noricum. Ein Rückblick auf das 1500. Gedächtnisjahr. Z. f. Kirchengesch., 83, Bd 94, p. 357-364.

Cf. n°s 288, 959, 2128.

H

BYZANTINE HISTORY (SINCE JUSTINIAN)

§ 1. Sources. 2279-2295. - § 2. General. 2296-2308. - § 3. Special studies. 2309-2385.

§ 1. Sources.

* Cf. n° 2386.

2279. BRANOUSĒ (E.). Patriarchika engrapha tēs Patmou achronologēta, atautista e lanthanonta. Gyro apo tēn autonomia tēs monēs. (Documents du patriarcat de Patmos non datés, non identifiés ou ignorés. Autour de l'autonomie du monastère.) Symmeikta, 83, t. 5, p. 29-47.

2280. Ecloga. Das Gesetzbuch Leons III. und Konstantinos' V. Hrsg. v. Ludwig BRUGMANN. Frankfurt (Main), Löwenthal-Ges., 83, in-8, XVII-282 p. (Forsch. z. byzant. Rechtsgesch., 10)

2281. GALLAVOTTI (Carlo). Intorno ai mss. di Giorgio Trivisia e di Giorgio Alessandro. A. Ist. univ. orient. Napoli, 80-81 [83], p. 1-24.

2282. HERO (Angela Constantinides). Some notes on the letters of Gregory Akindynos. In: Dumbarton Oaks papers, n° 36 [Cf. n° 2301], p. 221-226.

2283. JOHANNES LYDUS. On powers of the magistracies of the Roman state. Critical text, trans., comm. a. indices by Anastasius C. BANDY. Philadelphia, Pa., American Philos. Soc., 83, in-8, LXXVI-446 p. (Memoirs, 149)

2284. [JOHANNES DAMASCENUS, Sanctus:] Difesa delle immagini sacre. Discorsi apologetici contro coloro che calunniano le sante immagini. [Di] Giovanni Damasceno. Trad., introd. e note a cura di Vittorio FAZZO. Roma, Città Nuova, 83, in-8, 211 p. (Collana di testi patristici, 36)

2285. LAMPSIDĒS (O.). Ho katalēktērios rythmos ton protaseōn eis to "Enkōmion Trapezountos" tou Bēssarionos. (Le rythme catalectique des propositions pour "L'Eloge de Trébizonde" de Bessarion.) Byzantina, 83, t. 12, p. 225-231.

2286. Lessico delle Novellae di Giustiniano nella versione dell'Authenticum. A cura di Anna Maria BARTOLETTI. 1: A-D. Roma, Ateneo, 83, in-8, XXXII-464 p. (Lessico intellettuale europeo, 30)

2287. MARKOPOULOU (A.). Bios tēs autokrateiras Theodōras (BHG 1781). (Vie de l'impératrice Théodora, BHG 1781.) Symmeikta, 83, t. 5, p. 249-285.

2288. NEGEV (Avraham). The Greek inscriptions from the Negev. Jerusalem, Franciscan Printing Press, 81, in-8, 97 p. (ill., fac-sim., plans, 44 p. of pl.). (Studium Biblicum Franciscanum, Collectio Minor, 25)

2289. NERANTZĒ-BARMAZĒ (B.). Hena synodiko engrapho tou Noembriou 1367. (Un écrit synodique de nov. 1367.) Byzantiaka, 83, t. 3, p. 75-82.

2290. [Photios:] Photii patriarchae Constantinopolitani epistolae et Amphilochia. 1: Epistolarum pars prima. Recensuit B. LAOURDAS et L. G. WESTERINK. Leipzig, Teubner, 83, in-8, XXVI-197 p. (Bibl. script. Graec. et Roman. Teubneriana)

2291. SKYLITZES (Johannes). Byzanz wieder ein Weltreich (Synopsis historiarum). Das Zeitalter d. Makedon. Dynastie. Nach d. Geschichtswerk d. Johannes Skylitzes. Übers., eingel. u. erklärt v. Hans THURN. T. 1: Ende des Bilderstreites und makedonische Renaissance (Anfang 9. bis Mitte 10. Jh.). Graz, Wien u. Köln, Styria, 83, in-8, 308 p. (Byzantin. Geschichtsschreiber, 15)

2292. [THEOPHANES:] The Chronicle of Theophanes, anni mundi 6095-6305 (A.D. 602-813). Transl. with introd. a. notes by H. TURTLEDOVE. Philadelphia, Univ. of Pennsylvania Press, 82, in-8, XXIV-201 p.

2293. TREADGOLD (Warren T.). The unpublished saint's life of the empress Irene (BHG 2205). Byzant. Forsch., 82, Bd 8, p. 237-251.

2294. WHITBY (L. Michael). Theophanes' chronicle source of the reigns of Justin II, Tiberius and Maurice (A.D. 565-602). Byzantion, 83, t. 53, fasc. 1, p. 312-345.

2295. YANNOPOULOS (P.A.). Une liste des thèmes dans le "Livre des Cérémonies" de Constantin Porphyrogénète. Byzantina, 83, t. 12, p. 233-246.

Cf. n°s 20, 2415.

§ 2. General.

* 2296. Bibliographie [des études byzantines]. Réd. par M. LOSS et V. VAVRINEK. Byzantinoslavica, 83, vol. 44, p. 75-159, 245-304.

* 2297. Bibliographische Notizen und Mitteilungen. Gesamtredaktion: A. HOHLWEG u. Stanislaus HÖRMANN-von STEPSKI. [Cf. Bibl. 82, n° 2124.] Byzant. Z., 83, Bd 76, p. 95-276, 397-542.

* 2298. Revue des études byzantines. Tables des tomes 1-40 (1943-1982). Etablies par Jean DARROUZES et Albert FAILLER. R. Et. byzant., 83, t. 41, 338 p.

2299. Besonderheiten der byzantinischen Feudalentwicklung. Eine Sammlung v. Beitr. zu d. frühen Jahrhunderten. Hrsg. v. Helga KÖPSTEIN. Berlin, Akad.-Verl., 83, in-8, 131 p. (7 p. Abb.). (Berliner byzantinist. Arbeiten, 50)

2300. DAUVILLIER (Jean). Histoire et institutions des églises orientales au moyen âge. London, Variorum Repr., 83, in-8, 212 p. (ill.).

2301. Dumbarton Oaks papers. [N° 34-35. Cf. Bibl. 81, n° 1852.] N° 36. Washington, D.C., Dumbarton Oaks Research Libr. a. Collection, 83, XIV-230 p. [Cf. n°s 2145, 2282, 2311, 2320, 2327, 2333, 2341, 2355, 2371, 5515]

2302. KARAGIANNOPOULOS (Giannēs). To byzantino kratos. (L'Etat byzantin.) Athènes, Hermēs, 83, in-8, 228 p.

2303. KAZNTAN [= KAŽDAN] (A.). Kentromoles kai kentrophyges taseis sto byzantino kosmo (1081-1261). Hē domē tēs Byzantinēs koinōnias (met. Tēl. Louggē). (Courants centripèdes et centrifuges dans le monde byzantin, 1081-1261. La structure de la société byzantine [trad. par Tēl. LOUGGE].) Byzantiaka, 83, t. 3, p. 91-110.

2304. KAZHDAN (Alexander), CONSTABLE (Giles). People and power in Byzantium. An introduction to modern Byzantine studies. Washington, D.C., Dumbarton Oaks Trustees for Harvard U.P., 82, in-8, XI-218 p.

2305. MAMATSĒS (T.). Historia tou Byzantiou. (Histoire de Byzance.) 2e éd. Athènes, Synchronē Epochē, 82, in-8, 269 p.

2306. MISIOU (D.). Hē politikē sēmasia tēs onomatodosias tōn Byzantinōn autokratorōn. (La signification politique de l'attribution des noms des empereurs byzantins.) Byzantiaka, 83, t. 3, p. 135-159.

2307. STRATOS (Andreas N.). Studies in 7th-century Byzantine political history. Pref. by Steven RUNCIMAN. London, Variorum Repr., 83, in-8, 232 p. (3 ill., 6 maps).

2308. Studien zum 8. und 9. Jahrhundert in Byzanz. Hrsg. v. Helga KÖPSTEIN u. Friedhelm WINKELMANN. Berlin, Akad.-Verl., 83, in-8, 191 p. (Abb.). (Berliner byzantinist. Arbeiten, 51)

Cf. n°s 672, 2641.

§ 3. Special studies.

* 2309. KARABELIAS (Evanghelos). Chronique. Droits de l'antiquité. Monde byzantin. [Cf. Bibl. 82, n° 2133.] R. hist. Droit franç. étr., 83, a. 61, n° 3, p. 482-501.

2310. AHRWEILER (Hélène). La région de Philadelphie au XIVe siècle (1290-1390): dernier bastion de l'hellénisme en Asie. C. R. Acad. Inscript., 83, p. 175-197 (ill., cartes).

2311. ANDERSON (Jeffrey C.). The Seraglio Octateuch and the Kokkinobaphos master. In: Dumbarton Oaks papers, n° 36 [Cf. n° 2301], p. 83-114.

2312. ANGELIDĒ (Ch.). Hē perigraphē tōn Hagiōn Apostolōn apo ton Kōnstantino Rhodio. Architektonikē kai symbolismos. (La description [de l'église] des Saints-Apôtres [à Constantinople] par Constantin le Rhodien. Architecture et symbolisme.) Symmeikta, 83, t. 5, p. 91-125.

2313. ANTONAKATOU (Diana). Ereunes kai symperasmata gyrō apo tē Mesaiōnikē Kephalonia me basē to Praktiko tēs Latinikēs Episkopēs Kephallēnias tou 1264. (Recherches et conclusions autour de Céphalonie au moyen âge, fondées sur le procès-verbal de l'épiscopat latin de Céphalonie en 1264.) Byzantina, 83, t. 12, p. 291-356.

2314. BARTIKIAN (H.M.). Byzantion kai Armenia. (Byzance et Arménie.) Byzantina, 83, t. 12, p. 429-462.

2315. BARZOS (K.). Hē moira tōn teleutaiōn Megalōn Komnēnōn tēs Trapezountos. (Le sort des derniers Grands Comnènes de Trébizonde.) Byzantina, 83, t. 12, p. 267-289.

2316. BERGER (Albrecht). Das Bad in der byzantinischen Zeit. München, Inst. f. Byzantinistik u. neugriech. Philol. d. Univ., 82, in-8, 172 p. (Misc. Byzant. Monacensia, 27)

2317. BLYSIDOU (B.). Antidraseis stēn dytikē politikē tou Basileiou 1'. Diamorphōsē neas stratiōtikēs hēgesias. (Opposition à la politique occidentale de Basile Ier. Formation d'un nouveau commandement militaire.) Symmeikta, 83, t. 5, p. 127-141.

2318. BLYSIDOU (B.), KARAMALOUDĒ (A.), KOUNTOURA-GALANĒ (E.), LOUGGĒS (T.). Ideologikoi stathmoi tēs byzantinēs architektonikēs (4os - 9os ai.). Genikes kateuthynseis tēs ereunas. (Etapes idéologiques de l'architecture byzantine, IVe-IXe siècle. Directions générales de la recherche.) In: Praktika 4' panhellēniou hist. Synedriou [Cf. n° 746], p. 187-191.

2318. BLYSIDOU (B.), KARAMALOUDĒ (A.), KOUNTOURA-GALANĒ (E.), LOUGGĒS (T.). Ideologikoi stathmoi tēs byzantinēs architektonikēs (4os - 9os ai.). Genikes kateuthynseis tēs ereunas. (Etapes idéologiques de l'architecture byzantine, IVe-IXe siècle. Directions générales de la recherche.) In: Praktika 4' panhellēniou hist. Synedriou [Cf. n° 746], p. 187-191.

2319. Calabria bizantina. Tradizione di pietà e tradizione strittoria nella Calabria greca medievale. Reggio Calabria, Casa del Libro, 83, in-8, 191 p. (50 ill.).

2320. CARR (Annemarie Weyl). A group of provincial manuscripts from the twelfth century. In: Dumbarton Oaks papers, n° 36 [Cf. n° 2301], p. 39-81 (ill.).

2321. CHRISTOPHILOPOULOU (Aikaterinē). Byzantinē Makedonia. Schediasma gia tēn epochē apo ta telē tou 6ou mechri ta mesa tou 9ou aiōna. (Macédoine byzantine. Esquisse pour la période qui s'étend de la fin du VIe au milieu du IXe siècle.) Byzantina, 83, t. 12, p. 9-63 (carte).

2322. DAGRON (Gilbert). Byzance et le modèle islamique au Xe siècle: à propos des Constitutions tactiques de l'empereur Léon VI. C. R. Acad. Inscript., 83, p. 219-242.

2323. DALY (Lawrence J.). Themistius' refusal of a magistracy (Or., 34, cc. XIII-XV). Byzantion, 83, t. 53, fasc. 1, p. 164-212.

2324. DAUPHIN (Claudine). Dora-Dor: tahana be-derekh ole ha-regel lirushalayim ... (Dora-Dor: a pilgrim station on the way to Jerusalem.) Cathedra, 83, vol. 29, p. 29-44 (ill.).

2325. DEMICHELI (Anna Maria). La politica religiosa di Giustiniano in Egitto. Riflessi sulla chiesa egiziana della legislazione ecclesiastica giustinianea. Aegyptus, 83, a. 63, p. 217-257.

2326. DÍAZ-BAUTISTA (Antonio). L'intercession des femmes dans la législation de Justinien. R. int. Droits Antiquité, 83, sér. 3, t. 30, p. 81-99.

2327. DURLIAT (Jean). Taxes sur l'entrée des marchandises dans la cité de Carales-Cagliari à l'époque byzantine (582-602). In: Dumbarton Oaks papers, n° 36 [Cf. n° 2301], p. 1-14.

2328. DUVAL (Yvette). Les saints vénérés dans l'Eglise byzantine d'Afrique. Corsi Cult. Arte ravennate bizant., 83, a. 30, p. 195-200.

2329. EDWARDS (Robert W.). Ecclesiastical architecture in the fortifications of Armenian Cilicia. In: Dumbarton Oaks papers, n° 36 [Cf. n° 2301], p. 155-176 (ill., maps).

2330. FARIOLI (R.). Ravenna, Constantinopoli: considerazioni sulla scultura del VI secolo. Corsi Cult. Arte ravennate bizant., 83, a. 30, p. 205-253.

2331. FAZZO (V.). Rifiuto delle icone e difesa cristologica nei discorsi di Giovanni Damasceno. Vetera Christianorum, 83, t. 20, p. 25-45.

2332. FERJANČIĆ (Božidar). Ogled o parokhijskom sbeštenstvu u poznoj Vizantij. (On the parish clergy in late Byzantium.) Zborn. Rad. vizant. Inst., 83, t. 22, p. 59-117. [Eng. summary]

2333. FOLDA (Jaroslav). Crusader frescoes at Crac des Chevaliers and Marqab castle. In: Dumbarton Oaks papers, n° 36 [Cf. n° 2301], p. 177-210.

2334. GOUNARIDI (P.). Hoi politikes pro-hypotheseis gia tēn antistase stous Latinous to 1204. (Les prémisses politiques de l'opposition aux Catholiques en 1204.) Symmeikta, 83, t. 5, p. 143-160.

2335. GRĒGORIOU-IŌANNIDOU (Martha). Hē byzantinoboulgarikē synkrousē stous Katasyrtes (917). (Le combat byzantino-bulgare à Katasyrtes, 917.) Epistēmonikē Epetērida philos. Scholēs A. P. Th., 83, t. 21, p. 121-148.

2336. HARVEY (Alan). Economic expansion in central Greece in the twelfth century. Byzant. a. mod. greek Stud., 82-83, vol. 8, p. 21-28.

2337. HAZIDIMITRIOU (C.). Synaxarium Constantinopolitanum (August 16th) and the Arab siege of Constantinople in 717 A.D. Byzantina, 83, t. 12, p. '183-207.

2338. HODGETTS (Christine). Land problems in Coron 1298-1347: a contribution on Venetian colonial rule. Byzantina, 83, t. 12, p. 135-157.

2339. JEFFREYS (E.M.), JEFFREYS (M.J.). Popular literature in late Byzantium. London, Variorum Repr., 83, in-8, 342 p.

2340. JUNECKE (Hans). Proportionen der Hagia Sophia in Istanbul. Proportionen frühchristl. Basiliken d. Balkan im Vergleich zu zwei unterschiedl. Meßverfahren. Tübingen, Wasmuth, 83, in-4, 76 p. (22 p. Graph., 9 Tab.).

2341. KAHANE (Henry), KAHANE (Renée). The western impact on Byzantium: the linguistic evidence. In: Dumbarton Oaks papers, n° 36 [Cf. n° 2301], p. 127-153.

2342. KARAMLOUDĒ (A.). Paratērēseis sto thesmo tou prōtopatrikiou sto prōimo Byzantio. (Quelques remarques sur l'institution du protopatrice pendant la haute époque.) Symmeikta, 83, t. 5, p. 161-168.

2343. KARAYANNOPOULOS (I.). Symbolē stēn agrotikē historia tou metagenesterou byzantinou Kratous. (Contribution à l'histoire rurale de l'Etat byzantin tardif.) Epistemonikē Epetērida philos. Scholēs A. P. Th., 83, t. 21, p. 163-200.

2344. KARPOZĒLOS (Apostolos). Symbolē stē meletē tou biou kai tou ergou tou Ioannē Mauropodos. (Contribution à l'étude de la vie et de l'oeuvre de Ioannes Mauropos.) Iōannina, Panepistēmio Iōanni-

3. SPECIAL STUDIES

nōn, 82, in-8, 230 p. (Epistēmonikē Epeterida philos. Scholēs, Dōdōnē, suppl., 18)

2345. KATSAROS (B.). To "problēma tēs Katagōgēs" tōn Komnēnōn. (Le "problème de l'Origine" des Comnènes.) Byzantiaka, 83, t. 3, p. 111-122.

2346. KENNEDY (G.A.). Greek rhetoric under Christian emperors. Princeton, N.J., Princeton U.P., 83, in-8, XVII-333 p.

2347. KILLICK (Alistair). Udruh - the frontier of an empire: 1980 a. 1981 seasons, a preliminary report. Levant, 83, vol. 15, p. 110-131 (ill., maps).

2348. KISLINGER (E.). Eudokia Ingerina, Basileios I. und Michael III. Jb. d. österr. Byzantinistik, 83, Bd 33, p. 119-136.

2349. KNOWLES (Christine). Les Enseignements de Théodore Paléologue. London, Modern Humanities Research Assoc., 83, in-8, 138 p. (Texts a. Dissertations, 19)

2350. KONSTANTINOU (E.). Die byzantinische Medizin im Lichte der anonymen Satire "Timarion". Byzantina, 83, t. 12, p. 159-181.

2351. KORRES (Th.). Ho problēmatismos gyrō apo to hygron pyr tōn Byzantinōn. (La problématique autour du feu grégeois des Byzantins.) Byzantiaka, 83, t. 3, p. 123-134.

2352. KOUNTOURA-GALAKĒ (E.). Hē epanastasē tou Bardanē Tourkou. (La révolte de Bardani Tourkou [803].) Symmeikta, 83, t. 5, p. 203-215.

2353. LAWRENCE (A.W.). A skeletal history of Byzantine fortification. Annu. british School Athens, 83, vol. 78, p. 171-227.

2354. LOUGGĒS (T.K.). Ho "prōtos autokratōr Rōmaiōn" kai ho "prōtos Rōmaiōn hapantōn". Hē anoloklērōtē Reconquista. (Le "premier empereur des Romains" et le "premier de tous les Romains". La reconquista incomplète.) Symmeikta, 83, t. 5, p. 217-247.

2355. LOWDEN (John). The production of the Vatopedi Octateuch. In: Dumbarton Oaks papers, n° 36 [Cf. n° 2301], p. 115-126.

2356. MAGDALINO (Paul). Aspects of twelfth-century Byzantine Kaiserkritik. Speculum, 83, vol. 58, n° 2, p. 326-346.

2357. MALTEZOU (Chryssa). Prosōpographika byzantinēs Peloponnēsou kai xenokratoumenou hellēnikou chōrou (me aphormē to phakelo Foscari tēs Benetias). (Portraits du Péloponnèse byzantin et de l'espace grec sous domination étrangère - avec, pour point de départ, le dossier Foscari de Venise.) Symmeikta, 83, t. 5, p. 1-27.

2358. MARTÍNEZ DE ARTIEDA (A.). Los Navarros en Grecia en la historiografía navarra. Byzantina, 83, t. 12, p. 247-265.

2359. MIHĂESCU (Haralambie). Hē synecheia tou rōmaïkou politismou stē byzantinē autokratoria. (La continuation de la civilisation romaine dans l'empire byzantin.) Byzantina, 83, t. 12, p. 209-224.

2360. NĂSTASE (D.). Lanthanousa athōnitikē monē tou 10ou aiōna. (Un monastère athonite ignoré du Xe s.) Symmeikta, 83, t. 5, p. 287-293.

2361. NYSTAZOPOULOU-PELIKIDOU (M.). Sur la diplomatie byzantine à l'époque de l'Empire de Nicée. Byzantiaka, 83, t. 3, p. 161-173.

2362. OIKONOMIDĒ (N.). Hoi Byzantinoi douloparoikoi. (Les serfs byzantins.) Symmeikta, 83, t. 5, p. 295-302.

2363. PAPADOPOULOU (E.). Hoi prōtes enkatastaseis Benetōn stēn Kypro. (Les premières installations de Vénitiens à Chypre.) Symmeikta, 83, t. 5, p. 303-332.

2364. PAPAGIANNĒ (E.). Epitrepomenes kai apagoreuomenes kosmikes enascholēseis tou byzantinou klērou. (Occupations laïques permises et interdites au clergé byzantin. In: Praktika 4e panhellēniou hist. Synedriou [Cf. n° 746], p. 145-166.

2365. PATTENDEN (Philipp). The Byzantine early warning system. Byzantion, 83, t. 53, fasc. 1, p. 258-299.

2366. RADOŠEVIĆ (Ninoslava). Inoplemenici u "carskim govorima" epokhe Paleologa. (Les peuples étrangers dans les "basilikoi logoi" à l'époque des Paléologues.) Zborn. Rad. vizant. Inst., 83, t. 22, p. 119-147. [Rés. franç.]

2367. ROCHOW (Ilse). Malalas bei Theophanes. Klio, 83, Bd 65, p. 459-474.

2368. ROSSER (J.). Theophilus (829-842): popular sovereign, hated persecutor. Byzantiaka, 83, t. 3, p. 37-56.

2369. RUBIN (Ze'ev). Christianity in Byzantine Palestine: missionary activity and religious coercion. Jerusalem Cathedra, 83, vol. 3, p. 97-113.

2370. SABBIDĒS (Alexēs G. K.). Hē byzantinē dynasteia tōn Gabaladōn kai hē hellēnoïtalikē diamachē gia tē Rhodo to 13o aiōna. (La dynastie byzantine des Gavalades et le conflit gréco-italien pour Rhodes au XIIIe s.) Byzantina, 83, t. 12, p. 405-428.

2371. SAUNDERS (William B. R.). The Aachen reliquary of Eustathius Maleinus, 969-970. In: Dumbarton Oaks Papers, n° 36 [Cf. n° 2301], p. 211-219.

2372. SCHATTAUER (T.H.). The koinonicon of the Byzantine liturgy. An historical study. Orient. christ. period., 83, a. 49, p. 91-129.

2373. STABRIDOU-ZAFRAKA (Alkmēnē). Hē monē Mōselē kai hē monē tou Anthemiou. Historika kai topographika. (Le monastère de Moselé et le monastère d'Anthémion [à Constantinople]. Aspects historiques et topographiques.) Byzantina, 83, t. 12, p. 65-92.

2374. STABRIDOU-ZAFRAKA (Alkmēnē). Hē synōmosia tou Iōannē Drimēos enantion tou Andronikou II' (1305/6). (La conspiration de Jean Drimys contre Andronikos II, 1305/6.) Epistēmonikē Epetērida philos. Scholēs A.P.Th., 83, t. 21, p. 459-487.

2375. STRATOS (Andreas). Siège ou blocus de Constantinople sous Constantin IV? Jb. d. österr. Byzantinistik, 83, Bd 33, p. 89-107.

2376. TAVARDON (P.). Georges Scholarios, un thomiste byzantin. Byzantiaka, 83, t. 3, p. 57-74.

2377. ȚEICU (Dumitru). Ceramica şmălţuită de factură bizantină din sud-vestul României. (La céramique émaillée de type byzantin du Nord-Ouest de la Roumanie.) Studii Cercet. Ist. veche Arheol., 83, t. 34, p. 274-286.

2378. TRŌIANOS (Sp.). To synainetiko diazygio sto Byzantio. (Le divorce par consentement à Byzance.) Byzantiaka, 83, t. 3, p. 9-21.

2379. TSARAS (G.). Hoi tessereis katholikoi naoi tēs Thessalonikēs sto chroniko tou Iōannou Anagnōstē. (Les quatre églises catholiques de Thessalonique dans la chronique de Jean Anagnoste.) In: Praktika 4' panhellēniou hist. Synedriou [Cf. n° 746], p. 131-144.

2380. VOORDECKERS (Edmond). L'interprétation liturgique de quelques icônes byzantins. Byzantion, 83, t. 53, fasc. 1, p. 52-68.

2381. WILSON (Nigel Guy). Scholars of Byzantium. Londnon, Duckworth, 83, in-8, VII-283 p.

2382. WINFIELD (June), WINFIELD (David). Proportion and structure of the human figure in Byzantine wall painting and mosaic. London, Brit. Archaeol. Rep., 83, in-4, 223 p. (ill.).

2383. WINKELMANN (Friedhelm). Neue Beiträge zur Erforschung der frühbyzantinischen Gesellschaft. Klio, 83, Bd 65, p. 507-530. - IDEM. Überlegungen zu Problemen des frühbyzantinischen Menschenbildes. Ibid., p. 441-458.

2384. Vacat.

2385. WORTLEY (John). Iconoclasm and leipsanoclasm: Leo III, Constantine V and the relics. Byzant. Forsch., 82, Bd 8, p. 253-279.

Cf. n°s 77, 88, 126, 862, 1316, 1400, 1765, 1832, 1862, 1947, 2048, 2196, 2494, 2506, 2517, 2553, 2593, 2603, 2694.

I

HISTORY OF THE MIDDLE AGES

§ 1. Sources and criticism of sources. 2386-2478. - § 2. General works. 2479-2515. - § 3. Political history (a. General; b. 476-900; c. 900-1300; d. 1300-1500). 2516-2667. - § 4. Jews. 2668-2690. - § 5. Islam. 2591-2705. - § 6. Vikings. 2706-2708. - § 7. History of law and institutions. 2709-2756. - § 8. Economic and social history. 2757-2871. - § 9. History of civilization, literature and education. 2872-2941. - § 10. History of art (a. General; b. Special studies). 2942-2978. - § 11. History of music. 2979-2986. - § 12. History of philosophy. 2987-3009. - § 13. History of the Church (a. General; b. History of the Popes; c. Monastic history; d. Hagiography; e. Special studies). 3010-3110. - § 14. Settlements. Place names. Town-planning. 3111-3137.

§ 1. Sources and criticism of sources.

* 2386. Bulletin codicologique. [Cf. Bibl. 82, n° 2178.] Scriptorium, 83, t. 37, p. 1*-213*.

2387. Accounts (The) of the fabric of Exeter Cathedral, 1279-1353. Ed. a. tr. with an introd. by Audrey M. ERSKINE. Vol. 1: 1279-1326. Vol. 2: 1328-1353. Exeter, Devon a. Exeter Institution, 81-83, 2 vol. in-4, XXI-212 p.; XXXXVI p., p. 213-348 (ill., pl.). (Devon a. Cornwall Record Soc., 24, 26)

2388. Acta Cusana. Quellen zur Lebensgeschichte des Nikolaus von Kues. Im Auftr. d. Heidelberger Akad. d. Wiss., hrsg. v. Erich MEUTHEN u. Hermann HALLAUER. Bd 1, [Lfg. 1. Cf. Bibl. 76-77, n° 2340.] Lfg. 2: 1437 Mai 17 - 1450 Dezember 31. Hrsg. v. Erich MEUTHEN. Hamburg, Meiner, 83, in-4, VI p., p. 201-667 (14 p. Beil.).

2389. ANDREESCU (Stefan). Trois actes des archives de Gênes concernant l'histoire de la Mer Noire au XVe siècle. R. Et. sud-est europ., 83, t. 21, p. 31-50.

2390. Anglo-Saxon (The) Chronicle. Vol. 4: Ms B. Ed. by Symon TAYLOR. Woodbridge, Boydell a. Brewer, 83, in-8, 96 p. (ill.).

2391. Bibl. 80, n° 1806. BALARD (Michel). Gênes et l'Outre-Mer. T. 2. - CR: V. Eskenazy, R. roumaine Hist., 83, t. 22, p. 87-95.

2392. Bamberger Stadtrecht (Das). Hrsg. u. mit Erl. zur Text- u. Überlieferungsgesch. vers. v. Harald PARIGGER. Neustadt (Aisch), Degener, 83, in-8, IX-260 p. (1 graph. Darst.). (Veröff. d. Ges. f. Fränkische Gesch., Reihe 10: Quellen zur Rechts- u. Wirtschaftsgesch. Frankens, 12)

2393. BARNISH (S.J.B.). The Anonymus Valesianus II as a source for the last years of Theoderic. Latomus, 83, vol. 42, n° 3, p. 572-596.

2394. Beiträge zur Überlieferung und Beschreibung deutscher Texte des Mittelalters. Referate d. 8. Arbeitstagung Österr. Hs.-Bearb. vom 25.-28.11.1981 in Rief bei Salzburg. Hrsg. v. Ingo REIFFENSTEIN. Göppingen, Kümmerle, 83, in-8, IV-229 p. (9 Ill.). (Göppinger Arbeiten zur Germanistik, 402)

2395. BERGES (Wilhelm). Die älteren Hildesheimer Inschriften bis zum Tode Bischof Hezilos († 1079). Aus d. Nachlaß hrsg. u. mit Nachtr. vers. v. Hans Jürgen RIECKENBERG. Göttingen, Vandenhoeck u. Ruprecht, 83, in-8, 214 p. (35 p. Ill.). (Abh. d. Akad. d. Wiss. in Göttingen. Phil.-hist. Kl., Folge 3, 131)

2396. BISTŘICKÝ (Jan). Listy adresované olomouckému biskupu Jindřichu Zdíkovi. (Briefe an den Bischof von Olmütz Heinrich Zdík.) Sborn. Prací hist., 83, vol. 10, p. 9-43. - IDEM. Písemnosti olomouckého biskupa Jindřicha Zdíka. (Das Schriftgut des Bischofs von Olmütz Heinrich Zdík.) Sborn. arch. Prací, 83, vol. 33, p. 32-74.

2397. BÖHMER (J.F.). Regesta Imperii. Hrsg. v. d. Komm. für die Neubearb. d. Regesta Imperii bei d. Österr. Akad. d. Wiss. u. d. Deutschen Komm. für die Bearb. d. Regesta Imperii bei d. Akad. d. Wiss. u. d. Lit. zu Mainz. V: Die Regesten des Kaiserreichs unter Philipp, Otto IV., Friedrich II., Heinrich (VII), Conrad IV., Heinrich Raspe, Wilhelm u. Richard 1198-1272. Nach d. Neubearb. u. d. Nachlasse J. F. Böhmers neu hrsg. u. ergänzt v. Julius FICKER u. Eduard WINCKELMANN. Bd 4 (Abt. 6): Nachträge u. Ergänzungen. Bearb. v. Paul ZINSMAIER. Köln u. Wien, Böhlau, 83, in-4, XII-404 p. [Cf. Bibl. 82, n° 2276.]

2398. BOUBÍN (Jaroslav), MÍŠKOVÁ (Alena). Spis M. Jana Příbrama "Vyznání věrných Čechů". (Die Schrift des Magisters Johannes Příbram "Glaubensbekenntnis der treuen Tschechen.") Folia hist. bohem., 83, vol. 5, p. 239-287.

2399. CANNUYER (Christian). La date de rédaction de l'Historia orientalis de Jacques de Vitry (1160/70-1240) évêque d'Acre. R. Hist. ecclés., 83, vol. 78, n° 1, p. 65-72.

2400. Codex diplomaticus Regni Siciliae. [Ser. I, t. 5. Cf. Bibl. 82, n° 2194.] Series II: Diplomata regum e gente Suevorum. T. I, 2: Constantiae imperatricis et reginae Siciliae diplomata (1195-1198). Edidit Theo KÖLZER. Köln u. Wien, Böhlau, 83, in-4, XIX-438 p. [Cf. n° 23]

2401. Confessio Taboritarum. A cura di Amedeo MOLNAR et Romolo CEGNA. Roma, Istit. stor. ital. per il Medio Evo, 83, in-8, 442 p. (Fonti per la Stor. d'Italia, 105)

2402. Constitutiones et acta publica imperatorum et regum. Hrsg. v. d. Akad. d. Wiss. d. DDR, Zentralinst. f. Gesch. Bd 9: Dokumente zur Geschichte des Reiches und seiner Verfassung. Bearb. v. Margarete KÜHN. [Lfg. 3. Cf. Bibl. 76-77, n° 2356.] Lfg. 4: Inhaltsverzeichnis, Einführung, Register. Weimar, Böhlau, 83, in-4, XLVII p., p. 487-609. (Monumenta Germaniae historica, 2, sectio 4, t. 9, fasc. 4)

2403. Consuetudines Cluniacensium antiquiores cum redactionibus derivatis. Ed. Kassius HALLINGER. Siegburg, Schmitt, 83, in-4, XXXII-408 p. (Corpus consuetudinum monasticarum, 7/2)

2404. DALY (Kathleen). Some seigneurial archives and chronicles in XVth-century France. Peritia, 83, vol. 2, p. 59-73.

2405. DEROCHE (François). Collections de manuscrits anciens du Coran à Istanbul. Rapport préliminaire. In: Etudes médiév. ... [Cf. n° 328], p. 145-165 (6 fig., 4 pl.).

2406. DE WITTE (Charles-Martial). La production du sucre à Madère au XVe siècle d'après un rapport du capitaine de l'île au roi Manuel Ier. B. Et. portugaises, 81-82 [83], t. 42-43, p. 79-93.

2407. DÍAZ Y DÍAZ (Manuel C.). Códices visigóticos en la monarquía leonesa. León, Centro de Est. y Investig. "San Isidro", 83, in-8, 563 p. (68 lám.). (Fuentes y estudios de historia leonesa, 31)

2408. DUVAL (Yves-Marie). Origine et diffusion de la recension de l'In Prophetas Minores hiéronymien de Clairvaux. R. Hist. Textes, 81 [83], t. 11, p. 277-302.

2409. EBERL (Immo). Dagobert I. und Alemannien. Studien zu d. Dagobert-Überlieferungen im alemannischen Raum. Z. f. württemb. Landesgesch., 83, Jg. 42, p. 7-51.

2410. ERKENS (Franz-Reiner). Die ältesten Passauer Bischofsurkunden. Z. f. bayer. Landesgesch., 83, Bd 46, p. 469-514.

2411. Extravagantes Iohannis XXII. Edidit Jacqueline TARRANT. Città del Vaticano, Bibliot. Apost. Vatic., 83, in-4, XII-293 p. (Monumenta iuris canonici, ser. B: Corpus Collectionum, 6)

2412. FLODOARD. Historiae Remensis ecclesiae Liber [I, II. Cf. Bibl. 82, n° 2213.] tertius. R. Moyen Age latin, 83, t. 39, n° 1-2, p. 1-203.

2413. GASPARD (Monique-Cécile). Un manuscrit d'auteur de Raoul Glaber. Observations codicologiques et paléographiques sur le ms. Paris, B. N., latin 10912. Scriptorium, 83, vol. 37, n° 1, p. 4-28.

2414. Gerichtsstandsprivilegien (Die) der deutschen Kaiser und Könige bis zum Jahre 1451. Von Friedrich BATTENBERG. Teilbd 1, 2. Köln u. Wien, Böhlau, 83, 2 vol. in-8, X-402 p., p. 403-875. (Quellen u. Forsch. z. höchsten Gerichtsbarkeit im alten Reich, 12)

2415. GOFFART (Walter). The supposedly "Frankish" Table of Nations: an edition and study. Frühmittelalterl. Stud., 83, Bd 17, p. 98-130.

2416. [GREGORIUS MAGNUS, Papa, Sanctus:] S. Gregorii Magni registrum epistularum, libri I-VII, VIII-XIV. Ed. Dag NORBERG. Turnhout, Brepols, 82, in-8, XII-505 p., p. 507-1186. (Corpus Christian., Ser. Latina, 140 A, B)

2417. GRONKE (Monika). Arabische und persische Privaturkunden des 12. und 13. Jahrhunderts aus Ardabil (Aserbeidschan). Berlin, Schwarz, 82, in-8, 555 p. (Ill.). (Islamkundl. Unters., 72)

2418. HADŽIJAHIĆ (Muhamed) Das Regnum Sclavorum als historische Quelle und als territoriales Substrat. Südostforsch., 83, Bd 42, p. 11-60.

2419. HAUBRICHS (Wolfgang). Ortsnamenprobleme in Urkunden des Metzer Klosters St. Arnulf. Jb. f. westdeutsche Landesgesch., 83, Jg. 9, p. 1-49.

2420. HIESTAND (Rudolf). Initien- und Empfängerverzeichnis zu Italia pontificia I-X. München, Monumenta Germaniae Historica, 83, in-8, VIII-180 p. (Monumenta Germaniae Historica, Hilfsmittel, 6)

2421. HILLGARTH (J.N.), SILANO (Giulio). The register "Notulae Communium" 14 of the diocese of Barcelona, 1345-1348. Wetteren, Pontifical Instit. of Medieval Stud., 83, in-8, IX-365 p. (Subsidia mediaevalia, 13)

2422. Initienverzeichnis und chronologisches Verzeichnis zu den Archivberichten und Vorarbeiten der Regesta pontiticum Romanorum. Zsgest. v. Rudolf HIESTAND. München, Monumenta Germaniae Historica, 83, in-8, XVIII-468 p. (Monumenta Germaniae Historica, Hilfsmittel, 7)

2423. IORDACHE (R.). La confusion Gètes-

Goths dans la Getica de Jordanès. Helmantica, 83, a. 34, p. 317-337.

2424. JUYNBOLL (G.H.A.). Muslim tradition. Studies in chronology, provenance and authorship of early hadîth. London a. New York, Cambridge U. P., 83, in-8, X-273 p. (Cambridge Stud. in Islamic Civilization)

2425. Kämmereibuch der Stadt Reval. Bearb. v. Reinhard VOGELSANG. 1463-1507. Halbbd 1: Nr. 1191-1990. Halbbd 2: Nr. 1991-2754. Köln u. Wien, Böhlau, 83, 2 vol. in-8, 480 p., p. 481-948. (Quellen u. Darst. z. hansischen Gesch., N. F., 27)

2426. KEEFE (Susan A.). Carolingian baptismal expositions: a handlist of tracts and manuscripts. In: Carolingian essays [Cf. n° 2484], p. 169-237.

2427. KÖBLER (Gerhard). Wörterverzeichnis zu den Diplomata regum Francorum e stirpe Merowingica. Gießen-Lahn, Arbeitenzur-Rechts-und-Sprachwissenschaft-Verl., 83, in-8, XIII-307 p. (Arbeiten z. Rechtsu. Sprachwiss., 17)

2428. KOLLANTZ (A.). Orient und Okzident am Ausgang des 6. Jh. Johannes, Abt von Biclarum, Bischof von Genova, der Chronist des westgotischen Spaniens. Byzantina, 83, t. 12, p. 463-506.

2429. Kronika konfliktu Władysława króla polskiego z Krzyżakami w roku pańskim 1410. (Chronique du conflit entre Ladislas roi de Pologne et les Chevaliers Teutoniques en l'an de grâce 1410.) Trad. du ms. latin par Jolanta DANKA et Andrzej NADOLSKI. Olsztyn, Muzeum Warmii i Mazur, 83, in-8, 16 p.

2430. LABUDA (Gerard). Zaginiona kronika z pierwszej połowy XIII wieku w Rocznikach Królestwa Polskiego Jana Długosza. Próba rekonstrukcji. (Une chronique disparue de la première moitié du XIIIe s. dans les Annales du Royaume de Pologne de Jan Długosz. Essai de reconstruction.) Poznań, 83, in-8, 388 p. (Uniw. im. Adama Mickiewicza w Poznaniu, Historia, 106)

2431. LAMBERT (P.-Y.). Les commentaires celtiques à Bède le Vénérable. Et. celtiques, 83, t. 20, p. 119-143.

2432. Lehenbuch (Das) des Fürstbischofs Albrecht von Hohenlohe 1345-1375. Bearb. v. Hermann HOFFMANN. Teilbd 1, 2. Würzburg, Schöningh, 82, 2 vol. in-8, XXXIV-539 p. (Quellen u. Forsch. z. Gesch. d. Bistums u. Hochstifts Würzburg, 33)

2433. Liber (Der) vitae der Abtei Corvey. Hrsg. v. Karl SCHMID u. Joachim WOLLASCH. T. 1: Einleitung, Register, Faksimile. Wiesbaden, Reichert, 83, in-4, 118 p. (98 p. Ill.). (Veröff. d. Hist. Komm. Westfalens, 40. Westfäl. Gedenkbücher u. Nekrologien, 2)

2434. LIEDGREN (Jan). Sixtus IV:s bulla 1477 för Uppsala universitet i svensk 1600-talstradering. (Pope Sixtus IV's bull of 1477 for Uppsala University in Swedish 17th-century version.) Stockholm, Almqvist a. Wiksell Internat., 83, in-8, 26 p. (Skr. rörande Uppsala univ., C: 44) [Eng. summary. Deutsche Zusammenfassung]

2435. LÖWE (Heinz). Die Entstehungszeit der Vita Karoli Einhards. Deutsch. Arch. f. Erforsch. d. M.-A., 83, Jg. 39, p. 85-103.

2436. McGUIRE (Brian). The Cistercians and the rise of the exemplum in early thirteenth-century France: a reevaluation of Paris B. N. Ms. lat. 15912. Classica et Mediaevalia, 83, vol. 34, p. 211-267.

2437. MASI (Michael). Boethian number theory. A translation of the De Institutione Arithmetica. Atlantic Highlands, N.J., Humanities, 83, in-8, 198 p. (fig., tabl.). (Stud. in class. Antiquity, 6)

2438. MICHALCZYK (Marian). Une compilation parisienne des sources primitives franciscaines: Paris, Bibliothèque Nationale, ms. lat. 12707. Arch. francisc. hist., 83, a. 76, p. 3-97.

2439. MÖTSCH (Johannes). Das älteste Kopiar des Erzbischofs Balduin von Trier. Arch. f. Diplomatik, 80 [83], Bd 26, p. 312-351.

2440. MURAV'EVA (L.L.). Letopisanie Severo-Vostočnoj Rusi konca XIII - načala XV veka. (The Chronicle of North-Eastern Russia, end of the 13th - beginning of the 15th cent.) Moskva, Nauka, 83, 295 p. (AN SSSR. In-t istorii SSSR)

2441. MUTH (Franz-Christoph). Die Annalen von aṭ-Ṭabarî im Spiegel der europäischen Bearbeitungen. Frankfurt (Main), Bern u. New York, Lang, 83, in-8, IV-190 p. (Heidelberger orientalist. Studien, 5)

2442. Nürnberger Ratsverlässe (Die). Hrsg. v. Irene STAHL. H. 1: 1449-1450. Neustadt (Aisch), Degener, 83, in-8, XVI-444 p. (Schr. d. Zentralinst. f. Fränk. Landeskde u. Allg. Regionalforsch. an d. Univ. Erlangen-Nürnberg, 23)

2443. OLDONI (Massimo). A fantasia dicitur fantasma: Gerberto e la sua storia. Studi mediev., 83, ser. 3, a. 24, fasc. 1, p. 167-245.

2444. Papsturkunden für Templer und Johanniter. Von Rudolf HIESTAND. N. F. Göttingen, Vandenhoeck u. Ruprecht, 83, in-8, 340 p. (Vorarbeiten z. Oriens pontificius, 2. Abh. d. Akad. d. Wiss. in Göttingen, Philol.-hist. Kl., Folge 3, 135)

2445. PARAVICINI (Werner). Die Hofordnungen Herzog Philipps des Guten von Burgund. Edition. Francia [München], 82 [83], Bd 10, p. 136-166.

2446. Pastoralet (Le). Ed., avec introd., notes et glossaire par Joël BLANCHARD. Paris, Presses univ. France, 83, in-8, 312 p. (Publ. de l'Univ. de Rouen)

2447. PEYRONNET (Georges). Les sources documentaires anglaises de l'histoire médiévale de la Bretagne (suite [de Bibl. 82, n° 2266].) A. Bretagne, 83, t. 90, n° 4, p. 529-538.

2448. POKORNY (Rudolf). Ein unbekannter Synodalordo Arns von Salzburg. Deutsch. Arch. f. Erforsch. d. M.-A., 83, Jg. 39, p. 379-394.

2449. Proverbia sententiaeque Latinitatis medii ac recentioris aevi = Lateinische Sprichwörter und Sentenzen des Mittelalters und der frühen Neuzeit in alphabetischer Anordnung. Aus d. Nachlaß v. Hans WALTHER hrsg. v. Paul Gerhard SCHMIDT. [T. 7. Cf. Bibl. 82, n° 2270.] Teil 8: H - O. Göttingen, Vandenhoeck u. Ruprecht, 83, in-8, XI-992 p. (Carmina medii aevi posterioris Latina, 2. Nova ser.)

2450. Public Record Office, London. English mediaeval diplomatic practice. Pt. 1: Documents and interpretation. London, H. M. Stationery Office, 83, 2 vol. in-8, 830 p.

2451. QUAGLIA (Armando). Sulla datazione e il valore della Historia occidentalis de Giacomo Vitry. Misc. francesc., 83, a. 83, p. 177-192.

2452. Quellen zur Verfassungsgeschichte des Römisch-Deutschen Reiches im Spätmittelalter (1250-1500). Ausgew. u. übers. v. Lorenz WEINRICH. Darmstadt, Wiss. Buchges., 83, in-8, XXIX-545 p. (Ausgew. Quellen z. deutsch. Gesch. d. Mittelalters, 33)

2453. RATKOŠ (Peter). Anonymove Gesta Hungarorum a ich pramenná hodnota. (Der Quellenwert der Gesta Hungarorum des Anonymus.) Hist. Čas., 83, vol. 31, p. 825-870.

2454. Regesta Norvegica. Utg. for (Publ. for the) Kjeldeskriftfondet. Vol. 3: 1301-1319. By Sverre BAGGE a. Arnved NEDKVITNE. Oslo, Norsk hist. kjeldeskr. inst., 83, 445 p.

2455. Regesten (Die) der Erzbischöfe von Köln im Mittelalter. [Bd 7, 8. Cf. Bibl. 83, n° 2276a.] Bd 9: 1381-1390 (Friedrich von Saarwerden). Bearb. v. Norbert ANDERNACH. Düsseldorf, Droste, 83, in-8, XXV-549 p. (Publ. d. Ges. f. Rhein. Geschichtskunde, 21)

2456. Regesten Kaiser Friedrichs III. (1440-1493). Aus Archiven u. Bibliotheken hrsg. v. Heinrich KOLLER. [H. 1. Cf. Bibl. 82, n° 2277.] H. 2: Die Urkunden und Briefe aus Stadtarchiven im Bayer. Hauptstaatsarchiv (München). Bearb. v. Christine Edith JANOTTA. H. 3: Die Urkunden u. Briefe aus d. Archiven u. Bibliotheken d. Regierungsbezirks Kassel (Hessen). Bearb. v. Paul-Joachim HEINIG. Köln u. Wien, Böhlau, 83, 2 vol. in-8, VI-159, 149 p.

2457. RENARD (J.-P.). La Lectura super Matthaeum V, 20-48 de Thomas d'Aquin (Édition d'après le ms. Bâle, Univ. Bibl. B. V. 12). Rech. Théol. anc. méd., 83, t. 50, p. 145-190.

2458. ROHTWELL (William). French text of the mediaeval "Rotuli Parliamentorum": some corrections. Manchester, J. Rylands U. Libr., 83, in-8, 29 p.

2459. RUSU (Adrian Andrei). Un formular al cancelariei regale, din epoca lui Iancu de Hunedoara, pentru nobilii români din Transilvania. (Un formulaire de la chancellerie royale de l'époque de Iancu de Hunedoara à l'intention des notables roumains de Transylvanie.) Acta Musei napocensis, 83, t. 20, p. 155-171.

2460. SALMERI (Ricardo). Problem źródeł w dziele Jordanesa "De origine actibusque Getarum". (Le problème des sources dans l'oeuvre de Jordanes "De origine actibusque Getarum".) Studia hist. [Kraków], 83, a. 26, fasc. 2, p. 179-196.

2461. SÁNCHEZ-ALBORNOZ (Claudio). Documentos para el estudio de la hacienda en el reino asturleonés. Cuad. Hist. España, 82 [83], t. 67-68, p. 410-425.

2462. SANDERLIN (Sarah). The manuscripts of the Annals of Clonmacnois. Proc. roy. irish Acad., 82, vol. 82C, p. 111-123.

2463. SOURDEL (Dominique), SOURDEL-TOMINE (Janine). Une collection médiévale de certificats de pèlerinage à la Mekke conservés à Istanbul. Les actes de la période seljoukide et bouride (jusqu'à 549/1154). In: Etudes médiév. ... [Cf. n° 328], p. 167-273 (10 pl.).

2464. STEINDORFF (Ludwig). Über die Echtheit des 1205 von Andreas II. an die Stadt Nin verliehenen Privilegs. Südostforsch., 83, Bd 42, p. 61-112.

2465. STÜRNER (Wolfgang). Rerum necessitas und die divina provisio. Zur Interpretation des Prooemiums der Konstitutionen von Melfi (1231). Deutsch. Arch. f. Erforsch. d. M.-A., 83, Jg. 39, p. 467-554.

2466. Tacuinum sanitatis. The medieval health handbook. Intr. by Luisa Cogliati ARANO. London, Zwemmer, 82, in-4, 153 p. (243 ill., 48 pl.).

2467. THEUERKAUF (Gerhard). Accipe Germanam pingentia carmina terram. Stadt- und Landesbeschreibungen d. Mittelalters u. d. Renaissance als Quellen d. Sozialgesch. Arch. f. Kulturgesch., 83, Bd 65, p. 89-116.

2468. Totenbücher (Die) von Merseburg, Magdeburg und Lüneburg. Hrsg. v. Gerd ALTHOFF u. Joachim WOLLASCH. Hannover, Hahn, 83, in-4, XLIX-50 p. (75 Taf.). (Monumenta Germaniae Historica. [Antiquitates, 4.] Libri memoriales et necrologia, N. S., 2)

2469. TŘEŠTIK (Dušan). Kristián a václavské legendy 13. století. (Christian- und Wenzelslegenden d. 13. Jh.) Acta univ. Carolinae, Philosophica et hist., 81, fasc. 2: Studia historica, 83, vol. 21, p. 45-91.

2470. VÁSQUEZ (Concepción), HERRERA (M. Teresa). Similitud de dos textos médicos: árabe y castellano. B. Asoc. esp. Oriental., 83, a. 19, p. 39-121.

2471. Vita Sanctae Wiboradae. Die ältesten Lebensbeschreibungen d. heiligen Wiborada. Einl., krit. Ed. u. Übers. besorgt v. Walter BERSCHIN. St. Gallen, Hist. Ver. d. Kantons St. Gallen, 83, in-8, 237 p. (Mitt. z. Vaterländ. Gesch., 51)

2472. WALPOLE (Ronald N.). Prolégomènes à une édition du Turpin français dit le Turpin I. [I. Cf. Bibl. 82, n° 2313.] 11: Classements des manuscrits. R. Hist. Textes, 81 [83], t. 11, p. 325-370.

2473. WANDERWITZ (Heinrich). Quellenkritische Studien zu den bayerischen Besitzlisten des 8. Jahrhunderts. Deutsch. Arch. f. Erforsch. d. M.-A., 83, Jg. 39, p. 27-84.

2474. WEISSENSTEINER (Johann). Tegernsee, die Bayern und Österreich. Studien zu Tegernseer Geschichtsquellen u. d. bayer. Stammessage. Mit einer Edition d. Passio secunda s. Quirini. Wien, Verl. d. Österr. Akad. d. Wiss., 83, in-8, 309 p. (Arch. f. österr. Gesch., 133)

2475. Weistümer (Die) der jülichschen Ämter Düren und Nörvenich und der Herrschaften Burgau und Gürzenich (mit erg. Quellen). Bearb. v. Hans J. DOMSTA. Düsseldorf, Droste, 83, in-8, 413 p. (Ill., Kt.). (Rhein. Weistümer, Abt. 4: Die Weistümer d. Herzogtums Jülich, 1. Publ. d. Ges. f. Rhein. Geschichtskde, 18)

2476. YRWING (Hugo). Ett medeltida gotlandsprivilegium på avvägar. (Ein mittelalterl. Gotlandsprivileg [vom Jahre 1470] auf Abwegen. Scandia, 83, vol. 49, p. 77-86. (Deutsche Zsfassung, p. 161]

2477. ZEMEK (Metoděj), TUREK (Adolf). Regesta listin z lichtenštejnského archivu ve Vaduzu z let 1173-1526. (Regesten der im Lichtensteinschen Archiv in Vaduz aufbewahrten Urkunden aus den Jahren 1173-1576.) Sborn. arch. Prací, 83, vol. 33, p. 149-296, 483-527.

2478. ZILYNSKIJ (Bohdan). Stížný list české a moravské šlechty proti Husovu upálení. Otázky vzniku a uchování. (Der Beschwerdebrief d. böhm. u. mähr. Adeligen gegen Hus' Flammentod. Fragen d. Entstehung u. Erhaltung.) Folia hist. bohem., 83, vol. 5, p. 195-237.

Cf. n° 2152.

§ 2. General works.

* 2479. CROSBY (Everett Uberto), BISHKO (Charles Julian), KELLOGG (Robert Leland). Medieval studies. A bibliographical guide. New York a. London, Garland, 83, in-8, XXV-1131 p.

* 2480. International medieval bibliography. Publications of [1981. Cf. Bibl. 81, n° 1988.] January - June, July - December 1982. Ed. by Richard J. WALSH. Leeds, University, 83, 2 vol. in-4, LII-290, XLVIII-235 p.

* 2481. Medioevo latino. Bollettino bibliografico della cultura europea dal secolo VI al XIII. A cura di Claudio LEONARDI e di Rino AVESANI, Ferruccio BERTINI, Giuseppe CREMASCOLI, Giovanni ORLANDI, G. SCALIA. [3. Cf. Bibl. 82, n° 2322.] 4: 1981. Spoleto, Centro ital. di Studi sull'alto medioevo, 83, in-8, XL-839 p.

* 2482. SCHIEFFER (Rudolf). Literaturbericht. Frühes Mittelalter (476-911). Gesch. in Wiss. u. Unterr., 83, Bd 34, p. 251-270.

2483. CAHEN (Claude). Orient et Occident au temps des Croisades. Paris, Aubier Montaigne, 83, in-8, 302 p.

2484. Carolingian essays. Ed. by Uta-Renate BLUMENTHAL. Washington, D.C., Catholic Univ. of America Press, 83, in-8, X-249 p. (Andrew W. Mellon Lectures in Early Christian Stud.) [Cf. n°s 2426, 2750, 2995, 3002, 3064, 3065]

2485. COOK (William R.), HERZMAN (Ronald B.). The mediaeval world view, an introduction. London a. New York, Oxford U.P., 83, in-8, 366 p. (ill.).

2486. Drevnejšie gosudarstva na territorii SSSR. Materialy i issledovanija. (Ancient states on the territory of the USSR. Sources and researches, 1981.) Otv. red. V. T. PAŠUTO. Moskva, Nauka, 83, 232 p. (AN SSSR. In-t istorii SSSR)

2487. FLORJA (B.N.). Formirovanie soslovnogo statusa gospodstvujuščego klassa Drevnej Rusi (na materiale statej o vozmeščenii z besčest'e). (The formation of the class statute of ancient Russia's ruling class, on the basis of "damage for dishonour" clauses.) Ist. SSSR, 83, n° 1, p. 61-74.

2488. France (La) médiévale. Sous la dir. de Jean FAVIER. Paris, Fayard, 83, in-8, 596 p. (ill.).

2489. FRITZE (Wolfgang H.). Frühzeit zwischen Ostsee und Donau. Ausgew. Beitr. zum geschichtl. Werden im östl. Mitteleuropa vom 6. bis z. 13. Jh. Hrsg. v. Ludolf KUCHENBUCH u. Winfried SCHICH. Berlin, Duncker u. Humblot, 82, in-8, 462 p. (1 Kt.). (Germania Slavica, 3. Berliner hist. Stud., 6)

2490. Glossar zur frühmittelalterlichen Geschichte im östlichen Europa. Hrsg. v. Jadran FERLUGA, M. HELLMANN u. Herbert LUDAT. Ser. A: Lateinische Namen bis 900. [Bd 1, 2. Cf. Bibl. 2333.] Bd 3, Lfg. 1: Carolus (Martellus) - Cenewa. Wiesbaden, Steiner, 83, in-8, 64 p.

2491. Glossar zur frühmittelalterlichen Geschichte im östlichen Europa. Hrsg. v. Jadran FERLUGA, M. HELLMANN u. Herbert LUDAT. Ser. B: Griechische Namen bis 1025. Bd 2, Lfg. [1-4. Cf. Bibl. 82, n° 2334.] 5. Wiesbaden, Steiner, 83, in-8, p. 129-188.

2492. GOEZ (Werner). Gestalten des Hochmittelalters. Personengesch. Essays in allgemeinhist. Kontext. Darmstadt, Wiss. Buchges., 83, in-8, XV-408 p.

2493. HODGES (Richard), WHITEHOUSE (David). Mohammed, Charlemagne, and the origins of Europe: archaeology and the Pirenne thesis. Ithaca, N. Y., Cornell U. P.; London, Duckworth, 83, in-8, IX-181 p.

2494. Islam et chrétiens du Midi, XII-XIV siècles. [Colloque de Fanjeaux, 1982.] Toulouse, Privat, 83, in-8, 435 p. (pl., cartes). (Cah. de Fanjeaux, 18)

2495. KALCKHOFF (Andreas). Nacio Scotorum: schottischer Regionalismus im Spätmittelalter. Frankfurt (Main) u. Bern, Lang, 83, in-8, IV-523 p. (Europ. Hochschulschr., Reihe 3: Gesch. u. ihre Hilfwiss., 142)

2496. KAŁUŻIŃSKI (Stanisław). Dawni Mongołowie. (Les anciens Mongols [XIIe-XIIIe s.].) Warszawa, Państw. Inst. Wydawn., 83, in-8, 316 p.

2497. LEROY (Béatrice). La Navarre au moyen âge. Paris, A. Michel, 83, in-8, 203 p.

2498. Lexikon des Mittelalters. Redaktion: Gloria AVELLA-WIDHALM, Liselotte LUTZ, Roswitha MATTEJIET, Ulrich MATTEJIET. Bd 1: Aachen - Bettelordenskirchen. Bd 2, Lfg. 1-8: Bettlerwesen - Chemnitz. München u. Zürich, Artemis, 80-83, 2 vol. in-4, LXIII p., 2108 Sp.; Sp. 1-1791.

2499. LUDAT (Herbert). Slaven und Deutsche im Mittelalter. Ausgew. Aufsätze zu Fragen ihrer polit., sozialen u. kulturellen Beziehungen. Köln u. Wien, Böhlau, 82, in-8, 418 p. (8 Ill.). (Mitteldeusche Forsch., 86)

2500. MATTHEW (Donald). Atlas of mediaeval Europe. London, Phaidon Press, 83, in-4, 140 p. (193 ill., 64 maps).

2501. Moyen Age (Le). Ed. par Robert FOSSIER. T. 1: Les mondes nouveaux, 250-950. T. 2: L'éveil de l'Europe, 950-1250. T. 3: Le temps des crises, 1250-1520. Paris, Colin, 82-83, 3 vol. in-8, 544, 539, 543 p. (ill., pl.).

2502. NECHVÁTAL (Bořivoj). Vyšehrad a počátky Prahy. (Vyšehrad und die Anfänge Prags.) Folia hist. bohem., 83, vol. 5, p. 39-59.

2503. Patrie gauloise (La) d'Agrippa au VIe siècle. Actes du Colloque (Lyon 1981). Lyon, Hermès, 83, in-8, 444 p. (ill.). (Publ. du Centre d'Et. romaines et gallo-romaines, 3)

2504. Pforzheim im Mittelalter. Studien z. Gesch. einer landesherrl. Stadt. Hrsg. v. Hans-Peter BECHT. Sigmaringen, Thorbecke, 83, in-8, 254 p. (Pforzheimer Geschichtsblätter, 6)

2505. PHILIPP (Werner). Russia's position in medieval Europe. Forsch. z. osteurop. Gesch., 83, Bd 33, p. 138-151.

2506. Prédiction et propagande au moyen âge: Islam, Byzance, Occident - Preaching and propaganda in the middle ages: Islam, Byzantium, Latin West. Penn-Paris-Dumbarton Oaks Colloquia, 3e session, des 20-25 oct. 1980, Mandelieu-La Napoule, organisé par George MAKDISI, Dominique SOURDEL et Janine SOURDEL-THOMINE. Paris, Presses univ. France, 83, in-8, 279 p.

2507. RICHTER (Michael). Irland im Mittelalter: Kultur und Geschichte. Stuttgart, Kohlhammer, 83, in-8, 180 p.

2508. RUSSOCKI (Stanisław). The origins of estate consciousness of the nobility of Central Europe [13th-14th cent.]. Acta Poloniae hist., 83, vol. 46, p. 31-45.

2509. SAITTA (Armando). L'impero carolingio. Roma, Laterza, 83, in-8, VIII-632 p.

2510. SENAC (Philippe). Provence et piraterie sarrasine. Paris, Maisonneuve et Larose, 82, 97 p.

2511. SMYTH (Alfred P.). Celtic Leinster: towards an historical geography of early Irish civilization, A.D. 500-1600. Dublin, Irish Academic Pr., 82, in-8, 197 p. (ill.).

2512. Srednie veka. (The Middle Ages.) Sbornik. [Vyp. 45. Cf. Bibl. 82, n° 2351.] Vyp. 46. Otv. red.: V. I. RUTENBURG. Moskva, Nauka, 83, 440 p. (AN SSSR. In-t vseobšč. istorii)

2513. Stadt - Kirche - Reich. Neue Forsch. z. Gesch. d. Mittelalters anläßl. d. 1200. Wiederkehr d. ersten urkundl. Erwähnung Bremens. Von Werner GOEZ [u.a.]. [Hrsg. v. Hanspeter STABENAU. Bearb. v. Rolf KLUTH.] Sonderdr. Bremen, Hauschild, 83, in-8, 100 p. (ill.). (Schr. d. Wittheit zu Bremen, N.F., 9)

2514. THOMAS (Heinz). Deutsche Geschichte des Spätmittelalters, 1250-1500. Stuttgart, Kohlhammer, 83, in-8, 544 p.

2515. WALPEN (Robert). Studien zur Geschichte des Wallis im Mittelalter (9. bis 15. Jh.). Bern u. Frankfurt (Main), Lang, 83, in-8, 180 p. (Kt.). (Geist u. Werk d. Zeiten, 63)

Cf. n°s 352, 483, 521.

§ 3. Political history.

a. General.

2516. Anglo-Saxon England. Ed. by Peter CLEMOES. [Vol. 10. Cf. Bibl. 82, n° 2358.] Vol. 11. London, Cambridge U.P., 83, in-8, 336 p. (ill., tab.).

2517. ARRIGNON (Jean Pierre). Les relations diplomatiques entre Byzance et la Russie de 860 à 1043. R. Et. slaves, 83, t. 55, n° 1, p. 129-137.

2518. Beiträge zur Bildung der französischen Nation im Früh- und Hochmittelalter. Hrsg. v. Helmut BEUMANN. Sigmaringen, Thorbecke, 83, in-8, 271 p. (239 Ill.).

2519. DIETMAR (Carl D.). Die Beziehungen des Hauses Luxemburg zu Frankreich in den Jahren 1247-1346. Köln, DME-Verl., 83, in-8, 245 p.

2520. FRAME (Robin). Colonial Ireland, 1169-1369. Dublin, Helicon, 82, in-8, 149 p. (ill.). (Helicon Hist. of Ireland)

2521. GERVERS (Michael). The cartulary of the Knights of St. John of Jerusalem in England: Secunda Camera, Essex. London, Oxford U.P., 83, in-8, 822 p. (ill., maps).

2522. HALE (John R.). Renaissance war studies. London, Hambledon, 83, in-8, 624 p. (ill.).

2523. IOSIPESCU (Sergiu). Schiţă a constituirii statelor medievale româneşti. (Esquisse de la constitution des Etats médiévaux roumains [IVe-XIVe s.].) R. Ist., 83, t. 36, n° 3, p. 254-272. [Rés. franc.]

2524. IWAŃCZAK (Wojciech). Wizja monarchy-rycerza idealnego w kulturze czeskiej okresu przedhusyckiego. (L'image d'un souverain-chevalier idéal dans la culture tchèque avant Hus.) Śląski Kwart. hist. Sobótka, 83, a. 37, n° 1, p. 1-21.

2525. McKITTERICK (Rosamond). The Frankish kingdoms under the Carolingians, 751-987. London a. New York, Longman, 83, in-8, XIV-414 p.

2526. NIETTO SORTIA (J.M.). Las relaciones monarchía - episcopado castellano como sistema de poder (1252-1312). Vol. 1, 2. Madrid, Ed. de la Univ. complutense, 83, 2 vol. in–8, IX-749, 327 p.

2527. NONN (Ulrich). Pagus und Comitatus in Niederlothringen: Untersuchungen z. polit. Raumgliederung im früheren Mittelalter. Bonn, Röhrscheid, 83, in-8, 279 p. (Bonnes hist. Forsch.)

2528. PASZKIEWICZ (Henryk). The rise of Moscow's power. Transl. by P. S. FALLA. Boulder, Colo., East European Monogr., 83, in-8, 530 p. (East European Monogr., 145)

2529. RICHARD (Jean). Croisés, missionnaires et voyageurs: les perspectives orientales du monde latin médiéval. London, Variorum Repr., 83, in-8, 340 p.

2530. RICHE (Pierre). Les Carolingiens, une famille qui fit l'Europe. Paris, Hachette, 83, in-8, 438 p.

2531. RUMPEL (Roland). Der Krieg als Lebenselement in der alten und spätmittelalterlichen Eidgenossenschaft. Schweiz. Z. f. Gesch., 83, Bd 33, p. 192-206.

2532. SCHWARZMAIER (Hansmartin). Die Reginswindis-Tradition von Lauffen. Königl. Politik u. Adelige Herrschaft am mittleren Neckar. Z. f. d. Gesch. d. Oberrheins, 83, Bd 131, p. 163-198.

2533. SMETÁNKA (Zdeněk), VLČEK (Emanuel), EISLER (Jiří). Hrobka knížete Spytihněva I. K chronologii Pražského hradu na přelomu 9. a 10. století. (Die Gruft d. Fürsten Spytihněv I. Zur Chronologie d. Prager Burg an d. Wende d. 9. zum 10. Jh.) Folia hist. bohem., 83, vol. 5, p. 61-80.

2534. STÖRMER (Wilhelm). Stützpunktpolitik im 13. und 14. Jahrhundert. Wittelsbachische Territorienbildungsversuche in Mainfranken. In: Festschr. f. A. Kraus [Cf. n° 497], p. 61-78.

2535. TŘEŠTÍK (Dušan). Nejstarží Přemyslovci ve světle přírodovědeckéjo a historického zkoumání. (Die ältesten Přemysliden im Lichte der naturwissenschaftl. u. hist. Forschung.) Českoslov. Čas. hist., 83, vol. 31, p. 233-255.

2536. VILLAIN-GANDOSSI (Christiane). La Méditerranée aux XIIe-XIVe siècles: relations maritimes, diplomatiques et commerciales. London, Variorum Repr., 83, in-8, 320 p. (ill.).

2537. WAILES (Bernard). The Irish "royal sites" in history and archaeology. Cambridge med. celtic Stud., 82, vol. 3, p. 1-29.

2538. WEBB (Diana M.). Cities of God: the Italian communes at war. Stud. Church Hist., 83, vol. 20, p. 111-127.

2539. WERNICKE (Horst). Die Städtehanse 1280-1418. Genesis, Strukturen, Funktionen. Weimar, Böhlau, 83, in-8, 204 p. (Abh. z. Handels- u. Sozialgesch., 22)

2540. ZIENTARA (Benedykt). La conscience nationale en Europe occidentale au moyen âge. Naissance et mécanismes du phénomène [IXe-XIVe s.].) Acta Poloniae hist., 83, vol. 46, p. 5-30.

Cf. n° 494.

b. 476-900.

2541. ALTHOFF (Gerd). Der Sachsenherzog Widukind als Mönch auf der Reichenau. Ein Beitr. zur Kritik des Widukind-Mythos. Karl Schmid zum 24. Sept. 1983. Frühmittelalterl. Stud., 83, Bd 17, p. 251-279.

2542. BACHRACH (Bernard S.). Charlemagne's cavalry: myth and reality. Milit. Affairs, 83, vol. 47, n° 4, p. 181-187.

2543. EWIG (Eugen). Die Merowinger und das Imperium. Opladen, Westdeutsch. Verl., 83, in-8, 62 p. (Rhein.-Westfäl. Akad. d. Wiss., Geisteswiss., Vorträge, 261)

2544. HÄGERMANN (Dieter). Karl der Große und die Karlstradition in Bremen. Jb. d. Wittheit zu Bremen, 83, Bd 27, p. 49-80.

2545. HARTUNG (Wolfgang). Süddeutschland in der frühen Merowingerzeit. Studien zu Gesellschaft, Herrschaft, Stammesbildung bei Alamannen u. Bajuwaren. Wiesbaden, Steiner, 83, in-8, X-227 p. (Vjschr. f. Soz.- u. Wirtschaftsgesch., Beih., 73)

2546. HAUPTFELD (Georg). Zur langobardischen Eroberung Italiens. Das Heer u. die Bischöfe. Mitt. d. Inst. f. österr.

Gesch.-Forsch., 83, Bd 91, p. 37-94.

2547. HAVLÍK (Lubomír E.). Kyjevská Rus a Velká Morava. K charakteru společnosti a státu. (Kiewer Rußland u. Großmährisches Reich. Zum Charakter d. Gesellschaft u. d. Staates.) Slov. Přehl., 83, vol. 69, p. 273-286.

2548. HLAWITSCHKA (Eduard). Die Widonen im Dukat von Spoleto. Quellen u. Forsch., 83, Bd 63, p. 20-92.

2549. HOUBEN (Hubert). Benevent und Reichenau: süditalienisch-alemannische Kontakte in der Karolingerzeit. Quellen u. Forsch., 83, Bd 63, p. 1-19.

2550. KRAUTSCHICK (Stefan). Cassiodor und die Politik seiner Zeit. Bonn, Habelt, 83, in-8, VI-202 p. (Habelts Diss.-Drucke, Reihe Alte Gesch., 17)

2551. KURTH (Godefroid). Clovis. Genève, Famot, 83, in-8, 380 p. (ill.). (La naissance de la France, 5)

2552. MAGOMEDOV (M.G.). Obrazovanie Khazarskogo kaganata. Po materialam arkheol. issledovanij i pis'mennym dannym. (Formation of the Khazar khaganat.) Moskva, Nauka, 83, 225 p. (ill.). (AN SSSR. Dag. fil. In-t istorii, jaz. i lit.)

2553. MOORHEAD (John). Italian loyalties during Justinian's war. Byzantion, 83, vol. 53, p. 575-596.

2554. MOORHEAD (John). The last years of Theoderic. Historia [Wiesbaden], 83, Bd 32, p. 106-120.

2555. RANDERS-PEHRSON (Justine Davis). Barbarians and Romans: the birth struggle of Europe, A.D. 400-700. Norman, Univ. of Oklahoma Press, 83, in-8, XIX-400 p. (ill.).

2556. SCHRAMM (Gottfried). Neues Licht auf die Entstehung der Rus'? Eine Kritik an Forsch. v. Omeljan Pritsak. Jb. f. Gesch. Osteuropas, 83, Bd 31, p. 210-228.

Cf. n°s 72, 1845.

c. 900-1300.

2557. ALEXANDER (James W.). The English palatinates and Edward I. J. brit. Stud., 83, vol. 22, n° 2, p. 1-22. - IDEM. Ranulf of Chester: a relic of the conquest. Athens, Univ. of Georgia Press, 83, in-8, XI-191 p.

2558. BACHRACH (Bernard S.). The Angevin strategy of castle building in the reign of Fulk Nerra, 987-1040. Am. hist. R., 83, vol. 88, n° 3, p. 533-560.

2559. BARLOW (Frank). The Norman Conquest and beyond. London, Hambledon, 83, in-8, 328 p. (ill.). - IDEM. William Rufus. Berkeley a. Los Angeles, Univ. of California Press; London, Methuen, 83, in-8, XIX-484 p. (Eng. Monarchs)

2560. BORDONOVE (Georges). Les rois qui ont fait la France. [T. 4. Cf. Bibl. 82, n° 3640.] T. 1: Philippe Auguste le Conquérant. Paris, Pygmalion, 83, in-8, 317 p. (pl.). [Cf. n° 3762]

2561. CHOFFEL (Jacques). Louis VIII le Lion, roi de France méconnu, roi d'Angleterre ignoré. Paris, Lanore, 83, in-8, 222 p.

2562. CLANCHY (M.T.). England and its rulers, 1066-1272. London, Fontana, 83, in-8, 320 p.

2563. DELPERRIE DE BAYAC (Jacques). Louis VI: la naissance de la France. Paris, Latès, 83, in-8, 304 p.

2564. DOBSON (Richard Barrie). The Peasants' Revolt of 1381 [in England]. London, Macmillan, 83, in-8, 480 p. (Hist. in Depth)

2565. ENGELS (Odilo). Zur Entmachtung Heinrichs des Löwen. In: Festschr. f. A. Kraus [Cf. n° 497], p. 45-59.

2566. ERKENS (Franz-Reiner). Territorium und Stadt in Politik und Vorstellung des Kölner Erzbischofs Siegfried von Westerburg. Nassau. A., 83, Bd 94, p. 25-46. [Cf. Bibl. 82, n° 2404]

2567. ERKENS (Franz-Reiner). Fürstliche Opposition in ottonisch-salischer Zeit. Überlegungen zum Problem d. Krise d. frühmittelalt. deutschen Reiches. Arch. f. Kulturgesch., 82, Bd 64, p. 307-370.

2568. FENNELL (John L. I.). The crisis of medieval Russia, 1200-1304. London a. New York, Longmann, 83, in-8, XIII-206 p. (fig.). (Longman Hist. of Russia)

2569. FERREIRO (Alberto). The siege of Barbastro [Spain], 1064-65: a reassessment. J. mediev. Hist., 83, vol. 9, n° 2, p. 129-144.

2570. FLEMING (Robin). Domesday estates of the king and the godwines: a study in late Saxon politics. Speculum, 83, vol. 58, n° 4, p. 987-1067.

2571. FRIED (Johannes). Friedrich Barbarossas Krönung in Arles (1178). Hist. Jb., 83, Jg. 103, p. 347-371.

2572. FRIED (Pankraz). Vorstufen der Territorienbildung in den hochmittelalterlichen Adelsherrschaften Bayerns. In: Festschr. f. A. Kraus [Cf. n° 497], p. 33-44.

2573. GOETZ (Hans-Werner). Der letzte "Karolinger"? Die Regierung Konrads I. im Spiegel seiner Urkunden. Arch. f. Diplomatik, 80 [83], Bd 26, p. 56-125.

2574. GUICHARD (Pierre). Participation des méridionaux à la Reconquista dans le royaume de Valence. Cah. Fanjeaux, 83, t. 18, p. 115-131.

2575. HALLAM (E.). Capetian France, 987-1328. London, Longman, 83, in-8, 384 p.

2576. HERRMANN (Joachim). Der Lutizenaufstand 983 - Ursache, polit.-militär. Vorläufer, Verlauf und Wirkungen. Militärgesch., 83, Jg. 22, H. 5, p. 525-566.

2577. HOLBACH (Rudolf). Die Regierungszeit des Trierer Erzbischofs Arnold (II.) von Isenburg. Ein Beitr. z. Gesch. von Reich, Territorium u. Kirche um die Mitte d. 13. Jh. Rhein. Vjsbl., 83, Jg. 47, p. 1-66.

2578. JUNGMANN-STADLER (Franziska).Hedwig von Windberg. Z. f. bayer. Landesgesch., 83, Bd 46, p. 235-300.

2579. KEEFE (Thomas K.). Feudal assessment and the political community under Henry II and his sons. Berkeley a. Los Angeles, Univ. of California Press, 83, in-8, IX-291 p.

2580. KOLAFA (Štěpán J.). Rus Vladimíra I a Čechy. (Rußland unter Wladimir I. und Böhmen.) Teil 1, 2. Čs.-sovět. Vztahy, 82, vol. 11, p. 81-96; 83, vol. 12, p. 101-135.

2581. KORTA (Wacław). Najazd Mongołów na Polskę i jego legnicki epilog. (L'invasion des Mongols en Pologne et son épilogue à Legnica [1241].) Katowice, Śląski Inst. Nauk., 83, in-8, 154 p. (Śląskie Epizody Hist.)

2582. LEYSER (Karl). Die Ottonen und Wessex. Frühmittelalterl. Stud., 83, Bd 17, p. 73-97.

2583. MARTÍN DUQUE (Ángel J.). La restauración de la monarquía navarra y las Ordenes militares (1134-1194). Anu. Est. mediev., 81 [83], t. 11, p. 59-71.

2584. MAYER (Hans Eberhard). Probleme des Lateinischen Königreichs Jerusalem. London, Variorum Repr., 83, in-8, 356 p. (ill.).

2585. MÖHRING (Hannes). Heiliger Krieg und politische Pragmatik: Saladinus Tyrannus. Deutsch. Arch. f. Erforsch. d. M.A.,83, Jg. 39, p. 417-466.

2586. MORRIS (Colin). Propaganda for war: the dissemination of the crusading ideal in the twelfth century. Stud. Church Hist., 83, vol. 20, p. 79-101.

2587. NIKOLAY-PANTER (Marlene). Terra und Territorium in Trier an der Wende vom Hoch- zum Spätmittelalter. Rhein. Vjsbl., 83, Jg. 47, p. 67-123.

2588. NOVOSEL'CEV (A.P.). Kievskaja Rus' i strany Vostoka. (Kievan Russia and the countries of the East.) Vopr. Ist., 82, n° 5, p. 17-31.

2589. PÉREZ DE LOS COBOS (Pedro Luis). La conquista de Jumilla por el infante don Fadrique, maestre de la Orden de Santiago (su definitiva reincorporación en la Corona castellana). Anu. Est. mediev., 81 [83], t. 11, p. 277-299.

2590. PERRET (André). Le comte Pierre II de Savoie, l'expansion savoyarde et l'alliance anglaise au XIIIe siècle. R. savoisienne, 83, a. 123, p. 95-119.

2591. Proceedings of the Battle Conference on Anglo-Norman studies. [4. Cf. Bibl. 82, n° 2429.] 5: 1983. Ed. by Reginal Allen BROWN. Ipswich, Boydell, 83, in-8, 288 p. (ill.).

2592. PRYOR (John H.). The naval battles of Roger of Lauria. J. medieval Hist., 83, vol. 9, n° 3, p. 179-216.

2593. REK (Stanisław). Powstanie zachodnio-bułgarskiego państwa Komitopulów. (La fondation de l'Etat des Kometopuli dans la région occidentale de la Bulgarie [fin du Xe s.].) Przegl. hist., 83, vol. 74, p. 237-254.

2594. RICHARD (Jean). Saint Louis, roi d'une France féodale, soutien de la Terre Sainte. Paris, Fayard, 83, in-8, 638 p. (4 pl., 6 tabl. généal., 6 cartes).

2595. RILEY-SMITH (Jonathan). The motives of the earliest Crusaders and the settlement of Latin Palestine, 1095-1100. Eng. hist. R., 83, vol. 98, p. 721-736.

2596. ROUSSET (Paul). Histoire d'une idéologie: la Croisade. Lausanne, L'Age d'homme, 83, in-8, 216 p. (Cheminements)

2597. ROWLEY (Trevor). The Norman heritage, 1066-1200. London, Routledge, 83, in-8, 224 p. (ill.).

2598. Bibl. 82, n° 2435. SAKHAROV (A.N.). Diplomatija Svjatoslava. (Svyatoslav's diplomacy.) - CR: M. B. Sverdlov, Vopr. Ist., 83, n° 3, p. 133-136.

2599. SELTMANN (Ingeborg). Heinrich VI. Herrschaftspraxis u. Umgebung. Erlangen, Palm u. Enke, 83, in-8, 441 p. (Kt.). (Erlanger Stud., 43)

2600. SIVERY (Gérard). Saint Louis et son siècle. Paris, Tallandier, 83, in-8, 672 p. (16 pl.). [Cf. n° 2857]

2601. SONNLEITNER (Käthe). Die Slawenpolitik Heinrichs des Löwen im Spiegel einer Urkundenarenga. Ein Beitr. z. Thema Toleranz u. Intoleranz im Mittelalter. Arch. f. Diplomatik, 80 [83], Bd 26, p. 259-280.

2602. SPEER (Lothar). Kaiser Lothar III. und Erzbischof Adalbert I. von Mainz. Eine Unters. zur Gesch. d. Deutschen Reiches im frühen 12. Jh. Köln u. Wien, Böhlau, 83, in-8, IX-213 p. (Diss. z. mittelalterl. Gesch., 3)

2603. SPINEI (Victor). Realitățile etnopolitice de la Dunărea de Jos în secolele XI-XII în cronica lui Mihai Sirianul (I). (Les relations ethno-politiques sur le Bas-Danube aux XIe-XIIe s. dans la chronique de Michel le Syrien.) R. Ist., 83, t. 36, n° 10, p. 989-1007.

2604. TORKELSEN (Edwin). Sverre som løgner. Et forsøk på en psykohistorisk vurdering. (King Sverre [of Norway, 1177-1202] as a liar. An attempt at a psychohistorical valuation.) [Norsk] Hist. T., 83, vol. 62, p. 419-448. [Eng. summary]

2605. WOLF (Gunther). Das sogenannte "Gegenkönigtum" Arnulfs von Bayern 919. Mitt. d. Inst. f. österr. Gesch.-Forsch., 83, Bd 91, H. 3-4, p. 375-400.

Cf. n°s 669, 2754, 3018.

d. 1300-1500.

2606. ALEF (Gustave). Rulers and nobles in 15th-century Muscovy. London, Variorum Repr., 83, in-8, 354 p. (ill.).

2607. ALLMAND (C.T.). Lancastrian Normandy, 1415-1450: the history of a medieval occupation. London a. New York, Oxford U.P., 83, in-8, XIII-349 p.

2608. ARMSTRONG (C.A.J.). England, France and Burgundy in the fifteenth century. London, Hambledon, 83, in-8, 450 p. (History ser., 16)

2609. BELDICEANU (Nicoară), NĂSTUREL (Petru S.). La Thessalie entre 1454/55 et 1506. Byzantion, 83, t. 53, fasc. 1, p. 104-156.

2610. BĚLINA (Pavel). K předpokladům vzniku husitství ve východních Čechách. (Zu den Voraussetzungen der Entstehung der Hussitenbewegung in Ostböhmen.) Sborn. hist., 82, vol. 29, p. 63-118.

2611. BLOM (Grethe Authén). Magnus Eriksson og Island. Til belysning av periferi og sentrum i nordisk 1300-talls historie. (King Magnus Eriksson [of Norway] and Iceland. Illuminating the periphery and center of Nordic 14th-century history.) Trondheim, Univ.forl., 83, 42 p. (map). (Det Kgl. Norske Vidensk. Selsk. Skrifter, 1983, 2) [Eng. summary]

2612. BOUBÍN (Jaroslav). Epizoda z dějin pražsko-táborských vztahů za husitské revoluce. (Episode aus der Gesch. d. Beziehungen zw. Prag u. d. Taboriten während der Hussitenrevolution.) Folia hist. bohem., 83, vol. 5, p. 116-150.

2613. BOURASSIN (Emmanuel). Philippe le Bon [duc de Bourgogne], le grand lion des Flandres. Paris, Tallandier, 83, in-8, 403 p. (ill.).

2614. BRANDENSTEIN (Christoph Frhr. von). Urkundenwesen und Kanzlei, Rat und Regierungssystem des Pfälzer Kurfürsten Ludwig III. (1410-1436). Göttingen, Vandenhoeck u. Ruprecht, 83, in-8, 448 p. (Veröff. d. Max-Planck-Inst. f. Gesch., 71)

2615. BUCK (Mark C.). Politics, finance and the Church in the reign of Richard II: Walter Stepeldon, Treasurer of England. London, Cambridge U. P., 83, in-8, 253 p. (Stud. in Medieval Life a. Thought) - IDEM. The reform of the Exchequer, 1316-1326. Eng. hist. R., 83, vol. 98, p. 241-260.

2616. CĂZAN (Florentina), MUSTAȚĂ (Catalin). Relațiile de vasalitate moldo-polone și implicațiile lor politice la sfîrșitul secolului XV și în secolul XVI. (Les relations de vassalité entre la Moldavie et la Pologne et leurs implications politiques à la fin du XVe siècle et au XVIe.) R. Ist., 83, t. 36, n° 4, p. 363-371.

2617. CHABANNE (Robert). Jeanne d'Arc et la légalité. Lyon, Univ. Jean Moulin, 83, in-8, 171 p.

2618. CHAMBERLIN (E.R.). The world of Italian Renaissance. London, Allen a. Unwin, 83, in-8, 320 p.

2619. COSGROVE (Art). Late medieval Ireland, 1370-1541. Dublin, Helicon, 81, in-8, 134 p. (ill.). (Helicon Hist. of Ireland)

2620. DE FREDE (Carlo). Alfonso II d'Aragona e la difesa del Regno di Napoli nel 1494. Arch. stor. Prov. napol., 81 [83], a. 99, p. 193-219.

2621. DOTTERWEICH (Rainer). Die Rolle des Bischofs Lambert von Brunn in der Reichspolitik unter Kaiser Karl IV. und König Wenzel. Ber. d. hist. Ver. Bamberg, 82/83, Bd 118, p. 31-82.

2622. DRABINA (Jan). Rola Brandy de Castiglione w rokowaniach polsko-krzyżackich w latach 1410-1422. (Le rôle de Branda de Castiglione [légat du Pape] dans les négociations entre la Pologne et l'Ordre Teutonique dans les années 1410-1422.) Studia hist. [Kraków], 83, a. 26, fasc. 3, p. 353-363.

2623. DU BOULAY (F.R.H.). Germany in the later Middle Ages. London, Athlone Press, 83, in-8, 272 p.

2624. FAHLBUSCH (Friedrich Bernward). Städte und Königtum im frühen 15. Jahrhundert. Ein Betr. z. Gesch. Sigmunds von Luxemburg. Köln u. Wien, Böhlau, 83, in-4, LII-261 p. (Städteforsch., Reihe A: Darst., 17)

2625. GAUSSIN (Pierre-Roger). Les conseillers de Charles VII (1418-1461). Essai de politologie historique. Francia [München], 82 [83], Bd 10, p. 67-130 (3 cartes).

2626. GEMIL (Tahsin). Quelques observations concernant la conclusion de la paix entre la Moldavie et l'empire ottoman (1486) et la délimitation de leur frontière. R. roumaine Hist., 83, t. 22, p. 225-238.

2627. GREEN (Louis). Changes in the nature of war in early fourteenth-century Tuscany. War a. Soc., 83, vol. 1, n° 1, p. 1-24.

2628. HEIMANN (Heinz-Dieter). Über "Außenpolitik" in der Zeit der "Böhmischen Anarchie". Zum späten böhmischen Söldnerwesen als Forschungsproblem. Bohemia, 83, Bd 24, p. 253-274.

2629. HUBER (Alexander). Das Verhältnis Ludwigs des Bayern zu den Erzkanzlern von Mainz, Köln und Trier (1314-1347). Kallmünz (Opf.), Laßleben, 83, in-8, VII-149 p. (Münchener hist. Studien, Abt. Geschichtl. Hilfswiss., 21)

3. POLITICAL HISTORY

2629. HUBER (Alexander). Das Verhältnis Ludwigs des Bayern zu den Erzkanzlern von Mainz, Köln und Trier (1314-1347). Kallmünz (Opf.), Laßleben, 83, in-8, VII-149 p. (Münchener hist. Studien, Abt. Geschichtl. Hilfswiss., 21)

2630. KICKLIGHTER (Joseph A.). English Bordeaux in conflict: the execution of Pierre Vigier de La Rousselle and its aftermath, 1312-1324. J. medieval Hist., 83, vol. 9, p. 1-14.

2631. LACAZE (Yvon). Philippe le Bon et l'Empire: bilan d'un règne [suite de Bibl. 82, n° 2489]. Francia [München], 82 [83], Bd 10, p. 167-227.

2632. LECAQUE (Patrick) Constantin Dragaš était-il le gendre du tsar bulgare Jean Alexandre? East european Quar., 83, vol. 17, n° 4, p. 385-390.

2633. ŁOWMIAŃSKI (Henryk). Studia nad dziejami Wielkiego Księstwa Litewskiego. (Etudes sur l'histoire du Grand-Duché de Lituanie.) Poznań, 83, in-8, 579 p. (Uniw. im. Adama Mickiewicza w Poznaniu, Historia, 108)

2634. LUNGU (Radu). A propos de la campagne antiottomane de Vlad l'Empaleur au sud du Danube (hiver 1461-1462). R. roumaine Hist., 83, t. 22, p. 147-158.

2635. LYDON (James F.). The enrolled account of Alexander Bicknor, treasurer of Ireland, 1308-14. Analecta hibern., 82, vol. 30, p. 9-46.

2636. McCULLOCH (D.), JONES (E.D.). Lancastrian politics, the French war, and the rise of the popular element. Speculum, 83, vol. 58, n° 1, p. 95-138.

2637. McKENNA (John W.). Political propaganda in later mediaeval England. Brighton, Harvester Press, 83, in-8, 240 p.

2638. MALLETT (Michael E.). Diplomacy and war in later 15th-century Italy. London, Brit. Acad., 83, in-8, 12 p. (Italian Lect.)

2639. MATUSZEWSKI (Jacek Stefan). Przywileje i polityka podatkowa Ludwika Węgierskiego w Polsce. (Les privilèges et la politique fiscale de Louis de Hongrie en Pologne.) Łódź, 83, in-8, 252 p. (Acta Univ. Lodziensis)

2640. MAURER (Helmut). Schweizer und Schwaben: ihre Begegnung u. ihr Auseinanderleben am Bodensee im Spätmittelalter. Konstanz, Univ.-Verl., 83, in-8, 84 p. (Konstanzer Univ.-Reden, 136)

2641. MEUTHEN (Erich). Der Fall von Konstantinopel und der lateinische Westen. Hist. Z., 83, Bd 237, p. 1-35.

2642. MIETHKE (Jürgen). Kaiser und Papst im Spätmittelalter. Zu d. Ausgleichsbemühungen zw. Ludwig d. Bayern u. d. Kurie in Avignon. Z. f. hist. Forsch., 83, Bd 10, p. 421-446.

2643. MILLER (Ignaz). Jakob von Sierck [Kurfürst von Trier] 1398/99-1456. Mainz, Ges. f. mittelrhein. Kirchengesch., 83, in-8, XXXII-378 p. (Quellen u. Abh. d. Ges. f. mittelrhein. Kirchegsch., 45)

2644. Vacat.

2645. MORAW (Peter). Die kurfürstliche Politik der Pfalzgrafschaft im Spätmittelalter vornehmlich im späten 14. und frühen 15. Jahrhundert. Jb. f. westdeutsche Landesgesch., 83, Jg. 9, p. 75-97.

2646. MOTHES (Gerlinde). England im Umbruch. Volksbewegungen an d. Wende vom Mittelalter z. Neuzeit. Weimar, Böhlau, 83, in-8, 279 p. (Forsch. z. mittelalterl. Gesch., 28)

2647. NEITMANN (Klaus). Zur Revindikationspolitik des Deutschen Ordens nach Tannenberg. Die Auseinandersetzung zw. d. Deutschen Orden u. Polen-Litauen um d. Ratifizierung d. Friedensvertrages vom Melno-See 1422/1423. Jb. f. Gesch. Osteuropas, 83, Bd 31, p. 50-80.

2648. O'BRIEN (A.F.). The territorial ambitions of Maurice Fitz Thomas, first earl of Desmond, with particular reference to the barony and manor of Inchiquin, Co. Cork. Proc. roy. irish Acad., 82, vol. 82C, p. 59-88.

2649. ORDUNA (Germán). El Libro de las Armas: clave de la "justicia" de Don Juan Manuel. Cuad. Hist. España, 82 [83], t. 67-68, p. 230-268.

2650. PACKE (Michael St. John). King Edward III. Ed. by Lewis Charles B. SEAMAN. London, Routledge, 83, in-8, 400 p.

2651. PHILIPPE (Robert). Agnès Sorel. Paris, Hachette, 83, in-8, 264 p.

2652. POLLARD (A.J.). John Talbot and the war in France, 1427-1453. London, Roy. hist. Soc.; New Jersey, Humanities, 83, in-8, 166 p.

2653. POTTER (Jeremy). Good King Richard? Assessment of Richard III and his reputation, 1483-1983. London, Constable, 83, in-8, 287 p. (ill., ch.).

2654. QUAGLIONI (Diego). Politica e diritto nel Trecento italiano. Il "De Tyranno" di Bartolo da Sassoferrato (1314-1357). Firenze, Olschki, 83, in-8, 260 p. (ill.). (Bibl. de "Il Pensiero polit.", 11)

2655. QUILLET (Jeannine). Charles V, le roi lettré. Paris, Perrin, 83, in-8, 384 p. (pl.).

2656. REBAS (Hain). Die Reise des Ghillebert de Lannoy in den Ostseeraum 1413-1414. Motive u. Begleitumstände. Hans. Gesch.-Bl., 83, Jg. 101, p. 29-42.

2657. ROSKELL (John S.). Parliament and politics in late medieval England. Vol. 1-3. London, Hambledon, 82-83, 3 vol. in-8, 255, 360, 424 p.

2658. ROST (Walter). Die männliche Jung-frau: das Geheimnis der Johanna von Orléans. Reinbeck bei Hamburg, Rowohlt, 83, in-8, 315 p.

2659. St. AUBYN (Giles). The year of three Kings. London, Collins, 83, in-8, 208 p.

2660. SCATTERGOOD (V.J.), SHERBORNE (J.W.). English Court culture in the later Middle Ages. London, Duckworth, 83, in-8, 220 p.

2661. SERMOISE (Pierre de). Jeanne d'Arc et la mandragore. T. 1: Les drogues et l'Inquisition. Paris, Ed. du Rocher, 83, in-8, 261 p. (pl.).

2662. SKRYNNIKOV (R.G.). Ivan Groznyj. (Ivan the Terrible.) Moskva, Nauka, 83, 248 p.

2663. SUTTON (Anne), HAMMOND (Peter). The coronation of Richard III: the extant documents. Gloucester, A. Sutton, 83, in-8, 336 p.

2664. TAPAREL (Henri). Un épisode de la politique orientale de Philippe le Bon: les Bourguignons en mer Noire (1444-1446). A. Bourgogne, 83, t. 55, n° 217, p. 5-29.

2665. TAVARES (Maria José Pimenta Ferro). A nobreza no reinado de D. Fernando e a sua actuação em 1383-1385. R. Hist. econ. soc. [Lisboa], 83, n° 12, p. 45-89 (4 cartes).

2666. THOMSON (John A. F.). The transformation of mediaeval England, 1370-1529. London, Longman, 83, in-8), XVI-432 p. (Foundations of Mod. Britain)

2667. WAUGH (Scott L.). For king, country, and patron: the despensers and local administration [in England], 1321-1322. J. brit. Stud., 83, vol. 22, n° 2, p. 23-58.

Cf. n° 2825, 2868.

§ 4. Jews.

2668. ASHTOR (Eliyahu). Jews and the Mediterranean economy, 10th-15th centuries. London, Variorum Repr., 83, in-8, 316 p. (maps). - IDEM. La fin du judaïsme sicilien. R. Et. juives, 83, t. 142, p. 323-347.

2669. Aspetti e problemi della presenza ebraica nell'Italia centrosettentrionale (secoli XIV e XV). Roma, Univ. di Roma, 83, in-8, 382 p. (Quad. dell'Istit. di Scienze stor. dell'Univ. di Roma, 2)

2670. ASSIS (Yom Tov). Juifs de France réfugiés en Aragon (XIIIe-XIVe siècles). R. Et. juives, 83, t. 142, p. 285-322.

2671. BEINART (Haim). Almaden; anuseha shel ayara ... (Almaden: Conversos in a La Mancha village.) Zion, 82, vol. 47, p. 18-55. [Eng. summary] - IDEM. Anuse Chillón we-Siruela ... (Conversos of Chillón and Siruela and the prophecies of María Gómez and Inés, the daughter of Juan Esteban. Ibid., 83, vol. 48, p. 241-272. [Eng. summary] - IDEM. Tenuat ha-nevia Inés ... (The prophetess Inés and her movement in Puebla de Alcocer and Talarrubias.) Tarbiz, 82, vol. 51, n° 4, p. 633-658. [Eng. summary]

2672. COHEN (Jeremy). The Jews as the killers of Christ in the Latin tradition, from Augustine to the Friars. Traditio, 83, vol. 39, p. 1-27.

2673. CYGIELMAN (S.A.). Ha-privilegya ha-murhevet lihude Polin ... (The enhancet Privilegium of the Jews of North-West Poland as reflected in Polish historiography.) Zion, 83, vol. 48, p. 281-314.

2674. DEGANY (Ben-Zion). Da'at ha-qahal ha-antiyehudit ... (The anti-Jewish public opinion as a factor towards the expulsion of the Jews from German towns, 1440-1530.) Jerusalem, 82, 2 vol. in-4. [Thesis, Hebrew Univ. of Jerusalem. - Eng. summary]

2675. DEMANDT (Dieter). Die Judenpolitik der Stadt Eger im Spätmittelalter. Bohemia, 83, Bd 24, p. 1-18.

2676. ESPOSITO (Anna). Gli ebrei a Roma tra Quattro e Cinquecento. Quad. stor., 83, n° 54, a. 18, fasc. 3, p. 815-845.

2677. FENTON (Paul). De quelques attitudes qaraïtes envers la Qabbale. R. Et. juives, 83, t. 142, p. 5-19.

2678. GIL (Moshe). Aliya and pilgrimage in the early Arab period (634-1009). Jerusalem Cathedra, 83, vol. 3, p. 163-173 (fac-sim.) - IDEM. Ha-Tustarim. (The Tustaris, family and sect.) Tel-Aviv, Diaspora Research Institute, 81, in-8, V-115 p. (8 p. of pl., fac-sim.). [Study of a Karaite family in Persia in the 11th cent.]

2679. GOITEIN (S.D.). A Mediterranean society: the Jewish communities of the Arab world as portrayed in the documents of the Cairo Geniza. [Vol. 3. Cf. Bibl. 78-79, n° 2360.] Vol. 4: Daily life. Berkeley a. Los Angeles, Univ. of California Press, 83, in-8, XXVI-487 p.

2680. GRABOIS (Aryeh). Misin'at yisrael ideologit lesin'at yisrael giz'it. (From "theological" to "racial" antisemitism: the controversy of the Jewish Pope in the twelfth century.) Zion, 82, vol. 47, p. 1-17. [Eng. summary]

2681. HACKER (Joseph R.). Lidemutam ha-ruhamit shel yehude sefarad ... (On the intellectual character and self-perception of Spanish Jewry in the late 15th cent.) Sefunot, 83, vol. 2, (17), p. 21-95. [Eng. summary]

2682. KAHANA (David). Peraqim be-toledot ha-yehudim be-Polin. (Chapters in the history of the Jews in Poland.) Jerusalem, Rav Kook Inst., 83, in-8, 152 p.

2683. KOHN (Roger S.). Fortunes et genres de vie des Juifs de Dijon à la fin du XIVe siècle. A. Bourgogne, 82 [83], t. 54, p. 171-192.

2683. KOHN (Roger S.). Fortunes et genres de vie des Juifs de Dijon à la fin du XIVe siècle. A. Bourgogne, 82 [83], t. 54, p. 171-192.

2684. LUZZATTI (Michele). Ebrei, chiesa locale, "principe" e popolo: due episodi di distruzione di immagini sacre alla fine del Quattrocento. Quad. stor., 83, n° 54, a. 18, fasc. 3, p. 847-877.

2685. PINI (Antonio Ivan). Famiglie, insediamenti e banchi ebraici a Bologna e nel Bolognese nella seconda metà del Trecento. Quad. stor., 83, n° 54, a. 18, fasc. 3, p. 783-814.

2686. SIMONSOHN (Shlomo). The Jews in the Duchy of Milan. Jerusalem, Israel Acad. of Sciences a. Humanities, 82, 2 vol. in-8.

2687. SIRAT (Colette). La philosophie juive au moyen âge, selon les textes manuscrits et imprimés. Paris, Ed. du C.N.R.S., 83, in-8, 503 p. (Inst. de Rech. et d'Hist. des Textes)

2688. TISHBY (I.). Dape geniza ... (Geniza fragments of a messianic-mystical text on the expulsion from Spain and Portugal.) Zion, 83, vol. 48, p. 55-102, 347-385. [Eng. summary]

2689. TODESCHINI (Giacomo). Teorie economiche degli ebrei alla fine del Medioevo. Storia di una presenza consapevole. Quad. stor., 83, n° 54, a. 18, fasc. 1, p. 181-225.

2690. WEIL (Gérard E.). La pierre écrite. Epitaphe hébraïque de la tombe juive de Serres et les Juifs du Serrois. R. Et. juives, 83, t. 142, p. 21-72.

Cf. n°s 673, 758, 782, 842, 3006, 3086.

§ 5. Islam.

2691. BERNHARD (Ludger). Islam oder Unterwerfung oder Tod. Kairos, 83, N.S., Bd 25, p. 129-156.

2692. BRETT (Michael). Islam and trade in the Bilād al-Sūdān, 10th - 11th century A. D. J. afr. Hist., 83, vol. 24, p. 431-440.

2693. DOLS (Michael W.). The leper in medieval Islamic society. Speculum, 83, vol. 58, n° 4, p. 891-916.

2594. DUCELLIER (A.). L'Islam et les Musulmans vus de Byzance au XIVe siècle. Byzantina, 83, t. 12, p. 93-134.

2695. FAKHRY (Majid). History of Islamic philosophy. 2nd rev. ed. London, Longman, 83, in-8, XXX-394 p.

2696. FRENKEL (Joshua). Ha-Seljukim be-Erez-Yisrael. (Palestine in the Seljukid period, 1071-1098.) Cathedra, 82, vol. 21, p. 49-72.

2697. HUMUDI (Salah at-Tiqani). Das islamische Staatswesen. Studie z. polit. Struktur z. Z. Mohammads. [Von] Salah E[l-Tigani] Humodi. Frankfurt (Main) u. Bern, Lang, 83, in-8, 236 p. (Europ. Hochschulschr., Reihe 3: Gesch. u. ihre Hilfswiss., 133)

2698. KLEIN-FRANKE (Felix). Vorlesungen über die Medizin im Islam. Wiesbaden, Steiner, 82, in-8, VIII-161 p. (Sudhoffs Archiv, Beih., 23)

2699. LANGNER (Barbara). Untersuchungen zur historischen Volkskunde Ägyptens nach mamlukischen Quellen. Berlin, Schwarz, 83, in-8, 225 p. (Islamkundl. Unters., 74)

2700. LINGS (Martin). Muhammad, his life based on the earliest sources. London, Allen a. Unwin, 83, in-8, 367 p.

2701. NEWBY (P.H.). Saladin in his time. London, Faber, 83, in-8, 224 p.

2702. SCHWARTZ (Werner). Die Anfänge der Ibaditen in Nordafrika. Der Beitr. einer islam. Minderheit z. Ausbreitung d. Islam. Wiesbaden, Harrassowitz, 83, in-8, 349 p. (Stud. zu Minderheitsproblemen im Islam, 8. Bonner oriental. Stud., N.S., 27/8)

2703. VAJDA (Georges). Transmission du savoir en Islam, VIIe-XVIIIe siècles. London, Variorum Repr., 83, in-8, 330 p.

2704. WATSON (Andrew M.). Agricultural innovation in the early Islamic world: the diffusion of crops and farming techniques, 700-110. London a. New York, Cambridge U.P., 83, in-8, X-260 p. (ill., maps). (Cambridge Stud. in Islamic Civ.)

2705. WEISSER (Ursula). Ibn Sīnā und die Medizin des arabisch-islamischen Mittelalters. Alte u. neue Urteile u. Vorurteile. Medizinhist. J., 83, Bd 18, p. 283-305.

Cf. n°s 673, 1440, 2405, 2417, 2424, 2441, 2463, 2494, 2506, 2956, 2975, 2989, 2996, 3006.

§ 6. Vikings.

2706. FENTON (Alexander), PALSSON (H.). The Northern and Western Isles in the Viking world. Edinburgh, J. Donald, 83, in-8, 300 p. (ill.).

2707. JANKUHN (Herbert). Trade and settlement in Central and Northern Europe up to and during the Viking period. J. roy. Soc. Antiquaries Ireland, 82 [83], vol. 112, p. 15-50 (ill.).

2708. LOGAN (Donald). The Vikings in history. London, Hutchinson Educ., 83, in-8, 196 p. (ill., maps).

§ 7. History of law and institutions.

2709. ANTON (Hans Hubert). Der sogenannte Traktat "De ordinando pontifice". Ein Rechtsgutachten im Zusammenhang mit d. Synode v. Sutri (1046). Bonn, Röhrscheid, 82, in-8, 116 p. (Bonner hist. Forsch., 48)

2710. BARBEY (Jean). La fonction royale, essence et légitimité d'après le Tractatus de Jean de Terrevermeille. Paris, Nouv. Ed. latines, 83, in-8, 417 p.

2711. BARBIER (Josiane). Palais et fisc à l'époque carolingienne: Attigny. Bibl. Ec. Chartes, 82 [83], t. 140, livr. 2, p. 133-162.

2712. BASDEVANT-GAUDEMENT (Brigitte). Le mariage d'après la correspondance d'Yves de Chartres. R. hist. Droit franç. étr., 83, a. 61, n° 2, p. 195-215.

2713. BATTENBERG (Friedrich). Die Gerichtsstandsprivilegien der deutschen Kaiser und Könige bis zum Jahre 1451. Bd 1, 2. Köln u. Wien, Böhlau, 83, 2 vol., X-402 p.; IV p., p. 403-875. (Quellen u. Forsch. z. höchsten Gerichtsbarkeit im Alten Reich, 12)

2714. BLAGOJEVIĆ (Miloš). L'exploitation fiscale et féodale en Serbie du XIIIe au XVe siècle. R. roumaine Hist., 83, t. 22, p. 137-146.

2715. BOTTIN (Michel). Les développements du droit de la mer en Méditerranée occidentale du XIIe au XIVe siècle. Rec. M. Trav. Soc. Hist. Droit, 83, fasc. 12, p. 11-28.

2716. BRAND (Paul). Ireland and the literature of the early common law. Ir. Jurist, 81, vol. 16, p. 95-113.

2717. CARLÉ (María del Carmen). La casa en la edad media castellana. Cuad. Hist. España, 82 [83], t. 67-68, p. 165-229.

2718. Coutume (La): inspiration, formation, expression. Actes du Congrès de la Société pour l'histoire du droit et des institutions des anciens pays bourguignons, comtois et romands, Arbois et Fontenay, 10, 11 et 12 sept. 1982. M. Soc. Droit Pays bourguignons, 83, fasc. 40, 333 p.

2719. CUOZZO (Errico). Ruggiero, conte d'Andria. Ricerche sulla nozione di regalità al tramonto della monarchia normanna. Arch. stor. Prov. napol., 81 [83], a. 99, p. 129-168.

2720. EBNER (Herwig). Zur Ideologie des mittelalterlichen Städtebürgertums aufgrund österreichischer Stadtrechte des späten Mittelalters. Jb. f. Gesch. d. Feudalismus, 83, Bd 7, p. 157-184.

2721. GIVEN-WILSON (C.J.). Purveyance for the royal household, 1362-1413. B. Inst. hist. Research, 83, vol. 56, p. 145-163.

2722. GRASS (Nikolaus). Königskirche und Staatssymbolik. Ausgew. Aufsätze z. Rechtsgesch. u. Sakralkultur d. abendländ. Capella regia. Hrsg. v. Louis CARLEN u. Hans Constantin FAUSSNER. Innsbruck, Univ.-Verl. Wagner, 83, in-8, 320 p. (Forsch. z. Rechts- u. Kulturgesch., 14)

2723. GRASSOTTI (Hilda). La immunidad en el Occidente peninsular del Rey Magno al Rey Santo. Cuad. Hist. España, 82 [83], t. 67-68, p. 72-122.

2724. GREGERSEN (H.V.). Den danske kongemagt ved vikingetidesn begindelse. (The royal power in Denmark at the beginning of the Viking period.) Sønderjyske Årb., 83, p. 5-21.

2725. GRIGNASCHI (Mario). Quelques remarques sur la conception du pouvoir législatif dans la scolastique. R. belge Philol. Hist., 83, t. 60, p. 783-801.

2726. Grundherrschaft (Die) im späten Mittelalter. Hrsg. v. Hans PATZE. 1, 2. Sigmaringen, Thorbecke, 83, 2 vol. in-8, 604, 404 p. (Kt.). (Vorträge u. Forsch., 27)

2727. HANNIG (Jürgen). Pauperiores vassi de infra palatio? Zur Entstehung d. karoling. Königsbotenorganisation. Mitt. d. Inst. f. österr. Gesch.-Forsch., 83, Bd 91, n° 3-4, p. 309-374.

2728. HARDING (Alan). The origins of the crime of conspiracy. Trans. roy. hist. Soc., 83, vol. 33, p. 89-108.

2729. HARTMANN (Wilfried). Vetera et nova. Altes u. neues Kirchenrecht in d. Beschlüssen karoling. Konzilien. Annu. Hist. Concil., 83, Jg. 15, p. 78-95.

2730. HEINIG (Paul-Joachim). Reichsstädte, Freie Städte und Königtum 1389-1450. Ein Beitr. z. deutschen Verfassungsgesch. Wiesbaden, Steiner, 83, in-8, VIII-439 p. (Veröff. d. Inst. f. europ. Gesch. Mainz, Abt. Universalgesch., 108. Beitr. z. Sozial- u. Verfassungsgesch. d. Alten Reiches, 3)

2731. HERGEMÖLLER (Bernd-Ulrich). Fürsten, Herren und Städte zu Nürnberg 1355/56. Die Entstehung d. "Goldenen Bulle" Karls IV. Köln u. Wien, Böhlau, 83, in-4, XIII-278 p. (Städteforsch., Reihe A: Darst., 13)

2732. IVES (E.W.). The common lawyers of pre-Reformation England: Thomas Kebell, a case study. London a. New York, Cambridge U.P., 83, in-8, XXX-536 p. (Cambridge Stud. in English Legal Hist.)

2733. KAISER (Reinhold). Selbsthilfe und Gewaltmonopol. Königl. Friedenswahrung in Deutschland u. Frankreich im Mittelalter. Frühmittelalterl. Stud., 83, Bd 17, p. 55-72.

2734. KALB (H.). Studien zur Summa Stephans von Tournai. Ein Beitr. z. kanonist. Wissenschaftsgesch. d. späten 12. Jh. Innsbruck, Wagner, 83, in-8, 139 p. (Forsch. z. Rechts- u. Kulturgesch., 13)

2735. KAMPUŠ (Ivan). Das öffentliche Finanzwesen in Kroatien vom 12. bis zum Ende des 16. Jahrhunderts. Burgenländ. Heimatbl., 83, Bd 45, n° 3, p. 106-119; n° 4, p. 145-154.

2736. KÖBLER (Gerhard). Vorstufen der Rechtswissenschaft im mittelalterlichen Deutschland. Z. d. Savigny-Stiftung f. Rechtsgesch., German. Abt., 83, Bd 100, p. 75-118.

2737. KOHN (Roger S.). Le statut forain: marchands, étrangers, Lombards et Juifs en France royale et en Bourgogne (seconde moitié du XIVe s.). R. hist. Droit franç. étr., 83, a. 61, p. 7-24.

2738. KROPAČ (Ingo Herbert). Mühlen und Mühlenrecht in der Steiermark während des Mittelalters. Wien, Verband d. wiss. Ges. Österreichs, 83, in-8, 202 p. (Diss. d. Karl-Franzens-Univ. Graz, 61)

2739. KUBŮ (František). Die staufische Ministerialität im Egerland. Jb. f. fränk. Landesforsch., 83, Bd 43, p. 59-101 (Kt.).

2740. KUTTNER (Stephan). Gratian and the Schools of Law, 1140-1234. London, Variorum Repr., 83, in-8, 396 p.

2741. LAMBERG (Peter). Die Popularisierung des römischen Rechts durch Oswald von Wolkenstein. Z. d. Savigny-Stiftung f. Rechtsgesch., German. Abt., 83, Bd 100, p. 213-237.

2742. MENACHE (Sophia). La naissance d'une nouvelle source d'autorité: l'université de Paris [1e moitié du XIVe s.]. R. hist., 82 [83], a. 106, t. 268, n° 544, p. 305-327.

2743. MOSCHETTI (Guiscardo). Il Preceptum dell'anno 983 di Ottone an 18 "quidam homines" di Lazise e l'attuazione della "lex charitatis". Studia Doc. Hist. Iuris, 83, t. 49, p. 225-260.

2744. MURRAY (Alexander Callander). Germanic kingship structure: studies in law and society in antiquity and the early middle ages. Toronto, Pontifical Inst. of mediaeval Stud., 83, in-8, XII-256 p. (Stud. a. Texts, 65)

2745. NÍ DHONNCHADHA (Máirín). The guarantor list of "Cain Admonáin" 697. Peritia, 82, vol. 1, p. 178-215.

2746. OLBERG (Gabriele von). Freie, Nachbarn und Gefolgsleute. Volkssprachige Bezeichnungen aus d. sozialen Bereich in d. frühmittelalterl. Leges. Frankfurt (Main), Bern u. New York, Lang, 83, in-8, MXV-417 p. (Germanist. Arbeiten zu Sprache u. Kulturgesch., 2)

2747. PETIT (Carlos). Lex Visigothorum 11, 1: de medicis et egrotis. Cuad. Hist. España, 82 [83], t. 67-68, p. 5-32.

2748. POWELL (Edward). Arbitration and the law in England in the later Middle Ages. Trans. roy. hist. Soc., 83, vol. 33, p. 49-67.

2749. QUELLER (Donald E.), KUTTELL (Ellen E.). Jakemon of Deinze, General Receiver of Flanders, 1292-1300: a study in administrative history. R. belge Philol. Hist., 83, t. 61, p. 286-321.

2750. REYNOLDS (Roger E.). Unity and diversity in Carolingian canon law collections: the case of the Collectio Hibernensis and its derivatives. In: Carolingian essays [Cf. n° 2484], p. 99-135.

2751. SÁNCHEZ-ALBORNOZ (Claudio). El régimen provincial en la monarquía asturleonesa. Cuad. Hist. España, 82 [83], t. 67-68, p. 33-71.

2752. SCHLOSSER (Hans). Rechtsgewalt und Rechtsbildung im ausgehenden Mittelalter. Z. d. Savigny-Stiftung f. Rechtsgesch., German. Abt., 83, Bd 100, p. 9-52.

2753. STELZER (Winfried) Gelehrtes Recht in Österreich von den Anfängen bis zum frühen 14. Jahrhundert. Wien, Köln u. Graz, Böhlau, 82, in-8, 284 p. (Mitt. d. Inst. f. österr. Geschichtsforsch., Erg.-Bd, 26)

2754. WAUGH (Scott L.). Reluctant knights and jurors: respites, exemptions, and public obligations in the reign of Henry III. Speculum, 83, vol. 58, n° 4, p. 937-986.

2755. WEBER (Wolfgang). Die Constitutiones Sanctae Matris Ecclesiae des Kardinals Aegidius Albornoz von 1357. Unter bes. Berücksichtigung d. Strafrechtsnormen. Aalen, Scientia, 82, in-8, 145 p. (Unters. z. deutsch. Staats- u. Rechtsgesch., N. F., 24)

2756. WEBERNIG (Evelyne). Landeshauptmannschaft und Vizedomat in Kärnten bis zum Beginn der Neuzeit. Klagenfurt, Kärntner Landesarchiv, 83, in-8, 199 p. (Das Kärntner Landesarchiv, 10)

Cf. n°s 494, 2414, 2450, 2452, 2465, 2617, 2990.

§ 8. Economic and social history.

* 2757. LUTZ (Dietrich). Bibliographie zur Archäologie des Mittelalters in Baden-Württemberg 1945-1980. Z. f. Archäol. d. Mittelalters, 81 [83], Jg. 9, p. 145-193.

2758. ACHILLES (Walter). Überlegungen zum Einkommen der Bauern im späten Mittelalter. Z. f. Agrargesch., 83, Jg. 31, p. 5-26.

2759. ALSOP (J.D.). A late medieval guide to land purchase. Agric. Hist., 83, vol. 57, n° 2, p. 161-164.

2760. ANDRÉN (Anders). Städer och kungamakt: en studie i Danmarks politiska geografi före 1230. (Towns and royal power: a study of the political geography in Denmark before 1230.) Scandia, 83, vol. 49, p. 31-76. [Eng. summary, p. 159-160]

2761. ANDREOLLI (B.). Uomini nel medio evo. Studi sulla società lucchese dei secoli VIII-XI. Bologna, Pàtron, 83, in-8, 164 p.

2762. ASHTOR (Eliyahu). Levant trade in the later middle ages. Princeton, N. J., Princeton U. P., 83, in-8, XXII-599 p.

2763. AUBRY (Martine). Les mortalités lilloises (1328-1369). R. Nord, 83, t. 65, p. 327-342.

2764. BALARD (Michel). Gênes et la mer Noire (XIIIe-XVe siècles). R. hist., 83, a. 107, t. 270, n° 547, p. 31-54.

2765. BEHRE (K.-E.). Ernährung und Umwelt der wikingerzeitlichen Siedlung Haithabu. Die Ergebnisse d. Untersuchung d. Pflanzenreste. Neumünster, Wachholtz, 83, in-8, 219 p. (18 Abb., 24 Diagr., 46 Tab., 33 Taf.). (Die Ausgrabungen v. Haithabu, 8)

2766. BENNETT (Michael J.). Community, class and careerism: Cheshire and Lancashire society in the age of "Sir Gawain and the Green Knight". London a. New York, Cambridge U.P., 83, in-8, XII-286 p. (tab., maps). (Cambridge Stud. in Medieval Life a. Thought, 3rd ser., 18)

2767. BILLOT (Claudine). L'assimilation des étrangers dans le royaume de France aux XIVe et XVe siècles. R. hist., 83, a. 107, t. 270, n° 548, p. 273-296.

2768. BISCHOFF (J.P.). "I cannot do't without counters": fleece wights and sheep breeds in late thirteenth and early fourteenth-century England. Agric. Hist., 83, vol. 57, n° 2, p. 143-160.

2769. BITSCHNAU (Martin). Burg und Adel in Tirol zwischen 1050 und 1300. Grundlagen zu ihrer Erforschung. Wien, Österr. Akad. d. Wiss., 83, in-8, 576 p. (4 Tab., 1 Kt.). (Österr. Akad. d. Wiss., Phil.-hist. Kl., S.-B., 403. Mitt. d. Komm. f. Burgenforschung u. Mittelalter-Archäol., Sonderbd, 1)

2770. BORRERO FERNÁNDEZ (Mercedes). El mundo rural sevillano en el siglo XV: Aljarafe y Ribera. Sevilla, Diputación Provincial, 83, in-8, 434 p.

2771. BORST (Otto). Alltagsleben im Mittelalter. Frankfurt (Main), Insel-Verl., 83, in-8, 659 p. (Ill.). (Insel-Tachenb., 513)

2772. BOWERS (Richard H.). From rolls to riches: king's clerks and moneylending in thirteenth-century England. Speculum, 83, vol. 58, n° 1, p. 60-71.

2773. BRESC (Henri). "Disfari et perdiri li fructi et li aglandi": economie e risorse boschive nella Sicilia medievale (XIII-XV secolo). Quad. stor., 83, n° 54, a. 18, fasc. 3, p. 941-969.

2774. BUR (Michel). L'image de la parenté chez les comtes de Champagne. A. Ec., Soc., Civ., 83, a. 38, p. 1016-1039.

2775. CAMPBELL (Bruce M. A.). Arable productivity in medieval England: some evidence from Norfolk. J. econ. Hist., 83, vol. 43, n° 2, p. 379-404.

2776. CASSARD (Jean-Christophe). Les flottes du vin de Bordeaux au début du XIVe siècle. A. Midi, 83, t. 95, p. 119-133.

2777. Ceramics and trades. The production a. distribution of later medieval pottery in North-West Europe. Papers derived from the proceedings of the medieval pottery research group's annual conference at Hull, 1980. Sheffield, Univ. of Sheffield, 83, in-8, X-305 p.

2778. CHIAPPA MAURI (Luisa). I mulini ad acqua nel Milanese (secoli X-XV). Parte 1: Secoli X-XIII. Parte 2: Secoli XIV-XV. Parte 3: Per la storia della cultura materiale. Il mulino da grano nel XV secolo: un tentativo di ricostruzione. Nuova R. stor., 83, a. 67, fasc. 1-2, p. 1-59; fasc. 3-4, p. 259-344; fasc. 5-6, p. 557-578.

2779. Cloth and clothing in medieval Europe. Essays in memory of professor E. M. Carus-Wilson. Ed. by Kenneth G. PONTING a. N. B. HARTE. London, Heinemann, 83, in-8, XIV-401 p.

2780. COELHO (Maria Helena da Cruz). Apontamentos sobre a comida e a bebida do campesinato coimbrão em tempos medievos. R. Hist. econ. soc. [Lisboa], 83, n° 12, p. 91-101.

2781. CUOZZO (Errico). Il formarsi della feudalità normanna nel Molise [sec. X-XI]. Arch. stor. Prov. napol., 81 [83], a. 99, p. 105-127.

2782. DAY (John). Terres, marchés et monnaies en Italie et en Sardaigne du XIIe au XVIIIe siècle. Un essai d'auto-histoire. Hist. Econ. et Soc., 83, vol. 2, n° 2, p. 187-203.

2783. DELMAIRE (Bernard). Le livre de famille des Le Borgne (Arras, 1347-1538). Contribution à la démographie historique médiévale. R. Nord, 83, t. 65, p. 301-326.

2784. DELORT (Robert). Le moyen âge: histoire illustrée de la vie quotidienne. Paris, Ed. du Seuil, 83, in-4, 339 p. (ill.).

2785. DE MADDALENA (Aldo). Il fiorino e il quattrino [a proposito di CIPOLLA (Carlo M.). Il fiorino e il quattrino. Cf. Bibl. 82, n° 2628.] R. stor. ital., 83, a. 95, fasc. 1, p. 135-149.

2786. DERVILLE (Alain). Le nombre d'habitants des villes de l'Artois et de Flandre wallonne (1300-1450). R. Nord, 83, t. 65, p. 277-299.

2787. Deutschen Königspfalzen (Die). Repertorium d. Pfalzen, Königshöfe u. übrigen Aufenthaltsorte d. Könige im Deutsch. Reich d. Mittelalters. Hrsg. v. Max-Planck-Inst. f. Gesch. Red.: Thomas ZOTZ. Bd 1: Hessen. Lfg. 1: Berstadt – Eschwege (Anfang). Bearb. v. Michel GOCKEL u. Karl HEINEMEYER. Göttingen, Vandenhoeck u. Ruprecht, 83, in-4, XXIII-112 p. (14 Abb.).

2788. DHERENT (Catherine). L'assise sur le commerce des draps à Douai en 1304. R. Nord, 83, t. 65, p. 369-397.

2789. DUBY (Georges). La société aux XIe et XVIIe siècles dans la région mâconnaise. Paris, Ed. de l'Ecole des Hautes Etudes en Sci. soc., 82, in-8,

525 p. - IDEM. Que sait-on de l'amour en France au XIIe siècle? London, Oxford U.P., 83, in-8, 16 p. (Zaharoff Lect.)

2790. EMANDI (Emil Ioan), BĂNESCU (Nicolae). Contributions historiques aux techniques et aux technologies de production des pièces en fer du Moyen Age découvertes dans la zone septentrionale de la Moldavie. Dacia, 83, t. 27, n° 1-2, p. 145-173.

2791. FANTONI (Giuliana L.). L'insediamento genovese a Siviglia nei secoli XII e XIII: aspetto socio-economico. Nuova R. stor., 83, a. 67, fasc. 1-2, p. 60-86.

2792. FERM (Olof). Feodalism i Sverige: högfrälsets gårdsrätter under medeltiden och 1500-talet. (Feudalism in Sweden: the manor-house courts of the nobility during medieval times and the 1500s.) [Svensk] Hist. T., 83, vol. 103, p. 130-139. [Eng. summary]

2793. FRIBERG (Nils). Stockholm i bottniska farvatten: Stockholms bottniska kontaktfält och handelsfält under senmedeltiden och Gustav Vasa: en historisk-geografisk studie. (Stockholm in the Gulf of Bothnia: Stockholm's contacts and trade in the Gulf of Bothnia towards the end of the Middle Ages and during Gustav Vasa's reign: an historical-geographical study.) Stockholm, Univ., 83, in-8, 500 p. (maps). (Kulturgeogr. inst., Stockholms univ., Meddelanden, 59. Monogr. utg. av Stockholms kommun, 53) [Eng. summary]

2794. FRUGONI (Luciana). Milano e le sue strade. Costi di trasporto e vie di commercio dei prodotti milanesi alla fine del Trecento. Bologna, Capelli, 83, in-8, 254 p.

2795. FRYDE (Edmund B.). Studies in mediaeval trade and finance. London, Hambledon, 83, in-8, 430 p. - IDEM. William de la Pole, merchant and king's banker. London, Hambledon, 83, in-8, 175 p. (History ser., 28)

2796. Gastfreundschaft, Taverne und Gasthaus im Mittelalter. Hrsg. v. Hans Conrad PEYER. München u. Wien, Oldenbourg, 83, in-8, XIV-275 p. (Schr. d. Hist. Kollegs, 3)

2797. GENICOT (Léopold). L'Occident du Xe au XIIe siècle [à propos de FOSSIER (R.). Enfance de l'Europe. Cf. Bibl. 82, n° 2643.]. R. Hist. ecclés., 83, vol. 78, p. 397-429.

2798. GIRARDOT (Alain). La fiscalité commerciale au duché de Bar aux XIVe et XVe siècles. A. Est, 83, sér. 5, a. 35, p. 175-220.

2799. GOETZ (Hans-Werner). "Nobilis". Der Adel im Selbstverständnis der Karolingerzeit. Vjschr. f. Sozial- u. Wirtschaftsgesch., 83, Bd 70, p. 153-191.

2800. GORECKI (Piotr). Viator to Ascriptitius: rural economy, lordship and the origins of serfdom in medieval Poland. Slavic R., 83, vol. 42, n° 1, p. 14-35.

2801. GOTTFRIED (Robert S.). The black death: natural and human disaster in medieval Europe. New York, Free Press, 83, in-8, XVII-203 p.

2802. GRILLMEISTER (H.). The origin of European ball games. A re-evaluation and linguistic analysis. Stadion, 81 [83], Bd 7, p. 19-51.

2803. HENN (Volker). "The Libelle of Englishe Polycye". Politik u. Wirtschaft in England in den 30er Jahren d. 15. Jh. Hans. Gesch.-Bl., 83, Jg. 101, p. 43-65.

2804. HENNEMAN (John Bell). Nobility, privilege and fiscal politics in late medieval France. French hist. Stud., 83, vol. 13, n° 1, p. 1-17.

2805. HIGOUNET-NADAL (Arlette). Familles patriciennes de Périgueux à la fin du moyen âge. Paris, Ed. du C.N.R.S., 83, in-4, 152 p.

2806. HILTON (Rodney H.). Mediaeval society: the West Midlands at the end of the 13th century. London, Cambridge U.P., 83, in-8, 305 p. (dr., tab.). (Past a. Present Publ.)

2807. HOCQUET (Jean Cl.). Das Salz und die Gewinne aus der Handelsschiffahrt im Mittelmeer im Spätmittelalter. Scripta Mercaturae, 83, p. 1-18.

2808. HOLT (J.C.). Feudal society and the family in early medieval England. [1. Cf. Bibl. 82, n° 2661.] 2. Trans. roy. hist. Soc., 83, vol. 33, p. 192-220.

2809. HOPFENZITZ (Josef). Studien zur oberdeutschen Agrarstruktur und Grundherrschaft. Das Urbar d. Deutschordenskommende Oettingen von 1346-47. München, Beck, 82, in-8, 178 p. (2 Ill., Kt.-Beil.). (Schriftenr. zur bayer. Landesgesch., 75)

2810. Hospital (Das) im späten Mittelalter. Ausstellung d. Hess. Staatsarch., Marburg. Bearb. v. Werner MORITZ. Marburg, Elwert, 83, in-8, 191 p. (Ill.). (700 Jahre Elisabethkirche in Marburg, Katalog, 6)

2811. IRADIEL MURUGARREN (Paulino). Bases económicas del Hospital de Santiago en Cuenca: tendencias del desarrolo económico y estructura de la propiedad agraria. Anu. Est. mediev., 81 [83], t. 11, p. 181-246.

2812. JÄGER (Helmut). Land use in medieval Ireland: a review of the documentary evidence. Irish econ. soc. Hist., 83, vol. 10, p. 51-65.

2813. KEJŘ (Jiří). Zur Bauernfrage im Hussitentum. Jb. f. Gesch. d. Feudalismus, 83, Bd 7, p. 50-77.

2814. KETSCH (Peter). Frauen im Mittelalter. Quellen u. Materialien. Hrsg. v. Annette KUHN. Bd 1: Frauen im Mittelalter. Quellen u. Materialien Düsseldorf, Schwann, 83, in-8, 368 p. (Ill.). (Geschichtsdidaktik. Studien, Materialien, 14)

2815. KHAČATURJAN (N.A.). Gorod v sisteme feodal'noj formacii. (The town in the system of feudal structure.) Vopr. Ist., 83, n° 1, p. 69-84.

2816. KOTEL'NIKOVA (Ljubov' Aleksandrovna). Die Entwicklung der Grundrente im 14. und 15. Jahrhundert auf den Ländereien der Popolani und der Kirche in der Toskana - ein einheitlicher oder mannigfaltiger Prozeß? Jb. f. Gesch. d. Feudalismus, 83, Bd 7, p. 78-113.

2817. KÜCHLER (Winfried). Die Finanzen der Krone Aragon während des 15. Jahrhunderts (Alfons V. und Johann II.). Münster, Aschendorff, 83, in-8, IX-318 p. (Span. Forsch. d. Görres-Ges., Reihe 2, 22)

2818. KÜMMEL (Juliane). Bäuerliche Gesellschaft und städtische Herrschaft im Spätmittelalter. Zum Verhältnis von Stadt u. Land im Fall Basel/Waldenburg 1300-1535. Konstanz, Hartung-Gorre, 83, in-8, 363 p. (2 Kt.). (Konstanzer Diss., 20)

2819. LADERO QUESADA (Miguel Ángel). Las ferias de Castilla, siglos XII a XV. Cuad. Hist. España, 82 [83], t. 67-68, p. 269-347.

2820. LADERO QUESADA (Miguel Ángel). Aristocratie et régime seigneurial dans l'Andalousie du XVe siècle. A. Ec., Soc., Civ., 83, a. 38, n° 6, p. 1346-1368.

2821. LAHARIE (Muriel). Evêques et sociétés en Périgord du Xe au milieu du XIIe siècle. A. Midi, 82 [83], t. 94, n° 159, p. 343-368.

2822. LARA IZQUIERDO (Pablo). Fórmulas crediticias medievales en Aragón. Zaragoza centro de orientación crediticia (1457-1486). Jerónimo Zurita [Zaragoza], 83, n° 45-46, p. 7-90.

2823. LAURIOUX (Bruno). De l'usage des épices dans l'alimentation médiévale. Médiévales, 83, n° 5, p. 15-31.

2824. LEBECQ (Stéphane). Marchands et navigateurs frisons du haut Moyen Age. Préf. de Michel MOLLAT. Vol. 1, 2. Lille, Presses univ. Lille, 83, 2 vol. in-8, 376, 470 p. (54 fig. et cartes).

2825. LEONHARD (Joachim-Felix). Die Seestadt Ancona im Spätmittelalter. Politik u. Handel. Tübingen, Niemeyer, 83, in-8, XII-506 p. (Bibliothek d. Deutsch. Hist. Inst. in Rom, 55)

2826. LOMBARD-JOURDAN (Anne). Les foires aux origines des villes [à propos de MITTERAUER (Michael). Markt und Stadt im Mittelalter. Beiträge z. hist. Zentralitätsforschung. Stuttgart, Hiersemann, 80, in-8, VIII-320 p. (Monogr. z. Gesch. d. Mittelalters, 21)]. Francia [München], 82 [83], Bd 10, p. 429-448.

2827. LÓPEZ ALONSO (Carmen). Los rostros y la realidad de la pobreza en la sociedad castellana medieval (siglos XIII-XV). Madrid, Fundación Juan March, 83, in-8, 54 p.

2828. MAGNOU-NORTIER (Elisabeth). La terre, la rente et le pouvoir dans les pays de Languedoc pendant le haut Moyen Age. [1e partie. Cf. Bibl. 82, n° 2681.] 2e partie: La question du manse et de la fiscalité foncière en Languedoc pendant le haut Moyen Age. Francia [München], 82 [83], Bd 10, p. 21-66.

2829. MANE (Perrine). Calendriers et techniques agricoles, France-Italie, XIIe-XIIIe siècles. Paris, Sycomore, 83, in-8, 352 p.

2830. MARTÍN RODRÍGUES (José Luis). Derechos eclesiásticos de la Orden de Santiago y distribución de los beneficios económicos (1170-1224). Anu. Est. mediev., 81 [83], t. 11, p. 247-275.

2831. MAZZI (Maria Serena), RAVEGGI (Sergio). Gli uomini e le cose nelle campagne fiorentine del Quattrocento. Firenze, Olschki, 83, in-8, 438 p.

2832. MIHAI-ENĂCHIUC (Viorica). Unele date privind viaţa poporului român în Cîmpia dunăreană în secolele XI-XIV. (Quelques données sur la vie du peuple roumain dans la plaine danubienne du XIe au XIVe s.) Anale Ist., 83, t. 29, n° 4, p. 89-108.

2833. MILITZER (Klaus). Die Kölner Gaffeln in der zweiten Hälfte des 14. und zu Beginn des 15. Jahrhunderts. Rhein. Vjsbl., 83, Jg. 47, p. 124-143.

2834. Mines, carrières et métallurgie dans la France médiévale. Actes du Colloque de Paris, 19-20 juin 1980, éd. par Paul BENOIT et Philippe BRAUNSTEIN. Paris, Ed. du C.N.R.S., 83, in-8, 416 p.

2835. MOLLAT (Michel). La vie quotidienne des gens de mer en Atlantique, IXe-XVIe siècles. Paris, Hachette, 83, in-8, 261 p. (La vie quotidienne)

2836. MÜLLER (Felix). Die Burgstelle Friedberg bei Meilen am Zürichsee. Mit Beitr. v. Thomas BITTERLI [u. a.]. Z. f. Archäol. d. Mittelalters, 81 [83], Jg. 9, p. 7-90.

2837. OBST (Karin). Der Wandel in den Bezeichnungen für gewerbliche Zusammenschlüsse des Mittelalters Eine rechtssprachgeograph. Analyse. Frankfurt (Main), Bern u. New York, Lang, 83, in-8, 432 p. (Kt.). (Germanist. Arbeiten zu Sprache u. Kulturgesch., 4)

2838. OEXLE (Otto Gerhard). "Conjuratio" et "ghilde" dans l'antiquité et le haut moyen âge. Remarques sur la continuité des formes de la vie sociale. Francia [München], 82 [83], Bd 10, p. 1-19.

2839. OKULICZ-KOZARYN (Łucja). Życie codzienne Prusów i Jaćwięgów w wiekach średnich (IX-XIII w.). (La vie quotidienne des Pruthènes et des Sudoviens au moyen âge, IXe-XIIIe s.) Warszawa, Państw. Inst. Wydawn., 83, in-8, 275 p.

2840. OLTEANU (Ştefan). Societatea românească la cumpănă de milenii (secolele

VIII-XI). (La société roumaine au tournant des millénaires, VIIIe-XIe siècles.) Bucureşti, Ed. ştiinţ. şi enciclop., 83, in-8, 231 p.

2841. Or (L') au moyen âge (monnaie, métal, objets, symbole). Colloque, Aix-en-Provence, février 1982. Marseille, Laffitte, 83, in-8, 433 p. (ill.).

2842. PALMIERI (Stefano). Mobilità etnica e mobilità sociale nel mezzogiorno lombardo. Arch. stor. Prov. napol., 81 [83], a. 99, p. 31-104.

2843. PAPACOSTEA (Şerban). Inceputurile politicii comerciale a Ţării Româneşti şi Moldovei (secolele XIV-XVI). Drum şi stat. (Les débuts de la politique commerciale de la Valachie et de la Moldavie. Etat et route du commerce international. Materiale ist. Muzeografie, 83, t. 10, p. 9-56.

2844. PERNOUD (Georges), PERNOUD (Régine). Le tour de France médiéval. Paris, Stock, 83, in-8, 452 p.

2845. PRADALIÉ (Gérard). Quercynois et autres méridionaux au Portugal à la fin du XIIIe et au XIVe siècle: l'exemple de l'Eglise de Coïmbre. A. Midi, 82 [83], t. 94, n° 159, p. 369-386.

2846. PREVENIER (Walter). La démographie des villes du comté de Flandre aux XIIIe et XIVe siècles. Etat de la question, essai d'interprétation. R. Nord, 83, t. 65, p. 255-275.

2847. REDON (Odile). Uomini e comunità del contado senese nel Duecento. Siena, Accad. Senese degli Intronati, 83, in-8, 239 p.

2848. RIGAUDIERE (Albert). Hiérarchie socioprofessionnelle et gestion municipale dans les villes du Midi français au bas moyen âge. R. hist., 83, a. 107, t. 269, n° 545, p. 25-68.

2849. RUIZ-DOMENEC (José E.). Fragmentos para una historia de la historia de la caballería. Nuova R. stor., 83, a. 67, fasc. 1-2, p. 87-118.

2850. SAINT-DENIS (A.). Institutions hospitalières et société aux XIIe et XIIIe siècles: l'Hôtel-Dieu de Laon. Nancy, Presses univ. Nancy, 83, in-8, 280 p. (ill.).

2851. SAMSONOWICZ (Henryk). Polska a Hanza w XIII-XVI w. (La Pologne et la Hanse aux XIIIe-XVIe s.) Zap. hist., 82 [83], vol. 47, n° 4, p. 129-140.

2852. SASSE (Barbara). Die Sozialgeschichte Böhmens in der Frühzeit. Hist.-archäolog. Untersuchungen z. 9.-12. Jh. Berlin, Duncker u. Humblot, 82, in-8, 380 p. (graph. Darst., Kt.). (Germania Slavica, 4. Berliner Hist. Stud., 7)

2853. SCHOPPMEYER (Heinrich). Kartellbildung um 1500. Gesch. in Wiss. u. Unterr., 83, Bd 34, p. 209-220.

2854. SHAHAR (Shulamith). Ha-ma'amad ha-revii. (The fourth order: a history of women in the Middle Ages.) Tel-Aviv, Tel-Aviv Univ., Aranne School of Hist.; London, Methuen, 83, in-8, 323 p. (ill.).

2855. SHIDELER (John C.). A medieval Catalan noble family: the Montcadas, 1000-1230. Berkeley a. Los Angeles, Univ. of California Press, 83, in-8, XXI-252 p.

2856. SHOSHAN (Boaz). Money supply and grain prices in fifteenth-century Egypt. Econ. Hist. R., 83, ser. 2, vol. 36, p. 47-67.

2857. SIVERY (Gérard). Le mécontentement dans le royaume de France et les enquêtes de saint Louis. R. hist., 83, a. 107, t. 269, n° 545, p. 3-24. - IDEM. Mouvements de capitaux et taux d'intérêt en Occident au XIIIe siècle. A. Ec., Soc., Civ., 83, a. 38, p. 137-150. [Cf. n° 2600]

2858. SKANSJÖ (Sten). Söderslätt genom 600 år: bebyggelse och odling under äldre historisk tid. (The southern plain of Scania throughout 600 years: settlement and cultivation during older historical times.) Lund, Liber/Gleerup, 83, in-4, 324 p. (ill., maps). (Skånsk senmedeltid o. renässans, 11. Det nordiske ødegårdsprosjekt, Publ., 13) [Eng. summary]

2859. SMITH (Richard M.). Hypothèses sur la nuptialité en Angleterre aux XIIIe-XIVe siècles. A. Ec., Soc., Civ., 83, a. 38, n° 1, p. 107-136.

2860. STAFFORD (Pauline). Queens, concubines, and dowagers: the king's wife in the early Middle Ages. Athens, Univ. of Georgia Press; London, Batsford, 83, in-8, XIII-248 p.

2861. STEFKE (Gerald). "Goldwährung" und "lübisches" Silbergeld um die Mitte des 14. Jahrhunderts. Z. d. Ver. f. lübeck. Gesch., 83, Bd 63, p. 25-81. - IDEM. Die Hamburger Zollbücher von 1399/1400 und "1484". Der Werkzoll im 14. u. frühen 15. Jh. u. d. Ausfuhr v. Hamburger Bier über See im J. 1417. Z. d. Ver. f. hamburg. Gesch., 83, Bd 69, p. 1-33.

2862. STRUVE (Tilman). Pedes rei publicae. Die dienenden Stände im Verständnis des Mittelalters. Hist. Z., 83, Bd 236, p. 1-48.

2863. STUARD (Susan Mosher). Urban domestic slavery in medieval Ragusa. J. mediev. Hist., 83, vol. 9, n° 3, p. 155-171.

2864. SVERDLOV (M.B.). Genezis i struktura feodal'nogo obščestva v Drevnej Rusi. (Genesis and structure of feudal society in old Russia.) Leningrad, Nauka, 83, 238 p. (AN SSSR. In-t istorii SSSR. Leningr. otd-nie)

2865. TAVARES (Maria José Pimenta Ferro). Para o estudo do pobre em Portugal na idade média. (Pour l'étude du pauvre au Portugal au moyen âge.) R. Hist. econ. soc. [Lisoba], 83, n° 11, p. 29-54.

2866. TYSZKIEWICZ (Jan). Ludzie i przy-roda w Polsce średniowiecznej. (Les hommes et la nature en Pologne au moyen âge.) Warszawa, Państw. Wydawn. Nauk., 83, in-8, 287 p. [Hist. économique]

2867. UITZ (Erika). Zur Darstellung der Stadtbürgerin, ihrer Rolle in Ehe, Familie und Öffentlichkeit in der Chronistik und in den Rechtsquellen der spätmittelalterlichen deutschen Stadt. Jb. f. Gesch. d. Feudalismus, 83, Bd 7, p. 130-156.

2868. VALE (Juliet). Edward III and chivalry: chivalric society and its context, 1270-1350. Ipswich, Boydell, 83, in-8, 256 p.

2869. VERLINDEN (Charles). La esclavitud en la economía medieval de las Baleares, principalmente en Mallorca. Cuad. Hist. España, 82 [83], t. 67-68, p. 123-164.

2870. WEBER (Angelina). "Liber ingenuus". Studien z. Sozialgesch. d. 5.-8. Jh. anhand d. Leges. Bochum, Brockmeyer, 83, in-8, II-290 p. (graph. Darst.). (Bochumer hist. Studien, Mittelalt. Gesch., 3)

2871. WORMALD (Patrick). Ideal and reality in Frankish and Anglo-Saxon society. Oxford, Blackwell, 83, in-8, 362 p.

Cf. n°s 510, 843, 863, 2406, 2467, 2660, 2683, 2704, 2707, 2717, 2826, 3111.

§ 9. History of civilization, literature and education.

* 2872. Bibliographie [de civilisation médiévale], [1981-1982. Cf. Bibl. 82, n° 2739.] 1983. Cah. Civ. méd., 83, a. 26, n° 104, p. 1-186.

2873. Arts (Les) mécaniques au moyen âge. 8e Colloque de l'Institut d'études médiévales, Montréal. Montréal, Bellarmin; Paris, Vrin, 82, in-8, 175 p.

2974. BÄRNTHALER (Günther). Übersetzen im deutschen Spätmittelalter. Der Mönch von Salzburg, Heinrich Laufenberg u. Oswald von Wolkenstein als Übersetzer latein. Hymnen u. Sequenzen. Göppingen, Kümmerle, 83, in-8, 359 p. (Göppinger Arbeiten z. Germanistik, 371)

2875. BATAILLON (Louis-Jacques). Les conditions de travail des maîtres de l'université de Paris au XIIIe siècle. R. Sci. philos. relig., 83, t. 67, n° 3, p. 417-433.

2876. BOITANI (Piero), TORTI (Anna). Literature in 14th-century England. Woodbridge, Suffolk, D. S. Brewer, 83, in-8, 221 p.

2877. BORKOWSKA (Urszula). Treści ideowe w dziełach Jana Długosza. Kościół i świat poza kościołem. (Le contenu idéologique dans les oeuvres de Jan Długosz. L'Eglise et le monde hors de l'Eglise.) Lublin, Kat. Uniw. Lub., 83, in-8, 203 p. (Inst. Geografii Hist. Kościoła w Pol., 1)

2878. BULGAKOV (P. G.), ROZENFEL'D (B.A.), AKHMEDOV (A.A.). Mukhammad al-Khorezmi. Ok. 783 - ok. 850. (Mohammed al-Khwarizmi, c. 783 - c. 850.) Moskva, Nauka, 83, 239 p. (ill.). (Nauč.-biogr. ser. AN SSSR)

2879. CLASSEN (Peter). Studium und Gesellschaft im Mittelalter. Hrsg. v. Johannes FRIED. Stuttgart, Hiersemann, 83, in-8, XX-305 p. (Schr. d. Monumenta Germaniae Historica, 29)

2880. COBBAN (Alan B.). Theology and the law in the mediaeval colleges of Oxford and Cambridge. Manchester, John Rylands Univ. Libr., 83, in-8, 24 p.

2881. Death in the Middle Ages. Ed. by Herman BRAET a. Werner VERBEKE. Leuven, Univ. Press, 83, in-8, VIII-291 p. (7 pl.). (Mediaevalia Lovanensia, Ser. 1: Studia, 9)

2882. DEKKENS (Eligius). Sigebert van Gembloux en zijn "De viris illustribus". (Sigebert de Gembloux et son "De viris illustribus".) Sacris erudiri, 83, t. 26, p. 57-102.

2883. DINZELBACHER (Peter). Die Bedeutung des Buches in der Karolingerzeit. Arch. f. Gesch. d. Buchwesens, 83, Bd 24, Sp. 257-288.

2884. DOMONKOS (L.S.). The problems of Hungarian university foundations in the Middle Ages. In: Society in change [Cf. n° 495], p. 371-390.

2885. DONNERT (Erich). Das Kiewer Rußland. Kultur u. Geistesleben vom 9. bis z. beginnenden 13. Jh. Leipzig, Jena u. Berlin, Urania, 83, in-8, 275 p. (Abb.).

2886. FERGUSON (Chris D.). Autobiography as therapy: Guibert de Nogent, Peter Abelard and the making of medieval autobiography. J. medieval a. Renaissance Stud., 83, vol. 13, n° 2, p. 187-212.

2887. FISCHER (Hubertus). Ehre, Hof und Abenteuer in Hartmanns "Iwein". Vorarb. zu e. hist. Poetik d. höfischen Epos. München, Fink, 83, in-8, 251 p. (Forsch. z. Gesch. d. älteren deutsch. Lit., 3)

2888. FLEISCHMAN (Suzanne). On the representation of history and fiction in the Middle Ages. Hist. a. Theory, 83, vol. 22, n° 3, p. 278-310.

2889. GARNIER (Robert). Joinville, l'ami de saint Louis. Paris, Perrin, 83, in-8, 290 p. (ill., pl.).

2890. GEUENICH (Dieter). Die volkssprachige Überlieferung der Karolingerzeit aus der Sicht des Historikers. Deutsch. Arch. f. Erforsch. d. M.-A., 83, Jg. 39, p. 104-130.

2891. GRABOIS (Aryeh). Civilisation et société dans l'Occident médiéval. London, Variorum Repr., 83, in-8, 334 p.

2892. GRUBER (Jörn). Die Dialektik des Trobar. Untersuchung zur Struktur u.

9. HISTORY OF CIVILIZATION, LITERATURE AND EDUCATION

Entwicklung d. occitan. u. franz. Minnesangs d. 12. Jh. Tübingen, Niemeyer, 83, in-8, XII-270 p. (Noten). (Beih. z. Z. f. roman. Philol., 194)

2893. GUENEE (Bernard). Les premiers pas de l'histoire de l'historiographie en Occident au XIIe siècle. C. R. Acad. Inscript., 83, fasc. 1, p. 136-152.

2894. [GUREVIČ (Aaron Ja.).] GOUREVITCH (Aaron). Les catégories de la culture médiévale. Paris, Gallimard, 83, in-8, 260. - GUREVICH (A.). Medieval culture and mentality according to the new French historiography. Arch. europ. Sociol., 83, t. 24, n° 1, p. 167-195.

2895. HAUCK (Karl). Text und Bild in einer oralen Kultur. Antworten auf d. zeugniskrit. Frage nach d. Erreichbarkeit mündlicher Überlieferung im frühen Mittelalter (zur Ikonologie d. Goldbrakteaten, XXV). Als Dank f. Führung u. Geleit gewidmet: Gerd Tellenbach zum 17.9.1983, seinem 80. Geburtstag; Edmund Buchner zum 22.10.1983, seinem 60. Geburtstag; Friedrich Ohly zum 10.1.1084, seinem 70. Geburtstag. Frühmittelalterl. Stud., 83, Bd 17, p. 510-599.

2896. HIMSWORTH (S.J.). Winchester College muniments. Vol. 2, 3. Chichester, Phillimore, 83, 2 vol. in-8, 838, 838 p.

2897. Iz istorii fiziko-matematičeskikh nauk na srednevekovom Vostoke. Traktaty al-Khazini, al-Biruni, Ibn-al-Khusajna, aš-Sirazi. (From the history of physical and mathematical sciences in the medieval East. Treatises of Al-Khāzinī, al-Bīrūnī, Ibn al-Khusain, ash-Shirazi.) T. 6. Sost.: M. M. ROŽANSKAJA, B. A. ROZENFEL'D, I. S. LEVINOVA. Moskva, Nauka, 83, 336 p. (Nauč. nasledstvo)

2898. Iz istorii srednevekovoj vostočnoj matematiki i astronomii. (From the history of medieval oriental mathematics and astronomy.) Sbornik statej. Otv. red.: S. Kh. SIRAŽDINOV. Taškent, Fan, 83, 174 p. (ill.). (AN UzSSR. In-t matematiki)

2899. Jan Długosz w pięćsetną rocznicę śmierci. Materiały z sesji (Sandomierz, 24-25 maja 1980 r.). (Pour le 5e centenaire de la mort de Jean Długosz. Matériaux du colloque de Sandomierz, 24-25 mai 1980.) Sous la réd. de Feliks KIRYK. Olsztyn, 83, in-8, 244 p. (Stacja Nauk. Pol. Tow. Hist. Inst. Mazurski w Olsztynie)

2900. JENKS (Stuart). Astrometeorology in the Middle Ages. Isis, 83, vol. 74, n° 272, p. 185-210.

2901. KAEHNE (Michael). Studien zur Dichtung Bernarts von Ventadorn. Ein Beitr. zur Untersuchung d. Entstehung u. zur Interpretation d. höfischen Lyrik d. Mittelalters. T. 1, 2. München, Fink, 83, 2 vol. in-8, 329, 329 p. (Freiburger Schr. z. roman. Philol., 40)

2902. KENDALL (Calvin B.). The metrical grammar of Beowulf: displacement. Speculum, 83, vol. 58, n° 1, p. 1-30.

2903. KIBRE (Pearl). Studies in medieval science: alchemy, astrology, mathematics and medecine. London, Hambledon, 83, in-8, 355 p. (History ser., 19)

2904. KNOBLOCH (Eberhard). Astrologie als astronomische Ingenieurkunst des Hochmittelalters. Zum Leben u. Wirken des Iatromathematikers u. Astronomen Johannes Engel (vor 1472 - 1512). Sudhoffs Arch., 83, Bd 67, p. 129-144.

2905. KUDELIN (A.B.). Srednevekovaja arabskaja poetika. Vtoraja polovina VIII-XI v. (Medieval Arabic poetics. Second half of the 8th - 9th cent.) Moskva, Nauk, 83, 261 p. (AN SSSR. In-t mirovoj lit. im. A. M. Gor'kogo)

2906. LETTINCK (Nico) Geschiedsbeschouwing en beleving van de eigen tijd in de eerste helft van de twaalfde eeuw. Amsterdam, Verloren, 83, in-8, 240 p.

2907. LINDBERG (David C.). Studies in the history of mediaeval optics. London, Variorum Repr., 83, in-8, 302 p. (fig.).

2908. LOEB (Ariane). Les relations entre les troubadours et les comtes de Toulouse (1112-1229). A. Midi, 83, t. 95, n° 163, p. 225-259.

2909. Lyrik des Mittelalters. Probleme u. Interpretationen. Hrsg. v. Heinz BERGNER. 1: KLOPSCH (Paul). Die mittellateinische Lyrik. Die altprovenzalische Lyrik. 2: MÜLLER (Ulrich). Die mittelhochdeutsche Lyrik. Die mittelenglische Lyrik. Stuttgart, Reclam, 83, 2 vol. in-8, 578, 446 p. (Universal-Bibl., 7896, 7897)

2910. McEVOY (James). The chronology of Robert Grosseteste's writings on nature and natural philosophy. Speculum, 83, vol. 58, n° 3, p. 614-656.

2911. MANGER (Klaus). Literarisches Leben in Straßburg während der Prädikatur Johann Geilers von Kaysersberg (1478-1510). Heidelberg, Winter, 83, in-8, 162 p. (1 Ill.). (Heidelberger Forsch., 24)

2912. MELETINSKIJ (E.M.). Srednevekovyj roman. Proiskhoždenie i klas. formy. (The medieval novel Origin and classical forms.) Moskva, Nauka, 83, 304 p. (AN SSSR. In-t mirovoj lit. im. A. M. Gor'kogo)

2913. MÜLLER (Hermann-Josef). Überlieferungs- und Wirkungsgeschichte der Pseudo-Strickerschen Erzählung "Der König im Bade". Unters. u. Texte. Berlin, E. Schmidt, 83, in-8, 268 p. (Philol. Stud. u. Quellen, 108)

2914. PAYEN (Jean-Charles). Théâtre médiéval et culture urbaine. R. Hist. Théâtre, 83, a. 35, p. 233-250.

2915. PEARSALL (Derek A.). Manuscripts and readers in 15th-century England. Woodbridge, D. S. Brewer, 83, in-8, 144 p.

2916. PETERS (Ursula). Literatur in der Stadt. Studien zu d. sozialen Voraussetzungen u. kulturellen Organisationsformen städt. Lit. im 13. u. 14. Jh. Tübingen,

Niemeyer, 83, in-8, IX-327 p. (Stud. u. Texte z. Sozialgesch. d. Lit., 7)

2917. PITTS (Brent A.). Versions of the apocalypse in medieval French verse. Speculum, 83, vol. 58, n° 1, p. 31-59.

2918. POUCHELLE (Marie-Christine). Corps et chirurgie à l'apogée du moyen âge. Paris, Flammarion, 83, in-8, 389 p. (pl.).

2919. POULLE (Emmanuel). Les instruments astronomiques du moyen âge. Paris, Soc. internat. de l'Astrolabe, 83, in-8, 44 p. (ill.). (Astrolabica, 3)

2920. RASHED (Roshdi). Nombres amiables, parties aliquotes et nombres figurés aux XIIIe et XIVe siècles. Arch. for Hist. exact Sci., 83, vol. 28, n° 2, p. 107-148.

2921. Reichsidee (Die) in der deutschen Dichtung des Mittelalters. Hrsg. v. Rüdiger SCHNELL. Darmstadt, Wiss. Buchges., 83, in-8, VII-458 p. (Wege d. Forsch., 589)

2922. Renaissance (The) and renewal in the 12th century. Ed. by Robert L. BENSON a. Giles CONSTABLE with Carol d. LANHAM. London, Oxford U.P., 83, in-8, XXX-781 p.

2923. SCHANZE (Frieder). Meisterliche Liedkunst zwischen Heinrich von Mügeln und Hans Sachs. Bd 1: Untersuchungen. München u. Zürich, Artemis, 83, in-8, IX-430 p. (Münchener Texte u. Unters. z. deutsch. Lit. d. Mittelalters, 83)

2924. SPIEGEL (Gabrielle M.). Genealogy: form and function in medieval historical narrative. Hist. a. Theory, 83, vol. 22, n° 1, p. 43-53.

2925. STAUBACH (Nikolaus). Germanisches Königtum und lateinische Literatur vom fünften bis zum siebten Jahrhundert. Frühmittelalterl. Stud., 83, Bd 17, p. 1-54.

2926. STEBLEVA (I.V.). Literaturnaja i naučnaja dejatel'nost' Zakhiraddina Mukhamada Babura (k 500-letiju so dnja roždenija). (Literary and scientific activity of Zahir ud-Din Mohammed Babur. On the occasion of the 500th anniversary of his birth.) Nar. Azii Afr., 83, n° 5, p. 64-71.

2927. STOCK (Brian). The implications of literacy: written language and models of interpretation in the eleventh and twelfth centuries. Princeton, N.J., Princeton U.P., 83, in-8, X-604 p.

2928. TUILIER (André). La notion romano-byzantine de studium generale et les origines des nations dans les universités médiévales. B. philol., 81 [83], p. 7-27.

2929. Typus und Individualität im Mittelalter. Horst WENZEL (Hrsg.). München, Fink, 83, in-8, 188 p. (Forsch. z. Gesch. d. älteren deutsch. Lit., 4)

2930. UNTERREITMEIER (Hans). Deutsche Astronomie/Astrologie im Spätmittelalter. Arch. f. Kulturgesch., 83, Bd 65, p. 21-41.

2931. VISCIDO (L.). Studi cassiodorei. Soveria Mannelli, Rubbettino, 83, in-8, 65 p. (11 tav.).

2932. Volkssprachigen Wörter (Die) der Leges Barbarorum. Hrsg. v. Ruth SCHMIDT-WIEGAND. Teil 3: NIEDERHELLMANN (Annette). Arzt und Heilkunde in den frühmittelalterlichen Leges. Eine wort- u. sachkundl. Untersuchung. Berlin u. New York, de Gruyter, 83, in-4, LXVI-305 p. (Arb. z. Frühmittelalterforsch., 12) [T. 1 u. 2 noch nicht erschienen]

2933. WAGNER (David L.) a. others. The seven liberal arts in the Middle Ages. Bloomington, Indiana U.P., 83, in-8, XIII-282 p.

2934. WAILES (Stephen L.). The romance of Kudrun. Speculum, 83, vol. 58, n° 2, p. 347-367.

2935. WALDMANN (Bernhard). Natur und Kultur im höfischen Roman um 1200. Überlegung zu polit., ethischen u. ästhet. Fragen epischer Lit. d. Hochmittelalters. Erlangen, Palm u. Enke, 83, in-8, VII-270 p. (Erlanger Stud., 38)

2936. WEIDEMANN (Margarete). Kulturgeschichte der Merowingerzeit nach den Werken Gregors von Tours. T. 1, 2. Bonn, Habelt, 82, 2 vol. in-4, XIV-375, XVI-410 p. (Monographien. Römisch-German. Zentralmuseum, 3)

2937. WELLAS (Michael B.). Griechisches aus dem Umkreis Kaiser Friedrichs II. München, Arbeo-Ges., 83, in-8, XIII-170 p. (Münchener Beitr. z. Mediävistik u. Renaissance-Forsch., 33)

2938. WILKINS (Nigel). A pattern of patronage: Machaut, Froissart and the houses of Luxembourg and Bohemia in the 14th century. French Stud., 83, vol. 36, n° 3, p. 257-284.

2939. YAPP (W.B.). The illustrations of birds in the Vatican manuscript of De arte venandi cum avibus of Frederick II. A. Sci., 83, vol. 40, n° 6, p. 597-634.

2940. ZIMMERMANN (Volker). Die Heilkunde in spätmittelalterlichen Handschriftenenzyklopädien. Sudhoffs Arch., 83, Bd 67, p. 39-49.

2941. Zur deutschen Literatur und Sprache des 14. Jahrhunderts. Dubliner Colloquium 1981. Walter HAUG [u.a.]. Heidelberg, Winter, 83, in-8, 399 p. (Ill.). (Reihe Siegen, 45. Germanist. Abt.)

Cf. n°s 69, 332, 2434, 2449, 2698, 2703, 2705, 2981, 3025, 3072.

§ 10. History of art.

a. General.

2942. Architektur des Mittelalters. Funktion u. Gestalt. Hrsg. v. Friedrich MÖBIUS u. Ernst SCHUBERT. Weimar, Böhlau, 83, in-4, 352 p. (Abb., Tab.).

2943. ERLANDE-BRANDENBURG (Alain) L'art gothique. Paris, Mazenod, 83, in-4, 628 p. (ill.). (L'art et les grandes civilisations, 13)

2944. KITZINGER (E.). Early medieval art. London, Brit. Museum, 83, in-4, 128 p. (ill., pl.).

2945. MERHAUTOVÁ (Anežka), TŘEŠTÍK (Dušan). Románské umění v Čechách a na Moravě. (Romanische Kunst in Böhmen und Mähren.) (Photogr.:) Prokop PAUL. Praha, Odeon, 83, in-4, 362 p. (phot.). (České dějiny, 57)

b. Special studies.

2946. ANDERSSON (Aron). Mediaeval drinking bowls of silver found in Sweden. Stockholm, Almqvist och Wiksell internat., 83, in-4, 118 p. (22 ill., fig.). (Royal Acad. of Letters, Hist. a. antiquity)

2947. ADAM (Ernst). Baukunst der Stauferzeit am Oberrhein. Alemann. Jb., 79/80 [83], p. 43-68.

2948. ANIEL (Jean-Pierre). Les maisons des Chartreux, des origines à la chartreuse de Pavie. Genève, Droz, 83, in-4, 172 p. (69 pl.). (Biblioth. de la Soc. franç. d'Archéol., 16)

2949. ARMI (C. Edson). Masons and sculptors in romanesque Burgundy: the new aesthetic of Cluny III. University Park a. London, Pennsylvania State U.P., 83, 2 vol. in-4, VII-204, 238 p. (all ill.).

2950. BLINDHEIM (Martin). De gylne skipsfløyer fra sen vikingetid. Bruk og teknikk. (the golden vanes from late Viking period. Function and technique.) Viking, 83, vol. 46, p. 85-111 (ill.). [Eng. summary]

2951. BONY (Jean). French Gothic architecture of the twelfth and thirteenth centuries. Berkeley a. London, Univ. of California Press, 83, in-4, XLIII-621 p. (ill., plans, maps). (Calif. Stud. in the Hist. of Art)

2952. CALKINS (Robert G.). Illuminated books of the Middle Ages. London, Thames a. Hudson, 83, in-4, 336 p. (ill., pl.).

2953. CHATELAIN (André). Châteaux forts, images de pierre des guerres médiévales. Paris, Rempart, 83, in-8, 111 p. (ill.). (Patrimoine vivant) - IDEM. Châteaux forts et féodalité en Ile-de-France, du XIe au XIIIe siècle. Nonette, CREER, 83, in-4, 507 p. (ill.).

2954. Corpus vitrearum Medii Aevi. Deutsche Demokratische Republik. Hrsg. v. Inst. f. Denkmalpflege in d. DDR. Bd 1: DRACHENBERG (Erhard). Die mittelalterliche Glasmalerei in Erfurt. [T. 1: Textband. Cf. Bibl. 80, n° 2460.] Teil 2: Abbildungsband. Berlin, Akad.-Verl., 83, in-4, VIII-379 p. (1088 Abb., 20 Farbtaf.).

2955. COURTILLE (Anne). Histoire de la peinture murale dans l'Auvergne du moyen âge. Brioude, Watel, 83, in-fol., 243 p. (ill.).

2956. DOMÍNGUEZ PERELA (Enrique). Los capiteles hispanomusulmanes altomedievales (hasta el año 1030). Sistemas de proporciones y metrología. Primeros resultados. B. Asoc. esp. Oriental., 83, a. 19, p. 123-161 (5 lám.).

2957. FERNIE (Eric C.). The architecture of the Anglo-Saxons. London, Batsford, 83, in-4, 192 p. (ill.).

2958. FOLDA (Jaroslav). Crusader art in the 12th century. London, Brit. Archaeol. Rep., 83, in-4, 270 p. (ill.).

2959. FRITZSCHE (Gabriela). Die Entwicklung des "Neuen Realismus" in der Wiener Malerei, 1331 bis Mitte des 14. Jahrhunderts. Köln u. Wien, Böhlau, 83, in-8, 197 p. (64 Taf.). (Diss. z. Kunstgesch., 18)

2960. Inicialy XI-XVI vekov. (Initials of the 11th - 16th cent.) Sost., avt. vstupit. st. I. V. LEVOČKIN. Moskva, Kniga, 83, 238 p. (ill.). (Iskusstvo knigi Drevnej Rusi)

2961. JAKOBSON (A.L.). Zakonomernosti v razvitii rannesrednevekovoj arkhitektury. (Regularities in the development of early medieval architecture.) Leningrad, Nauka, 83, 170 p. (ill.). (AN SSSR. In-t akrheologii)

2962. JUVALOVA (E.P.). Nemeckaja skul'ptura. 1200-1270. (German sculpture, 1200-1270.) Moskva, Iskusstvo, 83, 351 p. (ill.). (Iz istorii mirovogo iskusstva)

2963. KREN (Thomas). Renaissance painting in manuscripts: treasures from the British Library. London, Brit. Libr., Ref. Div., 83, in-4, 224 p. (ill., pl.).

2964. KUTHAN (Jiří). Počátky a rozmach gotické architektury v Čechách. K problematice cisterciácké stavební tvorby. (Die Anfänge und der Aufschwung der gotischen Architektur in Böhmen. Zur Problematik d. Bauschöpfung d. Zisterzienser.) Praha, Academia, 83, in-8, 375 p.

2965. MOKRECOVA (I.P.), ROMANOVA (V. L.). Francuzskaja knižnaja miniatjura XIII veka v sovetskikh sobranijakh, 1200-1270. (French book miniature of the 13th cent. in Soviet collections, 1200-1270.) Moskva, Iskusstvo, 83, 247 p.

2966. MORGAN (N.J.). Mediaeval painted glass of Lincoln Cathedral. London, Oxford U.P., 83, in-4, XIX-60 p. (ill., 12 p. of pl.). (Corpus vitrearum Medii Aevi, Great Britain, Occas. Papers, 111)

2967. NICKELL (Lesley J.). The awakening age: 15th-century English buildings. Leamington Spa, Jury Publ., 83, in-8, 225 p. (ill.).

2968. NUSSBAUM (Norbert). Stilabfolge und Stilpluralismus in der süddeutschen Sakralarchitektur des 15. Jahrhunderts. Zur Tragfähigkeit kunsthist. Ordnungsversuche. Arch. f. Kulturgesch., 83, Bd 65, p. 43-88.

2969. PARISSE (Michel). La tapisserie de Bayeux: un documentaire du XIe siècle. Paris, Denoël, 83, in-8, 140 p. (ill., 6 pl.).

2970. PLUMMER (John). The last flowering: French painting in manuscripts, 1420-1530, from American collections. New York a. London, Oxford U.P., 83, in-4, 252 p. (ill., pl.).

2971. POCHE (Emanuel). Česká královská koruna. (Die böhmische Königskrone.) Umění, 83, vol. 31, p. 473-489.

2972. PRZYBYSZEWSKI (Bolesław). Pochodzenie Wita Stwosza w świetle krakowskich źródeł archiwalnych. (L'origine de Wit Stwosz à la lumière des sources d'archives de Cracovie.) Arch. Bibl. Muz. Kość., 83, vol. 46, p. 393-400.

2973. ROBIN (Françoise). Art, luxe et culture: l'orfèvrerie et ses décors à la cour d'Anjou (1378-1380). B. monum., 83, t. 141, n° 4, p. 337-374.

2974. TOUBERT (Hélène). Les fresques de la Trinité de Vendôme, un témoignage de la réforme grégorienne. Cah. Civ. méd., 83, a. 26, n° 4, p. 297-326.

2975. VOGT-GÖKNIL ('Ulyā). Frühislamische Bogenwände. Ihre Bedeutung zw. d. Antike u. d. westl. Mittelalter. Unter Mitarb. v. Bernhard WAUTHIER-WURMSER. Graz, Akad. Druck- u. Verlagsanstalt, 82, in-4, 163 p. (255 Abb.).

2976. WILHELM (Johannes). Augsburger Wandmalerei 1368-1530. Künstler, Handwerker u. Zunft. Augsburg, Mühlberger, 83, in-8, 702 p. (Abh. z. Gesch. d. Stadt Augsburg, 29)

2977. WILSON (Eva). Early mediaeval designs from Britain. London, Brit. Museum, 83, in-4, 128 p. (ill.).

2978. ŻUROWSKA (Klementyna). Studia nad architekturą wczesnopiastowską. (Etudes sur l'architecture du début de l'époque des Piast.) Kraków, Państw. Wydawn. Nauk., 83, in-8, 178 p. (Zesz. Nauk. Uniw. Jagiell., 642. Prace z Hist. Sztuki, 17)

Cf. n°s 216, 512.

§ 11. History of music.

2979. BRASCHOWANOWA (Lada). Die mittelalterliche bulgarische Musik und Joan Kukuzel. Köln u. Wien, Böhlau, 83, in-8, 136 p. (16 Taf., 1 Kt.). (Wiener musikwiss. Beitr., 12)

2980. DENNERY (Annie). Les notations musicales au moyen âge. Médiévales, 82, t. 1, p. 89-103; 83, t. 3, p. 40-54.

2981. IRTENKAUF (Wolfgang). Staufischer Minnesang. Die Konstanz-Weingartner Liederhandschrift. Beuron, Beuroner Kunstverl., 83, in-8, 120 p. (Ill.).

2982. Istorija polifonii. (History of polyphony.) Pod obšč. red. T. N. LIVANOVOJ, V. V. PROTOPOPOVA. Vyp. 1: Mnogogolosie srednevekov'ja X-XV veka. (Medieval polyphony, 10th-15th cent.) Ju. K. EVDOKIMOVA. Moskva, Muzyka, 83, 454 p.

2983. McGEE (Timothy). "Alla battaglia": music and ceremony in fifteenth-century Florence. J. am. musicol. Soc., 83, vol. 36, n° 2, p. 288-302.

2984. SCHWAB (Heinrich W.). Die Anfänge des weltlichen Berufsmusikertums in der mittelalterlichen Stadt. Studie zu e. Berufs- u. Sozialgesch. d. Stadtmusikantentums. Kassel, Basel u. London, Bärenreiter, 82, in-8, IX-90 p. (Ill., Noten). (Kieler Schr. z. Musikwiss., 24)

2985. ULVELING (Paul). Essai historique et musicologique comparé sur le vocabulaire musical, son écriture mélodique et rythmique jusqu'à l'époque du plain-chant, suivi d'un commentaire introductif au Sacramentaire et Antiphonaire d'Echternach. Luxembourg, Publ. nationales du Ministère des arts et des sciences; Graz, Akad. Druck- u. Verlagsanstalt, 82, in-4, 596 p. (pl.).

2986. VELLEKOOP (C.). Muziek en hoofse cultuur. (Music and courtly culture.) Utrechtse Bijdr. Mediëvistiek, 83, vol. 1, p. 87-118.

Cf. n° 2938.

§ 12. History of philosophy.

* 2987. BATAILLON (Louis-Jacques). Bulletin d'histoire des doctrines médiévales. [1. Cf. Bibl. 82, n° 2898.] 2: Les sources. R. Sci. philos. théol., 83, t. 67, n° 2, p. 295-311.

2988. BERTOLA (Ermengildo). I precedenti del metodo di Anselmo di Canterbury nella storia dottrinale cristiana. Rech. Théol. anc. méd., 83, t. 50, p. 99-144.

2989. BOOTH (Edward). Aristotelian aporetic ontology in Islamic and Christian thinkers. Cambridge, Cambridge U.P., 83, in-8, 314 p. (Cambridge Stud. in medieval Life a. Thought, 3rd sér., 20)

2990. CANNING (Joseph P.). Ideas of the state in thirteenth and fourteenth-century commentators on the Roman law. Trans. roy. hist. Soc., 83, ser. 5, vol. 33, p. 1-27.

2991. Dzieje filozofii średniowiecznej w Polsce. (Histoire de la philosophie médiévale en Pologne.) Ouvrage collectif réd. par Zdzisław KUKSEWICZ. T. 10: Filozofia przyrody na Uniwersytecie Krakowskim w drugiej połowie XV wieku. (T. [9. Cf. Bibl. 82, n° 2905.] 10: La philosophie de la nature à l'Université de Cracovie dans la seconde moitié du XVe s.) Aut.: Mieczysław MARKOWSKI. Wrocław, Zakł. Narod. im. Ossolińskich, 83, in-8, 207 p. (Pol. Akad. Nauk, Inst. Filozofii i Socjologii)

2992. EVANS (Gillian R.). Alan of Lille. The frontiers of theology in the later 12th century. Cambridge, Cambridge U. P., 83, in-8, 256 p. (2 tab.).

2993. GIARD (Luce). Logique et système du savoir selon Hugues de Saint-Victor. R. Hist. Sci., 83, t. 36, p. 3-32.

2994. JEAUNEAU (Edouard). Jean de Salisbury et la lecture des philosophes. R. Et. augustiniennes, 83, vol. 29, p. 145-174.

2995. JEAUNEAU (Edouard). Pseudo-Dionysius, Gregory of Nyssa, and Maximus the Confessor in the works of John Scottus Eriugena. In: Carolingian essays [Cf. n° 2484], p. 137-149.

2996. KULI-ZADE (Z.). Zakonomernosti razvitija vostočnoj filosofii XIII-XVI vv. (region islama) i problema Zapad-Vostok. (Regularities of the development of oriental philosophy in the 13th-16th century - Islamic region -and the problem West-East.) Baku, Élm, 83, 283 p. (AN AzSSR. In-t filosofii i prava)

2997. MARENBON (John). Early medieval philosophy [480-1150]: an introduction. London, Routledge, 83, in-8, IX-190 p.

2998. MARRONE (Steven P.). Matthew of Aquasparta, Henry of Ghent and Augustinian epistemology after Bonaventura. Franzisk. Stud., 83, Bd 65, p. 252-290. - IDEM. William of Auvergne and Robert Grosseteste: new ideas in the early thirteenth century. Princeton, N.J., Princeton U. P., 83, in-8, X-318 p.

2999. MARSHALL (Peter). Parisian psychology in the mid-fourteenth century. Arch. Hist. doctr. litt. Moyen Age, 83, a. 58, t. 50, p. 101-193.

3000. Mensura - Maß, Zahl, Zahlensymbolik im Mittelalter. Hrsg. v. Albert ZIMMERMANN. Für den Druck besorgt v. Gudrun VUILLEMIN-DIEM. Halbbd 1. Berlin u. New York, de Gruyter, 83, in-8, X-260 p. (Misc. mediaevalia, 16)

3001. NEDERMAN (Cary J.), BRUCKMANN (J.). Aristotelianism in John of Salisbury's Policraticus. J. Hist. Philos., 83, vol. 21, n° 2, p. 203-230.

3002. O'MEARA (Domenic J.). The problem of speaking about God in John Scottus Eriugena. In: Carolingian essays [Cf. n° 2484], p. 151-167.

3003. RANDI (E.). Baconthorpe politico. Il commento a De civicate Dei XIX [di S. Agostino] dal ms. Parigino Lat. 9540. Acme, 82, a. 35, p. 127-152.

3004. RYAN (Christopher J.). Man's free will in the works of Siger of Brabant. Med. Stud., 83, vol. 45, p. 155-199.

3005. SCHMITT (Charles B.). Aristotle and the Renaissance [1453-1517] Cambridge, Mass., a. London, Harvard U. P., 83, in-8, VIII-187 p. (Martin Classical Lectures, 27)

3006. STERN (Samuel Miklos). Mediaeval Arabic and Hebrew thought. London, Variorum Repr., 83, in-8, 354 p. (ill.).

3007. SUGRANYES DE FRANCHI (Ramón). L'apologétique de Raimond Lulle vis-à-vis de l'Islam. Cah. Fanjeaux, 83, t. 18, p. 373-393.

3008. ŚWIEŻAWSKI (Stefan). Między średniowieczem a czasami nowymi. Sylwetki myślicieli XV wieku. (Entre le moyen âge et les temps modernes. Silhouttes de penseurs du XVe s.) Warszawa, Więź; Kraków, Znak, 83, in-8, 299 p. (Bibl. "Więzi", 48)

3009. TROUILLARD (Jean). La "virtus gnostica" selon Jean Scot Erigène. R. Theol. Philos., 83, vol. 115, n° 5, p. 331-351.

Cf. n°s 2376, 2687, 2695.

§ 13. History of the Church.

a. General.

3010. BROOKE (Rosalind B.), BROOKE (Christopher Nugent L.). Popular religion in the Middle Ages: Western Europe, 1000-1300. London, Thames a. Hudson, 83, in-8, 176 p. (ill.).

3011. Cristianità (La) dei secoli XI e XII in Occidente: Coscienza e struttura di una società. Atti della ottava Settimana intern. di studio, Mendola, 30 giugno - 5 luglio 1980. Pubbl. dell'Univ. cattolica del Sacro Cuore. Milano, Vita e Pensiero, 83, in-8, XXV-422 p.

3012. Troisième (Le) concile de Latran (1179): sa place dans l'histoire. Communications présentées à la Table ronde du C.N.R.S., 26 avril 1980, Paris. Et. augustiniennes, 82, 153 p.

3013. WALLACE-HADRILL (J. M.). The Frankish church. New York, Oxford U. P., 83, in-8, X-463 p. (Oxford Hist. of the Christian Church)

Cf. n° 2506.

b. History of the Popes.

3014. FONTAINE (Jacques). Un fondateur de l'Europe: Grégoire le Grand (590-604). Helmantica, 83, t. 34, p. 171-189.

3015. HAYEZ (Anne-Marie). Le diocèse de Narbonne et la politique bénéficiale d'Urbain V (1362-1370). B. philol., 81 [83], p. 29-50.

3016. IMKAMP (Wilhelm). Das Kirchenbild Innocenz' III. (1198-1216). Stuttgart, Hiersemann, 83, in-8, XI-360 p. (Päpste u. Papsttum, 22)

3017. KAMINSKY (Howard). Simon de Cramaud and the great schism. New Brunswick, N.J., Rutgers U.P., 83, in-8, XII-369 p.

3018. KATZIR (Yael). Yahasa shel ha-afifyorut lirushalayim ulemase ha-zelav bamea ha-12. (Papal attitude to Jerusalem and the Crusades in the 12th century.) Jerusalem, 82, 2 vol. in-4. [Thesis, Hebrew Univ. of Jerusalem. Eng. Summary]

3019. REUTER (Timothy). Zur Anerkennung Papst Innocenz' II. Deutsch. Arch. f. Erforsch. d. M.-A., 83, Jg. 39, p. 395-416.

3020. RICHARDS (Jeffrey). Gregor der Große. Sein Leben, seine Zeit. Graz, Styria, 83, in-8, 315 p.

3021. SPENCE (Richard). Pope Gregory IX and the crusade in the Baltic. Cath. hist. R., 83, vol. 69, n° 1, p. 1-19.

Cf. n° 2642.

c. Monastic history.

* 3022. CREUTZ (Ursula). Bibliographie der ehemaligen Klöster und Stifte im Bereich d. Bistums Berlin, d. Bischöfl. Amtes Schwerin u. angrenzender Gebiete. Leipzig, St.-Benno-Verl., 83, in-8, 478 p. (Kt.). (Studien z. kathol. Bistums- u. Klostergesch., 26)

3023. Actas del Congreso internacional hispano-portugués sobre "Las órdenes militares en la península [ibérica] durante la edad media". Anu Est. mediev., 81 [83], t. 11, 896 p.

3024. ANNELL (Gunnar). Bidrag till Vårfruberga klosters äldsta historia. (A contribution to the earliest history of the Vårfruberga Convent [in Sudermania, Sweden].) Kyrkohist. Årsskr., 83, vol. 83, p. 78-90. [Eng. summary]

3025. Benedictine culture, 750-1050. Ed. by Willem LOURDAUX a. Daniel VERHELST. Louvain, Univ. Press, 83, in-8, VIII-239 p. (Mediaevalia lovanensia, ser. 1: Studia, 11)

3026. BERG (Dieter). Studien zu Geschichte und Historiographie der Franziskaner im flämischen und norddeutschen Raum im 13. und beginnenden 14. Jahrhundert. Franzisk. Staud., 83, Bd 65, p. 114-155.

3027. CHENEY (Christopher R.). Episcopal visitation of monasteries in the 13th century. Manchester, Univ. Press, 83, in-8, 220 p.

3028. COWDREY (H.E.J.). The age of Abbot Desiderius: Montecassino the papacy and the Normans in the eleventh and early twelfth centuries. London a. New York, Oxford U.P., 83, in-8, XLI-300 p. (maps).

3029. DICKERHOF (Harald). De Instituto Sancti Severini. Zur Genese d. Klostergemeinschaft des Hl. Severin. Z. f. bayer. Landesgesch., 83, Bd 46, p. 23-36.

3030. DUBOIS (Jacques). Les ordres monastiques au XIIIe siècle en France d'après les sermons d'Humbert de Romans, maître général des Frères Prêcheurs (-- 1277). Sacris erudiri, 83, t. 26, p. 187-220.

3031. IORGULESCU (Vasile). Mărturii privind monahismul pe pămîntul românesc înaintea Sfîntului Nicodim. (Témoignages du monachisme sur la terre roumaine avant Saint Nicodim.) Biserica ortodoxă română, 83, t. 101, n° 3-4, p. 253-263.

3032. LEFEVRE (Simone). Les prieurés et la colonisation monastique en Ile-de-France du XIe au XIIe siècle. B. philol., 81 [83], p. 71-85.

3033. LEGRAS (Anne-Marie). Les commanderies des Templiers et des Hospitaliers de Saint-Jean-de-Jérusalem en Saintonge et en Aunis. Paris, Ed. du C.N.R.S., 83, in-8, 334 p.

3034. MAGUIN (Martine). Les prieurés clunisiens du diocèse de Toul (XIIIe-XIVe s.). A. Est, 83, sér. 5, a. 35, n° 4, p. 255-286.

3035. NITZ (Hans-Jürgen). The Church as colonist: the Benedictine abbey of Lorsch and planned Waldhufen colonization in the Odenwald. J. hist. Geogr., 83, vol. 9, p. 105-126.

3036. PANI ERMINI (Letizia). Testimonianze archeologiche di monasteri a Roma nell'alto medioevo. Arch. Soc. rom. Stor. pa., 81 [83], a. 104, p. 25-45.

3037. PARISSE (Michel). Les nonnes au moyen âge. Paris, Bonneton, 83, in-8, 272 p.

3038. PON (Georges). Le monachisme en Poitou avant l'époque carolingienne. B. Soc. Antiq. Ouest, 83, sér. 4, t. 17, trim. 2, p. 91-130.

3039. RÖSENER (Werner). Spiritualität und Ökonomie im Spannungsfeld der zisterziensischen Lebensform. Cîteaux, 83, t. 34, fasc. 3-4, p. 245-274.

3040. Rolle (Die) der Ritterorden in der Christianisierung und Kolonisierung des Ostseegebietes. Hrsg. v. Zenon Hubert NOWAK. Toruń, Univ. Nicolaei Copernici, 83, in-8, 139 p. (Ordines Militares. Colloquia Torunensia hist., 1) [Communications du colloque Toruń, 26-28 juin 1981]

3041. SANDMANN (Mechthild). Die Äbte von Fulda im Gedenken ihrer Mönchsgemeinschaft [8.-11. Jh.]. Frühmittelalt. Stud., 83, Bd 17, p. 393-444.

3042. Synopse der cluniacensischen Necrologien. Unter Mitw. v. Wolf-Dieter HEIM [u.a.] hrsg. v. Joachim WOLLASCH. Bd 1: Einleitung und Register. Bd 2: Die Synopse. München, Fink, 82, 2 vol. in-fol., 394, 731 p. (Münstersche Mittelalter-Schr., 39)

3043. TÖPFER (Michael). Die Konversen der Zisterzienser. Unters. über ihren Beitr. z. mittelalterl. Blüte d. Ordens. Berlin, Duncker u. Humblot, 83, in-8, 268 p.

(Berliner hist. Stud., 10. Ordensstud., 4)

Cf. n°s 2811, 2830, 3052.

d. Hagiography[1].

* Cf. n° 956.

3044. GARDINA (A.). Banditi e santi. Un aspetto del folklore gallico tra tarda antichità e medioevo. Athenaeum [Pavia], 83, a. 61, p. 374-389.

3045. PIWOŃSKI (Henryk). Kult świętych w zabytkach liturgicznych Krzyżaków w Polsce. (Le culte des saints d'après les documents liturgiques des Chevaliers Teutoniques en Pologne [XIIIe-XVIe s.].) Arch. Bibl. Muz. Kość., 83, vol. 47, p. 313-362.

3046. REZEAU (Pierre). Les prières aux saints en français à la fin du moyen âge. [1. Cf. Bibl. 82, n° 2974.] 2: Les prières à un saint en particulier. Genève, Droz, 83, in-8, VI-680 p. (Publ. romanes et franç., 166)

3047. TOY (John). The commemorations of British saints in the medieval liturgical manuscripts of Scandinavia. Kyrkohist. Årsskr., 83, vol. 83, p. 91-103.

3048. EVANS (Gillian R.). The mind of St. Bernard of Clairvaux. London, Oxford U. P., 83, in-8, 256 p. - LECLERCQ (Jean). Conseil spirituel et conseillers selon saint Bernard. Studia monastica, 83, vol. 25, p. 73-91. - IDEM. La femme et les femmes dans l'oeuvre de saint Bernard. Paris, Téqui, 83, in-8, 143 p.

3049. McCONE (Kim) Brigit in the seventh century: a saint with three lives. Peritia, 82, vol. 1, p. 107-145.

3050. ROBINSON (I.S.). "Political allegory" in the Biblical exegesis of Bruno of Segni. Rech. Théol. anc. méd., 83, t. 50, p. 69-98.

3051. WOOD (Ian). The "Vita Columbani" and Merovingian hagiography. Peritia, 82, vol. 1, p. 63-80.

3052. Francesco d'Assisi nella storia. Vol. 1: Convegno di studi, sec. XIII-XV. Roma, Istit. stor. dei Cappuccini, 83, in-8, 371 p. - MISTRETTA (Maria Beatrice). Francesco architetto di Dio. L'edificazione dell'Ordine dei Minori e i suoi primi insediamenti. Roma, Città Nuova, 83, in-8, 288 p. (16 tav.).

3053. HERBERS (Klaus). Der Jakobuskult des 12. Jahrhunderts und der "Liber Sancti Jacobi". Studien über d. Verhältnis zw. Religion u. Gesellschaft im Hohen Mittelalter. Wiesbaden, Steiner, 83, in-8, XII-251 p. (Hist. Forsch., 7)

3054. BRUNTERC'H (Jean-Pierre). Géographie historique et hagiographie: la vie de saint Mervé. Mél. Ec. franç. Rome, Moyen Age, Temps mod., 83, t. 95, n° 1, p. 7-63.

Cf. n°s 288, 959, 2988.

e. Special studies.

* 3055. PFAFF (R.W.). Medieval Latin liturgy. A select bibliography. Toronto, Univ. of Toronto Press, 82, in-8, XVIII-129 p. (Toronto medival bibliogr., 9)

3056. ANGENENDT (Arnold). Missa specialis. Zugleich e. Beitr. z. Entstehung d. Privatmessen. Frühmittelalt. Stud., 83, Bd 17, p. 153-221.

3057. ATKINSON (Clarissa W.). Mystic and pilgrim: the book and the world of Margery Kempe. Ithaca, N.Y., Cornell U. P., 83, in-8, 241 p.

3058. BAUM (Wilhelm). Nikolaus Cusanus in Tirol. Das Wirken d. Philosophen u. Reformators als Fürstbischof von Brixen. Bozen, Athesia, 83, in-8, 464 p. (56 Abb., 2 Kt.). (Schriftenreihe d. Südtiroler Kulturinst., 10)

3059. BAYER (Hans). Gral. Die hochmittelalterl. Glaubenskrise im Spiegel d. Literatur. Halbbd 1, 2. Stuttgart, Hiersemann, 83, 2 vol. in-8, XXV-387 p., p. 389-613. (Monogr. z. Gesch. d. M.-A., 28)

3060. BECHER (Hartmut). Das königliche Frauenkloster San Salvatore/Santa Giulia in Brescia im Spiegel seiner Memorialüberlieferung. Frühmittelalt. Stud., 83, Bd 17, p. 299-392.

3061. BERNIER (Gildas). Les chrétientiés bretonnes continentales depuis les origines jusqu'au IXe siècle. Rennes, Equipe de recherche n° 27 du C.N.R.S., Univ. de Rennes; Saint-Malo, Centre régional archéol. d'Alet, 82, in-8, X-202 p. (pl.).

3062. BOISSET (L.). Les conciles provinciaux français et la réception des décrets du IIe concile de Lyon (1274). R. Hist. Egl. France, 83, t. 69, p. 29-59.

3063. BRANDMÜLLER (Walter). Causa reformationis. Ergebnisse u. Probleme d. Reformen d. Konstanzer Konzils. Annu. Hist. Conciliorum, 81 [83], Bd 13, p. 49-66.

3064. BULLOUGH (Donald A.). Alcuin and the kingdom of heaven: liturgy, theology, and the Carolingian age. In: Carolingian essays Cf. n° 2484], p. 1-69.

3065. CONTRENI (John J.). Carolingian biblical studies. In: Carolingian essays [Cf. n° 2484], p. 71-98.

3066. CUILLIERON (Monique). Un concile de réformation: le concile rouennais de 1231. R. Hist. Droit franç. étr., 83, a. 61, n° 3, p. 345-369.

---

1. Classification in the alphabetical order of the Latin form of the names of saints.

3067. DAHAN (Gilbert). L'exégèse de l'histoire de Caïn et Abel du XIIe au XIVe siècle en Occident [suite de Bibl. 82, n° 3008]. Rech. Theol. anc. méd., 83, t. 50, p. 5-68.

3068. DEDEK (John F.). Intrinsically evil acts: the emergence of a doctrine. Rech. Théol. anc. méd., 83, t. 50, p. 191-226.

3069. DE LEO (Pietro). Deposizioni vescovili ed ecclesiologia nei sinodi della Gallia premerovingia. Annu. Hist. Conciliorum, 83, Bd 15, p. 15-29.

3070. DEREINE (Charles). Les prédicateurs "apostoliques" dans les diocèses de Thérouanne, Tournai et Cambrai-Arras durant les années 1075-1125. Analecta praemonstratensia, 83, t. 59, fasc. 3-4, p. 171-189.

3071. DUMOULIN (Jean), PYCKE (Jacques). Topographie chrétienne de Tournai, des origines au début du XIIe siècle. Problématique nouvelle. Sacris erudiri, 83, t. 26, p. 1-50.

3072. FLANDRIN (Jean-Louis). Un temps pour embrasser. Aux origines de la morale sexuelle occidentale (VIe-XIe siècle). Paris, Ed. du Seuil, 83, in-8, 249 p. (L'Univers hist.)

3073. FRANTZEN (Allen J.). The literature of penance in Anglo-Saxon England. New Brunswick, N.J., Rutgers U. P., 83, in-8, XIV-238 p.

3074. FREEDMAN (Paul H.). The diocese of Vic: tradition and regeneration in medieval Catalonia. New Brunswick, N.J., Rugers U. P., 83, in-8, IX-230 p.

3075. GRABOIS (Aryeh). Les pèlerins occidentaux en Terre Sainte et Acre: d'Accon des croisés à Saint-Jean-d'Acre. Studi mediev., 83, ser. 3, a. 24, p. 347-364.

3076. GROTEN (Manfred). Von der Gebetsverbrüderung zum Königskanonikat. Zu Vorgesch. u. Entwicklung d. Königskanonikate an den Dom- u. Stiftskirchen d. Deutsch. Reiches. Hist. Jb., 83, Jg. 103, p. 1-34.

3077. HEIMPEL (Hermann). Königlicher Weihnachtsdienst im späteren Mittelalter. Deutsch. Arch. f. Erforsch. d. M.-A., 83, Jg. 39, p. 131-206.

3078. HELMERT (Theodor). Kalendae, Kalender, Kalande. Arch. f. Diplomatik, 80 [83], Bd 26, p. 1-55.

3079. HILL (Joyce). From Rome to Jerusalem: an Icelandic itinerary of the mid-twelfth century. Harvard theol. R., 83, vol. 76, n° 2, p. 175-204.

3080. HOKE (Rudolf). Der Prozeß des Jan Hus und das Geleit König Sigmunds. Ein Beitrag z. Frage nach d. Kläger- und Angeklagtenrolle im Konstanzer Prozeß von 1414/1415. Annu. Hist. Conciliorum, 83, Bd 15, p. 172-193.

3081. JANK (Dagmar). Das Erzbistum Trier während des Großen Abendländischen Schismas (1378-1417/18). Mainz, Ges. f. mittelrhein. Kirchengesch., 83, in-8, XLIV-131 p. (Quellen u. Abh. z. mittelrhein. Kirchengesch., 47)

3082. KAPLAN (Steven B.). The monastic holy man and the Christianization of Ethiopia, 1270-1468. Jerusalem, 82, in-4, 362 p. (12 pl., maps). [Thesis. Hebrew Univ. of Jer.]

3083. KNOCH (Wendelin). Die Einsetzung der Sakramente durch Christus: eine Untersuchung zur Sakramenttheologie d. Frühscholastik von Anselm von Laon bis zu Wilhelm von Auxerre. Münster, Aschendorff, 83, in-8, X-434 p.

3084. LECLERCQ (Jean). Le mariage vu par les moines au XIIe siècle. Paris, Ed. du Cerf, 83, in-8, 163 p.

3085. Bibl. 81, n° 2563. LE GOFF (Jacques). La naissance du purgatoire. - CR: Ph. Ariès, A. Ec., Soc., Civ., 83, a. 38, n° 1, p. 151-157. - Cf. BREDERO (Adriaan H.). Le moyen âge et le purgatoire. R. Hist. ecclés., 83, vol. 78, p. 429-452. - GUREVICH (A. Ja.). Popular and scholarly medieval cultural traditions: notes on the margin of Jacques Le Goff's book. J. medieval Hist., 83, vol. 2, p. 71-90.

3086. LIEBESCHÜTZ (Hans). Synagoge und Ecclesia. Religionsgeschichtl. Stud. über d. Auseinandersetzung d. Kirche mit d. Judentum im Hochmittelalter. (Aus d. Nachlaß hrsg., mit e. Nachw. u. e. "Bibliographie Hans Liebeschütz" vers. v. Alexander PATSCHKOVSKY. Mit e. Geleitw. v. Fritz MARTINI u. Peter de MENDELSSOHN.) Heidelberg, Schneider, 83, in-8, 263 p. (Veröff. d. Deutsch. Akad. f. Sprache u. Dichtung Darmstadt, 55)

3087. LOHRMANN (Dietrich). Kirchengut im nördlichen Frankreich. Besitz u. Wirtschaft im Spiegel d. Papstprivilegien d. 11.-12. Jh. Bonn, Röhrscheid, 83, in-8, 375 p. (7 Taf.). (Pariser hist. Stud., 20)

3088. LONGERE (Jean). La prédication médiévale. Paris, Etudes augustiniennes, 83, in-8, 300 p.

3089. MILLET (Hélène). Les partitions des prébendes au chapitre de Laon: fonctionnement d'un système égalitaire (XIIIe-XVe siècles). Bibl. Ec. Chartes, 82 [83], t. 140, livr. 2, p. 163-188.

3090. MORRISSEY (Thomas E.). Emperor-elect Sigismund, cardinal Zabarella, and the council of Constance. Cath. hist. R., 83, vol. 69, n° 3, p. 353-370.

3091. NITSCHKE (August). Kinder in Licht und Feuer - ein keltischer Sonnenkult im frühen Mittelalter. Deutsch. Arch. f. Erforsch. d. M.-A., 83, Jg. 39, p. 1-26.

3092. OSHEIM (Duane J.). Conversion, conversi, and the Christian life in late medieval Tuscany. Speculum, 83, vol. 58, n° 2, p. 368-390.

3093. PLATELLE (Henri). Pratiques pénitentielles et mentalités religieuses au moyen âge: la pénitence des parricides et l'esprit de l'ordalie. Mél. Sci. relig., 83, a. 40, p. 129-155.

3094. POLÍVKA (Miloslav). K šíření husitství v Praze (Bratrstvo a kaple Božího těla na Novém Městě pražském v předhusitské době). (Zur Ausbreitung des Hussitentums in Prag. Die Fronleichnamskongregation und -kapelle in der Prager Neustadt.) Folia hist. bohem., 83, vol. 5, p. 95-118.

3095. RIECKENBERG (Hans Jürgen). Die Katechismus-Tafel des Nikolaus von Kues in der Lamberti-Kirche zu Hildesheim. Deutsch. Arch. f. Erforsch. d. M.-A., 83, Jg. 39, p. 555-581.

3096. ROBERG (Burkhard). Subsidium Terrae Sanctae. Kreuzzug, Konzil u. Steuern. Annu. Hist. Conciliorum, 83, Bd 15, p. 96-158. [II. Konzil v. Lyon, 1274]

3097. SCHÄFERDIEK (Knut). Der irische Osterzyklus des sechsten und siebten Jahrhunderts. Deutsch. Arch. f. Erforsch. d. M.-A., 83, Jg. 39, p. 357-378.

3098. SCHEIBELREITER (Georg). Der Bischof in merowingischer Zeit. Wien, Köln u. Graz, Böhlau, 83, in-8, 312 p. (Veröff. d. Inst. f. Österr. Geschichtsforsch., 27) - IDEM. Der frühfränkische Episkopat. Bild u. Wirklichkeit. Frühmittelalt. Stud., 83, Bd 17, p. 131-152.

3099. SCHLESINGER (Walter). Kirchengeschichte Sachsens im Mittelalter. 2., unveränd. Aufl. Bd 1: Von den Anfängen kirchlicher Verkündigung bis zum Ende des Investiturstreites. Bd 2: Das Zeitalter der deutschen Ostsiedlung (1100-1300). Köln u. Wien, Böhlau, 83, 2 vol. in-8, XII-397, IX-762 p. (Kt.). (Mitteldeutsche Forsch., 27)

3100. SCHMID (Karl). Gebetsgedenken und adliges Selbstverständnis im Mittelalter. Ausgew. Beitr. Festgabe zu seinem 60. Geburtstag. Sigmaringen, Thorbecke, 83, in-8, XIV-652 p. (Ill., Kt.).

3101. SEGELBERG (Eric). Missionshistoriska aspekter på runinskrifterna. (Missionary history views of the runic inscriptions.) Kyrkohist. Årsskr., 83, vol. 83, p. 45-57. [Eng. summary]

3102. SEIBT (Ferdinand). Hus in Konstanz. Annu. Hist. Conciliorum, 83, Bd 15, p. 159-171.

3103. SIEBEN (Hermann Josef). Traktate und Theorien zum Konzil vom Beginn des Großen Schismas bis zum Vorabend der Reformation (1378-1521). Frankfurt (Main), Knecht, 83, in-8, 296 p. (Frankfurter theol. Stud., 30) - IDEM. Der "Liber de sectis haereticorum" und sein Beitrag zur Konzilsidee des 12. Jahrhunderts. Annu. Hist. Conciliorum, 83, Bd 15, p. 262-306.

3104. SMEDBERG (Gunnar). Uppsala stifts äldsta historia. (The early history of the diocese Uppsala.) Kyrkohist. Årsskr., 83, vol. 83, p. 58-77. [Eng. summary]

3105. STRZELCZYK (Jerzy). Iroszkocki biskup w Salzburgu. Problem Antypodów i "Kosmografia" Aethicusa z Istrii. (Un évêque iro-écossais à Salzburg [Virgile]. Le problème des antipodes et la "Cosmographie" d'Aethicus Ister.) Przegl. hist., 83, vol. 74, p. 221-236.

3106. SWIETEK (Francis R.), DENEEN (Terrence M.). The episcopalian exemption of Savigny, 1112-1184. Church Hist., 83, vol. 52, n° 3, p. 285-298.

3107. TRAJDOS (Tadeusz Mikołaj). Kościół katolicki na ziemiach ruskich Korony i Litwy za panowania Władysława Jagiełły (1386-1434). T. 1. (L'Eglise catholique sur les terres ruthènes de la Couronne [polonaise] et de la Lituanie pendant le règne de Ladislas Jagellon.) Wrocław, Zakł. Narod. im. Ossolińskich, 83, in-8, 328 p. (Pol. Akad. Nauk, Inst. Hist.)

3108. TUILIER (André). L'université de Paris, le chancelier Gerson et l'union avec les Grecs. B. philol., 80 [83], p. 165-183.

3109. VOGEL (Cyrille). Le pécheur et la pénitence au moyen âge. Paris, Ed. du Cerf, 82, in-8, 233 p.

3110. WEST (Delno C.), ZIMDARS-SWARTZ (Sandra). Joachim of Fiore: a study in spiritual perception and history. Bloomington, Indiana U. P., 83, in-8, XV-136 p.

Cf. n°s 494, 2300, 2494, 2643, 2729, 2750.

§ 14. Settlements.
Place names. Town planning.

3111. BÅÅTH (Käthe). Öde sedan stora döden var: bebyggelse och befolkning i Norra Vedbo under senmedeltid och 1500-talet. (Deserted since the time of the Black Death: settlement and population in Norra Vedbo during the late Middle Ages and the 16th century.) Lund, Liber/Gleerup, 83, in-8, 224 p. (43 p. ill.). (Bibl hist. Lundensis, 51. Det nordiske ødegårdsprosjekt, Publ., 12) [Eng. summary]

3112. Vacat.

3113. BARRETT (Gillian). Problems of spatial and temporal continuity of rural settlement in Ireland, A.D. 400 to 1169. J. hist. Geogr., 82, vol. 8, p. 36-49.

3114. BĂTRÎNA (Lia), BĂTRÎNA (Adrian). Unele opinii privind așezarea sașilor la Baia în lumina cercetorilor arheologice. (Quelques opinions sur l'établissement des Saxons [de Transylvanie] à Baia à la lumière des recherches archéologiques.) Cercet. arheol., 83, t. 6, p. 239-258.

3115. BEJAN (Adrian). Contribuții arheologice la istoria Banatului în secolele VII-IX e. n. (Contributions archéologiques à l'histoire du Banat aux VIIe-IXe s.) Stud. Cercet. Ist. veche Arheol., 83, t. 34, n° 4, p. 349-362.

3116. BOHÁČ (Zdeněk). Vesnice v sídelní struktuře předhusitských Čech. (Das Dorf in der Siedlungsstruktur des vorhussitischen Böhmens.) Hist. Geogr. [Praha, 83, vol. 21, p. 37-116.

3117. Chronique des fouilles médiévales en France. [Cf. Bibl. 82, n° 3075.] Archéol. médiév., 83, t. 13, p. 231-358.

3118. DAN (Ilie). Implications historiques dans l'étude de la toponymie roumaine. R. roumaine Hist., 83, t. 22, p. 33-46.

3119. ELSENBAST (K.). Vor- und frühgermanische Siedlungsnamen am Mittelrhein. Nassau. A., 83, Bd 94, p. 1-24.

3120. GELLING (Margaret). Offa's Dyke reviewed by Frank Noble. London, Brit. Archaeol. Rep., 83, in-4, 151 p. (maps).

3121. GÓRSKI (Karol). Zanik dawnych Prusów. (L'extinction des anciens Prussiens [XIIe-XVe s.].) Zap. hist., 82 [83], vol. 47, n° 4, p. 81-88.

3122. GRINGMUTH-DALLMER (Eike). Die Entwicklung der frühgeschichtlichen Kulturlandschaft auf dem Territorium der DDR unter besonderer Berücksichtigung der Siedlungsgebiete. Berlin, Akad.-Verl., 83, in-4, 166 p. (Tab., Kt.). (Schr. z. Ur- u.. Frühgesch. 35)

3123. HARCK (Ole). De sønderjyske byers aeldste historie. En topogr.-hist. studie. (The earliest history of the towns in South Jutland. A topogr.-hist. study.) Sønderjyske Årb., 83, p. 23-47.

3124. HASLAM (Jeremy) Anglo-Saxon towns in Southern England. Chichester, Phillimore, 83, in-4, 448 p. (ill., maps).

3125. HEITEL (Radu R.). Unele consideraţii privind civilizaţia din bazinul carpatic în cursul celei de-a doua jumătate a secolului al IX-la în lumina izvoarelor arheologice. (Quelques considérations sur les civilisations du bassin carpatique pendant la seconde moitié du IXe s. à la lumière des sources archéologiques.) Studii Cercet. Ist. veche Arheol., 83, t. 34, p. 93-115. [Rés. franç.]

3126. HEJNA (Antonín). Příspěvek ke studiu malých opevněných sídel doby přemyslovské v Čechách. (Beitrag zum Studium der kleinen befestigten Herrensitze der Přemyslidenzeit in Böhmen.) Pam. archeol., 83, vol. 74, p. 366-436.

3127. LEBEGUE (Maurice). Les noms de lieu d'origine gauloise dans le département de la Somme. B. Soc. Antiq. Picardie, 82 [83], trim. 4, p. 343-366.

3128. LE ROY LADURIE (Emmanuel), ZYSBERG (André). Géographie des hagiotoponymes en France. A. Ec., Soc., Civ., 83, a. 38, n° 6, p. 1304-1335 (cartes).

3129. Maison (La) de ville à la Renaissance. Recherches sur l'habitat urbain en Europe aux XVe et XVIe siècles. Actes du Colloque tenu à Tours du 10 au 14 mai 1977. Paris, Picard, 83, in-8, 134 p. (pl.).

3130. Mittelalterliche Wüstungen in Niederösterreich. Vorträge u. Diskussionen d. 3. Symposiums d. Niederösterr. Inst. f. Landeskunde, Bildungshaus Großrußbach, 5.-7. Juli 1982. Hrsg. v. Helmuth FEIGL u. Andreas KUSTERNIG. Wien, Niederösterr. Inst. f. Landeskunde, 83, in-8, 240 p. (Stud. u. Forsch. aus d. N.-Ö. Inst. f. Landeskunde, 6)

3131. NÉMETI (I.). Noi descoperiri din epoca migraţiunilor din zona Carei (jud. Satu Mare). (Neue Entdeckungen aus der Völkerwanderungszeit aus der Carei-Gegend [Rumänien].) Studi Cercet. Ist. veche Arheol., 83, t. 34, p. 134-150 (10 fig.). [Deutsche Zsfassung]

3132. ORRMAN (Eljas). Den medeltida bebyggelseutvecklingen i egentliga Finland i ljuset av medeltidens skatteenheter. (The development of medieval settlement in Finland propre in the light of medieval units of taxation). Hist. T. f. Finland, 83, t. 68, p. 280-295.

3133. PRINGLE (Denys), LEACH (Peter). Two medieval villages north of Jerusalem: archaeological investigations in Al-Jib and Ar-Ram. Levant, 83, vol. 15, p. 141-177 (ill., maps).

3134. TEODOR (Dan Gh.). Conceptul de cultură Costişa-Botoşana. Consideraţii privind continuitatea populaţiei autohtone la est de Carpaţi în secolele V-VII. (Le concept de culture Costişa-Botoşana. Considérations sur la continuité de la population autochtone à l'Est des Carpates aux VI-VIIe s.) Studia antiqua et archaeol., 83, t. 1, p. 215-227.

3135. VENTURINI (Alain). L'évolution urbaine de Nice, du XIe siècle à la fin du XIVe siècle. Nice hist., 83, a. 86, n° 3-4, p. 3-26.

3136. VIAL (Eric). Les noms de villes et de villages. Paris, E. Belin, 83, in-8, 319 p. (ill.).

3137. Zwischen den Sprachen. Siedlungs- und Flurnamen in germanisch-romanischen Grenzgebieten. Beitr. d. Saarbrücker Kolloquiums vom 9.-11. Okt. 1980. Hrsg. v. Wolfgang HAUBRICHS u. Hans RAMGE. Saarbrücken, Saarbrücker Druckerei u. Verl., 83, in-8, 363 p. (graph. Darst., Kt.). (Beitr. z. Sprache im Saarland, 4)

Cf. n°s 352, 2419, 2537, 2707, 2826, 2858, 3035.

K

MODERN HISTORY. GENERAL WORKS

§ 1. General. 3138-3211. - § 2. History by countries. 3212-4461. - § 3. Discoveries. 4462-4471.

§ 1. General.

* 3138. BOUILLON (Jacques). Troisième table décennale, 1er janv. 1974 - 31 déc. 1983. R. Hist. mod., 83, t. 30, p. 655-704.

* 3139. BRUNSCHWIG (Henri). Bulletin historique: Afrique noire, [1979-1981. Cf. Bibl. 82, n° 3106.] 1981-1983.

* 3140. Jahresbibliographie [der] Bibliothek für Zeitgeschichte, Weltkriegsbücherei Stuttgart. Neue Folge d. Bücherschau d. Weltkriegsbücherei. Bd [53. Cf. Bibl. 82, n° 3107.] 54: 1982. München, Bernard u. Graefe, 83, in-8, XI-516 p.

* 3141. Novodobé dějiny v československé historiografii. Marxisticko-leninská teorie. (L'histoire moderne dans l'historiographie tchécoslovaque. La théorie marxiste-léniniste. Bibliographie.) Ed. Anna JEŽKOVÁ, Krista GAVALIEROVÁ. [1979. Cf. Bibl. 81, n° 2622.] 1980, 1982. Praha, Rudé právo, 82-83, 2 vol. in-8, 413, 423 p.

** 3142. Simón Bolívar in zeitgenössischen deutschen Berichten. Eingel. u. hrsg. v. Günther KAHLE unter Mitw. v. Heinz Joachim DOMNICK. Bonn, Reimer, 83, in-8, 174 p.

3143. ADO (A.V.). Krest'janstvo v evropejskikh buržuaznykh revoljucijakh XVI-XVIII vv. (Peansantry in the European bourgeois revolutions of the 16th-18th centuries.) Nov. novejš. Ist., 83, n° 1, p. 48-69.

3144. African studies. Dedicated to the V. Internat. Congress of African Studies in Nigeria. Publ. by the Sektion Afrika- u. Nahostwiss. of the Karl-Marx-Univ. Leipzig on behalf of the Central Council of Asian, African a. Latin American Sciences in the GDR. Ed. by Gerhard BREHME a. Thea BÜTTNER. Berlin, Akad.-Verl., 83, in-8, VII-286 p. (Studies on Asia, Africa a. Latin America, 33) [IV. Internat. Congress of Africanists. Cf. Bibl. 78-79, n° 2952.]

3145. Antisémitisme (L'), hier et aujourd'hui. Colloque de l'Inst. de recherches sur les civilisations de l'Occident moderne, Univ. de Paris, Sorbonne, 19 mars 1983. Paris, Univ. de Paris-Sorbonne, 83, in-8, 106 p.

3146. Arab (The) world and Asia between development and change. Dedicated to the XXXI. Internat. Congress of human Sciences in Asia a. North Africa. Ed. by Günter BARTHEL a. Lothar RATHMANN. Berlin, Akad.-Verl., 83, in-8, 304 p. (ill.). (Studies on Asia, Africa a. Latin America = Studien über Asien, Afrika u. Lateinamerika, 37)

3147. Arbeiterbewegung - Faschismus - Nationalbewußtsein. Festschrift z. 20jährigen Bestand d. Dokumentationsarchiv d. Österr. Widerstandes u. zum 60. Geburtstag v. Herbert Steiner. Hrsg. v. Helmut KONRAD u. Wolfgang NEUGEBAUER. Mit Geleitw. v. Hertha FIRNBERG u. Bruno MAREK. Red.: Brigitte GALANDA. Wien, München u. Zürich, Europaverl., 83, in-8, 393 p. (Ill.). (Veröff. des Ludwig-Boltzmann-Inst. für Gesch. d. Arbeiterbewegung)

3148. Atti del Congresso internazionale di studi storici. Rapporti Genova-Mediterraneo-Atlantico nell'età moderna. A cura di Raffaele BELVEDERI. Genova, Istit. di Sci. stor., Univ. di Genova, 83, in-8, 551 p. (Pubbl. dell'Istit. di Sci. stor., Univ. di Genova, 5)

3149. BATCHELDER (Ronald W.), FREUDENBERGER (Herman). On the rational origins of the modern centralized state. Explor. in econ. Hist., 83, vol. 20, n° 1, p. 1-13.

3150. BOND (Brian). War and society in Europe, 1870-1970. London, Fontana, 83, in-8, 256 p.

3151. BRIGGS (Asa, Lord). Collected essays and reviews. Vol. 1: The human aggregate. Brighton, Harvester Press, 83, in-8, 280 p.

3152. BUSHNELL (David). The last dictatorship: betrayal or consummation? Hisp. am. hist. R., 83, vol. 63, n° 1, p. 65-106.

3153. CHURCH (Clive H.). Europe in 1830: revolution and political change. London a. Boston, Allen a. Unwin, 83, in-8, XIII-210 p.

3154. COLLIER (Simon). Nationality, nationalism, and supranationalism in the writings of Simón Bolívar. Hisp. am. hist. R., 83, vol. 63, n° 1, p. 37-64.

3155. COLLINI (Stefan), WINCH (Donald), BURROW (John). That noble science of politics: a study in nineteenth-century intellectual history. New York, Cambridge Y.P., 83, in-8, X-385 p.

3156. COOK (Chris), KILLINGRAY (David). African political facts since 1945. London, Macmillan, 83, in-8, 272 p.

3157. DAMAS (Germán Carrera). Simón Bolívar, el culto heroico y la nación. Hisp. am. hist. R., 83, vol. 63, n° 1, p. 107-146.

3158. DAVIDSON (Basil). Modern Africa. London, Longman, 83, in-8, 240 p.

3159. DELPECH (François). Sur les Juifs. Etudes d'histoire contemporaine. Lyon, Presses univ. de Lyon, 83, in-8, 452 p.

3160. DĒMAKĒS (Ioannēs D.). Phileleutherismos, sosialismos kai ethnikismos stē neoterē Eurōpē. Historiko dokimio. (Libéralisme, socialisme et nationalisme dans l'Europe moderne. Essai historique.) Athēna, Papazēsēs, 83, in-8, 272 p.

3161. Dictatorships in East-Central Europe 1918-1939. Anthologies. Ed.: Janusz ŻARNOWKSI. Tr. from the Pol. by Janina DOROSZ. Wrocław, Zakł. Narod. im. Ossolińskich, 83, in-8, 248 p. (Pol. Hist. Library. Anthologies, 4)

3162. Dzieje Ameryki Łacińskij od schyłku epoki kolonialnej do czasów współczesnych. (Histoire de l'Amérique Latine de l'époque coloniale aux temps contemporains.) Red.: Tadeusz ŁEPKOWSKI. T. [2. Cf. Bibl. 78-79, n° 2962.] 3: 1930-1076/1980. Red.: Ryszard STEMPLOWSKI. Auteurs: Tomasz KNOTHE et al.. Warszawa, Książka i Wiedza, 83, in-8, 729 p.

3163. EMMANUEL (Patrick A. M.). Revolutionary theory and political reality in the eastern Caribbean. J. inter-am. Stud. a. World Affairs, 83, vol. 25, n° 2, p. 193-228.

3164. Etudes sur les villes en Europe occidentale, milieu du XVIIe siècle à la veille de la Révolution. [Par Jean MEYER, Jean-Pierre POUSSOU, Alain LOTTIN, Adrien VAN DER WOUDE, Hugo SOLY et Bernard VOGLER.] T. 1: Généralités, France. T. 2: Angleterre, Pays-Bas et Provinces Unies, Allemagne rhénane. Paris, C.D.U.-SEDES, 83, 2 vol. in-8, 217, 475 p.

3165. Europa nach dem Zweiten Weltkrieg, 1945-1982. Hrsg. v. Wolfgang BENZ u. Hermann GRAML. Frankfurt (Main), Fischer Taschenbuch, 83, in-8, 587 p. (Kt.). (Fischer Weltgesch., 35)

3166. FAHRENHORST (Eberhard) Das neunzehnte Jahrhundert. Beharrung u. Auflösung. Hildesheim, Zürich u. New York, Olms, 83, in-8, 632 p.

3167. Freimaurer und Geheimbünde im 18. Jahrhundert in Mitteleuropa. Hrsg. v. Helmut REINALTER. Frankfurt (Main), Suhrkamp, 83, in-8, 403 p. (Suhrkamp-Taschenbuch Wiss., 403)

3168. FULBROOK (Mary). Piety and politics: religion and the rise of absolutism in England, Württemberg and Prussia. London a. New York, Cambridge U. P., 83, in-8, VIII-215 p. (Cambr. Book Libr.)

3169. GELLNER (Ernest). Nations and nationalism. Ithaca, N.Y., Cornell U.P.; Oxford, Blackwell, 83, in-8, VIII-150 p. (New Perspectives on the Past)

3170. GENTRY (Robert J.). Organic social thought and Mitteleuropa: Albert Schäffle's response to modernization in central Europe. Austrian Hist. Y. B., 81-82, vol. 27-28, p. 57-79.

3171. Geschichte der Araber. Von d. Anfängen bis z. Gegenwart. Verf. v. e. Autorenkoll. d. Lehr- u. Forschungsbereiches Nordafrika/Nahost d. Karl-Marx-Univ. Leipzig unter Leitung v. Lothar RATHMANN. [Bd 5. Cf. Bibl. 81, n° 2646.] Bd 6, 7: Der Kampf um den Entwicklungsweg in der arabischen Welt. Berlin, Akad.-Verl., 83, 2 vol. in-8, XI-345 p. (Abb., Kt.); VIII p., p. 347-585 (Abb., Kt.).

3172. GOLDSTEIN (Robert Justin). Political repression in nineteenth-century Europe. London, Croom Helm; Totowa, N.J., Barnes a. Noble, 83, in-8, XV-400 p.

3173. HACKER (Jens). Der Ostblock: Entstehung, Entwicklung und Struktur 1939-1980. Baden-Baden, Nomos, 83, in-8, XXXI-1047 p.

3174. HAHN (Hans Henning). Möglichkeiten und Formen politischen Handelns in der Emigration. Ein hist.-system. Deutungsversuch am Beisp. d. Exils in Europa nach 1830 u. e. Plädoyer für e. internat. vergleichende Exilforschung. Theodor Schieder zum 75. Geburtstag zugeeignet. Arch. f. Sozialgesch., 83, Bd 23, p. 123-161.

3175. HAMEROW (Theodore S.). The birth of a new Europe: state and society in the nineteenth century. Chapel Hill, Univ. of North Carolina Press, 83, in-8, XII-447 p.

3176. Hauptstädte in europäischen Nationalstaaten. Hrsg. v. Theodor SCHIEDER u. Gerhard BRUNN. München u. Wien, Oldenbourg, 83, in-8, VI-194 p. (Stud. z. Gesch. d. 19. Jh., 12)

3177. (Historia de las congregaciones judías en América latina.) Michael, 83, vol. 8. [In Hebrew a. Spanish]

3178. HOBSBAWM (Eric John), TANGER (Terence). The invention of tradition. London, Cambridge U. P., 83, in-8, 320 p.(tab.). (Past a. Present Publ.)

3179. HUGHES (Judith M.). Emotion and high politics: personal relations at the summit in late nineteenth-century Britain and Germany. Berkeley a. Los Angeles, Univ. of California Press, 83, in-8, XI-232 p.

3180. JELAVICH (Barbara). History of the Balkans. Vol. 1: Eighteenth and nineteenth centuries. Vol. 2: Twentieth century. London a. New York, Cambridge U.P., 83, 2 vol. in-8, XIV-407, XI-476 p. (ill., maps).

3181. JESPERSEN (Knud J. V.). Social change and military revolution in early modern Europe: some Danish evidence. Hist. J., 83, vol. 26, p. 1-13.

3182. JOHNSON (Paul). History of the modern world. London, Weidenfeld a. Nicolson, 83, in-8, 832 p.

3183. Krizis na juge Afriki. (Crisis in the South of Africa.) Otv. red. Anat. A. GROMYKO. Moskva, Nauka, 83, 269 p. (AN SSSR. In-t Afriki)

3184. LOMBARDINI (Sandro). Rivolte contadini in Europa (secoli XVI-XVIII). Torino, Loescher, 83, in-8, 262 p.

3185. LÜTGEMEIER-DAVIN (Reinhold). Pazifismus zwischen Kooperation und Konfrontation. Das deutsche Friedenskartell in d. Weimarer Republik. Köln, Pahl-Rugenstein, 82, in-8 542 p. (Pahl-Rugenstein-Hochschulschriften, Gesellschafts- u. Naturwiss., 104)

3186. LYNCH (John). Bolívar and the Caudillos. Hisp. am. hist. R., 83, vol. 63, n° 1, p. 3-36.

3187. McKAY (Derek), SCOTT (H.M.). The rise of the great powers, 1648-1815. London a. New York, Longman, 83, in-8, XI-378 p.

3188. MENDELSOHN (Ezra). The Jews of east central Europe between the world wars. Bloomington, Indiana U. P., 83, in-8, XI-300 p.

3189. MUREȘAN (Camil). Simon Bolivar (1783-1830). București, Ed. politică, 83, in-8, 139 p. [En roumain]

3190. Nationalbewegungen auf dem Balkan. Hrsg. v. Norbert REITER. Wiesbaden, Harrassowitz, 83, in-8, VII-442 p. (Balkanolog. Veröff., 5)

3191. Nationale Befreiung und sozialistische Alternative in Asien, Afrika, Lateinamerika. Erfahrungen u. aktuelle Prozesse. Asien, Afrika, Lateinamerika, 83, Jg. 11, p. 829-883.

3192. Nazionalismo (Il) in Italia e in Germnia fino alla Prima guerra mondiale. A cura di Rudolf LILL e Franco VALSECCHI. Bologna, Il Mulino, 83, in-8, 365 p. (A. dell'Istit. stor. italo-germanico, 12)

3193. NUNN (Frederick M.). Yesterday's soldiers: European military professionalism in South America, 1890-1940. Lincoln, Univ. of Nebraska Press, 83, in-8, VIII-365 p.

3194. PAPACOSTEA (Victor). Civilizație românească și civilizație balcanică. Studii istorice. Studiu introductiv de Nicolae-Șerban TANAȘOCA. Ed. îngrijită și note de Cornelia PAPACOSTEA-DANIELOPOLU. (Civilisation roumaine et civilisation balkanique. Etudes historiques [XVIIe-XVIIIe s.] Ed. et étude introd. par - . Notes de - et -.) București, Ed. Eminescu, 83, in-8, 538 p.

3195. PEARSON (R.). National minorities in Eastern Europe, 1848-1945. London, Macmillan, 83, in-8, 260 p.

3196. PEGG (Carl H.). Evolution of the European idea, 1914-1932. Chapel Hill, Univ. of North Carolina Press, 83, in-8, X-228 p.

3197. POIDEVIN (Raymond). L'Allemagne et le monde au XXe siècle. Paris, Masson, 83, in-8, 292 p. (Coll. Relations internat. contemp.)

3198. POLE (J.R.). The gift of government: political responsability from the English restoration to American independence. Athens, Univ. of Georgia Press, 83, in-8, XIV-185 p.

3199. Bibl. 82, n° 3156. Političeskaja sistema obščestva v Latinskoj Amerike. (The political system of society in Latin America.) Otv. red.: A. F. SUL'GOVSKIJ. - CR: A. A. Sokolov, Vopr. Ist., 83, n° 8, p. 121-123; A. I. Stroganov, Lat. Am., 83, n° 5, p. 133-135.

3200. Pouvoir, ville et société en Europe, 1650-1750. Colloque internat. du C.N.R.S., Strasbourg, oct. 1981. Paris, Ophrys, 83, in-8, XVI-627 p. (pl.).

3201. Bibl. 82, n° 3157. PRIMAKOV (E.M.). Vostok posle krakha kolonial'noj sistemy. (The East after the collapse of the colonial system.) - CR: V. L. Šejnis, A. Ja. Êl'janov, Nar. Azii Afr., 83, n° 2, p. 177-184.

3202. RAEFF (Marc). The well-ordered police state: social a. institutional change through law in the Germanies and Russia, 1600-1800. New Haven, Conn., Yale U. P., 83, in-8, IX-284 p.

3203. SCHMIDT (Siegfried). Politik und Ideologie des bürgerlichen Liberalismus im Revolutionszyklus zwischen 1789 und 1917. Z. f. Geschichtswiss., 83, vol. 31, n° 1, p. 24-37.

3204. STONE (Norman). Europe transformed, 1878-1919. London, Fontana, 83, in-8, 320 p.

3205. STRACHAN (Hew). European armies and the conduct of war. London, Allen a. Unwin, 83, in-8, VIII-224 p.

3206. SZABO (S.F.). Successor generation: international perspectives of postwar Europeans. London, Butterworth, 83, in-8, 202 p.

3207. URSU (D.P.). Sovremennaja istoriografija stran Tropičeskoj Afriki. 1960-1980. (Contemporary historiography of tropical African countries, 1960-1980.) Moskva, Nauka, 83, 263 p.

3208. Villes et nations en Amérique latine (Essais sur la formation des consciences nationales en Amérique latine). [II. Cf. Bibl. 82, n° 3130.] III. Par Maurice BIRCKEL, Bernard LAVALLE, Yves AGUILA, et al. Introd. de Joseph PEREZ. Paris, Ed. du C.N.R.S., 83, in-8, 184 p. (5 fig.). (Coll. de la Maison des pays ibériques, 13)

3209. WIKING (Staffan). Military coups in sub-Saharan Africa: how to justify illegal assumption of power. Uppsala, Scand. instit. of African stud.; Stockholm, Almqvist a. Wiksell internat., 83, in-8, 144 p. (diagr.).

3210. Zamachy stanu, przewroty, rewolucje. Ameryka Łacińska XX w. (Coups d'Etat, renversements, révolutions. L'Amérique latine au XXe s.) Réd.: Tadeusz ŁEPKOWSKI. Warszawa, Czytelnik, 83, in-8, 226 p.

3211. ZARICKIJ (B.E.). SŠA i levye sily v Zapadnoj Evrope. 1943-1949 gg. (USA and left forces in Western Europe, 1943-1949.) Vopr. Ist., 83, n° 6, p. 66-79.

§ 2. History by countries[1].

Afghanistan.

3212. GUREVIČ (N.M.). Afganistan: nekotorye osobennosti social'no-ekonomičeskogo razvitija (20-e - 50-e gg.). (Afghanistan: some peculiarities of the socio-economic development, 20s-50s of the 20th cent.) Moskva, Nauka, 83, 128 p. (AN SSSR. In-t vostokovedenija)

3213. KORGUN (V.G.). Intelligencija v političeskoj žizni Afganistana. (The intelligentsia in the political life of Afghanistan.) Moskva, Nauka, 83, 198 p. (AN SSSR. In-t vostokovedenija)

3214. LEVY (Azaria). Gerush Herat. (The expulsion [of the Jews] from Herat, 1856-1859.) Pe'amim, 82, vol. 14, p. 77-91 (ill.).

South Africa.

3215. LODGE (Tom). Black politics in South Africa since 1945. London, Longman, 83, in-8, 404 p.

3216. O'MEARA (Dan). Volkskapitalisme: class, capital, and ideology in the development of Afrikaner nationalism, 1934-1948. London a. New York, Cambridge U.P., 83, in-8, XVI-281 p. (tab.). (African Stud. Ser., 34)

3216a. SIMONS (H.J.), SIMONS (R.E.). Class and colour in South Africa, 1850-1050. London, Internat. Defence a. Aid Fund for S. Afr., 83, in-8, 704 p.

3217. YUDELMAN (David). The emergence of modern South Africa: state, capital, and the incorporation of organized labor on the South African gold fields, 1902-1939. Westport, Conn., Greenwood, 83, in-8, XVI-315 p. (Contrib. in Comparative Colonial Stud., 13)

Albania.

3218. NOWAK (Jerzy Robert). Powstanie Ludowej Republiki Albanii. (L'origine de la République Populaire d'Albanie.) Warszawa, 83, in-8, 122 p. (Inst. Krajów Socjalistycznych Pol. Akad. Nauk)

Algeria.

3219. HOEXTER (Miriam). Ha-eda ha-yehudit be-Algir ... (The Jewish community and the Turkish governmental system in Algiers.) Sefunot, 83, vol. 2 (17), p. 133-163.

Germany.

* 3220. DÜWELL (Kurt). Die regionale Geschichte des NS-Staates zwischen Mikro- und Makroanalyse. Forschungsaufgaben zur "Praxis im kleinen Bereich". Mit e. Lit.-Übersicht. Jb. f. westdeutsche Landesgesch., 83, Jg. 9, p. 287-344.

* 3221. MATTHEISEN (Donald J.). History as current events: recent works on the German revolution of 1848. Am. hist. R., 83, vol. 88, n° 5, p. 1219-1237.

* 3222. SHOWALTER (Dennis). Military history in Germany, 1980-1982: overview of periodical literature. Milit. Affairs, 83, vol. 47, n° 2, p. 71-72.

** 3223. Akten der Partei-Kanzlei der NSDAP. Rekonstruktion eines verlorengegangenen Bestandes; Sammlung d. in anderen Provenienzen überlieferten Korrespondenzen, Niederschriften v. Besprechungen usw. mit d. Stellvertreter d. Führers u. seinem Stab bzw. d. Partei-Kanzlei, ihren Ämtern, Referaten u. Unterabt. sowie mit Heß u. Bormann persönl. Hrsg. v. Inst. f. Zeitgesch. Bearb. v. Helmut HEIBER. T. 1: Regesten. Bd 1. Unter Mitw. v. Hildegard von KOTZE [u. a.]. Bd 2. Unter Mitw. v. Gerhard WEIHER u. Hildegard von KOTZE [u. a.]. Reg. Bd 1/2. Unter Mitw. v. Volker DAHM [u. a.]. München u. Wien, Oldenbourg, 83, 3 vol. in-8, XXXII-1042, XII-1095, 852 p.

** 3224. Akten der Reichskanzlei. Hrsg. f. d. Hist. Komm. bei d. Bayer. Akad. d. Wiss. v. Konrad REPGEN, f. d. Bundesarchiv v. Hans BOOMS. Die Regierung Hitler. T. 1: 1933/34. Bd 1: 30. Jan. bis 31. Aug. 1933. Dokumente Nr. 1-206. Bearb. v. Karl-Heinz MINUTH. Bd 2: 12. Sept. 1933 bis 27. Aug. 1934. Dokumente Nr. 207-384. Boppard (Rhein), Boldt, 83, 2 vol. in-8, LXXV-723 p.; V p., p. 725-1480.

** 3225. Akten deutscher Bischöfe über die Lage der Kirche, 1933-1945. 5: 1940-1042. Bearb. v. Ludwig VOLK. Mainz,

---

1. Classification in the alphabetic order of the French form of the names of countries.

Matthias-Grünewald-Verl. 83, in-4, XXXVII-1112 p. (Veröff. d. Komm. f. Zeitgesch., Reihe A: Quellen, 34) [1. Cf. Bibl. 68-69, n° 4390.]

** 3226. Akten zur Vorgeschichte der Bundesrepublik Deutschland 1945-1949. Hrsg. v. Bundesarchiv u. Institut f. Zeitgeschichte. Bd [3. Cf. Bibl. 82, n° 3186.] 4: Jänner - Dezember 1948. Bearb. v. Christoph WEISZ, Hans-Dieter KREIKAMP u. Bernd STEGER. München u. Wien, Oldenbourg, 83, in-8, 1076 p.

** 3227. Dokumente aus geheimen Archiven. Übersichten d. Berliner polit. Polizei über die allg. Lage d. sozialdemokrat. u. anarchist. Bewegung 1878-1913. Bd 1: 1878-1889. Bearb. v. Dieter FRICKE, Rudolf KNAACK. Weimar, Böhlau, 83, XXI-406 p. (Veröff. d. Staatsarch. Potsdam, 17)

** 3228. EULENBURG UND HERTEFELD (Philipp Fürst zu). Philipp Eulenburgs politische Korrespondenz. Hrsg. v. C. G. RÖHL. Bd [2. Cf. Bibl. 78-79, n° 3029.] 3: Krisen, Krieg und Katastrophen 1895-1921. Boppard (Rhein), Boldt, 83, in-8, XX p., p. 1465-2383. (Deutsche Geschichtsquellen d. 19. u. 20. Jh., 52)

** 3229. Vacat.

** 3230. Hauptausschuß (Der) des Deutschen Reichstages 1915-1918. Eingel. v. Reinhard SCHIFFERS, bearb. v. Reinhard SCHIFFERS u. Manfred KOCH in Verb. mit Hans BOLDT. Bd [1-3. Cf. Bibl. 82, n° 3189.] 4: 191.-275. Sitzung 1918. Düsseldorf, Droste, 83, in-4, VIII p., p. 1825-2435. (Quellen z. Gesch. d. Parlamentarismus u. d. polit. Parteien, Reihe 1: Von d. konstitutionellen Monarchie z. parlamentar. Republik, 9)

** 3231. HEUSS (Theodor). Lieber Dehler! Briefwechsel mit Thomas Dehler. Hrsg. u. kommentiert v. Friedrich HENNING. Mit e. Geleitwort v. Hildegard HAMM-BRÜCHER. München u. Wien, Olzog, 83, in-8, 236 p. (Der polit. Liberalismus in Bayern, 2)

** 3232. Mit Gott für Wahrheit, Freiheit und Recht. Quellen zur Organisation u. Politik d. Zentrumspartei u. d. polit. Katholizismus in Baden 1888-1914. Ausgew. u. eingel. v. Hans-Jürgen KREMER unter red. Mitarb. v. Michael CAROLI. Hrsg. v. Jörg SCHADT. Stuttgart, Kohlhammer, 83, in-8, 322 p. (Veröff. d. Stadtarch. Mannheim, 11)

** 3233. Quellensammlung zur Geschichte der deutschen Sozialpolitik 1867-1914. IV. Abt.: Die Sozialpolitik in den letzten Jahren des Kaiserreichs (1905 bis 1914). Bd 1: Das Jahr 1905. Bearb. v. Hannsjoachim HENNING. Wiesbaden, Steiner, 82, in-8, XVI-696 p.

** 3234. SAVIGNY (Karl Friedrich von). Das Großherzogtum Baden zwischen Revolution und Restauration 1849-1851. Die deutsche Frage u. die Ereignisse in Baden im Spiegel d. Briefe u. Aktenstücke aus d. Nachlaß d. preußischen Diplomaten Karl Friedrich von Savigny. Eingel. u. hrsg. v. Willy REAL. Stuttgart, Kohlhammer, 83, in-8, VII-721 p. (Veröff. d. Komm. f. geschichtl. Landeskunde in Baden-Württemberg, Reihe A: Quellen, 33/34)

** 3235. Wandinschriften (Die) des Kölner Gestapogefängnisses im EL-DE-Haus 1943-1945. Eingel. u. bearb. v. Manfred HUISKES unter Mitarbeit v. Alexandra GAL, Mechthild GOLCZEWSKI, Arlette KOSCH u. Monika SKIBICKI. Köln u. Wien, Böhlau, 83, in-8, 360 p. (82 Abb.). (Mitt. aus d. Stadtarchiv v. Köln, 20)

** Cf. n°s 697, 4502, 4988.

3236. AMBRONN (Karl-Otto). Landsassen und Landsassengüter des Fürstentums der oberen Pfalz im 16. Jahrhundert. Im Überblick dargestellt nach d. Landsassenregister von 1518-1599. Komm. f. Bayer. Landesgesch. Kallmünz, Laßleben, 82, in-8, VIII-320 p. (Kt.-Beil.). (Hist. Atlas v. Bayern, Teil Altbayern, Reihe 2, H. 3)

3237. ARNSBERG (Paul). Die Geschichte der Frankfurter Juden seit der Französischen Revolution. Hrsg. v. Kuratorium f. Jüd. Gesch. Frankfurt am Main. Bearb. u. vollendet durch Hans-otto SCHEMBS. Bd 1: Der Gang der Ereignisse. Bd 2: Struktur und Aktivitäten der Frankfurter Juden von 1789 bis zu deren Vernichtung in der nationalsozialistischen Ära. Handbuch. Bd 3: Biographisches Lexikon der Juden in den Bereichen Wissenschaft, Kultur, Bildung, Öffentlichkeitsarbeit in Frankfurt am Main. Darmstadt, Roether, 83, 3 vol. in-4, 913, 595, 660 p. (Ill.).

3238. BADIA (Gilbert). Feu au Reichstag. L'acte de naissance du régime nazi. Paris, Ed. sociales, 83, in-8, 332 p. (Problèmes)

3239. BANKIER (David). Ha-hevra hagermanit weha-antishemyyut ha-nazional sozialistit. (German society and National Socialist anti-semitism, 1933-1938.) Jerusalem, 83, in-4, 401 l. [Thesis, Hebrew Univ. of Jer.] [Eng. summary]

3240. BARMEYER (Heide). Hannovers Eingliederung in den preußischen Staat. Annexion u. administrat. Integration 1866-1868. Hildesheim, Lax, 83, in-8, XX-682 p. (12 Ill., Kt.-Beil.). (Veröff. d. Hist. Komm. f. Niedersachsen u. Bremen, 25. Niedersachsen u. Preußen, 14)

3241. BAUMGART (Peter). Die preußische Armee zur Zeit Heinrich von Kleists. Kleist-Jb., 83, p. 43-70.

3242. BAUMGART (Winfried). Prolog zur Krieg-in-Sicht-Krise. Bismarcks Versuch, den Kulturkampf in die Türkei zu exportieren (1873/74). Konrad Repgen zum 60. Geburtstag. Hist. Z., 83, Bd 236, p. 297-325.

3243. Bayern in der NS-Zeit. Hrsg. v. Martin BROSZAT u. Hartmut MEHRINGER. [3, 4. Cf. Bibl. 81, n° 2711.] 5: Die Parteien KPD, SPD, BVP in Verfolgung und Widerstand. Hrsg. v. Martin BROSZAT u. Hartmut MEHRINGER. 6: Die Herausforderung des Einzelnen. Geschichten über Widerstand u.

Verfolgung. Von Elke FRÖHLICH. München u. Wien, Oldenbourg, 83, 2 vol. in-8, XVI-675, 262 p.

3244. BECK (Doroethea). Julius Leber. Sozialdemokrat zwischen Reform und Widerstand. Einl. v. Willy BRANDT. Vorw. v. Hans MOMMSEN. Berlin, Siedler, 83, in-8, 384 p. (Ill.).

3245. BEHR (Hans-Joachim). Rheinland, Westfalen und Preußen in ihrem gegenseitigen Verhältnis 1815-1945. Westfäl. Z., 83, Bd 133, p. 37-56.

3246. BENDERSKY (Joseph W.). Carl Schmitt: theorist for the Reich. Princeton, N.J., Princeton U.P., 83, in-8, XIV-320 p.

3247. BENECKE (Gerhard). The economic policy of "Kriegsraison" in Germany during the Thirty Years War. In: Society in change [Cf. n° 495], p. 39-51.

3248. BERDING (Helmut). Die Emanzipation der Juden im Königreich Westfalen (1807-1813). Arch. f. Sozialgesch., 83, Bd 23, p. 23-50.

3249. Biographisches Handbuch der deutschsprachigen Emigration nach 1933. International biographical dictionary of Central European emigrés 1933-1945. Hrsg. v. / Edited by: Inst. f. Zeitgesch. München und/and Research Foundation for Jewish Immigration, New York, unter d. Gesamtleitung von / General editors: Werner RÖDER u./a. Herbert A. STRAUSS. [Bd 1. Cf. Bibl. 80, n° 2816.] Bd 2: Sciences, arts, and literature. T. 1 (A-K). T. 2 (L-Z). Bd 3: Gesamtregister [Index zweisprachig/bi-lingual]. München, London, New York u. Paris, K. G. Saur, 83, 3 vol. in-4, XCIV-677, 627, XX-281 p.

3250. BIRKE (Adolf M.). Warum Deutschlands Demokratie versagte. Geschichtsanalyse im britischen Außenministerium. Hist. Jb., 83, Jg. 103, p. 395-410.

3251. BOELKE (Willi A.). Die deutsche Wirtschaft 1933-1945 Interna des Reichswirtschaftsministeriums. Düsseldorf, Droste, 83, in-8, 389 p. (Abb.).

3252. BORCHARDT (Knut). Noch einmal: Alternativen zu Brünings Wirtschaftspolitik? Hist. Z., 83, Bd 237, p. 67-83.

3253. BRACHER (Karl Dietrich). Die totalitäre Verführung. Probleme d. Nationalsozialismusdeutung. In: Politik u. Konfession [Cf. n° 506], p. 341-358.

3254. BROMMER (Peter). Die Konferenz der Ministerpräsidenten der französischen Zone vom 17. März 1948 in Baden-Baden. Versuch einer Rekonstruktion. Jb. f. westdeutsche Ldesgesch., 83, Bd 9, p. 357-378.

3255. BROSZAT (Martin). Zur Struktur der NS-Massenbewegung. Vjhefte f. Zeitgesch., 83, Jg. 31, p. 52-76.

3256. BRUSS (Regina). Die Bremer Juden unter dem Nationalsozialismus. Bremen, Staatsarchiv d. Freien Hansestadt Bremen, 83, in-8, 341 p. (Veröff. aus d. Staatsarchiv d. Freien Hansestadt Bremen, 49)

3257. Bundesrepublik (Die) Deutschland. Geschichte in drei Bänden. Hrsg. v. Wolfgang BENTZ. Bd 1: Politik. Bd 2: Gesellschaft. Bd 3: Kultur. Frankfurt (Main), Fischer Taschenbuchverl., 83, 3 vol. in-8, 453, 364, 468 p.

3258. BUSSMANN (Walter). Die Krönung Wilhelms I. am 18. Oktober 1861. Eine Demonstration d Gottesgnadentums im preuß. Verfassungsstaat. In: Politik u. Kultur [Cf. n° 506], p. 189-212.

3259. CHILDERS (Thomas). The Nazi voter: the social foundations of fascism in Germany, 1919-1933. Chapel Hill, Univ. of North Carolina Press, 83, in-8, 367 p.

3260. CHRIST (Günter). Karl Theodor v. Dalberg im Spannungsfeld von politischer Theorie und Regierungspraxis. Miszelle. Z. f. bayer. Landesgesch., 83, Bd 46, p. 607-614.

3261. CLEMENS (Gabriele). Martin Spahn und der Rechtskatholizismus in der Weimarer Republik. Mainz, Matthias-Grünewald-Verl., 83, in-8, XLIV-232 p. (Veröff. d. Komm. f. Zeitgesch., Reihe B: Forschungen, 37)

3262. CONZE (Werner). Zum Scheitern der Weimarer Republik. Neue wirtschafts- u. sozialgeschichtl. Antworten auf alte Kontroversen. Miszelle. Vjschr. f. Sozial- u. Wirtschaftsgesch., 83, Bd 70, p. 215-221.

3263. DEMEL (Walter). Der bayerische Staatsabsolutismus 1806/08-1817. Staats- u. gesellschaftspolit. Motivationen u. Hintergründe d. Reformära in d. ersten Phase d. Königreichs Bayern. München, Beck, 83, in-8, XXX-595 p. (5 Ill. u. graph. Darst.). (Schriftenreihe z. bayer. Landesgesch., 76)

3264. DEUCHERT (Norbert). Vom Hambacher Fest zur badischen Revolution. Polit. Presse u. Anfänge deutsch. Demokratie 1832-1848/49. Stuttgart, Theiß, 83, in-8, 407 p. (Ill.). (Sonderveröff. d. Stadtarch. Mannheim, 5)

3265. Deutsche Frage (Die) im 19. und 20. Jahrhundert. Referate u. Diskussionsbeitr. e. Augsburger Symposions, 23.-25. Sept. 1981. Hrsg. v. Josef BECKER u. Andreas HILLGRUBER unter Mitarb. v. Walther L. BERNECKER [u.a.]. München, Vögel, 83, in-8, VIII-475 p. (Schr. d. Philos. Fakultäten d. Univ. Augsburg, 24)

3266. Deutsche (Der) Militarismus. Illustrierte Geschichte. Hrsg. v. Peter BACHMANN, Kurt ZEISLER. [Bd 1. Cf. Bibl. 70-71, n° 3826.] Bd 2: Vom wilhelminischen zum faschistischen Militarismus. Berlin, Militärverl. d. DDR, 83, in-8, 472 p. (Abb., Kt.).

3267. Deutsche Revolution (Die) von 1848/49. Hrsg. v. Dieter LANGEWIESCHE. Darmstadt, Wiss. Buchges., 83, in-8, VI-405 p. (Wege d. Forschung, 164)

3268. DOBROWSKI (Michael N.), WALLIMAN

(Isidor) a. others. The social and economic collapse of the Weimar Republic. Westport, Conn., Greenwood, 83, in-8, VIII-422 p.

3269. DORPALEN (Andreas). SPD und KPD in der Endphase der Weimarer Republik. Vjhefte f. Zeitgesch., 83, Jg. 31, p. 77-107.

3270. DRABKIN (Jakov S.). Die Entstehung der Weimarer Republik. Köln, Pahl-Rugenstein, 83, in-8, 548 p. (Kleine Bibliothek, 274)

3271. Dritte Reich (Das). Herrschaftsstruktur und Geschichte. Vortr. aus d. Inst. f. Zeitgesch. Hrsg. v. Martin BROSZAT u. Horst MÖLLER. München, Beck, 83, in-8, 285 p. (Beck'sche schwarze Reihe, 280)

3272. DUCHHARDT (Heinz). Karl VI., die Reichsritterschaft und der "Opferpfennig" der Juden. Z. f. hist. Forsch., 83, Bd 10, p. 149-167.

3273. ELONI (Yehuda). Be'ayot ideologiyyot irguniyyot umivniyyot ba-ziyyonut ha-germanit. (Ideological, organisational a. structural problems in the German Zionist movement, from its beginning to World War I.) Tel-Aviv, 81, 2 vol. in-4 (map). [Thesis. Tel-Aviv Univ. - Eng. summary]

3274. ENNEN (Edith). Die Städtepolitik des Kölner Kurfürsten Ferdinand von Wittelsbach. Landesherrl. u. gegenreformator. Bestrebungen. In: Politik u. Konfession [Cf. n° 506], p. 61-76.

3275. ERDMANN (Karl Dietrich). Zur Echtheit der Tagebücher Kurt Riezlers. Eine Antikritik. Hist. Z., 83, Bd 236, p. 371-402.

3276. Errichtung des Arbeiter-und-Bauern-Staates der DDR 1945-1949. Karl-Heinz SCHÖNEBURG (Leitung d. Autorenkoll.). Hrsg. Inst. f. Theorie d. Staates u. d. Rechts d. Akad. d. Wiss. d. DDR. Berlin, Staatsverl. d. DDR, 83, 297 p.

3277. Exil in Großbritannien. Zur Emigration aus d. nationalsozialist. Deutschland. Hrsg. v. Gerhard HIRSCHFELD. Stuttgart, Klett-Cotta, 83, in-8, 300 p. (Veröff. d. Deutsch. Hist. Inst. London, 14)

3278. FEHRENBACH (Elisabeth). Das Erbe der Rheinbundzeit: Macht- u. Privilegienschwund d. badischen Adels zwischen Restauration u. Vormärz. Theodor Schieder zum 75. Geburtstag. Arch. f. Sozialgesch., 83, Bd 23, p. 99-122.

3279. FISCHER (Conan). Stormtroopers: a social, economic, and ideological analysis, 1929-1935. Boston, Allen a. Unwin, 83, in-8, XIV-239 p.

3280. FISCHER (Hubertus). Konservatismus von unten. Wahlen im ländlichen Preußen 1849/52. Organisation, Agitation, Manipulation. In: Deutscher Konservatismus im 19. u. 20. Jh. [Cf. n° 487], p. 69-127.

3281. GALL (Lothar). Bismarck. Der weiße Revolutionär. Korrigierte Ausg. [Cf. Bibl. 80, n° 2843.] Frankfurt (Main), Berlin u. Wien, Ullstein, 83, in-8, 812 p. (Ill.). (Ullstein-Buch, 27517. Ullstein-Sachbuch)

3282. GERHARD (Hans-Jürgen). Stadtverwaltung und städtisches Besoldungswesen von der Frühen Neuzeit bis zum 19. Jahrhundert. Strukturen - Zusammenhänge - Entwicklungen. Vjschr. f. Sozial- u. Wirtschaftsgesch., 83, Bd 70, p. 21-49.

3283. GERTEIS (Klaus). Bürgerliche Absolutismuskritik im Südwesten des Alten Reiches vor der Französischen Revolution. Trier, Verl. Trierer Hist. Forsch., 83, in-8, VI-242 p. (Trierer hist. Forsch., 6)

3284. Geschichte original - am Beispiel der Stadt Düsseldorf. Hrsg. v. Hugo WEIDENHAUPT u. Falk WIESEMANN. 1: Juden in Düsseldorf. Die Zerstörung d. jüd. Gemeinde während d. nationalsozialist. Herrschaft. Dokumente, Erl., Darst. Von Angelika VOIGT u. Falk WIESEMANN. 2: Düsseldorf während der Revolution 1848/49. Dokumente, Erl., Darst. Von Dietmar NIEMANN. Münster, Aschendorff, 83, 2 vol. in-fol., 12, 20 p. (Beil.).

3285. Geschichte original - am Beispiel der Stadt Münster. Hrsg. v. Stadtarchiv Münster u. Stadtmuseum Münster durch Hans GALEN [u. a.]. [8. Cf. Bibl. 82, n° 3230.] 9: Im Inferno des Bombenkrieges. Dokumente, Fragen, Erl., Darst. Von Wilfried BEER. 10: Soldaten und Bürger. Münster als Festung u. Garnison. Dokumente, Fragen, Erl., Darst. Von Gerd DETHELFS. 11: Der Kulturkampf im Bismarckreich. Dokumente, Fragen, Erl., Darst. Von Herta SAGEBIEL. 12: Der Westfälische Friede. Zur Kulturgesch. d. Friedenskongresses. Dokumente, Fragen, Erl., Darst. Von Helmut LAHRKAMP. Münster, Aschendorff, 83, 4 vol. in-4, 16, 16, 16, 16 p. (Ill.).

3286. GINCBERG (L.I.). Druz'ja novoj Rossii. Dviženie v zaščitu Sovetskoj strany v Vejmarskoj Germanii. (Friends of new Russia. The movement in defence of the Soviet country in the Weimar republic.) Moskva, Nauka, 83, 231 p. (AN SSSR. In-t meždunar. rabočego dviženija)

3287. GRAF (Christoph). Politische Polizei zwischen Demokratie und Diktatur. Die Entwicklung d. preuß. Polit. Polizei vom Staatsschutzorgan d. Weimarer Republik zum Geheimen Staatspolizeiamt d. Dritten Reiches. Mit e. Vorw. v. Walther HOFER. Berlin, Colloquium-Verl., 83, in-8, XVII-457 p. (Einzelveröff. d. Hist. Komm. zu Berlin, 36)

3288. GREIVE (Hermann). Geschichte des modernen Antisemitismus in Deutschland. Darmstadt, Wiss. Buchges., 83, in-8, IX-224 p. (Grundzüge, 53)

3289. GRILL (John Peter Horst). The nazi movement in Baden, 1920-1945. Chapel Hill, Univ. of North Carolina Press, 83, in-8, XV-720 p.

3290. GROSS (Leonard). The last Jews in

Berlin. London, Sidgwick a. Jackson, 83, in-8, 352 p.

3291. GROSSMANN (Walter). Städtisches Wachstum und religiöse Toleranzpolitik am Beispiel Neuwied. Arch. f. Kulturgesch., 80/81 [83], Bd 62/63, p. 207-232.

3292. GRÜNERT (Eberhard). Die Preußische Bau- und Finanzdirektion in Berlin. Entstehung u. Entwicklung, 1822-1944. Köln u. Berlin, Grote, 83, in-8, 271 p. (Stud. z. Gesch. Preußens, 36)

3293. GUTH (Ekkehart P.). Der Loyalitätskonflikt des deutschen Offizierkorps in der Revolution 1918-20. Frankfurt (Main) u. Bern, Lang, 83, in-8, 256 p. (Europ. Hochschulschr., Reihe 3: Gesch. u. ihre Hilfswiss., 198)

3294. HANDY (Peter), WAHL (Volker). Martin Luther und die Schmalkalder Bundesversammlung von 1537. Jb. f. Regionalgesch., 83, Bd 10, p. 7-25.

3295. HARASZTI (Eva H.). The invaders. Hitler occupies the Rhineland. Budapest, Akad. Kiadó, 83, in-8, 264 p.

3296. HAUSBERGER (Karl). Staat und Kirche nach der Säkularisation. Zur bayer. Konkordatspolitik im frühen 19. Jh. St. Ottilien, EOS-Verl., 83, in-8, XXIV-371 p. (Münchener theol. Stud., 1: Hist. Abt., 23)

3297. HEADLEY (John M.). The emperor and his chancellor: a study of the imperial chancellery under Gattinara. London a. New York, Cambridge U.P., 83, in-8, XI-188 p. (Cambridge Stud. in Early Modern Hist.)

3298. HECKEL (Martin). Deutschland im konfessionellen Zeitalter. Göttingen, Vandenhoeck u. Ruprecht, 83, in-8, 277 p. (Deutsche Gesch., 5) (Kleine Vandenhoeck-Reihe, 1490)

3299. HECKER (Gerhard). Walther Rathenau und sein Verhältnis zu Militär und Krieg. Boppard (Rhein), Boldt, 83, in-8, XII-542 p. (Ill.). (Wehrwiss. Forsch. Abt. Militärgesch. Stud., 30)

3300. HEINEMANN (Ulrich). Die verdrängte Niederlage. Polit. Öffentlichkeit u. Kriegsschuldfrage in d. Weimarer Republik. Göttingen, Vandenhoeck u. Ruprecht, 83, in-8, 362 p. (Krit. Stud. z. Geschichtswiss., 59)

3301. HERBST (Ludolf). Der Totale Krieg und die Ordnung der Wirtschaft. Die Kriegswirtschaft im Spannungsfeld v. Politik, Ideologie u. Propaganda 1939-1945. Stuttgart, Deutsche Verl.-Anst., 82, in-8, 475 p. (Studien z. Zeitgeschg., 21)

3302. HIDEN (John), FARQUHARSON (John). Explaining Hitler's Germany: historians and the Third Reich. Totowa, N.J., Barnes a. Noble, 83, in-8, 237 p.

3303. HILDESHEIMER (Esriel). Ha-irgun ha-merkazi shel yehude Germaniya. (The central organisation of the German Jews in the years 1933-1945.) Jerusalem, 82, in-4,

450 p. [Thesis. Hebrew Univ. of Jer. - Eng. summary]

3304. HOERNLE (E.). Deutsche Bauern unterm Hakenkreuz. Berlin, Akad.-Verl., 83, in-8, 130 p.

3305. HUBATSCH (Walther). Grundlinien preußischer Geschichte. Königtum u. Staatsgestaltung 1701-1871. Darmstadt, Wiss. Buchges., 83, in-8, X-137 p. (Kt.).

3306. HUGHES (Michael). Die Strafpreußen: Mecklenburg und der Bund der deutschen absolutistischen Fürsten, 1648-1719. Parliaments, Estates a. Representation, 83, vol. 3, part 2, p. 101-113.

3307. HUSUNG (Hans-Gerhard). Protest und Repression im Vormärz. Norddeutschland zwischen Restauration u. Revolution. Göttingen, Vandenhoeck u. Ruprecht, 83, in-8, 385 p. (Krit. Studien z. Geschichtswiss., 54)

3308. Innenpolitische Probleme des Bismarck-Reiches. Hrsg. v. Otto PFLANZE unter Mitarb v. Elisabeth MÜLLER-LUCKNER. München u. Wien, Oldenbourg, 83, in-8, XI-304 p. (Schr. d. Hist. Kollegs, 2)

3309. JAMES (Harold). Gab es eine Alternative zur Wirtschaftspolitik Brünings? Vjschr. f. Sozial- u. Wirtschaftsgesch., 83, Bd 70, p. 523-541.

3310. JOHN (Jürgen). Die Weimarer Republik, das Land Thüringen und die Universität Jena 1918/19 - 1923/24. Jb. f. Regionalgesch., 83, Bd 10, p. 177-207.

3311. Juden im Vormärz und in der Revolution von 1848. Hrsg. v. Walter GRAB, Julius H. SCHOEPS. Mit Beitr. v. Michael WERNER [u. a.]. Stuttgart u. Bonn, Burg-Verl., 83, in-8, 400 p. (Studien z. Geistesgesch., 3)

3312. KAISER (David). Germany and the origins of the first world war. J. mod. Hist., 83, vol. 55, n° 3, p. 442-474.

3313. KARLSSON (Ingemar), RUTH (Arne). Samhället som teater: estetik och politik i Tredje riket. (Society as theatre: aesthetics and politics in the Third Reich.) Stockholm, LiberFörlag, 83, in-8, 373 p. (ill.).

3314. KATER (Michael H.). The nazi party: a social profile of members and leaders, 1919-1945. Cambridge, Mass., Harvard U.P.; London, Blackwell, 83, in-8, XIV-415 p. - IDEM. Frauen in der NS-Bewegung. Vjhefte f. Zeitgesch., 83, Jg. 31, H. 2, p. 202-241.

3315. KERSHAW (Ian). Popular opinion and political dissent in the Third Reich: Bavaria, 1933-1945. London a. New York, Oxford U.P., 83, in-8, XII-425 p. (tab.).

3316. KIELMANSEGG (Peter Graf). Die demokratische Revolution und die Spielräume politischen Handelns. Hist. Z., 83, Bd 237, p. 529-558.

3317. KLESSMANN (Christoph). Die doppelte Staatsgründung. Deutsche Geschichte 1945-1955. Göttingen, Vandenhoeck u. Ruprecht, 82, in-8, 575 p. (Ill., graph. Darst.).

3318. KOCH (Rainer). Staat oder Gemeinde? Zu einem polit. Zielkonflikt in d. bürgerl. Bewegung d. 19. Jh. Hist. Z., 83, Bd 236, p. 73-96.

3319. KOSTHORST (Erich), WALTER (Bernd). Konzentrations- und Strafgefangenenlager im "Dritten Reich": Beispiel Emsland. Dokumentation u. Analysen z. Verhältnis v. NS-Regime u. Justiz im Zusatzteil Kriegsgefangenenlager. Bd 1-3. Düsseldorf, Droste, 83, 3 vol. in-8, zus. 3836 p.

3320. KÜHNRICH (Heinz). Die KPD im Kampf gegen die faschistische Diktatur 1933 bis 1945. Berlin, Dietz, 83, in-8, 341 p. (Abb., Kt.).

3321. LA GORCE (Paul-Marie de). La prise du pouvoir par Hitler, 1928-1933. Paris, Plon, 83, in-8, 400 p.

3322. LEHNERT (Detlef). Sozialdemokratie und Novemberrevolution. Die Neuordnungsdebatte 1918/19 in d. polit. Publizistik von SPD u. USPD. Frankfurt (Main) u. New York, Campus-Verl., 83, in-8, 377 p.

3323. Lexikon zur Parteiengeschichte. Die bürgerl. u. kleinbürgerl. Parteien u. Verbände in Deutschland (1789-1945). In 4 Bdn. Hrsg. v. Dieter FRICKE (Leiter des Herausgeberkollektivs) u. a. Bd 1: Alldeutscher Verband. Deutsche Liga für Menschenrechte. Leipzig, Bibliogr. Institut, 83, in-8, 759 p.

3324. Liberalismus in der Gesellschaft des deutschen Vormärz. Hrsg. v. Wolfgang SCHIEDER. Göttingen, Vandenhoeck u. Ruprecht, 83, in-8, 362 p. (Gesch. u. Ges., Sonderheft 9)

3325. LÜBBE (Hermann). Der Nationalsozialismus im deutschen Nachkriegsbewußtsein. Hist. Z., 83, Bd 236, p. 579-599.

3326. LUTZ (Heinrich). Das Ringen um deutsche Einheit und kirchliche Erneuerung. Von Maximilian I. bis zum Westfälischen Frieden 1490-1648. Berlin, Propyläen-Verl., 83, in-4, 502 p. (Ill., graph. Darst., Kt.). (Propyläen-Gesch. Deutschlands, 4)

3327. MAAYAN (Shmuel). Ma'avaqim al shitat behirot bivrit ha-qehilot ha-yisraeliyot be-Germania. (Struggles for a system of elections in the Deutsch-Israelitischer Gemeindebund, 1911-1912.) Givat Haviva, The Zvi Lurie Inst. for the Study of Zionism a. Diaspora, 82, in-8, 147 p. (fac-sim.).

3328. McCAULEY (Martin). The German Democratic Republic since 1945. London, Macmillan, 83, in-8, XIV-282 p.

3329. McDOUGALL (Glen R.). Franz Mehring and the problems of liberal social reform in Bismarckian Germany 1884-1890: the origins of radical Marxism. Central european Hist., 83, vol. 16, n° 3, p. 225-255.

3330. MAIER (Joachim). Schulkampf in Baden, 1933 bis 1945. Die Reaktion d. kathol. Kirche auf d. nationalsozialist. Schulpolitik, dargestellt am Beispiel d. Religionsunterrichts in d. badischen Volksschulen. Mainz, Matthias-Grünewald-Verl., 83, in-8, XXXI-304 p. (Veröff. d. Komm. f. Zeitgesch., Reihe B: Forsch., 38)

3331. MAMMACH (Klaus). Widerstand 1933-1939. Geschichte d. deutsch. antifaschist. Widerstandsbewegung im Inland u. in d. Emigration. Berlin, Akad.-Verl., 83, in-8, VI-330 p. (Abb.).

3332. Mashbere ha-leummiyyut ha-germanit. (Crises of German national consciousness in the 19th and 20th centuries.) Ed. by Moshe ZIMMERMANN. Jerusalem, Magnes Press, 83, in-8, V-205 p.

3333. MENNING (Ralph R.), MENNING (Carol Bresnahan). "Baseless allegations": Wilhelm II and the Hale interview of 1908. Central european Hist., 83, vol. 16, n° 4, p. 368-397.

3334. MEYER (Manfred). Sickingen, Hutten und die reichsritterschaftlichen Bewegungen in der deutschen frühbürgerlichen Revolution. Jb. f. Gesch. d. Feudalismus, 83, Bd 7, p. 215-246.

3335. MITCHELL (Otis C.). Hitler over Germany: the establishment of the Nazi dictatorship. Philadelphia, Institute for the Study of Human Issues, 83, in-8, XII-294 p. (ill., pl.).

3336. MÖLLER (Horst). Die nationalsozialistische Machtergreifung: Konterrevolution oder Revolution? Vjhefte f. Zeitgesch., 83, Jg. 31, H. 1, p. 25-51.

3337. Möglichkeiten der Reichspolitik zwischen Augsburger Religionsfrieden und Ausbruch des 30jährigen Krieges. SCHULZE (Winfried). Einleitung. REINHARD (Wolfgang). Zwang zur Konfessionalisierung? NEUHAUS (Helmut). Zwänge und Entwicklungsmöglichkeiten reichsständischer Beratungsformen in der zweiten Hälfte des 16. Jahrhunderts. SCHLAICH (Klaus). Die Mehrheitsabstimmung im Reichstag zwischen 1495 und 1613. VOCELKA (Karl). Matthias contra Rudolf. Z. f. hist. Forsch., 83, Bd 10, p. 235-351.

3338. MÖRKE (Olaf). Rat und Bürger in der Reformation. Soziale Gruppen u. kirchl. Wandel in d. welfischen Hansestädten Lüneburg, Braunschweig u. Göttingen. Hildesheim, Lax, 83, in-8, X-403 p. (Veröff. d. Inst. f. Hist. Landesforsch. d. Univ. Göttingen, 19) - IDEM. Die Fugger im 16. Jahrhundert. Städtische Elite oder Sonderstruktur? Ein Diskussionsbeitrag. Arch. f. Reformationsgesch., 83, Jg. 74, p. 141-162.

3339. MOMMSEN (Hans). Die Realisierung des Utopischen. Die "Endlösung der Judenfrage" im "Dritten Reich". Gesch. u. Ges., 83, Jg. 9, p. 381-420.

3340. MORAVCOVÁ (Dagmar). Die bürgerlichen politischen Parteien der Weimarer Republik. Historica [Praha], 83, vol. 23, p. 101-163.

3341. NEMITZ (Kurt). Antisemitismus in der Wissenschaftspolitik der Weimarer Republik. Der "Fall Ludwig Schemann". Jb. d. Inst. f. deutsche Gesch., 83, Bd 12, p. 377-407.

3342. NIPPERDEY (Thomas). Deutsche Geschichte, 1800-1866. Bürgerwelt u. starker Staat. München, Beck, 83, in-8, 838 p.

3343. NOAKES (Jeremy), PRIDHAM (Geoffrey). Nazism, 1919-1945. Vol. 1: The rise to power, 1919-1934. Exeter, Univ. Press, 83, in-8, IV-193 p.

3344. Vacat.

3345. OBERSCHELP (Reinhard). Politische Geschichte Niedersachsens 1714-1803. Hildesheim, Lax, 83, in-8, 162 p. (Ill.).

3346. OTT (Hugo). Zur publizistischen Auseinandersetzung mit dem Thema "Katholische Kirche und Drittes Reich". Eine Feldstudie anhand zweier südbadischer Tageszeitungen. Freiburg. Diöz.-Arch., 83, Bd 103, p. 291-310.

3347. OVČINNIKOVA (L.V.). Krakh Vejmarskoj respubliki v buržuaznoj istoriografii FRG. (The failure of the Weimar republic in bourgeois historiography of the GFR.) Moskva, Izd-vo MGU, 83, 217 p.

3348. OVERESCH (Manfred). Das Dritte Reich. 1: 1933-1939. 2: 1939-1945. Düsseldorf, Droste, 82-83, 2 vol. in-8, 700, 662 p. (Chronik deutscher Zeitgesch., 2 [Cf. Bibl. 82, n° 3283]. Droste-Geschichts-Kalendarium)

3349. PALUMBO (Michael). Goering's Italian exile: 1924-1925. In: Society in change [Cf. n° 495], p. 623-639.

3350. PERJÉS (Géza). Clausewitz: the forerunner of mathematical praxeology. In: Society in change [Cf. n° 495], p. 53-74.

3351. PETZOLD (Joachim). Die deutsche Großbourgeoisie und die Errichtung der faschistischen Diktatur. Z. f. Geschichtswiss., 83, vol. 31, n° 3, p. 214-232. - IDEM. Großbürgerliche Initiativen für die Berufung Hitlers zum Reichskanzler. Zur Novemberpetition von 1932 d. Keppler-Kreises deutscher Bankiers, Großindustrieller, Überseekaufleute u. Großgrundbesitzer. Ibid., n° 1, p. 38-54.

3352. PRANGE (Wolfgang). Landesherrschaft, Adel und Kirche in Schleswig-Holstein 1523. Die Zahl der Bauern am Ende d. Mittelalters u. nach d. Reformation. Z. d. Ges. f. schleswig-holstein. Gesch., 83, Bd 108, p. 51-90.

3353. RAHNE (Hermann). Mobilmachung. Militärische Mobilmachungsplanung u. -technik in Preußen u. im Deutsch. Reich von Mitte d. 19. Jh. bis zum Zweiten Weltkrieg. Berlin, Militärverl. d. DDR, 83, in-8, 308 p. (Militärhist. Studien, 23, N. F.)

3354. REAL (Willy). Die Revolution in Baden 1848/49. Stuttgart, Kohlhammer, 83, in-8, 209 p.

3355. Regierung, Bürokratie und Parlament in Preußen und Deutschland von 1848 bis zur Gegenwart. Gerhard A. RITTER (Hrsg.). Düsseldorf, Droste, 83, in-8, 224 p. (Beitr. z. Gesch. d. Parlamentarismus u. d. polit. Parteien, 73)

3356. Regierungen (Die) der deutschen Mittel- und Kleinstaaten, 1815-1933. Büdinger Forsch. z. Sozialgesch. 1980. Hrsg. v. Klaus SCHWABE. Boppard (Rhein), Boldt, 83, in-8, 368 p. (Deutsche Führungsschichte in der Neuzeit, 14)

3357. RICHARDI (Hans-Günter). Schule der Gewalt. Die Anfänge d. Konzentrationslagers Dachau 1933-1934. Ein dokumentar. Bericht. Mit e. Vorwort v. Hermann LANGBEIN. München, Beck, 83, in-8, XII-331 p. (31 Ill., 1 graph. Darst.).

3358. RIEZLER (Sigmund von). Geschichte der Hexenprozesse in Bayern. Im Lichte d. allg. Entwicklung dargestellt. Essen, Magnus-Verl., 83, in-8, X-404 p. (1 Kt.).

3359. RÖHL (John C. G.). Kaiser Wilhelm II., Großherzog Friedrich I. und der "Königsmechanismus" im Kaiserreich. Unzeitgemäße Betrachtungen zu e. badischen Geschichtsquelle. Hist. Z., 83, Bd 236, p. 539-577.

3360. ROHRLACH (Peter P.). Der Reformationskanzler Dr. Gregor Brück und seine Familie. Jb. f. Regionalgesch., 83, Bd 10, p. 70-92.

3361. ROSENHAFT (Eve). Beating the Fascists? German communists and political violence, 1929-1933. London, Cambridge U. P., 83, in-8, 273 p. (tab., maps).

3362. RÜRUP (Reinhard). Demokratische Revolution und "dritter Weg". Die deutsche Revolution von 1918/19 in d. neueren wissenschaftl. Diskussion. Gesch. u. Ges., 83, Jg. 9, p. 278-301.

3363. RUGE (Wolfgang). Das Ende von Weimar. Monopolkapital und Hitler. Berlin, Dietz, 83, in-8, 360 p. (Ill.).

3364. SAKSON (Andrzej). Obraz Polski i Polaków w działalności "Ziomkostwa Prusy Wschodnie" (Landsmannschaft Ostpreussen). (L'image de la Pologne et des Polonais dans l'activité de l'organisation "Landsmannschaft Ostpreussen [1948-1975].) Komunikaty maz.-warm., 83, a. 31, n° 2-3, p. 267-277.

3365. SANDFORD (Gregory W.). From Hitler to Ulbricht: the communist reconstruction of East Germany, 1945-1946. Princeton, N.J., Princeton U.P., 83, in-8, XIV-313 p.

3366. SCHAAP (Klaus). Oldenburgs Weg in das "Dritte Reich". Oldenburg, Holzberg, 83, in-8, 221 p. (Quellen z. Regionalgesch. Nordwest-Niedersachsens, 1)

3367. SCHEEL (Heinrich). Forschungen zum deutschen Jakobinismus. Eine Zwischenbilanz. Z. f. Geschichtswiss., 83, Jg. 31, p. 313-324.

3368. SCHIEDER (Theodor). Friedrich der Große. Ein Königtum d. Widersprüche. Frankfurt (Main), Berlin u. Wien, Propyläen-Verl., 83, in-8, 538 p. (Ill.).

3369. SCHMID (Alois). Bayern und die Kaiserwahl des Jahres 1745. In: Festsch. f. A. Kraus [Cf. n° 497], p. 257-276.

3370. SCHMIDT (Georg). Städtecorpus und Grafenvereine. Möglichkeiten u. Grenzen d. Zusammenarbeit kleinerer Reichsstände zwischen dem Wormser u. dem Speyerer Reichstag 1521 bis 1526. Z. f. hist. Forsch., 83, Bd 10, p. 41-71.

3371. SCHMIDT (Hans). Kurfürst Max Emanuel von Bayern (1662-1726), Türkensieger und Reichsrebell, Herrscher und Kunstmäzen. In: Festschr. f. A. Kraus [Cf. n° 497], p. 241-255.

3372. SCHMIDT (Peter W.). Positionen städtischen politischen Denkens im Zeitalter der Reformation. Alte Stadt, 83, Jg. 10, p. 305-326.

3373. SCHMITZ (Walter). Verfassung und Bekenntnis. Die Aachener Wirren im Spiegel d. kaiserl. Politik (1550-1616). Frankfurt (Main), Bern u. New York, Lang, 83, in-8, VII-388 p. (Europ. Hochschulschr., Reihe 3: Gesch. u. ihre Hilfswiss., 202)

3374. SCHWITALLA (Johannes). Deutsche Flugschriften 1460-1525. Textsortengesch. Stud. Tübingen, Niemeyer, 83, in-8, IX-368 p. (Reihe germanist. Linguistik, 45)

3375. ŠIRINJA (K.K.). Vyigrannoe političeskoe sraženie: Lejpcigskij process 1933 g. V svete novykh dokumentov. (The political battle won: the Leipzig trial of 1933.) Nov. novejš. Ist., 83, n° 6, p. 43-60.

3376. SÖSEMANN (Bernd). Die Tagebücher Kurt Riezlers. Untersuchungen zu ihrer Echtheit u. Edition. Hist. Z., 83, Bd 236, p. 327-369.

3377. SPERBER (Jonathan). The shaping of political Catholicism in the Ruhr basin, 1848-1881. Central european Hist., 83, vol. 16, n° 4, p. 347-367.

3378. Staat und Kirche von der Beilegung des Kulturkampfs bis zum Ende des Ersten Weltkriegs. Ernst Rudolf HUBER, Wolfgang HUBER [Hrsg.]. Berlin, Duncker u. Humblot, 83, in-8, XXXVI-873 p. (Staat u. Kirche im 19. u. 20. Jh., 3)

3379. STACHURA (Peter D.). Gregor Strasser and the rise of Nazism. London, Allen a. Unwin, 83, in-8, 192 p.

3380. Ständetum und Staaztsbildung in Brandenburg-Preußen. Ergebnisse e. internat. Fachtagung. Hrsg. v. Peter BAUMGART unter Mitarb. v. Jürgen SCHMÄDEKE. Mit e. Geleitw. v. Otto BUSCH. Berlin u. New York, de Gruyter, 83, in-8, XXV-495 p. (Veröff. d. Hist. Komm. zu Berlin, 55. Forsch. zur preuß. Gesch.) (Studies presented to the Intern. Comm. for the Hist. of Representative a. Parliamentary Institutions, 66)

3381. STEINER (Gerhard). Einsatz und Schicksal Mainzer Jakobinerfrauen. Jb. f. Gesch., 83, Bd 28, p. 7-36.

3382. STRUCK (Wolf-Heino). Reformation und Bauernkrieg aus der Sicht des Rheingaus. Hess. Jb. f. Landesgesch., 83, Bd 33, p. 101-144.

3383. STUMP (Wolfgang). Lutherstandbilder als Nationaldenkmäler. Streiflichter zur Gesch. d. Konfessionalismus in Deutschland im 19. Jh. Saeculum, 83, Bd 34, p. 138-147.

3384. THEINER (Peter). Sozialer Liberalismus und deutsche Weltpolitik. Friedrich Naumann im Wilhelminischen Deutschland (1860-1919). Baden-Baden, Nomos, 83, in-8, 327 p. (Schr. d. Friedrich-Naumann-Stiftung, Wiss. Reihe)

3385. TOURY (Jacob). Emanzipation und Judenkolonien in der öffentlichen Meinung Deutschlands 1775-1819. Jb. d. Inst. f. deutsche Gesch., 82, Bd 11, p. 17-53. - IDEM. Jüdische Bürgerrechtskämpfer im vormärzlichen Königsberg. Jb. f. d. Gesch. Mittel- u. Ostdeutschl., 83, Bd 12, p. 175-216.

3386. VINOGRADOV (V.N.). Liberal'naja buržuazija i usilenie fašistskoj opasnosti v poslednie gody Vejmarskoj respubliki. (Liberal bourgeoisie and increasing fascist menace in the last years of the Weimar republic.) Vopr. Ist., 83, n° 5, p. 45-60.

3387. VOGLER (Günter). Die Gewalt soll gegeben werden dem gemeinen Volk. Der deutsche Bauernkrieg 1925. 2., überarb. u. erw. Aufl. Berlin, Dietz, 83, in-8, 267 p. (Abb.).

3388. VOLKOV (Shulamit). Jüdische Assimilation und jüdische Eigenart im Deutschen Kaiserreich. Ein Versuch. Gesch. u. Ges., 83, Jg. 9, p. 331-348.

3389. Vorträge und Studien zur preußisch-deutschen Geschichte. Mit Beitr. v. Peter BAUMGART [u.a.]. Hrsg. v. Oswald HAUSER. Köln u. Wien, Böhlau, 83, in-8, VIII-324 p. (Neue Forsch. z. brandenburgpreuß. Gesch., 2)

3390. WASICKI (Jan). Jedność czy federacja - problemy ustrojowe Niemiec. (Union ou fédération - problèmes constitutionnels de l'Allemagne [XVIIe-XXe s.].) Przegl. zach., 83, a. 39, n° 3, p. 1-25.

3391. WAWRYKOWA (Maria). Rozwój świadomości narodowej w społeczeństwie niemieckim XIX wieku. (Le développement de la conscience nationale de la société allemande au XIXe s.) Przegl. zach., 83, a. 39, n° 2, p. 41-51.

3392. WEHLER (Hans-Ulrich). Preußen ist wieder chic. Politik u. Polemik in 20 Essays. Frankfurt (Main), Suhrkamp, 83, in-8, 191 p. (Edition Suhrkamp, 1152 - N.F., 152)

3393. WEINFURTER (Stefan). Herzog, Adel und Reformation. Bayern im Übergang vom Mittelalter zur Neuzeit. Z. f. hist. Forsch., 83, Bd 10, p. 1-39.

3394. WEINGARTNER (James J.). Law and justice in the nazi SS: the case of Konrad Morgen. Central european Hist., 83, vol. 16, n° 3, p. 276-294.

3395. WILLMS (Johannes). Nationalismus ohne Nation. Deutsche Geschichte von 1789 bis 1914. Düsseldorf, Claassen, 83, in-8, 776 p.

3396. WINTER (Ingelore M.). Theodor Heuss. Ein Porträt. Tübingen, Wunderlich, 83, in-8, 310 p.

3397. Wir bauen das Reich. Aufstieg u. erste Herrschaftsjahre d. Nationalsozialismus in Schleswig-Holstein. Hrsg. v. Erich HOFFMANN u. Peter WULF. Neumünster, Wachholtz, 83, in-8, 460 p. (Ill., graph. Darst., Kt.). (Quellen u. Forsch. z. Gesch. Schleswig-Holsteins, 81)

3398. WITTWER (Walter). Vom Sozialistengesetz zur Umsturzvorlage. Zur Politik d. preuß.-deutschen Regierung gegen d. Arbeiterbewegung 1890-1894. Berlin, Akad. d. Wiss. d. DDR, Zentralinst. f. Gesch., 83, in-8, 237 p. (Stud. z. Gesch., 2)

3399. WRZESIŃSKI (Wojciech). Polacy w Niemczech w walce o miejsce w życiu politycznym 1922-1939. (Les Polonais en Allemagne en lutte pour leur place dans la vie politique.) Komunikaty maz.-warm., 83, a. 31, n° 1, p. 19-34.

3400. WURTZBACHER-RUNDHOLZ (Ingrid). Kaiser und Reich von Kaiser Maximilian I. bis Kaiser Maximilian II. Festschrift f. Prof. Dr. Fritz WAGNER. Frankfurt (Main) u. Bern, Lang, 83, in-8, 147 p. (Europ. Hochschulschr., Reihe 3: Gesch. u. ihre Hilfswiss., 190)

3401. ZIMMERMANN (Moshe). Wilhelm Marr, ha-patriarch shel ha-antishemiyut. (Wilhelm Marr, the "Patriarch of Antisemitism".) Jerusalem, Zalman Shazar Center, 82, in-8, V-209 p. (portr.).

3402. ZORN (Wolfgang). Frühere freie Städte in Staaten des 19. und 20. Jahrhunderts - das Schicksal Augsburgs im Vergleich. In: Festschr. f. A. Kraus [Cf. n° 497], p. 423-439. - IDEM. Kirchlich-evangelische Bevölkerung und Nationalsozialismus in Bayern 1919-1933. Eine Zwischenbilanz zu Forschung u. Beurteilung. In: Politik u. Konfession [Cf. n° 506], p. 319-339.

Cf. n°s 487, 793, 3185, 4822, 5127, 6534, 6597.

Saudi Arabia.

* 3403. VASIL'EV (A.M.). Bibliografija Saudovskoj Aravii. (Bibliography of Saudi Arabia.) Moskva, Nauka, 83, 271 p.

Argentina.

3404. AVNI (Haim). Mi-bittul ha-inqewizizya we-ad "hoq ha-shevut". (The history of Jewish immigration to Argentina 1810-1950.) Jerusalem, Magnes Press, 82, in-8, 408 p. (4 leaves of pl., ill., fac-sim., maps).

3405. BUSHNELL (David). Reform and reaction in the Platine provinces, 1810-1852. Gainesville, Fla., 83, in-8, VIII-182 p. (Univ. of Florida Monogr. Soc. Sci., 69)

3406. DI TELLA (Guido). Argentina under Peron, 1973-76: the nation's experience with a Labour-based government. London, Macmillan, 83, in-8, XI-246 p. (ill.).

3407. PAGE (Joseph A.). Perón: a biography. New York, Random House, 83, in-8, XIII-594 p.

3408. SCHOULTZ (Lars). The populist challenge: Argentine electoral behavior in the postwar era. Chapel Hill, Univ. of North Carolina Press, 83, in-8, XIII-141 p. (James Sprunt Stud. in Hist. a. Pol. Sci., 58)

3409. SLATTA (Richard W.). Gauchos and the vanishing frontier. Lincoln, Univ. of Nebraska Press, 83, in-8, 271 p.

3410. WALDMANN (Peter). Der Zweite Weltkrieg und die Entstehung des Peronismus. Eine Interpretation aus dependenztheoret. Perspektive. Vjhefte f. Zeitgesch., 83, Jg. 31, H. 2, p. 181-201.

3411. WINSTON (Colin M.). Between Rosas and Sarmiento: notes on nationalism in Peronist thought. Americas, 83, vol. 39, n° 3, p. 305-332.

Australia.

3412. EDWARDS (P.G.). Prime ministers and diplomats: the making of Australian foreign policy, 1901-1949. Melbourne a. New York, Oxford U.P., 83, in-8, X-240 p.

3413. REID (G.S.), OLIVER (M.R.). Premiers of Western Australia, 1890-1982. Perth, Univ. of W. Australia; Cambridge, P. Moore, 83, in-8, VIII-122 p. (ill.).

3414. STURMA (Michael). Vice in a vicious society: crime and convicts in mid-nineteenth century New South Wales. New York, Univ. of Queensland Press, 83, in-8, XII-224 p.

Austria.

** 3415. Briefe und Dokumente zur Geschichte der österreichisch-ungarischen Monarchie. Unter bes. Berücksichtigung d. böhm.-mähr. Raumes. Ausgew., eingel. u. kommentiert v. Ernst RUTKOWSKI. T. 1: Der verfassungstreue Großgrundbesitz 1880-1899. München u. Wien, Oldenbourg, 83, in-8, 796 p. (Veröff. d. Collegium Carolinum, 51)

** 3416. GLAISE VON HORSTENAU (Edmund). Ein General im Zwielicht. Die Erinnerungen Edmund Glaises von Horstenau. Eingel. u. hrsg. v. Peter BROUCEK. [Bd 1. Cf. Bibl. 80, n° 2945.] Bd 2: Minister im Ständestaat und General im OKW. Wien, Köln u. Graz, Böhlau, 83, in-8, 710 p. (Veröff. d. Komm. f. Neuere Gesch. Österreichs, 70)

** 3417. HERZL (Theodor). Briefe und Tagebücher. Hrsg. v. Alex BEIN [u.a.]. Bd 1: Briefe und autobiographische Notizen. 1866-1895. Bearb. v. Johannes WACHTEN. In Zsarb. mit Chaya HAREL [u.a.]. Berlin, Frankfurt (Main) u. Wien, Propyläen, 83, in-8, 939 p.

** 3418. KLEINSCHROTH (Balthasar). Flucht und Zuflucht. Das Tagebuch des Priesters Balthasar Kleinschroth aus dem Türkenjahr 1683. Köln u. Wien, Böhlau, 83, in-8, 251 p. (1 Kt.). (Forsch. z. Landeskunde Niederösterr., 8)

** 3419. Protokolle des Ministerrates der Ersten Republik, 1918-1938. Hrsg. v. Rudolf NECK u. Adam WANDRUSZKA. Gesamtred.: Isabella ACKERL. Abt. 5: 20. Okt. 1926 bis 4. Mai 1929. Bd 1: Kabinett Dr. Ignaz Seipel, 21. Okt. 1926 bis 29. Juli 1927. Bearb. v. Eszter DORNER-BADER. Wien, Österr. Staatsdruckerei, 83, in-8, LI-712 p.

** 3420. Protokolle des Ministerrates der Ersten Republik, 1918-1938. Hrsg. v. Rudolf NECK u. Adam WANDRUSZKA. Gesamtred.: Isabella ACKERL. Abt. 8: 20. Mai 1932 bis 25. Juli 1934. [Bd 2. Cf. Bibl. 82, n° 3349.] Bd 3: Kabinett Dr. Engelbert Dollfuß, 22. März 1933 bis 14. Juni 1933. Bearb. v. Getrude ENDERLE-BURCEL. Wien, Österr. Staatsdruckerei, 83, in-8, XLVII-618 p.

3421. BOTZ (Gerhard). Gewalt in der Politik. Attentate, Zusammenstöße, Putschversuche, Unruhen in Österreich 1918-1938. 2. Aufl. München, Fink, 83, in-8, 430 p.

3422. BUKEY (Evan B.). Hitler's hometown under nazi rule: Linz, Austria, 1938-1945. Central european Hist., 83, vol. 16, n° 2, p. 171-186.

3423. BUNZL (John), MARTIN (Bernd). Antisemitimus in Österreich. Sozialhist. u. soziolog. Studien. Mit e. Vorwort v. Anton PELINKA. Innsbruck, Inn-Verl., 83, in-8, 226 p. (Vergleichende Gesellschaftsgesch. u. polit. Ideengesch. d. Neuzeit, 3)

3424. DREIJMANIS (John). The Austrian "Black-Red" coalitions. East european Quar., 83, vol. 17, n° 2, p. 149-171.

3425. HANISCH (Ernst). Nationalsozialistische Herrschaft in der Provinz: Salzburg im Dritten Reich. Salzburg, Landespressebüro, 83, in-8, 350 p. (Salzburg Dokumentation. Schriftenreihe d. Landespressebüros, 71)

3426. HASELSTEINER (Horst). Joseph II. und die Komitate Ungarns. Herrscherrecht u. ständischer Konstitutionalismus. Köln u. Wien, Böhlau, 83, 301 p. (Tab., 1 Kt.). (Veröff. d. Österr. Ost- u. Südosteuropa-Inst., 11)

3427. HERRE (Franz). Metternich. Staatsmann des Friedens. Köln, Kiepenheuer u. Witsch, 83, in-8, 431 p. (Ill.).

3428. HERTENBERGER (Helmut) WILTSCHEK (Franz). Erzherzog Karl, der Sieger von Aspern. Graz, Styria, 83, in-8, 367 p.

3429. HOLZER (Willibald). Der Kalte Krieg und Österreich. Zu einigen Konfigurationsäquivalenten der Ost/West-Bipolarisierung in Staat u. Gesellschaft (1945-1955). Jb. f. Zeitgesch., 82/83, p. 133-209.

3430. JONES (Sydney J.). Hitler in Vienna, 1907-1913. London, Blond a. Briggs, 83, in-8, 382 p.

3431. KARNIEL (Josef). Fürst Kaunitz und die Juden. Jb. d. Inst. f. deutsche Gesch., 83, Bd 12, p. 15-27. - IDEM. Ha-mediniyyut kelappe ha-miutim ha-datiim be-mamlekhet Habsburg ... (The policy towards the religious minorities in the Habsburg monarchy in the time of Joseph II, 1765-1790.) Tel-Aviv, 80, 2 vol. in-4 (fac-sim.). [Thesis. Tel-Aviv. Univ. - Eng. summary]

3432. KRAEHE (Enno E.). Metternich's German policy. [Vol. 1. Cf. Bibl. 63, n° 3714.] Vol. 2: The Congress of Vienna, 1814-1815. Princeton, N.J., Princeton U.P., 83, in-8, XI-443 p. (map).

3433. KUNISCH (Johannes). Feldmarschall Loudon oder das Soldatenglück. Theodor Schieder zum 75. Geburtstag. Hist. Z., 83, Bd 236, p. 49-72.

3434. NICK (Rainer), PELINKA (Anton). Bürgerkrieg - Sozialpartnerschaft. Das polit. System Österreichs. 1. und 2. Republik - ein Vergleich. Wien, Jugend u. Volk, 83, in-8, 115 p.

3435. Österreich 1918-1938. Geschichte d. Ersten Republik. Hrsg. v. Erika WEINZIERL u. Kurt SKALNIK. Bd 1, 2. Graz, Styria, 83, 2 vol. in-8, zus. 1130 p.

3436. PELGER (Hans). Das Schlußprotokoll der Wiener Ministerialkonferenzen von 1834 und seine Veröffentlichung 1843-1848. Dokumentation. Arch. f. Sozialgesch., 83, Bd 23, p. 439-472.

3437. PICHLER (Gerhart). Die Tschechen und Slowaken in Wien und Niederösterreich (1526-1976). Bohemia, 82, Bd 23, p. 16-50.

3438. POLEROSS (Friedrich B.). 100 Jahre Antisemitismus im Waldviertel. Krems, Faber, 83, in-8, XII-116 p. (Abb.). (Schriftenreihe d. Waldviertler Heimatbundes, 25)

3439. RABINBACH (Anson). The crisis of Austrian socialism: from red Vienna to civil war, 1927-1934. Chicago, Univ. of Chicago Press, 83, in-8, VIII-296 p.

3440. RADZYNER (Joanna). Stanisław Madeyski, 1841-1910. Ein austro-polnischer

Staatsmann im Spannungsfeld d. Nationalitätenfrage in d. Habsburgermonarchie. Wien, Verl. d. Österr. Akad. d. Wiss., 83, in-8, 350 p. (Stud. z. Gesch. d. Österr.-Ungar. Monarchie, 20)

3441. REBEL (Herman). Peasant classes: the bureaucratization of property and family relations under early Habsburg absolutism, 1511-1636. Princeton, N.J., Princeton U. P., 83, in-8, XVIII-354 p. (ill.).

3442. ROEBKE-BERENS (Ruth D.). Austrian social democratic foreign policy and the Bosnian crisis of 1909. Austrian Hist. Y. B., 81-82, vol. 27-28, p. 104-123.

3443. ROTH (Franz Otto). Zur "Welt der Grenzfestungen". Österr. in Gesch. u. Lit., 83, Bd 27, p. 266-281.

3444. SCHUH (Franzjosef). Die Wiener Jakobiner - Reformer oder Revolutionäre? Jb. d. Inst. f. deutsche Gesch., 83, Bd 12, p. 75-127.

3445. SZABO (Franz A. J.). Unwanted navy: Habsburg naval armaments under Maria Theresa. Austrian Hist. Y. B., 81-82, vol. 27-28, p. 29-53.

3446. VERMES (Gábor). Hungary and the common army in the Austro-Hungarian monarchy. In: Society in change [Cf. n° 495], p. 89-101.

3447. WADL (Wilhelm). Die Wahlen zum österreichischen Reichstag des Jahres 1848 in Kärnten. Carinthia I, 83, Jg. 173, p. 367-403.

3448. WALSER (Harald). Die illegale NSDAP in Tirol und Vorarlberg 1933-1938. Mit e. Vorwort v. Anton PELINKA. Wien, Europaverl., 83, in-8, XII-239 p. (Materialien z. Arbeiterbewegung, 28)

3449. WISTRICH (Robert S.). Karl Lueger and the ambiguities of Viennese antisemitism. Jewish soc. Stud., 83, vol. 45, n° 3-4, p. 251-262.

3450. ZEWELL (Rudolf). Die österreichische Revolution von 1848/49 im Urteil der Rheinländer. Wien, Verb. d. Wissenschaftl. Gesellschaften Österreichs, 83, in-8, V-292 p. (Faks.). (Dissertationen d. Univ. Wien, 157)

3451. Zwischen Koalition und Konkurrenz. Österreichs Parteien seit 1945. Hrsg. v. Peter GERLICH u. Wolfgang C. MÜLLER. Wien, Braumüller, 83, in-8, XII-378 p. (Fig., Tab.).

Belgium.

* 3452. Belgique (La) au XVIIIe siècle. Bibliographie critique. Bruxelles, Vrije Univ., 83, in-8, 168 p.

3453. ROONEY (John W.) Jr. Revolt in the Netherlands: Brussels 1830. Lawrence, Kans., Coronado, 82, in-8, VII-250 p.

Brazil.

3454. BAK (Joan L.). Cartels, cooperatives, and corporatism: Getulio Vargas in Rio Grande do Sul on the eve of Brazil's 1930 revolution. Hisp. am. hist. R., 83, vol. 63, n° 2, p. 255-276.

3455. DULLES (John W. F.). Brazilian communism, 1935-1945: repression during world upheaval. Austin, Univ. of Texas Press, 83, in-8, IX-289 p.

3456. LEFF (Nathaniel H.). Underdevelopment and development in Brazil. Vol. 1: Economic structure and change, 1822-1947. Vol. 2: Reassessing the obstacles to economic development. London, Allen a. Unwin, 83, 2 vol. in-8, 267, 155 p.

3457. McCANN (Frank D.) Jr. The Brazilian general staff and Brazil's military situation 1900-1945. J. inter-am. Stud. a. World Affairs, 83, vol. 25, n° 3, p. 299-324.

3458. NEEDELL (Jeffery D.). Rio de Janeiro at the turn of the century: modernization and the Parisian ideal. J. inter-am. Stud. a. World Affairs, 83, vol. 25, n° 1, p. 83-104.

Bulgaria.

3459. CRAMPTON (Richard J.). Bulgaria, 1878-1918: a history. Boulder, Colo., East European Monogr., 83, in-8, X-580 p. (East European Monogr., 138)

3460. CRIŠINA (R.P.). Sentjabr'sko antifašistskoe vosstanie 1923 g. v Bolgarii. (The anti-fascist uprising of September 1923 in Bulgaria.) Nov. novejš. Ist., 83, n° 5, p. 46-59.

3461. KOSESKI (Adam). Bulgaria 1944-1948. (Bulgarie 1944-1948.) Warszawa, 83, in-8, 133 p. (Inst. Krajów Socialist. Pol. Akad. Nauk)

3462. PANOV (B.V.). Istoričeskoe značenie opyta bolgarskikh kommunistov po ob"edineniju demokratičeskikh sil v Otečestvennom fronte. (Historial significance of Bulgaria's communists' experience acquired in the of unification of democratic forces in the Patriotic front.) Vopr. Ist. KPSS, 83, n° 2, p. 84-95.

Canada.

* 3463. Bibliographie d'histoire de l'Amérique française (publications récentes) préparée depuis 1967 par le Centre de bibliographie historique de l'Amérique française sous la dir. de Paul AUBIN et Paul-André LINTEAU. [Cf. Bibl. 82, n° 3376a.] R. Hist. Amérique franç., 83, vol. 36, p. 612-633; vol. 37, p. 123-141, 480-509.

* 3464. Vacat.

* 3465. History (The) of Canada: an annotated bibliography [of periodical literature, 1973-1978). Dwight L. SMITH, editor.

Santa Barbara, Calif., ABC-Clio, 83, in-8, XI-327 p. (Clio bibliogr. series, 10)

* 3466. PEDRESCHI (Luigi). Italian publications on Canada 1965-1982: a bibliography. Canad. Geogr., 83, vol. 27, p. 279-284.

* 3467. POTVIN (Claude). Acadiana, 1980-1982: une bibliographie annotée. Moncton, N.B., Ed. CRP, 83, in-8, 110 p.

* 3468. Recent publications relating to the history of the Atlantic region. Editor: Eric L. SWANICK. [Cf. Bibl. 82, n° 3377.] Acadiensis, 82, vol. 12, Autumn, p. 164-185; 83, vol. 12, Spring, p. 181-201.

3469. BACCHI (Carol Lee). Liberation deferred? The ideas of the English Canadian suffragist, 1877-1918. Toronto a. Buffalo, N.Y., Univ. of Toronto Press, 83, in-8, IX-203 p. - CR: W. Mitchinson, Canad. hist. R., 83, vol. 64, p. 386-387.

3470. BELANGER (Réal). L'impossible défi: Albert Sévigny et les conservateurs fédéraux, 1902-1918. Québec, Presses Univ. Laval, 83, 265 p. (Les Cah. d'Hist. de l'Univ. Laval, 27) - CR: R. C. Brown, Canad. hist. R., 84, vol. 65, p. 279-280. J.G. Genest, R. Hist. Amérique franç., 84, vol. 37, p. 613-614.

3471. Developing (The) West: essays on Canadian history in honor of Lewis H. Thomas, ed. by John E. FOSTER. Edmonton, Univ. of Alberta Press, 83, in-8, 342 p. - CR: H.C. Klassen, Alberta Hist., 85, vol. 33, n° 3, p. 30-32. J. E. Rea, Canad. hist. R., 83, vol. 64, p. 589-590. D. E. Smith, Sask. Hist., 84, vol. 37, p. 34-36. [Content: Appendix: Lewis H. Thomas Bibliography, p. 337-342. - BRENNAN (J. William). C. A. Dunning, 1916-1930: the rise and fall of a western agrarian Liberal, p. 243-270. - CHERWINSKI (W.J.C.). "Misfits", "malingerers", and "malcontens": the British harvester movement of 1928, p. 271-302. - CLARK (W. Leland). The location of experimental farms and illustration stations: an agricultural or political consideration?, p. 201-218. - FOSTER (John E.). Introduction, p. 1-10. - GILPIN (John F.). Urban and speculation in the development of Strathcona (South Edmonton), 1891-1912, p. 179-200. - HUEL (Raymond J. A.). J. J. Maloney: how the West was saved from Rome, Quebec and the Liberals, p. 219-242. - LUXTON (Eleanor G.). Stony Indian Medicine, p. 101-122. - OTTER (A. A. den). The Hudson's Bay Company's Prairie transportation, p. 25-48. - REGEHR (T. D.). Bankers and farmers in Western Canaca, 1900-21939, p. 303-336. - RICHESON (David R.). The telegraph and community formation in the North-West Territories, p. 137-154. - SPRY (Irene M.). The "Private Adventurers" of Rupert's Land, p. 49-70. - STANLEY (George F. G.). New Brunswick and Nova Scotia and the North-West Rebellion, 1885, p. 71-100. - THOMAS (Lewis Gwynne). Lewis Herbert Thomas: a biographical sketch, p. 11-24. - VAN KIRK (Sylvia M.). "What if Mama is an Indian"?: the cultural ambivalence of the Alexander Ross family, p. 123-136. - WARD (W. Peter). Population growth in Western Canada, 1901-71, p. 155-178.]

3472. Dictionary of Canadian biography. [Vol. 11. Cf. Bibl. 82, n° 3383.] Vol. 5: 1801-1820. General ed.: Francess G. HALPENNY. Toronto, Univ. Press, 83, in-8, XXIV-1044 p. - CR: D. Michelon, Canad. hist. R., 84, vol. 65, p. 585-587. Sask. Hist., 84, vol. 37, p. 39-40. - Version franç.: Dictionnaire biographique du Canada. Vol. 5: 1801-1820. Directeur général adjoint: Jean HAMELIN. Québec, Presses de l'Univ. Laval, 83, in-8, XXX-1136 p.

3473. DROUILLY (Pierre). Répertoire du personnel politique québecois, 1867-1982. Québec, Bibliothèque de l'Assemblée nationale, 83, in-8, 808 p. (Bibliographie et documentation, 11)

3474. FLANAGAN (Thomas). Riel and the Rebellion: 1885 reconsidered. Saskatoon, Western Producer Prairie Books, 83, in-8, 177 p. - CR: M. Dobbin, Alberta Hist., 84, vol. 32, n° 2, p. 24-26. J. E. Rea, Beaver, 84, Outfit 314, p. 5-6. D. Owram, Canad. hist. R., 84, vol. 65, p. 97-99.

3475. GRANATSTEIN (J.L.) et al. Twentieth century Canada. Toronto, McGraw-Hill/Ryerson, 83, in-8, 440. - CR: L. Clark, Canad. hist. R., 84, vol. 65, p. 304-305.

3476. HEINTZMAN (Ralph). The political culture of Quebec, 1840-1960. Canad. J. pol. Sci., 83, vol. 16, p. 3-9.

3477. MACDONALD (M.A.). Fortune and Latour: the civil war in Acadia. Toronto, Methuen, 83, in-8, 229 p. - CR: N. Griffiths, Canad. hist. R., 84, vol. 65, p. 427-428.

3478. MONIERE (Denis). André Laurendeau. Montréal, Québec / Amérique, 83, in-8, 347 p.

3479. WALKER (Doreen E.). Some early British Columbia views and their photographic sources. Beaver, 83, Outfit 314, p. 44-51.

3480. WALLOT (Jean-Pierre). Frontière ou fragment du système atlantique: des idées étrangères dans l'identité bas-canadienne au début du XIXe siècle. Canad. hist. Assoc. Pap., 83, p. 1-29.

3481. WEISBORD (Merrily). The strangest dream: Canadian communists, spy trials, and the cold war. Toronto, Lester & Orpen Dennys, 83, in-8, 255 p. - CR: A. Lévesque, Canad. hist. R., 84, vol. 65, p. 589-590.

3482. WHITE (Ruth). Louis-Joseph Papineau et Lamennais: le chef des patriotes canadiens à Paris, 1839-1845; avec correspondance et documents inédits. Montréal, Hurtubise HMH, 83, in-8, 643 p. (Cahiers du Québec, Coll. doc. d'hist.)

Chile.

3483. BLANCPAIN (Jean-Pierre). Francisation et francomanie en Amérique latine: le cas du Chili au XIXe siècle. R. hist., 82 [83], a. 106, t. 268, n° 544, p. 365-407.

3484. KOROLEV (Ju. N.). Čilijskaja revoljucija. Problemy i diskussii. (The Chilean revolution. Problems and discussions.) Moskva, Mysl', 83, 239 p.

Costa Rica.

3485. GUDMONDSON (Lowell). The expropriation of pious and corporate properties in Costa Rica, 1805-1860: patterns in the consolidation of a national elite. Americas, 83, vol. 39, n° 3, p. 281-304.

Cuba.

3486. KIRK (John M.). José Marti: mentor of the Cuban nation. Tampa, Univ. Presses of Florida, 83, in-8, XI-201 p.

Denmark.

3487. ABRAHAM (Reinhard). Zur Entstehung und Entwicklung einer faschistischen Bewegung in Dänemark unter besonderer Berücksichtigung von Danmarks National Socialistiske Arbejder Parti (DNSAP) 1930-1940. Jb. f. Gesch., 83, Bd 27, p. 143-169.

3488. JESPERSEN (Knud J. V.). Claude Louis, comte de Saint-Germain, professional soldat, dansk militaer reformator og fransk krigsminister: en essay om en fransk officersrolle i moderniseringen av 1700-tallets Danmark. (Claude Louis, Comte de Saint-Germain, professional soldier, Danish military reformer and French War Minister, 1707-1778.) Scandia, 83, vol. 49, p. 97-102. [Eng. summary, p. 163-164.]

Egypt.

3489. HEIKAL (Mohamed). The autumn of fury: the assassination of Sadat. London, Deutsch, 83, in-8, 288 p.

3490. HOPWOOD (D.). Egypt: politics and society, 1945-1981. London, Allen a. Unwin, 83, in-8, 198 p.

3491. SMITH (Charles D.). Islam and the search for social order in modern Egypt: a biography of Muhammad Husayn Haykal. Albany, State Univ. of New York Press, 83, in-8, XI-249 p. (SUNY Ser. in Middle Eastern Stud.)

3492. Studies in Islam, nationalism and radicalism in Egypt in the twentieth century. Asian a. afr. Stud., 82, vol. 16, n° 1.

3493. WATERBURY (John). The Egypt of Nasser and Sadat: the political economy of two regimes. Princeton, N.J., Princeton U.P., 83, in-8, XXIV-475 p. (Princeton Stud. on the Near East)

3494. Yehude Mizraim. (The Jews in Egypt from the 16th century to the 20th.) Pe'amim, 83, vol. 16 (ill.).

Spain.

** 3495. VEGAS LATAPIE (E.). Memorias politícas. El suicidio de la Monarquía y la Segunda República. Barcelona, Planeta, 83, in-8, 328 p.

3496. ALBÒNICO (Aldo). La Spagna tra Badoglio e Mussolini (1943-1945). Nuova R. Stor., 85, a. 69, fasc. 3-4, p. 217-276.

3497. BEN-AMI (Shlomo). Fascism from above: the dictatorship of Prima de Rivera in Spain, 1923-1930. London, Oxford U.P., 83, in-8, XIV-454 p.

3498. DOMERGUE (L.). Censure et Lumières dans l'Espagne de Charles III. Paris, Ed. du C.N.R.S., 83, in-8, 228 p.

3499. FERNÁNDEZ-CORDERO AZORÍN (María Concepción). La proyección francesa sobre la "semana trágica" de Barcelona (Julio de 1909). A. Hist. contemp. [Madrid], 83, a. 2, p. 161-184.

3500. FERNANDEZ-SANTAMARIA (J. A.). Reason of state and state-craft in Spanish political thought, 1595-1640. Lanham, Md., Univ. Press of America, 83, in-8, XXII-353 p.

3501. FRIEDMAN (Ellen G.). Spanish captives in north Africa in the early modern age. Madison, Univ. of Wisconsin Press, 83, in-8, XXVII-215 p.

3502. KAMEN (Henry). Spain, 1469-1714, a society in conflict. London, Longman, 83, in-8, 320 p.

3503. KHENKIN (S.M.). Likvidacija frankistskoj diktatury v Ispanii. (Elimination of the Franco dictatorship in Spain.) Vopr. Ist., 83, n° 4, p. 48-61.

3504. LIEBERMAN (S.). The contemporary Spanish economy: historical perspective. London, Allen a. Unwin, 83, in-8, 384 p.

3505. MALTBY (William S.). Alba: a biography of Fernando Alvarez de Toledo, third duke of Alba, 1507-1582. Berkeley a. Los Angeles, Univ. of California Press, 83, in-8, XVII-377 p.

3506. MARTZ (Linda). Poverty and welfare in Habsburg Spain: the example of Toledo. London a. New York, Cambridge U.P., 83, in-8, XVII-266 p. (dr., tab.). (Iberian a. Latin Amer. Stud.)

3507. MERCADER RIBA (Juan). José Bonaparte, rey de Espana (1808-1813). Estructura del Estado español bonapartista. Madrid, Inst. Jerónimo Zurita, 83, in-8, 634 p.

3508. MEŠČERJAKOV (M.T.). Khose Dias - vydajuščijsja rukovoditel' ispanskikh komunistov. (José Díaz - an outstanding leader of the Spanish communists.) Nov. novejš. Ist., 83, n° 3, p. 79-96; n° 4, p. 90-111.

3509. PRESTON (Paul). The coming of the Spanish civil war: reform, reaction and revolution in the Second Republic. London, Methuen, 83, in-8, 288 p.

3510. RUIZ ALEMAN (Joaquín). Las relaciones Iglesia-Estado en los orígenes de la España contemporanea. A. Hist. contemp. [Madrid], 83, a. 2, p. 7-28.

3511. Sovremennaja Ispanija. (Contemporary Spain.) Otv. red.: V. V. ZAGLADIN. Moskva, Politizdat, 83, 383 p. (ill.).

3512. WILHELMSEN (Alexandra). Los realistas en el Trienio Constitucional [1820-1823]: manifiestos de la Regencia de Urgel. Cuad. Hist. España, 82 [83], t. 67-68, p. 369-400.

3513. ZGÓRNIAK (Marian). Wojna domowa w Hiszpanii w oświetleniu polskiego rządowego piśmiennictwa politycznego i wojskowego 1936-1939. (La guerre civile en Espagne à la lumière de la littérature officielle politique et militaire polonaise, 1936-1939.) Studia hist. [Kraków], 83, a. 26, fasc. 3, p. 441-459.

United States of America.

* 3514. American (The) electorate: a historical bibliography. Santa Barbara, Calif., ABC-Clio, 83, 350 p. (Research Guides, 8)

* 3515. Democratic (The) and Republican parties in America: a historical bibliography. Santa Barbara, Calif., ABC-Clio, 83, 290 p. (Research Guides, 7)

* 3516. Herbert Hoover: a register of his papers in the Hoover Institution archives. Comp. by Elena S. DANIELSON, Charles G. PALM. Stanford, Calif., Hoover Inst. Press, 83, XIX-216 p. (Hoover Press Bibliogr. Ser., 63)

* 3517. Thomas Jefferson: a comprehensive, annotated bibliography of writing about him (1826-1980). Ed. by Frank SHUFFELTON. New York, Garland Press, 83, XIX-486 p. (Garland Ref. Libr. of Soc. Sci., 184)

* 3518. United States of America. Comp. by Sheila R. HERSTEIN a. Naomi C. ROBBINS. Santa Barbara, Calif., a. Oxford, Clio, 82, in-8, XII-307 p. (World bibliogr. ser., 16)

* 3519. Urban America: a historical bibliography [of periodical literature, 1973-1982]. Ed. by Neil L. SHUMSKY, Thimoty CRIMMINS. Santa Barbara, Calif., a. Oxford, Clio, 83, in-4, XI-422 p. (Clio bibliogr. ser., 11)

* 3520. Writings on American history. A subject bibliography of articles. [1980-1981. Cf. Bibl. 82, n° 3429.] 1981-1982. Ed. by Cecelia DADIAN a. others. Millwood, N.Y., Kraus Internat., 83, XVI-242 p.

** 3521. CALHOUN (John C.). The papers of John C. Calhoun. [Vol. 14. Cf. Bibl. 81, n° 2914.] Vol. 15: 1839-1841. Ed. by Clyde N. WILSON. Columbia, Univ. of South Carolina Press, 83, in-8, XXII-880 p.

** 3522. DAVIS (Jefferson). The papers of Jefferson Davis. [Vol. 3. Cf. Bibl. 81, n° 2918.] Vol. 4: 1849-1852. Ed. by Linda Lasswell CRIST a. others. Baton Rouge, Louisiana State U. P., 83, in-8, XXXIX-472 p.

** 3523. Documentary (The) history of the ratification of the constitution. [Vol. 13. Cf. Bibl. 81, n° 2919.] Vol. 14: Commentaries on the constitution: public and private. Pt. 2: 8 November to 17 December 1787. Ed. by John P. KAMINSKI, Gaspare J. SALADINO a. others. Madison, State Hist. Soc. of Wisconsin, 83, XXXI-565 p.

** 3524. FRANKLIN (Benjamin). The papers of Benjamin Franklin. [Vol. 22. Cf. Bibl. 82, n° 3435.] Vol. 23: October 27, 1776, through April 30, 1777. Ed. by William B. WILLCOX a. others. New Haven, Yale U.P., 83, LIX-664 p.

** 3525. Freedom: a documentary history of emancipation, 1861-1867, selected from the holdings of the National Archives of the United States. Ser. 2: The black military experience. Ira BERLIN, editor; Joseph P. REIDY a. Leslie S. ROWLAND, assoc. editors. London, Cambridge U.P., 82, in-8, XXX-852 p. (ill., tab.).

** 3526. HAGERTY (James C.). The diary of James C. Hagerty: Eisenhower in midcourse, 1954-1955. Ed. by Robert H. FERRELL. Bloomington, Indiana U.P., 83, in-8, XVI-269 p.

** 3527. JEFFERSON (Thomas). The papers of Thomas Jefferson. [Vol. 19. Cf. Bibl. 74-75, n° 3699.] Vol. 20: 1 April to 4 August 1791. Ed. by Julian P. BOYD, Ruth W. LESTER. Vol. 21: Index, volumes 1-20. Ed. by Charles T. CULLEN a. others. Princeton, N.J., Princeton U.P., 82-83, 2 vol., XXXII-759, XI-592 p.

** 3528. JOHNSON (Andrew). The papers of Andrew Johnson. [Vol. 5. Cf. Bibl. 78-79, n° 3472.] Vol. 6: 1862-1864. Ed. by Leroy P. GRAF, Ralph W. HASKINS. Knoxville, Univ. of Tennessee Press, 83, XCIV-797 p.

** 3529. MADISON (James). The papers of James Madison. [Vol. 13. Cf. Bibl. 81, n° 2926.] Vol: 14. 6 April 1791 - 16 March 1793. Ed. by Robert A. RUTLAND, Thomas A. MASON a. others. Charlottesville, U.P. of Virginia, 83, XXX-495 p.

** 3530. Marcus Garvey (The) and Universal Negro Improvement Association papers. Vol. 1: 1826 - August 1919. Vol. 2: 27 August 1919 - 31 August 1920. Ed. by Robert A. HILL a. others. Berkeley a. Los Angeles, Univ. of California Press, 83, 2 vol., CXVII-579, LV-710 p.

** 3531. OLMSTEAD (Frederick Law). The papers of Frederick Law Olmstead. [Vol. 2.

Cf. Bibl. 81, n° 2928.] Vol.3: Creating Central Park, 1857-1861. Ed. by Charles E. BEVERIDGE, David SCHUYLER. Baltimore, Md., Johns Hopkins U.P., 83, XXVII-470 p.

** 3532. Papers of John Adams. [Vol. 3, 4. Cf. Bibl. 78-79, n° 3459.] Vol. 5: August 1776 - March 1778. Vol. 6: March - August, 1778; Index. Ed. by Robert J. TAYLOR a. others. Cambridge, Mass., Harvard U.P., 83, 2 vol., XLIII-410, X-465 p. (Ser. 3, General Correspondence a. Other Papers of the Adams Statesmen)

** 3533. POLK (James K.). Correspondence of James K. Polk. [Vol. 5. Cf. Bibl. 78-79, n° 3478.] Vol. 6: 1842-1843. Ed. by Wayne TAYLOR, Carese M. PARKER. Nashville, Vanderbilt U.P., 83, XXXVI-726 p.

** 3534. Public papers of the presidents of the United States. Ronald Reagan, 1982. [Vol. 1:] January 1 to July 2, 1982. [Vol. 2:] July 3 to December 31, 1982. Washington, D.C., Government Printing Office, 83, 2 vol., IX-890-A18-B12 p.; IX p., p. 891-1708, A33-B20 p.

** 3535. WASHINGTON (Booker T.). The Booker T. Washington papers. [Vol. 10, 11. Cf. Bibl. 81, n° 2933.] Vol. 12: 1912-1914. Ed. by Louis R. HARLAN, Raymond W. SMOCK. Urbana, Univ. of Illinois Press, 82, XXIV-520 p.

** 3536. WEBSTER (Daniel). The papers of Daniel Webster: diplomatic papers. Vol. 1: 1841-1843. Ed. by Kenneth E. SHEWMAKER a. others. Hanover, N.H., U.P. of New England, 83, XLIV-960 p.

** 3537. WEBSTER (Daniel). The papers of Daniel Webster: legal papers. Vol. 1: The New Hampshire practice. Vol. 2: The Boston practice. Ed. by Alfred S. KONEFSKY, Andrew J. KING. Hanover, N.H., U.P. of New England, 82-83, 2 vol., XXIX-571, XX-694 p.

** 3538. WILSON (Woodrow). The papers of Woodrow Wilson. [Vol. 38, 40. Cf. Bibl. 82, n° 3441.] Vol. 41: January 24 - April 6, 1917. Vol. 42: April 7 - June 23, 1917. Vol. 43: June 25 - August 20, 1917. Vol. 44: August 21 - November 10, 1917. Ed. by Arthur S. LINK a. others. Princeton, N.J., Princeton U.P., 83, 4 vol., XXII-582, XXVI-595, XXIV-564, XXIV-595 p.

3539. ABEMATHY (Glen). The Carter years: the President and policy making. London, F. Pinter, 83, in-8, 200 p.

3540. ADAMS (John G.). Without precedent: the story of the death of McCarthyism. London, W. W. Norton, 83, in-8, 286 p.

3541. AGRESTO (John). "A system without a precedent" - James Madison and the revolution of republican liberty. South Atlantic Quar., 83, vol. 82, n° 2, p. 129-144.

3542. ALLIN (Lawrence Carroll). The first unification crisis: Chandler, Dingley, Folger, and the Bureau of Navigation, 1879-1884. Milit. Affairs, 83, vol. 47, n° 3, p. 133-140. [William E. Chandler, Secretary of the Navy; Charles S. Folger, Secretary of the Treasury; Nelson A. Dingley, Jr., Congressman from Massachusetts]

3543. Amerikanskij ežegodnik. (American Yearbook.) Redkol.: G. N. SEVOST'JANOV (otv. red.) i dr. [1982. Cf. Bibl. 82, n° 3444.] 1983. Moskva, Nauka, 83, 317 p. (AN SSSR. In-t vseobšč. Ist.)

3544. ARRINGTON (Leonard J.) The sagebrush resurrection: New Deal expenditures in the western states, 1933-1939. Pacific Hist. R., 83, vol. 52, n° 1, p. 1-16.

3545. ASHER (Robert). Failure and fulfillment: agitation for employers' liability legislation and the origins of workmen's compensation in New York state, 1876-1910. Labor Hist., 83, vol. 24, n° 2, p. 198-222.

3546. BAKER (Jean H.). Affairs of party: the political culture of northern democrats in the mid-nineteenth century. Ithaca, N.Y., Cornell U.P., 83, in-8, 368 p.

3547. BAKER (Lewis). The Percys of Mississippi: politics and literature in the New South. Baton Rouge, Louisiana State U.P., 83, in-8, 237 p. (Southern Biogr. Ser.)

3548. BALLARD (Jack Stokes). The shock of peace: military and economic demobilization after world war II. Washington, D.C., U.P. of America, 83, in-8, X-259 p.

3549. BANNING (Lance). James Madison and the nationalists, 1780-1783. William a. Mary Quar., 83, vol. 40, n° 2, p. 227-255.

3550. BARTLEY (Numan V.). The creation of modern Georgia. Athens, Univ. of Georgia Press, 83, in-8, VIII-245 p.

3551. BAUM (Dale). Teetotalers enter politics: the Massachusetts prohibitionist party in the early 1870's. Mid-Am., 83, vol. 65, n° 3, p. 137-154.

3552. BAUM (Dale). Woman suffrage and the "Chinese question": the limits of radical republicanism in Massachusetts, 1865-1876. New England Quar., 83, vol. 56, n° 1, p. 60-77.

3553. BEAVER (Daniel R.). Politics and policy: the War Department motorization and standardization program for wheeled transport vehicles, 1920-1940. Milit. Affairs, 83, vol. 47, n° 3, p. 101-108.

3554. BEEDE (Benjamin R.). Foreign influences on American progressivism. Historian, 83, vol. 45, n° 4, p. 529-549.

3555. BENNER (Judith Ann). Sul Ross: soldier, statesman, educator. College Station, Texas A. a. M. U. P., 83, in-8, XIV-259 p.

3556. BERNARD (Richard M.), RICE (Bradley R.) a. others. Sunbelt cities: politics and growth since world war II. Austin, Univ. of Texas Press, 83, in-8, X-346 p.

3557. BERQUIST (Goodwin), BOWERS (Paul C.) Jr. The new Eden: James Kilbourne and the development of Ohio. Lanham, Md., U.P. of America, 83, in-8, XVI-289 p.

3558. BEST (Gary Dean). Herbert Hoover: the postpresidential years, 1933-1964. Vol. 1: 1933-1945. Vol. 2: 1946-1964. Stanford, Calif., Hoover Inst. Press, 83, 2 vol. in-8, XVI-277 p., p. 280-522. (Hoover Press Publ., 275)

3559. BLACKETT (R.J.M.). Building an antislavery wall: black Americans in the Atlantic abolutionist movement, 1830-1860. Baton Rouge, Louisiana State U. P., 83, in-8, XII-237 p.

3560. BODENHAMER (David J.). The democratic impulse and legal change in the age of Jackson: the example of criminal juries in antebellum Indiana. Historian, 83, vol. 45, n° 2, p. 206-219.

3561. BOGUE (Allan G.). Historians and radical republicans: a meaning for today. J. am. Hist., 83, vol. 70, n° 1, p. 7-34.

3562. BOORAEM (Hendrik V.). The formation of the republican party in New York: politics and conscience in the antebellum north. New York, New York U. P., 83, in-8, 296 p.

3563. BORNET (Vaughn Davis). The presidency of Lyndon B. Johnson. Lawrence, Univ. Press of Kansas, 83, in-8, XVI-415 p. (American Presidency Ser.)

3564. BRAEMAN (John). The new left and American foreign policy during the age of normalcy: a re-examination. Business Hist. R., 83, vol. 57, n° 1, p. 73-104.

3565. BRAUER (Carl M.). Women activists, southern conservatives, and the prohibition of sex discrimination in title VII of the 1964 Civil Rights Act. J. south. Hist., 83, vol. 49, n° 1, p. 37-56.

3566. BROWNING (Robert S.) III. Two if by sea: the development of American coastal defense policy. Westport, Conn., Greenwood Press, 83, in-8, XII-210 p. (Contrib. in Mil. Hist., 33)

3567. CALVERT (Randall L.), FEREJOHN (John A.). Coattail voting in recent presidential elections. Am. pol. Sci. R., 83, vol. 77, n° 2, p. 407-419.

3568. CAMPBELL (Randolph B.). A southern community in crisis: Harrison county, Texas, 1850-1880. Austin, Texas State Hist. Assoc., 83, in-8, XVIII-443 p.

3569. CARLSON (Leonard A.). Federal policy and Indian land: economic interests and the sale of Indian allotments, 1900-1934. Agric. Hist., 83, vol. 57, n° 1, p. 33-45.

3570. CARO (Robert A.). The years of Lyndon Johnson: the path to power. London, Collins, 83, in-8, 864 p. (ill., maps). [U.S. ed. Cf. Bibl. 82, n° 3461]

3571. CARP (E. Wayne). The origins of the nationalist movement of 1780-1783: congressional administration and the army. Pennsylvania Mag. Hist., 83, vol. 107, n° 3, p. 363-392.

3572. CHAFE (William H.), SITKOFF (Harvard). The history of our time: readings on postwar America. London a. New York, Oxford U.P., 83, in-8, 400 p.

3573. CLARK (Ronald William). Benjamin Franklin. London, Weidenfeld a. Nicolson, 83, in-8, 560 p.

3574. COBURN (David R.), POZZETTA (George E.) a. others. Reform and reformers in the progressive era. Westport, Conn., Greenwood Press, 83, in-8, XI-196 p. (Contrib. in Am. Hist., 101)

3575. COLE (Wayne S.). Roosevelt and the isolationists, 1932-1945. Lincoln, Univ. of Nebraska Press, 83, in-8, XII-698 p.

3576. CONNER (Valerie Jean). The National War Labor Board: stability, social justice, and the voluntary state in world war I. Chapel Hill, Univ. of North Carolina Press, 83, in-8, XI-234 p. (Supplementary Vol. to the Papers of Woodrow Wilson)

3577. COOPER (John Milton) Jr. The warrior and the priest: Woodrow Wilson and Theodore Roosevelt. Cambridge, Belknap Press of Harvard U.P., 83, in-8, XIV-442 p.

3578. COOPER (William J.). Liberty and slavery: southern politics to 1860. New York, A. A. Knopf, 83, in-8, VI-309 p.

3579. COTTER (Cornelius). Eisenhower as party leader. Pol. Sci. Quar., 83, vol. 98, n° 2, p. 255-284.

3580. CRUNDEN (Robert M.). Ministers of reform: Progressives' achievement in American civilization, 1889-1920. London, Basic Books, 83, in-8, 320 p.

3581. CUMBERLAND (William H.). Wallace M. Short: Iowa rebel. Ames, Iowa State U.P., 83, in-8, IX-177 p.

3582. DALLEK (Robert). The American style of foreign policy: cultural politics and foreign affairs. New York, A. A. Knopf, 83, in-8, XX-313 p.

3583. DE LEON (Arnaldo). They called them greasers: Anglo attitudes toward Mexicans in Texas, 1821-1900. Austin, Univ. of Texas Press, 83, in-8, XII-153 p.

3584. DEMBO (Jonathan). Unions and politics in Washington state, 1885-1935. New York, Garland, 83, in-8, 709 p.

3585. DINNERSTEIN (Leonard). Jews and the New Deal. Am. jewish Hist., 83, vol. 72, n° 4, p. 461-476.

3586. DONOVAN (Robert J.). Tumultuous years: the presidency of Harry S. Truman,

1949-1953. London, W. W. Norton, 83, in-8, 444 p.

3587. DUBOFSKY (Melvyn), THEOHARIS (Athan). Imperial democracy: the United States since 1945. London, Prentice-Hall, 83, in-8, 278 p.

3588. EDMUNDS (R. David). The Shawnee prophet. Lincoln, Univ. of Nebraska Press, 83, in-8, XII-260 p.

3589. ELDOT (Paula). Governor Alfred E. Smith: the politician as reformer. New York, Garland, 83, in-8, IX-482 p. (Modern Am. Hist.)

3590. FEINGOLD (Henry L.). "Courage first and intelligence second": the American Jewish secular elite, Roosevelt and the failure to rescue. Am. jewish Hist., 83, vol. 72, n° 4, p. 424-460.

3591. FERGUSON (E. James). Political economy, public liberty, and the formation of the constitution. William a. Mary Quar., 83, vol. 40, n° 3, p. 389-412.

3592. FERRELL (Robert H.). Harry S. Truman and the modern American presidency. Boston, Little, Brown, 83, in-8, VIII-220 p. (Libr. of Am. Biogr.)

3593. FLOWERS (Ronald B.). President Jimmy Carter, evangelicalism, church-state relations, and civil religion. J. Church a. State, 83, vol. 25, n° 1, p. 113-132.

3594. FLYNN (George Q.). Lewis Hershey and the conscientious objector: the world war II experience. Milit. Affairs, 83, vol. 47, n° 1, p. 1-6.

3595. FOHLEN (Claude). L'Amérique de Roosevelt [1933-1945]. Paris, Imprimerie Nationale, 82, in-8, 346 p. (ill.). (Notre siècle)

3596. FONER (Eric). Nothing but freedom: emancipation and its legacy. Baton Rouge, Louisiana State U.P., 83, in-8, XII-142 p. (Walter Lynwood Fleming Lectures in Southern Hist.)

3597. FONES-WOLF (Elizabeth). The politics of vocationalism: coalitions and industrial education in the progressive era. Historian, 83, vol. 46, n° 1, p. 39-55.

3598. FORMISANO (Ronald P.). The transformation of political culture: Massachusetts parties, 1790s-1840s. New York, Oxford U.P., 83, in-8, XIII-496 p.

3599. FRANČIĆ (Mirosław). Komitet Obrony Narodowej w Ameryce 1912-1918. (Le Comité de la Défense Nationale en Amérique, 1912-1918.) Wrocław, Zakł. Narod. im. Ossolińskich, 83, in-8, 228 p. (Bibl. Polonijna, 11)

3600. FRANKLIN (Kay), SCHAEFFER (Norma). Duel for the dunes: land use conflict on the shores of Lake Michigan. Urbana, Univ. of Illinois Press, 83, in-8, XVIII-278 p.

3601. GALL (Gilbert J.). Heber Blankenhorn: the publicist as reformer. Historian, 83, vol. 45, n° 4, p. 513-528.

3602. GELFAND (Lawrence E.). The mystique of Wilsonian statecraft. Dipl. Hist., 83, vol. 7, n° 2, p. 87-101.

3603. GERŠOV (Z.M.). Vudro Vil'son. (Woodrow Wilson.) Moskva, Mysl', 83, 335 p.

3604. GOLDLICH (Robert L.). Military nondisability retirement "reform", 1969-1979: analysis and reality. Armed Forces a. Soc., 83, vol. 10, n° 1, p. 59-85.

3605. GRAHAM (Sally Hunter). Woodrow Wilson, Alice Paul, and the woman suffrage movement. Pol. Sci. Quar., 83, vol. 98, n° 4, p. 665-680.

3606. GRAHAM (Terence). The "interests of civilization"? Reaction in the United States against the "seizure" of the Panama Canal Zone, 1903-1094. Lund, Esselte Studium, 83, in-8, 281 p. (Lund Stud. in internat. Hist., 19)

3607. GRANTHAM (Dewey W.). Southern progressivism: the reconciliation of progress and tradition. Knoxville, Univ. of Tennessee Press, 83, in-8, XXII-468 p. (Twentieth-Century Am. Ser.)

3608. GRIFFITH (Robert). The selling of America: the Advertising Council and American politics, 1942-1960. Business Hist. R., 83, vol. 57, n° 3, p. 388-412.

3609. GUNNS (Albert F.). Civil liberties in crisis: the Pacific Northwest, 1917-1940. New York, Garland, 83, in-8, 268 p.

3610. HAHN (Steven). The roots of southern populism: yeoman farmers and the transformation of the Georgia upcountry, 1850-1890. London a. New York, Oxford U.P., 83, in-8, XVII-340 p. (tab., maps).

3611. HAMMARBERG (Melvyn). An analysis of American electoral data. J. interdisc. Hist., 83, vol. 13, n° 4, p. 629-652.

3612. HANCHETT (William). The Lincoln murder conspiracies. Urbana, Univ. of Illinois Press, 83, in-8, 303 p.

3613. HARLAN (Louis R.). Booker T. Washington: the wizard of Tuskegee, 1901-1915. London a. New York, Oxford U.P., 83, in-8, XIV-548 p.

3614. HATTAWAY (Herman), JONES (Archer). How the North won: a military history of the Civil War. Urbana, Univ. of Illinois Press, 83, in-8, XII-762 p.

3615. HATZENBUEHLER (Ronald L.), IVIE (Robert L.). Congress declares war: rhetoric, leadership, and partisanship in the early republic. Kent, Ohio, Kent State U.P., 83, in-8, XIV-170 p.

3616. HAYNES (John Earl). Farm coops and the election of Hubert Humphrey to the Senate. Agric. Hist., 83, vol. 57, n° 2, p. 201-211.

2. HISTORY BY COUNTRIES

3617. HEINEMANN (Ronald L.). Depression and New Deal in Virginia: the enduring dominion. Charlottesville, Univ. Press of Virginia, 83, in-8, XI-267 p.

3618. HINE (William C.). Black politicians in reconstruction Charleston: a collective study. J. south. Hist., 83, vol. 49, n° 4, p. 555-584.

3619. HINOJOSA (Gilberto Miguel). A borderland town in transition: Laredo, 1735-1870. College Station, Texas A. a. M. U.P., 83, in-8, XVIII-148 p.

3620. HOBSON (Fred). Tell about the south: the southern rage to explain. Baton Rouge, Louisiana State U.P., 83, in-8, XII-391 p.

3621. HOLBO (Paul S.). Tarnished expansion: the Alaska scandal, the press, and Congress, 1867-1871. Knoxville, Univ. of Tennessee Press, 83, in-8, XIX-145 p.

3622. HOWARD (Victor B.). Black liberation in Kentucky: emancipation and freedom, 1862-1884. Lexington, U.P. of Kentucky, 83, in-8, VII-222 p.

3623. HUSTON (James L.). A political response to industrialism: the republican embrace of protectionist labor doctrines. J. am. Hist., 83, vol. 70, n° 1, p. 35-57.

3624. Istorija SŠA. (History of the USA.) V 4-kh t. Redkol.: G. N. SEVOST'JANOV (gl. red.) i dr. T. 1: 1607-1877. Redkol.: N. N. BOLKOVITINOV (otv. red.) i dr. Moskva, Nauka, 83, 687 p. (ill.). (AN SSSR. In-t vseobšč. ist.)

3625. IVANOV (R.F.). Duajt Ėjzenkhauėr. (Dwight Eisenhower.) Moskva, Mysl', 83, 295 p.

3626. JABLON (Howard). Crossroads of decision: the State Department and foreign policy, 1933-1937. Lexington, U.P. of Kentucky, 83, in-8, IX-182 p.

3627. JEFFREYS-JONES (R.), COLLINS (B.). The growth of federal power in American history. Edinburgh, Scot. Academic Press, 83, in-8, 226 p.

3628. JOHNS (Elizabeth). Thomas Eakins: the heroism of modern life. Princeton, N.J., Princeton U.P., 83, in-8, XX-207 p.

3629. JOHNSON (David R.) a. others. The politics of San Antonio: community, progress, and power. Lincoln, Univ. of Nebraska Press, 83, in-8, XI-248 p.

3630. JONES (Maldwin A.). Limits of liberty: American history, 1607-1980. London, Oxford U.P., 83, in-8, 700 p. (tab., maps). (Short Oxford Hist. of the Modern World)

3631. JORDAN (Daniel P.). Political leadership in Jefferson's Virginia. Charlottesville, U.P. of Virginia, 83, in-8, XIV-284 p.

3632. KALAŠNIKOV (V.M.). Bor'ba indejskogo plemeni seminolov protiv ėkspansii SŠA. (The struggle of the Seminoles against American colonizers.) Nov. novejš. Ist., 83, n° 3, p. 114-130.

3633. KARSTEN (Peter). Ritual and rank: religious affiliation, father's calling, and successful advancement in the U.S. officer corps of the twentieth century. Armed Forces a. Soc., 83, vol. 9, n° 3, p. 427-440.

3634. KELLY (Lawrence C.). The assault on assimilation: John Collier and the origins of Indian policy reform. Foreword by John COLLIER, Jr. Albuquerque, Univ. of New Mexico Press, 83, in-8, XXIX-445 p.

3635. KENNEDY (Thomas C.). Homer Lea and the peace makers. Historian, 83, vol. 45, n° 4, p. 473-496.

3636. KERN (Montague) a. others. The Kennedy crises: the press, the presidency, and foreign policy. Chapel Hill, Univ. of North Carolina Press, 83, in-8, XIII-290 p.

3637. KING (William M.). The end of an era: Denver's last legal public execution, July 27, 1886. J. Negro Hist., 83, vol. 68, n° 1, p. 37-53.

3638. KIRBY (Jack Temple). The southern exodus, 1910-1960: a primer for historians. J. south. Hist., 83, vol. 49, n° 4, p. 585-600.

3639. KLIBANER (Irwin). The travail of southern radicals: the southern conference educational fund, 1946-1976. J. south. Hist., 83, vol. 49, n° 2, p. 179-202.

3640. KRAUT (Alan M.) a. others. Crusaders and compromisers: essays on the relationship of the antislavery struggle to the antebellum party system. Westport, Conn., Greenwood Press, 83, in-8, XII-286 p. (Contrib. in Am. Hist., 104)

3641. KREMENJUK (V.A.). SŠA: bor'ba protiv nacional'no-osvoboditel'nogo dviženija. Istorija i sovremennost'. (USA: the struggle against the national-liberation movement. History and present.) Moskva, Mysl', 83, 303 p.

3642. KRUMAN (Marc W.). Parties and politics in North Carolina, 1836-1865. Baton Rouge, Louisiana State U.P., 83, in-8, XVIII-304 p.

3643. KUVALDIN (V.B.). Amerikanskij kapitalizm i intelligencija. (American capitalism and the intelligentsia.) Ist.-sociologičeskij očerk. Moskva, Nauka, 83, 365 p. (AN SSSR. In-t mirovoj ėkonomiki i meždunar. otnošenij)

3644. LARSON (Gary O.). The reluctant patron: the United States government and the arts, 1943-1965. Philadelphia, Univ. of Pennsylvania Press, 83, in-8, XVI-314 p.

3645. LEBERGOTT (Stanley). Why the South lost: commercial purpose in the Confederacy, 1861-1865. J. am. Hist., 83, vol. 70, n° 1, p. 58-74.

3646. LEFF (Mark H.). Taxing the

"forgotten man": the politics of social security finance in the New Deal. J. am. Hist., 83, vol. 70, n° 2, p. 359-381.

3647. LEUCHTENBURG (William E.). In the shadow of FDR: from Harry Truman to Ronald Reagan. Ithaca, N.Y., Cornell U.P., 83, in-8, XII-346 p.

3648. LEWIS (Thomas T.). Alternative psychological interpretations of Woodrow Wilson. Mid-Am., 83, vol. 65, n° 2, p. 71-86.

3649. LICHTMAN (Allan J.). Political realignment and "ethno-cultural" voting in late nineteenth century America. J. soc. Hist., 83, vol. 16, n° 3, p. 55-82.

3650. LOMASK (Milton). Aaron Burr: conspiracy and the years of exile, 1805-1836. London, Faber, 83, in-8, XVIII-475 p. (ill.). [U.S. ed. Cf. Bibl. 82, n° 3523]

3651. LONG (David F.). Sailor-diplomat: a biography of James Biddle, 1783-1848. Boston, Northeastern U.P., 83, in-8, XVI-312 p.

3652. McCOY (Donald R.). George S. McGill of Kansas and the Agricultural Adjustment Act of 1938. Historian, 83, vol. 45, n° 2, p. 186-205.

3653. McDEAN (Harry C.). Professionalism, policy, and farm economists in the early Bureau of Agricultural Economics. Agric. Hist., 83, vol. 57, n° 1, p. 64-82.

3654. McDONOUGH (James Lee), CONNELLY (Thomas L.). Five tragic hours: the battle of Franklin [Nov. 1864]. Knoxville, Univ. of Tennessee Press, 83, in-8, 217 p.

3655. McGRAW (Joseph). "To secure these rights": Virginia republicans on the strategies of political opposition, 1788-1800. Virginia Mag. Hist. a. Biogr., 83, vol. 91, n° 1, p. 54-72.

3656. McWHINEY (Grady). General Beauregard's "complete victory" at Shiloh: an interpretation. J. south. Hist., 83, vol. 49, n° 3, p. 421-434.

3657. MAGA (Timothy P.). Operation rescue: the Mefkure incident and the War Refugee Board. Am. Neptune, 83, vol. 43, n° 1, p. 31-39.

3658. MAHON (John K.). History of the militia and the National Guard. New York, Macmillan, 83, in-8, VII-374 p. (Macmillan Wars of the United States)

3659. MAIZLISH (Stephen E.). The triumph of sectionalism: the transformation of Ohio politics, 1844-1856. Kent, Ohio, Kent State U.P., 83, i-8, XIV-310 p.

3660. MANCHESTER (William). One brief shining moment: remembering Kennedy. London, M. Joseph, 83, in-8, 280 p. (ill., pl.).

3661. MAYER (Jacob). James McDonald we-ha-pelitim. (James McDonald and the [Jewish] refugees, 1933-1946.) Ramat-Gan, 82, in-4, 429 l. [Thesis. Bar-Ilan Univ. - Eng. summary]

3662. MILLETT (Allan R.). The U. S. marine corps: adaptation in the post-Vietnam era. Armed Forces a. Soc., 83, vol. 9, n° 3, p. 363-392.

3663. MIRAK (Robert). Torn between two lands: Armenians in America, 1890 to world war I. Cambridge, Mass. Harvard U.P., 83, in-8, X-364 p.

3664. MOLLENKOPF (John H.). The contested city. Princeton, N.J., Princeton U.P., 83, in-8, XII-328 p.

3665. MOYNIHAN (Ruth Barnes). Rebel for rights: Abigail Scott Duniway. New Haven, Conn., Yale U.P., 83, in-8, XV-273 p. (Yale Hist. Publ., Miscellany, 130)

3666. MURPHY (Lawrence R.). Lucien Bonaparte Maxwell: Napoleon of the southwest. Norman, Univ. of Oklahoma Press, 83, in-8, XI-275 p.

3667. MURRAY (Robert K.), BLESSING (Tim H.). The presidential performance study: a progress report. J. am. Hist., 83, vol. 70, n° 3, p. 535-555.

3668. NAGEL (Paul C.). Descent from glory: four generations of the John Adams family. New York, Oxford U.P., 83, in-8, XIV-400 p.

3669. NASH (George H.). The life of Herbert Hoover: the engineer, 1874-1914. London a. New York, W. W. Norton, 83, in-8, XII-768 p.

3670. NELSON (Anna Kasten). The "top of policy hill": president Eisenhower and the national security council. Dipl. Hist., 83, vol. 7, n° 4, p. 307-326.

3671. NELSON (Lawrence J.). The art of the possible: another look at the "purge" of the AAA liberals in 1935. Agric. Hist., 83, vol. 57, n° 4, p. 416-435.

3672. NIVEN (John). Martin Van Buren: the romantic age of American politics. New York, Oxford U.P., 83, in-8, XII-715 p.

3673. NUNIS (Doyce B.) Jr. The enigma of the Sublette Overland Party, 1845. Pacific hist. R., 83, vol. 52, n° 4, p. 331-350.

3674. OLSON (Keith W.). The American Beveridge plan. Mid-Am., 83, vol. 65, n° 2, p. 87-100.

3675. O'REILLY (Kenneth). Hoover and the un-Americans: the FBI, HUAC, and the red menace. Philadelphia, Pa., Temple U.P., 83, in-8, XIII-411 p. - The FBI and the origins of McCarthyism. Historian, 83, vol. 45, n° 3, p. 372-393.

3676. PARSONS (Stanley B.), PARSONS (Karen Toombs), KILLILAE (Walter), BORGERS (Beverly). The role of cooperatives in the development of the movement culture of populism. J. am. Hist., 83, vol. 69, n° 4,

p. 866-885.

3677. PETERSON (Norma Lois). Littleton Waller Tazewell. Charlottesville, U.P. of Virginia, 83, in-8, XII-311 p.

3678. PINSKY (Edward). American Jewish unity during the holocaust: the Joint Emergency Committee, 1943. Am. jewish Hist., 83, vol. 72, n° 4, p. 477-494.

3679. POLREICHOVÁ (Helena). Metodologické aspecty vzniku USA a geneze amerického kapitalismu. (Les aspects méthodologiques de la naissance des Etats-Unis et la genèse du capitalisme américain.) Československ. Čas. hist., 83, vol. 31, p. 256-273, 392-401.

3680. PORTER (Roger B.). Economic advice to the president: from Eisenhower to Reagan. Pol. Sci. Quar., 83, vol. 98, n° 3, p. 403-426.

3681. POWERS (Richard Gid). G-men: Hoover's FBI in American popular culture. Carbondale, Southern Illinois U.P., 83, in-8, XIX-356 p.

3682. RADOSH (Ronald), MILTON (Joyce). The Rosenberg file: a search for the truth. New York, Holt, Rinehart, a. Winston, 83, in-8, XV-608 p.

3683. RANDALL (Stephen J.). Harold Ickes and Unites States foreign petroleum policy planning, 1939-1945. Business Hist. R., 83, vol. 57, n° 3, p. 367-387.

3684. RAYBACK (Joseph G.). Martin Van Buren: his place in the history of New York and the United States. New York Hist., 83, vol. 64, n° 2, p. 121-136.

3685. REINHARD (David W.). The Republican right since 1945. Lexington, U.P. of Kentucky, 83, in-8, IX-294 p.

3686. ROBBINS (Caroline). The lifelong education of Thomas Paine (1737-1809): some reflections upon his acquaintance among books. Proc. am. philos. Soc., 83, vol. 127, n° 3, p. 135-142.

3687. ROMASCO (Albert U.). The politics of recovery: Roosevelt's New Deal. London a. New York, Oxford U.P., 83, in-8, IX-276 p.

3688. ROSSI (John P.). The Kelly-Wilson mayoralty election of 1935. Pennsylvania Mag. Hist., 83, vol. 107, n° 2, p. 171-194.

3689. RYDELL (Robert). Visions of empire: international expositions in Portland and Seattle, 1905-1909. Pacific hist. R., 83, vol. 52, n° 1, p. 37-66.

3690. SALMOND (John A.). A southern rebel: the life and times of Aubrey Willis Williams, 1890-1965. Chapel Hill, Univ. of North Carolina Press, 83, in-8, XII-337 p.

3691. SCHARF (Lois), JENSEN (Joan M.). Decades of discontent: the women's movement, 1920-1940. Westport, Conn., Greenwood Press, 83, in-8, VIII-313 p. (Contrib. in Women's Stud., 28)

3692. SCHOTT (Richard L.), HAMILTON (Dagmar S.). People, positions, and power: the political appointments of Lyndon Johnson. Chicago, Univ. of Chicago Press, 83, in-8, X-245 p. (Admin. Hist. of the Johnson Presidency)

3693. SCHRADER (Robert Fay). The Indian arts and crafts board: an aspect of New Deal Indian policy. Albuquerque, Univ. of New Mexico Press, 83, in-8, XII-364 p.

3694. SEALANDER (Judith). As minority becomes majority: federal reaction to the phenomenon of women in the work force, 1920-1963. Westport, Conn., Greenwood Press, 83, in-8, XIII-201 p. (Contrib. in Women's Stud., 40)

3695. SEIP (Terry L.). The south returns to congress: men, economic measures, and intersectional relationships, 1868-1879. Baton Rouge, Louisiana State U.P., 83, in-8, XII-322 p.

3696. SHAFER (Byron E.). Quiet revolution: the struggle for the democratic party and the shaping of post-reform politics. New York, Russell Sage, 83, in-8, IX-618 p.

3697. SHERMAN (Richard B.). Presidential protection during the progressive era: the aftermath of the McKinley assassination. Historian, 83, vol. 46, n° 1, p. 1-20.

3698. SHINER (John F.). Foulois and the U. S. Army Air Corps, 1931-1935. Washington, D.C., Office of Air Force History, 83, XV-346 p. [Benjamin Foulois]

3699. SIEPEL (Kevin H.). Rebel: the life and times of John Singleton Mosby. New York, St. Martin's Press, 83, in-8, XIX-346 p.

3700. SILBEY (Joel H.). "Delegates fresh from the people": American congressional and legislative behavior. J. interdisc. Hist., 83, vol. 13, n° 4, p. 603-628.

3701. [SIVAČEV (Nikolaj V.).] SIVACHEV (Nikolai). The rise of statism in 1930s America: a Soviet view of the social and political effects of the New Deal. Labor Hist., 83, vol. 24, n° 4, p. 500-525. - Bibl. 82, n° 3573. SIVAČEV (N.V.). SŠA: gosudarstvo i rabočij klass. (USA: state and working class.) - CR: V. L. Mal'kov, Vopr. Ist., 83, n° 6, p. 139-142. V. V. Sogrin, Nov. novejš. Ist., 83, n° 4, p. 186-188. A. A. Popov, SŠA-ékon., polit., ideol., 83, n° 6, p. 104-106.

3702. SOGRIN (V.V.). Buržuaznye revoljucii v SŠA: obščee i osobennoe. (Bourgeois revolutions in the USA: the general and the specific.) Vopr. Ist., 83, n° 3, p. 32-46. - IDEM. Osnovateli SŠA. Ist. portr. (Founders of the USA. Historical portraits.) Moskva, Nauka, 83, 177 p. (ill.). (Istorija i sovremennost'. AN SSSR)

3703. SPECTOR (Ronald H.). Advice and support: the early years, 1941-1960. Washington, D.C., Center of Milit. Hist., 83, in-8, XVIII-391 p. (U.S. Army in Vietnam)

3704. SPICKARD (Paul R.). The Nisei assume power: the Japanese citizens league, 1941-1942. Pacific hist. R., 83, vol. 52, n° 2, p. 147-174.

3705. Bibl. 82, n° 3579. SPOTOV (B.M.). Fermerskoe dviženie v SŠA. 1780-1790-e gody. (The farmers' movement in the USA.) - CR: A. A. Fursenok, Nov. novejš. Ist., 83, n° 5, p. 206-208.

3706. STEL'MAKH (V.G.). Politika pereselenija indejcev SŠA v 30-e gody XIX veka. (The policy of Indian removal of the USA in the 1830s.) Sovet. Ėtnogr., 83, n° 2, p. 51-61.

3707. SUGGS (H. Lewis). Black strategy and ideology in the segregation era: P. B. Young and the Norfolk Journal and Guide, 1910-1954. Virginia Mag. Hist. a. Biogr., 83, vol. 91, n° 2, p. 161-190.

3708. THOMPSON (Gerald). Edward F. Beale and the American west. Albuquerque, Univ. of New Mexico Press, 83, in-8, XV-306 p.

3709. TILLER (Veronica E. Velarde). The Jicarilla Apache tribe: a history, 1846-1970. Lincoln, Univ. of Nebraska Press, 83, in-8, VIII-265 p.

3710. TRENNERT (Robert A.). From Carlisle to Phoenix: the rise and fall of the Indian outing system, 1878-1930. Pacific hist. R., 83, vol. 52, n° 3, p. 267-291.

3711. TURNER (Lynn Warren). The ninth state: New Hampshire's formative years. Chapel Hill, Univ. of North Carolina Press, 83, in-8, XII-479 p.

3712. TWIGHT (Ben W.). Organizational values and political power: the Forest Service versus the Olympic National Park. University Park, Pennsylvania State U.P., 83, in-8, XII-139 p. (Pennsylvania State Univ. Stud., 48)

3713. UŠAKOV (V.A.). Amerika pri Vašingtone (Polit. i soc.-ėkonom. probl. SŠA v 1789-1797 gg.). (America under Washington. Political and socio-economic problems. The USA in 1789-1797.) Leningrad, Nauka, 83, 288 p. (AN SSSR. In-t istorii SSSR. Leningr. otd-nie)

3714. VAUGHN (William Preston). The anti-masonic party in the United States, 1826-1843. Lexington, Univ. Press of Kentucky, 83, in-8, X-244 p.

3715. WALKER (Juliet E. K.). Free Frank: a black pioneer on the antebellum frontier. Lexington, U.P. of Kentucky, 83, in-8, XI-223 p.

3716. WATTS (Eugene J.). Police response to crime and disorder in twentieth-century St. Louis. J. am. Hist., 83, vol. 70, n° 2, p. 340-358.

3717. WEISS (Nancy J.). Farewell to the party of Lincoln: black politics in the age of FDR. Princeton, N.J., Princeton U.P., 83, in-8, XX-333 p.

3718. WESTPHALL (Victor). Mercedes Reales: Hispanic land grants of the upper Rio Grande region. Albuquerque, Univ. of New Mexico Press, 83, in-8, XVIII-356 p. (New Mexico Land Trant Ser.)

3719. WHEELER (Gerald E.). Republican Philippine policy, 1921-1933. Pacific hist. R., 83, vol. 52, n° 4, p. 377-390.

3720. WHITE (Richard). The roots of dependency: subsistence, environment, and social change among the Choctaws, Pawnees, and Navajos. Lincoln, Univ. of Nebraska Press, 83, in-8, XIX-433 p.

3721. WILLINGHAM (William F.). Army engineers and the development of Oregon: a history of the Portland district U.S. Army Corps of engineers. Washington, D.C., Government Printing Office, 83, XIII-258 p.

3722. WILLS (Garry). The Kennedys, a shattered illusion. London, Orbis, 83, in-8, 320 p.

3723. WILSON (Raymond). Ohiyesa: Charles Eastman, Santee Sioux. Urbana, Univ. of Illinois, Press, 83, in-8, XII-219 p.

3724. WRIGHT (George C.). Black political insurgency in Louisville, Kentucky: the Lincoln Independent Party of 1921. J. Negro Hist., 83, vol. 68, n° 1, p. 8-23.

Cf. n° 7312.

Ethiopia.

3725. ERLICH (Haggai). The Ethiopian army and the 1974 revolution. Armed Forces a. Soc., 83, vol. 9, n° 3, p. 455-482.

3726. LEFORT (René). Ethiopia, an heretical revolution. London, Zed Press, 83, in-8, 320 p.

3727. ZAVADSKAJA (E.P.). Nekotorye ėtnokonfessional'nye aspekty formirovanija mnogonacional'nogo Ėfiopskogo gosudarstva v konce XIX veka. (Some ethno-religious aspects in the rise of the multi-national Ethiopian state in the late 19th cent.) Sovet. Ėtnogr., 83, n° 2, p. 102-108.

Finland.

3728. CIEŚLAK (Tadeusz). Historia Finlandii. (Histoire de la Finlande.) Wrocław, Zakł. Narod. im. Ossolińskich, 83, in-8, 365 p.

3729. JÄGERSKIÖLD (Stig). Gustav Mannerheim, 1867-1951. Helsingfors, Schildts, 83, in-8, 235 p. (56 ill.). [En suédois]

3730. HELANDER (Voitto), ANCKAR (Dag). Consultation and political culture. Essays on the case of Finland. Helsinki, Societas Scientiarum Fennica, 83, in-8, 198 p. (Comment. Sci. soc., 19)

3731. JOHANSEN (Jahn Otto). Finland -

det muliges kunst. (Finland - art of possibilities.) Oslo, Cappelen, 83, in-8, 191 p.

3732. SOIKKANEN (Timo). Kansallinen eheytyminen - myytti vai todellisuus? Ulkoja sisäpolitiikan linjat ja vuorovaikutus Suomessa vuosina 1933-1939. (National reconciliation - myth or reality? The interaction between Finnish foreign and domestic policy, 1933-1939.) Turku, 83, in-8, 531 p. (A. Univ. Turkuensis, Ser. C, 37) [Eng. summary]

3733. Suomen lippu kautta aikojen. (The roots of Finland's flag go back a thousand years.) Päätoim. - Réd. en chef: Caius KAJANTI. Helsinki, Siniairut, 83, in-4, 608 p. (ill.). [Eng. a. Swedish summary]

France.

* 3734. DAVID (Philippe). L'évolution économique, sociale et politique de la Lorraine depuis 1945: bibliographie d'ouvrages et articles publiés de 1974 à 1980. Nancy, Bibliothèque interuniversitaire, 82, in-8, 92 p.

* 3735. FORMEL (Gérard). Actualité bibliographique de Louis de Saint-Simon. R. franç. Hist. Livre, 83, a. 52, n. sér., n° 39, p. 119-125. - IDEM. Bibliographie des Mémoires du duc de Saint-Simon. Paris, Contrepoint, 82, in-8, XII-259 p.

* 3736. PISIER (Georges). Bibliographie méthodique, analytique et critique de la Nouvelle-Calédonie 1955-1982. Nouméa, Publ. de la Soc. d'Etudes hist. de la Nouvelle-Calédonie, 83, in-8, 350 p.

** 3737. TORRES (F.), RIOUX (J.-P.). Bibliographie de Pierre Mendès France. Paris, Inst. d'hist. du temps présent, 83, in-8, 85 p.

** 3738. BOURDERON (Roger), WILLARD (Germaine). Documents communistes (mai 1939 - novembre 1941). Cah. Hist. Inst. Rech. marxistes, 83, n° 14, p. 11-234.

** 3739. GAULLE (Charles de). Lettres, notes et carnets. [T. 3, 4. Cf. Bibl. 82, n° 3616.] T. 5: Juin 1943 - mai 1945. Paris, Plon, 83, in-8, 496 p.

** 3740. LA BOËTIE (Etienne de). Mémoire sur la pacification des troubles. Ed. par Malcolm SMITH. Genève, Droz, 83, in-8, 128 p.

** 3741. Lafayette in the age of the American revolution: selected letters and papers, 1776-1790. [Vol. 4. Cf. Bibl. 81, n° 3173.] Vol. 5: January 4, 1782 - December 29, 1785. Ed. by Stanley J. IDZERDA, Robert Rhodes CROUT, a. others. Ithaca, N.Y., a. London, Cornell U.P., 83, in-8, XLVI-468 p.

** 3742. LAMARTINE (Alix de). Le Journal de Madame de Lamartine, mère d'Alphonse de Lamartine, 1801-1829. Prés. et annoté par Michel DOMANGE. T. 1: 1801-1809. Paris, Lettres modernes - Minard,

83, in-8, XXXII-379 p. (pl.).

** 3743. Ordonnances des rois de France. Règne de François Ier. T. 9, [2e partie. Cf. Bibl. 76-77, n° 3988.] 3e partie: Mai - août 1539. Paris, Ed. du C.N.R.S., 83, in-4, 300 p. (Acad. des Sci. morales et politiques)

** 3744. TESSIN (Carl Gustaf). Tableaux de Paris et de la cour de France 1739-1742: lettres inédits de Carl Gustaf, comte de Tessin. Ed. par Gunnar von PROSCHWITZ. Göteborg, Acta Univ. Gothoburg.; Paris, J. Touzot, 83, in-8, 385 p. (ill.). (Romanica Gothoburgensia, 22) [Eng. summary]

** 3745. TOCQUEVILLE (Alexis de). Oeuvres complètes. T. 15: Correspondance d'Alexis de Tocqueville et de Francisque de Corcelle. Correspondance d'Alexis de Tocqueville et de Madame SCHWETCHINE. Vol. établi par Pierre GIBERT. T. 18: Correspondance d'Alexis de Tocqueville avec Adolphe de Circourt et avec Madame de Circourt [1848-1859]. Vol. établi par A. P. KERR. Paris, Gallimard, 83, 3 vol. in-8, 479, 330, 591 p. [Cf. Bibl. 82, n° 3623]

** Cf. n° 4515.

3746. ABITBOL (Michel). Les Juifs d'Afrique du Nord sous Vichy. Paris, Maisonneuve et Larose, 83, in-8, 220 p.

3747. ALEXANDRE-DEBRAY (Janine). Victor Schoelcher ou la mystique d'un athée. Paris, Perrin, 83, in-8, 363 p. (ill.).

3748. AMOUROUX (Henri). Grande histoire des Français sous l'Occupation. T. 6: L'impitoyable guerre civile (déc. 1942 - déc. 1943). Paris, Laffont, 83, in-8, 562 p. [T. 1, 2. Cf. Bibl. 76-77, n° 3997]

3749. Approches de la philosophie politique du général de Gaulle, à partir de sa pensée et de son action. Colloque organisé par l'Institut Charles-de-Gaulle, à Paris, les 25 et 26 avril 1980. Paris, Cujas, 83, in-8, 360 p.

3750. ARZAKANJAN (M.C.). Poslednie dni Četvertoj respubliki. (The last days of the Fourth republic.) Nov. novejš. Ist., 83, n° 5, p. 125-135; n° 6, p. 119-128.

3751. AUDOIN (Stéphane). Le parti communiste français et la violence, 1929-1931. R. hist., 83, a. 107, t. 269, p. 365-383.

3752. BARKER (Nancy N.). Philippe d'Orléans, frère unique du roi: founder of the family fortune. French hist. Stud., 83, vol. 13, n° 2, p. 145-171.

3753. BASZKIEWICZ (Jan). Ludwik XVI. (Louis XIV.) Wrocław, Zakł. Narod. im. Ossolińskich, 83, in-8, 297 p.

3754. BASZKIEWICZ (Jan), MELLER (Stefan). Rewolucja francuska 1789-1794, społeczeństwo obywatelskie. (La Révolution française 1789-1794, société de citoyens.) Warszawa, Państw. Inst. Wydawn., 83, in-8, 522 p.

3755. BECKER (Jean-Jacques). L'opinion publique française et l'Alsace en 1914. R. Alsace, 83, n° 109, p. 125-138.

3756. BENDRIKOVA (L.A.). Francuzskaja istoriografija Narodnogo fronta vo Francii. (French historiography of the Popular Front in France.) Moskva, Izd-vo MGU, 83, 183 p.

3757. BERTIER DE SAUVIGNY (Guillaume de). Au soir de la monarchie: la Restauration. 3e éd. revue et augmentée. Paris, Flammarion, 83, in-8, 506 p.

3758. BERTIER DE SAUVIGNY (Guillaume de). La révolution parisienne de 1848 (mars-mai 1848) vue de Washington. R. Hist. dipl., 83, a. 97, n° 3-4, p. 193-230.

3759. BERTIN (Celia). Maria Bonaparte. London, Quartet Books, 83, in-4, 376 p. (ill.).

3760. Beyond the terror. Essays in French regional and social history, 1794-1815. Ed. by Gwynne LEWIS a. Colin LUCAS. Cambridge, London a. New York, Cambridge U.P., 83, in-8, XI-276 p.

3761. BLOND (Georges). Les Cent Jours. Paris, Julliard, 83, in-8, 348 p. (pl.).

3762. BORDONOVE (Georges). Les rois qui ont fait la France. [T. 4. Cf. Bibl. 82, n° 3640.] T. 5: Louis XVI, le roi martyr, 1774-1793. Paris, Pygmalion, 83, in-8, 320 p. (pl.). [Cf. n° 2560]

3763. BREDIN (Jean-Denis). L'Affaire [Dreyfus]. Paris, Julliard, 83, in-8, 500 p.

3764. BRUNET (Jean-Paul). Un fascisme français: le Parti populaire français de Doriot (1936-1939). R. franç. Sci. pol., 83, vol. 33, p. 255-280.

3765. BRZEZIŃSKI (Andrzej Maciej). Jean Jaurès polityk i myśliciel. (Jean Jaurès homme politique et penseur.) Łódź, Wydawn. Łódzkie, 83, in-8, 282 p.

3766. BUFFOTOT (Patrice). La doctrine aérienne du commandement français pendant l'entre-deux-guerres. R. int. Hist. milit., 83, n° 55, p. 169-184.

3767. BURSTIN (Haim). Les citoyens des quarante sous: analyse socio-politique à l'intérieur de la sans-culotterie. A. hist. Révol. franç., 83, a. 55, p. 93-113.

3768. CARMONA (Michel). Richelieu: l'ambition et le pouvoir. Paris, Fayard, 83, in-8, 783 p.

3769. CASTELOT (André). François Ier. Paris, Perrin, 83, in-8, 462 p.

3770. CASTRIES (René de La Croix, duc de). La Pompadour. Paris, A. Michel, 83, in-8, 331 p.

3771. CASTRIES (René de La Croix, duc de). La monarchie interrompue. T. 1: Vers un nouvel Empire, 1848-1851 Paris, Tallandier, 83, in-8, 387 p. (ill.).

3772. CASTRIES (René de La Croix, duc de). Monsieur Thiers. Paris, Perrin, 83, in-8, 473 p.

3773. CHAMBRUN (René de). Pierre Laval devant l'histoire. Paris, Ed. France-Empire, 83, in-8, 400 p. (ill.).

3774. CHARLOT (Jean). Histoire politique du gaullisme. T. 1: Le gaullisme d'opposition, 1946-1958. Paris, Fayard, 83, in-8, 436 p.

3775. CHASTENET (Geneviève). Marie-Louise, l'impératrice oubliée. Paris, Lattès, 83, in-8, 344 p.

3776. COBB (Richard). French and Germans, Germans and French: a personal interpretation of France under two occupations, 1914-1918, 1940-1944. Hanover, N.H., U.P. of New England, 83, in-8, XXXIV-188 p. (Tauber Inst. Ser., 2)

3777. COHEN (Yerachmiel Richard). Hahanhaga ha-yehudit be-zarfat bemilhemet ha-olam ha-sheniyya. (The Jewish leadership in France during World War II.) Jerusalem, 81, in-4, 404 p. [Thesis. Hebrew Univ. of Jer. - Eng. summary]

3778. COLEMAN (John). John Stuart Mill on the French Revolution. Hist. pol. Thought, 83, vol. 4, p. 89-110.

3779. CORVISIER (André). Louvois. Paris, Fayard, 83, in-8, 558 p.

3780. CROUZET (Denis). La représentation du temps à l'époque de la Ligue. R. hist., 83, a. 107, t. 270, p. n° 548, p. 297-388.

3781. CUILLIERON (Monique). Contribution à l'étude de la rébellion des cours souveraines sous le règne de Louis XV: le cas de la Cour des Aides et Finances de Montauban. Paris, Presses univ. France, 83, in-8, 115 p.

3782. DAVIS (Natalie Zemon). Beyond the market: books as gifts in 16th-century France. Trans. roy. hist. Soc., 83, vol. 33, p. 69-88.

3783. DEFRASNE (colonel Jean). L'attitude du commandement français face aux répercussions militaires de la révolution technique et industrielle de 1919 à 1940: le facteur "Renseignement". R. int. Hist. milit., 83, n° 55, p. 185-211.

3784. De Gaulle et la nation face aux problèmes de la défense (1945-1946). Colloque organisé par l'Inst. d'hist. du temps présent et l'Inst. Charles-de-Gaulle, Paris, 21-22 oct. 1982. Paris, Plon, 83, in-8, 319 p.

3785. DERFLER (Leslie). President and parliament: a short history of the French presidency. Boca Raton, Univ. Presses of Florida, 83, in-8, IX-286 p. (Florida

Atlantic Univ. Book)

3786. DESCIMON (Robert). Qui étaient les Seize? Etude sociale de cent vingt-cinq cadres laïcs de la Ligue radicale parisienne (1585-1594). M. Féd. Soc. hist. Paris Ile-de-France, 83, t. 34, p. 7-300.

3787. DIEFENDORF (Barbara B.). Paris city councillors in the sixteenth century: the politics of patrimony. Princeton, N.J., Princeton U.P., 83, in-8, XXVI-351 p.

3788. DINET (Henri). L'année 1789 en Champagne. A. hist. Révol. franç., 83, a. 55, n° 254, p. 570-595.

3789. DORIGNY (Marcel). Les Girondins et le droit de propriété. B. Hist. écon. soc. Révol. franç., 80-81 [83], p. 5-31.

3790. DUFRESNE (Claude). Morny, l'homme du Second Empire. Paris, Perrin, 83, in-8, 384 p.

3791. DUTAILLY (Henry). Motorisation et mécanisation de l'Armée de Terre française (1919-1940. R. int. Hist. milit., 83, n° 55, p. 213-229.

3792. Ecrivains (Les) et l'affaire Dreyfus. Actes du Colloque organisé par le Centre Charles Péguy et l'Université d'Orléans (29, 30 et 31 oct. 1981). Paris, Presses univ. France, 83, in-8, 301 p.

3793. EDMONDS (Bill). "Federalism" and urban revolt in France in 1793. J. mod. Hist., 83, vol. 55, n° 1, p. 22-53.

3794. EDMONDS (Bill). A study in popular anti-jacobinism: the career of Denis Monnet. French hist. Stud., 83, vol. 13, n° 2, p. 215-251.

3795. EICHLER (Jan). Francie v letech 1974-1981. (Frankreich in d. Jahren 1974-1981.) I, II. Hist. Vojen., 83, vol. 32, n° 5, p. 154-173; n° 6, p. 158-179.

3796. FITZPATRICK (Brian). Catholic royalism in the department of the Gard, 1814-1852. London a. New York, Cambridge U.P., 83, in-8, XII-216 p. (maps).

3797. Französische Revolution (Die) - zufälliges oder notwendiges Ereignis? Akten d. internat. Symposions an d. Univ. Bamberg vom 4.-7. Juni 1979 - La Révolution Française - produit de la contingence ou de la nécessité? Hrsg. v. Eberhard SCHMITT u. Rolf REICHARDT. T. 1-3. München u. Wien, Oldenbourg, 83, 3 vol. in-8, 191, 152, 164 p. (graph. Darst.). (Ancien Régime, Aufklärung u. Revolution, 9)

3798. Freiheitsbaum (Der). Die franz. Revolution in Schilderungen Goethes u. Forsters 1792/93. Hrsg. v. Günter JÄCKEL. Berlin, Verl. d. Nation, 83, in-8, 451 p. (Abb.).

3799. FRERE (Jean-Claude). La victoire ou la mort: histoire de Robespierre et de la Révolution. Paris, Flammarion, 83, in-8, 458 p.

3800. FUCHS (Günther), HENSEKE (Hans). Georges Clemenceau. Eine polit. Biographie. Berlin, Deutsch. Verl. d. Wiss., 83, in-8, 183 p. (Abb.).

3801. FURET (François). Penser la Révolution française. Nouv. éd. revue et corr. Paris, Gallimard, 83, in-8, 259 p. (Biblioth. des histoires) [Ed. orig. Cf. Bibl. 78-79, n° 3709]

3802. GANZIN (Michel). Le héros révolutionnaire, 1789-1794. R. hist. Droit franç. étr., 83, a. 61, n° 3, p. 371-392.

3803. GENDRON (François). La jeunesse sous Thermidor. Préf. de Pierre CHAUNU. Paris, Presses univ. France, 83, in-8, 240 p.

3804. GERBOD (Paul). L'éthique héroïque en France (1870-1914). R. hist., 82 [83], a. 106, t. 268, n° 544, p. 409-429.

3805. GIESEY (Ralph E.). State-building in early modern France: the role of royal officialdom. J. mod. Hist., 83, vol. 55, n° 2, p. 191-207.

3806. GIRARD (Louis). Les élections législatives de 1852 à Paris. R. hist., 83, a. 107, t. 269, n° 545, p. 69-96.

3807. GODECHOT (Jacques). La grande Nation. Nouv. éd. remaniée. Paris, Aubier-Montaigne, 83, in-8, 544 p.

3808. GOLDEN (Richrd M.). Jean Rousse, religious frondeur. French hist. Stud., 82, vol. 12, p. 461-485.

3809. GOULET (Jacques). Robespierre, la peine de mort et la Terreur. [1. Cf. Bibl. 81, n° 3259.] 2. A. hist. Révol. franç., 83, a. 55, p. 38-64.

3810. GRAETZ (Michael). Ha-periferiya hayeta le-merkaz. (From periphery to center: chapters in 19th-century history of French Jewry.) Jerusalem, Bialik Inst., 82, in-8, IX-340 p. (8 p. of pl., ill., fac-sim.).

3811. Grands notables du Premier Empire. Notices de biographies sociales publ. sous la dir. de Louis BERGERON et Guy CHAUSSINAND-NOGARET. [T. 8. Cf. Bibl. 82, n° 3673.] T. 9: Loir-et-Cher (supplément), par Jeannine LABUSSIERE. Sarte, par François DORNIC. Maine-et-Loire, par Robert LAUVRIERE. Morbihan, par Bernard ANDRE. Paris, Ed. du C.N.R.S., 83, in-8, 332 p.

3812. GREENGRASS (Mark). The anatomy of religious riot in Toulouse in May 1562. J. eccles. Hist., 83, vol. 34, p. 367-391.

3813. GREY (Marina). Hébert. Le "Père Duchesne" agent royaliste. Paris, Perrin, 83, in-8, 389 p. (pl.).

3814. GUMBRECHT (Hans-Ulrich). Chants révolutionnaires, maîtrise de l'avenir et niveau du sens collectif. R. Hist. mod., 83, t. 30, p. 235-256.

3815. GUTHRIE (Christopher E.). Reaction to the coup d'état in the Narbonnais: a case study of popular political mobilization and repression during the Second Republic. French hist. Stud., 83, vol. 13, n° 1, p. 18-46.

3816. HALIMI (André). La délation sous l'Occupation. Paris, A. Moreau, 83, in-8, 337 p.

3817. HARDING (Robert). Pierre Goubert's Beauvais et le Beauvaisis [Cf. Bibl. 82, n° 6249]: an historian "parmi les hommes". Hist. a. Theory, 83, vol. 22, n° 2, p. 178-198.

3818. HARTH (Erica). Ideology and culture in seventeenth-century France. Ithaca, N.Y., a. London, Cornell U.P., 83, in-8, 333 p.

3819. HUNT (Lynn). The political geography of revolutionary France. J. interdisc. Hist., 83, vol. 14, n° 3, p. 535-560.

3820. JAUFFRET (Jean-Charles). Armée et pouvoir politique. La question des troupes spéciales chargées du maintien de l'ordre en France de 1871 à 1914. R. hist., 83, a. 107, t. 270, n° 547, p. 96-114.

3821. Jean Moulin et le Conseil national de la Résistance. Paris, Ed. du C.N.R.S., 83, in-8, 192 p.

3822. JOLY (Bertrand). Le parti royaliste et l'affaire Dreyfus (1898-1900). R. hist., 83, a. 107, t. 269, n° 546, p. 311-364.

3823. JOSSINET (Alain). Henri V. Bordeaux, Ulysse, 83, in-8, 582 p. (pl.). [Comte de Chambord]

3824. JOUHAUD (Christian). Ecriture et action au XVIIe siècle: sur un corpus de Mazarinades. A. Ec., Soc., Civ., 83, a. 38, p. 42-64.

3825. KAISER (Thomas E.). The Abbé de Saint-Pierre, public opinion, and the reconstitution of the French monarchy. J. mod. Hist., 83, vol. 55, n° 4, p. 618-643.

3826. KANELLOPOULOS (Panagiōtēs). Hē Gallikē epanastasē. (La Révolution française.) Athēna, Gialellēs, 83, in-8, 389 p. - IDEM. Napoleōn Bonapartēs. (Napoléon Bonaparte.) Athēna, Gialellēs, 83, in-8, 182 p.

3827. KERGOAT (J.). Le parti socialiste, de la Commune à nos jours. Paris, Sycomore, 83, in-8, 400 p.

3828. KINGSTON (P.K.). Anti-Semitism in France during the 1930's. Hull, Univ. Press, 83, in-8, 165 p.

3829. KLARSFELD (Serge). Vichy-Auschwitz: le rôle de Vichy dans la solution finale de la question juive en France, 1942. Paris, Fayard, 83, in-8, 544 p.

3830. KOEPKE (Robert Louis). The short, unhappy history of progressive conservatism in France, 1846-1848. Canad. J. Hist., 83, vol. 18, p. 187-216.

3831. KÖTTING (Helmut). Die Ormée (1651-1653). Gestaltende Kräfte und Personenverbindungen der Bordelaiser Fronde. Münster, Aschendorff, 83, in-8, VIII-288 p.

3832. KOVALEV (A.A.). Francija na pereput'jakh mirovoj politiki. (France at the cross-roads of world politics.) Moskva, Meždunar. otnošenija, 83, 184 p.

3833. KUISEL (Richard F.). Capitalism and the State in modern France: renovation and economic management in the 20th century. London, Cambridge U.P., 83, in-8, 344 p. (Cambr. Paperback Libr.)

3834. LE GOFF (T. J. A.), SUTHERLAND (Donald M. G.). The social origins of counter-revolution in western France. Past a. Present, 83, n° 99, p. 65-87.

3835. LEQUIN (Yves). Histoire des Français, XIXe-XXe siècles. T. 1: Un peuple et son pays. T. 2: La société. Paris, A. Colin, 83, 2 vol. in-8, 587, 623 p.

3836. LE ROY LADURIE (Emmanuel). Auprès du roi [Louis XIV], la cour. A. Ec., Soc., Civ., 83, a. 38, p. 21-41.

3837. LEVEQUE (Pierre). Une société en crise: la Bourgogne au milieu du XIXe siècle, 1846-1852. Paris, Ed. de l'Ecole des Hautes Etudes en Sci. soc., - J. Touzot, 83, in-8, V-592 p. (cartes). (Biblioth. gén. de l'Ec. des Hautes Et. en Sci. soc.) - IDEM. Une société provinciale: la Bourgogne sous la Monarchie de Juillet. Paris, Ed. de l'Ecole des Hautes Etudes en Sci. soc., - J. Touzot, 83, in-8, 798 p. (4 p. de pl.). (Biblioth. gén. de l'Ec. des Hautes Et. en Sci. soc.)

3838. LEVILLAIN (Philippe). Boulanger, fossoyeur de la monarchie. Paris, Flammarion, 82, in-8, 226 p.

3839. LLOYD (Howell Arnold). The state, France, and the sixteenth century. London a. Boston, Allen a. Unwin, 83, in-8, XX-233 p. (Early Modern Europe Today)

3840. LÜSEBRINK (Hans-Jürgen), REICHARDT (Rolf). La "Bastille" dans l'imaginaire social de la France à la fin du XVIIIe siècle (1774-1799). R. Hist. mod., 83, t. 30, p. 196-234.

3841. MAGRAW (Roger). France, 1815-1914: the bourgeois century. London, Fontana, 83, in-8, 416 p.

3842. MANFRED (A.Z.). Velikaja francuzskaja revoljucija. (The Great French revolution.) Moskva, Nauka, 83, 431 p. (AN SSSR. In-t vseobšč. istorii)

3843. MANSEL (Philip). How forgotten were the Bourbons in France betweeen 1812 and 1814? European Stud. R., 83, vol. 13, p. 13-37.

3844. MARGERISON (Kenneth). P.-L. Roederer: political thought and practice during the French revolution. Philadelphia, Pa., Am. Philos. Soc., 83, 166 p. (Trans. of the Am. Philos. Soc., n° 73, part 1)

3845. MARQUET (Mario). Geschwister - Marschälle - Minister: die Spitzen d. napoleon. Reiches im königl. Frankreich 1814-1840. Köln u. Wien, Böhlau, 83, in-8, 589 p. (8 Abb., Ahnentafel).

3846. MARRUS (Michael R.). Die französischen Kirchen und die Verfolgung der Juden in Frankreich 1940-1944. Vjhefte f. Zeitgesch., 83, Jg. 31, H. 3, p. 483-505.

3847. MARVICK (Elizabeth Wirth). The young Richelieu. A psychoanalytic approach to leadership. Chicago a. London, Univ. of Chicago Press, 83, in-8, 276 p.

3848. MASSON (Philippe). La marine française et la mer Noire (1918-1919). Paris, Publicatins de la Sorbonne, 83, in-8, 669 p. [Mutineries dans la marine]

3849. MICHEL (Jacques). L'oeuvre de Monsieur de Sartine. Du Paris de Louis XV à la marine de Louis XVI. T. 1: La vie de la capitale. T. 2: La reconquête de la liberté des mers. Paris, Ed. de l'Erudit, 83, 2 vol. in-8, 192, 296 p. (ill.). (Gens de terre - Gens de mer)

3850. MILLER (John). Les Etats de Languedoc pendant la Fronde. A. Midi, 83, t. 95, p. 43-65.

3851. MILZA (Pierre). Le fascisme italien à Paris. R. Hist. mod., 83, t. 30, p. 420-452.

3852. MORRISEY (Will). Reflectins on De Gaulle: political founding in modernity. New York a. London, U.P. of America, 83, in-8, 211 p.

3853. NARINSKIJ (M.M.). Bor'ba klassov i partij vo Francii, 1944-1958. (Struggle of classes and parties in France, 1944-1958.) Moskva, Nauka, 83, 365 p. (AN SSSR. In-t vseobšč. istorii)

3854. NEEF (Helmut). Vier Tage rote Fahnen in den Straßen von Paris. Die Kämpfe d. Pariser Proletariats 1848 im Spiegel deutschsprachiger Presse. Berlin, Dietz, 83, in-8, 214 p. (Abb.).

3855. OSBORNE (Thomas R.). A Grand Ecole for the Grands Corps: the recruitment and training of the French administrative elite in the nineteenth century. Boulder, Colo., Social Science Monographs, 83, in-8, X-167 p. (Brooklyn College Stud. on Soc. in Change, 29)

3856. OSMOND (Fabrice). La fée Gorgone: contribution à l'histoire de l'Ormée de Bordeaux, 1651-1653. Bordeaux, Manuzio, 83, in-8, 168 p.

3857. PAILLAT (Claude). Dossiers secrets de la France contemporaine. [T. 1-3. Cf. Bibl. 81, n° 3336.] T. 4: Le désastre de 1940. 1: La répétition générale. Paris, R. Laffont, 83, in-8, 420 p. (ill.).

3858. PARKER (David). The making of French absolutism. London, Arnold, 83, in-8, XVI-160 p.

3859. Paroisses et communes de France. Dictionnaire d'histoire administrative et démographique. Sous la dir. de Jacques DUPAQUIER et Jean-Pierre BARDET. T. 38: Isère. Par Jean-Pierre MEYNAC, Brigitte TODESCO. T. 51: Marne. Par Hélène BOCHER. T. 72: Sarthe. Par René PLESSIS. Paris, Ed. du C.N.R.S., 83, 3 vol. in-8, 718, 802, 492 p. (cartes). [T. 45, 48. Cf. Bibl. 82, n° 3919]

3860. PASCAL (Jean). Les députés bretons de 1789 à 1980. Paris, Presses univ. France, 83, in-8, 813 p.

3861. PATRY (Robert). Caen pendant la Révolution de 1789. Condé-sur-Noireau, C. Corlet, 83, in-8, 521 p. (ill., pl.).

3862. PERTUE (Michel). La Révolution française et la peine de mort. A. hist. Révol. franç., 83, a. 55, p. 14-37.

3863. PRICKER (D.P.). Zorž Klemanso: polit. biogr. (Georges Clemenceau: biographie politique.) Moskva, Mysl', 83, 316 p.

3864. Bibl. 82, n° 3728. REMOND (René). Les droites en France. - CR: J.-M. Mayeur, sous le titre: A propos des droites en France, R. hist., 82 [83], a. 106, t. 268, n° 544, p. 453-460.

3865. REMOND (René). Le retour de de Gaulle [1958]. Bruxelles, Complexe, 83, in-8, 213 p.

3866. REUTER (Peter W.). Gewerkschaftlicher Antimilitarismus und staatliche Gegenstrategien in Frankreich vor dem ersten Weltkrieg. Francia [München], 82 [83], Bd 10, p. 391-428.

3867. REVUNENKOV (V.G.). Očerki po istorii Velikoj francuzskoj revoljucii. Jakobinskaja respublika i ee krušenie. (Essays on the history of the Great French revolution. The Jacobin republic and its downfall.) Leningrad, Izd-vo LGU, 83, 287 p. (ill.).

3868. RIALS (Stéphanie). Le légitimisme. Paris, Presses univ. France, 83, in-8, 128 p. (Que sais-je?)

3869. RIOUX (Jean-Pierre). La France et la Quatrième République. [T. 1. Cf. Bibl. 81, n° 3351.] T. 2: L'expansion et l'impuissance, 1952-1958. Paris, Ed. du Seuil, 83, in-8, 382 p.

3870. ROUSTAN-VERRIERES (Jean-Marie). Guerres civiles et contributions forcées sous l'Ancien Régime. R. Tarn, 83, sér. 3, n° 112, p. 485-509.

3871. SEDYKH (V.N.). Žak Djuklo. (Jacques Duclos.) Moskva, Mysl', 83, 302 p. (ill.).

3872. SEVE (Marie-Madeleine). Sur la pratique jacobine: la mission de Couthon à Lyon. A. hist. Révol. franç., 83, a. 55, n° 254, p. 510-543.

3873. SOBOUL (Albert). Problèmes paysans de la Révolution, 1789-1848. Etudes d'histoire révolutionnaire. Paris, Maspero, 83, in-8, 442 p. - IDEM. Problèmes de la dictature révolutionnaire (1789-1796). A. hist. Révol. franç., 83, a. 55, p. 1-13. [Cf. Bibl. 82, n° 3745]

3874. SOLNON (Jean-François). Quand la Franche-Comté était espagnole. Paris, Fayard, 83, in-8, 314 p.

3875. STEAD (Philip John). The police of France. New York, Macmillan, 83, in-8, XII-178 p.

3876. THOBIE (Jacques). La France impériale, 1880-1914. Paris, Megrelis, 83, in-8, 326 p.

3877. TRANIE (Jean), CARMIGNIANI (Juan Carlos). Les guerres de l'Ouest, 1793-1815: Normandie, Bretagne, Vendée, Maine, Anjou, Poitou. Panazol, Lavauzelle, 83, in-8, 325 p. (ill.).

3878. WEISS (John H.). Origins of the French welfare state: poor relief in the Third republic, 1871-1914. French hist. Stud., 83, vol. 13, n° 1, p. 47-78.

3879. WEYL (Robert), DALTROFF (Jean). Les cahiers de doléances des Juifs d'Alsace. R. Alsace, 83, n° 109, p. 65-80.

3880. ZYSBERG (André). Marseille au temps des galères, 1660-1748. Avec la collab. de Béatrice HENIN. Marseille, Rivages, 83, in-8, 115 p. (ill.).

Cf. n°s 256, 511, 5349.

Great Britain.

* 3881. Scotland. Eric G. GRANT, compiler. Oxford, England, a. Santa Barbara, Calif., Clio, 82, in-8, XXI-408 p. (map). (World bibliogr. series, 34)

** 3882. COOPER (Duff), COOPER (Lady Diana). Durable fire: letters, 1913-1950. Ed. by Artemis COOPER. London, Collins, 83, in-8, 336 p.

** 3883. LOWTHER (Sir John). Correspondence of Sir John Lowther of Whitehaven, 1693-1698, a provincial community in wartime. Ed. by D. R. HAINSWORTH. London, Oxford U.P., 83, in-8, 782 p. (maps).

** 3884. Proceedings in Parliament 1628. [Vol. 4. Cf. Bibl. 78-79, n° 3825.] Vol. 5: Lords proceedings, 1628. Vol. 6: Appendices and index. Ed. by Mary Frear KEELER a. others. New Haven, Conn., Yale U.P., 83, 2 vol. in-8, VIII-737, IX-616 p.

** 3885. Stuart royal proclamations. Vol. 2: Royal proclamations of King Charles I, 1625-1646. Ed. by James F. LARKIN. London, Oxford U.P., 83, in-8, LVIII-1089 p. [Vol. 1: 1974]

** 3886. WEBB (Beatrice). The diary of Beatrice Webb. [Vol. 1. Cf. Bibl. 82, n° 3770.] Vol. 2: 1892-1905. "All the good things of life". Ed. by Norman MacKENZIE, Jeanne MacKENZIE. Cambridge, Mass., Belknap Press of Harvard U.P.; London, Virago, 83, in-8, XV-376 p.

3887. ANDERSON (Gerald D.). Fascists, communists, and the national government: civil liberties in Great Britain, 1931-1937. Columbia, Univ. of Missouri Press, 83, in-8, 243 p.

3888. AUGUSTSSON (Lars-Åke). De heligas uppror: puritaner och visionärer i den engelska revolutionen: essayer. (The uprising of the saints: Puritans and visionaries in the English revolution: essays.) Stockholm, Norstedt, 83, in-8, 239 p. (ill.).

3889. BARDON (Jonathan). Belfast: an illustrated history. Belfast, Blackstaff, 82, in-8, 328 p. (ill.).

3890. BAXTER (Stephen B.) a. others. England's rise to greatness, 1660-1763. Berkeley a. Los Angeles, Univ. of California Press, 83, in-8, XVII-380 p.

3891. BECKETT (J.C.) a. others. Belfast: the making of a city. Belfast, Appletreepress, 82, in-8, 188 p. (ill.).

3892. Beiträge zur britischen Geschichte im 20. Jahrhundert. Hrsg. v. Theodor SCHIEDER. München, Oldenbourg, 83, in-8, 134 p. (Hist. Z., Beih., N.F., 8)

3893. BIALER (Uri). Telling the truth to the people: Britain's decision to publish the diplomatic papers of the inter-war period. Hist. J., 83, vol. 26, p. 349-367.

3894. Biographical dictionary of British Radicals in the 17th century. Ed. by Richard L. GREAVES a. Robert ZALLER. [Vol. 1. Cf. Bibl. 81, n° 3408.] Vol. 2. Brighton, Harvester Press, 83, in-8, 320 p.

3895. Biographical dictionary of modern British Radicals. Ed. by Joseph O. BAYLEN, Norbert J. GOSSMAN. Vol. 1: 1770-1832. Vol. 3: 1870-1914. Brighton, Harvester Press, 79-83, 2 vol. in-8, 572, 565 p.

3896. BLYTHE (Ronald). The age of illusion: glimpses of Britain between the wars, 1919-1940. London, Oxford U.P., 83, in-8, 304 p. (Oxford Publ.)

3897. BOHSTEDT (John). Riots and community politics in England and Wales, 1790-1810. Cambridge, Mass., Harvard U.P., 83, in-8, VIII-310 p.

3898. BRADFORD (Alan T.). Stuart absolutism and the utility of Tacitus. Huntington Libr. Quar., 83, vol. 46, n° 2, p. 127-155.

3899. BRIGGS (Asa, Lord). Gladstone's Boswell: late Victorian conversations Brighton, Harvester Press, 83, in-8, 200 p.

3900. BULLOCK (Alan, Lord). Ernest Bevin as Foreign Secretary. London, Heinemann, 83, in-8, 928 p.

3901. BURK (Kathleen). War and the State: the transformation of British Government, 1914-1919. London, Allen a. Unwin, 83, in-8, 208 p.

3902. CAMPBELL (John). F. E. Smith, First Earl of Birkenhead. London, Cape, 83, in-8, 944 p. (ill.).

3903. CAPIE (Forrest). Depression and protectionism: Britain between the wars. London, Allen a. Unwin, 83, in-8, 192 p.

3904. CARLTON (Charles). Charles I: the personal monarch. London a. Boston, Routledge a. Kegan Paul, 83, in-8, XIII-426 p.

3905. CHADWICK (Owen). Hensley Henson: a study in the friction between church and state. London a. New York, Oxford U.P., 83, in-8, XI-337 p.

3906. CHAMBERLAIN (Muriel E.). Lord Aberdeen: a political biography. London a. New York, Longman, 83, in-8, XV-583 p.

3907. COWLES (Virginia). The great Marlborough and his Duchess. London, Weidenfeld a. Nicolson, 83, in-8, X-456 p.

3908. CRAIG (Frederick Walter S.). British Parliamentary election results, 1974-1983. 1983. London, Parliamentary Research Services, 83, 2 vol. in-8, 400, 176 p. - IDEM. Conservative and Labour Party Conference decisions, 1945-1981. London, Parliamentary Research Services, 83, in-8, 480 p.

3909. DAVIES (D. Hywel). The Welsh Nationalist Party, 1925-1945. Cardiff, Univ. of Wales Press, 83, in-8, 300 p.

3910. DE KREY (Gary S.). Political radicalism in London after the Glorious Revolution. J. mod. Hist., 83, vol. 55, n° 4, p. 585-617.

3911. DEVINE (Thomas Martin), DICKSON (D.). Ireland and Scotland, 1600-1850. Edinburgh, J. Donald, 83, in-8, 300 p.

3912. DITCHFIELD (G.M.). Scotland and the Test Act, 1791: new parliamentary lists. B. Inst. hist. Research, 83, vol. 56, p. 66-85.

3913. DOOLITTLE (I.G.). The City of London's debt to its Orphans, 1694-1767. B. Inst. hist. Research, 83, vol. 56, p. 46-59.

3914. DOZIER (Robert R.). For king, constitution, and country: the English loyalists and the French revolution. Lexington, U.P. of Kentucky, 83, in-8, XI-213 p.

3915. DUNNE (Tom). "La trahison des clers": British intellectuals and the first home rule crisis. Irish hist. Stud., 82, vol. 33, p. 134-173.

3916. EDWARDS-STUART (I.A.J.). John Company General: a biography of Lieutenant General Sir Abraham Roberts. London, New Horizon, 83, in-8, 294 p. (ill., maps).

3917. EHRMAN (John). The younger Pitt: the reluctant transition. Stanford, Calif., Stanford U.P., 83, in-8, XIV-689 p. (ill.).

3918. ERICKSON (Carolly). The first Elizabeth. London, Macmillan, 83, in-8, 448 p. (ill.).

3919. EVANS (Eric John). The forging of the modern state: early industrial Britain, 1783-1870. London, Longman, 83, in-8, XIII-457 p. (tab., maps). (Foundations of mod. Britain) - IDEM. The great Reform Act of 1932. London, Methuen, 83, in-8, 60 p.

3920. FABER (Richard). Brave courtier: Sir William Temple. London, Faber, 83, in-8, 192 p.

3921. FEELY (Terence). Number 10 (Downing Street, London): the private lives of six Prime Ministers. London, Sidgwick a. Jackson, 83, in-8, 224 p. (ill.).

3922. FIELDS (Leslie). Bendor, the golden Duke of Westminster. London, Weidenfeld a. Nicolson, 83, in-8, 320 p.

3923. FINLAYSON (Michael G.). Historians, puritanism, and the English revolution: the religious factor in English politics before and after the interregnum. Buffalo, N.Y., Univ. of Toronto Press, 83, in-8, X-290 p.

3924. FITZHERBERT (Margaret). The man who was Greenmantle: a biography of Aubrey Herbert. London, J. Murray, 83, in-8, 256 p.

3925. FORD (Colin), HARRISON (Brian). A hundred years ago: Britain in the 1880s in words and photographs. Cambridge, Mass., Harvard U.P., 83, 335 p.

3926. FOSTER (Elizabeth Read). The house of lords, 1603-1649: structure, procedure and the nature of its business. Chapel Hill, Univ. of North Carolina Press, 83, in-8, X-347 p.

3927. FOSTER (G.C.F.). Government in provincial England under the later Stuarts. Trans. roy. hist. Soc., 83, vol. 33, p. 29-48.

3928. FOSTER (R.F.). History and the Irish question. Trans. roy. hist. Soc., 83, vol. 33, p. 169-192.

3929. FRASER (Peter). Party voting in the House of Commons, 1812-1827. Eng. hist. R., 83, vol. 98, p. 763-784.

3930. GARAVAGLIA (Giampolo). Società e religione in Inghilterra. I cattolici durante la rivoluzione, 1640-1660. Milano, Angeli, 83, in-8, 450 p.

3931. GARRARD (John). Leadership and power in Victorian industrial towns, 1830-1880. Manchester, Univ. Press, 83, in-8, 228 p. (map).

3932. GENTLES (Ian). The struggle for London in the second Civil War. Hist. J., 83, vol. 26, p. 277-305.

3933. GEORGE (W.R.P.). Lloyd George:

backbencher. London, Gomer Press, 83, in-8, XV-484 p.

3934. GILBERT (Arthur N.). A tale of two regiments: manpower and effectiveness in British military units during the Napoleonic wars. Armes Forces a. Soc., 83, vol. 9, n° 2, p. 275-292.

3935. GILBERT (Martin). Winston S. Churchill. [Vol. 5. Cf. Bibl. 76-77, n° 4228.] Vol. 6: Finest hour: 1939-1941. Boston, Houghton Mifflin; London, Heinemann, 83, in-8, XX-1308 p.

3936. GREEN (William A.). Emancipation to indenture: a question of imperial morality. J. brit. Stud., 83, vol. 22, n° 2, p. 98-121.

3937. GREENLEAF (W.H.). British political tradition. Vol. 1: The rise of collectivism. London, Methuen, 83, in-8, 352 p.

3938. HARRIS (R.W.). Clarendon and the English revolution. Stanford, Calif., Stanford U.P.; London, Hogarth, 83, in-8, 456 p.

3939. HAVRAN (Martin J.). The character and principles of an English king: the case of Charles I. Cath. hist. R., 83, vol. 69, n° 2, p. 169-208.

3940. HAWKINS (Angus B.). A forgotten crisis: Gladstone and the politics of finance during the 1850s. Victorian Stud., 83, vol. 26, n° 3, p. 287-320.

3941. HENNING (Basil Duke). The House of Commons, 1660-1690. London, Secker a. Warburg, 83, 3 vol. in-4, 746, 650, 704 p.

3942. HEPBURN (A.C.). Work, class and religion in Belfast. Irish econ. soc. Hist., 83, vol. 10, p. 33-50.

3943. HIBBARD (Caroline M.). Charles I and the popish plot. Chapel Hill, Univ. of North Carolina Press, 83, in-8, VIII-342 p.

3944. HOUGH (Richard). Edwina, Countess Mountbatten of Burma. London, Weidenfeld a. Nicolson, 83, in-8, 280 p. (ill.).

3945. HUGH (Ronald K.). Francis Place and the Chartists: promise and disillusion. Historian, 83, vol. 45, n° 4, p. 497-512.

3946. HUMBLE (Richard). Fraser of North Cape: the life of Admiral of the Fleet Lord Fraser, 1881-1981. London, Routledge, 83, in-8, 300 p. (ill.).

3947. HUNT (William). The puritan moment: the coming of revolution in an English county. Cambridge, Mass., Harvard U.P., 83, in-8, XIII-365 p. (Harvard Hist. Stud., 102)

3948. JAGGARD (Edwin). Cornwall politics 1826-1832: another face of reform? J. brit. Stud., 83, vol. 22, n° 2, p. 80-97.

3949. JAMES (Robert Rhodes). Albert, Prince Consort. London, H. Hamilton, 83, in-8, 297 p. (ill.).

3950. JENKINS (Philip). The making of a ruling class: the Glamorgan gentry, 1640-1790. New York, Cambridge U. P., 83, in-8, XXVI-353 p.

3951. JONES (Clyve). James Brydges, Earl of Carnarvon, and the 1717 Hereford by-election: a case study in aristocratic electoral management. Huntington Libr. Quar., 83, vol. 46, n° 4, p. 310-320.

3952. KARSTEN (Peter). Irish soldiers in the British army, 1792: suborned or subordinate? J. soc. Hist., 83, vol. 17, n° 1, p. 31-64.

3953. KHALFIN (N.A.). Lord Kerzon - ideolog i politik britanskogo imperializma. (Lord Curzon - ideologist and politician of British imperialism.) Nov. novejš. Ist., 83, n° 1, p. 120-140.

3954. KLEIN (Jürgen). England zwischen Aufklärung und Romantik. Studien z. Lit. u. Gesellschaft e. Übergangsepoche. Tübingen, Narr, 83, in-8, 206 p. (15 Ill. u. graph. Darst.).

3955. Bibl. 82, n° 3824. LABUTINA (T. L.). Političeskaja bor'ba Anglii v period restavracii Stjuartov. 1660-1681. (The political struggle in England during the Stuart restoration.) - CR: G. R. Levin, Nov. novejš. Ist., 83, n° 6, p. 192-194.

3956. LINDLEY (Keith J.). Riot prevention and control in early Stuart London. Trans. roy. hist. Soc., 83, vol. 33, p. 109-126.

3957. LONGFORD (Elizabeth). Elizabeth R. London, Weidenfeld a. Nicolson, 83, in-8, 432 p. (ill.).

3958. LUBENOW (W.G.). Irish home rule and the great separation of the liberal party in 1886: the dimensions of parliamentary liberalism. Victorian Stud., 83, vol. 26, n° 2, p. 161-180.

3959. McCOLGAN (John). British policy and the Irish administration, 1920-1922. London, Allen a. Unwin, 83, in-8.

3960. McCUSKER (P. J.). Ballentaken-Neragh in the 17th century. Seanchas Ardmhacha, 82, vol. 10, p. 455-501 (ill.).

3961. MacDONAGH (Oliver). States of mind: a study of Anglo-Irish conflict, 1780-1980. London a. Boston, Allen a. Unwin, 83, in-8, VIII-151 p.

3962. MANCHESTER (William). The last lion: Winston Spencer Churchill. Vol. 1: Visions of glory, 1874-1932. London, M. Joseph, 83, in-8, 992 p.

3963. MITCHISON (Rosalind). Lordship to patronage: Scotland, 1603-1745. London, E. Arnold, 83, in-8, 206 p.

3964. MORGAN (Ted). Churchill, 1874-1915. London, Cape, 83, in-8, 576 p.

3965. MORRIS (R.A.). The Royal Dockyards during the revolutionary and Napoleonic wars. Leicester, Univ. Press, 83, in-8, 272 p. (ill., dr.).

3966. NEUMAN (Mark). The Speenhamland county: poverty and the poor laws in Berkshire, 1782-1834. New York, Garland, 82, in-8, IV-263 p. (Mod. Brit. Hist.)

3967. NEWBOULD (Ian). Sir Robert Peel and the Conservative Party, 1832-1841, a study in failure? Eng. hist. R., 83, vol. 98, p. 529-557.

3968. OLIEN (Diana Davids). Morpeth: a Victorian public career. Washington, D.C., U.P. of America, 83, in-8, XII-526 p.

3969. PALLISER (David M.). The age of Elizabeth: England under the later Tudors, 1547-1603. London a. New York, Longman, 83, in-8, XIX-450 p. (Soc. a. Econ. Hist. of England)

3970. PARKER (R.A.C.). The pound sterling, the American Treasury and British preparations for war, 1938-1939. Eng. hist. R., 83, vol. 98, p. 261-279.

3971. QUINN (David Beers), RYAN (A.N.). England's sea empire. London, Allen a. Unwin, 83, in-8, 256 p.

3972. REED (Michael). The Georgian triumph, 1700-1830. London, Routledge, 83, in-8, 256 p. (ill.).

3973. ROBBINS (Keith). The eclipse of a great power: modern Britain, 1870-1975. London a. New York, Longman, 83, in-8, 408 p. (Foundations of modern Britain)

3974. ROBINSON (John Martin). Dukes of Norfolk: quincentennial history. London, Oxford U.P., 83, in-4, 288 p. (ill., tab., pl., maps).

3975. ROSE (Kenneth). King George V. London, Weidenfeld a. Nicolson, 83, in-8, 368 p. (ill.).

3976. ROWSE (Alfred Leslie). Eminent Elizabethans. London, Macmillan, 83, in-8, 210 p.

3977. RUSH (Michael). The House of Commons: services and facilities, 1972-1982. London, Policy Stud. Inst., 83, in-8, 156 p. (fig., tab.).

3978. SEARLE (G.R.). The Edwardian Liberal Party and business. Eng. hist. R., 83, vol. 98, p. 28-60.

3979. SENNING (Calvin F.). Piracy, politics, and plunder under James I: the voyage of the Pearl and its aftermath, 1611-1615. Huntington Libr. Quar., 83, vol. 46, n° 3, p. 187-222.

3980. SHARP (Andrew). The political ideas of the English civil wars, 1641-1649. London, Longman, 83, in-8, 270 p.

3981. SIMPSON (Colin). Emma, the life of Lady Hamilton. London, Bodley Head, 83, in-8, 224 p. (ill.).

3982. SPIERS (Edward M.). Radical gen-

eral: Sir George de Lacy Evans, 1787-1870. Manchester a. Dover, N.H., Manchester U.P., 83, in-8, X-262 p.

3983. SPITZER (Alan B.). Restoration political theory and the debate over the law of the double vote. J. mod. Hist., 83, vol. 55, n° 1, p. 54-70.

3984. STAMMERS (Neil). Civil liberties in Britain during the Second World War. London, Croom Helm, 83, in-8, 288 p.

3985. THOMPSON (Kenneth W.). Winston Churchill's world view: statesmanship and power. Baton Rouge, Louisiana State U.P., 83, in-8, VIII-364 p.

3986. TOWNSEND (Molly). Not by bullets and bayonets: Cobbett's writings on the Irish question, 1795-1835. London, Sheed a. Ward, 83, in-8, 128 p.

3987. TOWNSHEND (Charles). Political violence in Ireland: government and resistance since 1848. London a. New York, Oxford U.P., 83, in-8, X-445 p.

3988. TRUKHANOVSKIJ (V. G.). Antoni Iden. (Anthony Eden.) 2-e izd., pererab. i dop. Moskva, Meždunar. otnošenija, 83, 412 p. (ill.).

3989. Tudor rule and revolution: essays for G. R. Elton from his American friends. Ed. by Delloyd J. GUTH, John W. McKENNA. London, Cambridge U.P., 83, in-8, XIV-418 p.

3990. Viktorianisches England in deutscher Perspektive. Hrsg. v. Adolf M. BIRKE u. Kurt KLUXEN. München, New York, London u. Paris, Saur, 83, in-8, 154 p. (16 Ill., graph. Darst.). (Prinz-Albert-Stud.)

3991. WALD (Kenneth D.). Crosses on the ballot: patterns of British voter alignment since 1885. Princeton, N.J., Princeton U.P., 83, in-8, XVI-263 p.

3992. WALLER (P.J.). Town, city and nation: England, 1850-1914. London, Oxford U.P., 83, in-8, 350 p. (fig.). (Opus Books)

3993. WEISSER (Henry). April 10: challenge and response in England in 1848. Washington, D.C., U.P. of America, 83, in-8, XIII-329 p.

3994. WELLS (Roger). Insurrection: the British experience, 1795-1803. Gloucester, A. Sutton, 83, in-8, 256 p.

3995. WEST (Nigel). MI6: British Secret Intelligence Service operations, 1909-1945. London, Weidenfeld a. Nicolson, 83, in-8, 232 p. [Cf. Bibl. 81, n° 3484]

3996. WILLIAMS (Penry). The Court and polity under Elizabeth I. Manchester, J. Rylands Univ. Libr., 83, in-8, 28 p.

3997. WOODWARD (David R.). Lloyd George and the generals. London, Dent; Newark, Univ. of Delaware Press, 83, in-8, 367 p. (ill.).

3998. WORCESTER (Robert M.). Political communications: the General Election campaign of 1979. London, Allen a. Unwin, 83, in-8, 192 p.

3999. ZALLER (Robert). Edward Alford and the making of country radicalism. J. brit. Stud., 83, vol. 22, n° 2, p. 59-80.

Cf. n° 4739.

Greece.

** 4000. KORAES (Adamantios). Politika phylladia, 1798-1831. Eisagōgiko keimeno Loukia DROULIA. (Pamphlets politiques 1798-1831. Texte d'introd.: Loukia DROULIA.) Athēna, Kentro neohellēnikon Ereunōn, 83, in-8, 11 petits vol. en coffret.

4001. ALIBIZATOS (Nikos). Hoi politikoi thesmoi se krisē, 1922-1974. Opseis tēs hellēnikēs empeirias. (Les institutions politiques en crise, 1922-1974. Aspects de l'expérience grecque.) Trad. Benetia STAUROPOULOU. Athēna, Themelio, 83, in-8, 728 p.

4002. Apo tēn Antistasē ston Emphylio Polemo. (De la Résistance à la Guerre civile.) Marion SARAFĒS, éd.; préf. par N. SBORŌNOS. Athēna, Nea Synora, 82, in-8, 237 p.

4003. BEREMĒS (Thanos M.). Oikonomia kai diktatoria: hē synkyria 1925-1926. (Economie et dictature: la conjoncture de 1925-1926.) Athēna, Morphōtiko Hidryma Ethnikēs Trapezēs, 82, in-8, 211 p.

4004. BOURNAS (Tasos). Historia tēs synchronēs Helladas. (Histoire de la Grèce contemporaine.) Athēna, Tolidē, 83, in-8, 533 p. - IDEM. To hellēniko 1848. (1848 en Grèce.) Athēna, Tolidē, 83, in-8, 130 p.

4005. CALLMER (Christian). Georg Christian Gropius als Agent, Konsul und Archäologe in Griechenland, 1803-1850. Lund, Liber/Gleerup, 83, in-8, 54 p. (ill.). (Scripta minora Regiae Soc. humaniorum litterarum Lundensis, 1982/83, 1)

4006. DANOPOULOS (Constantine P.). Military professionalism and regime legitimacy in Greece, 1967-1974. Pol. Sci. Quar., 83, vol. 98, n° 3, p. 485-506.

4007. ENEPEKIDĒS (Polychronēs K.) Thessalonikē kai Makedonia 1798-1912. Pēges kai meletes gia tēn historia tēs Tourkokratias stes hellēnikes chōres. (Thessalonique et la Macédoine 1798-1912. Sources et études sur l'histoire de la domination turque dans les provinces grecques.) T. 2. Athēna, Hestia, 83, in-8, 327 p.

4008. GIŌTOPOULOU-SISSILIANOU (Hellē). Ho antiktypos tou 4 Beneto-tourkikou polemou stēn Kerkyra. Apo anekdotes pēges. (Le contre-coup de la 4e geurre turco-vénitienne à Corfou. A partir de sources inédites.) Athēna, l'auteur, 82, in-8, 261 p.

4009. IRMSCHER (Johannes). Die Romidee bei den Griechen nach 1453. Parnassos, 83, vol. 25, p. 39-46.

4010. KOFAS (Jon V.). Authoritarianism in Greece: the Metaxas regime. Boulder, Colo., East European Monographs, 83, in-8, X-244 p. (East European Monographs, 133)

4011. KONTOGIŌRGĒS (Giōrgos). Koinōnikē dynamikē kai politikē autodioikēsē: hoi hellēnikes koinotētes tēs Tourkokratias. (Dynamique sociale et autonomie politique: les communautés grecques pendant la domination turque.) Athēna, Nea Synora, 82, in-8, 581 p.

4012. LIAKOS (Antōnēs). Hē diathlasē tōn epanastatikōn ideōn ston hellēniko chōro, 1830-1850. (La réfraction des idées révolutionnaires dans l'espace grec, 1830-1850.) Historika [Athēna], 83, vol. 1, n° 1, p. 121-144.

4013. LOULES (Dēmētrēs). Hē Hellēnikē Epanastasē kai ho Bretanikos typos (Hē periptōsē tēs Morning Post, 1821-1827). (La Révolution Grecque et la presse britannique. Le cas du Morning Post, 1821-1827.) Dōdōnē, 83, vol. 12, p. 99-137.

4014. MALTEZOU (Chryssa). Hē phrourēsē tōn paraliōn tou diamerismatos Rethymnou. Katalogos Skopiōn (1633). (La surveillance des côtes du district de Rethymnon. Liste des postes d'observation, 1633.) Ariadnē, 83, vol. 1, p. 139-172.

4015. MAVROGORDATOS (George Th.). Stillborn republic: social coalitions and party strategies in Greece, 1922-1936. Berkeley a. Los Angeles, Univ. of California Press, 83, in-8, XXIII-380 p.

4016. PANTAZOPOULOS (N.), SPHYROERAS (B.) et al. Ho Iōannēs Kapodistrias kai hē synkrotēsē tou hellēnikou kratous. (Jean Capodistrias et la constitution de l'Etat grec.) Thessalonique, University Studio Press, 83, in-8, 176 p.

4017. PETROPOULOS (J.A.), KOUMARIANOU (Aikaterinē). Hē themeliōsē tou hellēnkou kratous. 1833-1843. (La fondation de l'Etat grec, 1833-1843.) Athēna, Papazēsēs, 82, in-8, 291 p.

4018. SBOLOPOULOS (Kōnstantinos). Kathoristikoi paragontes tēs alytrōtikēs politikēs tēs Hellados: Ektimēseis kai hypotheseis me aphormē tēn Krētikē Epanastase, 1866-1869. (Facteurs déterminants de la politique irrédentiste de la Grèce: estimations et hypothèses avec, pour base, l'Insurrection Crétoise, 1866-1869.) Balkanika Symmeikta, 83, vol. 2, p. 81-93.

4019. SBORŌNOS (Nikos G.). Analekta neohellēnikēs historias kai historiographias. (Analecta d'histoire et d'historiographie grecques modernes.) Introd. et éd. par les soins de X. GIATAGANAS. Athēna, Themelio, 82, in-8, 17-451 p.

Cf. n° 6942.

Guatemala.

* 4020. Guatemala. Comp. by Woodman B. FRANKLIN. Santa Barbara, Calif., a. Oxford, England, Clio, 81, in-8, XIV-109 p. (World bibliogr. ser., 9)

4021. KEMMERER (Donald L.), DALGAARD (Bruce R.). Inflation, intrigue, and monetary reform in Guatemala, 1919-1926. Historian, 83, vol. 46, n° 1, p. 21-38.

Haiti.

* 4022. Haiti. Comp. by Frances J. CHAMBERS. Santa Barbara, Calif., a. Oxford, England, Clio, 83, in-8, XIII-177 p. (World bibliogr. ser., 39)

4023. STECENKO (A.K.). Gaiti: 25 let pod gnetom diktatury. (Haiti: 25 years under the yoke of dictatorship.) Lat. Am., 83, n° 10, p. 31-42.

Hungary.

** 4024. WESSELÉNYI (István). Sanyarú világ. Napló 1703-1706. (Un monde souffrant. Journal.) Közzéteszi MAGYARI András. 1: 1703-1705. București, Kriterion, 83, in-8, 732 p.

4025. BORSODY (Stephen). Hungary in the Habsburg monarchy: from independence struggle to hegemony. In: Society in change [Cf. n° 495], p. 523-538.

4026. DEAK (Istvan). Budapest: a dominant capital in a dominant country? In: Society in change [Cf. n° 495], p. 315-326.

4027. DEMÉNY (Lajos). Bethlen Gábor és kora. (G. Bethlen et son époque.) București, Ed. politică, 82, in-8, 216 p.

4028. EICHLER (Hava). Ziyyonut weno'ar be-Hungaria. (Zionism and youth in Hungary between the two world wars.) Ramat Gan, 82, in-4, 309 l. [Thesis. Bar-Ilan Univ. - Eng. summary]

4029. GÖLLNER (Carol), ABRUDAN (Paul). Fancisc Rákóczi al II-lea (1704-1711). București, Ed. militară, 83, in-8, 215 p.

4030. HELLER (Agnes), FEHER (Ferenc). Hungary 1956 revisited: the message of a revolution a quarter of a century after. London, Allen a. Unwin, 83, in-8, 191 p.

4031. HOLLOS (Marida). The effect of collectivization on village social organization in Hungary. East european Quar., 83, vol. 17, n° 1, p. 57-65.

4032. KISS (István N.). Die demographische und wirtschaftliche Lage in Ungarn vom 16.-18. Jahrhundert. Südostforsch., 83, Bd 42, p. 183-222.

4033. MÎNDRUȚ (Stelian). Colaborarea dintre deputații naționalităților în parlamentul maghiar pentru emancipare socială și națională (1906-1910). (La collaboration entre les députés des nationalités dans le parlement hongrois pour l'émancipation sociale et nationale.) Ziridava, 82, t. 14, p. 215-237.

4034. MOCZY (Istvan I.). The effects of World War I: the uprooted. Hungarian refugees a. their impact on Hungary's domestic politics, 1918-1921. Boulder, Colo., East European Monographs, 83, in-8, XIII-252 p. (East European Monogr., 147)

4035. NAGY (Zsuzsa L.). The liberal opposition in Hungary, 1919-1945. Budapest, Akad. Kiadó, 83, in-8, 143 p. (Studia historica, 185)

4036. SAKMYSTER (Thomas). From Habsburg admiral to Hungarian regent: the political metamorphosis of Miklos Horthy, 1918-1921. East european Quar., 83, vol. 17, n° 2, p. 129-148.

4037. Yehude Hungarya. (The Jews in Hungary: historical researches.) Ed. by M. E. GONDA, I. I. COHEN, I. MARTON. Tel-Aviv, The Assoc. for Research into the Hist. of the Hungarian Jewry, 80, in-8, 312 p.

Cf. n° 330.

Iran.

4038. BAYAT (Mangol). The Iranian revolution of 1978-1979: fundamentalist or modern? Middle East J., 83, vol. 37, n° 1, p. 30-42.

4039. FRAGNER (Bert G.). Von den Staatstheologen zum Theologenstaat: religiöse Führung und histor. Wandel im schi'itischen Persien. Wiener Z. f. d. Kde d. Morgenlandes, 83, Bd 75, p. 73-98.

4040. GARTHWAITE (Gene R.). Khans and shahs: a documentary analysis of the Bakhtiyari in Iran. London a. New York, Cambridge U.P., 83, in-8, XII-213 p. (ill.).

4041. Iran. From monarchy to republic. Ed. by Günter BARTHEL. Berlin, Akad.-Verl., 83, in-8, 168 p. (Asien, Afrika, Lateinamerika, special issue, 12)

4042. Iran. Istorija i sovremennost'. (Iran. Past and present.) Sbornik statej. Otv. red. N. A. KUZNECOVA. Moskva, Nauka, 83, 244 p.

4043. KEDDIE (Nikki R.). The Iranian revolution in comparative perspective. Am. hist. R., 83, vol. 88, n° 3, p. 579-598.

4044. KEDDIE (Nikki R.) a. others. Religion and politics in Iran: Shi'ism from quietism to revolution. New Haven, Conn., Yale U.P., 83, in-8, X-258 p.

4044a. KUZNECOV (N.A.). Iran v pervoj polovine XIX veka. (Iran in the first half of the 19th century.) Moskva, Nauka, 83, 265 p. (AN SSSR. In-t vostokovedenija)

4045. NASHAT (Guity). The origins of modern reform in Iran, 1870-1880. Urbana, Univ. of Illinois Press, 82, in-8, XVII-222 p.

Iraq.

4046. DARVISH (Tikva). Kalkalat mi'utim: ha-miqre shel ha-mi'ut ha-yehudi be-Iraq. (Economics of minorities. A case study of the Jewish minority in Iraq on the eve of their immigration to Israel.) Ramat-Gan, 82, in-4, 187 1. [Thesis. Bar-Ilan Univ. - Eng. summary]

4047. SAMVELJAN (K.Kh.). Rabočee i profsojuznoe dviženie v Irake, 1945-1958 gg. (Working-class and trade-union movement in Iraq, 1945-1958.) Erevan, Ajastan, 83, 110 p.

Ireland.

4048. Age (The) of De Valera. Ed. by Joseph LEE a. Gearóid Ó TUATHAIGH. Dublin, Ward River Press, 82, in-8, 216 p. (ill.).

4049. BEAMES (Michael R.). The ribbon societies: lower class nationalism in pre-Famine Ireland. Past a. Present, 82, n° 97, p. 128-143.

4050. BEW (Paul), PATTERSON (Henry). Séan Lemass and the making of modern Ireland, 1945-66. Dublin, Gill a. Macmillan, 82, in-8, 224 p.

4051. BOYCE (D. George). Nationalism in Ireland. Dublin, Gill a. Macmillan, 83, in-8, 301 p. [Eng. a. U.S. ed. Cf. Bibl. 82, n° 3968ä

4052. BOYLAN (Henry). Theobald Wolfe Tone. Dublin, Gill a. Macmillan, 81, in-8, 145 p. (Gill's Irish lives)

4053. CANNY (Nicholas). The formation of the Irish mind: religion, politics and Gaelic Irish literature 1580-1750. Past a. Present, 82, n° 95,p. 91-116.

4054. CARROLL (F.M.). The American Committee for Relief in Ireland, 1920-22. Irish hist. Stud., 82, vol. 33, p. 30-49. - IDEM. De Valera and the Americans: the early years, 1916-1923. Canad. J. irish Stud., 82, vol. 8, p. 36-54.

4055. CLARK (Samuel), DONNELLY (James S.) Jr. a. others. Irish peasants: vilence and political unrest, 1780-1914. Madison, Univ. of Wisconsin Press; Manchester, Univ. Press, 83, in-8, XIII-454 p.

4056. CONNOLLY (S.). Religion and history [review of CORISH (Patrick J.). The Catholic community in the 17th a. 18th cent. Cf. Bibl. 82, n° 3970.]. Irish econ. soc. Hist., 83, vol. 10, p. 66-80.

4057. DWYER (T. Ryle). De Valera's darkest hour: in search of national independence, 1919-1932. Dublin, Mercier Press, 82, in-8, 190 p. - IDEM. De Valera's finest hour: in search of national independence, 1939-59. Dublin, Mercier Press, 82, in-8, 172 p. - IDEM. Michael Collins and the Treaty: his difference with De Valera. Dublin, Mercier Press, 81, in-8, 172 p.

4058. FITZGIBBON (Constantine). The Irish in Ireland. Newton Abbot, David a. Charles, 83, in-8, 328 p. (ill.).

4059. GARVIN (Tom). The evolution of Irish nationalist politics. Dublin, Gill a. Macmillan, 81, in-8, 243 p. (ill.).

4060. HAYTON (David). The crisis in Ireland and the disintegration of Queen Anne's last ministry. Irish hist. Stud., 81, vol. 22, p. 193-215. - IDEM. An Irish parliamentary diary from the reign of Queen Anne. Analecta hibern., 82, vol. 30, p. 99-149.

4061. HEALY (James). The civil war hunger strike, October 1923. Studies, 82, vol. 71, p. 213-236.

4062. Ireland: land, politics and people. Ed. by P. J. DRUDY. Cambridge, Univ. Press, 82, in-8, 331 p. [Contains: BANNON (M.J.). Urban growth and urban land policy, p. 297-323. - BAX (M.). Small community in the Irish political process, p. 119-140. - BEW (P.). Land League ideal, p. 77-92. - CLARK (S.). Importance of agrarian classes, p. 11-35. - COMMINS (P.). Land policies and agricultural development, p. 217-240. - DRUDY (P.J.). Land, people and the regional problem in Ireland, p. 191-216. - FITZPATRICK (D.). Class, family and rural unrest in 19th-century Ireland, p. 37-75. - HANNAN (D.). Peasant models and the understanding of social and cultural change in rural Ireland, p. 141-165. - HIGGINS (M.D.), GIBBONS (J.D.). Shopkeeper-graziers and land agitation in Ireland, 1895-1900, p. 93-118. - McALEESE (D.). Political independence, economic growth and the role of economic policy, p. 371-385. - MATTHEWS (A.). The state and Irish agriculture, 1950-1980, p. 241-269. - Ó TUATHAIGH (M.A.G.). The land question, politics and Irish society, 1922-60, p. 167-187.]

4063. Irish culture and nationalism, 1750-1950. Ed. by Oliver MacDONAGH, W. F. MANDLE a. Pauric DRAVERS. London, Macmillan, 83, in-8, XI-289 p.

4064. Irish population, economy, and society: essays in honour of the late K. H. Connell. Ed. by J. M. GOLDSTROM a. L. A. CLARKSON. Oxford, Clarendon Press, 81, in-8, 322 p. (ill.). [Contains: CLARKSON (L.A.). Irish population revisited, 1687-1821, p. 13-36. - COLLINS (B.). Irish emigration to Dundee and Paisley during the first half of the nineteenth century, p. 195-212. - CRAWFORD (E.M.). Indian meal and pellagra in nineteenth-century Ireland, p. 113-134. - CULLEN (L.M.). Population growth and diet, 1600-1850, p. 89-112. - DALY (M.). Bibliography of the writings of K. H. Connell, p. 309-310. - DAVIES (A.C.). Ireland's Chrystal Palace, 1853, p. 249-270. - EHRLICH (C.). Horace Plunkett and agricultural reform, p. 271-286. - EVERSLEY (D.E.C.). The demography of the Irish Quakers, 1650-1850, p. 57-88. - GOLDSTROM (J.M.). Irish agriculture and the Great Famine, p. 155-172. - GREEN (E.R.R.). Thomas Barbour and the American linen-thread industry, p. 213-230. - GRIBBON (H.D.). Thomas Newenham, 1762-1831, p. 231-249. - JOHNSON (D.S.). Belfast boycott 1920-1922, p. 287-308. - KENNEDY (L.). Regional specialization railway development, and Irish agriculture in the nineteenth century, p. 173-194. - LEE (J.). On the accuracy of the pre-Famine Irish censuses, p. 37-56. - ROEBUCK (P.). Landlord indebtedness in Ulster in the seventeenth and eighteenth centuries, p. 135-154.]

4065. LITTON (Frank). Unequal achievement: the Irish experience, 1957-1982. London, Inst. of Publ. Admin., 83, in-8, 116 p.

4066. RANELAGH (John O'Beirne). A short history of Ireland. London, Cambridge U.P., 83, in-8, 280 p.

4067. Town (The) in Ireland. Historical studies XIII: papers read before the thirteenth Irish Conference of historians, Belfast, 1981. Ed. by David HARKNESS a. Mary O'DOWD. Belfast, Appletree Press, 81, in-8, 252 p. [Contains: CLARKSON (L.). Armagh 1770: portrait of an urban community, p. 81-102. - DALY (M.). Late nineteenth and early twentieth century Dublin, p. 221-252. - FROGGATT (P.). Industrialisation and health in Belfast in the early nineteenth century, p. 155-186. - GRIBBON (S.). An Irish city: Belfast 1911, p. 203-220. - HUNTER (R.J.). Ulster plantation towns, 1609-41, p. 55-80. - JUPP (P.). Urban politics in Ireland, 1801-31, p. 103-124. - MAC NIOCAILL (G.). Socio-economic problems of the late medieval Irish town, p. 7-22. - MARTIN (G.). Plantation boroughs in medieval Ireland, with a handlist of boroughs to c. 1500, p. 23-54. - MURPHY (M.). Economic and social structure of nineteenth-century Cork, p. 125-154. - O LEARY (C.). Belfast urban government in the age of reform, p. 187-200.]

4068. WALTON (Julian C.). The subsidy roll of County Waterford, 1662. Analecta hibern., 82, vol. 30, p. 49-96.

4069. WHITE (Stephen). Soviet writings on Irish history 1917-80. Irish hist. Stud., 82, vol. 33, p. 174-186.

4070. WILLIAMS (Martin). Ancient mythology and revolutionary ideology in Ireland, 1878-1916. Hist. J., 83, vol. 26, p. 307-328.

4071. YOUNGER (Calton). Arthur Griffith. Dublin, Gill a. Macmillan, 81, in-8, 156 p. (Gill's Irish lives)

Cf. n°s 3911, 3915, 3928.

Iceland.

* 4072. Iceland. Ed. by John J. HORTON. Santa Barbara, Calif. a. Oxford, Clio, 83, 350 p. (World bibliogr. Ser., 37.

Israel.

4073. AARONSON (Ran). Building the land: stages in first Aliya colonization (1882-1904). Jerusalem Cathedra, 83, vol. 3, p. 236-279 (ill., fac-sim., map).

4074. BARNAI (Jacob). Yehude erez yisrael ba-mea ha-18. (The Jews in Eretz Israel in the 18th century under the patronage of the Constantinople Committee officials.) Jerusalem, Ben-Zvi Institute, 82, in-8, XVI-327 p. (ill., fac-sim., portr.).

4075. BEN-ARIEH (Yehoshua). Shnem-asar ha-yishuvim ha-gedolim be-Erez-Yisrael ... (The development of twelve major settlements in nineteenth-century Palestine.) Cathedra, 81, vol. 19, p. 83-143.

4076. DRUYAN (Nitza). The immigration and integration of Yemenite Jews in the first Aliya. Jerusalem Cathedra, 83, vol. 3, p. 193-211 (ill.).

4077. ELIAV (Mordechai). Yehasim ben-adatiim ba-yishuv ha-yehudi ... (Relations between Ashkenazim and Sephardim in Eretz-Israel in the 19th century.) Pe'amim, 82, vol. 11, p. 118-134 (tab.).

4078. ELON (Amos). The Israelis, founders and sons. Harmondsworth, Penguin, 83, in-8, XIV-370 p.

4079. FRIEDMAN (Isaiah). Mishtar ha-kapitulazyot ... (The effect of the system of capitulations on the attitude of the Turkish Government towards the Jewish settlement in Palestine, 1856-1897.) Cathedra, 83, vol. 28, p. 47-62 (ill.).

4080. GELBER (Yoav). Ha-mediniyyut ha-britit weha-ziyyonit be-Eretz-Yisrael ... (British and Zionist policies in Palestine and the possibility of a Jewish revolt, 1942-1944.) Ha-Ziyyonut, 82, vol. 7, p. 324-396.

4081. GROSS (Nachum T.). Ha-mediniyyut ha-kalkalit shel ha-mimshal ha-beriti ... (The economic policy of the government of Palestine during the Mandate period.) Cathedra, 82, vol. 24, p. 153-189; vol. 25, p. 135-168 (ill.).

4082. LEHMAN-WILZIG (Sam), GOLDBERG (Giora). Religious protest and police reaction in a theo-democracy: Israel, 1950-1979. J. Church a. State, 83, vol. 25, n° 3, p. 491-506.

4083. RAM (Hanna). Ha-yishuv ha-yehudi be-yafo ... (The Jewish community of Jaffa from the second half of the eighteenth century until the first years of the British Mandate.) Ramat Gan, 82, in-4, 650 l. (fac-sim.). [Thesis. Bar-Ilan Univ. - Eng. summary]

4084. SOFER (Sasson). Elitot politiyot utefisot mediniyiut huz. (Political elites and foreign-policy conceptions: the Jewish society of Israel from the partition plan of 1937 to the establishment of the state.) Jerusalem, 82, in-4, 467 p. [Thesis. Hebrew Univ. of Jer. - Eng. summary]

4085. ZWEIG (Ronald). Britanya, ha-ha-gana ... (Great Birtain, the "Hagana" and the fate of the White Paper [of May 1939].) Cathedra, 83, vol. 29, p. 145-172 (ill., fac-sim.).

Cf. n° 842.

Italy.

4086. ADORNI-BRACCESI (Simonetta). La Repubblica di Lucca fra Spagna ed Impero: il mercanteggiamento della libertà (1557-1558). Nuova R. Stor., 83, a. 67, fasc. 3-4, p. 345-366.

4087. ALBERTAZZI (A.), CAMPANINI (G.). Il partito popolare in Emilia Romagna (1919-1926). Roma, Cinque Lune, 83, in-8, 504 p.

4088. BARCIA (Franco). Un politico della età barocca: Gregorio Leti. Milano, Angeli, 83, in-8, 174 p.

4089. BRUCKER (Gene). Tales of two cities: Florence and Venice in the Renaissance. Am. hist. R., 83, vol. 88, n° 3, p. 599-616.

4090. CARACCIOLO (Francesco). Sud, debiti e gabelle. Gravami, potere e società nel Mezzogiorno in età moderna. Napoli, ESI, 83, in-8, 404 p.

4091. CERNIGLIARO (Aurelio). Sovranità e feudo nel regno di Napoli 1505-1552. Vol. 1, 2. Napoli, Jovene, 83, 2 vol. in-8, XL-1072 p. compless.

4092. DIPPER (Christof). Aufklärung und Revolution in Italien. Ein Forschungsbericht. Arch. f. Sozialgesch., 83, Bd 23, p. 377-438.

4093. FANFANI (Tommaso). Potere e nobilità nell'Italia minore tra XVI e XVII secolo. I Taglieschi d'Anghiari. Milano, Giuffrè, 83, in-8, 354 p.

4094. FEDELE (Santi). I repubblicani di fronte al fascismo (1919-1926). Firenze, Le Monnier, 83, in-8, 332 p.

4095. FRATTARELLI FISCHER (Lucia). Proprietà e insediamento ebraici a Livorno dalla fine del Cinquecento alla seconda metà del Settecento. Quad. stor., 83, n° 54, a. 18, fasc. 3, p. 879-896.

4096. Garibaldi cento anni dopo. Atti del convegno di studi garibaldini, Bergamo, 5-7 marzo 1982. A cura di A. BENINI e P. C. MASINI. Firenze, Le Monnier, 83, in-8, 400 p.

4097. Garibaldi e la leggenda garibaldina, manifestazioni per un centenario. Atti del Convegno, Brescia, 8 febbraio - 2 giugno 1982. Brscia, Vannini, 83, in-8, 288 p.

4098. Garibaldi e Mazzini nella storia d'Italia. Atti del Convegno nazionale nel centenario della morte di G. Garibaldi. Atti a cura die Pier Fernando GIORGETTI, Livorno, maggio 1982. Livorno, Tip. O.

Debatte, 83, in-8, 1238 p. (6 fig.). (Quad. della Labronica)

4099. HALE (John R.). Florence and the Medici, the pattern of control. London, Thames a. Hudson, 83, in-8, 224 p. (ill.).

4100. HEARDER (Harry). Italy in the age of Risorgimento, 1790-1870. London, Longman, 83, in-8, 336 p.

4101. HOLBROOK (Francis X.), NIKOL (John). Reporting the Sicilian revolution of 1848-1849. Am. Neptune, 83, vol. 43, n° 3, p. 165-176.

4102. HUGUES (Stuart H.). Prisoners of hope: the Silver Age of the Italian Jews, 1924-1974. Cambridge, Mass., a. London, Harvard U.P., 83, in-8, VIII-188 p.

4103. HULLIUNG (Mark). Citizen Machiavelli. Princeton, N.J., Princeton U.P., 83, in-8, XI-299 p.

4104. Incontro di studio su Giuseppe Garibaldi nel centenario della morte, Bologna, 19 maggio 1982. A cura di U. MARCELLI. Bologna, Istit. per la Stor. del Risorgimento, Comitato di Bologna, 83, in-8, 121 p.

4105. KOGAN (Norman). Political history of Italy: the postwar years. [Rev. ed. of "Political history of postwar Italy".] London a. New York, Praeger, 83, in-8, XVIII-365 p.

4106. KOMOLOVA (N.P.), FILATOV (G.S.). Pal'miro Tol'jatti. Očerk žizni i dejatel'-nosti. (Palmiro Togliatti. Essay on his life and activities.) Moskva, Politizdat, 83, 222 p. (ill.).

4107. LAZZERI (Alessandro). Intellettuali e consenso nella Toscana del Seicento: l'Accademia degli Apatisti. Milano, Giuffrè, 83, in-8, XI-130 p.

4108. Bibl. 82, n° 4014. LJUBIN (V.P.). Italija nakanune vstuplenija v pervuju mirovuju vojnu. (Italy on the eve of joining the first world war.) - CR: I. E. Eman, Nov. novejš. Ist., 83, n° 6, p. 194-196.

4109. MIETHKE (Jürgen). Rahmenbedingungen der politischen Philosophie im Italien der Renaissance. Quellen u. Forsch., 83, Bd 63, p. 93-124.

4110. NEVLER (V.E.). Džuzeppe Garibal'-di - borec za svobodu narodov i mir. (Giuseppe Garibaldi - fighter for people's freedom and peace.) Vopr. Ist., 83, n° 7, p. 96-106.

4111. OSTENC (Michel). Intellectuels italiens et fascisme (1915-1929). Paris, Payot, 83, in-8, 338 p.

4112. Processo (Il) d'unificazione nella realtà del paese, 1861-1866. Atti del 50° Congresso di storia del Risorgimento italiano, 1980. Roma, Istituto per la Stor. del Risorgimento italiano, 82, in-8, XVI-552 p.

4113. RAO (Anna Maria). Il regno di

Napoli nel Settecento. Napoli, Guida, 83, in-8, 166 p. (Aggiornamenti)

4114. SEROVA (O.V.). Ot Trojstvennogo sojuza ka Antante. It. vneš. politika i diplomatija v konce XIX - nač. XX v. (From Triple Alliance to Entente. Italian foreign policy and diplomacy at the end of the 19th - beginning of the 20th cent.) Moskva, Nauka, 83, 304 p. (AN SSSR. In-t vseobšč. ist.)

4115. SPADOLINI (Giovanni). Italia di minoranza. Lotta politica e cultura dal 1915 ad oggi. Firenze, Le Monnier, 83, in-8, XV-428 p.

4116. SQUERI (Lawrence). The Italian local elections of 1920 and the outbreak of fascism. Historian, 83, vol. 45, n° 3, p. 324-336.

4117. STEPHENS (J.N.). The fall of the Florentine republic, 1512-1530. London a. New York, Oxford U.P., 83, in-8, XIV-265 p. (Warburg Stud.)

4118. SYMCOX (Geoffrey). Victor Amadeus II: absolutism in the Savoyard State, 1675-1730. Berkeley a. Los Angeles, Univ. of California Press; London, Thames a. Hudson, 83, in-8, 272 p. (ill., maps).

4119. TAMBORRA (Angelo). Garibaldi e l'Europa. Impegno militare e prospettive politiche. Roma, Stato Maggiore dell'Esercito, 83, in-8, 252 p.

4120. WITUCH (Tomasz). Garibaldi. Wrocław, Zakł. Narod. im. Ossolińskich, 83, in-8, 290 p.

Japan.

4121. HOWARTH (Stephen). Morning glory: the drama of the Imperial Japanese navy. London, H. Hamilton, 83, in-8, 384 p. (ill.).

4122. MITCHELL (Richard H.). Censorship in imperial Japan. Princeton, N.J., Princeton U.P., 83, in-8, XII-424 p.

4123. MOORE (Joe). Japanese workers and the struggle for power, 1945-1947. Madison, Univ. of Wisconsin Press, 83, in-8, XX-305 p.

4124. ROBINS-MOWRY (Dorothy). The hidden sun: women of modern Japan. Foreword by Edwin O. REISCHAUER. Boulder, Colo., Westview Press, 83, in-8, XXII-394 p.

4125. SEIDENSTICKER (Edward). Low city, high city: Tokyo from Edo to the earthquake - how the Shogun's ancient capital became a great modern city, 1867-1923. London, A. Lane, 83, in-8, 320 p. (ill., pl.).

4126. SIEVERS (Sharon L.). Flowers in salt: the beginnings of feminist consciousness in modern Japan. Stanford, Calif., Stanford U.P., 83, in-8, XIV-240 p.

4127. WATERS (Neil L.). Japan's local pragmatists: the transition from Bakumatsu to Meji in the Kawasaki region. Cambridge, Mass., Council on East Asian Stud., Harvard Univ., 83, in-8, X-174 p. (Harvard East Asian Monographs, 105)

Kenya.

* 4128. Kenya. Compiler: Robert L. COLLISON. Santa Barbara, Calif., a. Oxford, England, Clio, 82, in-8, XXIX-157 p. (map). (World bibliogr. Ser., 25)

Lesotho.

* 4129. Lesotho: a comprehensive bibliography. Comp. by Shelagh M. WILLETT a. David P. AMBROSE. Santa Barbara, Calif., a. Oxford, England, Clio, 81, in-8, XLI-496 p. (World bibliogr. Ser., 3)

Libya.

4130. COLLEY (John K.). Libyan sandstorm: a complete account of Qadhafi's revolution. London, Sidgwick a. Jackson, 83, in-8, 320 p.

Luxembourg.

4131. BAULER-MARGUE (Andrée). Le clergé luxembourgeois de 1815 à 1839 fut-il orangiste? Hémecht, 83, Bd 35, p. 53-79.

4132. CALMES (Albert). La création d'un Etat (1841-1847). 2e éd. Luxembourg, Impr. Saint-Paul, 83, in-8, 473 p. (Hist. contemp. du Grand-Duché de Luxembourg, 4)

Malawi.

* 4133. Malawi. Comp. by Robert B. BOEDER. Santa Barbara, Calif., a. Oxford, England, Clio, 81, in-8, XVII-165 p. (World bibliogr. Ser., 8)

Morocco.

4134. RASNICYN (V.G.). Marokko na rubeže dvukh ėpokh. 1956-1960 gg. (Morocco at the turn of two epochs, 1956-1960.) Moskva, Nauka, 83, in-44 p. (AN SSSR. In-t vostokovedenija)

4135. YEHUDA (Zvi). Ha-irgun ha-ziyyoni be-Maroqo ba-shanim 1900-1948. (Organized Zionism in Morocco, 1900-1948.) Jerusalem, 81, 2 vol. in-4. [Thesis. Hebrew Univ. of Jer. - Eng. summary]

Mexico.

4136. BALDWIN (Deborah). Broken traditions: Mexican revolutionaries and protestant allegiances. Americas, 83, vol. 40, n° 2, p. 229-258.

4137. CARR (Barry). Marxism and anarchism in the formation of the Mexican communist party, 1910-19. Hisp. am. hist. R., 83, vol. 63, n° 2, p. 277-307.

4138. FREY (Herbert). Die unterbrochene Revolution. Systemkrise u. polit. Stabilisierung am Beispiel Mexikos (1910 bis 1952). Jb. f. Zeitgesch., 82-83, p. 9-32.

4139. KROEBER (Clifton B.). Man, land, and water: Mexico's farmlands irrigation politics, 1885-1911. Berkeley a. Los Angeles, Univ. of California Press, 83, in-8, XIII-288 p.

4140. RICHMOND (Douglas W.). Venustiano Carranza's nationalist struggle, 1893-1920. Lincoln, Univ. of Nebraska Press, 83, in-8, XXI-317 p.

4141. SAMPONARO (Frank N.). Santa Anna and the abortive antifederalist revolt of 1833 in Mexico. Americas, 83, vol. 40, n° 1, p. 95-108.

4142. SCHMITT (Karl M.). American protestant missionaries and the Diaz regime in Mexico: 1876-1911. J. Church a. State, 83, vol. 25, n° 2, p. 253-278.

4143. VAUGHAN (Mary Kay). The state, education, and social class in Mexico, 1880-1928. De Kalb, Northern Illinois U.P., 82, in-8, X-316 p.

4144. WESTON (Charles H.) Jr. The political legacy of Lázaro Cárdenas. Americas, 83, vol. 39, n° 3, p. 383-406.

Mozambique.

4145. ISAACMAN (Allen F.), ISAACMAN (B.). Mozambique, from colonialism to revolution. Farnborough, Gower, 83, in-8, 120 p.

Nicaragua.

* 4146. Nicaragua. Comp. by Ralph Lee WOODWARD, Jr. Santa Barbara, Calif., a. Oxford, England, Clio, 83, in-8, XXIII-255 p. (World bibliogr. Ser., 44)

Nigeria.

4147. GAMBARI (I.A.). Party politics and foreign policy: Nigeria under the first republic. Ahmadu Bello, Univ. Press; London, Books from Africa, 83, in-8, 164 p.

4148. GLUŠČENKO (E.A.). Pervaja respublika v Nigerii. Formirovanie, krizis i padenie neokolonialist. režima. (The first republic in Nigeria. Formation, crisis and downfall of a neo-colonial regime.) Moskva, Nauka, 83, 180 p.

4149. NAFZIGER (E. Wayne). The economics of political instability: the Nigerian-Biafran war. Boulder, Colo., Westview, 83, in-8, XI-251 p.

4150. PEEL (J.D.Y.). Ijeshas and Nigerians: the incorporation of a Yoruba kingdom, 1890s-1970s. London a. New York, Cambridge U.P., 83, in-8, XIII-346 p. (dr., tab., maps). (African Stud., 39)

Norway.

4151. GREVE (Tim). Haakon VII of Norway, founder of a new monarchy. Ed. by T. K. DERRY. Transl. from the Norwegian. London, C. Hurst, 83, in-8, 212 p.

New Zealand.

* 4152. New Zealand. Comp. by Ray G. GROVER. Santa Barbara, Calif., a. Oxford, England, Clio, 81, in-8, XXXVI-257 p. (World bibliogr. Ser., 18)

Oman.

* 4153. Oman. Comp. by Frank A. CLEMENTS. Santa Barbara, Calif., a. Oxford, England, Clio, 81, in-8, XV-217 p. (World bibliogr. Ser., 29)

Panama.

* 4154. Panama. Comp. by Eleanor DeSelms LANGSTAFF. Santa Barbara, Calif., a. Oxford, England, Clio, 82, in-8, XII-185 p. (World bibliogr. Ser., 14)

Paraguay.

4155. COONEY (Jerry W.). Foreigners in the intendencia of Paraguay. Americas, 83, vol. 39, n° 3, p. 333-358.

Netherlands.

4156. HAVENAAR (R.). De NSB tussen nationalisme en "volkse" solidariteit: de vooroorlogse ideologie van de Nationaal-Socialistische Beweging in Nederland. (The NSB between nationalism and "folkish" solidarity. The pre-war ideology of the National-Socialist Movement in the Netherlands.) 's-Gravenhage, Staatsuitgeverij, 83, in-8, 160 p. (Cahiers over Nederland en de Tweede Wereldoorlog, 6)

4157. ISRAEL (Jonathan I.). Frederick Henry and the Dutch political factions, 1625-1642. Eng. hist. R., 83, vol. 98, p. 1-27.

4158. LADEMACHER (Horst). Geschichte der Niederlande. Politik, Verfassung, Wirtschaft. Darmstadt, Wiss. Buchges., 83, in-8, XVIII-577 p.

Peru.

4159. BECKER (David G.). The new bourgeoisie and the limits of dependency: mining, class, and power in "revolutionary" Peru. Princeton, N.J., Princeton U.P., 83, in-8, XXVIII-419 p.

4160. Indianité (L') au Pérou (1968-1980): mythe ou réalité. Paris, Ed. du C.N.R.S., 83, in-8, 256 p. (C.N.R.S., Centre régional de Publications de Toulouse. Amérique latine - pays ibériques)

4161. McCLINTOCK (Cynthia), LOWENTHAL

(Abraham F.) a. others. The Peruvian experiment [1968-1980] reconsidered. Princeton, N.J., Princeton U.P., 83, in-8, XXI-442 p.

4162. PELOSO (Vincent C.). Cotton planters, the state, and rural labor policy: ideological origins of the Peruvian República Aristocrática, 1895-1908. Americas, 83, vol. 40, n° 2, p. 209-228.

4163. SALISBURY (Robert V.). The Middle American exile of Victor Raul Haya de la Torre. Americas, 83, vol. 40, n° 1, p. 1-16.

Poland.

4164. ASH (Tim Garton). The Polish revolution: Solidarity, 1980-1982. London, Cape, 83, in-8, 400 p.

4165. BAK (Stanisław). Lotnictwo w polskiej myśli wojennej w latach 1926-1935. (L'aviation dans la pensée militaire polonaise des années 1926-1935.) Studia hist. [Kraków], 83, a. 26, fasc. 1, p. 89-110.

4166. BARDACH (Juliusz). Ormianie na ziemiach dawnej Polski. (Les Arméniens sur les terres de l'ancienne Pologne [XVe-XVIIIe s.].) Kwart. hist., 83, a. 90, n° 1, p. 109-118.

4167. BUSZKO (Józef). Politische Aspekte der Feierlichkeiten zum 200. Jahrestag des Wiener Entsatzes in Polen. Zesz. nauk. Uniw. Jagiell., 83, n° 672, p. 441-456.

4168. Dzieje Warmii i Mazur w zarysie. (Précis d'histoire de la Warmie et Mazurie.) Réd. scient.: Tadeusz FILIPKOWSKI. T. 2: Od 1871 do 1975 roku. (De 1871 à 1975.) Warszawa, Państw. Wydawn. Nauk., 83, in-8, 347 p. (Ośrodek Badań Nauk. im Wojciecha Kętrzyńskiego w Olsztynie. Monografie Dziejów Społ. i Polit. Warmii i Mazur, 5|2)

4169. EISENBACH (Artur). Z dziejów ludności żydowskiej w Polsce w XVIII i XIX w. Studia i szkice. (Histoire de la population juive en Pologne aux XVIIIe et XIXe s. Études et essais.) Warszawa, Państw. Inst. Wydawn., 83, in-8, 346 p.

4170. GIERTYCH (Jedrzej). Jozef Pilsudski, 1914-1919. [Vol. 1. Cf. Bibl. 80, n° 3743.] Vol. 2. London, Giertych, 83, in-8, 586 p. (maps).

4171. GÓRSKI (Konstanty). Historya artyleryi polskiej. (Histoire de l'artillerie polonaise.) Warszawa, Wydawn. Artyst. i Filmowe, 83, in-8, 324 p. [Reprod. photooffset de l'éd. Warszawa 1902]

4172. HUNDERT (Gershon David). On the Jewish community in Poland during the seventeenth century: some comparative perspectives. R. Et. juives, 83, t. 142, p. 349-372.

4173. JAGIEŁŁO (Jerzy). O polską drogę do socjalizmu. Dyskusje w PPR i PPS w latach 1944-1948. (Pour la voie polonaise au socialisme. Discussins du PPR [Parti Ouvrier Polonais] et PPS [Parti Socialiste Polonais] dans les années 1944-1948.) Warszawa, Państw. Wydawn. Nauk., 83, in-8, 254 p.

4174. JASIŃSKI (Janusz). Świadomość narodowa na Warmii w XIX wieku. Narodziny i rozwój. (La conscience nationale en Warmie au XIXe s. Sa naissance et son développement.) Olsztyn, Pojezierze, 83, in-8, 462 p. (Rozprawy i Mater. Ośrodka Badań Nauk. im Wojciecha Kętrzyńskiego w Olsztynie, 88)

4175. KOMASZYŃSKI (Michał). Maria Kazimiera d'Arquien Sobieska królowa Polski 1641-1716. (Marie Casimire d'Arquien Sobieska, reine de Pologne, 1641-1716.) Kraków, Wydawn. Liter., 83, in-8, 320 p.

4176. KORZEC (Paweł). General Sikorski und seine Exilregierung zur Judenfrage in Polen im Lichte von Dokumenten des Jahres 1940. Z. f. Ostforsch., 81 [83], Jg. 30, p. 229-261.

4177. Kraków na przełomie XIX i XX wieku. Materiały sesji naukowej z okazji Dni Krakowa w 1981 roku. (Cracovie à la fin du XIXe et au début du XXe s. Matériaux de la session scientifique à l'occas. des Journées de Cracovie en 1981.) Réd.: Jan MAŁECKI. Auteurs: Wojciech Maria BARTEL et autres. Kraków, Wydawn. Liter., 83, in-8, 141 p. (Rola Krakowa a Dziejach Narodu Pol., 1)

4178. KULESZA (Władysław T.). Myśl polityczna Józefa Piłsudskiego (Teorie i praktyka). (La pensée politique de Józef Piłsudski. Théorie et pratique.) Przegl. hist., 83, vol. 74, p. 49-73.

4179. KUMOŚ (Zbigniew). Związek Patriotów Polskich. Założenia programowo-ideowe. (L'Union des Patriotes Polonais. Principes du programme et de l'idéologie.) Warszawa, Wydawn. Min. Obrony Narod., 83, in-8, 269 p.

4180. LEWIN (Izaak). Z historii i tradycji. Szkice z dziejów kultury żydowskiej. (De l'histoire et de la tradition. Etudes sur l'histoire de la culture juive.) Warszawa, Państw. Wydawn. Nauk., 83, in-8, 240 p. (Żyd. Inst. Hist. w Pol.)

4181. ŁUCZAK (Aleksander). Kultura polityczna ruchu ludowego w Polsce (1918-1939). (La culture politique du mouvement paysan en Pologne, 1918-1939.) Kwart. hist., 83, a. 90, n° 2, p. 339-350.

4182. MARCINIAK (Ryszard). Acta Tomiciana w kulturze politycznej Polski okresu odrodzenia. (Les Acta Tomiciana dans la culture politique de la Pologne à l'époque de la Renaissance.) Poznań, 83, in-8, 261 p. (Pozn. Tow. Przyj. Nauk, Prace Komisji Hist., 37)

4183. MARCUS (Joseph). Social and political history of the Jews in Poland 1919-1939. Amsterdam, Berlin a. New York, Mouton, 83, in-8, XVIII-569 p. (New Babylon. Stud. in the social sciences, 37)

4184. Marszałek Polksi Michał Żymierski.

(Le Maréchal de Pologne Michał Żymierski.) Warszawa, Wydawn. Min. Obrony Narod., 83, in-8, 269 p.

4185. MEISSNER (Andrzej). Opieka nad dzieckiem w okresie okupacji hitlerowskiej 1939-1945. Stan i potrzeby badań. (L'assistance aux enfants à l'époque de l'occupation nazie 1939-1945. Etat actuel et tâches futures de la recherche.) Przegl. hist.-oświat., 83, a. 26, n° 3, p. 271-285.

4186. MELTZER (Emmanuel). Ha-herem ha-kalkali ha-yehudi ... (The anti-German economic boycott by Polish Jewry in 1933-1934.) Gal-Ed, 82, vol. 6, p. 149-166. [Eng. summary] - IDEM. Ma'avaq medini bemalkodet; yehude Polin 1935-1939. (Political strife in a blind alley: the Jews in Poland 1935-1939.) Tel-Aviv, The Diaspora Research Institute, 82, in-8, XII-384 p.

4187. MILLER (James). The Polish nobility and the Renaissance monarchy: the "Execution of the Law's Movement". Part 1. Parliaments, Estates a. Representation, 83, vol. 3, part 2, p. 65-87.

4188. ORACKI (Tadeusz). Słownik biograficzny Warmii, Mazur i Powiśla XIX i XX wieku (do 1945 roku). (Dictionnaire biographique de la Warmie, Mazurie et Poméranie de Gdańsk aux XIXe et XXe s., jusqu'à 1945.) Warszawa, Pax, 83, in-8, 349 p.

4189. PIASECKI (Henryk). Sekcja Żydowska PPSD [Polskiej Partii Socjalno-Demokratycznej] i Żydowska Partia Socjalno-Demokratyczna 1892-1919/20. (La Section Juive du PPSD [Parti Social-Démocrate Polonais] et le Parti Social-Démocrate Juif 1892-1919/20.) Wrocław, Zakł. Narod. im. Ossolińskich, 82 [83], in-8, 380 p. (Żydowski Inst. Hist.)

4190. PIETRZAK (Jerzy). Po Cecorze i podczas wojny chocimskiej. Sejmy z lat 1620-1621. (Après Cecora [Tutora] et pendant la guerre de Khotin. Diètes des années 1620-1621.) Wrocław, 83, in-8, 186 p. (Acta Univ. Wratislaviensis, 549. Historia, 38)

4191. Polaków portret własny. (Le portrait particulier des Polonais.) Ouvrage collectif réd. par Marek ROSTWOROWSKI. Avant-propos: Aleksander GIEYSZTOR; postface: Jerzy TOPOLSKI. Cz. 1: Ilustracje. (P. 1: Illustrations.) Warszawa, Arkady, 83, in-4, 298 p.

4192. Pologne: l'insurrection de 1830-1831, sa réception en Europe. Actes du Colloque organisé les 14 et 15 mai 1981 par le Centre d'étude de la culture polonaise de l'univ. de Lille III. Lille, Univ. de Lille III, 82, in-8, 297 p. (ill.).

4193. Powstanie listopadowe a problem świadomości historycznej. (L'insurrection de novembre [1830-1831] et le problème de la conscience historique.) Ouvrage collectif réd. par Lech TRZECIAKOWSKI. Poznań, 83, in-8, 133 p. (Uniw. im. Adama Mickiewicza w Poznaniu. Historia, 104)

4194. Powstanie listopadowe 1830-1831. Geneza, uwarunkowania, bilans, porówna- nia. (L'insurrection de novembre 1830-1831. Genèse, conditionnement, bilan, comparaisons.) Sous la réd. de Jerzy SKOWRONEK et Maria ŻMIGRODZKA. Wrocław, Zakł. Narod. im. Ossolińskich, 83, in-8, 442 p. (Pol. Tow. Hist., Komitet Nauk Hist. PAN, Inst. Badań Liter. PAN)

4195. PRZYBYLSKI (Henryk). Ignacy Jan Paderewski. Biografia polityczna. (I. J. Paderewski. Biographie politique.) Przegl. polon., 83, a. 9, fasc. 1, p. 81-90.

4196. Rzeczypospolita w dobie Jana III. Katalog wystawy Zamku Królewskiego, Archiwum Głównego Akt Dawnych i Biblioteki Narodowej, wrzesień - październik 1983, Warszawa. The Commonwealth in the time of John III. Exhibition presented by the Royal Castle, Central Record Office a. National Library. Catalogue, Sept. - Oct. 1983, Warsaw. Red.: Aleksander GIEYSZTOR a. Ewa SUCHODOLSKA. Warszawa, Zamek Królewski, 83, 2 vol. in-8, 283, 157 p.

4197. STERN (Eliyahu). Yehude Danzig, 1840-1943. (The Jews of Danzig, 1840-1943.) Jerusalem, Ghetto Fighter's House, 83, in-8, 339 p.

4198. ŚWIĘCKI (Tomasz). Historyczne pamiątki znamienitych rodzin i osób dawnej Polski. (Souvenirs historiques d'éminentes familles et personnes de l'ancienne Pologne.) Manuscrit vérifié, commenté et complété par des annotations de Juljan BARTOSZEWICZ. T. 1, 2. Warszawa, Wydawn. Artyst. i Filmowe, 83, 2 vol. in-8, X-417, 580 p. [Reprod. photo-offset de l'éd. Warszawa 1858-1859]

4199. TAZBIR (Janusz). Polish national consciousness in the 16th - 18th centuries. Acta Poloniae hist., 83, vol. 46, p. 47-72.

4200. TERLECKI (Olgierd). Generał Sikorski. [Cz. 2.] (Le général Sikorski. [T. 1. Cf. Bibl. 81, n° 3714.] T. 2.) Kraków, Wydawn. Liter., 83, in-8, 314 p.

4201. TOMICKI (Jan). Polska Partia Socjalistyczna 1892-1948. (Le Parti Socialiste Polonais 1892-1948.) Warszawa, Książka i Wiedza, 83, in-8, 529 p. (Inst. ruchu Robotniczego Wyższej Szkoły Nauk Społ. przy KC PZPR. Stulecie Pol. Ruchu Robotniczego. Zarysy dziejów)

4202. WAPIŃSKI (Roman). Życie polityczne Pomorza w latach 1920-1939. (La vie politique en Poméranie, 1920-1939.) Warszawa, Państw. Wydawn. Nauk., 83, in-8, 259 p. (Roczniki Tow. Nauk. w Toruniu. R. 81, z. 2)

4203. WÓJCIK (Zbigniew). Jan Sobieski 1629-1696. (Jean Sobieski 1629-1696.) Warszawa, Państw. Inst. Wydawn., 83, in-8, 617 p. (Biografie Sławnych Ludzi)

4204. WYNOT (Edward D.) Jr. Warsaw between the world wars: profile of the capital city in a developing land, 1918-1939. Boulder, Colo., East European Monographs, 83, in-8, VIII-375 p. (East European Monographs, 129)

4205. ZIELIŃSKI (Henryk). Historia Pol-

2. HISTORY BY COUNTRIES

ski 1914-1939. (Histoire de Pologne, 1914-1939.) Wrocław, Zakł. Narod. im. Ossolińskich, 83, in-8, 427 p.

Cf. n° 4531.

Puerto Rico

4206. CARRION (Arturo Morales) a. others. Puerto Rico: a political and cultural history. New York, W. W. Norton, 83, in-8, XIII-384 p.

Portugal

4207. SUKHANOV (V.I.). "Revoljucija gvozdik" v Portugalii. Stranicy istorii. (The "Revolution of carnations" in Portugal. Pages of history.) Moskva, Mysl', 83, 239 p. (ill.).

4208. VENTURI (Franco). Il Portogallo dopo Pombal. R. stor. ital., 83, a. 95, fasc. 1, p. 63-101.

Qatar

* 4209. Qatar. Comp. by P. T. H. UNWIN. Santa Barbara, Calif., a. Oxford, England, Clio, 82, in-8, XXV-162 p. (World bibliogr. Ser., 36)

Romania

* 4210. PERVAIN (Iosif), CIURDARIU (Ana), SASU (Aurel). Românii în periodicele germane din Transilvania (1841-1860). Bibliografie analitică. (Les Roumains dans les périodiques allemands de Transylvanie. Bibliographie analytique.) București, Ed. științ. și enciclop., 83, in-8, 293 p.

** 4211. Deputații socialiști în Parlamentul român. Discursuri (1888-1899, 1919-1921). (Les députés socialistes au parlement roumain. Discours.) Antologie și note de Vasile NICULAE, Ion TOACĂ, Georgeta TUDORAN. București, Ed. politică, 83, in-8, 364 p.

** 4212. Documente din istoria mișcării revoluționare și democratice de tineret din România. (Documents sur l'histoire du mouvement révolutionnaire et démocratique de la jeunesse de Roumanie.) Vol. 1 (1821-1922). Vol. pregătit de Constantin PETCULESCU (coordonator), Gheorghe BODEA, Simion CUTIȘTEANU, Florea DRAGNE, Olimpiu MATICHESCU. București, Ed. politică, 82, in-8, 551 p.

** 4213. Documente privind marea răscoala a țăranilor din 1907. Vol. 2: Desfășurarea răscoalei. A: Moldova. (Documents relatifs à la grande révolte des paysans de 1907. Vol. 2: Le déroulement de la révolte. A: Moldavie.) Sub îngrijirea: Ion POPESCU-PUȚURI, Andrei OȚETEA (coordonatori), Marin BADA, Augustin DEAC, Marin FLORESCU, et al. București, Ed. Acad., 83, in-8, 776 p.

** 4214. Documente privind revoluția de la 1848 în țările române. B: Țara Românească. (Documents relatifs à la Révolution de 1848 dans les Pays Roumains. B: Valachie.) 12 martie 1848 - 21 aprilie 1850. Prefață de Ionel GAL. Studiu introductiv de Apostol STAN. Redactori responsabili: Maria DOGARU, A. STAN. Colectivul de elaborare: Paul Emanoil BARBU, Maria DOGARU, Beatrice MARINESCU, et al. București, Ed. Acad., 83, in-8, LXXVIII-359 p. [Cf. Bibl. 82, n° 4129]

** 4215. Emlékezetül hagyott irások. Erdélyi magyar emlékirók. (Mémorialistes magyars de Transylvanie [XVIe-XVIIe s.].) Válogatta, bevezetővel és jegyzetekkel ellátta VERESS Dániel. Cluj-Napoca, Dacia, 83, in-8, 459 p.

** 4216. Făurirea statului national unitar român. Contribuții documentare bănățene, 1914-1919. (Le parachèvement de l'Etat national unitaire roumain. Contributions documentaires du Banat.) Ediție întocmită de Constantin BRĂTESCU, Miodrag MILIN, Tiberiu MOȚ, Ioan MUNTEANU. Coordonator și studiu introductiv: Ioan MUNTEANU. București, Acad. de Științe soc. și pol., 83, in-8, XLVII-255 p.

** 4217. Istoria României între anii 1918-1944. Culegere de documente. (L'histoire de la Roumanie entre les années 1918 et 1944. Recueil de documents.) Ediție îngrijită de Ioan SCURTU (coordonator), Gheorghe Z. IONESCU, Eufrosina POPESCU, Doina SMÎRCEA. București, Ed. didactică și pedag., 82, in-8, 527 p.

** 4218. Izvoarele răscoalei lui Horea. Fontes seditionis Horianae. Sub red. lui Ștefan PASCU. Seria A: Diplomataria. Vol. 1: Premisele răscoalei 1773-1784. (Les prémisses de la révolte.) Ed. de Alexandru NEAMȚU și Costin FENEȘAN. Vol. 2: Octombrie-decembrie 1784. Ed. de A. NEAMȚU, C. FENEȘAN, Cristina FENEȘAN. București, Ed. Acad., 82-83, 2 vol. in-8, LXXIV-550, LXXIX-340 p.

** 4219. Izvoarele răscoalei lui Horea. Fontes setitionis Horianae. Seria B: Izvoare narative. Fontes narrativae. Sub red. lui Ștefan PASCU. Vol. 1: 1773-1785. Introd. de Ștefan PASCU. Publ. de Nicolae EDROIU, Ileana BOZAC, Ladislau GYÉMÁNT, et al. Vol. 2: 1786-1860. Introd. de Ștefan PASCU. Publ. de N. EDROIU, I. BOZAC, L. GYÉMÁNT, et a. București, Ed. Acad., 83, 2 vol. in-8, XXVIII-491, XIII-474 p.

** 4220. 1918 [Una mie nouă sute optsprezece] la români. Desăvîrșirea unității naționale statale a poporului român. (La réalisation de l'unité nationale d'Etat du peuple roumain.) Vol. 1: 1876-1916. Vol. 2: 1916-1918. Colectiv de coordonare: Ion ARDELEANU et al. Ed. de documente întocmită de Ion ARDELEANU, Elena MOISUC, Vasile ARIMIA, et al. București, Ed. științ. și enciclop., 83, 2 vol. in-8, 780, 564 p.

** 4221. Mihai Viteazul în conștiința europeană. [Vol]. 1. Cf. Bibl. 82, n° 4131.] Vol. 2: Cronicări și istorici străini, sec. XVI-XVIII. (Michel le Brave dans la conscience européenne. Vol. 2: Chroniqueurs et historiens de l'étranger, XVIe-

XVIIIe s.) Texte alese. Colectiv de coordonare: Ion ARDELEANU, Vasile ARIMIA, Gheorghe BONDOC, et al. Bucureşti, Ed. Acad., 83, in-8, 523 p.

** 4222. Székely oklevéltár. Új sorozat. (Recueil de documents des Szeklers. Nouv. série.) 1: Udvarhelyszéki törvénykezési jegyzőkönyvek 1569-1591. (Comptes rendus des procès du siège d'Odorhei, 1569-1591.) Közzéteszi DEMÉNY Lajos és PALACKI József. Bucureşti, Kriterion, 83, in-8, 396 p.

4223. ABRUDAN (Paul), ROŞCA (Ioan). Date noi privind lupta românilor ardeleni pentru făurirea unităţii politice în primele decenii ale secolului XX. (Nouvelles données concernant la lutte des Roumains de Transylvanie pour la création de l'unité politique pendant les premières décennies du XXe s.) R. Ist., 83, t. 36, n° 12, p. 1209-1225.

4224. ALBU (Corneliu). Pe urmele lui Ion Inocenţiu Micu-Klein. (Sur les traces de I. I. Micu-Klein [évêque des Roumains uniates de Transylvanie].) Bucureşti, Sport-Turism, 83, in-8, 264 p.

4225. Aspecte ale luptei pentru unitate naţională. Iaşi: 1600-1859-1918. (Aspects de la lutte pour l'unité nationale. Iaşi: 1600-1859-1918.) Coordonatori: Gh. BUZATU, A. KAREŢCHI, D. VITCU. Autori: I. GRIGOROAIEI, Gh. BUZATU, Valeriu DOBRINESCU, et al. Cuvînt înainte: Gh. BUZATU, I. SAIZU. Iaşi, Junimea, 83, in-8, 409 p.

4226. BUCULEI (Teodor). Răscoala ţăranilor din 1907 pe teritoriul judeţului Brăila. (La révolte des paysans en 1907 sur le territoire du département de Brăila.) Istros, 81-83, t. 2-4, p. 415-434.

4227. BUNTA (P.), ARDOŞ (A.M.). Procesele antifasciste din 1935 şi 1937 de la Cluj şi opinia publică (Aspecte din presa vremii. (Les procès antifascistes de 1935 et 1937 à Cluj et l'opinion publique: aspects dans la presse de l'époque.) Acta Musei napocensis, 82, t. 19, p. 521-539; 83, t. 20, p. 669-694.

4228. CADZOW (John F.) a. others. Transylvania: the roots of ethnic conflict. Kent, Ohio, Kent State U.P., 83, in-8, VI-368 p.

4229. CEAUŞESCU (Ilie) a. others. War, revolution, and society in Romania: the road to independence. Boulder, Colo., Soc. Sci. Monographs, 83, in-8, VI-298 p. (East European Monographs, 135

4230. CHAPLIN (Ari). The "popular war" doctrine in Romanian defense policy. East european Quar., 83, vol. 17, n° 3, p. 267-282.

4231. CONSTANTINIU (Florin). L'agonie d'une dictature: la diplomatie du régime d'Antonescu à la veille de l'insurrection. R. roumaine Hist., 83, t. 22, p. 201-212.

4232. COPOIU (Nicolae). La révolte [des paysans] de 1907 dans l'histoire moderne de la Roumanie. Roumanie. Pages Hist., 82, t. 7, n° 1, p. 64-80.

4233. CORBEA (Andrei). Imaginea ţărilor române în Theatrum Europaeum. (L'image des pays roumains dans le Theatrum Europaeum.) Anu. Inst. Ist. Arheol. Iaşi, 83, t. 20, p. 403-417.

4234. DASCĂLU (Nicolae). Unirea din 1918 şi minorităţile naţionale din România. (L'Union de 1918 et les minorités nationales de Roumanie.) Anu. Inst. Ist. Arheol. Iaşi, 83, t. 20, p. 51-67.

4235. EISENBURGER (Eduard). Rudolf Brandsch [1880-1953]. Zeit und Lebensbild eines Siebenbürger Sachsen. Cluj-Napoca, Dacia, 83, in-8, 272 p.

4236. Făuritori ai unităţii şi independenţei naţionale. (Réalisateurs de l'unité et indépendance nationales [recueil d'articles].) Coordonatori: Florian GEORGESCU şi Elena PĂLĂNCEANU. Bucureşti, Muzeul naţ. de istorie, 83, in-8, 359 p.

4237. GELLER (Jacob). Ha-qehilla ha-yehudit be-Rumania ha-yeshana. (The Jewish community in old Romania between the two world wars, 1919-1941.) Tel-Aviv, 80, 2 vol. in-4 (maps). [Thesis. Tel-Aviv Univ. - Eng. summary]

4238. HITCHINS (Keith). Studies in Romanian national consciousness. Pelham, N.Y., Bagard, 83, in-8, 258 p.

4239. HUREZEANU (Damian). Primul deceniu interbelic în noi investigaţii istoriografice. (Nouvelles investigations historiographiques concernant la première décennie de l'entre-deux-guerres.) R. Ist., 83, t. 36, n° 6, p. 576-587.

4240. IORDACHE (Anastasie). Pe urmele Goleştilor. (Sur les traces de la famille Golescu.) Bucureşti, Sport-Turism, 82, in-8, 296 p.

4241. ISAR (Nicolae). Mărturii franceze privind revoluţia de la 1848 în Ţara Românească. (Témoignages français concernant la révolution de 1848 en Valachie.) R. Ist., 83, vol. 36, n° 5, p. 464-477. [Rés. franç.]

4242. ISCRU (Gheorghe D.). Introducere în studiul istoriei moderne a României. (Introduction to the modern history of Romania.) Bucureşti, Ed. ştiinţ. şi enciclopedica, 83, in-8, 356 p. (fig.). [Eng. summary]

4243. Istoria parlamentului şi a vieţii parlamentare din România pînă la 1918. (Histoire du parlement et de la vie parlementaire en Roumanie avant 1918.) Coordonatori: Paraschiva CÂNCEA, Mircea IOŞA, Apostol STAN. Autori: Nichita ADĂNILOAIE, Paraschiva CÂNCEA, Anastasie IORDACHE, et al. Bucureşti, Ed. Acad., 83, in-8, 493 p.

4244. JOŞAN (Nicolae). Activitatea lui Ioan Puşcariu în cadrul dietei de la Sibiu din 1863-1864. (The activity of Ioan Puşcariu in the diet of Sibiu of 1863-1864.)

Apulum, 83, t. 21, p. 287-314. [Eng. summary]

4245. LEBEDEV (N.I.). Krakh fašizma v Rumynii. (Failure of fascism in Romania.) 2-e izd., ispr. i dop. Moskva, Nauka, 83, 551 p. (AN SSSR. In-t ěkonomiki mirovoj soc. sistemy, In-t slavjanovedenija i balkanistiki)

4246. LEVIT (I.E.). Krakh politiki agressii diktatury Antonesku (19.XI.1943 - 23.VIII.1944). (Failure of the agressive policy of Antonescu's dictatorship.) Kišinev, Štiinca, 83, 376 p. (AN MSSR. In-t istorii)

4247. Lupta românilor pentru făurirea statului național unitar în istoriografia internațională contemporană. (La lutte des Roumains pour le parachèvement de l'Etat national unitaire dans l'historiographie internationale contemporaine.) București, Acad. de Științe sociale și politice, 83, in-8, 331 p.

4248. OALLDE (Petru). Lupta pentru limba românească în Banat. Apărarea și afirmarea limbii române la sfîrșitul secolului al XIX-lea și începutul secolului al XX-lea. (La lutte pour l'affirmation de la langue roumaine au Banat. La défense et l'affirmation de la langue roumaine à la fin du XIXe et au début du XXe s.) Timișoara, Facla, 83, in-8, 322 p.

4249. PĂIUȘAN (Radu). Bănățenii în lupta pentru unitate națională, 1830-1918. (Les habitants du Banat en lutte pour l'unité nationale.) Timișoara, Comitetul de Cultură și educație socialistă, Inst. de Studii socioculturale și educație permanentă, 83, in-8, 224 p.

4250. PALL (Francisc). Cele dintîi acțiuni ale lui Inochentie Micu-Klein în exilul său din Roma, în 1745. (Die ersten Handlungen d. Innocentius Micu-Klein in seinem Exil in Rom im J. 1745.) Apulum, 83, t. 21, p. 207-230. [Deutsche Zsfassung]

4251. PASCU (Stefan). Făurirea statului național unitar român. (La formation de l'Etat national roumain unitaire.) Vol. 1, 2. Bucuresti, Ed. Acad., 83, 2 vol. in-8, 432, 404 p.

4252. PHILIPPI (Maja). Michael Weiß (1569-1612). Sein Leben und Wirken in Wort und Bild. București, Kriterion, 82, in-8, 128 p.

4253. PIPPIDI (Andrei). Tradiția politică bizantină în Țările Române în secolele XVI-XVIII. (La tradition politique byzantine dans les Pays Roumains aux XVIe-XVIIIe siècles.) București, Ed. Acad., 83, in-8, 274 p.

4254. PLOEȘTEANU (Grigore). Alexandru I. Cuza im Exil (1866-1873). Innerer Nachklang u. diplomat. Implikationen. R. roumaine Hist., 83, t. 22, p. 47-58.

5255. POPESCU (Eufrosina). Din istoria politică a României. Constituția din 1923. (Aspects de l'histoire politique de la Roumanie. La constitution de 1923.) București, Ed. politică, 83, in-8, 239 p.

4256. POPESCU (Marin Matei), BELDEANU (Adrian). Mihnea al III-lea (1658-1659) [prince de Valachie]. București, Ed. militară, 82, in-8, 248 p.

4257. RETEGAN (Simion). Conștiință și acțiune națională în satul românesc din Transilvania la mijlocul secolului al XIX-lea (1860-1867). (Conscience et action nationale dans le village roumain de Transylvanie au milieu du XIXe siècle, 1860-1867.) Cluj-Napoca, Dacia, 83, in-8, 244 p. (fig.).

4258. RUSU (Mircea). Les formations politiques roumaines et leur lutte pour l'autonomie. R. roumaine Hist., 82, t. 21, n° 3-4, p. 351-386.

4259. SCURTU (Ioan). Din viața politică a României (1926-1947). Studiu critic privind istoria Partidului Național Tărănesc. (Aspects de la vie politique de Roumanie. Etude critique de l'histoire du Parti National Paysan.) București, Ed. științ. și enciclop., 83, in-8, 552 p.

4260. STAN (Valeriu). Alexandru Ioan Cuza 1820-1873. București, Ed. științ. și enciclop., 83, in-8, 96 p.

4261. ȘTEFĂNESCU (Ștefan). Le premier pas (1859; 1877). R. roumaine, 83, t. 37, n° 11-12, p. 102-116.

4262. STOICESCU (Nicolae). Radu de la Afumați [prince de Valachie] (1522-1529). București, Ed. militară, 83, in-8, 160 p. [En roumain]

4263. TUDORAN (Pompiliu). Domnii trecătoare - domnitori uitați. (Règnes éphémères, princes oubliés.) Timișoara, Facla, 83, in-8, 260 p.

4264. VĂTĂMANU (Adrian). Trei mari dregători din Moldova secolului al XVI-lea: (Trois grands hauts dignitaires de la Moldavie du XVIe siècle:) Logofătul Toader Bubuiog, postelnicul Toader Movilă, logofătul Mateiaș Stroici. București, Litera, 83, in-8, 100 p.

Cf. n°s 394, 6464.

Sierra Leone.

4265. PRIBYTKOVSKIJ (L.N.). S'erra-Leone: krest'janskoe dviženie 1955-1956 gg. (Sierra Leone: the peasant movement of 1955-1956.) Nar. Azii Afr., 83, n° 3, p. 125-132.

Sudan.

* 4266. Sudan. Comp. by M. W. DALY. Santa Barbara, Calif., a. Oxford, England, Clio, 83, in-8, XVI-176 p. (World bibliogr. Ser., 40

** 4267. O'FAHEY (R.S.), ABU-SALIM (M.I.). Land in Dar Fur: charters and related documents from the Dar Fur Sultanate. London, Cambridge U.P., 83, in-8, 165 p. (ill.).

Sweden.

4268. ARTÉUS (Gunnar). The military leadership of Gustavus III. Militärhist. T., 82, vol. 5, p. 9-18.

4269. Folket i försvaret: krigsmakten i ett socialhistorisk perspektiv. Red. Tom ERICSSON. (The people in the defence: military force from a social history point of view. Ed. by - .) Umeå, Hist. inst., Univ., 83, in-8, 240 p. (maps). (Forskningsrapporter fran Hist. inst. vid Umeå univ., 3)

4270. Kalmar stads historia. Huvudred. Ingrid HAMMARSTRÖM. (History of the town of Kalmar. Chief red.: - .) Vol. 1, 2. Kalmar, Kulturnämnden, 79-82, 2 vol. in-4, 415, 407 p. (ill., diagr.).

4271. KAN (A.S.). Švecija glazami russkikh putešestvennikov (1817-1917 gg.). (Sweden as viewed by Russian travellers, 1817-1917.) Nov. novejš. 1st., 83, n° 4, p. 135-145.

4272. KLINGE (Matti). Rex Vandalorum [titre adopté par le roi Gustav I Vasa]. Lychnos, 83, vol. 49, p. 17-27. [En suédois. Rés. franç.]

4273. STRAHL (Christer). Nationalism & socialism: fosterlandet i den politiska idédebatten i Sverige, 1890-1914. (Nationalism and socialism: the fatherland in the political-ideological debate in Sweden, 1890-1914.) Lund, Liber/Gleerup, 83, in-8, 195 p. (Bibl. hist. Lundensis, 53) [Eng. summary]

4274. TJERNELD (Andreas). Från borgarståndets storhetstid: statsbudgeten som partiskiljande fråga i den sena ståndsriksdagen. (The "Grand era" of the burghers: the budget as a party-making issue in the late Riskdag of estates in Sweden.) Stockholm, Almqvist a. Wiksell Internat., 83, in-8, 176 p. (Stockholms stud. in hist., 31) [Eng. summary]

4275. TORBACKE (Jarl). "Försvaret främst": tre studier till belysning av borggårdskrisens problematik. ("Die Verteidigung zuerst": drei Studien zur Erläuterung der Problematik der "Burghofkrise".) Stockholm, Almqvist a. Wiksell Internat., 83, in-4, 178 p. (Stockholm stud. in hist., 30) [Deutsche Zsfassung]

Swaziland.

* 4276. Swaziland. Comp. by Balam NYEKO. Santa Barbara, Calif., a. Oxford, England, Clio, 83, in-8, XVI-135 p. (World bibliogr. Ser., 24)

Switzerland.

4277. GEBERT (Alfred). Jungliberale Bewegung in der Schweiz 1928-1938. Bern, Benteli, 83, in-8, IX-291 p. (Helvetia politica, B, 18)

4278. WALTER (François). Les campagnes fribourgeoises à l'âge des révolutions (1798-1856). Fribourg (Suisse), Ed. universitaires, 83, in-8, 518 p. (Etudes et recherches d'hist. contemp.)

Czechoslovakia.

** 4279. Protokol II. řádného sjezdu Komunistické strany Ceskoslovenska. (Das Protokoll d. 2. ordentl. Parteitages d. Kommunist. Partei d. Tschechoslowakei.) 31.X.-4.XI.1924. Praha, Svoboda, 83, in-8, 761 p.

** 4280. Usnesení a dokumenty KSČ. (Die Beschlüsse u. Dokumente d. Kommunist. Partei d. Tschechoslowakei.) Bd 1: 1921-1944. Edit. Helen ENGOVÁ. Bd 2: 1945-1970. Edit. Zdena CEJPOVÁ. [Beide Bde unter d. Titel: Padesát let KSČ v usneseních a dokumentech.] Bd 3: 1971-1981. Edit. M. REHÁKOVÁ, V. LIBICH. Praha, Ústav marx.- lenin. UV KSČ, 71-83, 3 vol. in-8, 155, 266, 193 p.

4281. BEDNÁŘOVÁ (Věra). Problémy mírového hnutí v Brně v letech 1919-1939. (Probleme der Brünner Friedensbewegung in d. J. 1919-1939.) Vlastiv. Věst. morav., 83, vol. 35, p. 13-26.

4282. BUTVIN (Jozef). Slovenské národnopolitické hnutie na prelome 19. a 20. storočia. (Die slowakische nationalpolit. Bewegung an d. Wende d. 19. zum 20. Jh.) Českoslov. Čas. hist., 83, vol. 31, p. 689-710.

4283. CAMBEL (Samuel). Sociálnopolitické a ekonomické aspekty vývoja v Slovenskom národnom povstaní. (Sozialpolit. u. ökonom. Aspekte d. Entwicklung im Slowakischen Nationalaufstand.) Českoslov. Čas. hist., 83, vol. 31, p. 492-523.

4284. FALTYS (Antonín). Deutschböhmen - Versuch einer bürgerl. Lösung d. tschechisch-deutschen Beziehungen im Rahmen d. bürgerlich-demokrat. Revolution nach d. Zerfall d. österr.-ungar. Monarchie. Historica [Praha], 83, vol. 22, p. 77-118.

4285. FELCMAN (Ondřej). Sociálně třídní struktura socialistické společnosti v Československu na počátku šedesátých let (s důrazem na přeměny v dělnické třídě). (Die soziale Klassenstruktur d. sozialist. Gesellschaft in d. Tschechoslowakei anfangs d. sechziger Jahre mit bes. Berücksichtigung d. Umwandlung in d. Arbeiterklasse.) Děj. socialist. Českosl., 83, vol. 6, p. 271-309.

4286. FIC (Vladimír). Národní sjednocení v politikém systému Československa 1930-1938. Příspěvek ke kritice českého buržoazního nacionalismu. (Die nationale Vereinigung im polit. System d. Tschechoslowakei 1930-1938. Ein Beitr. z. Kritik d. tschech. bürgerl. Nationalismus.) Praha, Academia, 83, in-8, 213 p.

4287. HLUŠIČKOVÁ (Ružena). Boj o průmyslové konfiskáty v Československu v letech 1945-1948. (Der Kampf um d. industriellen Konfiskationen in d. Tschechoslowakei in d. J. 1945-1948.) Praha, Práce, 83, in-8, 179 p.

4288. JELINK (Yeshayahu A.). The lust for power: nationalism, Slovakia, and the communists, 1918-1948. Boulder, Colo., East European Monographs, 83, in-8, XI-185 p. (East European Monographs, 130)

4289. KOLEŠKA (Zdeněk). Historie ochrany rostlin v českých zemích za období 1918-1945. (History of the plant protection in the Czech lands, 1918-1945.) Praha, ÚVTIZ - Zemědělské muzeum, 83, in-8, 78 p. (Prameny a studie, 25)

4290. KOROLEV (G.I.), FILIPPOV (V.N.). Julius Fučik - antifašist, patriot, internacionalist. (J. Fučik - anti-fascist, patriot, internationalist.) Nov. novejš. Ist., 83, n° 5, p. 94-109; n° 6, p. 97-118.

4291. LIPSCHER (Ladislav). Beschwerden der Sudetendeutschen im wirtschaftlichen Bereich während der Ersten Tschechoslowakischen Republik. Jb. f. Zeitgesch., 82-83, p. 33-57.

4292. MACURA (Vladimír). Znamení zrodu. České obrození jako kulturní typ. (Zeichen der Entstehung. Die tschech. Wiedergeburt als Kulturtyp.) Praha, Československý spisovatel, 83, in-8, 288 p.

4293. Národní hospodářství ČSSR a hospodářská politika KSČ. (Die Nationalökonomie d. Tschechoslowakei u. d. Wirtschaftspolitik d. Kommunist. Partei d. Tsch.) Edit. Jiří ŘEZNÍČEK u. Koll. Praha, Svoboda, 83, in-8, 552 p.

4294. PÁNEK (Jaroslav). Zápas o vedení české stavovské obce v polovině 16. století. (Knížata z Plavna a Vilém z Rožmberka 1547-1556). (Das Ringen um d. Führung d. böhm. Ständegemeinde in d. Mitte d. 16. Jh. Die Fürsten v. Plauen u. Wilhelm von Rosenberg 1547-1556.) Českoslov. Čas. hist., 83, vol. 31, p. 855-884.

4295. PEŠA (Václav). Od Února 1948 k budování socialistického Československa. (Von d. Februarrevolution 1948 zum Aufbau d. sozialist. Tschechoslowakei.) In: Únor v dějinách Československa. Brno, Ustav marx.-lenin. VUT - Ústav čs. a svět. dějin ČSAV, 83, in-8, 43-63.

4296. PLEVZA (Viliam). Socialistické premeny Československa. (Sozialistische Umwandlungen der Tschechoslowakei.) Bratislava, Pravda, 83, in-4, 472 p.

4297. PODRIMAVSKÝ (Milan). Slovenská národná strana v druhej polovici XIX. storočica. (Die Slowakische Nationalpartei in der 2. Hälfte d. 19. Jh.) Bratislava, Veda, 83, in-8, 244 p.

4298. Průmyslové oblasti Slovenska za kapitalismu. 1780-1945. (Die Industriegebiete der Slowakei im Kapitalismus.) Von Dan GAWRECKI, Jaroslav BAKALA, Andělín GROBELNÝ u. a. Opava, Slezský ústav ČSAV, 83, in-8, 211 p. (20 Kt.).

4299. ROMAŇÁK (Andrej). Stálá armáda a její vliv na sociální postavení poddaného lidu v Čechách. (Das stehende Heer u. sein Einfluß auf d. soziale Lage d. untertänigen Volkes in Böhmen.) Hist. Vojen., 83, vol. 32, n° 2, p. 75-98.

4300. SLEZÁK (Lubomír). Die landwirtschaftliche Besiedlung des Grenzgebietes der böhmischen Länder nach dem Zweiten Weltkrieg. Historica [Praha], 83, vol. 23, p. 165-225.

4301. ŠPIESZ (Anton). Slobodné královské mestá na Slovensku v rokoch 1680-1780. (Die Königlichen Freistädte in der Slowakei in d. J. 1680-1780.) Košice, Východoslovenské vydavatelstvo, 83, in-8, 304 p.

4302. VÁVRA (Vlastimil). KSČ a armáda, 1921-1938. (Die Kommunist. Partei d. Tschechoslowakei u. d. Armee.) Praha, Naše vojsko, 83, in-8, 336 p.

4303. VERBÍK (Antonín). Výsledky průmyslové výroby Brněnského kraje v prvním pětiletém plánu. (Die Produktionsergebnisse im Kreis Brno im 1. Fünfjahresplan.) Děj. socialist. Českosl., 83, vol. 6, p. 231-269.

Cf. n° 6876, 7013.

Trinidad and Tobago.

4304. PARRIS (Carl D.). Personalization of power in an elected government: Eric Williams and Trinidad and Tobago, 1973-1981. J. inter-am. Stud. a. World Affairs, 83, vol. 25, n° 2, p. 171-192.

Tunisia.

* 4305. Tunisia. Comp. by Allan M. FINDLAY, Anne M. FINDLAY a. Richard I. LAWLESS. Santa Barbara, Calif., a. Oxford, England, Clio, 82, in-8, XXVII-251 p. (World bibliogr. Ser., 33)

4306. AVRAHAMI (Itshaq). Qehilla qedosha Portugesis be-Tunis. (La communauté [juive] portugaise de Tunis et son mémorial.) Ramat-Gan, 82, 2 vol. in-4 (facsim., cartes). [Thesis. Univ. Bar-Ilan. - Rés. franç.]

Turkey.

** 4307. Chronica und Beschreibung der Türckey. Mit eyner Vorrhed D. Martini LUTHERI. Unveränd. Nachdr. d. Ausg. Nürnberg 1530 sowie 5 weiterer "Türkendrucke" des 15. u. 16. Jh. Mit einer Einf. v. Carl GÖLLNER. Köln u. Wien, Böhlau, 83, in-8, XXVII-256 p. (Schr. z. Landeskunde Siebenbürgens, 6)

** 4308. LANDAU (Jacob M.). An Arabic source for late Ottoman history. In: Economies et sociétés ... [Cf. n° 4310], p. 61-107.

4309. BARNAI (Yaakov). Qawim letoledot ha-hevra ha-yehudit be-Izmir ... (On the Jewish community of Izmir in the late 18th a. early 19th cent.) Zion, 82, vol. 47, p. 56-76. [Eng. summary]

4310. Economies et societés dans l'Empire ottoman (fin du XVIIIe - début du XXe siècle). Actes du colloque de Strasbourg (1er - 5 juillet 1980). Publ. par Jean-Louis BACQUE-GRAMMONT et Paul DUMONT. Paris, Ed. du C.N.R.S., 83, in-8, 484 p. (Colloques internat. du C.N.R.S., 601) [Cf. n°s 4308, 4767, 5870]

4311. GASRATJAN (M.A.), OREŠKOVA (S. F.), PETROSJAN (Ju. A.). Očerki istorii Turcii. (Essays on the history of Turkey.) Moskva, Nauka, 83, 294 p. (AN SSSR. In-t vostokovedenija)

4312. GERBER (Haim). Ha-yehudim umosad ha-heqdesh ha-muslemi ... (The Jews and the Wakf in the Ottoman Empire.) Sefunot, 83, vol. 2 (17), p. 105-131. [Eng. summary] - IDEM. Yehude ha-imperiya ha-Ottomanit. (Economic and social life of the Jews in the Ottoman Empire in the 16th and 17th centuries.) Jerusalem, Zalman Shazar Center, 82, in-8, III-197 p. (Jewish hist. sources, 9)

4313. GLASNECK (Johannes), WERNER (Ernst). Die Rolle der Persönlichkeit Kemal Atatürks im nationalen Befreiungskampf der Völker des Nahen Ostens. Das Verhältnis Mustafa Kemals zur Sowjetmacht u. zu den Ideen d. Leninismus. Vorträge vor d. Kl. Gesellschaftswiss. II, gehalten am 12. Nov. 1981. Berlin, Akad.-Verl., 83, in-8, 48 p. (S.-B. d. Akad. d. Wiss. d. DDR: G, Jg. 1982, Nr. 7)

4314. Ha-yehudim be-Turqiya ba-meot 15-20. (The history of the Jews in the Ottoman Empire.) Pe'amim, 82, vol. 12.

4315. KONDAKČJAN (R.P.). Turcija: vnutrennjaja politika i islam. (Turkey: domestic policy and Islam.) Erevan, Izd-vo AN ArmSSR, 83, 238 p. (AN ArmSSR. In-t vostokovedenija)

4316. KUNT (I. Metin). The Sultan's servant: the transformation of Ottoman provincial government, 1550-1650. New York, Columbia U.P., 83, in-8, XXIII-181 p. (The modern Middle East Ser., 14)

4317. LEFEBVRE (Marie-Madeleine). Actes ottomans concernant Gallipoli, la mer Egée et la Grèce au XVIe siècle. Südostforsch., 83, Bd 42, p. 123-167.

4318. Provinces (Les) arabes et leurs sources documentaires à l'époque ottomane. 5e Symposium du Comité internat. d'études pré-ottomanes et ottomanes, Tunis, 13-18 sept. 1982. R. Hist. maghrébine, 83, a. 10, n° 31-32, p. 43-410.

4319. QUATAERT (Donald). Social disintegration and popular resistance in the Ottoman Empire, 1881-1908: reactions to European penetration. New York, New York U. P., 83, in-8, XX1-205 p. (New York Univ. Stud. in Near Eastern Civ., 9)

Uganda.

* 4320. Uganda. Comp. by Robert L. COLLISON. Santa Barbara, Calif., a. Oxford, England, Clio, 81, in-8, XXVIII-159 p. (World bibliogr. Ser., 11)

4321. AVIGAR (Tony), HONEY (Martha). The war in Uganda: legacy of Idi Amin. London, Zed Press, 83, in-8, 288 p.

4322. DINWIDDY (Hugh). The Ugandan army and Mekerere under Obote, 1962-1971. African Affairs, 83, vol. 82, p. 43-59.

4323. PANKRAT'EV (V.P.). Uganda: period voennoj diktatury. (Uganda: the period of military dictatorship.) Nar. Azii Afr., 83, n° 6, p. 52-60.

Union of Soviet Socialist Republics.

* 4324. Dviženie dekabristov. (The Dekabrist movement.) Ukaz. literatury. 1960-1976. Otv. red.: M. V. NEČKINA. Moskva, Nauka, 83, 302 p. (AN SSSR. In-t istorii SSSR, Gos. publ. b-ka RSFSR)

** 4325. Dekrety Sovetskoj vlasti. (Decrees of the Soviet power.) T. 11: Okrjabr' - nojabr' 1920 g. Moskva, Politizdat, 83, 467 p. (In-t marksizma-leninizma pri CK KPSS, In-t istorii SSSR AN SSSR)

** 4326. Dokumenty k istorii zaključenija Georgievskogo traktata. (Documents relating to the history of the treaty of Georgievsk [1783].) Vstupit. st. i primeč. Ju. P. KARDAŠEVA i M. R. RYŽENKOVA. Vopr. Ist., 83, n° 7, p. 107-122.

** 4327. DOTSENKO (Paul). The struggle for a democry in Siberia, 1917-1920. Eyewitness account of a contemporary. Stanford, Calif., Hoover Institution Press, 83, in-8, XVII-178 p. (maps).

** 4328. Istorija dorevoljucionnoj Rossii v dnevnikakh i vospominanijakh. (History of pre-revolutionary Russia in diaries and memoirs.) Annot. ukaz. knig i publ. v žurn. Nauč. rukovodstvo, red. i vved. P. A. ZAJONČKOVSKOGO. [T. 3, č. 4. Cf. Bibl. 82, n° 4213.] T. 4, č. 1: 1885-1917. Sost.: A. I. BOGDANOV, L. N. IL'INA, R. E. RUTMAN i dr. Moskva, Kniga, 83, 364 p. (Gos. b-ka SSSR im. V. I. Lenina i dr.)

** 4329. MARGERET (Jacques). Un mousquétaire à Moscou: mémoires sur la première révolution russe, 1604-1616, du capitaine Jacques Margeret. Introd., notes et bibliographie d'Alexandre BENNIGSEN. Paris, Maspero, 83, in-8, 125 p.

** Cf. n° 4600.

4330. ADŽIEV (M.). Sibir'. XX vek. (Siberia, 20th century.) Moskva, Mysl', 83, 254 p. (ill.).

4331. ALTSHULER (Mordechai). Ha-waad ha-ziburi ha-yehudi ... (The United Jewish Relief Committee for progrom sufferers, 1920-1924.) Shvut, 82, vol. 9, p. 16-34. [Eng. summary]

4332. ANISIMOV (E.V.). Iz istorii fiskal'noj politiki russkogo absoljutizma pervoj četverti XVIII veka (Podvornoe nalogoobloženie i vvedenie podušnoj podati.). (From the history of fiscal policy of Russian absolutism in the first quarter of the 18th century: household taxation and the introduction of poll-tax.) Ist. SSSR, 83, n° 1, p. 127-138.

4333. ANTONOU-OUSEYENKO (A.). The time of Stalin: the portrait of a tyranny. Tr. from the Russ. by G. SAUNDERS. London, Harper a. Row, 83, in-8, 374 p.

4334. ATKINSON (Dorothy). The end of the Russian land commune, 1905-1930. Stanford, Calif., Stanford U.P., 83, in-8, XII-457 p.

4335. Baltischen Provinzen Rußlands (Die) zwischen den Revolutionen von 1905 und 1917. The Russian Baltic provinces between the 1905 a. 1917 revolutions. Hrsg. v. Andrew EZERGAILIS, Gert von PISTOHLKORPS. Köln u. Wien, Böhlau, 82, in-8, X-332 p. (Quellen u. Stud. zur balt. Gesch., 4)

4336. BALZER (Marjorie Mandelstam). Ethnicity without power: the Siberian Khanty in Soviet society. Slavic R., 83, vol. 42, n° 4, p. 633-648.

4337. BERMAN (Jay). Vera Zasulich: a biography. Stanford, Calif., Stanford U.P., 83, in-8, X-261 p.

4338. BETTELHEIM (Charles). Les luttes des classes en U.R.S.S. Troisième période, 1930-1041. [T. 1. Cf. Bibl. 82, n° 4227.] T. 2: Les dominants. Paris, Maspero et Ed. du Seuil, 83, in-8, 340 p.

4339. Bibl. 82, n° 4232. BOFFA (Giuseppe). Il fenomeno Stalin nella storia del XX secolo. - CR: G. Lami, Stor. della Storiogr., 83, n° 4, p. 125-129.

4340. BROVKIN (Vladimir). The Mensheviks' political come-back: the elections of the provincial city soviets in spring 1918. Russian R., 83, vol. 42, n° 1, p. 1-50.

4341. BROWN (Peter B.). Muscovite government bureaux. Russian Hist., 83, vol. 10, p. 269-330. - IDEM. The Zemskii Sobor in recent Soviet historiography. Ibid., p. 77-90.

4342. BUCHSWEILER (Meir). Ha-Germanim ha-etniyyim be-uqrayna liqrat milhemet ha-olam ha-sheniyya. (Ethnic Germans in the Ukraine towards the second world war. A case of double loyalty?) Tel-Aviv, Diaspora Research Inst., The Soc. for Jewish Hist. Research, 80, in-8, 12-441-XXVII p. (ill., diagr., fac-sim., maps).

4343. CAZACU (Matei). Aux sources de l'autocratie russe: les influences roumaines et hongroises, XVe-XVIe siècles. Cah. Monde russe soviét., 83, vol. 24, n° 1-2, p. 7-41.

4344. ČERTINA (Z.S.). Buržuaznye istoriki o novoj istoričeskoj obščnosti - sovetskij narod. (Bourgeois historians on a new historical community - the Soviet people.) Ist. SSSR, 83, n° 6, p. 181-202.

4345. ČISTJAKOV (O.I.). Obrazovanie SSSR (Nekotorye voprosy istoriografii). (Formation of the USSR. Some problems of historiography.) Ist. SSSR, 83, n° 1, p. 75-87.

4346. CRUMMEY (Robert O.). Aristocrats and servitors: the Boyar elite in Russia, 1613-1689. Princeton, N.J., Princeton U.P., 83, in-8, XVI-315 p.

4347. DEMIDOV (V.A.). Oktjabr' i nacional'nyj vopros v Sibiri, 1917-1923 gg. (October Revolution and the national problem in Siberia, 1917-1923.) Novosibirsk, 83, 318 p. (AN SSSR. Sib. otd-nie. In-t istorii, filologii i filosofii. Novosib. gos. in-t)

4348. DJAKIN (V.S.). Iz istorii ekonomičeskoj politiki carizma v 1907-1914 gg. (From the economic policy of tsarism in 1907-1914.) Ist. Zap., 83, vol. 109, p. 25-63.

4349. DULOV (A.V.). Geografičeskaja sreda i istorija Rossii (konec XV - seredina XIX v.). (Geographical surroundings and the history of Russia, end of the 15th - middle of the 19th cent.) Moskva, Nauka, 83, 255 p. (AN SSSR. Sib. otd-nie. In-t istorii, filologii i filosofii)

4350. Bibl. 82, n° 4242. DUMOVA (N.G.). Kadetskaja kontrrevoljucija i eě razgrom (Oktjabr' 1917 - 1920 gg.). (The constitutional democratic counter-revolution and its defeat, October 1917 - 1920.) - CR: K. V. Gusev, Vopr. Ist. KPSS, 83, n° 1, p. 130-132.

4351. DUNNING (Chester). The use and abuse of the first printed French account of Russia [Jacques Margeret's "Estat de l'Empire de Russie et Grand Duché de Moscovie", 1607]. Russian Hist., 83, vol. 10, p. 357-380.

4352. EBON (Martin). The Andropov file. London, Sidgwick a. Jackson, 83, in-8, 254 p. (ill.).

4353. EMMONS (Terence). The formation of political parties and the first national elections in Russia. Cambridge, Mass., a. London, Harvard U.P., 83, in-8, X-529 p.

4354. ENGEL (Barbara Alpern). Mothers and daughters: women of the intelligentsia in nineteenth-century Russia. New York, Cambridge U.P., 83, in-8, X-230 p.

4355. ERMAKOVA (Ė.V.). Istoriografija rabočego klassa SSSR (1917-1936). (Historiography of the working class of the USSR, 1917-1936.) Vladivostok, Izd-vo Dal'nevost. un-ta, 83, 227 p.

4356. ERMOLIN (A.P.). Iz istorii bor'by za ustanovlenie vlasti Sovetov na Južnom

Urale (1918-1920 gg.). (From the history of the struggle for Soviet power in the South Urals, 1918-1920.) Ist. SSSR, 83, n° 4, p. 103-113.

4357. EZERGAILIS (Andrew). The Latvian impact on the bolshevik revolution: the first phase, September 1917 to april 1918. Boulder, Colo., East European Monographs, 83, in-8, X-421 p. (East European Monographs, 144)

4358. FERENCZI (Caspar). Außenpolitik und Offentlichkeit in Rußland 1906-1912. Husum, Matthiesen, 82, in-8, 328 p. (Hist. Stud., 440

4359. GAVRILOV (L.M.). Soldatskie komitety v Oktjabr'skoj revoljucii (Dejstvujuščaja armija). (Soldiers' committees in the October revolution: field forces.) Moskva, Nauka, 83, 222 p. (Istorija Velik. Okt. soc. revoljucii. AN SSSR. Nauč. sovet po kompleks. probl.)

4360. GERASIMENKO (G.A.). Obostrenie bor'by v derevne v gody stolypinskoj reformy. (Aggravation of the struggle in the countryside in the years of Stolypin's reform.) Vopr. Ist., 83, n° 4, p. 20-34.

4361. GETTY (J. Arch). Party and purge in Smolensk: 1933-1937. Slavic R., 83, vol. 42, n° 1, p. 60-79.

4362. GETZLER (Israel). Kronstadt, 1917-1921: the fate of a Soviet democracy. London a. New York, Cambridge U.P., 83, in-8, XII-296 p. (Soviet a. East European Stud.)

4363. GINEV (V.N.). Bor'ba za krest'janstvo i krizis russkogo neonarodničestva, 1902-1914 gg. (Struggle for peasantry and crisis of Russian neo-narodism, 1902-1914.) Leningrad, Nauka, 83, 335 p. (AN SSSR. In-t istorii SSSR. Leningr. otd-nie)

4364. GOLDSTEIN (Joseph). Ha-tenua haziyyonit be-Russia. (The Zionist movement in Russia 1897-1904.) Jerusalem, 82, 2 vol. in-4. [Thesis, Hebrew Univ. of Jer. - Eng. summary]

4365. GORDON (Linda). Cossack rebellions: social turmoil in the sixteenth-century Ukraine. Albany, State Univ. of New York Press, 83, in-8, XIV-289 p.

4366. Bibl. 82, n° 4253. GORODECKIJ (E.N.). Istoriografičeskie i istočnikovedčeskie problemy Velikogo Oktjabrja, 1930-1960 gg. (Problems of the historiography and study of sources of the Great October Revolution, 1930-1960.) - CR. N. N. Maslov, Vopr. Ist. KPSS, 83, n° 7, p. 141-144. V. M. Selunskaja, Ist. SSSR, 83, n° 1, p. 153-156.

4367. GURŽIJ (A.I.). Formirovanie krupnogo feodal'nogo zemlevladenija kazackoj staršiny na Levoberežnoj Ukraine. Vtoraja polovina XVII - 60-e gody XVIII v. (Formation of large feudal landholdings of the Cossack elite in the left-bank Ukraine. From the second half of the 17th century to the 1860s.) Ist. SSSR, 83, n° 3, p. 153-162.

4368. HEDLUND (Stefan). Stalin and the peasantry: a study in red. Scandia, 83, vol. 49, p. 211-244.

4369. HELLMANN (Manfred). Die Kirche und die litauische Nationalbewegung. Kirche im Osten, 83, Bd 26, p. 9-34.

4370. HENRIKSSON (Anders). The tsar's loyal Germans: the Riga community: social change and the nationality question, 1855-1905. Boulder, Colo., East European Monographs, 83, in-8, X-218 p. (East European Monographs, 131)

4371. INOJATOV (K. Kh.). (Sovremennaja francuzskaja buržuaznaja istoriografija o nekotorykh aspektakh nacional'nykh otnošenij v Sovetskoj Srednej Azii. (Modern French bourgeois historiography on some aspects of national relations in Soviet Central Asia.) Ist. SSSR, 83, n° 3, p. 195-204.

4372. Interprétations (Les) du stalinisme. Ouvrage publ. sous la dir. de Evelyne PISIER-KOUCHNER. Avec la participation de B. BARRET-KRIEGER et al. Paris, Presses univ. France, 83, in-8, 356 p. (Recherches polit.)

4373. IOFFE (G.Z.). Kolčakovskaja avantura i eè krakh. (The Kolchak adventure and its failure.) Moskva, Mysl', 83, 294 p.

4374. Istoričeskie svjazi i družba narodov SSSR. (Historical ties and friendship of the soviet nations.) Sbornik nauč. trudov. Otv. red.: Ju. Ju. KONDUFOR. Kiev, Nauk. dumka, 83, 389 p.

4375. JEŽEK (Alexandr). Naděžda Konstantinovna Krupská. Praha, Horizont, 83, in-8, 184 p.

4376. JUDGE (Edward H.) Plehve: repression and reform in imperial Russia, 1902-1904. Syracuse, N.Y., Syracuse U.P., 83, in-8, XI-299 p.

4377. JURKIEWICZ (Jan). Rozwój polskiej myśli politycznej na Litwie i Białorusi w latach 1905-1922. (Le développement de la pensée politique polonaise en Lithuanie et en Ruthénie Blanche dans les années 1905-1922.) Poznań, 83, in-8, 259 p. (Uniw. im. Adama Mickiewicza w Poznaniu. Historia, 100)

4378. KAISER (Friedhelm Berthold). Hochschulpolitik und studentischer Widerstand in der Zarenzeit: A. I. Georgievskij u. sein "Kurzer histor. Abriß d. Maßnahmen u. Pläne d. Regierung gegen d. Studentenunruhen" (1890). Wiesbaden, Steiner, 83, in-8, X-460 p. (Quellen u. Stud. z. Gesch. d. östl. Europa, 20)

4379. KANIŠČEVA (N.I.). Sovremennaja zapadnogermanskaja buržuaznaja istoriografija o predposylkakh Oktjabr'skoj revoljucii. (Current west-German bourgeois historiography on the prerequisites of the October revolution.) Ist. SSSR, 83, n° 4, p. 160-175.

4380. KINGSTON-MANN (Esther). Lenin

and the problem of Marxist peasant revolution. London a. New york, Oxford U.P., 83, in-8, X-237 p.

4381. KINJAPINA (N.S.). Administrativnaja politika carizma na Kavkaze i v Srednej Azii v XIX veke. (Tsarist administration of the Caucasus and Central Asia in the 19th cent.) Vopr. Ist., 83, n° 4, p. 35-47.

4382. KOBLITZ (Ann Hibner). A convergence of lives: Sofia Kovalevskaia: scientist, writer, revolutionary. Boston, Mass., Birkhäuser, 83, in-8, XX-305 p.

4383. KONJUŠAJA (R.P.). Rukopisnoe nasledie Karla Marksa o Rossii. (Karl Marx's manuscript heritage about Russia.) Ist. SSSR, 83, n° 3, p. 103-111.

4384. KOTOV (V.N.). K. Marks o roli Rossii v mirovom revoljucionnom processe. (Karl Marx on Russia's role in the world revolutionary process.) Nov. novejš. Ist., 83, n° 3, p. 11-25.

4385. KOZLOV (V.A.). Kul'turnaja revoljucija i krest'janstvo, 1921-1927 (po materialam Evrop. časti RSFSR). (Cultural revolution and peasantry, 1921-1927. According to the materials of the European part of the RSFSR.) Moskva, Nauka, 83, 215 p. (AN SSSR. In-t istorii SSSR)

4386. Kritika osnovnykh koncepcij sovremennoj buržuaznoj istoriografii trekh rossijskikh revoljucij. (Criticism of main conceptions of contemporary bourgeois historiography of the three Russian revolutions.) Redkol.: I. I. MINC (otv. red.) i dr. Moskva, Nauka, 83, 335 p. (AN SSSR. In-t istorii SSSR)

4387. KRUŠANOV (A.I.). Pobeda Sovetskoj vlasti na Dal'nem Vostoke i v Zabajkal'e. 1917 - aprel' 1918. (Victory· of the Soviet power in the Far East and Baikal lake region. 1917 - April of 1918.) Vladivostok, Dal'nevost. kn. izd-vo, 83, 231 p.

4388. KUJALA (Antti). Der Beginn der Linkswendung der Komintern Anfang 1927. Studia hist. [Helsinki], 83, t. 12, p. 57-78.

4389. KULSKI (W.W.). The twenty-sixth congress of the communist party of the Soviet Union. Polish R., 83, vol. 28, n° 1, p. 47-65.

4390. KUNZLE (David). Gustave Doré's History of Holy Russia: anti-Russian propaganda from the Crimean war to the cold war. Russian R., 83, vol. 42, n° 3, p. 271-300.

4391. KURMAČEVA (M.D.). Krepostnaja intelligencija Rossii. Vtoraja polovina XVIII - nač. XIX v. (Serfdom intelligentsia of Russia. Second half of the 18th - beginning of the 19th cent.) Moskva, Nauka, 83, 352 p. (ill.). (AN SSSR. In-t istorii SSSR)

4392. Letopis' žizni i tvorčestva A. I. Gercena, 1812-1870. (Chronicle of the life and creative work of A. I. Herzen, 1812-1870.) Redkol.: S. D. GURVIČ-LIŠČINER, B. F. EGOROV, K. N. LOMUNOV. (Kn. 3: 1859 - ijun' 1864. Moskva, Nauka, 83, 704 p. (ill.).

4393. LÖWE (Heinz-Dietrich). Die Rolle der russischen Intelligenz in der Revolution von 1905. Forsch. z. osteurop. Gesch., 83, Bd 32, p. 229-255.

4394. LOZINSKAJA (L. Ja.). Vo glave dvukh akademij. O E. R. Daškovoj. (At the head of two academies. About E. R. Dashkova.) 2-e izd., ispr. i dop. Moskva, Nauka, 83, 144 p. (ill.).

4395. McCAULEY (Martin). Stalin and Stalinism. London, Longman, 83, in-8, VIII-128 p. (Seminar Stud. in Hist.)

4396. McCAULEY (Martin). Octobrists to Bolsheviks: imperial Russia, 1907-1917. London, E. Arnold, 83, in-8, 240 p.

4397. MANDEL (David). The Petrograd workers and the fall of the old regime, from the February revolution to the July days, 1917. London, Macmillan, 83, in-8, 280 p. (tab.).

4398. MASLOV (N.N.). Istoričeskoe značenie poslednikh statej i pisem V. I. Lenina. (Historical significance of V. I. Lenin's last articles and letters.) Vopr. Ist. KPSS, 83, n° 3, p. 36-48.

4399. MEDVEDEV (Roy). Nikolai Bukharin, the last years. Tr. from the Russ. by A. D. P. BRIGGS. London, Norton, 83, in-8, 176 p.

4400. MEDVEDEV (Zhores A.). Andropov. Tr. from the Russ. Oxford, Blackwell, 83, in-8, 238 p.

4401. MEL'NIKOV (R.M.). Krejser "Varjag". (Cruiser "Variag".) 2-e izd., pererab. i dop. Leningrad, Sudostroenie, 83, 287 p. (ill.).

4402. Bibl. 82, n° 4280. MINC (I.I.). God 1918. (The year of 1918.) - CR: V. V. Žuravlev, Ist. SSSR, 83, n° 4, p. 136-139. N. F. Kuz'min, Vopr. Ist., 83, n° 5, p. 131-134. B. A. Tulepbaev, Vopr. Ist. KPSS, 83, n° 2, p. 132-133.

4403. MINTZ (Matityahu). Hogrim u-mefatehim. (The lame and the nimble: the story of the [Jewish] "Dror" group in Russia.) Tel-Aviv, Hakibbutz Hameuchad, 83, in-8, 248 p. (pl.).

4404. MISIUNAS (Romuald J.), TAAGEPERA (Rein). The Baltic states: years of dependence, 1940-1980. Berkeley a. Los Angeles, Univ. of California Press; London, Hurst, 83, in-8, XVI-333 p.

4405. MOROZOV (K.A.). Karelija v gody Velikoj Otečestvennoj vojny. 1941-1945. (Karelia during the Great Patriotic war, 1941-1945.) Petrozavodsk, Karelija, 83, 237 p.

4406. MOSKOVICH (Wolf), TUKAN (Boris). Adat ha-qrimzaqim ... (The Krimchak [Jewish] community - history, culture a.

language.) Pe'amim, 82, vol. 14, p. 5-31 (ill.).

4407. NAIMARK (Norman M.). Terrorists and Social Democrats: the Russian revolutionary movement under Alexander III. Cambridge, Mass., Harvard U.P., 83, in-8, VIII-308 p. (Russian Research Center Stud., 82)

4408. NEKRASOV (V.F.). Na straže interesov Sovetskogo gosudarstva: Istorija stroitel'stva vojsk VČK-OGPU-NKVD-MVD. (On guard of the Soviet state interests. History of the organization of the forces of VChK-OGPU-NKVD-MVD.) Moskva, Voenizdat, 83, 368 p. (ill.).

4409. O'CONNOER (Timothy Edward). The politics of Soviet culture: Anatolii Lunacharskii. Ann Arbor, Mich., UMI Research, 83, in-8, XIV-193 p.

4410. PARMING (Tönu). The electoral achievements of the communist party in Estonia, 1920-1940. Slavic R., 83, vol. 42, n° 3, p. 426-447.

4411. PINKUS (Benjamin). Hagirat ha-miutim ha-leumiim ... (Emigration of national minorities from the USSR in the post-Stalin period a. a comparison between Jews, Germans and other national minorities.) Shvut, 82, vol. 9, p. 35-55.

4412. POLIKARPOV (V.V.). O tak nazyvaemoj "programme Manikovskogo" 1916 goda. (On the so-called "Manikovsky program" of 1916.) Ist. Zap., 83, vol. 109, p. 281-306.

4413. PONOMAREVA (I.A.). Rabočie potrebitel'skie kooperacii v period stolypinskoj reakcii. (Working consumers' co-operative societies during the Stolypin reaction.) Ist. SSSR, 83, n° 2, p. 130-141.

4414. Bibl. 82, n° 4292. PUŠKAREVA (I.M.). Fevral'skaja buržuazno-demokratičeskaja revoljucija 1917 v Rossii. (The February bourgeois-democratic revolution of 1917 in Russia.) - CR: I. P. Lejberov, E. R. Ol'khovskij, Vopr. Ist., 83, n° 2, p. 137-140.

4415. RA'ANAN (Gavriel D.). International policy formation in the USSR: factional "debates" during the Zhdanovshchina. Forew. by Robert CONQUEST. Hamden, Conn., Archon, 83, in-8, X1-348 p.

4416. V. F. Raevskij. Materialy o žizni i revoljucionnoj dejatel'nosti. (V. F. Raevsky. Material about his life and revolutionary activities.) Otv. red. S. F. KOVAL'. T. 2: Materialy sudebnogo processa i dokumenty žizni i dejatel'nosti v Sibiri. (Material relating to his judicial process and his life and activity in Siberia.) Irkutsk, Vost.-Sib. kn. izd-vo, 83, 540 p. (ill.). (Poljar. zvezda)

4417. RASSWEILER (Anne D.). Soviet labor policy in the first five-year plan: the Dneprostroi experience. Slavic R., 83, vol. 42, n° 2, p. 230-246.

4418. REICHMAN (Henry). Tsarist labor policy and the railroads, 1885-1914. Russian R., 83, vol. 42, n° 1, p. 51-72.

4419. RENZI (William A.). Who composed "Sazonov's thirteen points"? A re-examination of Russia's war aims of 1914. Am. hist. R., 83, vol. 88, n° 2, p. 347-357.

4420. ROGGER (Hans). Russia in the age of modernisation and revolution 1881-1917. London a. New York, Longman, 83, in-8, VIII-323 p. (7 maps). (Longman Hist. of Russia)

4421. Rossija v revoljucionnoj situacii na rubeže 1870-1880-kh godov. (Russia in revolutionary situation at the turn of the 1870s-1880s.) Kollektiv. monogr. Redkol.: B.S. ITENBERG (otv. red.) i dr. Moskva, Nauka, 83, 557 p. (AN SSSR. In-t istorii SSSR)

4422. RUBLE (Blair A.). The Leningrad affair and the provincialization of Leningrad. Russian R., 83, vol. 42, n° 3, p. 301-320.

4423. Rukopisnaja tradicija XVI-XIX vv. na vostoke Rossii. Arkheografija i istočnikovedenie Sibiri. (Manuscript tradition of the 16th-19th cent. Archeography a. source study of Siberia.) Otv. red. N. N. POKROVSKIJ, E. K. ROMODANOVSKAJA. Novosibirsk, Nauka, 83, 248 p. (AN SSSR. Sib. otd-nie. In-t istorii, filologii i filosofii. Sib. otd-nie arkheogr. komis. Arkheografija i istočnikovedenie Sibiri)

4424. RYNDZJUNSKIJ (P.G.). Idejnaja storona krest'janskikh dviženij 1770-1850-kh godov i metody izučenija. (Ideology of the peasant movements from 1770 to the 1850s and methods of its study.) Vopr. Ist., 83, n° 5, p. 4-16.

4425. ŠARAPOV (Ju. P.). Lenin kak čitatel'. (Lenin as a reader.) 2-e izd., dop. Moskva, Politizdat, 83, 224 p. (ill.).

4426. ŠELOKHAEV (V.V.). Kadety - glavnaja partija liberal'noj buržuazii v bor'be s revoljuciej 1905-1907 gg. (The Constitutional Democrats - the main party of liberal bourgeoisie in the struggle against the revolution of 1905-1907.) Moskva, Nauka, 83, 327 p. (AN SSSR. In-t istorii SSSR)

4427. SERGEEV (O.I.). Kazačestvo na russkom Dal'nem Vostoke v XVII-XIX vv. (The Cossacks in the Russian Far East, 17th-19th cent.) Moskva, Nauka, 83, 127 p. (AN SSSR. Dal'nevost. nauč. centr. In-t istorii, arkheologii narodov Dal'nego Vostoka)

4428. Sibir' i dekabristy. (Siberia and the Dekabrists.) Gl. red.: B. S. MEJLAKH. Vyp. 3. Irkutsk, Vost.-Sib. kn. izd-vo, 83, 269 p.

4429. SIEGELBAUM (Lewis H.). The politics of industrial mobilization in Russia, 1914-1917: a study of the war-industries committees. New York, St. Martin's, 83, in-8, XIX-312 p.

4430. SMITH (S.A.). Red Petrograd:

revolution in the factories, 1917-1918. London a. New York, Cambridge U. P., 83, in-8, X-347 p. (Soviet a. East European Stud.)

4431. Sovety - vlast' narodnaja. 1917-1983 gg. (The Soviets - people's power, 1917-1983.) Sbornik dokumentov i materialov. Sost.: P. A. DUBICKAJA i dr. Volgograd, Niž.-Volž. kn. izd-vo, 83, 207 p.

4432. STANISLAVSKIJ (A.L.). Dviženie I. M. Zaruckogo i social'no-političeskaja bor'ba v Rossii v 1612-1613 gg. (I. M. Zarucky's movement and the socio-political struggle in Russia in 1612-1613.) Ist. Zap., 83, vol. 109, p. 307-338.

4433. STANISLAWSKI (Michael). Tsar Nicholas I and the Jews: the transformation of Jewish society in Russia, 1825-1855. Philadelphia, Pa., Jewish Pub. Soc. of America, 83, in-8, XVI-246 p.

4434. SUNY (Ronald Grigor). Toward a social history of the October revolution. Am. hist. R., 83, vol. 88, n° 1, p. 31-52.

4435. SUTHERLAND (Christine). First Lady of Siberia: the story of Maria Volkonskaia. London, Methuen, 83, in-8, 250 p.

4436. ŠVAGULJAK (M.N.). Ukraina v ėkspansionistskikh planakh germanskogo fašizma. 1933-1939. (The Ukraine in the expansion plans of German fascism, 1933-1939.) Kiev, Nauk. dumka, 83, 246 p.

4437. SVETAČEV (M.I.). Imperialističeskaja intervencija v Sibiri i na Dal'nem Vostoke (1918-1922 gg.). (Imperialist intervention in Siberia and the Far East, 1918-1922.) Novosibirsk, Nauka, 83, 334 p. (AN SSSR. Sib. otd-nie. In-t istorii, filologii i filosofii)

4438. Tote klagen an: Zeugnisse über das Leben unter dem Sowjetjoch in Lettland. Geordnet u. red. v. Arturs PLAUDIS. Stockholm, Lettischer Nationalfonds, 83, in-8, 123 p.

4439. TUMARKIN (Nina). Lenin lives! The Lenin cult in Soviet Russia. Cambridge, Mass., a. London, Harvard U.P., 83, in-8, XIII-315 p.

4440. VIOLA (Lynne). The "25.000ers": a study in a Soviet recruitment campaign during the first Five Year Plan. Russian Hist., 83, vol. 10, p. 1-30.

4441. VON LAUE (Theodore H.). Stalin in focus. Slavic R., 83, vol. 42, n° 3, 373-389.

4442. VOROB'EV (V.M.). Izživalos' li kholopstvo v pomest'jakh Severo-Zapada Rossi serediny XVII - načala XVIII veka. (Was serfdom being overcome in North-West Russian estates of the mid-17th - early 18th cent.?) Ist. SSSR, 83, n° 4, p. 113-124.

4443. WAGNER (William G.). The civil cassation department of the Senate as an instrument of progressive reform in post-emancipation Russia: the case of property and inheritance law. Slavic R., 83, vol. 42, n° 1, p. 36-59.

4444. WIECKHARDT (George G.). Bureaucrats and boiars in the Muscovite tsardom. Russian Hist., 83, vol. 10, p. 331-356.

4445. ZAKHARINA (V.F.). Iz istorii obščestvennoj bor'by v period padenija krepostnogo prava (K. D. Kavelin i revoljucionnye demokraty). (From the history of social struggle in the period of the fall of serfdom. K. D. Kavelin and the revolutionary democrats.) Ist. Zap., 83, vol. 109, p. 129-176.

4446. ZAKHAROVA (L.G.). Redakcionnye komissii 1859-1860 godov: učreždenie, dejatel'nost' (k istorii "krizisa verkhov"). (Editorial committees of 1859-1860: foundation and activities. On the history of the upper strata.) Ist. SSSR, 83, n° 3, p. 53-71.

4447. ZARODOV (K.I.). Tri revoljucii v Rossii i naše vremja. (The three revolutions in Russia and our time.) 3-e izd., pererab. i dop. Moskva, Mysl', 83, 640 p.

4448. ZASLAVSKY (Victor), BRYM (Robert J.). Soviet-Jewish emigration and Soviet nationality policy. New York, St. Martin's, 83, in-8, VII-185 p.

4449. Bibl. 82, n° 4318. ZELENIN (I.E.). Sovkhozy SSSR v gody dovoennykh pjatiletok. 1928-1941. (Sovkhozes of the USSR in the years of the pre-war five-years plans, 1928-1941.) - CR: N. Ja. Guščin, Vopr. Ist., 83, n° 1, p. 111-113. E. N. Oskolkov, Ist. SSSR, 83, n° 1, p. 148-151.

4450. ŽIGALOV (I.M.). Dybenko. Moskva, Mol. gvardija, 83, 287 p. (ill.). (Žizn' zamečat. ljudej) [In Russian]

4451. ŽILIN (P.A.). Mikhail Illarionovič Kutuzov. Žizn i polkovodč. dejatel'nost'. (M. I. Kutuzov. Life and military activities.) 2-e izd. Moskva, Voenizdat, 83, 368 p. (ill.).

4452. ŽUKOV (Ju.N.). Pervye meroprijatija Sovetskoj vlasti po okhrane istoriko-kul'turnogo nasledija (Petrograd, 1917-1918 gg.). (The initial measures of the Soviet power for the preservation of the historical and cultural heritage, Petrograd, 1917-1918.) Ist. SSSSR, 83, n° 5, p. 148-161.

Uruguay.

* 4453. MARTÍNEZ DÍAZ (Nelson). La historiografía uruguaya contemporánea. Quinto Centenario, 83, t. 5, p. 39-64.

Venezuela.

4454. McBETH (B.S.). Juan Vicente Gómez and the oil companies in Venezuela, 1908-35. Cambridge a. New York, Cambridge U.P., 83, in-8, XI-275 p. (Cambridge Latin America Stud., 43)

Yugoslavia.

4455. BANAC (Ivo). The confessional "rule" and the Dubrovnik exception: the origins of the "Serb-Catholic" circle in nineteenth-century Dalmatia. Slavic R., 83, vol. 42, n° 3, p. 448-474.

4456. DRAGNICH (Alex N.). The first Yugoslavia: search for a viable political system. Stanford, Calif., Hoover Institution Press, 83, in-8, 182 p. (Hoover Press Publ., 284)

4457. TSIOBARIDOU (Theanō N.). Ho dyismos stē Giougoslavia. (Le dualisme en Yougoslavie.) Balkanika Symmeikta, 83, vol. 2, p. 141-155.

4458. WILAMOWSKI (Jacek). Ustanowienie autonomii Chorwacji w sierpniu 1939 roku. (L'établissment de l'autonomie croate en août 1939.) Przegl. hist., 82 [83], vol. 73, p. 253-274.

4459. WILAMOWSKI (Jacek), SZCZEPANIK (Krzysztof). Ustasze i separatyzm chorwacki. Przyczynek do badań nad chorwackim ruchem nacjonalistycznym. (Les Oustachis et le séparatisme croate. Contribution à l'étude du mouvement nationaliste croate [1929-1972ä.) Przegl. hist., 83, vol. 74, p. 75-95.

Zimbabwe.

4460. MOORCRAFT (Paul), McLAUGHLIN (Peter). Chimurenga! The war in Rhodesia, 1965-1980. Beckenham, Galago, 83, in-8, 276 p. (ill.).

4461. PEEL (J.D.Y.), RANGER (Terence). Past and present in Zimbabwe. Manchester, Univ. Press, 83, in-8, 128 p.

§ 3. Discoveries.

* 4462. EZQUERRA ABADÍA (Ramón). Medio siglo de estudios colombinos. Anu. Est. am., 81 [83], t. 38, p. 1-24.

** 4463. BERNIER (Joseph Elzéar). Les mémoires de J. E. Bernier. Montréal, Quinze, 83, in-8, 205 p.

** 4464. English (The) New England voyages 1602-1608. Ed. by David Beers QUINN, Alison M. QUINN. London, Hakluyt Soc., 83, in-8, XXIV-580 p. (ill., maps). (Hakluyt Soc., 2nd ser., 16)

** 4465. FORSTER (Johann Reinhold). The "Resolution" journal, 1772-1775. Ed. by Michael E. HOARE. London, Hakluyt Soc., 83, 4 vol. in-8, 832 p.

4466. BAROZZI (P.). Un'ipotesi sull'itinerario di Ludovico de Varthema in Insulindia. B. Soc. geogr. ital., 83, a. 12, p. 349-368.

4467. FILLIOT (Jean-Michel). Découvreurs des Seychelles. Nouv. R. mar., 83, p. 46-60.

4468. KARAMANSKI (Theodore J.). Fur trade and exploration: opening the far Northwest, 1821-1852. Vancouver, Univ. British Columbia Press; Norman, Univ. of Oklahoma Press, 83, in-8, 330 p. – CR: J. W. Chalmers, Alberta Hist., 83, vol. 31, n° 3, p. 40. J. E. Rea, Beaver, 84, Outfit 314, p. 58. R. Fisher, Canad. hist. R., 84, vol. 65, p. 271-272.

4469. LEE (Thomas). On the trail of the Northmen. Beaver, 83, Outfit 314, p. 31-38.

4470. MALAKHOVSKII (K.V.). Russian discoveries in the Pacific Ocean from the 17th to the 19th century. Soviet Stud. Hist., 83, vol. 21, n° 4, p. 27-46.

4471. RALLING (Christopher). Shackleton. London, Brit. Broadcasting Co., 83, in-8, 264 p. (ill., maps).

Cf. n°s 5057, 6817.

L

MODERN RELIGIOUS HISTORY

§ 1. General. 4472-4497. - § 2. Roman Catholicism (a. General; b. History of the Popes, c. Special studies; d. Religious orders; e. Missions). 4498-4599. - § 3. Orthodox Church. 4600-4611. - § 4. Protestantism. 4612-4739. - § 5. Non-Christian religions and sects. 4740-4786.

§ 1. General.

* 4472. KARPP (Heinrich). Zur Geschichte der Bibel in der Kirche des 16. und 17. Jahrhunderts [Literaturbericht]. Theol. Rdsch., 83, N.F., Jg. 48, p. 129-155.

** Cf. n° 3225.

4473. Altpreußische Kirchengebiete auf neupolnischem Territorium. Die Diskussion um "Staatsgrenzen u. Kirchengrenzen" nach d. 1. u. 2. Weltkrieg. Hrsg. v. Gerhard BESIER. Göttingen, Vandenhoeck u. Ruprecht, 83, in-8, 202 p. (Kt.). (Kirche im Osten. Monographienreihe, 18)

4474. BÄUMER (Remigius). Die Religionspolitik Karls V. im Urteil der Lutherkommentare des Johannes Cochlaeus. In: Politik u. Konfession [Cf. n° 506], p. 31-47.

4475. BELLENGER (Dominic). The Emigré clergy and the English Church. J. eccles. Hist., 83, vol. 34, p. 392-410.

4476. BORNKAMM (Heinrich). Das Jahrhundert der Reformation. Gestalten u. Kräfte. Frankfurt (Main), Insel-Verl., 83, in-8, 494 p. (Insel-Taschenbuch, 713)

4477. BOYD (Lois A.), BRACKENRIDGE (R. Douglas). Presbyterian women in America: two centuries of a quest for status. Westport, Conn., Greenwood, 83, in-8, XIV-308 p. (Contrib. to the Study of Religion, 9)

4478. BOYLE (Marjorie O'Rourke). Rhetoric and reform: Erasmus' civil dispute with Luther. Cambridge, Mass., Harvard U.P., 83, in-8, 215 p. (Harvard Hist. Monographs, 71)

4479. Bibl. 81, n° 3913. CHAUNU (Pierre). Eglise, culture et société. - CR: R. Stauffer, sous le t.: Les enjeux théologiques d'un ouvrage récent. A. Ec., Soc., Civ., 83, a. 38, n° 3, p. 536-548.

4480. Conversion (La) au XVIIe siècle. Actes du XIIe Colloque de Marseille (janvier 1982). Ouvrage publ. avec le concours du Centre National des Lettres. Marseille, C.M.R. 17, 83, in-8, 145 p.

4481. DAUGSCH (Walter). Toleranz im Fürstentum Siebenbürgen. Polit. u. gesellschaftl. Voraussetzungen d. Religionsgesetzgebung im 16. u. 17. Jh. Kirche im Osten, 83, Bd 26, p. 73-94.

4482. DITTRICH (Bernhard). Das Traditionsverständnis in der Confessio Augustana und in der Confutatio. Leipzig, St.-Benno-Verl., 83, XXIII-227 p. (Erfurter theol. Studien, 51)

4483. DUPUY (Micheline). Pour Dieu et pour le Roi: la montée de l'intolérance au XVIe siècle, de Marignan à Wassy, 1515-1562. Paris, Perrin, 83, in-8, 379 p.

4484. FRIEDMAN (Jerome). The most ancient testimony: sixteenth-century Christian-Hebraica in the age of Renaissance nostalgia. Athens, Ohio U.P., 83, in-8, 278 p.

4485. GARRETT (J.). Die Geschichte der Kirche im Pazifik. Theol. Rdsch., 83, Bd 38, H. 5, p. 39-417.

4486. GAUSTAD (Edwin S.). Documentary history of religion in America. Vol. 1: To the Civil War. Vol. 2: Since 1865. Exeter, Paternoster Press, 83, 2 vol. in-8, 553, 630 p. (ill.).

4487. Hexenprozesse. Deutsche u. skandinav. Beitr. Hrsg. v. Christian DEGN (u.a.). Neumünster, Wachholtz, 83, in-8, 242 p. (graph. Darst.). (Stud. z. Volkskunde und Kulturgeschichte Schleswig-Holsteins, 12)

4488. HUELIN (Gordon). Old Catholics and Anglicans, 1931-1981. London, Oxford U.P., 83, in-8, 188 p.

4489. McGIFFERT (Michael). God's controversy with Jacobean England. Am. hist. R., 83, vol. 88, n° 5, p. 1151-1174.

4490. MANUEL (Frank E.). The changing of the gods. Hanover, N.H., U.P. of New England, 83, in-8, XIII-202 p.

4491. MONTCLOS (Xavier de). Les chrétiens face au nazisme et au stalinisme: l'épreuve totalitaire, 1939-1945. Paris,

Plon, 83, in-8, 303 p. (cartes).

4492. MURTORINNE (Eino). Das Verhältnis zwischen den Kirchen Finnlands u. Deutschlands während des Zweiten Weltkrieges in den Jahren 1940-1944. Jb. f. finnisch-deutsche Literaturbez., 83, Bd 17, p. 88-95.

4493. Säkulare Aspekte der Reformationszeit. Hrsg. v. Heinz ANGERMEIER unter Mitarb. v. Reinhard SEYBOTH. München u. Wien, Oldenbourg, 83, in-8, XI-278 p. (Schr. d. Hist. Kollegs, 5)

4494. THADEN (Rudolf von). Kirchengeschichte als Gesellschaftsgeschichte. Freiburg. Diöz.-Arch., 83, Bd 103, p. 598-614.

4495. Tolérance (La) civile. Actes du Colloque internat. organisé à l'Univ. de Mons du 2 au 4 sept. 1981 à l'occasion du 2e centenaire de l'Édit de Joseph II. Publ. par Roland CRAHAY. Bruxelles, Ed. de l'Univ., 82, in-8, 255 p. (Etudes sur le XVIIIe s., vol. hors sér., 1)

4496. WARMBRUNN (Paul). Zwei Konfessionen in einer Stadt. Das Zusammenleben v. Katholiken u. Protestanten in d. parität. Reichsstädten Augsburg, Biberach, Ravensburg u. Dinkelsbühl von 1548 bis 1648. Wiesbaden, Steiner, 83, in-8, X-439 p. (Veröff. d. Inst. f. Europ. Gesch. Mainz, 111. Abt. f. Abendländ. Religionsgesch.)

4497. Życie religijne w Polsce pod okupacją hitlerowską 1939-1945. (La vie religieuse en Pologne sous l'occupation nazie 1939-1945.) Ouvrage collectif sous la réd. de Zygmunt ZIELINSKI. Warszawa, Ośrodek Dokum. i Studiów Spol., 82 [83], in-8, 1016 p.

Cf. n° 3846.

§ 2. Roman Catholicism.

a. General.

4498. DURES (Alan). English Catholicism, 1558-1642: continuity and change. London, Longman, 83, in-8, 128 p. (Seminar Stud. in Hist.)

4499. JOHNSON (Christine). Developments in the Roman Catholic Church in Scotland, 1789-1829. Edinburgh, J. Donald, 83, in-8, 272 p.

4500. POULAT (Emile). Le catholicisme sous observation: du modernisme à aujourd'hui. Paris, Centurion, 83, in-8, 255 p.

Cf. n° 3296.

b. History of the Popes.

** 4501. [Johannes Paulus II, Papa.] Nauczanie Jana Pawła II podczas II pielgrzymki do ojczyzny [16-23 VI 1983]. (L'enseignement de Jean Paul II au cours du IIe pèlerinage à la patrie.) Warszawa, Wydz. Duszpasterstwa Kurii Metropolitalnej Warsz., 83, in-8, VII-132 p.

** 4502. Nuntianturberichte aus Deutschland. Nebst ergänzenden Aktenstücken. Die Kölner Nuntiatur. Im Auftr. d. Görres-Ges. hrsg. v. Erwin ISERLOH. Bd 2, [3. Cf. Bibl. 70-71, n° 5490.] 4: Nuntius Ottavio Mirto Frangipani. 1594 Jan. - 1596 Aug. Bearb. v. Burkhard ROBERG. Paderborn, München, Wien u. Zürich, Schöningh, 83, in-8, XX-281 p.

4503. BONIECKI (Adam). Kalendarium życia Karola Wojtyły. (Journal de la vie de Karol Wojtyła [Jean Paul II].) Kraków, Znak, 83, in-8, 909 p.

4504. DESCHNER (Karlheinz). Ein Jahrhundert Heilsgeschichte. Die Politik d. Päpste im Zeitalter d. Weltkriege. [1:] Von Leo. XIII 1878 bis zu Pius XI. 1939. Köln, Kiepenheuer u. Witsch, 82, in-8, 658 p.

4505. GREIPL (Egon Johannes). Quellen zur Reichspolitik der römischen Kurie im Jahre 1745. Z. f. bayer. Landesgesch., 83, Bd 46, p. 329-390.

4506. KOVACZ (Elisabeth). Der Pabst in Teutschland. Die Reise Pius' VI. im Jahre 1782. München, Oldenbourg, 83, in-8, 204 p. (33 Abb.).

4507. MITCHELL (Allan). Partners in failure: Dupanloup, Doellinger, and the doctrine of Papal infallibility. Francia [München], 82 [83], Bd 10, p. 381-390.

4508. Pokój Tobie, Polsko! Druga pielgrzymka Jana Pawła II do ojczyzny, 16-23 VI 1983. (Paix à Toi, Pologne! Le deuxième pèlerinage de Jean Paul II à la patrie, 16-23 VI 1983.) Avant-propos, journal et réd. par Amelia SZAFRAŃSKA. Warszawa, Pax, 83, in-8, 334 p. (Jan Paweł II Pierwzsy Polak na Stolicy Piotrowej)

4509. WALSH (Katherine). The fist Vatican Council, the Papal State and the Irish hierarchy: recent research on the pontificate of Pope Pius IX. Studies, 82, vol. 71, p. 55-71.

4510. WILLIAMS (George Huntston). John Paul II's relations with non-Catholic states and current political movements J. Church a. State, 83, vol. 25, n° 1, p. 13-56.

4511. ZIELIŃSKI (Zygmunt). Papiestwo i papieże dwóch ostatnich wieków 1775-1978. (La papauté et les papes des deux derniers siècles, 1775-1978.) Warszawa, Pax, 83, in-8, 670 p.

Cf. n° 6989.

c. Special studies.

* 4512. STRUS (J.). S. Francesco di Sales (1567-1622). Rassegna bibliografica dal 1956. Salesianum, 83, a. 45, p. 635-671.

** 4513. Convert Rolls (The). Ed. by Eileen O'BYRNE. Dublin, Stationery Office for the Irish Manuscripts Commission, 81, in-8, 308 p.

2. ROMAN CATHOLICISM

** 4514. FENELON (François de Salignac de La Mothe-). Oeuvres. T. 1. Ed. établie par Jacques LE BRUN. Paris, Gallimard, 83, in-8, XLV-1637 p.

** 4515. LE SAGE (Hervé-Julien). De la Bretagne à la Silésie. Mémoires d'exil de Hervé-Julien Le Sage (1791-1800), prés. par Xavier LAVAGNE D'ORTIGUE. Paris, Beauchesne, 83, in-8, 435 p. (cartes).

** 4516. PALTZ (Johannes von). Werke. Bd 1: Coelifodina. Vorw. v. Heiko A. OBERMAN. Einl. v. Christoph BURGER. Hrsg. v. Christoph BURGER u. F. STASCH. Bearb. v. Berndt HAMM u. Venicio MARCOLINO. Bd 2: Supplementum Coelifodinae. Vorw. v. Heiko A. OBERMAN. Hrsg. u. bearb. v. Berndt HAMM, unter Mitarb. v. Christoph BURGER u. Venicio MARCOLINO. Berlin u. New York, de Gruyter, 83, 2 vol. in-8, LIII-527, LVI-504 p. (Spätmittelalter u. Reform, 2, 3)

** 4517. SIMON (Richard). Additions aux Recherches curieuses sur la diversité des langues et religions d'Edward Brerewood. Ed. critique avec introd. et notes par Jacques LE BRUN et John D. WOODBRIDGE. Paris, Presses univ. France, 83, in-8, 240 p.

4518. ALTERMATT (Urs). Der Schweizer Katholizismus im Bundestaat. Entwicklungslinien u. Profile d. polit. Katholizismus von 1848 bis zur Gegenwart. Hist. Jb., 83, Jg. 103, p. 76-106.

4519. AURNHAMMER (Achim), DÄUBLE (Friedrich). Die Exequien für Kaiser Karl V. in Augsburg, Brüssel und Bologna. Arch. f. Kulturgesch., 80/81 [83], Bd 62/63, p. 101-157.

4520. BARASSIN (Jean). Histoire des établissements religieux de Bourbon [Réunion] au temps de la Compagnie des Indes, 1664-1867. Saint-Denis, Fondation pour la Recherche et le Développement dans l'Océan Indien, 83, in-8, 218 p. (ill.).

4521. BAUER (Arnold J.). The church in the economy of Spanish America: censos and depósitos in the eighteenth and nineteenth centuries. Hisp. am. hist. R., 83, vol. 63, n° 4, p. 707-734.

4522. BENKART (Paula K.) The Hungarian government, the American Magyar churches, and immigrant ties to the homeland, 1903-1917. Church Hist., 83, vol. 52, n° 3, p. 312-321.

4523. BERGERON (Henri-Paul). Saint Joseph dans la prédication française au XVIIe siècle [suite de Bibl. 82, n° 4403]. Cah. Josépohologie, 83, vol. 31, p. 17-63, 173-222.

4524. Bischöfe (Die) der deutschsprachigen Länder 1785/1803 bis 1945. Ein biogr. Lexikon. Hrsg. v. Erwin GATZ. Berlin, Duncker u. Humblot, 83, in-8, XIX-911 p. (Portraits).

4525. BONNOT (Isabelle). Henry Arnauld, évêque janséniste d'Angers. Paris, Nouv. Ed. latines, 83, in-8, 512 p.

4526. BROCKMAN (James R.). Oscar Romero, bishop and martyr. London, Sheed a. Ward, 83, in-8, 250 p. (ill.).

4527. CAMPBELL (Debra). A Catholic salvation army: David Goldstein, pioneer lay evangelist. Church Hist., 83, vol. 52, n° 3, p. 322-332.

4528. CAZIN (Paul). Książe biskup warmiński Ignacy Krasicki 1735-1801. (Le prince-évêque de Warmie Ignacy Krasicki 1735-18°1.) Trad. du franç. par Michał MROZIŃSKI. Postface et compl. de bibliographie par Zbigniew GOLIŃSKI. Olsztyn, Pojezierze, 83, in-8, 464 p.

4529. Colloque sur saint Vincent de Paul pour le quatricentenaire de sa naissance, Dax, 1981. B. Soc. Borda, 82, a. 107, n° 388, p. 489-731.

4530. DINET (Dominique). Administration épiscopale et vie religieuse au milieu du XVIIIe siècle: le bureau pour le gouvernement du diocèse de Langres de Gilbert de Montmorin. R. Hist. ecclés., 83, t. 78, n° 3-4, p. 721-774.

4531. DYLĄGOWA (Hanna). Duchowieństwo katolickie wobec sprawy narodowej (1764-1864). (Le clergé catholique [polonais] face à la question nationale, 1764-1864.) Lublin, Wydawn. Tow. Nauk. Kat. Univ. Lub., 83, in-8, 196 p. (Bibl. Hist. Społ.-Religijnej Inst. Geografii Hist. Kościoła w Pol., 2)

4532. ELLIS (William E.). Catholicism and the southern ethos: the role of Patrick Henry Callahan. Cath. hist. R., 83, vol. 69, n° 1, p. 41-50.

4533. ESTES (Leland L.). Reginald Scot and his Discoverie of Witchcraft: religion and science in the opposition to the European witch craze. Church Hist., 83, vol. 52, n° 4, p. 444-456.

4534. FARGANEL (Jean-Pierre). Les comportements religieux des négociants marseillais au Levant - anticléricalisme ou recul précoce de la dévotion, 1685-1730? A. Midi, 83, t. 95, p. 185-208.

4535. FIJAŁKOWSKI (Zenon). Kościół katolicki na ziemiach polskich w latach okupacji hitlerowskiej. (L'Eglise catholique sur les terres polonaises dans les années de l'occupation nazie.) Warszawa, Książka i Wiedza, 83, in-8, 419 p.

4536. FRAZEE (Charles A.). Catholics and sultans: the Church and the empire, 1453-1923. London a. New York, Cambridge U.P., 83, in-8, VII-388 p.

4537. FREUDENBERGER (Theobald). Zur Beschickung des Konzils von Trient 1551/52 durch die Kirchenprovinz Salzburg. Annu. Hist. Concil., 83, Jg. 15, p. 194-230. - IDEM. Die Verhandlungen über die Beschickung des Konzils von Trient durch Herzog Philipp von Pommern 1551/52. Ibid., p. 357-429.

4538. GAGNON (Serge), LEBEL-GAGNON (Louise). Le milieu d'origine du clergé québécois 1775-1840: mythes et réalité. R. Hist. Amerique franç., 83, vol. 37, p. 373-397.

4539. GATZ (Erwin). Domkapitel und Bischofswahlen in Preußen von 1821 bis 1945. Röm. Quartalsschr., 83, Bd 78, p. 101-126.

4540. GIL (Czeslaw). Ojciec Rafał Kalinowski Karmelita Bosy 1835-1907. (Le Père Rafał Kalinowski, carme déchaux 1835-907.) Kraków, Wydawn. OO. Karmelitów Bosych, 83, in-8, 63 p.

4541. GODIN (André). Origénisme et antiorigénisme à la faculté de théologie de Paris au XVIe siècle. Mél. Bibl. Sorbonne, 83, t. 4, p. 6-29.

4542. GÓRSKA (Urszula). Spotkania z Matką Urszulą Ledóchowską. (Rencontres avec Mère Urszula Ledóchowska.) Warszawa, Zgrom. Sióstr Urszulanek Serca Jezusa Konającego, 83, in-8, 34 p.

4543. GREIPL (Egon Johannes). Ein deutscher Kurienkardinal im 19. Jahrhundert. Briefe Joseph Hergenröthers an Bischof Franz Leopold Frh. v. Leonrod von Eichstätt aus d. Jahren 1879-1890. Quellen u. Forsch., 83, Bd 63, p. 169-266.

4544. GRIFFIN (John). Newman's Difficulties felt by Anglicans: history or propaganda? Cath. hist. R., 83, vol. 69, n° 3, p. 371-383.

4545. HAMELL (Patrick J.). Maynooth students and ordinations index, 1795-1895. Maynooth, Cardinal Press, 82, in-8, 199 p.

4546. HOLLERWEGER (Hans). Die gottesdienstlichen Reformen Josephs II. und ihre Auswirkungen auf die Frömmigkeit des Volkes. Z. f. Kirchengesch., 83, Bd 94, p. 52-65.

4547. HUNNICUTT (Benjamin K.). Monsignor John A. Ryan and the shorter hours of labor: a forgotten vision of "genuine" progress. Cath. hist. R., 83, vol. 69, n° 3, p. 384-402.

4548. ISERLOH (Erwin). Der Katholizismus und das Deutsche Reich von 1871. Westfäl. Z., 83, Bd 133, p. 57-73. - Auch u. d. T.: Der Katholizismus und das Deutsche Reich von 1871. Bischof Ketteler Bemühungen um die Integration der Katholiken in den kleindeutschen Staat. In: Politik u. Konfession [Cf. n° 506], p. 213-229.

4549. KAMMERER (Louis). Les commissaires épiscopaux dans le diocèse de Strasbourg pendant la Révolution, d'après les cahiers de Bert de Majan, curé de Stutzheim, et quelques autres documents. Arch. Egl. Alsace, 83, t. 42, sér. 3, t. 3, p. 273-314.

4550. KANTOWICZ (Edward R.). Corporation sole: cardinal Mundelein and Chicago Catholicism. Notre Dame, Ind., Univ. of Notre Dame Press, 83, in-8, XI-295 p.

4551. KELLER (Erwin). Der Freiburger Theologe Engelbert Klüpfel in seiner Zeitschrift Nova Bibliotheca Ecclesiastica Friburgensis (1775-1790). Freiburg. Diöz.-Arch., 83, Bd 103, p. 13-137.

4552. KERR (Donal K.). Peel, priest and politics: Sir Robert Peel's administration and the Roman Catholic Church in Ireland, 1841-1846. London, Oxford U.P., 83, in-8, 410 p. (tab.). (Oxford Hist. Monogr.)

4553. KLAIBER (Jeffrey L.) S.J. The Catholic lay movement in Peru: 1867-1959. Americas, 83, vol. 40, n° 2, p. 149-170.

4554. KOŁODZIEJ (Bernard). Dzieje Towarzystwa Chrystusowego dla Wychodźców w latach 1939-1948. (Histoire de la Société du Christ pour les Emigrés [polonais] dans les années 1939-1948.) Poznań, Tow. Chrystusowe dla Polonii Zagr., 83, in-8, 290 p.

4555. KRÓLIK (Ludwik). Organizacja diecezji łuckiej i brzeskiej od XVI do XVIII wieku. (L'organisation des diocèses de Łuck et de Breść, du XVIe au XVIIIe s.) Lublin, 83, in-8, 512 p. (Kat. Uniw. Lub. Wydz. Teolog.)

4556. KSELMAN (Thomas A.). Miracles and prophecies in nineteenth-century France. New Brunswick, N.J., Rutgers U.P., 83, in-8, X-283 p.

4557. LABUDDA (Alfons). Liturgia pogrzebu w Polsce. Do wydania Rytuału piotrkowskiego (1631). Studium historyczno-liturgiczne. (La liturgie des funérailles en Pologne. A propos de l'édition du Rite de Piotrków, 1631. Etude historico-liturgique.) Warszawa, Akad. Teologii Kat., 83, in-8, 335 p. (Textus et Studia Historiam Theologiae in Polonia Excultae Spectantia, 14)

4558. LEMAITRE (Nicole). Confession privée et confession publique dans les paroisses du XVIe siècle. R. Hist. Egl. France, 83, t. 69, n° 183, p. 189-208.

4559. LEVILLAIN (Philippe). Albert de Mun: catholicisme français et catholicisme romain, du Syllabus au Ralliement. Roma, Ecole franç. de Rome, 83, in-8, 1062 p. (Bibl. des Ecoles franç. d'Athènes et de Rome, 247)

4560. MacAULEY (Ambrose). The appointments of Patrick Curtis and Thomas Kelly as archbishop and coadjutor archbishop of Armagh. Seanchas Ardmhacha, 82, vol. 10, p. 331-365.

4561. MAIER (Hans). Zur Soziologie des deutschen Katholizismus 1803-1950. In: Politik u. Konfession [Cf. n° 506], p. 159-172.

4562. MARCEAU (William). Le stoïcisme et saint François de Sales. Le Coteau-Roanne, Horvath, 83, in-8, 109 p. (pl.).

4563. MARTÍNEZ MILLAN (José). Crisis y decadencia de la Inquisición. Cuad. Invest. hist., 83, t. 7, p. 5-17.

4564. MICEWSKI (Bolesław). Bogdan Jański, założyciel Zmartwychstańców 1807-1840.

(B. Jański, fondateur de la Congrétation de la Résurrection 1807-1840.) Warszawa, Ośrodek Dokum. i Studiów Społ., 83, in-8, 511 p.

4565. MIELE (Michele). Il concilio "medievale" di Benevento del 1545. Annu. Hist. Concil., 83, Jg. 15, p. 322-356.

4566. MILLER (Randall M.), WAKELYN (Jon L.) a. others. Catholics in the Old South: essays on church and culture. Macon, Ga., Mercer U.P., 83, in-8, VI-260 p.

4567. MILLER (Samuel J.). Dom Frei Joaquim de Santa Clara (1740-1818) and later Portuguese Jansenism. Cath. hist. R., 83, vol. 69, n° 1, p. 20-40.

4568. OLSZEWSKI (Daniel). Stan i perspektywy badań nad religijnościa XIX i poczatku XX wieku. (L'état et les perspectives des recherches sur la religiosité au XIXe et au début du XXe s.) Nasza Przeszłość, 83, vol. 59, p. 5-68.

4569. PEARL (Jonathan L.). French Catholic demonologists and their enemies in the late sixteenth and early seventeenth centuries. Church Hist., 83, vol. 52, n° 4, p. 457-467.

4570. RAITT (Jill). The emperor and the exiles: the clash of religion and politics in the late sixteenth century. church Hist., 83, vol. 52, n° 2, p. 145-156.

4571. Répertoire des visites pastorales de la France. 1e série: Anciens diocèses (jusqu'en 1790). [T. 2. Cf. Bibl. 80, n° 4021.] T. 3: Mâcon-Riez. Paris, Ed. du C.N.R.S., 83, in-8, 568 p.

4572. SCHUETZ (Mardith). Professional artisans in the Hispanic southwest: the churches of San Antonio, Texas. Americas, 83, vol. 40, n° 1, 17-72.

4573. Słownik polskich teologów katolickich. Lexicon theologorum catholicorum Poloniae. Réd. par Hieronim Eugeniusz WYCZAWSKI. Auteurs: Marian BANASZAK et autres. [T. 2, 3. Cf. Bibl. 82, n° 1044.] T. 4: S-Ż. Index. T. 5: Słownik polskich teologów katolickich 1918-1981. Lexicon theologorum catholicorum Poloniae 1918-1981: A-J. T. 6: K-P. T. 7: R-Ż. Réd. par Ludwik GRZEBIEŃ. Auteurs: Roman ANDRZEJEWSKI et autres. Warszawa, Akad. Teologii Kat., 83, 4 vol. in-8, 586, 622, 748, 546 p.

4574. SMOLINSKY (Heribert). Reformationsgeschichte als Geschichte der Kirche. Kathol. Kontroverstheologie u. Kirchenreform. Hist. Jb., 83, Jg. 103, p. 372-394.

4575. Święty naszych czasów. Beatyfikacja i kanonizacja Ojca Maksymiliana Kolbego. (Un saint de nos temps. Béatification et canonisation du Père Maximilien Kolbe.) Choix, arrangement et réd. d'Amelia SZAFRAŃSKA. Warszawa, Pax, 83, in-8, 207 p.

4576. TAZBIR (Janusz). Inkwizycje w oczach Polaków. (L'Inquisition vue par les Polonais.) Kwart. hist., 83, a. 90, n° 2, p. 311-325.

4577. VALERIUS (Gerhard). Deutscher Katholizismus und Lamennais. Die Auseinandersetzung in d. kath. Publizistik 1817-1854. Mainz, Mattias-Grünewald-Verl., 83, in-8, XXXI-453 p. (Veröff. d. Komm. f. Zeitgesch. Reihe B: Forsch., 39)

4578. VIGUERIE (Jean de). Le miracle dans la France du XVIIe siècle. XVIIe Siècle, 83, a. 35, p. 313-331.

4579. VILLENEUVE (Roland). Le fléau des sorciers: la diablerie basque au XVIIe siècle. Paris, Flammarion, 83, in-8, 231 p.

4580. VOVELLE (Michel), BERTRAND (Régis). La ville des morts. Essai sur l'imaginaire urbain contemporain d'après les cimetières provençaux. Paris, Ed. du C.N.R.S., 83, in-4, 240 p.

4581. WAKEFIELD (Walter L.). Heretics and inquisitions: the case of Le Mas-Saintes-Puelles. Cath. hist. R., 83, vol. 69, n° 2, p. 209-226.

4582. WALKER (Lawrence D.), WALKER (Lawrence A.). Viennese priests and the nazis: factors associated with opposition. Cath. hist. R., 83, vol. 69, n° 3, p. 403-413.

4583. WEBER (Henri). L'exorcisme à la fin du XVIe siècle, instrument de la Contre-Réforme et spectacle baroque. Nouv. R. XVIe Siècle, 83, n° 1, p. 79-101.

4584. WICKS (Jared). Cajetan und die Anfänge der Reformation. Münster, Aschendorff, 83, in-8, 136 p. (Kathol. Leben u. Kirchenreform im Zeitalter d. Glaubensspaltung, 43) - IDEM. Roman reactions to Luther: the first year (1518). Cath. hist. R., 83, vol. 69, n° 4, p. 521-562.

4585. WILSON (Everett A.). Sanguine saints: Pentecostalism in El Salvador, 1900-1940. Church Hist., 83, vol. 52, n° 2, p. 186-198.

Cf. n°s 657, 4369, 4879.

d. Religious orders.

* 4586. POLGÁR (László). Bibliographia de historia Societatis Iesu. [Cf. Bibl. 82, n° 4506.] Arch. hist. Soc. Iesu, 83, a. 52, p. 340-441.

4587. BATTLORI (Miquel). Cultura e finanze. Studi sulla storia dei Gesuiti da S. Ignazio al Vaticano II. Roma, Storia e Lett., 83, in-8, 494 p.

4588. CASTRO CALVO (Manuel de). Desamortización de terciarios regulares franciscanos en el reinado de Felipe II. B. real Acad. Hist. [Madrid], 83, t. 180, p. 21-148.

4589. JABŁOŃSKA-DEPTUŁA (Ewa). Przystosowanie i opór. Zakony męskie w Królestwie Kongresowym. (Adaptation et résistance. Les ordres monastiques des hommes dans le royaume de Pologne.) Warszawa, Pax, 83, in-8, 513 p.

4590. LINAGE CONDE (Antonio). El monacato en la América Virreinal. Quinto Centenario, 83, t. 5, p. 65-96.

4591. WEIS (Eberhard). Die Säkularisation der bayerischen Klöster 1802/03. In: Politik u. Konfession [Cf. n° 506], p. 123-158.

4592. WEISS (Otto). Die Redemptoristen in Bayern (1790-1909). Ein Beitr. zur Gesch. d. Ultramontanismus. St. Ottilien, EOS, 83, in-8, XLVIII-1136 p. (Münchener theolog. Stud., 1: Hist. Abt., 22)

e. Missions.

4593. DEHERGNE (Joseph). Un problème ardu: le nom de Dieu en chinois. In: Appréciation par l'Europe ... [Cf. n° 224], p. 13-46.

4594. HARDER (Hermann). La question du "gouvernement" de la Chine au XVIIIe siècle: Montesquieu et de Brosses chez Mgr. Foucquet à Rome. In: Apréciation par l'Europe ... [Cf. n° 224], p. 79-92.

4595. HEREMANS (Roger). L'éducation dans les missions des Pères Blancs en Afrique centrale (1879-1914). Objectifs et réalisations. Bruxelles, Nauwelaerts; Louvain-la-Neuve, Collège Erasme, 83, in-8, 479 p. (ill.).

4596. HEZEL (Francis X.). From conversion to conquest: the early Spanish mission in the Marianas. J. pacific Hist., 82, vol. 17, n° 3, p. 115-137.

4597. OVČINNIKOV (V.G.). Katoličeskaja cerkov' v Zapadnoj Afrike. Očerki istorii katoličeskogo missionerstva. (The Catholic church in Western Africa. Studies in the history of Catholic missionary work.) Moskva, Nauka, 82, 178 p. - CR: G. S. Kučerenko, Nov. novejš. Ist., 83, n° 4, p. 193-195.

4598. SEBES (József S.). A comparative study of religious missions in three civilizations: India, China a. Japan. In: Appréciation par l'Europe ... [Cf. n° 224], p. 271-290.

4599. VISSIERE (Isabelle), VISSIERE (Jean-Louis). Un carrefour culturel: la mission française de Pékin au XVIIIe siècle. In: Appréciation par l'Europe ... [Cf. n° 224], p. 211-221.

§ 3. Orthodox Church.

** 4600. Patriarch Nikon on Church and State. Nikon's "Refutation". Ed. with intr. a. notes by Valerie A. TUMINS a. George VERNADSKY. Amsterdam, Berlin a. New York, Mouton, 82, in-8, 812 p. (Slavistic printings a. reprintings, 300)

4601. ALEXANDRIS (Alexis). Hē apopeira dēmiourgias Tourkorthodoxēs Ekklēsias stēn Kappadokia, 1921-1923. (La tentative de création d'une Eglise Orthodoxe Turque en Cappadoce, 1921-1923.) Deltio Kentrou mikrasiat. Spoudon, 83, vol. 4, p. 159-210.

4602. BATALDEN (Stephen K.). Metropolitan Gavriil (Banulesko-Bodoni) and Greek-Russian conflict over dedicated monastic estates, 1787-1812. Church Hist., 83, vol. 52, n° 4, p. 468-478.

4603. FELMY (Karl Christian). Die Auseinandersetzung mit der westlichen Theologie in den russischen theologischen Zeitschriften zu Beginn des 20. Jahrhunderts. Z. f. Kirchengesch., 83, Bd 94, p. 66-82.

4604. FREEZE (Gregory L.). The parish clergy in nineteenth-century Russia: crisis, reform, counter-reform. Princeton, N.J., Princeton U.P., 83, in-8, XXXII-507 p.

4605. NĂSTASE (D.). Les documents roumains des archives du couvent athonite de Simonopétra [XVe-XIXe s.]. Présentation préliminaire. Symmeikta, 83, t. 5, p. 373-388.

4606. NIKOL'SKIJ (N.M.). Istorija russkoj cerkvi (History of the Russian church.) 3-e izd. Moskva, Politizdat, 83, 447 p. (ill.).

4607. PLÖCHL (Willibald M.). Die Wiener Orthodoxen Griechen. Eine Studie z. Rechts- u. Kulturgesch. d. Kirchengemeinden zum Hl. Georg u. zur Hl. Dreifaltigkeit u. zur Errichtung d. Metropolis von Austria. Wien, Verband d. Wiss. Ges. Österreichs, 83, in-8, 168 p. (11 Taf.). (Kirche u. Recht, 16)

4608. SEBEȘANU (N.). Contribuția Banatului la teologia și spiritualitatea românească. (La contribution de la Métropolie du Banat à la théologie et à la spiritualité roumaines [XIXe-XXe s.].) Mitropolia Banatului, 83, t. 33, n° 9-10, p. 556-569.

4609. SEIDE (Gernot). Geschichte der Russischen Orthodoxen Kirche im Ausland von der Gründung bis in die Gegenwart. Wiesbaden, Harrassowitz, 83, in-8, XII-476 p. (Veröff. d. Osteuropa-Inst. München, Reihe Gesch., 51). - IDEM. Die Russisch-Orthodoxe Kirche in Sibirien und Mittelasien seit dem zweiten Weltkrieg. Ihre Diözesen u. Gemeinden. Ostkirch. Stud., 83, Bd 32, p. 117-165.

4610. STRICKER (Gerd). Die Kanonisierung der Neomärtyrer in der Russisch-Orthodoxen Auslandskirche. Kirche im Osten, 83, Bd 26, p. 95-136.

4611. THOMAS (Marie A.). Muscovite convents in the seventeenth century. Russian Hist., 83, vol. 10, part 2, p. 230-242.

Cf. n° 5515.

§ 4. Protestantism.

* 4612. KINDER (A. Gordon). Spanish Protestants and reformers in the 16th century. A bibliography. London, Grand a. Cutler, 83, in-8, 108 p.

4. PROTESTANTISM

* 4613. Literaturbericht. [Cf. Bibl. 82, n° 4549.] Arch. f. Reformationsgesch., 83, Jg. 12, Beih., 214 p.

* 4614. Lutherbibliographie [1982. Cf. Bibl. 82, n° 4550.] 1983. Luther-Jb., 83, Jg. 50, p. 187-223.

* Cf. n° 296.

** 4615. BEZE (Théodore de). Correspondance. [T. 10. Cf. Bibl. 81, n° 4084.] T. 11: 1570. Ed. par Alain DUFOUR, Claire CHIMELLI et Béatrice NICOLLIER. Genève, Droz, 83, in-8, 376 p. (Travaux d'Humanisme et Renaissance, 195)

** 4616. Flugschriften der frühen Reformationsbewegung (1518-1524). Hrsg. v. d. Akad. d. Wiss. d. DDR, Zentralinst. f. Gesch.; Zentralinst. f. Literaturgesch. Adolf LAUBE, Annerose SCHNEIDER unter Mitw. v. Sigrid LOOSS. Erl. zur Druckgesch. v. Helmut CLAUS. Bd 1, 2. Berlin, Akad.-Verl., 83, 2 vol. in-8, VIII-616-XVIII p.; VIII p., p. 620-1367.

** 4617. HAHN (Philipp Matthäus). Die Echterdinger Tagebücher 1780-1790. Vorw. v. Martin BRECHT. Hrsg. v. Martin BRECHT u. Rudolf PAULUS. Berlin u. New York, de Gruyter, 83, in-8, 517 p. (Texte z. Gesch. d. Pietismus, Abt. 8, 2) [Cf. Bibl. 78-79, n° 4738]

** 4618. LUTHER (Martin). Werke. Kritische Gesamtausgabe. Briefwechsel. [Bd 16. Cf. Bibl. 80, n° 4083.] Bd 17: Theologisches und Sachregister. Bd 59: Nachträge. Bd 61: Inhaltsverzeichnis zur Abteilung Schriften Bd 1-60 nebst Verweisen auf d. Abteilungen Die Deutsche Bibel, Briefwechsel, Tischreden. Weimar, Böhlau, 83, 3 vol. in-4, XX-648, XIV-819, XIV-199 p.

** 4619. Martin Luther 1483-1546. Dokumente seines Lebens und Wirkens. Dokumente aus staatl. Archiven u. anderen wiss. Einrichtungen d. DDR. Im Jahre d. 500. Geburtstages Martin Luthers mit Unterstützung d. Martin-Luther-Komitees hrsg. v. d. Staatl. Archivverwaltung d. DDR. Redaktion: Reiner GROSS, Manfred KOBUCH, Ernst MÜLLER. Weimar, Böhlau, 83, 438 p. (Abb.).

** 4620. Melanchthons Briefwechsel. Krit. u. kommentierte Gesamtausgabe, hrsg. v. Heinz SCHEIBLE. [Bd 3. Cf. Bibl. 80, n° 4084.] Bd 4: Regesten 3421-4529 (1544-1546). Bearb. v. Heinz SCHEIBLE unter Mitw. v. Walter THÜRINGER. Bad Cannstadt, Fromann-Holzboog, 83, in-4, 477 p.

** 4621. Quellen zur Geschichte der Täufer. [Bd 12. Cf. Bibl. 67, n° 5091.] Bd 13, 14: Österreich. T. 2, 3. In Gemeinschaft mit Matthias SCHMELZER bearb. v. Grete MECENSEFFY. Gütersloh, Mohn, 72-83, 2 vol. in-8, X-543, 795 p. (Quellen u. Forsch. z. Reformationsgesch., 41, 50)

4622. AHLBÄCK (Tore). Människosonen - en självgjord messias i Tyskland efter första världskriget. (Oskar Ernst Bernhard, a self-made Messias in Germany after the first world war.) Åbo, 83, in-8, 297 p. (Publ. Res. Inst. Åbo Akad. Found., 81)

4623. ALTSCHULER (Glenn C.), SALTZGABER (Jan M.). Revivalism, social conscience, and community in the burned-over district: the trial of Rhoda Bement. Ithaca, N. Y., Cornell U.P., 83, in-8, 177 p.

4624. AURELIUS (Carl Axel). Verborgene Kirche: Luthers Kirchenverständnis in Streitschriften und Exegese 1519-1521. Hannover, Luther. Verlagshaus, 83, in-8, 132 p. (Arb. z. Gesch. u. Theol. d. Luthertums, N.F., 4)

4625. BACKUS (Irena), FRAENKEL (Pierre), LARDET (Pierre). Martin Bucer, apocryphe et authentique: études de bibliographie et d'exégèse. Genève, Droz, 83, in-8, 56 p. (Cah. de la R. Théol. Philos., 8)

4626. BECKER (Winfried). Reformation und Revolution. Die Reformation als Paradigma hist. Begriffsbildung, frühneuzeitl. Staatswerdung u. moderner Sozialgesch. 2., um e. Nachtr. z. Forsch. erw. Aufl. Münster, Aschendorff, 83, in-8, 159 p. (Kathol. Leben u. Kirchenreform im Zeitalter d. Glaubensspaltung, 34)

4627. BESIER (Gerhard). The stance of the German Protestant churches during the agony of Weimar, 1930-1033. Kyrkohist. Årsskr., 83, vol. 83, p. 151-163.

4628. BOGUCKA (Maria). Luter a Gdańsk. Społeczne przesłanki zwycięstwa luteranizmu w Gdańsku w XVI wieku. (Luther et Gdańsk. Les prémisses sociales de la victoire du luthéranisme à Gdańsk au XVIe siècle.) Roczn. Gdański, 83, vol. 43, fasc. 1, p. 55-63.

4629. BRAUER (Siegfried). Martin Luther in marxistischer Sicht von 1945 bis zum Beginn der achtziger Jahre. Berlin, Evang. Verl.-Anst., 83, in-8, 46 p.

4630. BRENDLER (Gerhard). Martin Luther. Theologie u. Revolution. Berlin, Deutsch. Verl. d. Wiss., 83, in-8, 451 p.

4631. BROWN (Earl Kent). Women of Mr. Wesley's methodism. New York, Edwin Mellen, 83, in-8, XVII-261 p. (Stud. in Women a. Religion, 11)

4632. BROWN (Stewart J.). Thomas Chalmers and the Godly Commonwealth in Scotland. London, Oxford U.P., 83, in-8, 456 p. (ill.).

4633. BRYNN (Edward). The church of Ireland in the age of Catholic Empancipation. New York, Garland, 82, in-8, 595 p. (Modern British Hist., 2)

4634. BUTLER (Jon). The Huguenots in America: a refugee people in new world society. Cambridge, Mass., Harvard U.P., 83, in-8, VIII-264 p. (Harvard Hist. Monogr., 72)

4635. CASADA (James A.). James A. Grant and the introduction of Christianity in

Uganda. J. Church a. State, 83, vol. 25, n° 3, p. 507-522.

4636. COLLINSON (Patrick). The religion of Protestants: the church in English society, 1559-1625. London, Oxford U.P., 83, in-8, 310 p. (Ford Lect.)

4637. CONSER (Walter H.) Jr. A conservative critique of church and state: the case of the Tractarians and neo-Lutherans. J. Church a. State, 83, vol. 25, n° 2, p. 323-342.

4638. DAVIS (J.). Heresy and Reformation in the South East of England, 1520-1529. London, Roy. Hist. Soc., 83, in-8, 170 p.

4639. DENT (C.M.). Protestant reformers in Elizabethan Oxford. London a. New York, Oxford U.P., 83, in-8, VIII-262 p. (Oxford Theol. Monogr.)

4640. DICKERSON (Dennis C.). Black ecumenicism: efforts to establish a united Methodist episcopal church, 1918-1932. Church Hist., 83, vol. 52, n° 4, p. 479-491.

4641. DORN (Jacob H.). The rural ideal and agrarian realities: Arthur E. Holt and the vision of a decentralized America in the interwar years. Church Hist., 83, vol. 52, n° 1, p. 50-65.

4642. DREYER (Frederick). Faith and experience in the thought of John Wesley. Am. hist. R., 83, vol. 88, n° 1, p. 12-30.

4643. DUGGAN (Margaret). Runcie, the making of an Archbishop. London, Hodder, 83, in-8, 238 p.

4644. EDWARDS (Mark U.) Jr. Luther's last battles: politics and polemics, 1531-1546. Ithaca, N.Y., Cornell U.P., 83, in-8, XII-254 p.

4645. GÄBLER (Ulrich). Huldrych Zwingli. Eine Einführung in sein Leben und sein Werk. München, Beck, 83, in-8, 163 p. (Beck'sche Elementarbücher)

4646. GÄNSSLER (Hans-Joachim). Evangelium und weltliches Schwert: Hintergrund, Entstehungsgeschichte u. Anlaß von Luthers Scheidung zweier Reiche oder Regimente. Wiesbaden, Steiner, 83, in-8, VI-164 p. (Veröff. d. Inst. f. europ. Gesch. Mainz, Abt. f. abendländ. Religionsgesch., 109)

4647. GANOCZY (Alexandre), SCHELD (Stefan). Die Hermeneutik Calvins: geistesgeschichtl. Voraussetzungen u. Grundzüge. Wiebaden, Steiner, 83, in-8, VIII-237 p. (Veröff. d. Inst. f. europ. Gesch. Mainz, Abt. f. abendländ. Religionsgesch., 114)

4648. GERRISH (Brian A.). Old Protestantism and the new: essays on the Reformation heritage. Edinburgh, T. a. T. Clark, 83, in-8, 428 p.

4649. GOEN (Clarence C.). Broken churches, broken nation: regional religion and north-south alienation in antebellum America. Church Hist., 83, vol. 52, n° 1, p. 21-35.

4650. GOLDBRUNNER (Hermann M.). Humanismus im Dienste der Reformation. Kaspar Hedio und seine Übersetzung d. Papstgesch. des Platina. Quellen u. Forsch., 83, Bd 63, p. 125-142.

4651. GRANE (Leif). Luther og den tyske humanisme. (Luther and the German humanism.) Kyrkohist. Årsskr., 83, vol. 83, p. 21-29. [Eng. summary]

4652. GREAVES (Richard L.). The role of women in early English nonconformity. Church Hist., 83, vol. 52, n° 3, p. 299-311.

4653. GUARNERI (Carl J.). The associationists: forging a Christian socialism in antebellum America. Church Hist., 83, vol. 52, n° 1, p. 36-49.

4654. HAENDLER (Gert). Die Ausbreitung der Reformation in den Ostseeraum und Johannes Bugenhagen. Kyrkohist. Årsskr., 83, vol. 83, p. 30-41.

4655. HALLENCREUTZ (Carl Fredrik). Reformator Olaus Petri som missionshistoriker. (The reformer Olaus Petri as a missionary historian.) Kyrkohist. Årsskr., 83, vol. 83, p. 1-20.

4656. HARRAN (Marilyn J.). Luther on conversion: the early years. Ithaca, N.Y., a. London, Cornell U.P., 83, in-8, 218 p.

4657. HEENEY (Brian). Women's struggle for professional work and status in the Church of England, 1900-1930. Hist. J., 83, vol. 26, p. 329-347.

4658. HONECKER (Martin). Martin Luther und die Politik. Staat, 83, Bd 22, n° 4, p. 473-498.

4659. HOOPES (James). Jonathan Edwards's religious psychology. J. am. Hist., 83, vol. 69, n° 4, p. 849-866.

4660. HOWE (Daniel Walker). The social science of Horace Bushnell. J. am. Hist., 83, vol. 70, n° 2, p. 305-322.

4661. HUDSON (Winthrop S.). The American context as an area for research in black church studies. Church Hist., 83, vol. 52, n° 2, p. 157-171.

4662. HUGHES (Richard T.). A civic theology for the South: the case of Benjamin M. Palmer. J. Church a. State, 83, vol. 25, n° 3, p. 447-468.

4663. HUNSON (Leon O.). Human liberty as divine right: a study in the political maturation of John Wesley. J. Church a. State, 83, vol. 25, n° 1, p. 57-86.

4664. ISERLOH (Erwin). Luther and the council of Trent. Cath. hist. R., 83, vol. 69, n° 4, p. 563-576.

4665. JACOB (James R.). Henry Stubbe, radical Protestantism, and the early Enlightenment. London a. New York, Cambridge U.P., 83, in-8, VIII-222 p.

4666. JACOBS (Manfred). Kirche, Weltanschauung, Politik. Die evangel. Kirchen u. d. Option zwischen d. zweiten u. dritten Reich. Vjhefte f. Zeitgesch., 83, Jg. 31, p. 108-135.

4667. JAKUBOWSKI-TIESSEN (Manfred). Der frühe Pietismus in Schleswig-Holstein. Entstehung, Entwicklung u. Struktur. Göttingen, Vandenhoeck u. Ruprecht, 83, in-8, 188 p. (Arbeiten z. Gesch. d. Pietismus, 19)

4668. JONES (N.). Faith by statute of Parliament and the settlement of religion, 1559. London, Roy. Hist. Soc., 83, in-8, 245 p.

4669. KANSANAHO (Erkki). Kirkko ja merenkulkijat. Sata vuotta Suomen Merimieslähetysseuran työtä. (L'Eglise et les marins. Cent ans de travail de la Société des Missions chez les marins.) Helsinki, Kirjapaja, 83, in-8, 425 p. (ill.).

4670. KELLER (Robert H.) Jr. American Protestantism and United States Indian policy, 1869-1882. Lincoln, Univ. of Nebraska Press, 83, in-8, XIII-359 p.

4671. KELLEY (A.K.), MILLMAN (Thomas R.). Atlantic Canada to 1900: a history of the Anglican Church. Toronto, Anglican Book Centre, 83, in-8, 180 p.

4672. KING (John Owen) III. The iron of melancholy: structures of spiritual conversion in America from the Puritan conscience to Victorian neurosis. Middletown, Conn., Wesleyan U.P., 83, in-8, IX-456 p.

4673. KING (William McGuire). "History as revelation" in the theology of the social gospel. Harvard theol. R., 83, vol. 76, n° 1, p. 109-130.

4674. KOCH (Ernst). Aufbruch und Weg: Studien zur lutherischen Bekenntnisbildung im 16. Jahrhundert. Stuttgart, Calwer, 83, in-8, 63 p. (Arbeiten z. Theol., 68)

4675. KOEHN (Horst). Philipp Melanchthons 24 Thesen zum Bauernkrieg. Luther-Jb., 83, Jg. 50, p. 25-35.

4676. KOLLAR (Rene M.) O.S.B. Anglo-Catholicism in the Church of England, 1895-1913: Bishop Aelred Carlyle and the monks of Caldey island. Harvard theol. R., 83, vol. 76, n° 2, p. 205-224.

4677. LAASONEN (Pentti). Papinvirkojen täyttö Suomessa myöhäiskaroliinisena aikana 1690-1713. (Die Besetzung von Pfarrstellen in Schweden-Finnland in spätkarolinischer Zeit 1690-1713.) Helinski, 83, in-8, 126 p. (Suomen Kirkkohist. Seur. Toim., 124) [Mit dt. Zsfassung]

4678. LAPLANCHE (François). L'évidence du Dieu chrétien. Religion, culture et société dans l'apologétique protestante de la France classique (1576-1670). Strasbourg, Assoc. des Publications de la Fac. de Théol. protestante, 83, in-8, 342 p.

4679. Leben und Werk Martin Luthers von 1526 bis 1546. Festgabe zu seinem 500. Geburtstag. Im Auftr. d. Theol. Arbeitskreises f. Reformationsgeschichtl. Forsch. hrsg. v. Helmar JUNGHANS. Bd 1, 2. Berlin, Evang. Verl.-Anst.; Göttingen, Vandenhoeck u. Ruprecht, 83, 2 vol. in-8, 707 p., p. 716-1089 (61 Abb.).

4680. LINDBERG (Carter). The third reformation? Charismatic movements and the Lutheran tradition. Macon, Ga., Mercer U.P., 83, in-8, IX-345 p.

4681. LOANE (Marcus). Masters of the English Reformation. London, Hodder, 83, in-8, 247 p.

4682. LOETSCHER (Lefferts A.). Facing the Enlightenment and Pietism: Archibald Alexander and the founding of Princeton theological seminary. Westport, Conn., Greenwood, 83, in-8, X-303 p. (Contrib. to the Study of Religion, 8)

4683. Lutero nel suo e nel nostro tempo. Studi e conferenze per il 5° centenario della nascita di M. Lutero. Torino, Claudiana, 83, in-8, 346 p.

4684. Luther aujourd'hui. Louvain-la-Neuve, Peeters, 83, in-8, 307 p. (pl.).

4685. Luther und Luthertum in Osteuropa. Selbstdarstellung aus d. Diaspora u. Beitr. z. theol. Diskussion. Hrsg. v. Gerhard BASSARAK u. Günter WIRTH. Berlin, Evang. Verl.-Anst., 83, in-8, 364 p. (24 p. Abb.).

4686. McCAMPBELL (Alice E.). Incumbents and patronage in London, 1640-1660. J. Church a. State, 83, vol. 25, n° 2, p. 299-322.

4687. McLOUGHLIN (William G.). Cherokee slaveholders and Baptist missionaries, 1845-1860. Historian, 83, vol. 45, n° 2, p. 147-166.

4688. MAŁŁEK (Janusz). Prusy Książece a reformacja w Polsce. (La Prusse Ducale et la Réforme en Pologne.) Komunikaty maz.-warm., 83, a. 31, n° 1, p. 9-17.

4689. MARON (Gottfried). Luther und die "Germanisierung des Christentums". Notizen zu einer fast vergessenen These. Z. f. Kirchengesch., 83, Bd 94, p. 313-337.

4690. Martin Luther. Leben, Werk, Wirkung. Hrsg. v. Günter VOGLER in Zusammenarbeit mit Siegfried HOYER u. Adolf LAUBE. Berlin, Akad.-Verl., 83, in-8, 539 p. (Abb.).

4691. MARTIN (Robert F.). Critique of southern society and vision of a new order: the fellowship of southern churchmen, 1934-1957. Church Hist., 83, vol. 52, n° 1, p. 66-80.

4692. MILLET (Olivier). Correspondance de Wolfgang Capiton, 1478-1541: analyse et index, d'après le Thesaurus Baumianus et autres sources. Strasbourg, Biblioth. nat. et univ., 82, in-8, XLIX-276 p.

4693. MISIUREK (Jerzy). Chrystologia braci polskich. Okres przedsocyniański. (Christologie des Frères Polonais. La période avant Socin.) Lublin, 83, in-8, 259 p. (Kat. Uniw. Lub. Wydz. Teolog.)

4694. MÜHLEN (Karl-Heinz zur). Die Erforschung des "jungen Luther" seit 1876. Luther-Jb., 83, Jg. 50, p. 48-125.

4695. MULLER (Ernest). Les cantiques de Luther dans les recueils de langue française. B. Soc. Hist. Prot. franç., 83, t. 129, p. 47-72.

4696. NAWYN (William E.). American protestantism's response to Germany's Jews and refugees, 1933-1941. Ann Arbor, Mich., UMI Research, 81, in-8, IX-330 p. (Stud. in Am. Hist. a. Culture, 30)

4697. NEUHAUS (Helmut). Das Reich und die Wiedertäufer von Münster. Westfäl. Z., 82, Bd 133, p. 9-36.

4698. NICHOLLS (David J.). The nature of popular heresy in France, 1520-1542. Hist. J., 83, vol. 26, p. 261-275.

4699. PESTANA (Carla Gardina Pestana). The city upon a hill under siege: the Puritan perception of the Quaker threat to Massachusetts Bay, 1656-1661. New England Quar., 83, vol. 56, n° 3, p. 323-353.

4700. PETER (Rodolphe). La réception de Luther en France au XVIe siècle. R. Hist. Philos. relig., 83, a. 63, p. 67-89.

4701. PETUR PETURSSON. Church and social change: a study of the secularization process in Iceland, 1830-1930. Helsingborg, Plus ultra, 83, in-8, 199 p. (Stud. in religious experience a. behaviour, 4. Lund stud. in sociol., 55)

4702. PHILLIPS (Joseph W.). Jedidiah Morse and New England congregationalism. New Brunswick, N.J., Rutgers U.P., 83, in-8, X-290 p.

4703. POTTER (George R.), GREENGRASS (M.). John Calvin. London, E. Arnold, 83, in-8, 192 p. (Documents of Mod. Hist.)

4704. PROCTOR (J.H.). The Church of Scotland and the struggle for a Scottish assembly. J. Church a. State, 83, vol. 25, n° 3, p. 523-544.

4705. RIBUFFO (Leo P.). The old Christian right: the Protestant far right from the great depression to the cold war. Philadelphia, Pa., Temple U.P., 83, in-8, XIX-369 p.

4706. RIX (Herbert David). Martin Luther: the man and the image. New York, Irvington, 83, in-8, VII-332 p.

4707. ROGGE (Joachim). Anfänge der Reformation. Der junge Luther 1483-1521, der junge Zwingli 1484-1523. Berlin, Evang. Verl.-Anst., 83, in-8, 309 p. (Kirchengesch. in Einzeldarstellungen, 2/3-4)

4708. ROWELL (Geoffrey). Vision glorious: themes and personalities of the Catholic revival in Anglicanism. London, Oxford U. P., 83, in-8, 288 p.

4709. RUPP (E. Gordon) a. others. History of the Methodist church in Great Britain. Vol. 3. London, Epworth Press, 83, in-8.

4710. SAMUELSSON (Lars). Väckelsens vägar: pingströrelsens framväxt i Lycksele och Arvidsjaur socknar fram till ca. 1940. (The paths of the revival: the growth of the Pentecostal movement in the Licksele and Arvidsjaur parishes up to about 1940.) Uppsala, Univ., Teol. inst., 83, in-8, 156 p. (Skr. utg. av Svenska kyrkohist. fören. II. N.F., 39) [Eng. summary]

4711. SCHNEIDER (Annerose). Frauen in den Flugschriften der frühen Reformationsbewegung. Jb. f. Gesch. d. Feudalismus, 83, Bd 7, p. 247-264.

4712. SCHROER (Alois). Die Reformation in Westfalen. Der Glaubenskampf e. Landschaft. [1. Cf. Bibl. 80, n° 4176.] Bd 2: Die evangelische Bewegung in den geistlichen Landesherrschaften und den Bischofsstädten Westfalens bis zum Augsburger Religionsfrieden (1555). Münster, Aschendorff, 83, in-8, XX-778 p.

4713. SNYDER (K. Alan). Foundations of liberty: the Christian republicanism of Timothy Dwight and Jedidiah Morse. New England Quar., 83, vol. 56, n° 3, p. 382-397.

4714. Socinianism and its role in the culture of XVIth to XVIIIth centuries. Ed. by Lech SZCZUCKI in coop. with Zbigniew OGONOWSKI, Janusz TAZBIR. Warsaw, Pol. Scientific Publ., 83, in-8, 239 p. (Pol. Acad. of Sciences. Inst. of Philos. a. Sociol.)

4715. SONNE (Conway B.). Saints on the seas: a maritime history of Mormon migration, 1830-1890. Salt Lake City, Univ. of Utah Press, 83, in-8, XVIII-212 p.

4716. STANLEY (Laurie C. C.). The well-watered garden: the Presbyterian Church in Cape-Breton, 1798-1860. Sydney, N. S., Univ. College of Cape Breton Press, 83, in-8, XII-239 p.

4717. STEIG (Margaret F.). Laud's laboratory: diocese of Bath and Wells in the 17th century. London, Dent, 83, in-8, 412 p.

4718. STOLL (David). Fishers of men or Founders of Empires? The Wycliffe Bible translators in Latin America. London, Zed Press, 83, in-8, 352 p.

4719. STOUT (Harry S.), ONUFF (Peter). James Davenport and the great awakening in New London. J. am. Hist., 83, vol. 70, n° 3, p. 556-576.

4720. STRUBLE (Rhode). Den samfundsfria församlingen och de karismatiska gåvorna och tjänsterna: den svenska pingströrelsens församlingssyn 1907-1947. (The independent local church and the gifts and ministry of the Holy Spirit: the ecclesiastical concept of the Swedish Pentecostal movement, 1907-1947.) Stockholm, Almqvist a. Wiksell

Internat., 82, in-8, 277 p. (Bibl. hist.-ecclesiast. Lundensis, 11. Acta Univ. Lundensis, Sectio 1, 40) [Eng. summary]

4721. Studies in New England Puritanism. Ed. by Winfried HERGET. Frankfurt (Main), Bern u. New York, Lang, 83, in-8, 235 p. (Stud. u. Texte z. Amerikanistik, Stud., 9)

4722. SURRATT (Jerry L.). Gottlieb Schober of Salem [North Carolina]: discipleship and ecumenical vision in an early Moravian town. Macon, Ga., Mercer U.P., 83, in-8, X-243 p.

4723. SWEET (Leonard I.). The minister's wife: her role in nineteenth-century American evangelicalism. Philadelphia, Pa., Temple U.P., 83, in-8, VIII-327 p.

4724. TALONEN (Jouko). Lestadiolaisuus ruotsalaisessa yhteiskunnassa vuosina 1900-40. (Laestadianism in the Swedish society of 1900-40.) Faravid, 83, t. 7, p. 209-224. [Eng. summary]

4725. TAYLOR (Brian). The Anglican church in Borneo, 1848-1962. London, New Horizon, 83, in-8, 454 p.

4726. TAZBIR (Janusz). Antytrynitarze polscy wobec Lutra i tradycji luterańskiej. (Les antitrinitaires polonais à l'égard de Luther et de la tradition luthérienne.) Przegl. hist., 82 [83], vol. 73, p. 195-206. - IDEM. Die Reformation in Polen und das Judentum. Jb. f. Gesch. Osteuropas, 83, Bd 31, p. 386-400.

4727. TELLECHEA IDÍGORAS (José I.). Perfil teológico del protestantismo castellano del siglo XVI. Cuad. Invest. hist., 83, t. 7, p. 79-111.

4728. VIDAL (Daniel). Le malheur et son prophète. Inspirés et sectaires en Languedoc calviniste (1685-1725). Paris, Payot, 83, in-8, 368 p.

4729. WAHLBOM (Hans). Husförhöret under regressionstiden i Lunds stift. (The catechetical examination during the regression period in the Lund diocese.) Stockholm, Amqvist a. Wiksell Internat., 83, in-4, 231 p. (Bibl. hist.-ecclesiast. Lundensis, 12. Acta Univ. Lundensis, Sectio 1, 4) [Eng. summary]

4730. WALKER (James). Theology and theoligians of Scotland, 1570-1750. Edinburgh, Knox Press, 83, in-8, 228 p.

4731. WALSH (David). The mysticism of innerworld fulfillment: a study of Jacob Boehme. Gainesville, Univ. Presses of Florida, 83, in-8, X-139 p. (Univ. of Florida Monogr., Humanities, 53)

4732. WEEKS (Louis B.). Kentucky Presbyterians. Atlanta, Ga., John Knox, 83, in-8, IX-190 p. (Presbyterian Hist. Soc. Publ.)

4733. WEISBROT (Robert). Father divine and the struggle for racial equality. Urbana, Univ. of Illinois Press, 83, in-8, 241 p.

4734. WENDELBORN (Gert). Martin Luther. Leben und reformatorisches Werk. Berlin, Union, 83, 499 p.

4735. WERNER (Ernst). Reformatorischer Konservatismus? Bernhard von Clairvaux als Autorität bei Jan Hus und Martin Luther. Jb. f. Gesch. d. Feudalismsus, 83, Bd 7, p. 185-214.

4736. WETHERELL (David). The fortunes of [missionary] Charles W. Abel of Kwato [Papua New Guinea]. J. pacific Hist., 82, vol. 17, n° 4, p. 195-217.

4737. WETZEL (Klaus). Theologische Kirchengeschichtsschreibung im deutschen Protestantismus 1660-1760. Gießen u. Basel, Brunnen-Verl., 83, in-8, 591 p.

4738. WILLIAMS (George Huntston). The World Council of Churches and its Vancouver theme: "Jesus Christ the life of the world" in historical perspective. Harvard theol. R., 83, vol. 76, n° 1, . 1-52.

4739. YULE (George S. S.). Puritans in politics: the religious legislation of the Long Parliament, 1640-1647, with contemporary texts. Abingdon, Oxford, Sutton Courtenay Press, 83, in-8, 412 p.

Cf. n°s 742, 3168, 3383, 3905, 4477, 4584, 4983, 5017.

§ 5. Non-Christian religions and sects.

* 4740. SHINAR (Pessah). Essai de bibliographie sélective et annotée sur l'Islam maghrébin contemporain. Maroc, Algérie, Tunisie, Libye (1830-1978). Paris, Ed. du C.N.R.S., 83, in-8, 536 p. (Centre de recherches et d'études sur les Soc. méditerr., Coll. "Recherches sur les Soc. méditerr.")

** 4741. ROTERMUND (Hartmut O.). "Pèlerinage aux neuf sommets". Carnet de route d'un religieux itinérant [Noda Senkōin Narisuke] dans le Japon du 19e siècle. Paris, Ed. du C.N.R.S., 83, in-8, 481 p. (85 ill., 7 cartes).

4742. AIZENBERG (Isidoro). The 1855 expulsion of the Curaçoan Jews from Coro, Venezuela. Am. jewish Hist., 83, vol. 72, n° 4, p. 495-508.

4743. ALDERMAN (Geoffrey). The Jewish community in British politics. New York, Oxford U.P., 83, in-8, IX-218 p.

4744. BAUMAN (Mark). Role theory and history: the illustration of ethnic brokerage in the Atlanta Jewish community in an ear of transition and conflict. Am. jewish Hist., 83, vol. 73, n° 1, p. 71-95.

4745. BENAYAHU (Meir). Ha-yehasim sheben yehude yawan lihude Italia. (Relation between Greek and Italian Jewry.) Tel-Aviv, The Diaspora Research Institute, 80, in-8, 364 p.

4746. BERGER (David) a. others. The legacy of Jewish migration: 1881 and its impact. Foreword by Irving HOWE. New York, Brooklyn College Press, 83, in-8, 187 p.

4747. BLUMBERG (Janice Rothschild). The bomb that healed: a personal memoir of the bombing of the temple in Atlanta. Am. jewish Hist., 83, vol. 73, n° 1, p. 20-38.

4748. CHEJNE (Anwar G.). Islam and the West: the Moriscos. A cultural and social history. Albany, State Univ. of New York Press, 83, in-8, VIII-248 p.

4749. COHEN (Ammon). Yehudim be-shilton ha-Islam. (The Jewish Community of Jerusalem in the 16th century.) Jerusalem, Ben Zvi Institute, 82, in-8, V-251 p.

4750. COHEN (Robert). Early Caribbean Jewry: a demographic perspective. Jewish soc. Stud., 83, vol. 45, n° 2, p. 123-134.

4751. Communautés juives des marges sahariennes du Maghreb. Ed. Michel ABITBO. Jerusalem, Institut Ben Zvi, 82, in-8, XLII-501 p. (ill., pl., plan, carte).

4752. COOPERMAN (Bernard Dov) a. others. Jewish thought in the sixteenth century. Cambridge, Mass., Harvard U.P., 83, in-8, XIX-492 p. (Harvard Judaica Texts a. Stud., 2)

4753. DIVINE (Donna Robinson). Islamic culture and political practice in British mandated Palestine, 1919-1948. R. Politics, 83, vol. 45, n° 1, p. 71-93.

4754. DOBBIN (Christine). Islamic revivalism in a changing peasant economy: Central Sumatra, 1784-1847. London a. Malmö, Curzon Press, 83, in-8, 320 p. (ill.). (Scandinavian Inst. of Asian Stud., Monogr. ser., 47)

4754a. EISEN (Arnold M.). The chosen people in America: a study in Jewish religious ideology. Bloomington, Indiana U.P., 83, in-8, X-237 p. (Modern Jewish Experience)

4755. ETKES (Immanuel). Rabbi Israel Salanter we-reshita shel tenu-at ha-musar. (Rabbi Israel Salanter and the beginning of the "Musar" movement [in Lithuania].) Jerusalem, Magnes Press, 82, in-8, 350 p. (fac-sim.).

4756. GENIZI (Haim). Ben ha-mizrachi la-revisionistim. (The relationship between the Mizrachi and the Revisionist Movement, 1925-1939.) Bar-Ilan, 83, vol. 20-21, p. 271-286.

4757. GOREN (Arthur A.). The promises of The Promised City: Moses Rischin, American history and the Jews. Am. jewish Hist., 83, vol. 73, n° 2, p. 173-184.

4758. GOTTLIEB (Moshe R.). Reactions of American Jewish defense organisations to the liquidation of the B'nai B'rith in Nazi Germany. Jewish soc. Stud., 83, vol. 45, n° 3-4, p. 287-310.

4759. GROSE (Peter). Israel in the mind of America. New York, A. A. Knopf, 83, in-8, XIV-361 p.

4760. HANDLER (Andrew). Dori: the life and times of Theodor Herzl in Budapest, 1860-1878. University, Univ. of Alabama Press, 83, in-8, XIII-161 p. (Judaic Stud. Ser.)

4761. HUGHES (H. Stuart). Prisoners of hope: the silver age of the Italian Jews, 1924-1074. Cambridge, Mass., Harvard U.P., 83, in-8, VIII-188 p.

4762. ISRAEL (Jonathan I.). Central European Jewry during the Thirty Years' War. Central european Hist., 83, vol. 16, n° 1, p. 3-30.

4763. JOSELIT (Jenna Weissman). What happened to New York's "Jewish Jews"? Moses Rischin's The Promised City revisited. Am. jewish Hist., 83, vol. 73, n° 2, p. 163-172.

4764. KAGANOFF (Nathan M.). An orthodox rabbinate in the south: Tobias Feffe, 1870-1970. Am. jewish Hist., 83, vol. 73, n° 1, p. 56-70.

4765. KAPLAN (Yosef). Mi-nazrut le-yahadut. (From Christianity to Judaism: the life and work of Isaac Orobio de Castro.) Jerusalem, Magnes Press, 82, in-8, XI-463 p.

4766. KORNBERG (Jacques) a. others. At the crossroads: essays on Ahad Ha-Am. Albany, State Univ. of New York Press, 83, in-8, XXVII-207 p. (SUNY Ser. in Modern Jewish hist.) [Asher Ginsberg, 1856-1927, early Zionist]

4767. KREISER (Klaus). Medresen und Derwischkonvente in Istanbul: quantitative Aspekte. In: Economies et sociétés ... [Cf. n° 4310], p. 109-127.

4768. LASKIER (Michael M.) The Alliance Israélite Universelle and the Jewish communities in Morocco: 1862-1962. Albany, State Univ. of New York Press, 83, in-8, XVI-372 p. (SUNY Ser. in Modern Jewish Hist.)

4769. LEONE (Massimo). Le organizzazioni di soccorso ebraiche in età fascista (1918-1945). Pref. di Renzo DI FELICE. Roma, Carucci, 83, in-8, XVIII-296 p. (Testimonianze sull'ebraismo, 4)

4770. LOKER (Zvi). Were there Jewish communities in Saint Domingue (Haiti)? Jewish soc. Stud., 83, vol. 45, n° 2, p. 135-146.

4771. MESINGER (Jonathan S.). Reconstructing the social geography of the nineteenth-century Jewish community from primary statistical sources. Am. jewish Hist., 83, vol. 72, n° 3, p. 354-368.

4772. NA'AMAN (Shlomo). Bilu ... (Bilu: an emancipatory movement and a settlement group.) Ha-Ziyyonut, 83, vol. 8, p. 11-56. [Eng. summary]

5. NON-CHRISTIAN RELIGIONS AND SECTS

4773. NESHAMIT (Sara). Hayu haluzim be-Lita. (Chalutzim in Lithuania, 1916-1941.) Tel-Aviv, Hakibbutz Hameuchad, 83, in-8, VII-376 p. (ill., fac-sim, 7 p. of pl., map).

4774. OPPENHEIM (Israel). Tenuat he-haluz be-Polin. (The He-Halutz movement in Poland, 1917-1929.) Jerusalem, Magnes Press, 82, in-8, V-671 p.

4775. PULLAN (Brian S.). The Jews of Europe and the inquisition of Venice, 1550-1670. Oxford, Blackwell; Totowa, N.J., Barnes a. Noble, 83, in-8, XV-348 p.

4776. RODRIGUE (Aron). Jewish society and schooling in a Thracian town: the Alliance Israélite Universelle in Demotica, 1897-1924. Jewish soc. Stud., 83, vol. 45, n° 3-4, p. 263-286.

4777. ROZENBLIT (Marsha L.). The Jews of Vienna, 1867-1914: assimilation and identity. Albany, State Univ. of New York Press, 83, in-8, XVII-284 p. (SUNY Ser. in Modern Jewish Hist.)

4778. SADEK (Vladimír). Social aspects in the work of Prague Rabbi Löw (Maharal, 1512-1609). Jud. Bohem., 83, vol. 19, p. 3-21.

4779. (Sifre Zikkaron. Memorial Books.) Tel-Aviv, Irgun Yoze ... be-Yisrael (Union of the Remnants of the Jewish Community of ... Israel), 80-83, 14 vol. [Memorial books of the following Jewish communities destroyed during World War II were published: Hungary: Kisvárda. Poland: Brzesko Chełm, Dynóv, Gródek, Jagielloński, Novy Targ, Rudki, Sambor, Trembowla, Wieliczka, Yedwabne. Romania: Bivolari, Telenești.]

4780. TAMAR (David). Mehqarim be-toledot ha-yehudim be-erez yisrael u-vearzot ha-mizrah. (Researches in the history of the Jews in Erez Israel and the Near East.) Jerusalem, Rav Kook Institute, 81, in-8, 219 p.

4781. TOBI (Yosef) et al. Toledot ha-yehudim be'arzot ha-Islam. (History of the Jews in the Islamic countries: modern times until the middle of the nineteenth century.) Jerusalem, Zalman Shazar Center, 81, in-8, XI-354 p. (ill., fac-sim., portr., maps)

4782. TOUATI (Pierre-Yves). Le registre de circoncisions de Moshe et Shimon Blum [de Bischheim, Bas-Rhin] (1816-1870). R. Et. juives, 83, t. 142, p. 109-131.

4783. WICHMANN (Jörg). Das theosophische Menschenbild und seine indischen Wurzeln. Z. f. Religions- u. Geistesgesch., 83, Bd 35, p. 12-33.

4784. YAHALOM (Shlomith). Yahadut arzot ha-brit ushe'elat ha-hafrada ben kenesiya umedina. (American Judaism and the question of separation between Church and State.) Jerusalem, 81, in-4, 365 p.]Thesis. Hebrew Univ. of Jer. - Eng. summary]

4785. ZIMMER (Eric). Pereq be-toledot ha-rabbanut be-ashkenaz. (Aspects of the Rabbinate in sixteenth-century Germany.) Bar-Ilan, 83, vol. 20-21, p. 214-228. [Eng. summary] - IDEM. R. David b. Isaac of Fulda: the trials and tribulations of a sixteenth-century German rabbi. Jewish soc. Stud., 83, vol. 45, n° 3-4, p. 217-232.

4786. ZUR (Yaakov). Ha-Ortodoksia ha-yehudit be-germania. (German Jewish orthodoxy and its attitude toward internal organization and zionism.) Tel-Aviv, 83, 2 vol. in-4. [Thesis. Tel-Aviv. Univ. - Eng. summary]

Cf. n[os] 59, 673, 758, 782, 842, 3159, 3177, 3188, 3492, 4039, 4044, 6944, 7428, 7557.

M

HISTORY OF MODERN CULTURE

§ 1. General. 4787-4847. - § 2. Academies and intellectual organizations. 4848-4868. - § 3. Education. 4869-4981. - § 4. The Press. 4982-5012. - § 5. Philosophy. 5013-5132. - § 6. Exact, natural, medical sciences and technique. 5133-5257. - § 7. Literature (a. General; b. Renaissance; c. Classicism; d. Romanticism and after). 5258-5404. - § 8. Art and industrial art (a. General; b. Architecture; c. Sculpture, painting, etching and drawing; d. Decorative, popular and industrial art). 5405-5497. - § 9. Music, theatre and cinema. 5498-5572.

§ 1. General.

** 4787. BOTEZAN (Ioana), DANI (Ioan). Documente privind întărirea legăturilor culturale dintre românii transilvăneni şi bucovineni în anii absolutismului restaurat. (Documents sur le renforcement des relations culturelles entre les Roumains de Transylvanie et de Bucovine pendant les années de l'absolutisme restauré.) Acta Musei napocensis, 83, t. 20, p. 561-574.

** 4788. Iz arkhiva Davida Vygodskogo. (From the archives of David Vygodsky.) Vstupit. st. i publ. B. V. LUKINA. Lat. Am., 83, n° 2, p. 119-130; n° 4, p. 74-93.

4789. ALLEN (James Sloan). The romance of commerce and culture: capitalism, modernism, and the Chicago-Aspen Crusade for Cultural Reform. Chicago, Univ. of Chicago Press, 83, in-8, XV-336 p.

4790. BENTLEY (Jerry H.). Humanists and holy writ: New Testament scholarship in the Renaissance. Princeton, N.J.,Princeton U.P., 83, in-8, XIII-245 p.

4791. BERKOV (P.N.). Istorija sovetskogo bibliofil'stva. 1917-1967. (History of soviet bibliophiles. 1917-1967.) Moskva, Kniga, 83, 270 p.

4792. BERSOHN (Mathias). Słownik biograficzny uczonych Żydów polskich XVI, XVII, i XVIII wieku. (Dictionnaire biographique des Juifs savants en Pologne aux XVIe, XVIIe et XVIIIe siècles.) Warszawa, Wydawn. Artyst. i Filmowe, 83, in-8, 81 p. [Reprod. photo-offset de l'éd. Warszawa 1905]

4793. CAMIC (Charles). Experience and Enlightenment: socialization for cultural change in eighteenth-century Scotland. Chicago, Univ. of Chicago Press, 83, in-8, X-301 p.

4794. CHODUBSKI (Andrzej). Inteligencja polska w Azerbejdżanie w końcu XIX i na początku XX wieku. (L'intelligentsia polonaise en Azerbaïdjan à la fin du XIXe et au début du XXe s.) Przegl. polon., 83, a. 9, fasc. 1, p. 39-47.

4795. CHOJNACKI (Władysław). Szkice z dziejów polskiej kultury na Mazurach i Warmie. (Etudes sur l'histoire de la culture polonaise en Masurie et Warmie.) Olsztyn, Pojezierze, 83, in-8, 238 p.

4796. CIORANESCU (Alexandre). Le masque et le visage: du baroque espagnol au classicisme français. Genève, Droz, 83, in-8, 616 p. (Hist. des idées et critique litt., 210)

4797. COHEN (Lester H.). Mercy Otis Warren: the politics of language and the aesthetics of self. Am. Quar., 83, vol. 35, n° 5, p. 481-498.

4798. Connaissances et réalités culturelles au XVIIIe siècle. Mélanges offerts au 6e Congrès internat. des Lumières (Bruxelles, 1983). R. Et. sud-est europ., 83, t. 21, p. 81-210.

4799. "Curieuse (Der) Passagier". Deutsche Englandreisende d. 18. Jh. als Vermittler kultureller u. technolog. Anregungen. Colloquium d. Arbeitsstelle 18. Jh., Gesamthochschule Wuppertal, Univ. Münster, Münster v. 11.-12 Dez. 1980. [Red.: Marie-Luise SPIECKERMANN.] Heidelberg, Winter, 83, in-8, 159-XXIV p. (43 Ill. u. Kt.). (Beitr. z. Gesch. d. Lit. u. Kunst d. 18. Jh., 6)

4800. D'AMICO (John F.). Renaissance humanism in papal Rome: humanists and churchmen on the eve of the Reformation. Baltimore, Md., Johns Hopkins U.P., 83, in-8, XVIII-331 p. (Johns Hopkins Univ. Stud. in Hist. a. Pol. Sci., 101st ser., 1)

4801. DEMANDT (Alexander). Natur- und Geschichtswissenschaft im 19. Jahrhundert. Hist. Z., 83, Bd 237, p. 37-66.

4802. DONNERT (Erich). Rußland im Zeitalter der Aufklärung. Leipzig, Edition

Leipzig, 83, in-4, 230 p. (Abb.).

4803. DROZDOWICZ (Zbigniew). Nowożytna kultura umysłowa Francji. (La culture intellectuelle moderne de la France.) Poznań, 83, in-8, 152 p. (Uniw. im. Adama Mickiewicza w Poznaniu)

4804. ELIADE (Pompiliu). Influenţa franceză asupra spiritului public în România. Originele. Studiu asupra stării societăţii româneşti în vremea domniilor fanariote. (L'influence française sur l'esprit public en Roumanie. Les origines. Etudes sur la société roumaine au temps des règnes phanariotes.) Prefaţă şi note de Alexandru DUŢU. Bucureşti, Univers, 83, in-8, XXVI-434 p.

4805. FABER (Karl-Georg). Zum Verhältnis von Absolutismus und Wissenschaft. Vorgetragen in d. Plenarsitzung am 23. Febr. 1980. Akad. d. Wiss. u. d. Lit., Mainz. Wiesbaden, Steiner, 83, in-8, 23 p. (Abh. d. Geistes- u. Sozialwiss. Kl., Jg. 83, 5)

4806. FOX (Richard Wightman), LEARS (T. J. Jackson) a. others. The culture of consumption: critical essays in American history, 1880-1980. New York, Pantheon, 83, in-8, XVII-236 p.

4807. Gegenseitige Einflüsse deutscher und jüdischer Kultur von der Epoche der Aufklärung bis zur Weimarer Republik. Internat. Symposium, April 1982. Hrsg. v. Walter GRAB. Tel Aviv, Inst. f. Deutsche Gesch., 82, in-8, 338 p. (Jb. d. Inst. f. deutsche Gesch., Beiheft 4)

4808. GIBSON (Arrell Morgan). The Santa Fe and Taos colonies: age of the muses, 1900-1942. Norman, Univ. of Oklahoma Press, 83, in-8, XII-305 p.

4809. HERTZ (Deborah). Intermarriage in the Berlin salons. Central european Hist., 83, vol. 16, n° 4, p. 303-346.

4810. HIETALA (Marjatta). The diffusion of innovations. Some examples of Finnish civil servant's professional tours in Europe. Scand. J. Hist., 83, vol. 8, p. 23-36.

4811. Iberica: Kul'tura narodov Pirenejskogo poluostrova. (Iberica: Culture of the peoples of the Pyrenean peninsula.) Otv. red. G. V. STEPANOV. Leningrad, Nauka, 83, 238 p.

4812. KAJANTO (Iiro). The coming of humanism to Finland. A. Acad. Sci. fennicae, Ser. B, 83, t. 223, p. 61-75.

4813. KARATHANASĒS (Athansios E.). Hoi Hellēnes logioi stē Blachia (1670-1714). Symbolē stē meletē tēs hellēnikēs pneumatikēs kinēsēs stis Paradounabies hēgemonies kata tēn prophanariōtikē periodo. (Les érudits grecs en Valachie, 1670-1714. Contribution à l'étude du mouvement intellectuel grec dans les principautés danubiennes durant la période pré-phanariote.) Thessalonikē, Hidryma Meletōn Chersonēsou tou Aimou, 82, in-8, 279 p.

4814. KEEDING (Ekkehart). Das Zeitalter der Aufklärung in der Provinz Quito. Köln u. Wien, Böhlau, 83, in-8, XIII-591 p. (35 Abb.). (Lateinamerikan. Forsch., 12)

4815. KERN (Stephen). The culture of time and space, 1880-1918. Cambridge, Mass., Harvard U.P., 83, in-8, 372 p.

4816. KORZON (Andrzej). Polsko-radzieckie kontakty kulturalne w latach 1944-1950. (Les relations culturelles polono-soviétiques dans les années 1944-1050.) Wrocław, Zakł. Narod. im. Ossolińskich, 83, in-8, 257 p.

4817. LEROY (Pierre). Le dernier voyage à Paris et en Bourgogne, 1640-1643, du réformé Claude Saumaise. Libre érudition et contrainte politique sous Richelieu. Amsterdam, APA-Holland U.P., 83, in-8, XI-271 p. ((Etudes de l'Inst. de recherches des relations intellectuelles entre les pays de l'Europe occid. au XVIIe s., 9)

4818. LEWIS (Gordon K.). Main currents in Caribbean thought: the historical evolution of Caribbean society in its ideological aspects, 1492-1900. Baltimore, Md., Johns Hopkins U.P., 83, in-8, X-375 p. (Johns Hopkins Stud. in Atlantic Hist. a. Cult.)

4819. Literatur und proletarische Kultur. Beiträge z. Kulturgesch. d. deutsch. Arbeiterklasse im 19. Jh. Von e. Autorenkoll. unter Leitung v. Dietrich MÜHLBERG u. Rainer ROSENBERG. Berlin, Akad.-Verl., 83, in-8, 396 p.

4820. Livre (Le) dans les sociétés préindustrielles. Actes du 1er Colloque internat. du Centre de recherches néohelléniques, Athènes, 15-17 mars 1982. Athènes, Centre de Recherches néohelléniques, 82, in-8, 423 p.

4821. Lokal Samtidshistorie. (Local contemporary history.) Red. av (Ed. by) Rolf FLADBY, Lars THUE, Harald WINGE. Utg. av. (Publ. by) Norsk lokalhistorisk institutt. (Norwegian institute for local history.) Oslo, Riksarkivet, 83, 121 p. (fig., diagr., maps). (Skr. fra Norsk lokalhist. institutt, 14)

4822. LOSURDO (Domenico). Tra Hegel e Bismarck. La rivoluzione de 1848 e la crisi della cultura tedesca. Roma, Editori Riuniti, 83, in-8, 349 p. (Nuova Bibliot. di Cultura, 236)

4823. LYBARGER (Michael). Origins of the modern social studies: 1900-1916. Hist. Educ. Quar., 83, vol. 23, n° 4, p. 455-468.

4824. MADAJCZYK (Czesław), TORZECKI (Ryszard). Świat kultury i nauki Lwowa (1936-1941). (Le monde de la culture et de la science à Lwów dans les années 1936-1941.) Dzieje najnowsze, 82 [83], a. 14, n° 1-4, p. 47-63.

4825. MAY (Henry F.). Ideas, faiths, and feelings: essays on American intellectual and religious history, 1952-1982. Oxford a. New York, Oxford U.P., 83, in-8, XII-244 p.

4826. MOLČANOV (V.F.). Sovetsko-argentinskie naučnye i kul'turnye svjazi (kontakty VOKS s associacijami druzej SSSR v Argentine. 1925-1932). (Soviet-Argentine scientific and cultural ties. VOKS contacts with associations of friends of the USSR in Argentina, 1925-1932.) Lat. Am., 83, n° 1, p. 64-73.

4827. MULVEY (Christopher). Anglo-American landscapes: a study of nineteenth-century Anglo-American travel literature. New York, Cambridge U.P., 83, in-8, XV-293 p.

4828. NILÉHN (Lars H.). Peregrinatio academica: det svenska samhället och de utrikes studieresorna under 1600-talet. (Peregrinatio academica: Swedish society and travels abroad for studies during the 17th century.) Lund, Liber/Gleerup, 83, in-8, 393 p. (diagr.). (Bibl. hist. Lundensis, 54)

4829. NOSKO (Leopold). Kultureinflüsse, Kulturbeziehungen. Wechselwirkungen öster- r. u. franz. Kultur. Wien, Köln u. Graz, Böhlau, 83, in-8, 236 p.

4830. PUGH (David G.). Sons of liberty: the masculine mind in nineteenth-century America. Westport, Conn., Greenwood, 83, in-8, XXII-186 p. (Contrib. in Am. Stud., 68)

4831. RADU (Andrei). Cultura franceză la românii din Transilvania pînă la Unire. (La culture française chez les Roumains de Transylvanie avant l'Union.) Cluj-Napoca, Dacia, 82, in-8, 292 p.

4832. RUBIN (Joan Shelley). "Information please!": culture and expertise in the interwar period. Am. Quar., 83, vol. 35, n° 5, p. 499-517.

4833. SOHLMAN (Ragnar). The legacy of Alfred Nobel. Tr. from the Swedish by E. H. SCHUBERT. London, Bodley Head, 83, in-8, 144 p.

4834. Sovetskaja kul'tura. Istorija i sovremennost'. (Soviet culture. Past and present.) Sbornik statej. Otv. red.: B. B. PIOTROVSKIJ. Moskva, Nauka, 83, 431 p. (AN SSSR. Otd-nie istorii. In-t istorii SSSR, Nauč. Sovet "Istorija soc. i kom. str-va v SSSR")

4835. SPANOS (Nicholas P.). Ergotism and the Salem witch panic: a critical analysis and an alternative conceptualization. J. Hist. behavioral Sci., 83, vol. 19, n° 4, p. 358-369.

4836. Städtische Kultur in der Barockzeit. Hrsg. v. Wilhelm RAUSCH im Auftr. d. Österr. Arbeitskreises f. Stadtgeschichtsforschung u. d. Ludwig-Boltzmann-Inst. f. Stadtgeschichtsforchung. Linz, Österr. Arbeitskreis f. Stadtgeschichtsforsch., 82, in-8, XIV-353 p. (ill.). (Beitr. z. Gesch. d. Städte Mitteleuropas, 6)

4837. SUTTNER (Ernst Christoph). Panteleimon (Paisios) Ligarides und Nicolae Milescu. Ein Beitr. z. Frage nach d. Offenheit d. walachischen Fürstentums für das Bildungsgut d. Zeit im 2. Drittel d. 17. Jh. Kirche im Osten, 83, Bd 26, p. 73-94.

4838. SVERČEVSKAJA (A.K.). Sovetsko-tureckie kul'turnye svjazi. 1925-1981. (Soviet-Turkish cultural ties, 1925-1981.) Moskva, Nauka, 83, 182 p.

4839. TENENTI (Alberto). Sens de la mort et amour de la vie: Renaissance en Italie et en France. Paris, Serge Fleury, 83, in-8, 440 p.

4840. THEODORESCU (Răzvan). Au sujet des "corridors culturels" de l'Europe sud-orientale. R. Et. sud-est europ., 83, t. 21, p. 7-21, 229-240.

4841. THOMAS (John L.). Alternative America: Henry George, Edward Bellamy, Henry Demarest Lloyd, and the adversary tradition. Cambridge, Mass., Belknap Press of Harvard U.P., 83, in-8, VIII-399 p.

4842. TUGANOVA (O.È.). Nekotorye kharakternye čerty amerikanskoj kul'tury. (Some trends of American culture.) SŠA - ėkon., pol., ideol., 83, n° 6, p. 30-40.

4843. ULVIONI (Paolo). Cultura politica e cultura religiosa a Venezia nel secondo Cinquecento. Un bilancio. Arch. stor. ital., 83, a. 141, n° 518, p. 591-651.

4844. VOEJKOVA (I.). Revoljucionnaja geroika v iskusstve Bolgarii. 1944-1974. (The revolutionary heroic spirit in the art of Bulgaria, 1944-1974.) Moskva, Iskusstvo, 83, 239 p. (ill.). (VNII iskusstvoznanija M-va kul'tury SSSR)

4845. Wegnetz europäischen Geistes. Wissenschaftszentren u. geistige Wechselbeziehungen zwischen Mittel- u. Südosteuropa v. Ende d. 18. Jh. bis z. Ersten Weltkrieg. Hrsg. v. Richard Georg PLASCHKA u. Karlheinz MACK. Wien, Verl. f. Gesch. u. Politik, 83, in-8, 498 p. (Schriftenreihe d. Österr. Ost- u. Südosteuropa-Inst., 8)

4846. WEISS (John H.). Changing contours of the social history of science and technology in industrializing France. Hist. Educat. Quar., 83, vol. 23, n° 2, p. 237-260.

4847. WHISNANT (David E.). All that is native and fine: the politics of culture in an American region. Chapel Hill, Univ. of North Carolina Press, 83, in-8, XV-340 p.

Cf. n° 222.

§ 2. Academies and intellectual organizations.

* 4848. BARANOWSKI (Henryk). Uniwersytet Wileński 1579-1939. Bibliografia za lata 1945-1982. (Université de Wilno 1579-1939. Bibliographie pour les années 1945-1982.) Wrocław, Zakł. Narod. im. Ossolińskich, 83, in-8, 133 p. (Pol. Akad. Nauk, Inst. Hist. Nauki, Oświaty i Techn.)

4849. Academia Română şi Banatul. Perioada 1866-1920. Comunicări şi studii. (L'Académie Roumaine et le Banat, 1866-1920. Etudes et communications.) Vol. îngrijit de Ion ILIESCU şi Sergiu DRINCU. Timişoara, Universitatea, 82, in-8, 237 p.

4850. Alma mater Jenensis. Geschichte d. Univ. Jena. Hrsg. v. Siegfried SCHMIDT in Verbindung mit Ludwig ELM u. Günter STEIGER. Weimar, Böhlau, 83, in-8, 551 p. (Abb.).

4851. BERDNIKOV (A.F.). Rossijskoe Palestinskoe obščestvo. (The Russian Palestine Society.) Nar. Azii Afr., 83, n° 6, p. 88-92.

4852. COMPERE (Marie-Madeleine), JULIA (Dominique). Les collèges français, XVIe-XVIIIe siècles. T. 1: France du Midi. Paris, Ed. du C.N.R.S., 83, in-8, 760 p.

4853. DESROCHES (Jean Marie), GAGNON (Robert). George Welter et l'émergence de la recherche à l'Ecole polytechnique de Montréal, 1939-1970. Rech. sociogr., 83, vol. 24, p. 33-54.

4854. GRAF (Sieglinde). Die Gesellschaft der schönen Wissenschaften zu Oettingen am Inn (1765-1769). Eine Studie zur Aufklärung in Bayern. Z. f. bayer. Landesgesch., 83, Bd 46, p. 81-137.

4855. HAMMERMAYER (Ludwig). Geschichte der Bayerischen Akademie der Wissenschaften. 1759-1807. Bd 1: Gründungs- und Frühgeschichte. 1759-1769. Unveränd. Nachdr. 1983 d. 1 Bdes, der 1959 unter folgendem Titel erschien: Gründungs- und Frühgeschichte der Bayerischen Akademie der Wissenschaften [Cf. Bibl. 59, n° 4857.] Bd 2: Zwischen Stagnation, Aufschwung und Illuminatenkrise. 1769-1786. München, Beck, 83, 2 vol. in-8, XXIV-387, XXXI-417 p.

4856. HEYD (Michael). Between orthodoxy and the Enlightenment: Jean-Robert Chouet and the introduction of Cartesian science in the Academy of Geneva. Jerusalem, Magnes Press, 82, in-8, XII-308 p. (Internat. Archives of the Hist. of Ideas, 96)

4857. HOPPEN (K. Theodore). The papers of the Dublin Philosophical Society 1683-1708: introductory material and index. Analecta hibern., 82, vol. 30, p. 153-248.

4858. IRELAND (Aideen). The Royal Society of Antiquaries of Ireland, 1849-1900. J. roy. Soc. Antiq. Ireland, 82, vol. 112, p. 72-92.

4859. JULKU (Liisa), JULKU (Kyösti). Oulun yliopiston perustamisen historia. (History of the founding of the University of Oulu [Finland].) Oulu, Pohjois-Suomen historiallinen yhdistys, 83, in-8, 306 p. (Stud. hist. septentrionalia, 6) [Eng. summary]

4860. KIENIEWICZ (Stefan). Od Towarzystwa Przyjaciół Nauk do Towarzystwa Naukowego Warszawskiego. (De la Société des Amis des Sciences à la Société Scientifique de Varsovie.) Nauka polska, 83, a. 31, n° 3-4, p. 67-80.

4861. Oder-Universität (Die) Frankfurt. Beiträge zu ihrer Gesch. Im Auftr. d. Bezirkskomitees Frankfurt (Oder) d. Historiker-Gesellschaft d. DDR u. d. Rates d. Stadt Frankfurt (Oder) hrsg. v. Günter HAASE u. Joachim WINKLER. Weimar, Böhlau, 83, in-8, 288 p. (Abb.).

4862. OUTRAM (Dorinda). The ordeal of vocation: the Paris Academy of Sciences and the Terror, 1793-95. Hist. Sci., 83, vol. 21, p. 251-273.

4863. PISKUREWICZ (Jan). O naukowych kontaktach warszawskich instytucji popierających rozwój nauki na przełomie XIX i XX wieku. (Les contacts scientifiques des institutions varsoviennes pour propager le développement de la science à la charnière des XIXe et XXe s.) Kwart. Hist. Nauki Techn., 83, a. 28, n° 2, p. 371-386.

4864. Rezensenten (Die) der Göttingischen Gelehrten Anzeigen 1760-1768. Nach d. handschriftl. Eintragungen d. Exemplars d. Göttinger Akad. d. Wiss. bearb. u. hrsg. v. Wolfgang SCHIMPF. Göttingen, Vandenhoeck u. Ruprecht, 82, in-8, 100 p. (Arbeiten aus d. Niedersächs. Staats- u. Univ.-Bibl. Göttingen, 18)

4865. SCHNEIDER (Erika). Zur Geschichte des Siebenbürgischen Vereins für Naturwissenschaften (1840-1977). Forsch. Volks- u. Landeskde, 83, Bd 26, n° 1, p. 56-81.

4866. SEGERSTEDT (Torgny). Universitet i Uppsala 1852 till 1977. (Uppsala University, 1852-1977.) Uppsala, Uppsala kommun, 83, in-4, 158 p. (ill.). (Uppsala stads hist., 6/2)

4867. SOBOLEVA (E.V.). Organizacija nauki v poreformennoj Rossii. (Organization of science in post-reform Russia.) Leningrad, Nauk, 83, 262 p. (AN SSSR. In-t istorii estestvznanija i nauki)

4868. TYPALDOS-IAKŌBATOS (Geōrgios). Historia tēs Ionias Akadēmias. (Histoire de l'Académie Ionienne.) Ed. par Spyros ASDRACHAS. Athēna, Hermēs, 82, in-8, LXIV-232 p.

Cf. n° 4394.

§ 3. Education.

* 4869. CHARLAND (Jean-Pierre). Bibliographie de l'enseignement professionnel au Québec, 1850-1980. Québec, Institut québecois de recherche sur la culture, 82, in-8, 282 p. (Instrument de travail, 3) [Cf. n° 4892]

** 4870. KOMEŃSKY (Jan Amos). Dílo Jana Amlose Komenského. (L'oeuvre de Jean Amos Comenius.) [Vol. 3. Cf. Bibl. 80, n° 4303.] Vol. 4. Praha, Academia, 83, in-8, 442 p.

** 4871. Quellen und Dokumente zur Berufsbildung 1794-1869. Hrsg. v. Karl-Wilhelm STRATMANN u. Anne SCHLÜTER. Köln u. Wien, Böhlau, 83, in-8, X-320 p. (Quellen u. Dok. z. Gesch. d. Berufsbildung in Deutschland, B, 1)

** 4872. Quellen und Dokumente zur Geschichte des Berufsbildungsgesetzes 1875-1981. Hrsg. v. Günter PÄTZOLD. Köln u. Wien, Böhlau, 83, in-8, X-318 p. (Quellen u. Dok. z. Gesch. d. Berufsbildung in Deutschland, A, 5)

4873. ALBISETTI (James C.). Secondary school reform in imperial Germany. Princeton, N.J., Princeton U.P., 83, in-8, XI-365 p.

4874. ALTENBAUGH (Richard J.). "The children and the instruments of a militant labor progressivism": Brookwood Labor College and the American labor college movement of the 1920s and 1930s. Hist. Educat. Quar., 83, vol. 23, n° 4, p. 395-412.

4875. ANDERSON (R.D.). Education and opportunity in Victorian Scotland: schools and universities. London a. New York, Oxford U.P., 83, in-8, VI-384 p.

4876. ANDRZEJEWSKI (Marek). Antypolski charakter niemieckiego szkolnictwa w Wolnym Mieście Gdańsku. (Le caractère antipolonais de l'instruction publique allemande dans la Ville Libre de Gdańsk [1920-1939].) Przegl. hist.-oświat., 83, a. 36, n° 2, p. 178-188.

4877. ARENDT (Hans-Jürgen). Mädchenerziehung im faschistischen Deutschland, unter besonderer Berücksichtigung des BDM. Jb. f. Erziehungs- u. Schulgesch., 83, Jg. 23, p. 107-127.

4878. Aufklärung und Erneuerung des juristischen Studiums. Verfassung, Studium u. Reform in Dokumenten am Beisp. d. Mainzer Fak. gegen Ende d. Ancien Régime. [Hrsg.:] Eckhart PICK. Berlin, Duncker u. Humblot, 83, in-8, 251 p. (Hist. Forsch., 24)

4879. BÄUMER (Remigius). Die Theologische Fakultät Freiburg und das Dritte Reich. Freiburg. Diöz.-Arch., 83, Bd 103, p. 265-289.

4880. BALL (Nancy). Educating the people: a documentary of elementary schooling in England, 1840-1870. London, M. T. Smith, 83, in-8, 272 p.

4881. BARKIN (Kenneth). Social control and the Volksschule in Vormärz Prussia. Central european Hist., 83, vol. 16, n° 1, p. 31-52.

4882. BEČKOVÁ (Marta). Jan Amos Komenský a Polsko. (J. A. Comenius und Polen.) Praha, Academia, 83, in-8, 83 p. (Studie ČSAV 1983, 5)

4883. BERMAN (Barbara). Business efficiency, American schooling and the public school superintendency: a reconsideration of the Callahan thesis. Hist. Educat. Quar., 83, vol. 23, n° 3, p. 297-322.

4884. BINDER (Dieter Anton). Das Joanneum in Graz, Lehranstalt und Bildungsstätte. Ein Beitr. z. Entwicklung d. techn. u. naturwiss. Unterrichtes im 19. Jh. Graz, Akad. Druck- u. Verl.-Anst., 83, in-8, X-302 p. (Tab.). (Publikationen aus d. Archiv d. Univ. Graz, 12)

4885. BLYTH (John A.). English university adult education, 1908-1058: the unique tradition. Dover, N.H., Manchester U.P., 83, in-8, XII-363 p.

4886. BOUCHE (Denise). L'école rurale en Afrique occidentale française de 1903 à 1956. In: Et. afric. offertes à H. Brunschwig [Cf. n° 479], p. 271-296.

4887. BOZGA (Vasile), GHERASIM (Iuliana). Invățămîntul economic în statul național român pînă la 1918. (L'enseignement économique dans l'Etat national roumain jusqu'à 1918.) R. Ist., 83, t. 36, n° 12, p. 1226-1238.

4888. BUSCH (Jane). Cooking competition: technology on the domestic market in the 1930s. Technol. a. Cult., 83, vol. 24, n° 2, p. 222-245.

4889. BUTTON (H. Warren), PROVENZO (Eugene H.) Jr. a. others. History of education and culture in America. Englewood Cliffs, N.J., Prentice-Hall, 83, in-8, XVII-379 p.

4890. CANIOU (Juliette). Les fonctions sociales de l'enseignement agricole féminin. Et. rurales, 83, n° 92, p. 41-55.

4891. ČAPKOVÁ (Dagmar). Myšlenka lidské aktivity v Komenského pojetí dějin. (The idea of human activity in Comenius' concept of history.) Praha, Academia, 83, in-8, 95 p. (Rozpravy ČSAV. Řada společ. věd., 93/3)

4892. CHARLAND (Jean-Pierre). L'enseignement spécialisé au Québec, 1867 à 1982. Québec, Institut québecois de recherche sur la culture, 82, in-8, 482 p. [Cf. n° 4869]

4893. CHIOSSO (Giorgio). L'educazione nazionale da Giolitti al primo dopoguerra. Brescia, La Scuola, 83, in-8, 270 p.

4894. CIAMPI (Gabriella). Il governo della scuola nello Stato postunitario. Il Consiglio superiore della pubblica istruzione dalle origini all'ultimo governo Depretis (1847-1887). Milano, Ed. di Comunità, 83, in-8, X-288 p.

4895. COHEN (Sol). The mental hygiene movement, the development of personality and the school: the medicalization of American education. Hist. Educat. Quar., 83, vol. 23, n° 1, p. 123-150.

4896. COONEY (Jerry W.). Repression to reform: education in the Republic of Paraguay, 1811-1850. Hist. Educat. Quar., 83, vol. 23, n° 4, p. 413-428.

4897. COX (Michael Andrew). M. R. James, an informal portrait. London, Oxford U.P., 83, in-8, 288 p.

4898. DIETRICH (Dieter). Der Geschichtsunterricht im Gymnasium des Wilhelminischen Deutschlands. Ein Überblick u.

Literaturbericht. Jb. f. Erziehungs- u. Schulgesch., 83, Jg. 23, p. 78-95.

4899. DONALDSON (Gordon). Four centuries: Edinburgh University life, 1583-1983. Edinburgh, Univ. Press, 83, in-8, 202 p.

4900. ENGEL (A.J.). From clergyman to don: the rise of the academic profession in nineteenth-century Oxford. London a. New York, Oxford U.P., 83, in-8, XI-302 p.

4901. ENGELHARDT (Carroll). Citizenship training and coummunity civiss in Iowa schools: modern methods for traditional ends, 1876-1928. Mid-Am., 83, vol. 65, n° 2, p. 55-70.

4902. FLETCHER (Charlotte). King William's school and the college of William and Mary. Maryland hist. Mag., 83, vol. 78, n° 2, p. 118-128.

4903. FRANKOVÁ (Hana). Fondy visokých škol v Archivu Českého vysokého učení technického. (Die Fonds der Hochschulen im Archiv der Tschechischen Technischen Hochschule.) Acta polytechn., sér. VI, 83, vol. 3, p. 65-95.

4904. FRIEBE (Wolfgang). Vom Kristallpalast zum Sonnenturm. Eine Kulturgesch. d. Weltausstellungen. Leipzig, Edition Leipzig, 83, in-4, 226 p. (Abb.).

4905. GILDEA (Robert). Education in provincial France, 1800-1914: a study of three departments. London a. New York, Oxford U.P., 83, in-8, VIII-408 p. (tab., maps).

4906. GIOLITTO (Pierre). Histoire de l'enseignement primaire [en France] au XIXe siècle: l'organisation pédagogique. Paris, Nathan, 83, in-8, 288 p.

4907. GOODENOW (Ronald K.), RAVITCH (Diane) a. others. Schools in cities: consensus and conflict in American educational history. New York, Holmes a. Meier, 83, in-8, X-326 p.

4908. GRAY (Joh), McPHERSON (Andrew), RAFFE (David). Reconstruction of secondary education: theory, myth and practice since the War. London, Routledge, 83, in-8, XVI-375 p. (ill.).

4909. GREW (Raymond), HARRIGAN (Patrick J.), WHITNEY (James). The availability of schooling in nineteenth-century France. J. interdisc. Hist., 83, vol. 14, n° 1, p. 25-64.

4910. GRIGGS (Clive). The Trades Union Congress and the struggle for education, 1868-1925. Lewes, Falmer Press, 83, in-8, XI-293 p.

4911. HAILLANT (Marguerite). Culture et imagination dans les oeuvres de Fénelon Ad usum Delphini. Paris, Belles Lettres, 83, in-8, 518 p. (pl.). (Coll. d'hist. et de littérature franç.)

4912. HAMMACK (David C.). The development of urban schooling in America. Hist. Educat. Quar., 83, vol. 23, n° 1, p. 69-76.

4913. HAMMERSTEIN (Notker). Die deutschen Universitäten im Zeitalter der Aufklärung. Z. f. hist. Forsch., 83, Bd 10, p. 73-89.

4914. HAYDEN (Michael). Seeking a balance: University of Saskatchewan, 1907-1982. Vancouver, Univ. of British Columbia Press, 83, in-8, 379 p. - CR: P. Axebrod, Canad. hist. R., 84, vol. 65, p. 601-602.

4915. Histoire de l'administration de l'enseignement en France, 1789-1981. Par Pierre BOUSQUET, Roland DRAGO, Paul GERBAUD, et al. Préf. de Jacques IMBERT. Genève, Droz, 83, in-8, 154 p. (Publ. de l'Ecole pratique des Hautes Etudes, IVe section, 5: Hautes études médiévales et mod., 49)

4916. HULIN (Nicole). Une épreuve d'histoire des sciences aux agrégations scientifiques dans la deuxième moitié du XIXe siècle. R. Synthèse, 83, t. 104, sér. 3, n° 109, p. 53-73.

4917. HUMES (Walter), PATERSON (Hamish M.). Scottish culture and Scottish education, 1800-1980. Edinburgh, J. Donald, 83, in-8, 288 p.

4918. JARAUSCH (Konrad H.) a. others. The transformation of higher learning, 1860-1930: expansion, diversification, social opening, and professionalization in England, Germany, Russia, and the United States. Chicago, Univ. of Chicago Press, 83, in-8, 375 p.

4919. JELAVICH (Charles). Serbian textbooks: toward greater Serbia or Yugoslavia? Slavic R., 83, vol. 42, n° 4, p. 601-619.

4920. JOHANSON (Gösta). 1927 års skolstrid. (1927's school conflict [in Sweden].) Scandia, 83, vol. 49, p. 235-275. [Eng. summary, p. 303]

4921. JORAVSKY (David). The Stalinist mentality and the higher learning. Slavic R., 83, vol. 42, n° 4, p. 575-600.

4922. KATZ (Michael B.). The role of American colleges in the nineteenth century. Hist. Educat. Quar., 83, vol. 23, n° 2, p. 215-224.

4923. LAGEMAN (Ellen Condliffe). Private power for the public good: a history of the Carnegie foundation for the advancement of teaching. Middletown, Conn., Wesleyan U.P., 83, in-8, XIX-246 p.

4924. LELOUDIS (James L.). School reform in the New South; the woman's association for the betterment of public school houses in North Carolina, 1902-1919. J. am. Hist., 83, vol. 69, n° 4, p. 886-909.

4925. MARSDEN (William E.). Ecology and nineteenth century urban education. Hist. Educat. Quar., 83, vol. 23, n° 1, p. 29-54.

4926. MATTHEWS (Mervyn). Education in the Soviet Union: policies and institutions since Stalin. London, Allen a. Unwin, 83, in-8, 239 p.

4927. MENK (Gerhard). Territorialstaat und Schulwesen in der frühen Neuzeit. Eine Untersuchung zur religiösen Dynamik an den Grafschaften Nassau u. Sayn. Jb. f. westdeutsche Landesgesch., 83, Jg. 9, p. 177-220.

4928. METCALF (George R.). From Little Rock to Boston: the history of school desegragation. Westport, Conn., Greenwood, 83, in-8, X-292 p. (Contrib. to the Study of Education, 8)

4929. MONAGHAN (E. Jennifer). A common heritage: Noah Webster's blue-back speller. Hamden, Conn., Archon Press, 83, in-8, 304 p.

4930. MUEL-DREYFUS (Francine). Le métier d'éducateur. Les instituteurs de 1900, les éducateurs spécialisés de 1968. Paris, Ed. de Minuit, 83, in-8, 269 p.

4931. MYLŌNAS (Theodōros). He anaparagōgē tōn koinōnikōn taxeōn mesa apo tous scholikous mēchanismous. He mesē ekpaideusē sto chōrio kai stēn polē. (La reproduction des classes sociales à travers les mécanismes scolaires. L'enseignement secondaire dans les campagnes et dans les villes [de Grèce]. Athēna, Grēgorēs, 82, in-8, 227 p.

4932. OFFEN (Karen). The second sex and the baccalauréat in republican France, 1880-1924. French hist. Stud., 83, vol. 13, n° 2, p. 252-286.

4933. Offre (L') d'école: éléments pour une étude comparée des politiques éducatives au XIXe siècle. The supply of schooling. Contributions to a comparative study of educational policies in the 19th century. Actes du 3e Colloque internat., Sèvres, 27-30 sept. 1981. Sous la dir. de Willem FRIJHOFF. Paris, Publ. de la Sorbonne, 83, in-4, 374 p.

4934. ORWIN (Donna). Prince Andrei: the education of a rational man. Slavic R., 83, vol. 42, p. 620-632.

4935. PALMIERI (Patricia A.). Here was fellowship: a social portrait of academic women at Wellesley college, 1895-1920. Hist. Educat. Quar., 83, vol. 23, n° 2, p. 195-214.

4936. PEARSON (Ralph L.). Reflections on black colleges: the historical perspective of Charles S. Johnson. Hist. Educat. Quar., 83, vol. 23, n° 1, p. 55-68.

4937. PERLMANN (Joel). Working-class homeownership and children's schooling in Providence, Rhode Island, 1880-1925. Hist. Educat. Quar., 83, vol. 23, n° 2, p. 175-195.

4938. PETRÁŇ (Josef). Nástin dějin filozofické fakulty Univerzity Karlovy. Do roku 1948. (Abriß der Geschichte der Philosophischen Fakultät der Karls-Universität in Prag. Bis zum J. 1948.) Praha, Univ. Karlova, 83, in-8, 406 p. (29 fig.).

4939. PLANK (David N.), PETERSON (Paul E.). Does urban reform imply class conflict? The case of Atlanta's schools. Hist. Educat. Quar., 83, vol. 23, n° 1, p. 151-174.

4940. Queen's University. Ed. by Frederick W. GIBSON a. Roger GRAHAM. Vol. 1: 1841-1917, to strive, to seek, to find and not to yield. By Hilda WEATBY. Vol. 2: 1917-1961, to serve and yet be free. By Frederick W. GIBSON. Toronto, Univ. Press, 78-83, 2 vol. in-8, 346, 518 p. - CR: M. Vipond, Canad. hist. R., 84, vol. 65, p. 425-427.

4941. RAGSDALE (John P.). Postwar educational development in Northern Rhodesia: the political influence of special interest groups. J. Church a. State, 83, vol. 25, n° 1, p. 133-146.

4942. RAICHLE (Donald R.). New Jersey's Union College: a history, 1933-1983. Cranbury, N.J., Fairleigh Dickinson U.P., 83, in-8, 270 p.

4943. REID (John G.). The education of women at Mount Allison, 1854-1914. Acadiensis, 83, vol. 12, n° 2, p. 3-33.

4944. RENGER (Christian). Die Gründung und Einrichtung der Universität Bonn und die Berufungspolitik d. Kultusministers Altenstein. Bonn, Röhrscheid, 82, in-8, 309 p. (Academia Bonnensia, 7)

4945. ROBSON (David W.). College founding in the new republic, 1776-1800. Hist. Educat. Quar., 83, vol. 23, n° 3, p. 323-342.

4946. RODEN (Donald). From "Old Miss" to new professional: a portrait of women educators under the American occupation of Japan, 1945-1952. Hist. Educat. Quar., 83, vol. 23, n° 4, p. 469-491.

4947. SAN MIGUEL (Guadalupe) Jr. The struggle against separate and unequal schools: middle class Mexican Americans and the desegregation campaign in Texas, 1929-1957. Hist. Educat. Quar., 83, vol. 23, n° 3, p. 343-360.

4948. SCANLON (James Edward). Randolph-Macon college: a southern history, 1825-1967. Charlottesville, Univ. Press of Virginia, 83, in-8, XV-480 p.

4949. SCHÖNEMANN (Bernd). Das braunschweigische Gymnasium in Staat und Gesellschaft. Ein Beitr. z. Schulgesch. im 19. Jh. Köln u. Wien, Böhlau, 83, in-8, VIII-250 p. (16 Tab.). (Stud. u. Dok. z. deutsch. Bildungsgesch., 23)

4950. Schul- (Die) und Bildungspolitik der österreichischen Sozialdemokratie in der Ersten Republik: Entwicklung u. Vorgeschichte. Mit Beitr. v. Erik ADAM [u. a.]. Wien, Österr. Bundesverl., 83, in-8, 519 p. (Quellen u. Stud. z. österr. Geistesgesch. im 19. u. 20. Jh., 3)

4951. SEDLAK (Michael W.). Young women and the city: adolescent deviance and the transformation of educational policy. Hist. Educat. Quar., 83, vol. 23, n° 1, p. 1-28.

4952. SEDLAK (Michael W.), WILLIAMSON (Harold F.). The evolution of management education: a history of the Northwestern University J. L. Kellogg Graduate School of Management, 1908-1983. Urbana, Univ. of Illinois Press, 83, in-8, X-202 p.

4953. SHILHAV (Yaakov Moshe). Ha-maa-vaq al azma'uta shel maarekhet ha-hinukh ha-ivri. (The struggle for the independence of the Jewish educational system in Eretz-Israel during the British mandate.) Ramat-Gan, 81, in-4, 432 l. [Thesis. Bar-Ilan Univ. - Eng. summary]

4954. SILVER (Harold). Education as history: interpreting 19th and 20th century education. London, Methuen, 83, in-8, 352 p.

4955. SIMPSON (Renate). How the Ph. D. came to Britain: a century of struggle for postgraduate education. London, Soc. for Research into Higher Educ., 83, in-8, 200 p.

4956. SKARDON (Alvin W.). Steel valley university: the origin of Youngstown State. Youngstown, Ohio, Youngstown State Univ., 83, in-8, XI-288 p.

4957. SÖDERBERG (Karl). Uppsala kommuns skolor under några decennier av 1900-talet. (Uppasala municipal schools during some decades of the 20th century.) Uppsala, Uppsala kommun, 83, in-4, 152 p. (ill.). (Uppsala stads hist., 6/1)

4958. SOMMERVILLE (C. John). The distinction between indoctrination and education in England, 1549-1719. J. Hist. Ideas, 83, vol. 44, n° 3, p. 387-406.

4959. SORKIN (David). Wilhelm von Humboldt: the theory and practice of self-formation (Bildung), 1791-1810. J. Hist. Ideas, 83, vol. 44, n° 4, p. 55-74.

4960. STANCIU (Ion Gh.). A concise history of pedagogy in Romania. București, Ed. științ. și enciclop., 82, in-8, 64 p. - IDEM. Școala și pedagogia în secolul XX. (L'école et la pédagogie au XXe siècle [en Roumanie].) București, Ed. didactică și pedagog., 83, in-8, 375 p.

4961. STEPHENS (David). President Carter, the Congress, and NEA: creating the Department of Education. Pol. Sci. Quar., 83, vol. 98, n° 4, p. 641-664.

4962. STEVENS (Robert). Law school: legal education in America from the 1850's to the 1980's. Chapel Hill, Univ. of North Carolina Press, 83, in-8, XVI-334 p. (Stud. in Legal Hist.)

4963. STRUMINGHER (Laura S.). What were little girls and boys made of? Primary education in rural France, 1830-1880. Albany, N.Y., State Univ. of New York Press, 83, in-8, VIII-209 p. (SUNY Ser. in Eur. Soc. Hist.)

4964. STUBBINGS (Frank). Statutes of Sir Walter Mildmay for Emmanuel College (Cambridge). London, Cambridge U.P., 83, in-8, 156 p. (ill., pl.).

4965. SUMMERVILLE (James). Educating black doctors: a history of Meharry Medical College. Foreword by Lloyd C. ELAM. University, Univ. of Alabama Press, 83, in-8, XIII-279 p.

4966. SUÑE BLANCO (Beatriz). La educación en Guatemala (siglo XVI) como un proceso de enculturación-aculturación. Anu. Est. am., 81 [83], t. 38, p. 216-250.

4967. SYLLABA (Theodor). Jan Gebauer na pražské univerzitě. (Jan Gebauer an der Prager Universität.) Praha, Univ. Karlova, 83, in-8, 154 p. (Knižnice Archivu Univerzity Karlovy, 13)

4968. TAZBIR (Janusz). Studenci z Prus Królewskich, Korony Polskiej i Litwy na Uniwersytecie w Tybindze (1501-1654). (Les étudiants de la Prusse Royale, de la Couronne Polonaise et de Lituanie à l'université de Tübingen, 1501-1654.) Zap. hist., 83, vol. 48, n° 1-2, p. 79-101.

4969. TERROT (Noël). Histoire de l'éducation des adultes en France: la part de l'éducation des adultes dans la formation des travailleurs, 1789-1971. Paris, EDILIG, 83, in-8, 307 p. (Théories et pratiques de l'éducation permanente)

4970. THIELBEER (Heide). Universität und Politik in der Deutschen Revolution von 1848. Bonn, Verl. Neue Gesellschaft, 83, in-8, 269 p. (Ill.).

4971. TIBENDERANA (Peter Kazenga). The Emirs and the spread of Western education in Northern Nigeria, 1910-1946. J. afr. Hist., 83, vol. 24, p. 517-534.

4972. Transformation (The) of higher learning 1860-1930. Expansion, diversification, social openings a. professionalization in England, Germany, Russia a. the United States. Ed. by Konrad H. JARAUSCH. Stuttgart, Klett-Cotta, 83, in-8, 375 p. (Hist.-sozialwiss. Forsch., 13)

4973. TRELA (Elżbieta). Edukacja dzieci polskich w Związku Radzieckim w latach 1941-1946. (L'éducation des enfants polonais en Union Soviétique dans les années 1941-1946.) Warszawa, Państw. Wydawn. Nauk., 83, in-8, 236 p.

4974. TSOUKALAS (Kōnstantinos). Exartēsē kai Anaparagōgē. Ho koinōnikos rolos tōn ekpaideutikōn mēchanismōn stēn Hellada (1830-1922). (Dépendance et reproduction. Le rôle social des appareils scolaires en Grèce, 1830-1922.) Préface: N. G. SBORONOS. 3e éd. Athēna, Themelio, 82, in-8, 653 p.

4975. TUILIER (André). Les origines du collège Louis-le-Grand [à Paris] et de ses bibliothèques. Mél. Bibl. Sorbonne, 83, t. 4, p. 30-76.

4976. TWIGG (J.D.). The parliamentary visitation of the University of Cambridge, 1644-1645. Eng. hist. R., 83, vol. 98, p. 513-528.

4977. Université (L') et l'enseignement extra-universitaire, XVIe-XIXe siècles. IIe

Session Scientifique Internat., Cracovie, 11-12 mai 1979. Réd.: Mariusz KULCZYKOWSKI. Trad. du pol. par Beata HRECHOROWICZ. Kraków, Państw. Wydawn. Nauk., 83, in-8, 187 p. (Zesz. Nauk. Uniw. Jagiell., 657. Prace Hist., 73)

4978. VINOVSKIS (Maris A.). Quantification and the analysis of American antebellum education. J. interdisc. Hist., 83, vol. 13, n° 4, p. 761-786.

4979. WEISZ (George). The emergence of modern universities in France, 1863-1914. Princeton, N.J., Princeton U.P., 83, in-8, XII-397 p.

4980. WREN (Daniel A.). American business philanthropy and higher education in the nineteenth century. Business Hist. R., 83, vol. 57, n° 3, p. 321-346.

4981. ZIŌGAS (Panayiotēs Ch.). Problēmata paideias tou Hellēnismou kata ton prōto aiōna tēs tourkokratias. (Problèmes d'enseignement de l'Hellénisme durant le premier siècle de la domination turque. La tradition byzantine, le statut de l'esclavage et les buts idéologiques des Grecs dans la réglementation de la forme et du contenu de l'enseignement.) Thessalonikē, l'auteur, 82, in-8, 181 p.

Cf. n°s 285, 3330, 4378, 4595, 6288.

§ 4. The Press.

* 4982. Bibliographie de la presse française politique et d'information générale, des origines à 1944. [T. 82. Cf. Bibl. 82, n° 4883.] T. 19: La Corrèze, par Laurence VARRET. Paris, Bibliothèque nationale, 83, in-4, 58 p.

** 4983. REYMOND (Bernard). Coup d'oeil sur la presse protestante de Paris, 1819-1834. Quatorze lettres de Charles Coquerel au pasteur et professeur genevois Jean-Jacques-Caton Chenevière. B. Soc. Hist. Prot. franç., 83, a. 129, p. 369-402.

4984. ALKSNIS (Imants). Den marxistiska publicistiken i Lettland 1912-1914: en studie i effectiv propaganda. (The Marxist journalism in Latvia, 1912-1914: a study of efficient propaganda.) Lund, LiberFörlag/Gleerup, 83, in-8, 227 p. (Bibl. hist. Lundensis, 52) [Eng. summary]

4985. BUCUR (Marin). C. A. Rossetti - "le correspondant pour la Roumanie" de la "Revue de Paris" (1856). R. roumaine Hist., 83, t. 22, p. 59-70.

4986. FELTEAU (Cyrille). Histoire de la Presse. T. 1: Le livre du peuple. Montréal, La Presse, 83, in-8, 405 p.

4987. HANȚA (Alexandru). "Contemporanul" (1881-1891). O revistă așa cum a fost. ("Contemporanul". Une revue telle qu'elle a été.) București, Albatros, 83, in-8, 279 p.

4988. HILLER (Kurt). Politische Publizistik von 1918-33. Hrsg. v. Stephan REINHARDT. Heidelberg, Wunderhorn, 83, in-8, XXIII-278 p. (Ill.).

4989. HOEFER (Frank Thomas). Pressepolitik und Polizeistaat Metternichs: die Überwachung von Presse u. polit. Öffentlichkeit in Deutschland u. d. Nachbarstaaten durch d. Mainzer Informationsbüro (1833-1848). München, New York, London u. Paris, K. G. Saur, 83, in-8, 240 p. (Dortmunder Beitr. z. Zeitungsforsch., 37)

4990. HOLLIS (Daniel Webster) III. An Alabama newspaper tradition: Grover C. Hall and the Hall family. University, Univ. of Alabama Press, 83, in-8, XI-193 p.

4991. KLIER (John D.). The Jewish Den' [published in Odessa] and the literary mice, 1869-71. Russian Hist., 83, vol. 10, p. 31-49.

4992. KOZIEŁ (Andrzej). Prasa Polskiej Partii Socjalistycznej 1944-1949. Cz. 1: Lata 1944-1946. (La presse du Parti Socialiste Polonais. P. 1: 1944-1946.) Kwart. Hist. Prasy pol., 83, a. 22, n° 4, p. 85-102.

4993. LECHICKI (Czesław). Polska prasa katolicka 1945-1948. (La presse polonaise catholique, 1945-1948.) Kwart. Hist. Prasy pol., 83, a. 22, n° 2, p. 65-87. - IDEM. Polskie czasopiśmiennictwo katolickie w latach 1833-1914. (Les publications périodiques catholiques en Pologne dans les années 1833-1914.) Ibid., n° 1, p. 19-42.

4994. LIPSTADT (Deborah E.). A road paved with good intentions: The Christian Science Monitor's reaction to the first phase of Nazi persecution of Jews. Jewish soc. Stud., 83, vol. 45, n° 2, p. 95-112.

4995. MADRASCH-GROSCHOPP (Ursula). Die Weltbühne. Porträt einer Zeitschrift. Berlin, Der Morgen, 83, in-8, 439 p. (Abb.).

4996. MÜLLER (Harald). Voraussetzungen und Inhalte der außenpolitischen Reflexion in der Rheinischen Zeitung 1842/43. Jb. f. Gesch., 83, Bd 28, p. 37-76.

4997. O'LEARY (Patrick). Regency Editor: the life of John Scott, 1784-1821. Aberdeen, Univ. Press, 83, in-8, 204 p. (ill.).

4998. OL'KHOVSKIJ (E.R.). Leninskaja "Iskra" pered prusskim sudom. (Lenin's "Iskra" before a Prussian court.) Vopr. Ist. KPSS, 83, n° 2, p. 55-65.

4999. PACZKOWSKI (Andrzej). Prasa codzienna Warszawy w latach 1918-1939. (La presse quotidienne de Varsovie dans les années 1918-1939.) Warszawa, Państw. Inst. Wydawn., 83, in-8, 342 p. (Bibl. Syrenki)

5000. Presse (La) provinciale [en France] au XVIIIe siècle. Centre de Recherches sur les Sensibilités, Univ. des Langues et Lettres de Grenoble. Sous la dir. de Jean SGARD. Grenoble, Univ. des Langues et Lettres, 83, in-8, 149 p.

5001. PUSCHNER (Uwe). Der Beginn des

Zeitschriftenwesens in Kurbayern. Z. f. bayer. Landesgesch., 83, Bd 46, p. 559-592.

5002. RUDNICKAJA (E. L.). Nečaevskij "Kolokol". (Nechayev's "Kolokol".) Ist. SSSR, 83, n° 1, p. 44-60.

5003. SCHMIDT (Walter). Ferdinand Wolf. Zur Biogr. eines kommunist. Journalisten an d. Seite von Marx u. Engels 1848/49. Berlin, Akad.-Verl., 83, 22 p. (S.-B. d. Akad. d. Wiss. d. DDR)

5004. SIBLEY (Marilyn McAdams). Lone stars and state gazettes: Texas newspapers before the civil war. College Station, Texas A a. M U.P., 83, in-8, XIV-405 p.

5005. SMITH (Jeffery A.). Impartiality and revolutionary ideology: editorial policies of the South Carolina Gazette, 1732-1775. J. south. Hist., 83, vol. 49, n° 4, p. 511-526.

5006. SMOŁKA (Leonard). Prasa polska w Niemczech w okresie międzywojennym. (La presse polonaise en Allemagne à 'époque de l'entre-deux-guerres.) Kommunikaty maz.-warm., 83, aa. 31, n° 1, p. 85-97.

5007. SOKÓL (Zofia). Z badań nad polską prasą kobiecą w latach 1818-1939. (Etudes sur la presse polonaise des femmes dans les années 1818-1939.) Kwart. Hist. Prasy pol., 83, a. 22, n° 3, p. 5-12.

5008. TOURY (Jacob). Die jüdische Presse im österreichischen Kaiserreich 1802-1918. Tübingen, Mohr, 83, in-8, 171 p. (Schriftenreihe Wiss. Abh. d. Leo-Baeck-Inst., 1)

5009. WARREN (Harris Gaylord). Journalism in Asunción under the allies and the Colorados, 1869-1904. Americas, 83, vol. 39, n° 4, p. 483-498.

5010. WIENER (Joel H.). Radicalism and freethought in nineteenth-century Britain: the life of Richard Carlile. Westport, Conn., Greenwood, 83, in-8, X-285 p. (Contrib. in Labor Hist., 13)

5011. Z dziejów polskiej prasy robotniczej 1879-1948. (Histoire de la presse ouvrière polonaise, 1879-1948.) Réd.: Jerzy MYSLIŃSKI et Andrzej ŚLISZ. Autueurs: Jan KANCEWICZ et al. (Warszawa, Państw. Wydawn. Nauk., 83, in-8, 360 p.

5012. 200 [Zweihundert] Jahre Tageszeitung in Österreich, 1783-1893. Festschrift u. Ausstellungskatalog. Hrsg. v. Franz IVAN, Helmut Walter LANG u. Heinz PÜRER. Wien, Österr. Nationalbibliothek; Verb. d. Österr. Zeitungshrsg. u. Zeitungsverleger, 83, in-8, 473 p. (Ill.).

Cf. n°s 3264, 3346, 4013, 4123, 4227, 5021.

§ 5. Philosophy.

* 5013. CONLON (Pierre M.). Le Siècle des Lumières. Bibliographie chronologique. T. 1: 1716-1722. Genève, Droz, 83, in-8, 576 p. (Hist. des idées et crit. litt., 213)

* 5014. KRUMMEL (Richard Frank). Nietzsche und der deutsche Geist. Bd 2: Ausbreitung und Wirkung des Nietzscheschen Werkes im deutschen Sprachraum vom Todesjahr bis zum Ende des Weltkrieges. Ein Schrifttumsverzeichnis d. Jahre 1901-1918. Berlin, de Gruyter, 83, in-8, 688 p. (Monogr. u. Texte z. Nietzsche-Forsch., 9)

** 5015. CHALLE (Robert). Difficultés sur la religion proposées au Père Malebranche. Ed. critique d'après un manuscrit inédit par Frédéric DELOFFRE et Melâhat MENEMENCIOGLU. Ouvrage publ. avec le concours du C.N.R.S.. Paris, Tuzot; Oxford, Voltaire Foundation, 83, in-8, 576 p.

** 5016. LEIBNIZ (Gottfried Wilhelm). Sämtliche Schriften und Briefe. Hrsg. v. d. Akad. d. Wiss. d. DDR. Reihe 1: Allgemeiner, politischer und historischer Briefwechsel. Hrsg. v. d. Leibniz-Archiv d. Niedersächs. Landesbibliothek Hannover. Bd [10. Cf. Bibl. 78-79, n° 5186.] 11: Januar-Oktober 1695. Berlin, Akad.-Verl., 82, in-4, MXIX-896 p.

** 5017. Martin Luther in der deutschen bürgerlichen Philosophie 1517-1845. Eine Textsammlung. Zentralinst. f. Philosophie d. Akad. d. Wiss. d. DDR. Hrsg. v. Werner SCHUFFENHAUER u. Klaus STEINER. Berlin, Akad.-Verl., 83, in-8, XX-575 p. (Abb.).

** 5018. PRICE (Richard). The correspondence of Richard Price. Vol. 1: July 1748 - March 1778. Ed. by D. O. THOMAS, W. Bernard PEACH. Cardiff, Univ. of Wales Press; Durham, N.C., Duke U.P., 83, in-8, XXVIII-294 p.

** 5019. WITTGENSTEIN (Ludwig). Letters to C. K. Ogden. London, Routledge, 83, in-8, 100 p.

5020. ALEKSEEF (G.A.). Otklik na pervyj tom "Kapitala" K. Marksa v publicistike N. K. Mikhajlovskogo 1870-1873 godov. (Response to the first volume of Marx's "Capital" in N. K. Mikhailovski's journalistic works of 1870-1873.) Ist. SSSR, 83, n° 1, p. 112-126.

5021. Allemagne (L') des Lumières: périodiques, correspondances, témoignages. Sous la dir. de Pierre GRAPPIN. Paris, Didier-Erudition, 82, in-8, 429 p.

5022. ALLEN (Diogenes). Mechanical explanations and the ultimate origin of the universe according to Leibniz. Wiesbaden, Steiner, 83, in-8, 43 p. (Studia Leibnitiana, Sonderheft 11)

5023. ARBINI (Ronald). Did Descartes have a philosophical theory of sense perception? J. Hist. Philos., 83, vol. 21, n° 3, p. 317-338.

5024. ARGYRIOU (Astérios). Les exégèses grecques de l'Apocalypse à l'époque turque (1453-1821). Esquisse d'une histoire des courants idéologiques au sein du peuple grec asservi. Thessalonique, Hetaireia Makedonikōn Spoudōn, 82, in-8, 763 p.

5025. ARNOLD (N. Scott). Hume's skepticism about inductive inference. J. Hist. Philos., 83, vol. 21, n° 1, p. 31-56.

5026. BARNARD (F.M.). National culture and political legitimacy: Herder and Rousseau. J. Hist. Ideas, 83, vol. 44, n° 2, p. 231-254.

5027. BARON (Lawrence). Discipleship and dissent: Theodor Lessing and Edmund Husserl. Proc. am. philos. Soc., 83, vol. 127, n° 1, p. 32-49.

5028. Beitrag (Der) ostdeutscher Philosophen zur abendländischen Philosophie. Hrsg. v. Friedhelm Berthold KAISER u. Bernhard STASIEWSKI. Köln u. Wien, 83, in-8, VII-112 p. (Stud. z. Deutschtum im Osten, 16)

5029. BELENKOVA (L.P.). D. I. Pisarev kak istorik filosofskoj i obščestvennoj mysli. (D. I. Pisarev as a historian of philosophical and social thought.) Moskva, MGU, 126 p. (Istorija filosofii)

5030. BELLER (Mara). Matrix theory before Schrödinger: philosophy, problems, consequences. Isis, 83, vol. 74, n° 274, p. 469-491.

5031. BENREKASSA (Georges). La politique et sa mémoire: politique et l'historique dans la pensée des Lumières. Paris, Payot, 83, in-8, 370 p.

5032. BERGER (Carl). Science, God, and nature in Victorian Canada. Toronto, Univ. Press, 83, in-8, 112 p. - CR: A. B. McKillop, Canad. hist. R., 84, vol. 65, p. 296-297.

5033. BÖCKENFORDE (Ernst-Wolfgang). Bemerkungen zum Verhältnis von Staat und Religion bei Hegel. Staat, 83, Bd 21, n° 4, p. 481-503.

5034. BOREK (Johanna). Sensualismus und Sensation. Zum Verhältnis v. Natur, Moral u. Ästhetik in d. Spätaufklärung u. im Fin-de-siècle. Köln u. Wien, Böhlau, 83, in-8, IV-179 p. (Junge Wiener Romanistik, 5)

5035. BRACHER (Karl Dietrich). Demokratie und Ideologie im Zeitalter der Machtergreifungen. Vjhefte f. Zeitgesch., 83, Jg. 31, p. 1-24.

5036. Bürgerliche Revolution und Sozialtheorie. Wolfgang FÖRSTER (Hrsg.). Berlin, Akad.-Verl., 82, in-8, 249 p. (Studien z. Vorgesch. d. hist. Materialismus, 1. Schr. z. Philos. u. ihrer Gesch., 30)

5037. CANOVAN (Margaret). Arendt, Rousseau, and human plurality in politics. J. Politics, 83, vol. 45, n° 2, p. 286-302.

5038. CARVER (Terrell). Marx and Engels: the intellectual relationship. Bloomington, Indiana U.P., 83, in-8, XV-172 p.

5039. CLARK (Michael D.). Coherent variety: the idea of diversity in British and American conservative thought. Westport, Conn., Greenwood, 83, in-8, VIII-228 p. (Contrib. in Pol. Sci., 86)

5040. CLOSTERMEYER (Claus-Peter). Zwei Gesichter der Aufklärung. Spannungslagen in Montesquieus Esprit des lois. Berlin, Duncker u. Humblot, 83, in-8, 276 p.

5041. COLAIACO (James A.). James Fitzjames Stephen and the crisis of Victorian thought. London, Macmillan; New York, St. Martin's Press, 83, in-8, XIII-266 p.

5042. CONGDON (Lee). The young Lukács. Chapel Hill, Univ. of North Carolina Press, 83, in-8, XII-235 p.

5043. CRANSTON (Maurice). Jean-Jacques, the early life and work of Jean-Jacques Rousseau, 1712-1754. London, A. Lane, 83, in-8, 400 p.

5044. CREED (Walter G.). René Wellek and Karl Popper on the mode of existence of ideas in literature and science. J. Hist. Ideas, 83, vol. 44, n° 4, p. 639-656.

5045. DAVIS (Walter W.). China, the Confucian ideal, and the European age of Enlightenment. J. Hist. Ideas, 83, vol 44, n° 4, p. 523-548.

5046. DE MADDALENA (Aldo). Fragilità delle istituzioni. "Delle mutazioni de' Stati e delle cagioni loro": un inedito Discorso cinquecentesco. R. stor. ital., 83, a. 95, fasc. 2, p. 314-331.

5047. DIEFENTHALER (Jon). H. Richard Niebuhr: a fresh look at his early years. Church Hist., 83, vol. 52, n° 2, p. 172-185.

5048. DIMARAS (K. Th.). Neohellēnikos diaphōtismos. (L'Aufklärung néo-hellénique.) Athēna, Hermēs, 83, in-8, 524 p.

5049. DÜSING (Klaus). Hegel und die Geschichte der Philosophie: Ontologie u. Dialektik in Antike u. Neuzeit. Darmstadt, Wiss. Buchges., 83, in-8, IX-272 p. (Erträge d. Forsch., 206)

5050. EDEN (Robert). Political leadership and nihilism: a study of Weber and Nietzsche. Tampa, Univ. Presses of Florida, 83, in-8, XX-348 p.

5051. EECKE (Wilfred ver). Hegel on economics and freedom. Arch. f. Rechts- u. Sozialphilos., 83, Bd 69, n° 2, p. 187-215.

5052. EISENACH (Eldon J.). The dimension of history in Bentham's theory of law. Eighteenth-Century Stud., 83, vol. 16, n° 3, p. 290-316.

5053. EUCHNER (Walter). Karl Marx. München, Beck, 83, in-8, 203 p. (6 Abb.). (Beck'sche Schwarze Reihe, 505)

5054. Bibl. 82, n° 4983. GADŽIEV (K.S.). Ėvoljucija osnovnykh tečeny amerikanskoj buržuaznoj ideologii 50 - 70-kh gg. (Evolution of the basic trends of American bourgeois ideology, 1950s-70S.) - CR: B. D. Kozenko, Nov. novejš. Ist., 83, n° 1, p. 181-184.

5055. Gesellschaftslehre der klassischen bürgerlichen deutschen Philosophie. Wolfgang FORSTER (Hrsg.). Berlin, Akad.-Verl., 83, in-8, 219 p. (Studien z. Vorgesch. d. hist. Materialismus, 2. Schr. z. Philos. u. ihrer Gesch., 36)

5056. GILDIN (Hilail). Rousseau's Social contract: the design of the argument. Chicago a. London, Univ. of Chicago Press, 83, in-8, VII-206 p.

5057. GODINHO (Vitorino Magalhães). Entre mito e utopia: os descobrimentos, construção de espaço e invenção da humanidade nos séculos XV e XVI. R. Hist. econ. soc. [Lisboa], 83, n° 12, p. 1-43.

5058. GOGONEAȚĂ (Nicolae). A concise history of Romanian philosophy. Bucharest, Ed. științ. și enciclop., 83, in-8, 60 p.

5059. GOUHIER (Henri). Rousseau et Voltaire. Portrait dans deux miroirs. Paris, Vrin, 83, in-8, 480 p.

5060. GRAHAM (Ruth). The revolutionary bishops and the philosophes. Eighteenth-Century Stud., 83, vol. 16, n° 2, p. 117-140.

5061. GRIMSLEY (Ronald). Jean-Jacques Rousseau. Brighton, Harvester Press, 83, in-8, 192 p.

5062. GUENANCIA (Pierre). Descartes et l'ordre politique: critique cartésienne des fondements de la politique. Paris, Presses univ. France, 83, in-8, 255 p.

5063. HACKING (Ian). Nineteenth-century cracks in the concept of determinism. J. Hist. Ideas, 83, vol. 44, n° 3, p. 429-454.

5064. HAMPSON (Norman). Will and circumstance: Montesquieu, Rousseau, and the French Revolution. Norman a. London, Univ. of Oklahoma Press, 83, in-8, X-282 p.

5065. HELLER (Agnes) a. others. Lukács reappraised. New York, Columbia U.P., 83, in-8, 204 p.

5066. HERMS (Eilert). David Hume (1711-1776). Z. f. Kirchengesch., 83, Bd 94, p. 279-312.

5067. HÖFFE (Otfried). Immanuel Kant. München, Beck, 83, in-8, 326 p. (8 Abb.). (Beck'sche Schwarze Reihe, 506)

5068. HÖPPNER (Joachim). Ludwig Feuerbach und die deutsche Arbeiterbewegung. Jb. f. Gesch., 83, Bd 28, p. 77-105.

5069. HOLZ (Hans Heinz). Gottfried Wilhelm Leibniz. Eine Monographie. Leipzig, Reclam, 83, in-8, 230 p. (Reclams Universal-Bibliothek, 964)

5070. IOFRIDA (Manlio). La filosofia di J. Toland. Spinozismo, scienza e religione fra '600 et '700. Milano, Angeli, 83, in-8, 178 p.

5071. JACYNA (L.S.). Immanence or transcendence: theories of life and organization in Britain, 1790-1835. Isis, 83, vol. 74, n° 273, p. 311-329.

5072. KÄTZEL (Siegfried). Psychoanalytisch orientierte Gesellschaftskonzeptionen in der revolutionären Nachkriegskrise. Zu ersten Versuchen einer Synthese von Marxismus und Psychoanalyse (1919-1923). Jb. f. Gesch., 83, Bd 28, p. 155-191.

5073. KENYON (T.A.). The problem of freedom and moral behavior in Thomas More's Utopia. J. Hist. Philos., 83, vol. 21, n° 3, p. 34-374.

5074. KESSLER (Sanford). Locke's influence on Jefferson's "bill for establishing religious freedom". J. Church a. State, 83, vol. 25, n° 2, p. 231-252.

5075. KILCULLEN (John). Locke on political obligation. R. Politics, 83, vol. 45, n° 3, p. 324-344.

5076. KLENNER (Hermann). Revolutionsprogramm als Reformationstheorie. Der Revolutionsbegriff utop. Kommunisten in England Mitte d. 17. Jh. Berlin, Akad.-Verl., 83, in-8, 37 p. (S.-B. d. Akad. d. Wiss. d. DDR: G, Jg. 1983, 6)

5077. KONDYLES (Panagiōtēs). Hē parousia tou Platōna ston neoellēniko Diaphōtismo. (La présence de Platon dans l'Aufklärung néo-hellénique.) Historika [Athènes], 83, vol. 1, n° 1, p. 85-100.

5078. KOPITZSCH (Franklin). Die deutsche Aufklärung. Leistungen, Grenzen, Wirkungen. Arch. f. Sozialgesch., 83, Bd 23, p. 1-21.

5079. KRAUS (Pamela A.). From universal mathematics to universal method: Descartes's "turn" in rule IV of the Regulae. J. Hist. Philos., 83, vol. 21, n° 2, p. 159-174.

5080. KUEHN (Manfred). The early reception of Reid, Oswald, and Beattie in Germany. J. Hist. Philos., 83, vol. 21, n° 4, p. 479-496. - IDEM. Kant's conception of "Hume's problem". Ibid., n° 2, p. 175-194.

5081. LAMBERTI (Jean-Claude). Tocqueville et les deux démocraties. Paris, Presses univ. France, 83, in-8, 326 p.

5082. LETNEV (A.B.). Formirovanie obščestvennykh ustremlenij zapadnoafrikanskikh "ėvoljuè". Konec 30 - načalo 40-kh godov XX v. (Formation of social aspirations of West African "évolués", end of the 30s - beginning of the 40s of the 20th cent.) Nar. Azii Afr., 83, n° 4, p. 37-47. - IDEM. Obščestvennaja mysl' v Zapadnoj Afrike, 1918-1939. (Social thought in Western Africa, 1918-1939.) Moskva, Nauk, 83, 280 p. (ill.). (AN SSSR. In-t Afriki)

5083. LIFŠIC (M.A.). G. V. Plekhanov. Očerk obščestv. dejatel'nosti i ėstet. vzgljadov. (G. V. Plekhanov. Essay on his social activites and aesthetical views.) Moskva, Iskusstvo, 83, 143 p.

5084. LOGAN (George M.). The meaning of More's Utopia. Princeton, N.J., Princeton U.P., 83, in-8, XV-296 p.

5085. LOSEV (A.F.). Vl. Solov'ev. (Vl. Soloviev.) Moskva, Mysl', 83, 206 p. (Mysliteli prošlogo)

5086. LUFT (David S.). Schopenhauer, Austria, and the generation of 1905. Central european Hist., 83, vol. 16, n° 1, p. 53-75.

5087. McKINNEY (Ronald H.). The origins of modern dialectics. J. Hist. Ideas, 83, vol. 44, n° 2, p. 179-190.

5088. MALETZ (Donald J.). History in Hegel's Philosophy of Right. R. Politics, 83, vol. 45, n° 2, p. 209-233.

5089. MARTÍNEZ BARRERA (Jorge). Nota sobre Montesquieu: sus puntos de partida y el republicanismo. Prudentia Iuris, 83, n° 11, p. 98-121.

5090. MARX (Jacques). Descriptions géographiques et mythes au XVIIe siècle. R. roumaine Hist., 83, t. 22, p. 357-369.

5091. MASSEY (Stephen J.). Kant on self-respect. J. Hist. Philos., 83, vol. 21, n° 1, p. 57-74.

5092. MEL'VIL' (Ju. K.). Puti buržuaznoj filosofii XX veka. (Ways of bourgeois philosophy of the 20th cent.) Moskva, Mysl', 83, 247 p.

5093. MELZER (Arthur M.). Rousseau's moral realism: replacing natural law with the general will. Am. pol. Sci. R., 83, vol. 77, n° 3, p. 633-651.

5094. MISSNER (Marshall). Skepticism and Hobbes's political philosophy. J. Hist. Ideas, 83, vol. 44, n° 3, p. 407-428.

5095. MOMDŽJAN (Kh. N.). Francuzskoe Prosveščenie XVIII veka. Očerki. (The French Enlightenment of the 18th century. Essays.) Moskva, Mysl', 83, 447 p. (ill.).

5096. MORGAN (Philip D.). The ownership of property by slaves in the mid-nineteenth-century low country. J. south. Hist., 83, vol. 49, n° 3, p. 399-420.

5097. MORTIER (R.). L'originalité. Une nouvelle catégorie esthétique au siècle des Lumières. Genève, Droz, 83, in-8, 224 p. (Hist. des idées et critique litt., 207)

5098. NAFF (William E.). Japan and the European Enlightenment. In: Appréciation par l'Europe ... [Cf. n° 224], p. 253-269.

5099. NICOLET (Claude). L'idée républicaine en France. Essai d'histoire critique. Paris, Gallimard, 82, in-8, 512 p.

5100. NOLTE (Ernst). Marxismus und Nationalsozialismus. Vjhefte f. Zeitgesch., 83, Jg. 31, p. 389-417.

5101. NOUTSOS (Panagiōtēs). Niccolo Machiavelli. Politikos schediasmos kai philosophia tēs historias. (N. Machiavel. Esquisse politique et philosophie de l'histoire.) Dissertation d'agrégation. Athēna, I. Zacharopoulos, 83, in-8, 181 p.

5102. NUORTEVA (Jussi). Suomalaiset muistokirjat ja muistokirjamerkinnät ennen Isoavihaa. (Finnish autograph albums and album entries before 1713.) Helsinki, Suomen historiallinen seura, 83, in-8, 110 p. (ill.). (Hist. Tutkimuksia, 123) [Eng. summary]

5103. NUTKIEWICZ (Michael). Samuel Pufendorf: obligation as the basis of the state. J. Hist. Philos., 83, vol. 21, n° 1, p. 15-30.

5104. OSLER (Margaret J.). Providence and divine will: the theological background to Gassendi's views on scientific knowledge. J. Hist. Ideas, 83, vol. 44, n° 4, p. 549-560.

5105. PANGLE (Thomas L.). The roots of contemporary nihilism and its political consequences according to Nietzsche. R. Politics, 83, vol. 45, n° 1, p. 45-70.

5106. PAUL (Ellen Frankel). Herbert Spencer: the historicist as a failed prophet. J. Hist. Ideas, 83, vol. 44, n° 4, p. 619-638.

5107. Philosophie und Geschichte. Beiträge z. Geschichtsphilosophie d. deutschen Klassik. Weimar, Böhlau, 83, in-8, 328 p. (Collegium philosophicum Jenense, 4)

5108. PIQUET-MARCHAL (Marie-Odile). Les bouleversements du XVIe siècle et leurs incidences sur les grands courants de la pensée politique des temps modernes. R. hist. Droit franç. étr., 83, a. 61, p. 25-61.

5109. PLIMAK (E.G.). K sporu o političeskoj pozicii "pozdnego" Belinskogo. (On the controversy about "late" Belinski's political position.) Ist. SSSR, 83, n° 2, p. 35-53.

5110. REEDY (W. Jay). Language, counter-revolution and the "two cultures": Louis De Bonald's traditionalist scientism. J. Hist. Ideas, 83, vol. 44, n° 4, p. 579-598.

5111. RODRÍGUEZ PANIAGUA (José María). El pensamiento filosófico-político de Baruch Spinoza. R. Est. pol., 83, t. 36, p. 159-179.

5112. SACCARO-BATTISTA (Giuseppa). Changing metaphors of political structures. J. Hist. Ideas, 83, vol. 44, n° 1, p. 31-54.

5113. SANTUCCI (Antonio A.). Diderot e il Viaggio di Bougainville. Studi stor., 83, a. 24, p. 165-188.

5114. SAX (Benjamin C.). Active individuality and the language of confession: the figure of the beautiful soul in the Lehrjahre [of Goethe] and the Phänomenologie [of Hegel]. J. Hist. Philos., 83, vol 21, n° 4, p. 437-466.

5115. SCHMIDT (Hajo). Politische Theorie und Realgeschichte. Zu Johann Gottlieb Fichtes praktischer Philosophie (1793-1800). Frankfurt (Main), Bern u. New York, Lang, 83, in-8, 454 p. (Europ. Hochschulschr., Reihe 20: Philosophie, 111)

5116. SCHULZ (Constance B.). John Adams on "the best of all possible worlds". J. Hist. Ideas, 83, vol. 44, n° 4, p. 561-578.

5117. SEIDLER (Michael J.). Kant and the stoics on suicide. J. Hist. Ideas, 83, vol. 44, n° 3, p. 429-454.

5118. SEIDMAN (Steven). Liberalism and the origins of European social theory. Berkeley a. Los Angeles, Univ. of California Press, 83, in-8, XII-419 p.

5119. SENGE (Angelika). Marxismus als atheistische Weltanschauung. Zum Stellenwert d. Atheismus im Gefüge marxist. Denkens. Paderborn, Schöningh, 83, in-8, 329 p. (Abh. z. Sozialethik, 22)

5120. SHAPIRO (Barbara J.). Probability and certainty in seventeenth-century England: a study of the relationship between natural science, religion, history, law and literature. Princeton, N.J., Princeton U.P., 83, in-8, X-347 p.

5121. SMALL (Robin). Nietzsche and a Platonist tradition of the cosmos: center everywhere and circumference nowhere. J. Hist. Ideas, 83, vol. 44, n° 1, p. 89-104.

5122. SMITH (Steven B.). Hegel's discovery of history. R. Politics, 83, vol. 45, n° 2, p. 163-187. - IDEM. Hegel's view on war, state, and international relations. Am. pol. Sci. R., 83, vol. 77, n° 3, p. 624-632.

5123. STEINBERGER (Peter J.). Hegel on crime and punishment. Am. pol. Sci. R., 83, vol. 77, n° 4, p. 858-870. - IDEM. Hegel's occasional writings: state and individual. R. Politics, 83, vol. 45, n° 2, p. 188-208.

5124. SURATTEAU (Jean-René). Cosmopolitisme et patriotisme au siècle des Lumières. A. hist. Révol. franç., 83, a. 55, n° 253, p. 364-389.

5125. TAZBIR (Janusz). Wizje przyszłości w kulturze staropolskiej. (Les visions d'avenir dans la culture de l'ancienne Pologne.) Odrodzen. Reform. Polsce, 82 [83], vol. 27, p. 107-141.

5126. THALE (Mary). Selections from the papers of the London Corresponding Society, 1792-1799. London, Cambridge U.P., 83, in-8, 472 p.

5127. THOMAS (R. Hinton). Nietzsche in German politics and society, 1890-1918. Manchester, Univ. Press, 83, in-8, 150 p.

5128. VALICKAJA (A.P.). Russkaja estetika XVIII veka. Ist.-problemnyj očerk prosvetitel'skoj mysli. (Russian aesthetics of the 18th century. Historical and problematical essay on Enlightenment thought.) Moskva, Iskusstvo, 83, 238 p.

5129. WILLIAMS (David). Mr. George Eliot: the biography of George Henry Lewes. London, Hodder, 83, in-8, 289 p.

5130. WOOD (Ellen Meiksins). The state and popular sovereignty in French political thought: a genealogy of Rousseau's "general will". Hist. pol. Thought, 83, vol. 4, p. 281-316.

5131. WOOD (Neal). The politics of Locke's philosophy: a social study of An Essay Concerning Human Understanding. Berkeley a. Los Angeles, Univ. of California Press, 83, in-8, XIV-241 p.

5132. WOOTTEN (David). Paolo Sarpi: between Renaissance and Enlightenment. New York, Cambridge U.P., 83, in-8, VIII-192 p.

Cf. n°s 221, 673, 3005.

§ 6. Exact, natural, medical sciences and technique.

* 5133. Bibliography (A) for courses in the history of Canadian science, medecine and technology. Comp. by Richard A. JARREL a. Arnold E. ROSS. Thornhill, Ont., HSTC pub., 83, in-8, 62 p. (Research tools for the hist. of Canadian sci. a. technology, 1)

* 5134. Critical bibliography (108th) of the history of science and its cultural influences (to January 1983). Isis, 83, vol. 74, n° 275, p. 5-213. [Cf. Bibl. 82, n° 943]

* 5135. VINCENT (Elizabeth). Bibliographie choisie et commentée applicable à l'étude des techniques de construction du génie militaire en Amérique du Nord britannique, au XIXe siècle. Ottawa, Parcs Canada, 83, in-8, 22 p. (Bull. de recherches, 190) - Eng. version: A select annotated bibliography applicable to the study of the Royal Engineers' building technology in nineteenth century British North America.

** 5136. BURNHAM (John C.). Jelliffe: American psychoanalyst and physician; his correspondence with Sigmund Freud and C. G. Jung. Ed. by William McGUIRE. Forew. by Arcangelo R. T. D'AMORE. Chicago, Univ. of Chicago Press, 83, in-8, XX-324 p.

** 5137. FORBES (Eric G.). La correspondance astronomique entre Joseph-Nicolas Delisle et Tobias Mayer. R. Hist. Sci., 83, t. 36, p. 113-151.

** 5138. HENRY (Joseph). The papers of Joseph Henry. [Vol. 3. Cf. Bibl. 78-79, n° 5295.] Vol. 4: January 1838 - December 1840: the Princeton years. Ed. by Nathan REINGOLD a. others. Washington, D.C., Smithsonian Inst. Press, 81, XXIV-475 p.

** 5139. K. È. Ciolkovskij v vospominanijakh sovremennikov. (K. E. Tsiolkovski in memoirs of contemporaries.) Sost.: A. V.

KOSTIN, N. T. USOVA. 2-e izd., pererab. i dop. Tula, Priok. kn. izd-vo, 83, 289 p. (ill.).

** 5140. LICHTENBERG (Georg Christoph). Briefwechsel. Im Auftr. d. Akad. d. Wiss. zu Göttingen hrsg. v. Ulrich JOOST u. Albrecht SCHÖNE. Bd 1: 1765-1779. (Briefe Nr. 1-656). München, Beck, 83, in-8, XLIII-1077 p. (Ill.).

** 5141. MERSENNE (le P. Marin). Correspondance. Publ. et annotée par Cornelis de WAARD et Armand BEAULIEU. Edition entreprise sur l'initiative de Mme Paul TANNERY et continuée par le C.N.R.S. [T. 14. Cf. Bibl. 80, n° 4611.] T. 15: 1647. Paris, Ed. du C.N.R.S., 83, in-8, 688 p. (51 fig., 4 pl.).

** 5142. PEIRESC (Nicolas Fabri de), RAMBERVILLERS (Alphonse de). Correspondance, 1620-1624. Publ. par Anne REINBOLD. Paris, Ed. du C.N.R.S., 83, in-8, 97 p.

** 5143. Prameny k dějinám přírodních věd a techniky. (Quellen z. Geschichte d. Naturwissenschaften u. Technik.) Vol. [1, 2. Cf. Bibl. 82, n° 5068.] 3. Edit. Oldřich SLÁDEK, Pavel RAFAJ, Jiří BERAN et al. Praha, Ústav čs. a světových dějin ČSAV, 83, 218 p. (Práce z dějin přírodních věd, 10)

5144. AHLSTRÖM (Carl Gustaf). Patologisk anatomi i Lund 1668-1962. (Pathological anatomy in Lund, 1668-1962.) Lund, Sydsv. medicinhist. sällsk., 83, in-8, 155 p. (ill.). (Sydsvenska medicinhist. sällskapets årsskr., Suppl., 2)

5145. Albert Einstein. Historical and cultural perspectives. Ed. by Gerald HOLTON. Yehuda ELKANA. Princeton, N.J., Princeton U.P., 82, in-8, XXXII-439 p.

5146. ARMSTRONG (David). Political anatomy of the body: medical knowledge in Britain in the twentieth century. New York, Cambridge U.P., 83, in-8, XII-146 p.

5147. BARROTTA (Pierluigi). Verso una teoria dell'argomentazione: la polemica tra Lavoisier e i sostenitori del flogisto. Physis, 83, a. 25, p. 101-125.

5148. BATOR (Paul Adolphus). The health reformers versus the common Canadian: the controversy over compulsory vaccination against smallpox in Toronto and Ontario, 1900-1920. Ontario Hist., 83, vol. 75, p. 348-373.

5149. BEDNARCZYK (Andrzej). Georges Cuvier (1769-1832). Mechanistyczna teoria organizmu i kreacjonistyczna teoria przyrody. W stopięćdziesiątą rocznicę śmierci. (G. Cuvier 1769-1832. Théorie mécaniste de l'organisme et théorie créationniste de la nature. A l'occas. du cent cinquantième anniversaire de sa mort). Kwart. Hist. Nauki Techn., 83, a. 28, n° 1, p. 3-60.

5150. BENEDEK (István). Ignaz Philipp Semmelweis 1818-1865. Köln u. Wien, Böhlau, 83, in-8, 399 p. (24 Abb.).

5151. BERCE (Yves-Marie). Le clergé et la diffusion de la vaccination. R. Hist. Egl. France, 83, t. 69, p. 87-106.

5152. BERCHERIE (Paul). Le concept de folie hystérique avant Charcot. R. int. Hist. Psychiatrie, 83, vol. 1, n° 1, p. 47-58.

5153. BERNIER (Jacques). La standardisation des études médicales et la consolidation de la profession médicale dans la deuxième moitié du XIXe siècle. R. Hist. Amérique franç., 83, vol. 37, p. 5166.

5154. BIGGS (Lesley C.). The case of the missing midwives: a history of midwifery in Ontario from 1795-1900. Ontario Hist., 83, vol. 75, p. 21-35.

5155. BLEKER (Johanna). Die Stadt als Krankheitsfaktor. Eine Analyse ärztl. Auffassungen im 19. Jh. Medizinhist. J., 83, Bd 18, p. 118-136.

5156. BOWLER (Peter J.). The eclipse of Darwinism: anti-Darwinian evolution theories in the decades around 1900. Baltimore, Johns Hopkins U.P., 83, in-8, XI-291 p.

5157. CASINI (Paolo). Newton e la coscienza europea. Bologna, Il Mulino, 83, in-8, 254 p.

5158. Colóquio La enfermedad en España y Francia al fin del Antiguo Régimen, Casa de Velázquez, Madrid, 9-11 diciembre 1982. Asclepio, 83, vol. 35, 411 p.

5159. COMPTON (W. David), BENSON (Charles D.). Living and working in space: a history of skylab. Washington, D.C., National Aeronautics a. Space Administration, 83, XIII-449 p.

5160. CONSTANT (Edward W.). Scientific theory and technological testability: science, dynamometers, and water turbines in the 19th century. Technol. a. Cult., 83, vol. 24, n° 2, p. 183-198.

5161. CORSI (Pietro). Oltre il mito. Lamarck e le scienze naturali del suo tempo. Bologna, Il Mulino, 83, in-8, 433 p.

5162. CRAIG (Barbara Lazenby). State medicine in transition: battling smallpox in Ontario, 1882-1885. Ontario Hist., 83, vol. 75, p. 319-347.

5163. DESMOND (Adrian). Archetypes and ancestors: palaeontology in Victorian London, 1850-1875. Chicago, Univ. of Chicago Press, 82, in-8, 287 p.

5164. DODD (Dianne). The Hamilton birth control clinic of the 1930s. Ontario Hist., 83, vol. 75, p. 71-86.

5165. ESTES (Leland). The medical origins of the European witch case: a hypothesis. J. soc. Hist., 83, vol. 17, n° 2, p. 271-284.

5166. FADDA (Bianco). L'innesto del vaiolo: un dibattito scientifico e culturale nell'Italia del Settecento. Milano, Angeli, 83, in-8, 212 p.

5167. FANCHER (Raymond E.). Alphonse de Candolle, Francis Galton, and the early history of the nature-nurture controversy. J. Hist. behavioral Sci., 83, vol. 19, n° 4, p. 341-352.

5168. FISCHER (Karl A. F.). Die Astronomie und die Naturwissenschaften in Mähren. Bohemia, 83, Bd 24, p. 19-103.

5169. FISCHER (Klaus). Galileo Galilei. München, Beck, 83, in-8, 239 p. (6 Abb.). (Beck'sche Schwarze Reihe, 504)

5170. FOLEY (Vernard) a. others. Leonardo, the wheel lock, and the milling process. Technol. a. Cult., 83, vol. 24, n° 3, p. 399-427.

5171. FOSTER (Gaines M.). The demands of humanity: army medical disaster relief. Washington, D.C., Center of Military History, 83, in-8, X-188 p.

5172. FRANGSMYR (Tore). The history of science in Sweden. Isis, 83, vol. 74, n° 274, p. 465-468.

5173. FREUDENTHAL (Gad). Theory of matter and cosmology in William Gilbert's De Magnete. Isis, 83, vol. 74, n° 271, p. 22-37.

5174. GALLAGHER (Nancy Elizabeth). Medicine and power in Tunisia, 1780-1900. London a. New York, Cambridge U. P., 83, in-8, XII-145 p. (ill., maps). (Cambridge Middle East Lib.)

5175. GASCAR (Pierre). Buffon. Paris, Gallimard, 83, in-8, 272 p.

5176. GELFAND (Toby). Demystification and surgical power in the French Enlightenment. B. Hist. Med., 83, vol. 57, p. 203-217.

5177. GILLESPIE (Charles Coulston). The Montgolfier brothers and the invention of aviation, 1783-1784: with a word on the importance of ballooning for the science of heat and the art of building railroads. Princeton, N.J., Princeton U.P., 83, in-8, XI-210 p.

5178. GILMAN (Sander L.). Why is schizophrenia "bizarre": an historical essay in the vocabulary of psychiatry. J. Hist. behavioral Sci., 83, vol. 19, n° 2, p. 127-135.

5179. GOODCHILD (Peter). Oppenheimer, father of the atom bomb. London, B.B.C., 83, in-8, 303 p. (ill.). (Ariel Book)

5180. GRĘBECKA (Wanda). Źródła teorii doboru w darwinizmie. Miejsce i rola wiedzy rolniczej w teorii Darwina. (Les sources de la théorie sur la sélection dans le darwinisme. Place et rôle de la science agricole dans la théorie de Darwin.) Kwart. Hist. Nauki Techn., 83, a. 28, n° 1, p. 79-103.

5181. GROB (Gerald N.). Mental illness and American society, 1875-1940. Princeton, N.J., Princeton U.P., 83, in-8, XIII-428 p.

5182. GUERLAC (Henry). The dating of Newton's early optical experiments. Isis, 83, vol. 74, n° 271, p. 74-80.

5183. HALL (A. Rupert). The revolution in science, 1500-1750. London, Longman, 83, in-8, X-174 p.

5184. HOWARD (Rio). La bibliothèque et le laboratoire de Guy de La Brosse au Jardin des Plantes à Paris. Genève, Droz, 83, in-8, 144 p. (Publ. de l'Ecole Prat. des Hautes Etudes, IVe Section: Sci. hist. et philol., Hist. et civilisation du livre, 13)

5185. HUARD (Pierre), LAPLANE (Robert). Histoire illustrée de la pédiatrie. T. 1-3. Paris, Dacosta, 81-83, 3 vol. in-4, 198, 195, 202 p. (ill., pl.).

5186. HUNT (Bruce J.). Practice vs. theory: the British electrical debate, 1888-1891. Isis, 83, vol. 74, n° 273, p. 341-355.

5187. IL'INA (T.D.). Formirovanie sovetskoj školy razvedočnoj geofiziki (1917-1941 gg.). (Formation of the soviet school of geophysical prospecting, 1917-1941.) Moskva, Nauka, 83, 216 p. (ill.). (AN SSSR. In-t istorii estestvoznanija i tekhniki)

5188. INKSTER (Ian), MORRELL (Jack) a. others. Metropolis and province: science in British culture, 1780-1850. Philadelphia, Univ. of Pennsylvania Press, 83, in-8, 288 p.

5189. Institut d'histoire de la médecine, université Claude Bernard, Lyon I. Lyon et la médecine. Cycle de conférences, année 1981-1982, 1982-1983. Lyon, Fondation Mérieux, 82-83, 2 vol., 292, 245 p. (fig.).

5190. Iz istorii sovetskoj kosmonavtiki. (From the history of soviet cosmonautics.) Sbornik pamjati akad. S. P. Koroleva. Otv. red. B. V. RAUŠENBAKH. Moskva, Nauka, 83, 263 p. (AN SSSR. Komis. po razrab. nauč. nasledija pionerov osvoenija kosmič. prostranstva)

5191. JONES (Kathleen W.). Sentiment and science: the late nineteenth-century pediatrician as mother's advisor. J. soc. Hist., 83, vol. 17, n° 1, p. 79-96.

5192. KALISCH (Philip A.), SCOBEY (Margaret). Female nurses in American wars: helplessness suspended for the duration. Armed Forces a. Soc., 83, vol. 9, n° 2, p. 215-244.

5193. KATER (Michael H.). Die "Gesundheitsführung" des deutschen Volkes. Medizinhist. J., 83, Bd 18, p. 349-375.

5194. KEDROV (B.M.). Mirovaja nauka i Mendeleev. K istorii sotrudničestva fizikov i khimikov Rossii (SSSR), Velikobritanii i SSA. (World science and Mendeleev. History of the cooperation of physicists and chemists of Russia (USSR), Great Britain and the USA.) Moskva, Nauka, 83, 253 p. (ill.). (AN SSSR. In-t istorii estestvoznanija i tekhniki)

5195. KEEGAN (Robert T.), GRUBER (Howard E.). Love, death, and continuity in Darwin's thinking. J. Hist. behavioral Sci., 83, vol. 19, n° 1, p. 15-30.

5196. KILLAN (Gerald). David Boyle: from artisan to archeologist. Toronto, Univ. Press, 83, in-8, 276 p. - CR: C. Berger, Canad. hist. R., 84, vol. 65, p. 110-111.

5197. KOMISSAROV (B.N.). Rannie gody N. N. Miklukho-Maklaja (K istorii pervogo peterburgskogo perioda žizni). (N. N. Miklukho-Maclay's early years. On the history of the first St. Petersburg period in his life.) Sovet. Étnogr., 83, n° 1, p. 128-139.

5198. KRASNICK (Cheryl L.). The aristocratic vice: the medical treatment of drug addiction at the homewood retreat, 1883-1900. Ontario Hist., 83, vol. 75, p. 403-427.

5199. Lazzaro Spallanzani e la biologia del Settecento. Teorie, esperimenti, istituzioni scientifiche. Atti del Convegno di studi, Reggio Emilia, Modena, Scandiano, Pavia, 23-27 marzo 1981. Firenze, Olschki, 83, in-8, XII-628 p.

5200. LEAVITT (Judith Walzer). "Science" enters the birthing room: obstetrics in America since the eighteenth century. J. am. Hist., 83, vol. 70, n° 2, p. 281-304.

5201. LEIKOLA (Anto). Francesco Redi and the earthworms. A case study from the early years of experimental biology, with an unpublished manuscript of Francesco Redi. Faravid, 83, t. 7, p. 77-112 (ill.).

5202. LENNOX (James). Robert Boyle's defense of teleological inference in experimental science. Isis, 83, vol. 74, p. 38-52.

5203. LEONARD (Jacques). La pensée médicale au XIXe siècle. R. Synthèse, 83, t. 104, n° 102, p. 29-52.

5204. LEVENSTEIN (Harvey). "Best for babies" or "preventable infanticide"? The controversy over artificial feeding of infants in America, 1880-1920. J. am. Hist., 83, vol. 70, n° 1, p. 75-94.

5205. LEWIS (Judith Schneid). Maternal health in the late English aristocracy: myths and realities, 1790-1840. J. soc. Hist., 83, vol. 17, n° 1, p. 97-114.

5206. McGINN (Robert E.). Stokowksi and the Bell Telephone Laboratories: collaboration in the development of high-fidelity sound reproduction. Technol. a. Cult., 83, vol. 24, n° 1, p. 38-75.

5207. McGUIRE (J.E.), TAMNY (Martin). Certain philosophical questions: Newton's Trinity notebook. New York, Cambridge U.P., 83, in-8, XII-519 p.

5208. McKEOWN (Thomas). Food, infection, and population. J. interdisc. Hist., 83, vol. 14, n° 2, p. 227-248.

5209. MANNING (Kenneth R.). Black Apollo of science: the life of Ernest Everett Just. New York, Oxford U.P., 83, in-8, 397 p. [Am. biologist]

5210. MAUEL (Kurt). Technikgeschichte in ingenieurwissenschaftlichen Werken des 19. Jahrhunderts. Technikgesch., 83, Bd 50, p. 289-305.

5211. MILLER (Justin). Three constructions of transference in Freud, 1895-1915. J. Hist. behavioral Sci., 83, vol. 19, n° 2, p. 153-172.

5212. MOKRZECKI (Lech). Początki wiedzy o morzu w dawnej Rzeczypospolitej. Problematyka morska w nauce gdańskiej dobu Baroku i Oświecenia. (Les débuts de l'océanographie dans l'ancienne République. Problématique de la mer dans la science de Gdańsk à l'époque du Baroque et au siècle des Lumières.) Wrocław, Zakł. Narod. im. Ossolińskich, 83, in-8, 274 p. (Pol. Akad. Nauk, Inst. Hist. Nauki, Oświaty i Techn. Monografie z Dziejów Nauki i Techn., 128)

5213. Momente din trecutul medicinii [românești]. (Moments du passé de la médecine [roumaine].) Sub redacția dr. G. BRĂTESCU. București, Ed. medicală, 83, in-8, 988 p.

5214. MORAVIA (Sergio). The capture of the invisible for a (pre)history of psychology in eighteenth-century France. J. Hist. behavioral Sci., 83, vol. 19, n° 4, p. 370-378.

5215. MOYER (Albert E.). American physics in transition: a history of conceptual change in the late nineteenth century. Los Angeles, Calif., Tomash Press, 83, in-8, XX-218 p.

5216. MURRAY (David J.). History of Western psychology. London, Prentice-Hall, 83, in-8, 428 p.

5217. NEHER-BERNHEIM (Renée). Un savant juif engagé: Jacob Rodrigue Péreire (1715-1780). R. Et. juives, 83, t. 142, p. 373-451.

5218. NOUGARET-CHAPALAIN (Christine). La lutte contre les épidémies dans le diocèse de Rennes au XVIIIe siècle. Bibl. Ec. Chartes, 82 [83], t. 140, livr. 2, p. 215-233.

5219. Nouvelle histoire de la psychiatrie. Sous la dir. de Jacques POSTEL et Claude QUETEL. Toulouse, Privat, 83, in-8, 774 p. (ill.)

5220. NOWAK (Tadeusz Marian). O wpływie walk z Turcją i Tatarami na rozwój polskiej techniki wojskowej XVI-XVII w. (L'influence des combats contre les Turcs et les Tatars sur le développement de la technique militaire polonaise aux XVIe-XVIIe s.) Kwart. Hist. Nauki Techn., 83, a. 28, n° 3-4, p. 589-613.

5221. Očerki razvitija matematiki v SSSR. Teoret. matematika. Prikl. vopr. matematiki. (Essays on the development of mathematics in the USSR.) Redkol.: I. Z. ŠTOKALO (otv. red.) i dr. Kiev, Nauk. dumka, 83, 763 p. (AN SSSR. In-t istorii estestvoznanija i tekhniki, AN USSR. Otd-nie istorii estestvoznanija i tekhniki In-ta istorii)

5222. OLARU (Alexandru). Interferenţe medico-culturale. File din istoria medicinii româneşti. (Interférences médico-culturelles. Pages de l'histoire de la médecine roumaine.) Craiova, Scrisul românesc, 83, in-8, 272 p.

5223. OPPENHEIMER (Jo). Childbirth in Ontario: the transition from home to hospital in early twentieth century. Ontario Hist., 83, vol. 75, p. 36-60.

5224. PACE (David). Claude Lévi-Strauss, the bearer of ashes. Boston, London a. Melbourne, Routledge, 83, in-8, 263 p.

5225. PIOTROWSKI (Walerian). O uznanie polskiej narodowości Mikołaja Kopernika. (Pour la reconnaissance de la nationalité polonaise de Mikołaj Kopernik.) Kwart. Hist. Nauki Techn., 83, a. 28, n° 1, p. 169-176.

5226. PLATT (Jennifer). The development of the "participant observation" method in sociology: origin, myth and history. J. Hist. behavioral Sci., 83, vol. 19, n° 4, p. 379-393.

5227. POGGENDORF (Johann Christian). Biographisch-literarisches Handwörterbuch der exakten Naturwissenschaften. Hrsg. v. d. Sächs. Akad. d. Wiss. zu Leipzig. Bd 7 b. Leitung d. Red.: Lebrecht WEICHSEL. T. 7, [Lfg. 2. Cf. Bibl. 82, n° 5163.] 3: Routala, Frans Oskari (Schluß) - Sbrana, Francesco (Anfang). Berlin, Akad.-Verl., 83, in-8, p. 4521-4680.

5228. PYCIOR (Helena M.). The three stages of Augustus De Morgan's algebraic work. Isis, 83, vol. 74, n° 272, p. 211-226.

5229. RANSFORD (Oliver). Bid the sickness cease: disease in the history of black Africa. London, J. Murray, 83, in-8, 240 p.

5230. RAPTES (Nikolaos S.). Zan Piaze. (Jean Piaget.) Vol. 1. Athènes, l'auteur, 83, in-8, 624 p.

5231. Razvitie ėvoljucionnoj teorii v SSSR (1917-1970 gg.). (Development of the evolutionary theory in the USSR, 1917-1970.) Otv. red. S. R. MIKULINSKIJ, Ju. I. POLJANSKIJ. Leningrad, Nauka, 83, 613 p. (ill.). (AN SSSR. In-t istorii estestvoznanija i tekhniki)

5232. REHBOCK (Philip F.). The philosophical naturalists: themes in early nineteenth-century British biology. Madison, Univ. of Wisconsin Press, 83, in-8, XV-281 p. (Wisconsin Pub. in the Hist. of Sci. a. Medicine, 3)

5233. REICH (Leonard S.). Irving Langmuir and the pursuit of science and technology in the corporate environment.
Technol. a. Cult., 83, vol. 24, n° 2, p. 199-221.

5234. RICHARDS (Robert J.). Why Darwin delayed, or interesting problems and models in history of science. J. Hist. behavioral Sci., 83, vol. 19, n° 1, p. 45-53.

5235. ROCHAT DE LA VALLEE (Elisabeth). La transmission de l'herbier chinois en Europe au XVIIIe siècle. In: Appréciation par l'Europe ... [Cf. n° 224], p. 177-193.

5236. ROE (Shirley A.). John Tuberville Needham and the generation of living organisms. Isis, 83, vol. 74, n° 272, p. 159-184.

5237. ROŞCA (Alexandru), VOICU (Constantin). A concise history of psychology in Romania. Bucharest, Ed. ştiinţ. şi enciclop., 82, in-8, 52 p.

5238. RUPKE (Nicolaas A.). The great chain of history: William Buckland and the English school of geology, 1814-1849. London a. New York, Oxford U.P., 83, in-8, XII-322 p.

5239. SARDELĒS (Dēmētrēs), KYPRIANIDĒS (Tasos). Hē dynamikē tōn epistēmonikōn epanastaseōn. (La dynamique des révolutions scientifiques.) Athēna, Theōria, 83, in-8, 136 p.

5240. ŠČERBAKOVA (A.A.), BAZILEVSKAJA (N.A.), KALMYKOV (K.F.). Istorija botaniki v Rossii. Darvin. period, 1861-1917 gg. (History of botany in Russia. The Darwinian period, 1861-1917.) Novosibirsk, Nauka, 83, 365 p. (ill.). (AN SSSR. Sib. otd-nie. Centr. sib. botan. sad)

5241. SHIRLEY (John W.). Thomas Harriot: a biography. London a. New York, Oxford U.P., 83, in-8, XII-508 p. (fig.).

5242. SOLLARS (Werner). Dr. Benjamin Franklin's celestial telegraph, or Indian blessings to gas-lit American drawing rooms. Am. Quar., 83, vol. 35, n° 5, p. 459-480.

5243. Studie o technice v českých zemích 1800-1918. (Studien über die Technik in den böhmischen Ländern.) Vol. 1. Edit. František JÍLEK et al. Praha, Národní technické muzeum, 83, in-8, 462 p. (Sborník Národního technického muzea v Praze, 19)

5244. TERRY (Andrée). Jean Rostand. Paris, Gallimard, 83, in-8, 392 p.

5245. TURNER (Gerard L'Estrange). Nineteenth century scientific instruments. London, Sotheby Publ., 83, in-4, 320 p. (ill., pl.).

5246. VIDAL (Fernando), BUSCAGLIA (Marino), VONECHE (J. Jacques). Darwinism and developmental psychology. J. Hist. behavioral Sci., 83, vol. 19, p. 81-94.

5247. 450 [Vierhundertfünfzig] Jahre Psychiatrie in Hessen. Hrsg. v. Walter HEINEMEYER, Tilman PÜNDER. Marburg,

Elwert, 83, in-8, XI-460 p. (Veröff. d. hist. Komm. f. Hessen, 47)

5248. WEBB (George Ernest). Tree rings and telescopes: the scientific career of A. E. Douglass. Tucson, Univ. of Arizona Press, 83, in-8, XIII-242 p.

5249. WESTMAN (Robert). Rola astronoma w XVI wieku. (Le rôle d'un astronome au XVIe siècle.) Odrodzen. Reform. Polsce, 82 [83], vol. 27, p. 19-56.

5250. WHEATON (Bruce R.). The tiger and the shark: empirical roots of wave-particle dualism. Forew. by Thomas S. KUHN. New York, Cambridge U.P., 83, in-8, XXIV-355 p.

5251. WILLIAMS (L. Pearce). What were Ampère's earliest discoveries in electrodynamics? Isis, 83, vol. 74, n° 274, p. 492-508.

5252. WILLIAMS (M.E.W.). Was there such a thing as stellar astronomy in the eighteenth century? Hist. Sci., 83, vol. 21, p. 369-388.

5253. WINDHOLZ (George). Pavlov's position toward American behaviorism. J. Hist. behavioral Sci., 83, vol. 19, n° 4, p. 394-407.

5254. WISE (George). Ionists in industry: physical chemistry at General Electric, 1900-1915. Isis, 83, vol. 74, n° 271, p. 7-21.

5255. Wissenschaft im kapitalistischen Europa 1871-1917. Hrsg. im Auftr. d. Arbeitskreises Wissenschaftsgesch. beim Ministerium f. Hoch- u. Fachschulwesen d. DDR v. Günter WENDEL. Berlin, Deutsch. Verl. d. Wiss., 83, in-8, 196 p. (Tab.).

5256. WOHL (Anthony S.). Endangered lives: public health in Victorian Britain. Cambridge, Mass., Harvard U. P., 83, in-8, 440 p.

5257. Zarys dziejów nauk przyrodniczych w Polsce. (Précis d'histoire des sciences naturelles en Pologne.) Ouvrage collectif sous la réd. de Kazimierz MAŚLANKIEWICZ. Auteurs: Bogdan SUCHODOLSKI et autres. Warszawa, Wiedza Powsz., 83, in-8, 672 p.

Cf. n°s 4916, 5716, 5724, 5761, 5958, 6355.

§ 7. Literature.

a. General.

* 5258. RANCOEUR (René). Bibliographie de la littérature française, du moyen âge à nos jours. [1980. Cf. Bibl. 81, n° 4691.] Année 1981, 1982. R. Hist. litt. France, 82, a. 82, p. 143-174, 335-366, 510-541, 697-718, 997-1060; 83, a. 83, p. 142-173, 318-349, 494-525, 670-701, 979-1042.

5259. DETORAKĒS (Theocharēs S.). Krētes metabyzantinoi hymnographoi. (Hymnographes crétois post-byzantins.) Ariadnē, 83, vol. 1, p. 236-271.

5260. GRIMM (Gunter E.). Literatur und Gelehrtentum in Deutschland. Unters. zum Wandel ihres Verhältnisses vom Humanismus bis zur Frühaufklärung. Tübingen, Niemeyer, 83, in-8, XI-869 p. (graph. Darst.). (Stud. z. deutsch. Lit., 75)

5261. IORGA (Nicolae). Istoria literaturii românești în veacul al XIX-lea de la 1821 înainte, în legătură cu dezvoltarea culturală a neamului. (Histoire de la littérature roumaine au XIXe s., à partir de 1821, en relation avec le développement culturel du peuple roumain.) Vol. 1: Epoca lui Asachi și Eliade (1821-1840). (L'époque d'Asachi et d'Eliade.) Vol. 2: Epoca lui M. Kogălniceanu (1840-1848). (L'époque de M. Kogălniceanu.) Vol. 3: Anul '48 și următoarele. Opera politică a emigranților, literatura din țară de la 1847 pînă la agitațiile pentru unire. Regalitatea literară a lui V. Alecsandri. Literatura în epoca unirii și a lui Cuza Vodă (1848-1866). (L'année 1848 et les suivantes. L'oeuvre politique des émigrants, la littérature dans le pays, de 1847 jusqu'aux agitations pour l'union. La royauté littéraire de V. Alecsandri. La littérature à l'époque de l'Union et du prince [Alexandru Ion] Cuza.) Ed. și note de Rodica ROTARU. Pref. de Ion ROTARU. București, Minerva, 83, 3 vol. in-8, XXX-366, 312, 432 p. (ill.).

5262. KAŠPAR (Oldřich). Nový svět v české a evropské literatuře 16.-19. století. (Die Neue Welt in der tschechischen und europäischen Literatur d. 16.-19. Jh.) Praha, Universiteta Karlova, 83, in-8, 121 p. (23 fig.). (Acta Universitatis Carolinae. Philosophica et historica. Monographia, 84/1980)

5263. Klassik und Moderne. Die Weimarer Klassik als hist. Ereignis u. Herausforderung im kulturgesch. Prozeß. Walter Müller-Seidel z. 65. Geburtstag. Hrsg. v. Karl RICHTER u. Jörg SCHÖNERT. Stuttgart, Metzler, 83, in-8, XXXI-658 p.

5264. KOPITZSCH (Franklin). Lesegesellschaften und Aufklärung in Schleswig-Holstein. Z. d. Ges. f. schleswig-holstein. Gesch., 83, Bd 108, p. 141-170.

5265. Literaturnoe nasledstvo. (Literary heritage.) Glav. red.: V. R. ŠČERBINA. [T. 91. Cf. Bibl. 82, n° 5214.] T. 93: Iz istorii sovetskoj literatury 1920-1930 godov. (From the history of soviet literature 1920-1930.) T. 94: Pervaja zaveršennaja redakcija romana "Vojna i mir". (The first final redaction of the novel "War and Peace" [of Tolstoi].) Moskva, Nauka, 83, 2 vol., 759, 789 p. (AN SSSR. In-t mirovoj lit.)

5266. Oxford companion (The) to Canadian literature. Ed. by William TOYE. Toronto, Oxford U.P., 83, in-8, 843 p. - CR: H. V. Nelles, Canad. hist. R., 84, vol. 65, p. 583-585.

5267. PAPACOSTEA-DANIELOPOLU (Cornelia). Literatura în limba greacă din

Principatele Române (1774-1830). (La littérature en langue grecque dans les Principautés Roumaines.) Bucureşti, Minerva, 82, in-8, 240 p.

5268. Paralellen und Kontraste. Studien zu literar. Wechselbeziehungen in Europa zwischen 1750 u. 1850. Lomonossow-Univ., Lehrstuhl f. Westeurop. Literaturen. Hrsg. v. Hans-Dietrich DAHNKE in Zusammenarb. mit Alexander S. DIMITRIJEV, Peter MÜLLER u. Tadeusz NAMOWICZ. Berlin u. Wiemar, Aufbau-Verl., 83, in-8, 405 p.

5269. SCARLAT (Mircea). Istoria poeziei româneşti. (Histoire de la poésie roumaine.) Vol. 1. Bucureşti, Minerva, 82, in-8, 427 p.

5270. Studien zur deutschen Literatur aus Siebenbürgen. Hrsg. v. Michael MARKEL. Cluj-Napoca, Dacia, 82, in-8, 184 p.

b. Renaissance.

* 5271. Shakespeare-Bibliographie für 1981. Mit Nachträgen aus früheren Jahren. Bearb. v. Karl-Heinz MAGISTER. [1980. Cf. Bibl. 82, n° 5223.] Shakespeare-Jb., 83, Bd 119, p. 205-286.

** 5272. DES PERIERS (Bonaventure). Cymbalum Mundi. Ed. par P. Hampshire NURSE, préf. de M. A. SCREECH. Genève, Droz, 83, in-8, 18-XLVI-52 p. (Textes littéraires franç., 318)

** 5273. Mikelandželo: Poezija. Pis'ma. Suždenija sovremennikov. (Michelangelo. Poetry. Letters, Jugdements of contemporaries.) 2-e dop. izd. Moskva, Iskusstvo, 83, 452 p.

5274. BRIGGS (Julia). This stage-play world: English literature and its background, 1580-1625. London, Oxford U.P., 83, in-8, 272 p. (Opus Books)

5275. BRYCE (Judith). Cosimo Bartoli (1503-1572). The career of a Florentine polymath. Genève, Droz, 83, 360 p. (4 pl.). (Travaux d'Humanisme et Renaissance, 191)

5276. CLARK (Sandra). Elizabethan pamphleteers: popular moralistic pamphlets, 1580-1640. London, Athlone Press, 83, in-8, 320 p. (ill.).

5277. DEWITTE (Alfons). B. Vulcanius Brugensis. Hoogleraarambt, Correspondenten, Edita. (B. Vulcanius Brugensis. Sa charge de professeur, ses correspondants, ses publications.) Sacris eruditi, 83, t. 26, p. 311-362.

5278. FACER (G.S.). Erasmus and his times. Bristol, Classical Press, 83, in-8, VIII-141 p.

5279. GOLDBERG (Edward L.). Patterns in late Medici art patronage. Princeton, N.J., Princeton U.P., 83, in-8, XIII-425 p.

5280. Montaigne et les Essais, 1580-1980. Actes du Congrès de Bordeaux (juin 1980), prés. par Pierre MICHEL. Paris, Champion; Genève, Slatkine, 83, in-8, XXII-381 p.

5281. MOORE (Dennis). The politics of Spenser's "Complaints" and Sidney's Philisides Poems. Salzburg, Inst. f. Anglistik u. Amerikanistik, Univ. Salzburg, 82, in-8, V-196 p. (Elizabethan a. Renaissance Stud., 101. Salzburg Stud. in Eng. literature)

5282. OLIVARI (Michele). "Fuente Ovejuna" [di Lope de Vega] e il pensiero politico spagnuolo del primo Seicento. R. stor. ital., 83, a. 95, fasc. 2, p. 332-349.

5283. SAUNDERS (J.A.). Biographical dictionary of Renaissance poets and dramatists, 1520-1650. Brighton, Harvester Press, 83, in-8, 232 p.

c. Classicism.

* 5284. BÖLHOFF (Reiner). Johann Christian Günther, 1695-1975. Bd 1: Kommentierte Bibliographie. Bd 2: Schriftenverzeichnis. Köln u. Wien, Böhlau, 81-83, 2 vol. in-8, 595, 412 p. (Abb.). (Literatur u. Leben, N.F., 19 / 1, 2)

* 5285. GÜNTHER (Gottfried), ZEILINGER (Heidi). Wieland-Bibliographie. Berlin u. Weimar, Aufbau-Verl., 83, in-8, XII-649 p.

* 5286. HENNING (Hans). Goethe-Bibliographie. [1980. Cf. Bibl. 82, n° 5241.] 1981. Goethe-Jb., 83, Bd 100, p. 300-335.

* 5287. Internationale Bibliographie zur deutschen Klassik 1750-1850. Bearb. unter Leitung v. Siegfried SEIFERT u. Mitarb. v. Klaus KADEN u. Dagmar KUMMER. Folge [23. Cf. Bibl. 80, n° 4733.] 24: 1977. Mit Nachtr. zu früheren Jahren. 25: 1978. Mit Nachtr. zu früheren Jahren. Weimar, Nationale Forschungs- u. Gedenkstätten d. Klass. deutsch. Lit., 82-83, 2 vol. in-8, 348, 384 p.

** 5288. Briefe an Goethe. Gesamtausgabe in Regestform. Nationale Forschungs- u. Gedenkstätten d. Klass. Deutsch. Literatur in Weimar, Goethe- u. Schiller-Archiv. Hrsg.: Karl-Heinz HAHN. [Bd 2. Cf. Bibl. 81, n° 4723.] Bd 3: 1799-1801. Weimar, Böhlau, 83, in-8, 450 p.

** 5289. EVELYN (John). Diary. Ed. by John BOWLE. London, Oxford U.P., 83, in-8, 498 p.

** 5290. HEINE (Heinrich). Werke, Briefwechsel, Lebenszeugnisse. Hrsg. v. d. Nationalen Forsch.- u. Gedenkstätten d. Klass. Deutsch. Literatur in Weimar u. d. Centre National de la Recherche Scientifique in Paris. Säkularausgabe. [Bd 1. Cf. Bibl. 82, n° 5287.] Bd 7: Über Frankreich 1831-1837. Berichte über Kunst u. Politik. Kommentar. Bearb.: Fritz MENDE. Berlin, Akad.-Verl., 83, in-4, 384 p.

** 5291. PEPYS (Samuel). The diary of Samuel Pepys: a new and complete transcription. [Vol. 9. Cf. Bibl. 76-77, n°

5818.] Vol. 10: Companion. Vol. 11: Index. Ed. by Robert LATHAM. Berkeley a. Los Angeles, Univ. of California Press; London, Bell a. Hyman, 83, 2 vol. in-8, XIV-626, XV-344 p.

** 5292. WIELAND (Christoph Martin). Wielands Briefwechsel. Hrsg. v. d. Akad. d. Wiss. d. DDR. Zentralinstitut f. Literaturgesch. durch Hans Werner SEIFFERT. Bd [4. Cf. Bibl. 78-79, n° 5428.] 5: Briefe der Weimarer Zeit (21. Sept. 1772 - 31. Dez. 1777). Bearb. v. Hans Werner SEIFFERT. Berlin, Akad.-Verl., 83, in-8, III-717 p.

5293. BACON (Ernest W.). Pilgrim and dreamer: John Bunyan, his life and work. Exeter, Paternoster Press, 83, in-8, 176 p.

5294. CARRETTA (Vincent). The snarling muse: verbal and visual political satire from Pope to [Charles] Churchill. Philadelphia, Univ. of Pennsylvania Press, 83, in-8, XXI-290 p.

5295. CHERNAIK (Warren L.). The poet's time: politics and religion in the work of Andrew Marvell. New York, Cambridge U.P., 83, in-8, X-249 p.

5296. DIETZE (Walter). Goethes Tod, Goethes Leben. Übergreifende Gesichtspunkte f. d. wissenschaftl. Erforschung seiner Werke. Berlin, Akad.-Verl., 83, in-8, 80 p. (S.-B. d. Akad. d. Wiss. d. DDR: G, Jg. 1982, 17)

5297. EHRENPREIS (Irvin). Swift, the man, his works and the age. Vol. 3: Dean Swift. London, Methuen, 83, in-8, 308 p.

5298. FINK (Gonthier-Louis). Goethe et Napoléon. Littérature et politique. Francia [München], 82 [83], Bd 10, p. 359-379.

5299. GODENNE (René). Les romans de Mademoiselle de Scudéry. Genève, Droz, 83, in-8, 392 p. (Publ. romanes et franç., 164)

5300. HENNIG (John). Goethes Polenkunde. Arch. f. Kulturgesch., 83, Bd 65, p. 117-132.

5301. JACKSON (H.J.). Coleridge, etymology and etymologic. J. Hist. Ideas, 83, vol. 44, n° 1, p. 75-88.

5302. NOVAK (Maximilian E.). Eighteenth-century English literature. London, Macmillan, 83, in-8, 240 p.

5303. ÖSTMAN (Hans). English fiction, poetry and drama in eighteenth-century Sweden, 1765-1799: a preliminary study. Stockholm, Kungl. bibl., 83, in-8, 66 p. (diagr., maps). (Acta Bibl. regiae Stockholmiensis, 40

5304. PIERCE (Charles E.). The religious life of Samuel Johnson. London, Athlone Press, 83, in-8, 184 p.

5305. REYNES (Geneviève). L'abbé de Choisy ou l'ingénu libertin. Paris, Presses de la Renaissance, 83, in-8, 346 p.

5306. SVAS'JAN (K.A.). Filosofskoe mirovozzrenie Gete. (The phylosophical outlook of Goethe.) Erevan, Izd-vo AN ArmSSR, 83, 183 p.

5307. TEISSEIR (Philippe). L'image de l'Autriche dans l'oeuvre historique de Voltaire (1648-1763). R. Hist. litt. France, 83, a. 83, n° 4, p. 570-587.

5308. XVIII vek. (The 18th century.) Sbornik. 14: Russkaja literatura XVIII - načala XIX veka v obščestvenno-kul'turnom kontekste. (The Russian literature of the 18th - beginning of the 19th cent. in its socio-cultural context.) Redkol.: A. M. PANČENKO (otv. red.) i dr. Leningrad, Nauka, 83, 328 p. (AN SSSR. In-t rus. lit. - Puškin. dom)

5309. WILSON (A.N.). The life of John Milton. London, Oxford U.P., 83, in-8, 320 p.

d. Romanticism and after.

* 5310. Bibliografia relațiilor literaturii românești cu literaturile străine în periodice (1859-1913). (Bibliographie des relations de la littérature roumaine avec les littératures étrangères reflétées dans les périodiques.) Vol. 1: Literatura universală. Literaturi germanice. (Littérature universelle. Littératures germaniques.) Cuvînt înainte de Zoe DUMITRESCU-BUȘULENGA. Lucrare coordonata de Ioan LUPU și Cornelia ȘTEFĂNESCU. Vol. 2: Literaturi romanice. (Littératures romanes). Lucrare coordonată de Ioan LUPU și Cornelia ȘTEFĂNESCU. București, Ed. Acad., 80-82, 2 vol., XIX-317, XVI-440 p.

* 5311. CZACHOWSKA (Jadwiga), MACIEJEWSKA (Maria Krystyna), TYSZKIEWICZ (Teresa). Literatura polska i teatr w latach II wojny światowej. Bibliografia. T. 1 (Hasła osobowe A - O). (La littérature polonaise et le théâtre dans les années de la IIe guerre mondiale. Bibliographie. T. 1: Auteurs A - O.) Wrocław, Zakł. Narod. im. Ossolińskich, 83, in-4n XLVIII-356 p.

* 5312. RÉTHY (Andor), VÁCZY (Leona). Magyar irodolom románul. Könyvészet 1830-1970. Literatura maghiară în limba română. Bibliografie. (La littérature magyare en roumain. Bibliographie 1830-1970.) Bevezető tanulmány - studiu introductiv: KÖLLÖ Károly. București, Kriterion, 83, in-8, 1064 p.

* Cf. n° 999.

** 5313. BARBEY D'AUREVILLY (Jules-Amédée). Correspondance générale. [T. 1, 2. Cf. Bibl. 82, n° 5277.] T. 3: 1851-1853. Paris, Belles Lettres, 83, in-8, 313 p. (A. litt. Univ. Besançon, 279)

** 5314. CONRAD (Joseph). Collected letters. Ed. by Frederick R. KARL a. Laurence DAVIES. Vol. 1: 1861-1897. London, Cambridge U.P., 83, in-8, 446 p. (ill., maps).

** 5315. FORSTER (E.M.). Selected letters. Ed. by Mary M. LAGO a. P. N. FURBANK. Vol. 1: 1879-1920. London, Collins, 83, in-8, 352 p.

** 5316. FULLER (Margaret). The letters of Margaret Fuller. Vol. 1: 1817-1838. Vol. 2: 1839-1841. Ed. by Robert N. HUDSPETH. Ithaca, N.Y., Cornell U.P., 83, 2 vol. in-8, 374, 276 p.

** 5317. LYTTELTON (George), HART-DAVIS (Rupert). The Lyttelton Hart-Davis letters: correspondence of George Lyttelton and Rupert Hart-Davis. Vol. 5: 1960. London, J. Murray, 83, in-8, 208 p. [Vol. 2, 3. Cf. Bibl. 81, n° 4759]

** 5318. MASEFILED (John). Letters to Reyna. Ed. by William BUCHAN. London, Buchan a. Enright, 83, in-8, 320 p.

** 5319. MURRY (John Middleton). Letters to Katherine Mansfield. Ed. by C.A. HANKIN. London, Constable, 83, in-8, 394 p.

** 5320. POUND (Ezra). Selected letters, 1907-1941. Ed. by D. D. PAIGE. London, Faber, 83, in-8, 383 p.

** 5321. POWYS (John Cowper). Letters to G. Wilson Knight. Ed. by Robert BLACKMORE. London, C. Woolf, 83, in-8, 144 p. - IDEM. Letters to Sven-Erik Tackmark. Ed. by Cedric HENTSCHEL. London, C. Woolf, 83, in-8, 112 p.

** 5322. PROUST (Marcel). Correspondance. [T. 9. Cf. Bibl. 82, n° 5292.] T. 10: 1910-1911. Texte établi, prés. et annoté par Philip KOLB. Paris, Plon, 83, in-8, XXXVI-443 p.

** 5323. SAINTE-BEUVE (Charles-Augustin). Correspondance générale. T. 19: 1er avril - 13 octobre 1869. Publ. par Alain BONNEROT. Toulouse, Privat, 83, in-8, 429 p.

** 5324. SAND (George). Correspondance. [T. 16. Cf. Bibl. 82, n° 5293.] T. 17: Avril 1862 - juilllet 1863. Textes réunis, classés et annotés par Georges LUBIN. Paris, Garnier, 83, in-8, XXI-852 p. (16 p. de pl.).

** 5325. SHAW (George Bernard), HARRIS (Frank). The playwright and the pirate: correspondence. Ed. by Stanley WEINTRAUB. Gerrards Cross, C. Smythe, 83, in-8, XXII-274 p. [Cf. Bibl. 82, n° 5294]

** 5326. SYNGE (John M.). Collected letters. Ed. by Anna SADDLEMYER. Vol. 1: 1871-1907. London, Oxford U.P., 83, in-8, 415 p. (ill.).

** 5327. ZOLA (Emile). Correspondance. [T. 3. Cf. Bibl. 82, n° 5289.] T. 4: Juin 1880 - décembre 1883. Ed. par Dorothy E. SPEIRS et John A. WALKER. Paris, Ed. du C.N.R.S.: Montréal, Presses de l'Univ., 83, in-8, 524 p.

5328. ALLEN (James Smith). History and the novel: mentalité in modern popular fiction. Hist. a. Theory, 83, vol. 22, n° 3, p. 233-252.

5329. ARABANTINOU (Mantō). Tzaiēms Tzous. Zōē kai ergo. (James Joyce. Sa vie et son oeuvre.) Athēna, Themelio, 83, in-8, 234 p.

5330. ARGYRIOU (Alex.). Diadochikes anagnoseis Hellēnōn hyperrealistōn. (Lectures successives des Surréalistes grecs.) Athēna, Gnōsē, 83, in-8, 261 p.

5331. BALDICK (Chris). The social mission of English criticism, 1848-1932. London, Oxford U.P., 83, in-8, 240 p. (Oxford Engl. Monogr.)

5332. BARNETT (Ursula A.). The vision of order: the story of black African literature in English, 1914-1980. London, Dent, 83, in-8, 320 p.

5333. BERTHIER (Philippe). Stendhal et la Sainte Famille. Genève, Droz, 83, in-8, 280 p. (Hist. des idées et crit. litt., 209)

5334. BLANCH (Lesley). Pierre Loti. London, Collins, 83, in-8, 336 p.

5335. BOLLACHER (Martin). Wackenroder und die Kunstauffassung der frühen Romantik. Darmstadt, Wiss. Buchges., 83, in-8, VII-156 p. (Erträge d. Forsch., 202)

5336. CALLAN (Edward). The carnival of intellect: Auden and his work, 1923-1973. New York a. London, Oxford U.P., 83, in-8, 320 p.

5337. CAYRON (Claire). Pour une bio-bibliographie de Miguel Torga. Inventaire des archives de l'auteur. B. Et. portugaises, 81-82 [83], t. 42-43, p. 199-224.

5338. CECIL (Lord David). Portrait of Charles Lamb. London, Constable, 83, in-8, 192 p. (ill., pl.).

5339. CHOLLET (Roland). Balzac journaliste: le tournant de 1830. Paris, Klincksieck, 83, in-8, 654 p.

5340. COLLINS (Philip). Thackeray: interviews and recollections. London, Macmillan, 83, 2 vol. in-8, 224, 217 p.

5341. Colloque Giraudoux en son temps, Paris, Collège de France, 4 déc. 1982. R. Hist. litt. France, 83, a. 83, p. 707-908.

5342. CUTSINGER (James S.). Coleridgean polarity and theological vision. Harvard theol. R., 83, vol. 76, n° 1, p. 91-108.

5343. DAVIES (James A.). John Forster, a literary life. Leicester, Univ. Press, 83, in-8, 336 p. (ill.).

5344. DĒMARAS (K. Th.). Hellēnikos rōmantismos. (Le romantisme grec.) Athēna, Hermēs, 82, in-8, 650 p.

5345. DIESBACH (Ghislain de). Madame de Staël. Paris, Perrin, 83, in-8, 585 p.

5346. DOPIERAŁA (Kazimierz). Ryszard Wincenty Berwiński w Turcji (1855-1879).

(R. W. Berwiński en Turquie.) Studia Mater. Dziej. Wielkop. Pomorza, 83, vol. 29, fasc. 1, p. 63-88.

5347. Dostojevskij und die Literatur. Vorträge z. 100. Todesjahr d. Dichters auf d. 3. Internat. Tagung d. "Slawenkomitees" in München 1981. Hrsg. v. Hans ROTHE. Köln u. Wien,, Böhlau, 83, in-8, IX-505 p. (Schr. d. Komitees d. Slaw. Studien, 7)

5348. DUFFY (Dennis). Hearth of flesh: exile and the kingdom in English Canadian literature. J. canad. Stud., 83, vol. 18, n° 2, p. 58-69.

5349. FORTESCUE (William). Alphonse de Lamartine: a political biography. London a. Canberra, Croom Helm; New York, St. Martin's Press, 83, in-8, 296 p.

5350. FREEBORN (Richard). Russian revolutionary novel: Turgenev to Pasternak. London, Cambridge U.P., 83, in-8, 302 p. (Stud. in Russian Lit.)

5351. GANZ (A.). George Bernard Shaw. London, Macmillan, 83, in-8, 240 p. (ill.).

5352. GLENDINNING (Victoria). Vita, the life of V. Sackville-West. London, Weidenfeld a. Nicolson, 83, in-8, 472 p. (ill.).

5353. Guerre (La) et la paix dans les lettres françaises, de la guerre du Rif à la guerre d'Espagne (1925-1939). Actes du Colloque univ. internat. tenu au C.N.R.S. de Meudon-Bellevue et à la U.E.R. des Lettres et Sci. humaines de Reims, du 17 au 19 mars 1983. Reims, Presses univ. de Reims, 83, in-8, 287 p.

5354. HAKER (Horst). Kleists Beziehungen zu Mitgliedern der französisch-reformierten Gemeinde in Berlin. Kleist-Jb., 83, p. 98-121.

5355. HALPERIN (John). The life of Jane Austen. Brighton, Harvester Press, 83, in-8, 260 p.

5356. HAMON (Philippe). Le personnel du roman. Le système des personnages dans les Rougon-Macquart d'Emile Zola. Genève, Droz, 83, in-8, 328 p. (Hist. des idées et critique litt., 211)

5357. HARTUNG (Günter). Literatur und Ästhetik des deutschen Faschismus. 3 Studien. Berlin, Akad.-Verl., 83, in-8, 314 p.

5358. HATZOPOULOU (Yann.). The Elizabethan view of the Greek romances. Hellenika, 82-83, vol. 34, n° 1, p. 43-55.

5359. HINGLEY (Ronald). Pasternak, a biography. London, Weidenfeld a. Nicolson, 83, in-8, 312 p. (ill.).

5360. HOFFMEISTER (Gerhart). Byron und der europäische Byronismus. Darmstadt, Wiss. Buchges., 83, in-8, XIII-177 p. (Eträge d. Forsch., 188)

5361. HOFMANN (Tessa). Das Bauernthema in der sowjetrussischen Prosa der 20er Jahre: Konzeption, Konflikte u. Figuren.
München, Sagner, 83, in-8, 434 p. (Slawist. Beitr., 167)

5362. IERCOŞAN (Sara). Junimismul în Transilvania: receptarea operei lui Maiorescu, Alecsandri, Eminescu, Slavici, Creangă, Caragiale. (Le mouvement "Junimea" en Transylvanie: la réception de l'oeuvre de Maiorescu, Alecsandri, Eminescu, Slavici, Creangă, Caragiale.) Cluj-Napoca, Dacia, 83, in-8, 272 p.

5363. Istorija russkoj literatury. (History of Russian literature.) V 4-kh t. Gl. red.: N. I. PRUCKOV. [T. 3. Cf. Bibl. 82, n° 5342.] T. 4: Literatura konca XIX - načala XX v. (1881-1917). Leningrad, Nauka, 83, 783 p. (AN SSSR. In-t rus. lit. - Puškin. dom)

5364. Istorija russkoj sovetskoj poėzii. 1917-1941. (History of the Russian soviet poetry, 1917-1941.) Otv. red. V. V. BUZNIK. Leningrad, Nauka, 83, 416 p.

5365. KASSĒS (Kyriakos D.). To hellēniko laïko mythistorēma 1840-1940. Mythistorēma kai meletes se laïka phylladia. (Le roman populaire grec 1840-1940. Roman et études dans les brochures populaires.) 2e éd. Athènes, l'auteur, 83, in-8, 205 p.

5366. KATO (Shuichi). History of Japanese literature. Vol. 2: The years of isolation. Vol. 3: The modern years. Tr. from the Japanese. London, Macmillan, 83, 2 vol. in-8, 256, 328 p.

5367. KELLY (Lawrence). Lermontov: tragedy in the Caucasus. London, R. Clark, 83, in-8, 256 p.

5368. KLEVANSKIJ (A. Kh.). Russkaja èpopeja Jaroslava Gašeka. (Jaroslav Hašek's Russian epopée.) Nov. novejš. Ist., 83, n° 2, p. 126-148.

5369. LAMONDE (Yvan). Je me souviens: la littérature personnelle au Québec, 1860-1980. Québec, Institut québécois de recherche sur la culture, 83, in-8, 275 p. (Instruments de travail, 8)

5370. LELIEVRE (Michel). Chateaubriand polémiste. T. 1: L'écrivain de combat, l'émigré sous le Consulat et l'Empire. Paris, Presses univ. France, 83, in-8, 247 p.

5371. LEMNY (Ştefan). Eminescu et l'histoire. R. roumaine Hist., 83, t. 22, p. 19-32.

5372. LISSORGUES (Yvan). La pensée philosophique et religieuse de Leopoldo Alas (Clarín), 1875-1901. Paris, Ed. du C.N.R.S., 83, in-8, 472 p.

5373. Literatur sozialistischer Länder. Hrsg. v. Kurt BÖTTCHER u. Gerhard ZIEGENGEIST. Multinationale Literatur der Sowjetunion 1945 bis 1980. Einzeldarstellungen. Bd 1. Von e. Autorenkollektiv. Hauptred.: Georgij LOMIDZE u. a. Literatur Bulgariens 1944 bis 1980. Einzeldarstellungen. Von e. Autorenkollektiv unter d. Leitung v. Tonco ŽEČEV u. Stefan STANČEV sowie Bulgaristen d. DDR. Literatur Rumä-

7. LITERATURE

niens 1944 bis 1980. Einzeldarstellungen. Von e. Autorenkollektiv unter d. Leitung v. Zoe DUMITRESCU-BUŞULENGA u. Marin BUCUR. Berlin, Volk u. Wissen, 81-83, 3 vol. in-8, 519, 602, 574 p. (Abb.).

5374. McGUIRE (William). The Bollingen Foundation: Ezra Pound and the prize in poetry. Libr. Cong. quar. J., 83, vol. 40, n° 1, p. 16-25.

5375. MACLULICH (T.D.). Our place on the map: the Canadian tradition in fiction. Univ. Toronto Quar., 82-83, vol. 52, p. 191-208.

5376. McPHERSON (Karen A.). The American military fiction since 1945. Armed Forces a. Soc., 83, vol. 9, n° 4, p. 647-664.

5377. MAITLAND (Alexander). Robert and Gabriela Cunninghame Graham. Edinburgh, Blackwood, 83, in-8, 193 p.

5378. MARTIN (Robert B.). Tennyson, the unquiet heart. London, Faber, 83, in-8, 656 p. (ill.).

5379. MELLICK (J.S.D.). Passing guest: the life of Henry Kingsley. Brisbane, Queensland U.P., 83, in-4, 224 p.

5380. MERAL (J.). Paris dans la littérature américaine. Paris, Ed. du C.N.R.S., 83, in-8, 368 p.

5381. MEŠČERJAKOV (V.P.). A. S. Griboedov. Lit. okruženie i vosprijatie. XIX - načalo XX v. (A. S. Griboedov. Literary environment and perception, 19th - beginning of the 20th cent.) Leningrad, Nauka, 83, 267 p. (AN SSSR. In-t rus. lit. - Puškin. dom)

5382. MIKES (George). Arthur Koestler, the story of a friendship. London, Deutsch, 83, in-8, 96 p.

5383. MORGAN (Peter F.). Literary criticism in early 19th century Britain. London, Croom Helm, 83, in-8, 208 p.

5384. MURĂRAŞU (Dumitru). Mihai Eminescu: Viaţa şi opera. (M. Eminescu, vie et oeuvre.) Bucureşti, Ed. Eminescu, 83, in-8, 488 p.

5385. NEVELEV (G.A.). Odno iz istoričeskikh issledovanij A. S. Puškina. (One of Pushkin's historical enquiries.) Vopr. Ist., 83, n° 2, p. 97-108.

5386. ORNEA (Zigu). Opera lui C. Dobrogeanu-Gherea [1855-1920]. (L'oeuvre de C. Dobrogeanu-gherea.) Bucureşti, Cartea Românească, 83, in-8, 511 p.

5387. PAPANDREOU (Nikēphoros). Ho Ibsen stēn Hellada. Apo tēn prōtē gnōrimia stēn kathierōsē. 1890-1910. (Ibsen en Grèce. De la première connaissance à la consécration. 1890-1910.) Athēna, Kedros, 83, in-8, 174 p.

5388. PETRESCU (Aurel). Eminescu: originele romantismului. (Eminescu: les origines du romantisme.) Bucureşti, Albatros,
83, in-8, 319 p. (Lyceum. Sinteze)

5389. POKROVSKIJ (N.). Genri Toro. (Henry Thoreau.) Moskva, Mysl', 83, 188 p. (Mysliteli prošlogo)

5390. Porównania. Studia o kulturze modernizmu. (Comparaisons. Etudes sur la culture du modernisme.) Sous la réd. de Roman ZIMAND. Warszawa, Państw. Inst. Wydawn., 83, in-8, 197 p. (Pol. Akad. Nauk, Inst. Badań Lit. Hist. i Teoria Liter. Studia, 43)

5391. POWELL (Lady Violet). The constant novelist, a study of Margaret Kennedy, 1896-1967. London, Heinemann, 83, in-8, 224 p.

5392. PRYCE-JONES (David). Cyril Connolly, journal and memoir. London, Collins, 83, in-8, 304 p.

5393. Puškin. Issledovanija i materialy. (Pushkin. Research and material.) [T. 10. Cf. Bibl. 82, n° 5365.] T. 11. Otv. red.: V. E. VACURO. Leningrad, Nauka, 83, 360 p. (AN SSSR. In-t rus. lit. - Puškin. dom)

5394. RICHARDSON (Joanna). Colette. London, Methuen, 83, in-8, 250 p.

5395. ROSSIJANOV (O.K.). Realizm v vengerskoj literature na rubeže XIX-XX vekov. (Realism in Hungarian literature at the turn of the 19th-20th cent.) Moskva, Nauka, 83, 265 p. (AN SSSR. In-t mirovoj lit. im. A. M. Gor'kogo)

5396. SCHAMONI (Wolfgang). Kitamura Tōkoku. Die frühen Jahre: von d. "Politik" zur "Literatur". Wiesbaden, Steiner, 83, in-8, VII-229 p. (Münchener ostasiat. Stud., 31)

5397. SHEK (Ben-Z.). Bullwark to battlefield: religion in Quebec literature. J. canad. Stud., 83, vol. 18, n° 2, p. 42-57.

5398. Stendhal e Milano. Atti del 14 Congresso internaz. stendhaliano, Milano, 19-23 marzo 1980. Firenze, Olschki, 83, 2 vol. in-8, XXV-969 p. compless.

5399. TACCIU (Elena). Romantismul românesc. Un studiu al arhetipurilor. (Le romantisme roumain. Etude des archétypes.) Vol. 1. Bucureşti, Minerva, 82, in-8, 552 p.

5400. TROUSSON (Raymond). Balzac disciple et juge de Jean-Jacques Rousseau. Genève, Droz, 83, in-8, 280 p. (Hist. des idées et critique litt., 215)

5401. TUCKER (George Holbert). Goodly heritage: history of Jane Austen's family. Oxford, Carcanet Press, 83, in-8, 288 p. (ill.).

5402. VERCHAU (Ekkhart). Theodor Fontane: Individuum und Gesellschaft. Frankfurt (Main), Berlin u. Wien, Ullstein, 83, in-8, 309 p.

5403. ZALIS (Henri). Naturalismus în literatura română. Contribuţii bibliografice. (Le naturalisme dans la littérature roumaine. Contributions bibliographiques.) Bucureşti, Biblioteca Centrală Universitară, 83, in-8, 258 p. - IDEM. Romantismul în literatura romănă. Cercetare bibliografică. (Le romantisme dans la littérature roumaine. Recherche bibliographique.) Bucureşti, Biblioteca Centrală Universitară, 81, in-8, XV-348 p.

5404. ZUCK (Virpi). Runar Schildt [Finnish author 1888-1925] and his tradition: a approach throught genre. Helsinki, 83, in-8, 151 p. (Meddelanden från avd. för svensk litteratur Nordica, Helsingfors universitet, 3)

Cf. n°s 673, 3792.

§ 8. Art and industrial art.

a. General.

5405. ALPERS (Svetlana). The art of describing: Dutch art in the 17th century. London, J. Murray, 83, in-8, 312 p. (ill.).

5406. BAKALO (Helenē). Hē physiognōmia tēs metapolemikēs technēs stēn Hellada. Tomos 3: Ho mythos tēs hellēnikōtētas. (La physionomie de l'art d'après-guerre en Grèce. Vol. 3: Le mythe de la grécité.) Athēna, Kedros, 83, in-fol., 139 p. (ill.).

5407. BOGUCKI (Janusz). Sztuka Polski Ludowej. (L'art de la Pologne Populaire.) Warszawa, Wydawn. Artyst. i Filmowe, 83, in-8, 385 p. (Sztuka Pol.)

5408. CHROŚCICKI (Juliusz Antoni). Sztuka i polityka. Funkcje propagandowe sztuki w epoce Wazów 1587-1668. (Art et politique. Les fonctions de la propagande d'art à l'époque des Vasa 1587-1668.) Warszawa, Państw. Wydawn. Nauk., 83, in-8, 277 p. (Idee i Sztuka. Studia z Dziej. i Doktryn Artyst.)

5409. COSTESCU (Eleonora). Inceputurile artei moderne în sud-estul european. (Les débuts de l'art moderne dans le Sud-Est de l'Europe.) Bucureşti, Litera, 83, in-8, 132 p.

5410. DENVIR (Bernard). The 18th century: art, design and society, 1689-1789. London, Longman, 83, in-8, 320 p.

5411. Histoire et théorie de l'art en France au XVIIe siècle. En hommage à M. Jacques Vanuxem. <u>XVIIe Siècle</u>, 83, a. 35, n° 138, p. 3-163.

5412. KEAN (Beverley Whitney). All the empty palaces: great merchant patrons of modern art in pre-revolutionary Russia. London, Barrie a. Jenkins, 83, in-8, 342 p. (ill., pl.).

5413. LIPPINCOTT (Louise). Selling art in Georgian London: the rise of Arthur Pond. New Haven, Conn., Yale U.P., 83, XII-212 p. (Stud. in British Art)

5414. McFADDEN (David). Scandinavian modern design, 1880-1890. London, Abrams, 83, in-4, 288 p. (ill.).

5414. MANCAŞ (Mihaela). Limbajul artistic romănesc. Secolul al XIX-lea. (Le langage artistique roumain au XIXe s.) Bucureşti, Ed. ştiinţ. şi enciclop., 83, in-8, 338 p.

5416. POESCH (Jessie). The art of the Old South: painting, sculpture, architecture and the products of craftsmen. New York, A. A. Knopf, 83, XII-384 p.

5417. Razvitie socialističeskogo iskusstva v stranakh Central'noj i Jugo-Vostočnoj Evropy. 1933-1939. (Development of socialist art in the countries of Central and South-Eastern Europe, 1933-1939.) Sbornik. Redkol.: N. M. VAGAPOVA, B. I. ROSTOCKIJ, I. I. RUBANOVA. Moskva, Nauka, 83, 381 p. (AN SSSR. NVII iskusstvoznanija)

5418. ROWAN (Eric). Art in Wales, 1850-1980: an illustrated history. Cardiff, Wales U.P., 83, in-4, 188 p. (ill., pl.).

5419. Současné české slovenské umění. (Gegenwärtige tschechische und slowakische Kunst.) Edit. Jan BALEKA, Luboš HLAVÁČEK, Dušan KONEČNÝ, Blanka STEHLÍKOVÁ, Ludmila PETERAJOVÁ. Praha a Bratislava, Odeon - Tatran, 83, in-4, 461 p.

5420. SPITERĒS (Tōnēs). Hē technē stēn Hellada meta to 1945. (L'art en Grèce après 1945.) Athēna, Odysseas, 83, in-8, 123 p. (68 ill.).

5421. STAVROU (Theofanis George) a. others. Art and culture in nineteenth-century Russia. Bloomington, Indiana U.P., 83, in-8, XIX-268 p.

5422. VANSLOV (V.V.). Éstetika, iskusstvo, iskusstvoznanie. Vopr. teorii i praktiki. (Aesthetics, art, study of art.) Moskva, Izobrazit. iskusstvo, 83, 439 p. (Akad. khudožestv SSSR. NII teorii i istorii izobraz. iskusstv)

b. Architecture.

** 4323. Gîndirea estetică în arhitectura romănească. A doua jumătate a secolului XIX şi prima jumătate a secolului XX [Antologie]. (La pensée esthétique dans l'architecture roumaine. La 2e moitié du XIXe et la 1e moitié du XXe s. [Anthologie].) Studiu introductiv şi coordonare generală: Gheorghe SĂSĂRMAN. Antologie şi note: Nicolae LASCU şi Alexandrina DEAC. Note bibliografice: Nicolae LASCU. Bucureşti, Meridiane, 83, in-8, 212 p.

5424. Actes du Colloque international Viollet-le-Duc, Paris, 1980. Paris, Nouv. Ed. latines, 82, in-8, 348 p. (ill., pl.).

5425. ARCHER (John). The beginnings of association in British architectural aesthetics. <u>Eighteenth-Century Stud.</u>, 83, vol. 16, n° 3, <u>p. 241-264</u>.

5426. BEAUJOUR (Elizabeth Klosty). Architectural discourse and early Soviet literature. <u>J. Hist. Ideas</u>, 83, vol. 44, n° 3, p. 477-496.

5427. BONNET (Philippe). Les constructions de l'ordre de Prémontré en France aux XVIIe et XVIIIe siècles. Genève, Droz, 83, in-4, 284 p. (95 pl.). (Biblioth. de la Soc. franç. d'Archéol., 15)

5428. CARTER (Margaret). Early Canadian court houses. Ottawa, Parks Canada, 83, in-8, 258 p. (Stud. in archeol., architecture a. history) - Version franç.: Les premiers palais de justice au Canada. Ottawa, Parcs Canada, 83, in-8, 264 p.

5429. COLVIN (Howard). Unbuilt Oxford. New Haven, Conn., Yale U.P., 83, in-8, IX-198 p.

5430. CURL (James Stevens). The life and work of Henry Roberts, 1803-1876, architect: model housing and healthy nations. Chichester, Phillimore, 83, in-4, 320 p. (ill.).

5431. DEMĒTROPOULOS (Haralampos P.). Hoi ekklēsies tēs Keas. (Les églises de Céos.) Thessalonique, l'auteur, 83, in-8, 488 p. (ill.).

5432. EMERY (Marc), GOULET (Patrice). Guide architecture en France, 1945-1983. Paris, Groupe Expansion et Architecture d'aujourd'hui, 83, in-8, 398 p. (ill.).

5433. ESTERMANN-JUCHLER (Margit). Faschistische Staatsbaukunst. Zur ideolog. Funktion d. öffentl. Architektur im faschist. Italien. Köln u. Wien, Böhlau, 83, in-8, X-316 p. (103 Abb.). (Dissertationen z. Kunstgesch., 15)

5434. GRAF (Otto A.). Die Kunst des Quadrats. Zum Werk von Frank Lloyd Wright. Bd 1, 2. Wien, Böhlau, 83, 2 vol. in-8, zus. 756 p. (63 Abb., 1231 Fig., 24 farb. Taf.). (Schr. d. Inst. f. Kunstgeschichte, Akad. d. bildenden Künste, Wien, I/1-2)

5435. HARRIES (Karsten). The Bavarian rococo church: between faith and aestheticism. New Haven, Yale U.P., 83, XV-282 p.

5436. IAKŌBIDES (Christos). Neohellēnikē architektonikē kai astikē ideologia. (Architecture grecque moderne et idéologie bourgeoise.) Athēna, Dōdōnē, 82, in-8, 157 p. (ill.).

5437. KADATZ (Hans-Joachim). Deutsche Renaissancebaukunst. Von d. frühbürgerl. Revolution bis z. Ausgang d. Dreißigjährigen Krieges. Berlin, Verl. f. Bauwesen, 83, in-8, 430 p. (Abb.).

5438. KONSTANTINOPOULOS (Chrēstos G.). Hoi paradosiakoi chtistes tēs Peloponnēsou. (Les constructeurs traditionnels du Péloponnèse.) Athēna, Melissa, 83, 200 p. (32 tabl.).

5439. KWIATKOWSKI (Marek). Stanisław August, król - architekt. (Stanislas Auguste [Pontiatowski], roi - architecte.) Wrocław, Zakł. Narod. im. Ossolińskich, 83, in-8, 299 p.

5440. LE LOUP (Laurence). Un aspect de l'architecture administrative au XIXe siècle: les mairies d'arrondissement de Paris. M. Féd. Soc. hist. Paris Ile-de-France, 83, t. 34, p. 339-407.

5441. LOMBARDO DE RUIZ (Sonia). Arquitectura religiosa marginada en el siglo XVI: un estudio de caso. Jb. f. Gesch. Lateinamerikas, 83, Bd 20, p. 331-376.

5442. MORAVÁNSKY (Akos). Die Architektur der Jahrhundertwende in Ungarn und ihre Beziehungen zu der Wiener Architektur der Zeit. Wien, Verb. d. Wissenschaftl. Ges. Österreichs, 83, in-8, 107 p. (26 Bl. Abb.). (Dissertationen d. Techn. Univ. Wien, 42)

5443. MORRIS (Jan), WINCHESTER (Simon). Stones of Empire, the building of the Raj. London, Oxford U.P., 83, in-4, 420 p. (ill., maps).

5444. PHATOUROU-HESYCHAKĒ (Kantō). Hē Krētikē Anagennēsē kai ta italika protypa tēs architektonikēs tēs. (La Renaissance crétoise et les modèles italiens de son architecture.) Ariadnē, 83, vol. 1, p. 103-138.

5445. SLAVINA (T.A.). Issledovateli russkogo zodčestva. Rus. ist.-arkhit. nauka XVIII - načala XX v. (Investigators of Russian architecture. Russian historical-architectural science of the 18th - beginning of the 20th cent.) Leningrad, Izd-vo LGU, 83, 192 p. (ill.). (M-vo vysš. i sred. spec. obrazovanija)

5446. STAKHAKOPOULOS (Manos). C. L. Ledoux. Outopia kai architektonikē. Hē archē tēs leitourgikēs paleodomias. (C. N. Ledoux. Utopie et architecture. Le début de l'urbanisme fonctionnel.) Athēna, Karankounēs, 83, in-8, 54 p. (ill.).

5447. Versailles: dessins d'architecture de la Direction générale des bâtiments du Roi des Archives Nationales [Paris]. T. 1: Le château, les jardins, le parc, Trianon. Catalogue par Danielle GALLET-GUERNE, avec la collab. de Christian BAULEZ. Paris, Archives Nationales, 83, in-4, 606 p.

Cf. n° 6443.

c. Sculpture, painting, etching and drawing.

* 5448. SCHMOLL-EISENWERTH (Joseph Adolf). Rodin-Studien: Persönlichkeit, Werke, Wirkung. Bibliographie. München, Prestel, 83, 580 p.

5449. Actes du colloque international sur l'art des icônes en Crète et dans les îles après Byzance [tenu les 18 et 19 nov. 1982 à Charleroi]. Byzantion, 83, t. 53, fasc. 1, p. 5-77.

5450. ADAMS (Bernard). London illsutrated, 1604-1851: books and their plates. London, Library Assoc., 83, in-8, 468 p.

5451. BAILEY (Colin J.). German 19th-century drawings from the Ashmolean Museum, Oxford. Oxford, the Museum, 83, in-4, 75 p. (ill.).

5452. BENNETT (Sthelley M.). The Blake followers in the context of contemporary English art. Huntington Libr. Quar., 83, vol. 46, n° 1, p. 33-47.

5453. BENTLEY (Gerald E.) Jr. Blake and the antients: a prophet with honour among the sons of God. Huntington Libr. Quar., 83, vol. 46, n° 1, p. 1-17.

5454. BESPALOVA (L.A.). Apollinarij Mikhajlovič Vasnecov. 1856-1933. (A. M. Vasnechov.) 2-e izd., pererab. i dop. Moskva, Iskusstvo, 83, 229 p. (ill.).

5455. BRYSON (Norman). Word and image: French painting of the Ancien Regime. London a. New York, Cambridge U.P., 83, in-8, XVIII-281 p.

5456. CHRESTOU (Chrysanthos). Hē eurōpaïkē zographikē tou dekatou enatou aiōna. (La peinture européenne du XIXe s.) Athēna, Ethnikē Trapeza, 83, in-8, 623 p.

5457. COOPER (Douglas), TINTEROW (Gary). Essential Cubism, 1907-1920: Braque, Picasso and their friends. London, Tate Gallery, 83, in-4, 449 p. (ill., pl.).

5458. DAIX (Pierre). La vie de peintre d'Edouard Manet. Paris, Fayard, 83, in-8, 336 p. (16 p. de pl.).

5459. DĒMĒTROPOULOS (Char). Mia asynēthistē parastasē Oikou tēs Theotokou stēn konchē hierou. (Une représentation inhabituelle de l'"oikos" de la Mère de Dieu dans la conque d'un sanctuaire.) Byzantina, 83, t. 12, p. 507-528.

5460. EITNER (Lorenz E. A.). Gericault, his life and work. London, Orbis Publ., 83, in-4, 376 p. (ill., pl.).

5461. ESSICK (Robert N.). John Linnell, William Blake, and the printmaker's craft. Huntington Libr. Quar., 83, vol. 46, n° 1, p. 18-32.

5462. FINLEY (Gerald). George Heriot: Postmaster-Painter of the Canadas. Toronto, Univ. Press, 83, in-8, 310 p. - CR: B. Taylor, Ontario Hist., 83, vol. 75, p. 302-305.

5463. GATEAU (Jean-Charles). Eluard, Picasso et la peinture (1936-1952). Genève, Droz, 83, in-8, 370 p. (91 ill.). (Hist. des idées et critique litt., 212)

5464. HERMANN-FICHTENAU (Elisabeth). Der Einfluß Hollands auf die österreichische Malerei des 18. Jahrhunderts. Köln u. Wien, Böhlau, 83, in-8, 253 p. (64 Taf.). (Diss. z. Kunstgesch., 20)

5465. Johann Bockhorst 1604-1668. Westfalen, 82, Bd 60, p. 1-199. [Contient: LAHRKAMP (Helmut). Der "Lange Jan". Leben u. Werk d. Barockmalers Johann Bockhorst aus Münster. - IDEM. Werkverzeichnis. - LANGEMEYER (Gerhard). Kunsthistorische Nachbemerkungen zum Katalog der Werke des Johann Bockhorst. Peter Berghaus z. 60. Geburtstag.]

5466. JOUVE (Michel). L'âge d'or de la caricature anglaise. Paris, Presses de la Fondation Nat. des Sci. Pol., 83, in-8, 278 p. (ill.).

5467. KNEIDL (Pravoslav). Česká lidová grafika v ilustracích novin, letáků a písniček. (Tschechische Volksgraphik in den Zeitungs-, Flugblätter- und Liederillustrationen.) Praha, Odeon, 83, in-4, 336 p.

5468. LEBEDJANSKIJ (M.S.). Stanovlenie i razvitie russkoj sovetskj živopisi. 1917 - načalo 1930-kh gg. (Formation and development of Russian soviet painting. 1917 - beginning of the 1930s.) Leningrad, Khudožnik RSFSR, 83, 224 p. (ill.).

5469. LIEBERT (Robert). Michelangelo. A psychoanalytical study of his life and images. New Haven, Conn., a. London, Yale U.P., 83, in-4, XXII-447 p. (ill.).

5470. MIODOŃSKA (Barbara). Miniatury Stanisława Samostrzelnika. (Les miniatures de Stanisław Samostrzelnik.) Warszawa, Wydawn. Artyst. i Filmowe, 83, in-8, 138 p.

5471. MYLLÄRI (Juhani). Poliittinen karikatyyri suomalaisissa pilalehdissä 1868-1917. Taidehistoriallinen ja -teoreettinen tutkimus poliittisen karikatyyrin olemuksesta ja viestintäkeinoista. (Political caricature in Finnish satirical magazines 1868-1917.) Jyväskylä, Jyväskylän yliopisto, 83, in-8, 393 p. (Jyväskylä Stud. Arts, 19) [Eng. summary. Rés. franç.]

5472. OSTEN (Gert von der). Hans Baldung Grien: Gemälde und Dokumente. Berlin, Deutsch. Verl. f. Kunstwiss., 83, in-4, 344 p. ((Ill., 208 Taf.).

5473. OSTERWALDER (Marcus). Dictionnaire des illustrateurs. T. 2: 1800-1914: illustrateurs, caricaturistes et affichistes. Avec la collab. d Gérard PUSSEY et Boris MOISARD. Introd. de Bernard NOËL. Paris, Hubschmid, 83, in-8, 1221 p.

5474. REGOND (Annie). La peinture murale du XVIe siècle dans la région Auvergne. Clermont-Ferrand, Publ. de l'Inst. d'Etudes du Massif Central, 83, in-4, 396 p. (ill.). (Publ. de l'Inst. d'Et. du Massif central, 23)

5475. RENONCIAT (Annie). La vie et l'oeuvre de Gustave Doré. Paris, Bibliothèque des Arts, 83, in-4, 299 p. (ill.).

5476. RICHARDSON (Edgar P.) a. others. Charles Willson Peale and his world. Foreword by Charles Coleman SELLERS. New York, Harry N. Abrams, 83, 272 p.

5477. ROSENBERG (Pierre). Tout l'oeuvre peint de Chardin. Paris, Flammarion, 83, in-4, 128 p. (ill.). (Les Classiques de l'Art)

5478. SPALDING (Frances). Vanessa Bell. London, Weidenfeld a. Nicolson, 83, in-8, 448 p. (ill.).

5479. SPETERĒS (Tōnēs). Daskaloi tēs hellēnikēs zographikēs ton 19on kai 20on aiōna. (Les maîtres de la peinture grecque aux XIXe et XXe siècles.) Athēna, Kastaniōtēs, 82, in-8, 189 p. (ill.).

5480. STEWART (J. Douglas). Sir Godfrey Kneller and the English Baroque portrait. London, Oxford U.P., 83, in-4, 400 p. (ill., pl.). (Stud. in Hist. of Art a. Architecture)

5481. TOLSTOJ (V.P.). U istokov sovetskogo monumental'nogo iskusstva. 1917-1923. (The origin of soviet monumental art. 1917-1923.) Moskva, Izobrazit. iskusstvo, 83, 239 p. (ill.).

5482. WILSON (Michael). French paintings after 1800. London, Collins, 83, in-8, 128 p. (pl.).

Cf. n°s 301, 310.

d. Decorative, popular and industrial art.

5483. AMANDRY (Angélique). Hē hellēnikē Epanastasē se gallika keramika tou 19ou aiōna. (La Révolution grecque dans la céramique française du XIXe s.) Athēna, Peloponnesiako Laographiko Hidryma, 82, in-8, 64 p. (138 ill.).

5484. COX (Alwyn), COX (Angela). Rockingham pottery and porcelain, 1745-1842. London, Faber, 83, in-8, 240 p. (ill., pl.).

5485. GRABOWSKA (Janina). Polish amber. Trans. from Polish by Emma HARRIS. Warsaw, Interpress, 83, in-4, 39 a. 111 p.

5486. HALLE (Antoinette), MUNOT (Barbara). Nineteenth-century European porcelain. London, Trefoil Books, 83, in-4, 296 p. (ill., pl.).

5487. HINKS (Peter). Twentieth-century British jewellery, 1900-1980. London, Faber, 83, in-4, 194 p. (ill., pl.).

5488. HORNSBY (Peter R. G.). Pewter of the Western world, 1600-1850. Ashbourne, Moorland, 83, in-4, 378 p. (ill.).

5489. LUCIE-SMITH (Edward). History of industrial design. London, Phaidon, 83, in-4, 240 p. (ill., pl.).

5490. MEGGS (Philip B.). History of graphic design. London, A. Lane, 83, in-4, 528 p. (ill.).

5491. MITRAN (Gheorghe). Cositorul transilvănean sub semnul Renașterii. (L'étain transylvain sous le signe de la Renaissance.) Cumidava, 83, t. 13, n° 2, p. 121-144.

5492. PICKFORD (Ian). Silver flatware: English, Irish and Scottish, 1660-1980. London, Antique Collectors' Club, 83, in-4, 232 p. (ill.).

5493. RICE (Dennis G.). Derby porcelain, the golden years, 1650-1770. Newton Abbot, David a. Charles, 83, in-4, 192 p. (ill., pl.).

5494. ROGERS (J.M.). Islamic art and design, 1500-1700. London, British Museum, 83, in-4, 168 p. (ill., pl.).

5495. SCHEMPER (Ingeborg). Stuckdekorationen des 17. Jahrhunderts im Wiener Raum. Wien, Köln u. Graz, Böhlau, 83, in-8, 192 p. (32 Bl. Abb.). (Dissertationen z. Kunstgesch. 17)

5496. SHEDDEN (Leslie). Mining photographs and other pictures, 1948-1968: a selection from the Native Archives of Shedden Studio, Glace Bay, Cape Breton. Photographs by Leslie SHEDDEN; essays by Don MacGILLIVRAY a. Allan SEKULA; intr. by Robert WILKIE; ed. by Benjamin H. D. BUCHLOH a. Robert WILKIE. Halifax, Press of the Nova Scotia College of Art a. Design a. the Univ. College of Cape Breton Press, 83, in-8, 277 p. (The Nova Scotia series: source materials of the contemporary arts)

5497. TURNAU (Irena). Polskie skórnictwo. (La peausserie polonaise.) Wrocław, Zakł. Narod. im Ossolińskich, 83, in-8, 202 p. (Pol. Rzemiosło i Pol. Przemysł)

§ 9. Music, theatre and cinema.

** 5498. Antologhionul lui Evstatie Propsaltul Putnei. (L'"Antologhion" d'Evstatie, l'Archichantre de Putna.) Ediție îngrijită de Gheorghe CIOBANU și Marin IONESCU. Studiu introductiv de Gheorghe CIOBANU. București, Ed. muzicală, 83, 512 p.

** 5499. BERLIOZ (Hector). Correspondance générale. T. 4: 1851-1855. Texte établi et prés. par Pierre CITRON, Yves GERARD, Hugh J. MacDONALD. Paris, Flammarion, 83, in-8, 791 p. [T. 1: 1972]

** 5500. HALL (Sir Peter). Diaries. London, H. Hamilton, 83, in-8, 512 p. (ill.).

** 5501. Z historie Národního divadla. (Aus der Geschichte des [tschechischen] Nationaltheaters.) Edit. R. HLUŠIČKOVÁ, J. CHAROUS, A. NOSKOVÁ, V. VRBATA. Praha Státní ústřední archiv, 83, in-4, 464 p. (Edice dokumentů z fondů Státního ústředního archivu v Praze, 12)

5502. Abridged history (An) of Romanian theatre. Ed. by Simion ALTERESCU. Contributions: Simion ALTERESCU, Ion CAZABAN, Anca COSTA-FORU. București, Ed. Acad., 83, in-8, 192 p.

5503. APEL (Willi). Die italienische Violinmusik im 17. Jahrhundert. Wiesbaden, Steiner, 83, in-8, VIII-244 p. (202 Notenbeispiele). (Beih. z. Archiv f. Musikwissenschaft, 21).

5504. BARNES (John). The rise of the cinema in Great Britain. London, Bishopsgate Press, 83, in-8, 272 p. (ill.).

5505. BĚLZA (I.). Aleksandr Nikolaevič

Skrjabin. (A. N. Scriabin.) Moskva, Muzyka, 83, 176 p. (ill.). (Russkie i sovetskie kompozitory)

5506. BERLOGEA (Ileana). Teatrul românesc - teatrul universal. Confluențe. (Le théâtre roumain - le théâtre universel. Confluences.) Iași, Junimea, 83, in-8, 232 p.

5507. BERNANDT (G.). S. I. Taneev. (S. I. Taneev.) Moskva, Muzyka, 83, 288 p.

5508. BLISS (L.). The world's perspective: John Webster and the Jacobean drama. Brighton, Harvester Press, 83, in-8, 210 p.

5509. BRĂDĂȚEANU (Virgil). Istoria literaturii dramatice românești și a artei spectacolului. (Histoire de la littérature dramatique roumaine et de l'art du spectacle.) București, Ed. didactică și pedagog., 82, in-8, 288 p.

5510. BURNETT (James). Wagner, a romantic disaster. Tunbridge Wells, Midas Books, 83, 320 p. (ill.). (Composers Life a. Times)

5511. CARLEY (Lionel). Delius, a life in letters, 1862-1908. London, Scolar Press, 83, in-8, 544 p.

5512. CARR (Francis). Mozart and Constanze. London, J. Murray, 83, in-8, 192 p.

5513. CHISSELL (Joan). Clara Schuman, dedicated spirit. London, H. Hamilton, 83, in-8, 232 p. (ill.).

5514. CONE (John Frederick). First rival of the Metropolitan Opera. New York, Columbia U.P., 83, in-8, XVI-257 p.

5515. CONOMOS (Dimitri E.). The monastery of Putna and the musical tradition of Moldavia in the sixteenth century. In: Dumbarton Oaks papers, n° 36 [Cf. n° 2301], p. 15-28.

5516. COSMA (Octavian Lazăr). Hronicul muzicii românești. (La chronique de la musique roumaine.) Vol. 5: 1898-1920. București, Ed. muzicală, 83, in-8, 467 p.

5517. COTES (Peter), ATKINS (Harold). The Barbirollis, a musical marriage. London, Robson Books, 83, in-8, 224 p.

5518. Debjussi i muzyka XX veka. (Debussy and the music of the 20th century.) Sbornik statej. Leningrad, Muzyka, 83, 248 p. (ill.).

5519. Dějiny českého divadla. (Geschichte des tschechischen Theaters.) [Vol. 3. Cf. Bibl. 76-77, n° 6075.] Vol. 4: Činoherní divadlo v Československé republice a za nacistické okupace. (Das Schauspiel in d. Tschechoslowak. Republik u. in d. Zeit d. nazist. Okkupation.) Autoren: Jan BRABEC, Drahomíra ČEPORANOVÁ, František ČERNÝ, Alica DUBSKÁ, Milan OBST, Jaromír PACLT, Adolf SCHERL, Bořivoj SRBA, Eva ŠORMOVÁ. Praha, Academia, 83, in-4, 706 p.

5520. Encyclopédie de la musique au Canada. Ed. par Helmut KALLMANN, Gilles POTVIN, Kenneth WINTERS. Montréal, Fides, 83, in-8, XXXI-1142 p. [Eng. version: Encyclopedia of music in Canada. Cf. Bibl. 81, n° 4953]

5521. FILENKO (G.T.). Francuzskaja muzyka pervoj poloviny XX veka. Očerki. (French music in the first half of the 20th century. Essays.) Leningrad, Muzyka, 83, 232 p.

5522. GHEORGHIU-CERNAT (Manuela). Filmul și armele: tema păcii și a războiului în filmul european. București, Meridiane, 83, in-8, 423 p. (pl.). - Eng. version: Arms and the film: war and peace in European films. Trans. into Eng. by Florin IONESCU, Ecaterina GRUNDBOCK. Bucharest, Meridiane, 83, in-8, 323 p. (pl.).

5523. GREGOR-DELLIN (Martin). Richard Wagner. London, Collins, 83, in-8, 580 p.

5524. GRIGORIU (Elena). Zorii teatrului cult în Țara Românească. (L'aurore du théâtre culte en Valachie.) București, Albatros, 83, in-8, 182 p.

5525. HEYWORTH (Peter). Otto Klemperer, his life and times. Vol. 1: 1885-1933. London, Cambridge U.P., 83, in-8, 492 p. (ill.).

5526. HOFFMANN (Hans). Georg Friedrich Händel: vom Opernkomponisten z. Meister d. Oratoriums. Marburg a. d. Lahn, Francke, 83, in-8, 106 p. (Edition C:M, 52)

5527. HOGWOOD (Christopher), LUCKETT (Richard). Music in 18th-century England: essays in memory of Charles Cudworth. London, Cambridge U.P., 83, in-4, 265 p. (ill., tab.).

5528. INNES (Christopher). Edward Gordon Craig. London, Cambridge U.P., 83, in-8, 240 p. (ill.). (Directors in Perspective)

5529. KENNEDY (Michael). The Hallé, 1858-1983, a history of the orchestra. Manchester, Univ. Press, 83, in-8, 160 p. (ill.).

5530. KERMAN (Joseph), TYSON (Alan). Beethoven. London, Macmillan, 83, in-8, 256 p. (ill.). (New Grove Composer Biogr.)

5531. KEYNES (Milo). Lydia Lopokova. London, Weidenfeld a. Nicolson, 83, in-8, 280 p.

5532. LA GORCE (Jérôme de). L'opéra français à la cour de Louis XIV. R. Hist. Théâtre, 83, a. 35, n° 4, p. 387-401.

5533. LAPŠIN (V.P.). Khudožestvennaja žizn' Moskvy i Petrograda v 1917 gody. (Artistic life of Moscow and Petrograd in 1917.) Moskva, Sov. khud., 83, 495 p.

5534. LAUNAY (Denise). La musique religieuse en France au temps de la Contre-Réforme. XVIIe Siècle, 83, a. 35, p. 219-227.

5535. LOUGHNEY (Patrick G.). The first

American film spectacular: "From the manger to the cross." Libr. Cong. quar. J., 83, vol. 40, n° 1, p. 56-69.

5536. MARSHALL (Herbert). Masters of Soviet cinema: crippled creative biographies - Vsevolod Pudovkin, Dziga Vertov, Sergei Mikhailovich Eisenstein, Alexander Dovzhendko. London, Routledge, 83, in-8, 256 p.

5537. MAYER (Martin). The Met, 100 years of grand opera. London, Thames a. Hudson, 83, in-4, 368 p. (ill., pl.).

5538. MENEGHINI (G.B.). My wife Maria Callas. London, Bodley Head, 83, in-8, 356 p. (ill.).

5539. MODOLA (Doina). Dramaturgia românească între 1900-1918. Acumulări, valori, perspective. (La dramaturgie roumaine entre 1900 et 1918. Accumulations, valeurs, perspectives.) Cluj-Napoca, Dacia, 83, in-8, 380 p.

5540. MONEY (Keith). Anna Pavlova, her life and art. London, Collins, 83, in-4, 400 p. (ill.).

5541. Muzykal'naja èstetika Germanii XIX veka. (Musical aesthetics of Germany in the 19th century.) V 2-kh t. [T. 1. Cf. Bibl. 82, n° 5567.] T. 2. Sost.: A. V. MIKHAIJLOVA, V. P. ŠESTAKOVA. Moskva, Muzyka, 83, 432 p. (Pamjatniki muz.-èstet. mysli)

5542. Očerki po istorii zarubežnoj muzyki XX veka. (Essays on the history of foreign music of the 20th century.) Sost. S. N. BOGOJAVLENSKIJ. Leningrad, Muzyka, 83, 120 p.

5543. PANAGIOTAKĒS (Nikolaos). Ho Ioannēs Kassimatēs kai to Krētiko Theatro. (Jean Kassimates et le Théâtre crétois.) Ariadnē, 83, vol. 86-102.

5544. PAPAIOANNOU (M.M.). To kōmeidyllio kai to theatro tēs astikēs pneumatikēs anagennēsēs tou 19ou aiōna. (Le vaudeville et le théâtre de la renaissance intellectuelle urbaine du XIXe siècle [en Grèce].) Athēna, Sokolēs, 83, in-8, 148 p.

5545. PEKELIS (M.). Aleksandr Sergeevič Dargomyžskij i ego okruženie. (A. S. Dargovmyzhsky and his environment. V 3-kh t. T. 3: 1858-1869. Moskva, Muzyka, 83, 317 p. (ill.).

5546. PETROVSKAJA (I.F.). Istočnikovedenie istorii russkoj muzykal'noj kul'tury XVIII - načala XX veka. (Study of the sources of Russian musical culture history, 18th - beginning of the 20th cent.) Moskva, Muzyka, 83, 214 p.

5547. PHILLIPS (J.H.). Le théâtre scolaire dans la querelle du théâtre au XVIIe siècle. R. Hist. Théâtre, 83, a. 35, p. 190-221.

5548. PLASKIN (Glen). Biography of Vladimir Horowitz. London, Macdonald, 83, in-8, 480 p.

5549. PLAYFAIR (Giles). Flash of lightning: a portrait of Edmund Kean. London, Kimber, 83, in-8, 192 p. (ill.).

5550. POLJAKOVA (L.). Češskaja i slovackaja opera XX veka. Kn. 2. (The Czech and Slovak opera of the 20th cent.) Moskva, Sov. kompozitor, 83, 288 p. (ill.).

5551. POLYAKOVA (Elena). Stanislavsky. Tr. from the Russ. by L. TUDGE. London, Central Books, 83, in-4, 362 p.

5552. ROLLINS (Peter C.) a. others. Hollywood as historian: American film in a cultural context. Lexington, Univ. Press of Kentucky, 83, in-8, X-276 p.

5553. SAINT (Andrew) a. others. History of the Royal Opera House, Covent Garden [London], 1732-1982. London, H. Hamilton, 83, in-4, 144 p. (ill., pl.). (Royal Opera House)

5554. SALMON (Eric). Granville-Barker, a secret life. London, Heinmann Educ., 83, in-8, 354 p.

5555. ŠČEPKINA-KUPERNIK (T.). Ermoleva. 3-e izd., ispr. Moskva, Iskusstvo, 83, 239 p. (ill.). (Žizn' v iskusstve)

5556. SOKOLOVA (O.I.). Sergej Vasil'evič Rakhmaninov. Moskva, Muzyka, 83, 160 p. (ill.). (Rus. i sov. kompozitory)

5557. Stanislavskij - reformator opernogo iskusstva. Materialy, dokumenty. (Stanislavski - reformer of opera art. Material, documents.) 2-e izd., dop. Red.: Ju. S. KALAŠNIKOV. Moskva, Muzyka, 83, 384 p. (ill.).

5558. STARR (S. Frederick). Red and hot: the fate of jazz in the Soviet Union, 1917-1980. New York, Oxford U.P., 83, in-8, IX-368 p.

5559. SULLIVAN (Henry W.). Calderon in the German lands and the Low Countries, his reception and influence, 1654-1980. London, Cambridge U.P., 83, in-8, 510 p.

5560. SUZDALEV (P.K.). Vrubel'. Muzyka. Teatr. (Vrubel. Music. Theatre.) Moskva, Izobrazit. iskusstvo, 83, 367 p. (ill.).

5561. Théâtre (Le) en Amérique latine. Caravelle, 83, n° 40, 238 p.

5562. Théâtre (Le) italien et l'Eurpe, XVe-XVIIe siècles. Actes du 1er Congrès internat., Paris, 17-18 oct. 1980. Etudes publ. sous la dir. de Christian BEC et Irène MANCZARZ. Paris, Presses univ. France, 83, in-8, 227 p. (ill.).

5563. THURSTON (Gary). The impact of Russian popular theatre, 1886-1915. J. mod. Hist., 83, vol. 55, n° 2, p. 237-265.

5564. TILL (Nicholas). Rossini, his life and times. Tunbridge Wells, Midas Books, 83, in-8, 144 p. (ill.). (Composers Life a. Times)

5565. VACHA (J.E.). When Wagner was

verboten: the campaign against German music in world war II. New York Hist., 83, vol. 64, n° 2, p. 171-188.

5566. VAN AMERONGEN (Martin). Wagner, a case history. Tr. from the Dutch by S. SPENCER a. D. CAKEBREAD. London, Dent, 83, in-8, 176 p.

5567. VUL'FIUS (P.A.). Franc Šubert. Očerki žizni i tvorčestva. (Franz Schubert. Essays on his life and creative work.) Moskva, Muzyka, 83, 446 p. (ill.). (Klassiki mirovoj muz. kul'tury)

5568. WALKER (Alan). Franz Liszt. Vol. 1: The virtuoso years, 1811-1847. London, Faber, 83, in-8, 480 p. (ill.).

5569. WARDETZKY (Jutta). Theaterpolitik im faschistischen Deutschland. Studien u. Dokumente. Berlin, Henschelverlag, 83, 398 p.

5570. WELCH (David). Propaganda and the German cinema, 1933-1945. London a. New York, Oxford U. P., 83, in-8, XIV-352 p.

5571. WHITE (Eric Walter). Benjamin Britten, his life and operas. London, Faber, 83, in-4, 320 p. (ill.).

5572. WHITE (Eric Walter). History of English opera. London, Faber, 83, in-8, 432 p. (ill.).

N

MODERN ECONOMIC AND SOCIAL HISTORY

§ 1. Political economy. 5573-5604. - § 2. General economic history. 5605-5706. - § 3. Industry, mining and transportation. 5707-5846. - § 4. Trade. 5847-5893. - § 5. Agriculture and agricultural problems. 5894-6012. - § 6. Money and finance. 6013-6074. - § 7. Demography and town-planning. 6075-6144. - § 8. Social history. 6145-6374. - § 9. Working class movement and socialism. 6375-6513.

§ 1. Political economy.

* 5573. Keynes in Italia Catalogo bibliografico a cura della Fac. di Econ. e Commercio dell'Univ. di Firenze. Firenze, Banca Toscana, 83, in-8, 213 p.

** 5574. Pagini din gîndirea economică militară românească. (Pages de la pensée économique militaire roumaine.) Studiu introductiv, selectarea textelor și adnotări de Gheorghe ANGHEL, Gheorghe TUDOR. Cuvînt înainte de Ivanciu NICOLAE-VĂLEANU. București, Ed. militară, 83, in-8, 220 p.

5575. BAACK (Bennett D.), RAY (Edward John). The political economy of tariff policy: a case study of the United States. Explor. in econ. Hist., 83, vol. 20, n° 1, p. 73-93.

5576. CHECKLAND (Sydney George). British public policy, 1776-1939: an economic, social, and political perspective. London a. New York, Cambridge U.P., 83, in-8, IX-431 p.

5577. FLETCHER (R.A.). Cobden as educator: the free-trade internationalism of Eduard Bernstein, 1899-1914. Am. hist. R., 83, vol. 88, n° 3, p. 561-578.

5578. GALAMBOS (Louis). Technology, political economy, and professionalization: central themes of the organizational synthesis. Business Hist. R., 83, vol. 57, n° 4, p. 471-493.

5579. GROENEWEGEN (Peter). Turgot's place in the history of economic thought: a bicentenary estimate. Hist. pol. Econ., 83, vol. 15, n° 4, p. 585-616.

5580. HENDERSON (W.O.). Friedrich List, economist and visionary, 1789-1846. London, F. Cass, 83, in-8, VIII-288 p. (ill., maps).

5581. IONESCU (Toader). Ideea unității naționale reflectată în gîndirea economică din Transilvania 1848-1918. (L'idée de l'unité nationale [des Roumains] reflétée dans la pensée économique de Transylvanie 1848-1918.) București, Ed. științ. și enciclop., 83, in-8, 291 p.

5582. Istoria științelor în România. Științe economice. (Histoire des sciences en Roumanie. Sciences économiques.) Vol. elaborat de N. N. CONSTANTINESCU, Tudorel POSTOLACHE, Ivanciu-Nicolae VĂLEANU, Ion BULBOREA. București, Ed. Acad., 82, in-8, 258 p.

5583. Istorija političeskoj ěkonomii socializma. (History of the political economy of socialism.) Nauč. red. D. K. TRIFONOV, L. D. SIROKORAD. Leningrad, Izd-vo LGU, 83, 606 p.

5584. K istorii izdanija "Kapitala" K. Marksa na russkom jazyke. (Contribution to the history of the publication of Karl Marx's "Capital" in Russian.) Publ. podg. A. K. VOROB'EVA. Vopr. Ist. KPSS, 83, n° 6, p. 16-26.

5585. KRANTZ (Olle). Historical national accounts - some methodological notes. Scand. econ. Hist. R., 83, vol. 31, p. 109-131.

5586. KRÜGER (Dieter). Nationalökonomen im wilhelminischen Deutschland. Göttingen, Vandenhoeck u. Ruprecht, 83, in-8, 366 p. (Krit. Stud. z. Geschichtswiss., 58)

5587. LAUBER (Volkmar). The political economy of France since De Gaulle. London, Praeger, 83, in-8, 259 p.

5588. MÄRZ (Eduard). Joseph Alois Schumpeter - Forscher, Lehrer und Politiker. München u. Wien, Oldenbourg, 83, in-8, 187 p.

5589. NEVIN (Michael). The age of illusions: the political economy of Britain, 1968-1982. London, Gollancz, 83, in-8, 256 p.

5590. Očerki po istorii "Kapitala" K. Marksa. (Essays on the history of K. Marx's "Capital".) Redkol.: M. P. MČEDLOV (otv. red.) i dr. Moskva, Politizdat, 83, 379 p. (In-t marksizma-leninizma pri CK KPSS)

5591. PAPPA (Hellē). Hoi archaioi Hellēnes syngrapheis sto "Kephalaio" tou Marx. (Les écrivains grecs anciens dans le "Capital" de Marx.) Athēna, Synchronē Epochē, 83, in-8, 112 p.

5592. PARRINI (Carl P.), SKLAR (Martin J.). New thinking about the market, 1896-1904: some American economists on investment and the theory of surplus capital. J. econ. Hist., 83, vol. 43, n° 3, p. 559-578.

5593. PERROT (Jean-Claude). Premiers aspects de l'équilibre dans la pensée économique française. A. Ec.,Civ., Soc., 83, a. 38, n° 5, p. 1058-1074.

5594. ROSTAS (Véronique). Adam Smith et le mouvement des Lumières écossais. Hist., Ec. et Soc., 83, a. 2, n° 2, p. 337-347.

5595. RUDOLPH (Günther). Karl Rodbertus (1805-1875) und die Grundrententheorie. Polit. Ökonomie aus d. Vormärz. Berlin, Akad.-Verl., 84, in-8, 332 p. (Schr. d. Zentralinst. f. Wirtschaftswiss., 21)

5596. SCHAEPER (Thomas J.). The French council of commerce, 1700-1715: a study of mercantilism after Colbert. Columbus, Ohio State U.P., 83, in-8, XVI-305 p.

5597. SKIDELSKY (Robert). John Maynard Keynes. Hopes betrayed 1883-1920. Vol. 1. London, Macmillan, 83, in-8, XXIII-447 p.

5598. STRUTHERS (James). No fault of their own: unemployment and the Canadian welfare state 1914-1941. Toronto, Univ. Press, 83, in-8, 268 p. - CR: D. P. McGinnis, Alberta Hist., 84, vol. 32, n° 2, p. 30-31. U. Sautter, Canad. hist. R., 84, vol. 65, p. 101-102. H. B. Neatby, R. Hist. Amérique franç., 84, vol. 37, p. 634-635.

5599. THÜMMLER (Heinzpeter). Ökonomisch-statistische Studien des jungen Marx aus den Jahren 1846/1847. Jb. f. Wirtschaftsgesch., 83, T. 4, p. 87-104.

5600. UHR (Carl G.). Notes on the influence of Wicksell's theories on American and British economic thought. Åbo, 83, in-8, 52 p. (Medd. ekon.-statsvetensk. fak. vid Åbo akad., Ser. A, 188)

5601. Wealth and virtue. The shaping of political economy in the Scottish Enlightenment. Ed. by I. HONT a. M. IGNATIEFF. London a. New York, Cambridge U.P., 83, in-8, 371 p.

5602. WEAVER (Carolyn L.). On the lack of a political market for compulsory old-age insurance prior to the great depression: insights from economic theories of government. Explor. in econ. Hist., 83, vol. 20, n° 3, p. 294-328.

5603. WOOD (John Cunningham). British economists and the Empire, 1860-1914. London, Croom Helm, 83, in-8, 320 p.

5604. Zweite (Der) Entwurf des "Kapitals". Analysen, Aspekte, Argumente. Inst. f. Marxismus-Leninismus bim ZK d. SED. Martin-Luther-Univ. Halle-Wittenberg. Berlin, Dietz, 83, in-8, 360 p.

§ 2. General economic history.

* 5605. Corporate America: a historical bibliography. Santa Barbara, Calif., ABC-Clio, 83, 341-XII p. (Research Guides, 5)

* 5606. Great (The) depression: a historical bibliography. Santa Barbara, California, ABC-Clio, 83, 240 p. (Research Guides, 4)

* 5607. Manufatkurní období kapitalismu v českých zemích. Výběrová bibliografie literatury z let 1970-1979. (The manufactory period of capitalism in the Cezch lands. Selective bibliography of references from the years 1970-1979.) Edit. Eduard MAUR. Hosp. Děj., 83, vol. 11, p. 251-399.

* 5608. MOSCOVITCH (Allan). The welfare state in Canada: a selected bibliography, 1840 to 1978. Waterloo, Ont., Wilfrid Laurier Univ., 83, in-8, 246 p. - CR: J. Struthers, Canad. hist. R., 84, vol. 65, p. 606-607.

5609. Actes du colloque Entreprises et entrepreneurs en Afrique (XIXe et XXe siècles). [Paris, déc. 1981. Organisé par le] Laboratoire Connaissance du Tiers-Monde [de l'Univ. Paris VII. Ouvrage publ. sous la dir. de Catherine COQUERY-VIDROVITCH et Alain FOREST.] T. 1, 2. Paris, L'Harmattan, 83, 2 vol. in-8, 527, 639 p.

5610. Agricultura, energía y comercio en la España contemporánea. R. Hist. econ. [Madrid], 83, a. 1, n° 2, 406 p.

5611. ALDCROFT (Derek H.). The British economy between the wars. Deddington, Oxford, P. Allan, 83, in-8, 160 p.

5612. Aux origines du retard économique de l'Espagne, XVIe-XIXe siècles. Ouvrage collectif par Jean-Pierre AMALRIC, Bartolomé BENNASSAR, Albert BRODER et al. Paris, Ed. du C.N.R.S., 83, in-8, 180 p.

5613. BANGURA (Yusuf). Britain and Commonwealth Africa: the politics of economic relations, 1951-1975. Manchester, Univ. Press, 83, in-8, 252 p.

5614. BEECH (Beatrice). Charlotte Guillard: a sixteenth-century business woman. Renaissance Quar., 83, vol. 36, n° 3, p. 345-367.

5615. BOTEZ (Constantin), SAIZU (Ioan). Pagini uitate de cultură economică. Congresele economice din România (Iași, 1882 și 1884). (Pages oubliées de culture économique. Les congrès économiques de Roumanie: Iași, 1882 et 1884.) București, Litera, 82, in-8, 224 p.

5616. CAPIE (Forrest), COLLINS (Michael). The inter-war British economy, a statistical abstract. Manchester, Univ. Press, 83, in-8, 118 p.

5617. CARRERA (António). A Companhia de Pernambuco e Paraíba - alguns sobsídios para o estudo da sua acção. R. Hist. econ. soc. [Lisboa], 83, n° 11, p. 55-88.

5618. CASSANDRO (Michele). Aspetti della storia economica e sociale degli Ebrei di Livorno nel Seicento. Milano, Giuffrè, 83, in-8, 200 p.

5619. CLARKE (Roger Alfred). Soviet economic facts, 1917-1981. 2nd rev. ed. of "Soviet economic facts, 1917-1970: a statistical approach". Ed. by D. J. I. MATKO. London, Macmillan, 83, in-8, 248 p.

5620. COLLODO (Silvana). Credito, movimento della proprietà fondiaria e relazione sociale a Padova nel Trecento. Arch. stor. ital., 83, a. 141, n° 515, p. 3-72.

5621. CONFALONIERI (Antonia). Banca e industria in Italia dalla crisi del 1911 all'agosto 1914. Milano, Comit, 83, 2 vol. in-8.

5622. CONK (Margo A.). Labor statistics in the American and English census: making some individious comparisons. J. soc. Hist., 83, vol. 16, n° 4, p. 83-102.

5623. CRAFTS (N.F.R.). Cross national product in Europe 1870-1910, some new estimates. Explor. in econ. Hist., 83, vol. 20, p. 387-401.

5624. DE LUCIA (M.). Economia e società della Svizzera dell'età preindustriale. Napoli, Esi, 82, in-8, 187 p. - IDEM. Economia e società della Svizzera nell'età dell'industrializzazione. Napoli, Esi, 83, in-8, 301 p.

5625. Dutch capitalism and world capitalism. - Capitalisme hollandais et capitalisme mondial. Publ. sous la dir. de Maurice AYMARD. Cambridge, London a. New York, Cambridge U.P.; Paris, Ed. de la Maison des Sci. de l'Homme, 82, in-8, VIII-312 p. (Stud. in modern capitalism - Etudes sur le capitalisme moderne)

5626. Economía española (La) al final del Antiguo Régimen. 1: Agricultura. Por Gonzalo ANES. 2: Manufacturas. Por Pedro TEDDE. 3: Comercio y colonias. Por Josef FONTANA. 4: Instituciones. Por Miguel ARTOLA. Madrid, Alianza / Banco de España, 82, 4 vol. in-8, 348, 440, 450, 502 p.

5627. EDGREN (Lars). Hantverket under 1800-talet: tendenser i nyare tysk och brittisk forskning. (Recent trends in German and British research on the handicraft during the nineteenth century.) Scandia, 83, vol. 49, p. 103-137. [Eng. summary, p. 165]

5628. ELISEEVA (N.V.). Statističeskie publikacii Dvorjanskogo banka kak istočnik dlja izučenija pomeščič'ego khozjajstva kapitalističeskoj Rossii. (Statistic publications of the Dvorjyanskij bank as a source for studying the landlord economy of capitalist Russia.) Ist. SSSR, Ist. SSSR, 83, n° 4, p. 90-102.

5629. Entrepreneurship in Imperial Russia and the Soviet Union. Ed. by Gregory GUROFF a. Fred. V. CARSTENSEN. Princeton, Conn., Princeton U.P., 83, in-8, VIII-372 p.

5630. Entreprises et entrepreneurs, XIXe-XXe siècles. 4e Congrès de l'Assoc. franç. des historiens économistes, Paris, mars 1980. Paris, Univ. de Paris-Sorbonne, 83, in-8, 387 p. (ill.).

5631. FEINSTEIN (C.H.). Managed economy: essays in British economic policy and performance since 1929. London, Oxford U.P., 83, in-8, 292 p. (fig., tab.).

5632. FENSTER (Aristide). Adel und Ökonomie im vorindustriellen Rußland. Die unternehmerische Betätigung d. Gutsbesitzer in d. großgewerbl. Wirtschaft im 17. u. 18. Jh. Wiesbaden, Steiner, 83, in-8, 343 p. (19 Tab., 2 Kt.). (Beiträge z. Wi.-u. Sozialgesch., 23)

5633. FIELD (Alexander James). Land abundance, interest/profit rates, and nineteenth-century American and British technology. J. econ. Hist., 83, vol. 43, n° 2, p. 405-432.

5634. FOREMAN-PECK (James). History of the world economy: international economic relations since 1850. Brighton, Wheatsheaf Books, 83, in-8, 300 p.

5635. FUCHS (Konrad). Industrialisierung und soziale Frage in Deutschland während der Zeit des Kaiserreiches 1870-1914/18. Saeculum, 83, Bd 34, p. 89-104.

5636. GADD (Carl-Johan). Järn och potatis: jordbruk, teknik och socialomvandling i Skaraborgs län 1750-1860. (Iron and potatoes: agriculture, technique and social change in the county of Skaraborg, 1750-1860.) Göteborg, Ekon.-hist. inst., Univ., 83, in-8, 372 p. (ill., maps). (Meddel. fran Ekon.-hist. inst. vid Göteborgs univ., 53)

5637. GARNCARSKA-KADARI (Bina). Beayot shuq ha-avoda ha-yehudi be-Polin. (the Jewish labor market in Poland between the two world wars.) Gal-Ed, 82, vol. 6, p. 43-79 (tab.). [Eng. summary]

5638. GAURON (André). Histoire économique et sociale de la Cinquième République. 1: Le temps des modernistes. Paris, Maspero, 83, in-8, 211 p. (graph.). (Econ. critique)

5639. GELABERT GONZÁLEZ (Juan Eloy). Santiago y la tierra de Santiago de 1500 a 1640. Contribución a la historia económica y social de los territorios de la corona de Castilla en los siglos XVI y XVII. Coruna, Ediciós do Castro, 83, in-8, 349 p.

5640. GRANT (H. Roger). Self-help in the 1890s depression. Ames, Iowa State U.P., 83, in-8, XII-163 p.

5641. GREGORY (Paul R.). Russian national income, 1885-1913. London, Cambridge U.P., 83, in-8, 359 p. (dr., tab.).

5642. GYÖRFFY (György). Wirtschaft und Gesellschaft der Ungarn um die Jahrhundertwende. Köln u. Wien, Böhlau, 83, in-8, 331 p. (Tab., Graph.).

5643. HABICHT (Bernd), Stadt- und Landhandwerk im südlichen Niedersachsen im 18. Jahrhundert. Ein wirtschaftsgesch. Beitr. unter Berücksichtigung v. Bedingungen d. Zugangs zum Markt. Göttingen, Schwartz, 83, in-8, 312 p. (15 graph. Darst.). (Göttinger Beitr. z. Wirtschafts- u. Sozialgesch., 10)

5644. HARRISON (Joseph). The failure of economic reconstitution in Spain 1916-23. European Stud. R., 83, vol. 123, p. 63-88.

5645. HENTSCHEL (Volker). Wirtschafts- und sozialhistorische Brüche und Kontinuitäten zwischen Weimarer Republik und Drittem Reich. Z. f. Unternehmensgesch., 83, Jg. 28, p. 39-80.

5646. HEUMOS (Gustav). Kleingewerbe und Handwerk in Prag im späten 19. und frühen 20. Jahrhundert. Bohemia, 83, Bd 24, p. 104-124.

5647. HÖRSELL (Ann). Borgare, smeder och änkor: ekonomi och befolkning i Eskilstuna gamla stad och fristad 1750-1850. (Burghers, smiths and widows: economy and population in Eskilstuna old town and free city, 1750-1850.) Stockholm, Almqvist a. Wiksell Internat., 83, in-8, 205 p. (diagr.). (Studia hist. Upsaliensia, 131) [Eng. summary]

5648. HUTCHESON (John). Harold Innis and the unity and diversity of Confederation. J. canad. Stud., 82-83, vol. 17, n° 4, p. 57-73.

5649. ILIFFE (John). The emergence of African capitalism. Minneapolis, Univ. of Minnesota Press, 83, in-8, IX-113 p.

5650. Inflation through the ages: economic, social, psychological and historical aspects. By Nathan SCHMUKLER, Edward MARCUS et al. New York, Booklyn College Press, 83, in-8, XII-886 p.

5651. INNES (Stephen). Labor in a new land: economy and society in seventeenth-century Springfield [Mass.]. Princeton, N.J., Princeton U.P., 83, in-8, XXI-463 p.

5652. KAELBLE (Hartmut). Industrialisierung und soziale Ungleichheit. Europa im 19. Jh. Eine Bilanz. Göttingen, Vandenhoeck u. Ruprecht, 83, in-8, 237 p. (23 Tab., 2 Schaubilder). (Slg Vandenhoeck)

5653. Kapitalismus in Entwicklungsländern. Ergebnisse d. Forschungsarbeit v. Mitarb. d. Inst. Ökonomik d. Entwicklungsländer, Sekt. Außenwirtschaft an d. Hochschule f. Ökonomie "Bruno Leuschner". Waltraud SCHMIDT (Leitung). Berlin, Akad.-Verl., 83, in-8, 316 p. (Stud. über Asien, Afrika u. Lateinamerika, 36)

5654. KAUFHOLD (Karl Heinrich). Gewerbe und ländliche Nebentätigkeiten im Gebiet des heutigen Niedersachsen um 1800. Arch. f. Sozialgesch., 83, Bd 23, p. 163-218.

5655. KEARL (J.R., POPE (Clayne L.). The life cycle in economic history. J. econ. Hist., 83, vol. 43, n° 1, p. 149-158.

5656. KENWOOD (A.G.), LOUGHEED (A.L.). The growth of the international economy. 2nd rev. ed. of "Growth of the international economy, 1820-1960". London, Allen a. Unwin, 83, in-8, 336 p.

5657. KOMLOS (John). The Habsburg monarchy as a customs union: economic development in Austria-Hungary in the nineteenth century. Princeton, N.J., Princeton U.P., 83, in-8, XIX-347 p.

5658. KOMLOS (John) a. others. Economic development in the Habsburg monarchy in the nineteenth century: essays. Boulder, Colo., East European Monographs, 83, in-4, XII-204 p. (East European Monographs, 128)

5659. KULA (Witold). Historia, zacofanie, rozwój. (Histoire, abscurantisme, développement.) Warszawa, Państw. Wydawn. Nauk., 83, in-8, 323 p.

5660. LAMPOS (Kōstas). Exartēsē prochōrēmenē anaptyxē kai agrotikē oikonomia tēs Helladas. (Dépendance, développment croissant et économie agricole de la Grèce.) Athēna, Aichmē, 83, in-8, 517 p.

5661. LINDLEY (Richard B.). Haciendas and economic development: Guadalajara, Mexico, at independence. Austin, Univ. of Texas Press, 83, in-8, XVI-156 p. (Latin Am. Monographs, 58)

5662. LINDQVIST (Svante). Natural resources and technology: the debate about energy technology in eighteenth-century Sweden. Scand. J. Hist., 83, vol. 8, p. 83-107.

5663. LINDSTROM (Diane). Macroeconomic growth: the United States in the nineteenth century. J. interdisc. Hist., 83, vol. 13, nP 4, p. 679-706.

5664. MADDISON (Angus). A comparison of the levels of GDP per capita in developed and developing countries, 1700-1980. J. econ. Hist., 83, vol. 43, n° 1, p. 27-42.

5665. MATHIAS (Peter). The first industrial nation: the economic history of Britain, 1700-1914. 2nd rev. ed. London, Methuen, 83, in-8, 512 p.

5666. MICKUN (Nina). La Mesta au XVIIIe siècle. Etude d'hist. soc. et écon. de l'Espagne au XVIIIe s. Budapest, Akad. Kiadó, 83, in-8, 364 p. (7 tabl.).

5667. Modernizzazione (La) difficile. Città e campagne nel Mezzogiorno dall'età giolittiana al fascismo. Introd. di G. GIARRIZZO. Bari, De Donato, 83, in-8, 310 p.

5668. MOKYR (Joel). Why Ireland starved: a quantitative and analytical history of the Irish economy, 1800-1850. Boston, Mass., a. London, Allen a. Unwin, 83, in-8, X-330 p.

5669. MOLDOVAN (Roman). Studii de istorie economică (Contribuții la caracterizarea desvoltării forțelor de producție din România în perioada dintre cele două războaie mondiale). (Etudes d'histoire économique. Contributions à la caractérisation du développment des forces de production de la Roumanie pendant l'entre-deux-guerres.) București, Ed. Acad., 83, in-8, 191 p.

5670. MORRIS (Cynthia Taft), ADELMAN (Irma). Institutional influences on poverty in the nineteenth century: a quantitative comparative study. J. econ. Hist., 83, vol. 43, n° 1, p. 43-55.

5671. MOSTOV (Stephen G.). Dun and Bradstreet reports as a source of Jewish economic history: Cincinnati, 1840-1875. Am. jewish Hist., 83, vol. 72, n° 3, p. 354-368.

5672. NAKAMURA (Takafusa). Economic growth in prewar Japan. New Haven, Conn., Yale U.P., 83, in-8, 326 p.

5673. OTHICK (John). Development indicators and the historical study of human welfare: towards a new perspective. J. econ. Hist., 83, vol. 43, n° 1, p. 63-70.

5674. PANAYOTOPOULOS (A.J.). On the economic activities of the Anatolian Greeks: mid-19th century to early 20th. Deltio Kentrou mikrasiat. Spoudon, 83, vol. 4, p. 87-128.

5675. Peripherie (Die) in der Weltwirtschaftskrise. Afrika, Asien u. Lateinamerika 1929-1939. Hrsg. v. Dietmar ROTHERMUND. Paderborn, Schöningh, 83, in-8, 295 p. (Slg Schöningh z. Gesch. u. Gegenwart)

5676. POLLARD (Sidney). The development of the British economy, 1914-1980. London, E. Arnold, 83, in-8, 440 p. (tab.).

5677. POUSSOU (Jean-Pierre). Bordeaux et le Sud-Ouest au XVIIIe siècle: croissance économique et attraction urbaine. Paris, Ed. de l'Ecole des Hautes Etudes en Sci. soc. - Touzot, 83, in-8, 650 p.

5678. Productivity in the economies of Europe. Ed. by Rainer FREMDLING a. Patrick K. O'BRIEN. Stuttgart, Klett-Cotta, 83, in-8, 222 p. (Hist.-sozialwiss. Forschungen, 15)

5679. Promyšlennost' i torgovlja v Rossii XVII - XVIII vv. (Industry and trade in Russia, 17th - 18th cent.) Sbornik statej. Otv. red.: A.A. PREOBRAŽENSKIJ. Moskva, Nauka, 83, 254 p. (AN SSSR. In-t istorii SSSR)

5680. PURSELL (Carroll W.) Jr. The history of technology and the study of material culture. Am. Quar., 83, vol. 35, n° 3, p. 304-315.

5681. RADKAU (Joachim). Holzverknappung und Krisenbewußtsein im 18. Jahrhundert. Gesch. u. Ges., 83, Jg. 9, p. 513-543.

5682. RINGROSE (David R.). Madrid and the Spanish economy, 1560-1850. Berkeley a. Los Angeles, Univ. of California Press, 83, in-8, XVIII-405 p.

5683. ROTHACHER (Albrecht). Economic diplomacy between the European Community and Japan, 1959-1981. Aldershot, Gower Press, 83, in-8, XVII-377 p. (tab.).

5684. ROUBAUD (François). Partition économique de la France dans la première moitié du XIXe siècle (1830-1840). Rech. Trav. Inst. Hist. écon. soc. Univ. Paris I, 83, n° 12, p. 33-57.

5685. SCHÄFER (Hermann). Regionale Wirtschaftspolitik in der Kriegswirtschaft. Staat, Industrie u. Verbände während d. 1. Weltkrieges in Baden. Stuttgart, Kohlhammer, 83, in-8, XXII-416 p. (Veröff. d. Komm. f. geschichtl. Landeskunde in Baden-Württemberg, Reihe B: Forschungen, 95)

5686. SCOTT (Anthony). Innis lecture: property rights and property wrogns. Canad. J. Econ., 83, vol. 16, p. 555-573.

5687. SHAMMAS (Carole). Food expenditures and economic well-being in early modern England. J. econ. Hist., 83, vol. 43, n° 1, p. 89-100.

5688. SILBER (Norman Isaac). Test and protest: the influence of Consumers Union. New York, Holmes a. Meier, 83, in-8, X-172 p.

5689. SIMSCH (Adelheid). Die Wirtschaftspolitik des preußischen Staates in der Provinz Südpreußen 1793-1806/07. Berlin, Duncker u. Humblot, 83, in-8, 271 p. (Schr. z. Wi.- u. Sozialgesch., 33)

5690. SMOLANA (Krzysztof). Polscy robotnicy, przedsiębiorcy i polskie kapitały w procesie industrializacji i syndykalizacji Ameryki Łacińskiej. (Les ouvriers, les entrepreneurs et les fonds polonais dans le processus d'industrialisation et syndicalisation de l'Amérique Latine.) Przegl. polon., 82 [83], a. 8, fasc. 4, p. 5-17.

5691. SOUYRI (Pierre). La dynamique du capitalisme au XXe siècle. Paris, Payot, 83, in-8, 270 p.

5692. SPATE (O.H.K.). The Pacific since Magellan. [Vol. 1. Cf. Bibl. 80, n° 6318.] Vol. 2: Monopolists and freebooters. Minneapolis, Univ. of Minnesota Press, 83, in-8, XXI-426 p.

5693. Städtewesen und Merkantilismus in Mitteleuropa. Hrsg. v. Volker PRESS. Köln u. Wien, Böhlau, 83, in-4, XI-333 p. (Ill., Kt.). (Städteforsch., Reihe A: Darst., 14)

5694. STECKEL (Richard H.). The economic foundations of east-west migration during the 19th century. Explor. in econ. Hist., 83, vol. 20, n° 1, p. 14-36.

5695. SUNDHAUSEN (Holm). Zur Wechselbeziehung zwischen frühneuzeitlichem Außenhandel und ökonomischer Rückständigkeit in Osteuropa: eine Auseinandersetzung mit d. "Kolonialthese". Gesch. u. Ges., 83, Jg. 9, p. 544-563.

5696. TANDETER (Enrique), WACHTEL (Nathan). Conjonctures inverses: le mouvement des prix à Potosí pendant le XVIIIe siècle. A. Ec., Soc., Civ., 83, a. 38, n° 3, p. 549-613 (8 tableaux, 23 fig.).

5697. TEICHOVA (Alice), COTTRELL (Philip L.). International business in Central Europe, 1918-1939. Leicester, Univ. Press, 83, in-8, 488 p. (dr.).

5698. TILLY (Louise A.). Food entitlement, famine, and conflict. J. interdisc. Hist., 83, vol. 14, n° 2, p. 333-350.

5699. Transizione (La) dall'economia di guerra all'economia di pace in Italia e in Germania dopo la Prima guerra mondiale. A cura di Peter HERTNER i Giorgio MORI. Bologna, Il Mulino, 83, in-8, 703 p. (Pubbl. dell'Istit. stor. italo-germanico in Trento)

5700. TWOMEY (Michael J.). The 1930s depression in Latin America: a macro analysis. Explor. in econ. Hist., 83, vol. 20, n° 3, p. 221-247.

5701. VALÉRIO (Nuno). O produto nacional de Portugal entre 1913 e 1947 - uma primeira aproximação. R. Hist. econ. soc. [Lisboa], 83, n° 11, p. 89-102.

5702. VICKERS (Daniel). The first whalemen of Nantucket. William a. Mary Quar., 83, vol. 40, n° 4, p. 560-583.

5703. VOGEL (Barbara). Allgemeine Gewerbefreiheit. Die Reformpolitik d. preuß. Staatskanzlers Hardenberg (1810-1820). Göttingen, Vandenhoeck u. Ruprecht, 83, in-8, 340 p. (Krit. Stud. z. Geschichtswiss., 57

5704. WALLERSTEIN (Immanuel), KASABA (Reşat). Incorporation into the world economy: change in the structure of the Ottoman empire, 1750-1839. In: Economies et sociétés [Cf. n° 4310], p. 335-354.

5705. Wizje gospodarki socjalistycznej w Polsce 1945-1949. Początki planowania. Materiały źródłowe. (Visions de l'economie socialiste en Pologne 1945-1949. Les débuts de la planification. Matériaux de sources.) Ed. et avant-propos de Hanna JĘDRUSZCZAK. Warszawa, Państw. Wydawn. Nauk., 83, in-8, 1254 p. (Inst. Hist. Pol. Akad. Nauk)

5706. YOUNG (Michael W.). "The best workmen in Papua": Goodenough Islanders and the labour trade, 1900-1960. J. pacific Hist., 83, vol. 18, n° 1-2, p. 75-95.

Cf. n°s 3456, 3504, 3734, 3969, 4003, 4032, 4310, 6200, 7198.

§ 3. Industry, mining and transportation.

* 5707. Historia polskiego przemysłu chemicznego. (Histoire de l'industrie chimique polonaise.) Réd. Jan Edmund KORYTKOWSKI et al. T. 1: Bibliografia. (Bibliographie.) Warszawa, Sigma, 83, in-8, 190 p. (Stow. Inżynierów i Techników Przemysłu Chem.)

5708. ALDCROFT (Derek H.), FREEMAN (Michael). Transport in the Industrial Revolution. Manchester, Univ. Press, 83, in-8, 237 p.

5709. BAAR (Lothar). Zur ökonomischen Strategie und Investitionsentwicklung in der Industrie der DDR in den fünfziger und sechziger Jahren. Jb. f. Wirtschaftsgesch., 83, T. 2, p. 9-31.

5710. BARNARD (T.C.). Sir William Petty as Kerry ironmaster. Proc. Roy. Ir. Acad., 82, vol. 82 C, p. 1-32.

5711. BARRETT (Paul). The automobile and urban transit: the formation of public policy in Chicago, 1900-1930. Philadelphia, Pa., Temple U.P., 83, in-8, XIII-295 p.

5712. BEATO (Guillermo), SINDICO (Domenico). The beginning of industrialization in northeast Mexico. Americas, 83, vol. 39, n° 4, p. 499-518.

5713. BECK (Bernhard). Lange Wellen wirtschaftlichen Wachstums in der Schweiz 1814-1913: eine Untersuchung d. Hochbauinvestitionen u. ihrer Bestimmungsgründe. Bern u. Stuttgart, Haupt, 83, in-8, 175 p.

5714. BENSON (John). The penny capitalists: a study of nineteenth-century working-class entrepreneurs. New Brunswick, N.J., Rutgers U.P., 83, in-8, 172 p.

5715. BERINDEI (Dan). Industria în perioada 1859-1864: Muntenia (I). (L'industrie entre 1859 et 1864: la Valachie.) Studii Mater. Ist. mod., 83, t. 7, p. 75-109.

5716. BILSTEIN (Roger E.). Flight patterns: trends of aeronautical development in the United States, 1918-1929. Athens, Univ. of Georgia Press, 83, in-8, XI-236 p.

5717. BLEWETT (Mary H.). Work, gender and the artisan tradition in New England shoemaking, 1780-1860. J. soc. Hist., 83, vol. 17, n° 2, p. 221-248.

5718. BOVYKIN (V.I.). Dinamika promyšlennogo proizvodstva v Rossii (1896-1910). (Dynamics of industrial production in Russia, 1896-1910.) Ist. SSSR, 83, n° 3, p. 20-52.

5719. BRAND (Donald R.). Corporatism, the NRA, and the oil industry. Pol. Sci. Quar., 83, vol. 98, n° 1, p. 99-118.

5720. BRISSON (Réal N.). Les 100 premières années de la charpenterie navale à Québec, 1663-1763. Québec, Institut québécois de recherche sur la culture, 83, in-8, 318 p. (Edmond-de-Nevers, 2) - CR: J. F. Bosher, Canad. hist. R., 84, vol. 65, p. 297-298.

5721. BROWN (Henry Phelps). The origins of trade union power. London, Oxford U.P., 83, in-8, 326 p.

5722. BRUGGEMEIER (Franz-Josef). Leben vor Ort. Ruhrbergleute u. Ruhrbergbau 1889-1919. München, Beck, 83, in-8, 375 p. (20 Ill.). (Bergbau u. Bergarbeit)

3. INDUSTRY, MINING AND TRANSPORTATION

5723. BURNS (Malcolm R.). Economies of scale of tobacco manufacture, 1897-1910. J. econ. Hist., 83, vol. 43, n° 2, p. 461-474.

5724. CARLIER (Claude). L'aéronautique française, 1945-1975. Panazol, Lavauzelle, 83, 645 p. (ill., pl.).

5725. CARMONA BADIA (X.). L'industria rurale domestica in Galizia [Spagna] (secoli XVIII e XIX). Quad. stor., 83, a. 52, a. 18, fasc. 1, p. 11-24.

5726. CARSTENSEN (Fred V.), WERKING (Richard Hume). International Harvester in Russia: the Washington-St. Petersburg connection? Business Hist. R., 83, vol. 57, n° 3, p. 347-366.

5727. CIRIACONO (Salvatore). Protoindustria, lavoro a domicilio e sviluppo economico nelle campagne venete in epoca moderna. Quad. stor., 83, n° 52, a. 18, fasc. 1, p. 57-80.

5728. COCHRAN (Thomas C.). Frontiers of change: early industrialization in America. New York a. London, Oxford U.P., 83, in-8, 186 p.

5729. CORLEY (T.A.B.). History of the Burmah Oil Company, 1886-1924. London, Heinemann, 83, in-8, 352 p.

5730. CORN (Joseph J.). The winged gospel: America's romance with aviation, 1900-1950. New York, Oxford U.P., 83, in-8, X-177 p.

5731. DARROCH (A. Gordon). Early industrialization and inequality in Toronto, 1861-1899. Labour, 83, n° 11, p. 31-61.

5732. DAVIET (Jean-Pierre). Entreprise et progrès technique: Saint-Gobain, de 1830 à 1939. Hist., Ec. et Soc., 83, a. 2, n° 1, p. 19-39.

5733. DEVINE (Warren D.) Jr. From shafts to wires: historical perspective on electrification. J. econ. Hist., 83, vol. 43, n° 2, p. 347-373.

5734. DROULERS (Paul). Christianisme et innovation technologique: les premiers chemins de fer [en France]. Hist., Ec. et Soc., 83, a. 2, n° 1, p. 119-132.

5735. DUCKER (James H.). Men of the steel rails: workers on the Atchison, Topeka, and Santa Fe railroad, 1869-1900. Lincoln, Univ. of Nebraska Press, 83, in-8, XXI-220 p.

5736. DUTTON (H.I.), JONES (S.R.H.). Invention and innovation in the British pin industry, 1790-1850. Business Hist. R., 83, vol. 57, n° 2, p. 175-194.

5737. FELDMAN (Eliyahu). Ba'ale melakha yehudim be-Moldavia. (Jewish artisans in Moldavia [Romania].) Jerusalem, Magnes Press, 82, in-8, XIV-249 p. (fac-sim, map).

5738. FERREIRA (Jaime A. do C.). Subsidios para a história da moagem portuguesa: a Companhia de moinhos a vapor Ceres, de 1854 a 1860, no Porto. R. Hist. econ. soc. [Lisboa], 83, n° 12, p. 127-154.

5739. FIEREDER (Helmut). Reichswerke "Hermann Göring" in Österreich (1938-1945). Wien u. Salzburg, Geyer, 83, in-8, 303 p. (Veröff. d. Hist. Inst. d. Univ. Salzburg, 16)

5740. FINK (Paul). Geschichte der Basler Bandindustrie 1550-1800. Basel u. Frankfurt (Main), Helbing & Lichtenhahn, 83, in-8, 216 p. (Basler Beitr. z. Geschichtswiss., 147)

5741. FINZSCH (Norbert). Die Goldgräber Kaliforniens: Arbeitsbedingungen, Lebensstandard und polit. System um d. Mitte d. 19. Jh. Göttingen, Vandenhoeck u. Ruprecht, 82, in-8, 219 p. (Krit. Stud. z. Geschichtswiss., 53)

5742. FRASER (Steven). Combined and uneven development in the men's clothing industry. Business Hist. R., 83, vol. 57, n° 4, p. 522-547.

5743. FRIEDEL (Robert). Pioneer plastic: the making and selling of celluloid. Madison, Univ. of Wisconsin Press, 83, in-8, XIX-153 p.

5744. FRUIN (W. Mark). Kikkoman: company, clan, and community. Cambridge, Mass., Harvard U.P., 83, in-8, X-358 p. (Harvard Stud. in Business Hist., 35)

5745. FUCHS (Konrad). Das Siegerland. Ein Industrierevier im Rheinischen Schiefergebirge 1880-1970. Jb. f. westdeutsche Landesgesch., 83, Jg. 9, p. 269-286.

5746. GALENSON (Walter). The united brotherhood of carpenters: the first hundred years. Cambridge, Mass., Harvard U.P., 83, in-8, VII-440 p.

5747. GANNE (Bernard). Gens du cuir, gens du papier. Transformations d'Annonay depuis les années 1920. Paris, Ed. du C.N.R.S., 83, in-8, 228 p. (ill.).

5748. GHIARA (Carola). Filatoi e filatori a Genova tra XV e XVIII secolo. Quad. stor., 83, n° 52, a. 18, fasc. 1, p. 135-165.

5749. GONZÁLEZ ENCISO (Agustín). La industria lanera en la provincia de Soria en el siglo XVIII. Cuad. Invest. hist., 83, t. 7, p. 147-170.

5750. GOOL (Selim). Mining capitalism and black labour in the early industrial period in South Africa: a critique of the new historiography. Lund, Ekon.-hist. fören., 83, in-8, VII-239 p. (Skr. utg. av Ekon.-hist. föreningen i Lund, 40)

5751. GORDON (Robert B.). Materials for manufacturing: the response of the Connecticut iron industry to technological change and limited resources. Technol. a. Cult., 83, vol. 24, n° 4, p. 602-634.

5752. GUBIN (Eliane). L'industrie linière à domicile dans les Flandres en 1840-1850:

problèmes de méthode. R. belge Hist. contemp., 83, t. 14, n° 3-4, p. 369-401.

5753. HAIG (Bryan D.), CAIN (Neville G.). Industrialization and productivity: Australian manufacturing in the 1920s and 1950s. Explor. in econ. Hist., 83, vol. 20, n° 2, p. 183-198.

5754. HARLEY (C. Knick). Steel rails and American railroads 1867-1880: cost minimizing choice. Explor. in econ. Hist., 83, vol. 20, n° 3, p. 248-257.

5755. HART (E.J.). The selling of Canada: the CPR and the beginnings of Canadian tourism. Banff, Altitude, 83, in-8, 180 p. - CR: R. Huel, Alberta Hist., 84, vol. 32, n° 2, p. 29-30.

5756. HEIM (Carol E.). Industrial organization and regional development in interwar Britain. J. econ. Hist., 83, vol. 43, n° 4, p. 931-952.

5757. HILL (J.). From subservience to strike: history of the Australian Bank Officials Association. Brisbane, Queensland U.P., 83, in-8, 312 p. (ill.).

5758. HOTSON (Fred W.). The de Havilland Canada story. Toronto, CANAV Books, 83, in-8, 244 p.

5759. HUGHES (Thomas P.). Networks of power: electrification in western society, 1880-1930. Baltimore, Md., Johns Hopkins U.P., 83, in-8, XI-474 p.

5760. INGLIS (Kenneth Stanley). This is the A. B. C.: the Australian Broadcasting Commission, 1932-1983. Melbourne, Univ. Press, 83, in-8, 520 p. (ill.).

5761. Istorija graždanskoj aviacii SSSR. Nauč.-popul. očerk. (History of the civil aviation of the USSR.) Pod obšč. red. B. P. BUGAEVA. Moskva, Vozduš. transp., 83, 376 p. (ill.). (M-vo gražd. aviacii)

5762. JAMES (John A.). Structural change in American manufacture, 1897-1890. J. econ. Hist., 83, vol. 43, n° 2, p. 433-460.

5763. JEQUIER (François). De la forge à la manufacture horlogère (XVIIIe-XXe siècles): cinq générations d'entrepreneurs de la vallée de Joux au coeur d'une mutation industrielle. Avec la collab. de Chantal SCHINDLER-PITTET. Préf. de David S. LANDES. Lausanne, Bibliothèque hist. vaudoise, 83, in-8, 717 p. (Bibl. hist. vaudoise, 73)

5764. JOHNSON (Arthur M.). The challenge of change: the Sun oil company, 1945-1977. Columbus, Ohio State U. P., 83, in-8, XVII-481 p.

5765. JOHNSON (Christopher H.). De-industrializzazione: il caso dell'industria laniera della Linguadoca. Quad. stor., 83, n° 52, a. 18, fasc. 1, p. 25-56.

5766. KAELBLE (Hartmut). Der Mythos von der rapiden Industrialisierung in Deutschland. Gesch. u. Ges., 83, Jg. 9, p. 106-118.

5767. KAYSER (Edmond). Le rail, le développement des transports et les inégalités régionales au XIXe siècle: l'exemple du Luxembourg. Hist. soc., 82, vol. 15, p. 459-474 (cartes).

5768. KEIL (Hartmut), JENTZ (John B.) a. others. German workers in industrial Chicago, 1850-1910: a comparative perspective. DeKalb, Northern Illinois U.P., 83, in-8, VIII-252 p.

5769. KRENGEL (Jochen). Die deutsche Roheisenindustrie 1871-1913. Eine quantitativ-histor. Untersuchung. Berlin, Duncker u. Humblot, 83, in-8, 205 p. (Schr. z. Wi.- u. Sozialgesch., 34)

5770. KRIEDTE (Peter). Proto-Industrialisierung und großes Kapital. Das Seidengewerbe in Krefeld u. seinem Umland bis z. Ende d. Ancien Régime. Arch. f. Sozialgesch., 83, Bd 23, p. 219-266 (Tab.).

5771. KRIEGER (Joel). Undermining capitalism: state ownership and the dialectic of control in the British coal industry. Princeton, N.J., Princeton U.P., 83, in-8, XII-321 p.

5772. KUISMA (Markku). Kauppasahojen perustaminen Suomessa 1700-luvulla (1721-1772). Tutkimus päätöksentekoprosessista. (The establishment of the sawmill industry in Finland in the 18th century, 1721-1772. A study of the decision-making process.) Helsinki, Societas scientiarum Fennica, 83, in-8, 242 p. (Bidr. t. Känn. av Finl. Natur Folk, 129) [Eng. summary]

5773. LANKTON (Larry D.). The machine under the garden: rock drills arive at the Lake Superior copper mines, 1868-1883. Technol. a. Cult., 83, vol. 24, n° 1, p. 1-37.

5774. LAURANS (R.). Les bovins et les transports routiers. Ethnozootechnie, 83, n° 32, p. 106-121.

5775. LAZONICK (William). Industrial organization and technological change: the decline of the British cotton industry. Business Hist. R., 83, vol. 57, n° 2, p. 195-236.

5776. LEVAIN (Janine), ROUGERIE (Jacques), STRAUS (André). Contribution à l'étude des mouvement de "longue durée": la croissance de l'industrie lainière en France au XIXe siècle, ses allures et ses déterminants. 1e partie. Rech. Trav. Inst. Hist. écon. soc. Univ. Paris I, 83, n° 12, p. 59-96.

5777. LICHT (Walter). Working for the railroad [in the U.S.]: the organization of work in the nineteenth century. Princeton, N.J., Princeton U.P., 83, in-8, XX-328 p.

5778. LICHTENSTEIN (Nelson). Labour's war at home: the Congress of Industrial Organizations in World War II. London, Cambridge U.P., 83, in-8, 319 p. (tab.).

5779. LOVEDAY (Amos J.) Jr. The rise and decline of the American cut nail industry: a study of interrelationships of technology, business organization, and management techniques. Westport, Conn., Greenwood, 83, in-8, XX-160 p. (Contrib. in Econ. a. Hist., 53)

5780. McBETH (B.S.). Juan Vicente Gómez and the oil companies in Venezuela, 1908-1935. London, Cambridge U. P., 83, in-8, 277 p. (tab.). (Latin Amer. Stud.)

5781. McDOWELL (Laurel Sefton). "Remember Kirkland Lake": the history and effects of the Kirkland lake gold miners' strike, 1941-1942. Buffalo, N.Y., Univ. of Toronto Press, 83, in-8, XVI-292 p. (The State a. Econ. Life, 5)

5782. McEVOY (Arthur F.). Law, public policy, and industrialization in the California fisheries, 1900-1925. Business Hist. R., 83, vol. 57, n° 4, p. 494-521.

5783. McKAY (John P.). Entrepreneurship and the emergence of the Russian petroleum industry, 1813-1883. Research in econ. Hist., 83, vol. 8, p. 47-91.

5784. Manufacture in town and country before the factory. Ed. by M. BERG, P. HUDSON a. M. SONENSCHER. London, Cambridge U.P., 83, in-8, VIII-213 p. (fig.).

5785. MATSUMURA (Takao). Labour aristocracy revisited: the Victorian flint and glass makers, 1850-1880. Manchester, Univ. Press, 83, in-8, 208 p.

5786. MAXWELL (Robert S.), BAKER (Robert D.). Sawdust empire: the Texas lumber industry, 1830-1940. College Station, Texas A a. M U.P., 83, in-8, XV-228 p.

5787. MEDICK (Hans). Privilegiertes Handelskapital und "kleine Industrie". Produktion u. Produktionsverhältnisse im Leinengewerbe des alt-württemberg. Oberamts Urach im 18. Jh. Arch. f. Sozialgesch., 83, Bd 23, p. 267-310 (Tab.).

5788. MILNER (Roger). Reith, the B. B. C. years. Edinburgh, Mainstream Publ. Co., 83, in-8, 224 p. (ill.).

5789. MINER (H. Craig). The rebirth of the Missouri Pacific, 1956-1983. College Station, Texas A a. M U.P., 83, in-8, XX-236 p.

5790. MOORE (John Hebron). The cypress lumber industry of the Old Southwest and public land law, 1803-1850. J. south. Hist., 83, vol. 49, n° 2, p. 203-222.

5791. MOTTU-WEBER (Liliane). Contrats de voiture et comptes des blés et du sel: contribution à l'étude des coûts de transport (1550-1630). Schweiz. Z. f. Gesch., 83, Bd 33, n° 2, p. 269-296.

5792. MOUTET (Aimée). Introduction de la production à la chaîne en France, du début du XXe siècle à la grande crise en 1930. Hist., Ec. et Soc., 83, a. 2, n° 1, p. 63-82.

5793. MOWERY (David C.). Industrial research and firm size, survival, and growth in American manufacturing, 1921-1946: an assessment. J. econ. Hist., 83, vol. 43, n° 4, p. 953-980.

5794. MYŠKA (Milan). Podnikatelstvo v hutnictví železa v českých zemích z průmyslové revoluce. (Eisenunternehmer in den Böhmischen Ländern in der Zeit der industriellen Revolution.) Z. děj. hut., 82, vol. 11, p. 172-197.

5795. NEGREPONTĒ-DELIBANĒ (Maria). Hē problematikē hellēnike biomēchania kai kapoies lyseis tēs. (L'industrie grecque en diffiltué et quelques solutions.) Thessalonikē, Paratērētēs, 83, in-8, 341 p.

5796. NICHOLAS (Stephen). Agency contracts, institutional modes, and the transition to foreign direct investment by British manufacturing multinationals before 1939. J. econ. Hist., 83, vol. 43, n° 3, p. 675-686.

5797. NIFONTOV (A.S.). Fabrično-zavodskaja promyšlennost' v predreformennoj Rossii. (Factory industry in pre-reform Russia.) Ist. SSSR, 83, n° 1, p. 27-43.

5798. NIKOLAIDOU (Eleutheria). Prospatheies gia tēn hellēnopoiēsē tēs tourkikēs atmoploīkēs hetaireias "Skipetar" (1908-1911). (Tentatives d'hellénisation de la compagnie turque de navigation "Skipetar".) Dōdōnē, 83, vol. 12, p. 443-453.

5799. NIOSI (Jorge). La multinationalisation des firmes canadiennes-françaises. Rech. sociogr., 83, vol. 24, p. 55-73.

5800. NOVOTNÝ (Karel). Rozmístění manufakturní výroby v Čechách kolem r. 1790. Materiály. (Distribution of manufactory production in Bohemia around the year 1790. Materials.) Hosp. Děj., 83, vol. 11, p. 5-94.

5801. O'BRIEN (Patrick). Railways and the economic development of Western Europe, 1830-1914. London, Macmillan, 83, in-8, 256 p.

5802. OLSSON (Sven-Olof). Husqvarna arbetare 1850-1900: med jämförande studier av arbetare vid Carl Gustafs stads gevärsfaktori i Eskilstuna. (Husqvarna workers, 1850-1900: with comparative studies on workers at the Carl Gustaf rifle factory in Eskilstuna.) Jönköping, Jönköpings läns mus., 83, in-8, 151 p. (ill., diagr.). [Eng. summary]

5803. Organisation for economic cooperation and development. Labour force statistics, 1970-1981. London, H. M. Stationery Office, 83, in-4, 482 p. (tabs.).

5804. OTRUBA (Gustav), BROUSEK (Karl M.). Bergbau und Industrie Böhmens im Zeitalter des Neoabsolutismus und Liberalismus 1848 bis 1875. T. 1, 2. Bohemia, 82, Bd 23, p. 51-91, 318-369.

5805. PAPAGEŌRGIOU (Giōrgos). Hoi syntechnies sta Giannena kata ton 19 kai tis arches tou 20ou aiōna (Arches 19ou ai. ōs 1912). (Les corporations à Jannina durant le XIXe et le début du XXe siècle: début du XIXe s. jusqu'en 1912.) Iōannina,

Panepistemio Iōanninōn, 82, in-8, 453 p.

5806. PAPAGIANNAKĒS (Lepherēs). Hoi hellēnikoi sidērodromoi (1882-1910). Geōpolitikes, oikonomikes kai koinōnikes diastaseis. (Les chemins de fer grecs, 1882-1910. Dimensions géopolitiques, économiques et sociales.) Athēna, Morphōtiki Hidryma Ethnikēs Trapezēs, 82, in-8, 253 p.

5807. PAPATHANASOPOULOS (Cōnstantinos). Hellēnikē emporikē nautilia, 1833-1856. (La marine marchande grecque, 1833-1856.) Athēna, Morphōtiko Hidryma Ethnikēs Trapezēs, 83, in-8, 470 p.

5808. PAQUETTE (Pierre). Industries et politiques minières au Québec: une analyse économique 1896-1975. R. Hist. Amérique franç., 83, vol. 37, p. 573-602.

5809. PARPART (Jane L.). Labor and capital on the African copperbelt [1926-1964]. Philadelphia, Pa., Temple U.P., 83, in-8, XV-233 p.

5810. PASKOFF (Paul R.). Industrial evolution: organization, structure, and growth of the Pennsylvania iron industry, 1750-1860. Baltimore, Johns Hopkins U.P., 83, in-8, XX-182 p.

5811. PELTONEN (Matti Tapani). Liikenne Suomessa 1860-1913. (Transport and communication in Finland, 1860-1913.) Helsinki, Suomen pankki, 83, in-8, 79 p. (Suomen pankin julk. Kasvututkimuksia, 11) [Eng. summary]

5812. PÉREZ-MALLAÍNA BUENO (Pablo E.). Los inventos llevados de España a las Indias en la segunda mitad del siglo XVI. Cuad. Invest. hist., 83, t. 7, p. 35-54.

5813. POHL (Hans), SCHAUMANN (Ralf), SCHONERT-ROHLK (Frauke). Die chemische Industrie in den Rheinlanden während der industriellen Revolution. Bd 1: Die Farbenindustrie. Wiesbaden, Steiner, 83, in-8, VIII-237 p.

5814. PLUMPE (Gottfried) Industrie, technischer Fortschritt und Staat. Die Kautschuksynthese in Deutschland 1906-1944/45. Gesch. u. Ges., 83, Jg. 9, p. 564-597.

5815. POLLARD (Sidney). Capitalism and rationality: a study of measurements in British coal mining, ca. 1750-1850. Explor. in econ. Hist., 83, vol. 20, n° 1, p. 110-129.

5816. PRUDE (Jonathan). The coming of industrial order: town and factory life in rural Massachusetts, 1810-1860. London a. New York, Cambridge U.P., 83, in-8, XVII-364 p. (tab., maps).

5817. RAY (Rajat K.). Industrialization in India: growth and conflict in the private corporate sector, 1914-1947. New Delhi, Oxford U.P., 83, in-8, 400 p. (tab.).

5818. REID (Donald). The origins of industrial labor management in France: the case of the Decazeville ironworks during the July monarchy. Business Hist. R., 83, vol. 57, n° 1, p. 1-19.

5819. REINERT (Paul). Zur Geschichte der Luxemburger Eisenbahnen: die "Magistrale" Arlon-Luxemburg-Trier. Hémecht, 83, Bd 35, p. 185-209 (ill.).

5820. ROESLER (Jörg), SCHWÄRZEL (Renate), SIEDT (Veronika). Produktionswachstum und Effektivität in Industriezweigen der DDR 1950-1970. Berlin, Akad.-Verl., 83, in-8, 311 p. (Tab.). (Forsch. z. Wirtschaftsgesch., 22)

5821. RUPPERT (Wolfgang). Die Fabrik. Geschichte von Arbeit u. Industrialisierung in Deutschland. München, Beck, 83, in-8, 311 p. (Ill.).

5822. SAAVEDRA (Pegerto). Desarrollo y crisis de la industria textil gallega. El ejemplo de la lencería, 1600-1840. Cuad. Invest. hist., 83, t. 7, p. 113-132.

5823. SCHREPFER (Susan R.). The fight to save the redwoods: a history of environmental reform, 1917-1978. Madison, Univ. of Wisconsin Press, 83, in-8, XVIII-338 p.

5824. SCHWEIDER (Dorothy). Black diamonds: life and work in Iowa's coal mining communities, 1895-1925. Ames, Iowa State U.P., 83, in-8, XIII-203 p.

5825. SCRANTON (Philip). Proprietary capitalism: the textile manufacture at Philadelphia, 1800-1885. New York, Cambridge U.P., 83, in-8, XIII-431 p.

5826. SENDALL (Bernard). Independent television in Britain. Vol. [1. Cf. Bibl. 82, n° 5832.] 2: Expansion and change, 1958-1968. London, Macmillan, 83, in-8, XVII-429 p.

5827. SIDDALL (William R.). The Yukon waterway in the development of interior Alaska. Pacific hist. R., 83, vol. 52, n° 4, p. 361-376.

5828. SIMON (Manfred). Handwerk in Krise und Umbruch. Wirtschaftl. Forderungen u. sozialpolit. Vorstellungen d. Handwerksmeister im Revolutionsjahr 1848/49. Köln u. Wien, Böhlau, 83, in-8, XVII-652 p. (Neue Wirtschaftsgesch., 16)

5829. SKLADANÝ (Marián). Európsky význam banskobystrického mediarstva v 15. storočí (Jeho podiel na zdokonalení technológie hutníckeho spracovania medi). (Die europäische Bedeutung d. Kupferwesens in Banská Bystrica im 15. Jh. Sein Anteil an d. Vervollkommnung d. Technologie d. metallurg. Bearbeitung d. Kupfers.) Hist. Čas., 83, vol. 31, p. 345-370.

5830. SMITH (Richard K.). The intercontinental airliner and the essence of airplane performance, 1929-1939. Technol. a. Cult., 83, vol. 24, n° 3, p. 428-449.

5831. ŠPIESZ (Anton). Remeslá, cechy a manufaktúry na Slovensku. (Gewerbe, Zünfte und Manufakturen in der Slowakei.) Martin, Osveta, 83, in-8, 198 p.

5832. STILGOE (John R.). Metropolitan corridor: railroads and the American scene. New Haven, Conn., Yale U. P., 83, in-8, XIII-397 p.

5833. STRÅTH (Bo). Workers' radicalism in theory and practice: a study of the shipyard workers and industrial development in Gothenburg, Malmö and Bremen. Scand. J. Hist., 83, vol. 8, p. 261-291.

5834. STROMQUIST (Shelton). Enginemen and shipmen, technological change and the organization of labor in an era of railroad expansion. Labor Hist., 83, vol. 24, n° 4, p. 485-499.

5835. THOMPSON (Paul) a. others. Living the fishing. Boston, Mass., Routledge a. Kegan Paul, 83, in-8, XVII-398 p.

5836. TRACEY (Michael). Variety of lives: a biography of Sir Hugh Greene [director of the BBC]. London, Bodley Head, 83, in-8, 352 p.

5837. VIITANIEMI (Matti). Suomen linja-autoliikenteen historia tutkimuskohteena. (The history of motor-coach traffic in Finland as the topic of research.) Jyväskylä, Jyväskylän yliopisto, 83, in-8, 48 p. (Stud. hist. Jyväskyläensia, 26) [Eng. summary]

5838. WALLACE (Anthony F. C.). The perception of risk in nineteenth-century anthracite mining operations. Proc. am. phil. Soc., 83, vol. 127, n° 2, p. 99-106.

5839. WALLER (Robert J.). The dukeries transformed: the social and political development of a twentieth-century coalfield. New York, Oxford U.P., 83, in-8, 319 p. (Oxford Hist. Monogr.)

5840. WEINSTEIN (Barbara). The Amazon rubber boom, 1850-1920. Stanford, Calif., Stanford U.P., 83, in-8, X-356 p.

5841. WEISSBACH (Lee Shai). Entrepreneurial traditionalism in nineteenth-century France: a study of the Patronage industriel des enfants de l'ébénisterie. Business Hist. R., 83, vol. 57, n° 4, p. 548-565.

5842. WESSEL (Horst A.). Die Entwicklung des elektrischen Nachrichtenwesens in Deutschland und die rheinische Industrie. Von d. Anfängen bis zum Ausbruch d. Ersten Weltkrieges. Wiesbaden, Steiner, 83, in-8, XX-1097 p. (graph. Darst.). (Z. f. Unternehmensgesch., Beih. 25)

5842. WICKEN (Olav). Industrial change in Norway during the Second World War: electrification and electrical engineering. Scand. J. Hist., 83, vol. 8, p. 119-150.

5844. WISOTZKY (Klaus). Der Ruhrbergbau im Dritten Reich. Studien z. Sozialpolitik im Ruhrbergbau u. zum sozialen Verhalten d. Bergleute in d. Jahren 1933 bis 1939. Düsseldorf, Schwann, 83, in-8, 370 p. (Düsseldorfer Schr. z. neueren Landesgesch. u. z. Gesch. Nordrhein-Westfalens, 8)

5845. YOUNG (Peter). The power of speech: history of Standard Telephones and Cables, 1883-1983. London, Allen a. Unwin, 83, in-8, 221 p.

5846. ZAHAVI (Gerald). Negotiated loyalty: welfare capitalism and the shoeworkers of Endicott Johnson, 1920-1940. J. am. Hist., 83, vol. 70, n° 3, p. 602-620.

Cf. n°s 3669, 4418, 4429, 4454, 5621, 5624, 5930, 6018, 6020, 6070, 6160, 6214, 6405.

§ 4. Trade.

** 5847. DEBIEN (Gabriel). Le journal de traite de la Licorne au Mozambique, 1787-1788. In: Et. afric. offertes à H. Brunschwig [Cf. n° 479], p. 91-116.

** 5848. Documente economice din Arhiva Casei comerciale Ioan St. Stanu. (Documents économiques de la maison de commerce Ioan St. Stanu.) Vol. 1 (1714-1876). Autori: Dumitru LIMONA, Natalia TRANDAFIRESCU. Prefața: Ionel GAL. București, Direcția Generală a Arhivelor Statului, 83, in-8, 109 p.

** 5849. LAPEYRE (Henri). El arancel de los diezmos de la mar [de Castilla] de 1564. Cuad. Invest. hist., 83, t. 7, p. 55-77.

** 5850. Premise ale formării pieței economice unitare românești. Documente 1862-1914. (Prémisses de la création du marché économique unitaire roumain.) Ediție îngrijită de Iosif I. ADAM. București, Direcția Generală a Arhivelor Statului, 83, in-8, 448 p.

5851. ANDRUȘ IRIMESCU (Rodica). Lista tîrgurilor din Transilvania, Banat și România (1852-1918). (Liste des foires de Transylvanie, Banat et Roumanie.) Sargetia, 82-83, t. 16-17, p. 389-410.

5852. ATTMAN (Artur). Rynek polsko-litewski w handlu światowym 1500-1650. (Le marché polono-lituanien dans le commerce mondial.) Roczn. Gdański, 83, vol. 43, fasc. 1, p. 47-54.

5853. BAKALOPOULOS (Kon. An.). Hoi eurōpaïkes synkyries kai hoi oikonomikes epiptōseis tous stēn emporikē exelixē tēs Thessalonikēs kai tēs Kabalas kata tēn Anatolike Krisē (1875-1878) kai sta metepeita chronia. (Les conjonctures européennes et leurs répercussions économiques sur le développement commercial de Thessalonique et de Cavala pendant la Crise Orientale, 1875-1878, et les années suivantes.) Balkanika Symmeikta, 83, vol. 2, p. 111-121.

5854. BATTAGLIA (Rosario). Sicilia e Gran Bretagna. Le relazioni commerciali dalla Restaurazione all'Unità. Milano, Giuffrè, 83, in-8, 262 p.

5855. BECKER (William). The dynamics of business-government relations [in the U. S.]: industry and exports, 1893-1921. Chicago, Univ. of Chicago Press, 82, in-8, XVI-240 p.

5856. BENIGNO (Francesco). Il porto di Trapani nel Settecento. Trapani, Camera di Commercio, 83, in-8, 175 p.

5857. BOSHER (John F.). Une famille de Fleurance [dépt. du Gers, France] dans le commerce du Canada à Bordeaux (1683-1753): les Jung. A. Midi, 83, t. 95, p. 159-184.

5858. DAGET (Serge). A Vieux-Calabar en 1825: l'expédition du Charles (ou de l'Eugène) comme élément du modèle de la traite négrière illégale. In: Et. afric. offertes à H. Brunschwig [Cf. n° 479], p. 117-133.

5859. DOERFLINGER (Thomas M.). Commercial specialization in Philadelphia's merchant community, 1750-1791. Business Hist. R., 83, vol. 57, n° 1, p. 20-49.

5860. Economic and Social Commission of Asia and the Pacific. Foreign trade statistics for Asia and the Pacific, 1977-1980. London, H. M. Stationery Office, 83, in-fol., 120 p. (tabs.).

5861. FOLEY (William E.), RICE (C. David). The first Chouteaus: river barons of early St. Louis. Urbana, Univ. of Illinois Press, 83, in-8, XI-241 p.

5862. GAUSSENT (Jean-Claude). La flotte d'Agde et son activité de 1666 à 1720. A. Midi, 83, t. 95, p. 135-157.

5863. GØBEL (Erik). Danish trade to the West Indies and Guinea, 1671-1754. Scand. econ. Hist. R., 83, vol. 31, p. 21-49.

5864. GORDON (Mary McDougall). Overland to California in 1849: a neglected commercial enterprise. Pacific hist. R., 83, vol. 52, n° 1, p. 17-36.

5865. GUNNARSSON (Gisli). Monopoly trade and economic stagnation. Studies in the foreign trade of Iceland 1602-1787. Lund, Studentlitteratur, 83, in-8, 190 p. (Skr. utg. av Ekon.-hist. Föreningen i Lund, 38)

5866. HANNAH (Leslie). New issues in British business history. Business Hist. R., 83, vol. 57, n° 2, p. 165-174.

5867. HATTON (T.J.), LYONS (John S.), STACHELL (S.E.). Eighteenth-century British trade: homespun or empire made? Explor. in econ. Hist., 83, vol. 20, n° 2, p. 163-182.

5868. HÖFER (Peter). Deutsch-französische Handelsbeziehungen im 18. Jahrhundert. Die Firma Breton Frères in Nantes (1736-1766). Stuttgart, Klett-Cotta, 82, in-8, 337 p. (Beitr. z. Wirtschaftsgesch., 18)

5869. JUSTINO (David), CUNHA (Mafalda Soares da). As feiras de Estremoz - uma primeira contribuição para o estudo dos mercados regionais [em Portugal] no Antigo Regime. R. Hist. econ. soc. [Lisboa], 83, n° 11, p. 103-123 (5 cartes).

5870. KANÇAL (Salgur). La conquête du marché interne ottoman par le capitalisme industriel concurrentiel (1838-1881). In: Economies et sociétés ... [Cf. n° 4310], p. 355-409 (19 tableaux).

5871. KELLER (Angela). Die Getreideversorgung von Paris und London in der zweiten Hälfte des 17. Jahrhunderts. Bonn, Röhrscheid, 83, in-8, 163 p. (Bonner hist. Forschungen, 50)

5872. LE BOUEDEC (Gérard). Les approvisionnements de la Compagnie des Indes (1733-1770): l'horizon géographique lorientais. Hist., Ec. et Soc., 83, a. 2, p. 377-412.

5873. LIPARTITO (Kenneth J.). The New York cotton exchange and the development of the cotton futures market. Business Hist. R., 83, vol. 57, n° 1, p. 50-72.

5874. MAZZEI (Rita). Traffici e uomini d'affari italiani in Polonia nel Seicento. Milano, Angeli, 83, in-8, 174 p.

5875. MENDEL'SON (E.S.). Remeslennoe proizvodstvo i torgovlja v Afganistane (XIX - načalo XX v.). (Handicraft production and trade in Afghanistan, 19th - beginning of the 20th cent.) Taškent, Fan, 83, 133 p. (AN UzSSR. In-t vostokovedenija)

5876. MØLLER (Anders Monrad). Economic relations and economic cooperation between the Nordic countries in the nineteenth century. Scand. J. Hist., 83, vol. 8, p. 37-62.

5877. MORINEAU (Michel). Le cifre, la balancia e la seta: il commercio settecentesco tra Francia e Italia. R. stor. ital., 83, a. 95, p. 350-388.

5878. MUKERJEE (R.). The rise and fall of the East India Company, a sociological appraisal. London, Sangam Books, 83, in-8, XX-445 p.

5879. NEWITT (Malyn). The Comoro Islands in Indian ocean trade before the 19th century. Cah. Et. africaines, 83, t. 23, n° 89-90, p. 139-165.

5880. OLSON (Alison G.). The Virginia merchants of London: a study of eighteenth-century interest-group politics. William a. Mary Quar., 83, vol. 40, n° 3, p. 363-388.

5881. OSTERHAMMEL (Jürgen). Britischer Imperialismus im Fernen Osten. Strukturen d. Durchdringung u. einheimischer Widerstand auf d. chines. Markt 1932-1937. Bochum, Brockmeyer, 83, in-8, IX-631 p. (Chinathemen, 10)

5882. PANZAC (Daniel). Affréteurs ottomans et capitaines français à Alexandrie: la caravane maritime en Méditerranée au milieu du XVIIIe siècle. R. Occident musulman, 83, n° 34, p. 23-38.

5883. PAP (Francisc). Orientarea balcano-otomană şi mediteraneană în comerţul clujean (prima jumătate a sec. XVII). (L'orientation balkano-ottomane et méditerranéenne dans le comerce de la ville de Cluj, première moitié du XVIIe s.) Acta Musei napocensis, 82, t. 19, p. 93-103.

5884. Ports (Les) de l'océan Indien, XIXe et XXe siècles. Table ronde, Institut d'hist. des pays d'Outre-Mer, Sénanque, juin 1981. Aix-en-Provence, Inst. d'Hist. des Pays d'Outre-Mer, 82, in-8, VI-159 p.

5885. PRICE (Jacob M.). Buchanan & Simson, 1759-1763: a different kind of Glasgow firm trading to the Chesapeake. William a. Mary Quar., 83, vol. 40, n° 1, p. 3-41.

5886. PUCHERT (Berthold). Die Handelsbeziehungen des Deutschen Reiches zu Rumänien zwischen den beiden Weltkriegen. Jb. f. Wirtschaftsgesch., 83, t. 3, p. 51-76.

5887. RICO LINAGE (Raquel). Las reales companías de comercio en América. Los órganos de gobierno. Sevilla, Escuela de estudios hispano-americanos, 83, in-8, XV-409 p. (Publ. de la Esc. de Est. hisp.-am., 287)

5888. SCHÖNFELD (Roland). Exportförderung und Verrechnungsprobleme im deutschungarischen Handel während der Weltwirtschaftskrise. Südostforsch., 83, Bd 42, p. 231-280.

5889. SEPPINEN (Ilkka). Suomen ulkomaankaupan ehdot 1939-1944. (Die finnischen Außenhandelsbeziehungen 1939-1944.) Helsinki, Suomen historiallinen seura, 83, in-8, 268 p. (Hist. Tutkimuksia, 124) [Deutsche Zsfassung]

5890. STANLEY (Brian). "Commerce and Christianity": Procidence theory, the missionary movement, and the imperialism of free trade, 1842-1860. Hist. J., 83, vol. 26, p. 71-94.

5891. STEIN (Robert). The state of French colonial commerce on the eve of the Revolution. J. european econ. Hist., 83, vol. 12, p. 105-117.

5892. WISMES (Armel de). Nantes et le temps des négriers. Paris, Ed. France-Empire, 83, in-8, 231 p. (ill.).

5893. WOODS (Shirley E.). The Molson saga, 1763-1983. Toronto, Doubleday, 83, in-8, 370 p.

Cf. n°s 631, 2843, 4468, 5626, 6365, 5970, 7018, 7071.

§ 5. Agriculture and agricultural problems.

* 5894. FUSSELL (George Edwin). Agricultural history in Great Britain and Europe before 1914, a discursive bibliography. London, Pindar Press, 83, in-8, 160 p. - IDEM. Old English farming books. Vol. 1, 2: Fitzherbert to the Board of Agriculture. Collieston, Aberdeen Rare Books, 78, 2 vol. in-8, 141, V-186 p. - Vol. 3: 1793-1839. London, Pindar Press, 83, in-8, 290 p.

* 5895. ROGERS (Earl M.), ROGERS (Susan H.). Significant books on agricultural history published in [1980. Cf. Bibl. 82, n° 5903.] 1981. Agric. Hist., 83, vol. 57, n° 4, p. 450-455.

** 5896. Leninskaja agrarnaja politika. Sbornik važnejšikh dokumentov (avg. 1978 - avg. 1982 g.). (Leninist agrarian policy. Collection of significant documents, August 1978 - August 1982.) Pod obšč. red. M. S. SMIRTJUKOVA, K. M. BOGOLJUBOVA. Moskva, Politizdat, 83, 736 p.

5897. ADAM (Iosif). Agricultura Transilvaniei în ajunul primului război mondial (I). (L'agriculture de la Transylvanie à la veille de la première guerre mondiale.) R. Ist., 83, t. 36, n° 2, p. 123-136.

5898. ALSTON (Lee J.). Farm foreclosures in the United States during the interwar period. J. econ. Hist., 83, vol. 43, n° 4, p. 885-904.

5899. Aufstände, Revolten und Prozesse. Beitr. zu bäuerl. Widerstandsbewegungen im frühneuzeitl. Europa. Hrsg. v. Winfried SCHULZE. Stuttgart, Klett-Cotta, 83, in-8, 288 p. (Gesch. u. Ges., 27)

5900. BARBER (L.H.). Technological transference? The Australia - New Zealand farming nexus in the nineteenth century. Agric. Hist., 83, vol. 57, n° 2, p. 212-222.

5901. BARIBEAU (Claude). La Seigneurie de la Petite-Nation, 1801-1854: le rôle économique et social du seigneur. Hull, Asticou, 83, in-8, 163 p.

5902. BARON (William R.) BRIDGES (Anne F.). Making hay in northern New England: Maine as a case study, 1800-1850. Agric. Hist., 83, vol. 57, n° 2, p. 165-180.

5903. BASTIER (Jean). Droits féodaux et revenus agricoles en Rouergue à la veille de la Révolution. A. Midi, 83, t. 95, n° 163, p. 261-287.

5904. BECKETT (J.V.). The debate over farm sizes in eighteenth and nineteenth century England. Agric. Hist., 83, vol. 57, n° 3, p. 308-325.

5905. BELLICINI (Lorenzo). La costruzione della campagna. Ideologie agrarie e aziende modello nel Veneto, 1790-1922. Venezia, Marsilio, 83, in-8, 362 p.

5906. BENTZIEN (Ulrich). Landbevölkerung und agrartechnischer Fortschritt in Mecklenburg vom Ende des 18. bis zum Anfang des 20. Jahrhunderts. Eine volkskundl. Untersuchung. Berlin, Akad. d. Wiss. d. DDR, Zentralinst. f. Gesch., 83, 200 p. (Studien z. Gesch., 1)

5907. BERGAD (Laird W.). Coffee and the growth of agrarian capitalism in nineteenth-century Puerto Rico. Princeton, N.J., Princeton U.P., 83, in-8, XXII-242 p.

5908. BLOOM (Khaled). Pioneer land speculation in California's San Joaquin valley. Agric. Hist., 83, vol. 57, n° 3, p. 297-307.

5909. BOEHLER (Jean-Michel). Die "révolution agricole" im Elsaß im Laufe des 18.

Jahrhunderts: Fabel oder Tatsache? Z. f. Agrargesch., 83, Jg. 31, p. 27-40.

5910. BOGUE (Allan G.). Changes in mechanical and plant technology: the corn belt, 1910-1940. J. econ. Hist., 83, vol. 43, n° 1, p. 1-26.

5911. BREEN (David H.). The Canadian Prairie West and the ranching frontier 1874-1924. Toronto, Univ. Press, 83, in-8, 302 p. - CR: S. S. Jameson, Alberta Hist., 84, vol. 31, n° 3, p. 39. A. Lalonde, Canad. hist. R., 83, vol. 64, p. 217-218. G. Hoffman, Sask. Hist., 84, vol. 37, n° 1, p. 36-37.

5912. BUNTE (Rune), GAUNITZ (Sven), BORGEGÅRD (Lars-Erik). Vindeln: en norrländsk kommuns ekonomiska utveckling 1800-1980: en analys av bondesamhällets ekonomiska utveckling, anpassning och förvandling under 200 år. (Vindeln: economic development of a Norrland parish, 1800-1980: an analysis of a peasant community's economic development, adaptation and transformation during 200 years.) Lund, Selector, 83, in-4, 410 p. (ill., diagr., maps).

5913. Canne (La) à sucre. En Espagne et au Pérou. Par H. HUETZ DE LEMPS. En Equateur. Par A. COLLIN-DELAVAUD et A. HUETZ DE LEMPS. Paris, Ed. du C.N.R.S., 83, in-8, 132 p.

5914. CLOWT (H.D.). The land of France 1815-1915. London, Allen a. Unwin, 83, in-8, 171 p. (3 fig., 7 tabl., 38 pl., maps).

5915. CRAIG (Ann L.). The first agraristas: an oral history of a Mexican agrarian reform movement. Berkeley a. Los Angeles, Univ. of California Press, 83, in-8, XV-312 p.

5916. CRISTEA (Gheorghe). Probleme ale modernizării agriculturii României (1864-1877). (Problèmes de la modernisatin de l'agriculture en Roumanie.) Studii Mater. 1st. mod., 83, t. 7, p. 147-203.

5917. CROSBY (Earl W.). Limited success against long odds: the black county agent. Agric. Hist., 83, vol. 57, n° 3, p. 277-288.

5918. DUSSAULT (Gabriel). Le curé Labelle: messianisme, utopie et colonisation au Québec, 1850-1900. Montréal, Hurtubise HMH, 83, in-8, 392 p. (Coll. Sciences de l'homme et humanisme, 9)

5919. ENGELHARDT (Hans Dieter von), NEUSCHAFFER (Hubertus). Die Livländische Gemeinnützige und Ökonomische Sozietät (1792-1939). Ein Beitr. z. Agrargesch. d. Ostseeraums. Köln u. Wien, Böhlau, 83, in-8, IX-215 p. (Quellen u. Stud. zu baltischen Gesch., 5)

5920. ENGERMAN (Stanley). Contract labor, sugar, and technology in the nineteenth century. J. econ. Hist., 83, vol. 43, n° 3, p. 635-660.

5921. ENGERMAN (Stanley L.), FRAGINALS (Manuel Moreno), KLEIN (Herbert S.). The level and structure of slave prices on Cuban plantations in the mid-nineteenth century: some comparative perspectives. Am. hist. R., 83, vol. 88, n° 5, p. 1201-1218.

5922. FARCY (Jean-Claude). Le monde rural face au changement technique: le cas de la Beauce au XIXe siècle. Hist., Ec. et Soc., 83, a. 2, p. 161-180.

5923. FEENY (David). Extensive versus intensive agricultural development: induced public investment in southeast Asia, 1900-1940. J. econ. Hist., 83, vol. 43, n° 3, p. 687-704.

5924. FIGUROVSKAJA (N. K.). Razvitie agrarnoj teorii v SSSR, konec 20-kh - 30-e gg. (Development of agrarian theory in the USSR in the 20s - 30s.) Moskva, Nauka, 83, 384 p. (AN SSSR. In-t èkonomiki)

5925. FINK (Béatrice). L'avènement de la pomme de terre. XVIIIe Siècle, 83, n° 15, p. 19-27.

5926. FRANCKS (Penelope). Technology and agricultural development in pre-war Japan. New Haven, Yale U.P., 83, in-8, XII-322 p.

5927. FRANDSEN (Karl-Erik). Danish field systems in the seventeenth century. Scand. J. Hist., 83, vol. 8, p. 293-317 (11 fig.).

5928. FRIEDBERGER (Mark). The farm family and the inheritance process: evidence from the corn belt, 1870-1950. Agric. Hist., 83, vol. 57, n° 1, p. 1-13.

5929. FYFE (Christopher). Bale fillers: Western Australian wool, 1826-1916. Perth, Univ. West. Austral. Press; Cambridge, P. Moore, 83, in-8, XVIII-326 p. (ill., fig.).

5930. GULLICKSON (Gay L.). Agriculture and cottage industry: redefining the causes of proto-industrialization. J. econ. Hist., 83, vol. 43, n° 4, p. 831-850.

5931. HAARSTAD (Kjell). A historiographical survey of Det Store Hamskiftet in Norwegian agriculture. Scand. J. Hist., 83, vol. 8, p. 151-170.

5932. HANDLER (Jerome S.). Plantation slave life in Barbados: a physical anthropological analysis. J. interdisc. Hist., 83, vol. 14, n° 1, p. 65-90.

5933. HERRGEIST (Fritz). Die Wasser-, Boden- und Deichverbände in Ost- und Westpreußen 1868 bis 1938. Anh.: Meliorationsgenossenschaften in der preuß. Provinz Posen 1851 bis 1918. Köln u. Berlin, Grote, 83, in-8, 524 p. (graph. Darst., 13 Kt.). (Studien z. Gesch. Preußens, 32)

5934. HESTON (Alan), KUMAR (Dharma). The persistance of land fragmentation in peasant agriculture: an analysis of south Asian cases. Explor. in econ. Hist., 83, vol. 20, n° 2, p. 199-220.

5935. HORÁČKOVA (Svatava) Správa valdštejnských statků na Mnichovohradišťsku v druhé polovině 17. století. (Die Verwaltung der Waldsteinschen Güter im Gebiet von Mnichovo Hradiště in der 2. Hälfte d. 17. Jh.) Sborn. arch. Prací, 83, vol. 33, p. 390-442.

5936. HUFTON (Olwen H.). Le paysan et la loi en France au XVIIIe siècle. A., Ec., Soc., Civ., 83, a. 38, p. 679-701.

5937. HUSTON (James L.). Western grains and the panic of 1857. Agric. Hist., 83, vol. 57, n° 1, p. 14-32.

5938. ILINCIOIU (Ion). Țăranii, pămîntul și moșierii din România, 1864-1888. (Les paysans, la terre et les grands propriétaires en Roumanie.) București, Ed. politică, 82, in-8, 284 p.

5939. Istorija kollektivizacii sel'skogo khozjajstva Urala. 1927-1937. (History of the collectivization of the agriculture in the Urals, 1927-1937.) Sbornik dokumentov i materialov. Otv. sost.: L. A. TREFILOVA. Perm', Kn. izd-vo, 83, 222 p. (Part. arkh. Kurg., Perm., Tjumen. i Čeljab. obkomov KPSS. Gos. arkh. Perm., Svedl., Tjumen. i Čeljab. obl., Perm. gos. un-t)

5940. Istorija krest'janstva Sibiri. (History of the Siberian peasantry.) Glav. redkol.: A. P. OKLADNIKOV (gl. red.) i dr. T. 2: Krest'janstvo Sibiri v épokhu kapitalizma. (The Siberian peasantry in the age of capitalism.) Redkol.: L. M. GORJUŠKIN (otv. red.) i dr. Novosibirsk, Nauka, 83, 399 p. (AN SSSR. Sib. otd-nie. In-t istorii, filologii i filosofii)

5941. JACOBS (Donald M.). Twentieth-century slave narratives as source materials: slave labor as agricultural labor. Agric. Hist., 83, vol. 57, n° 2, p. 223-227.

5942. JAKIMENKO (N.A.). Agrarnye migracii v Rossi (1861-1917 gg.). (Agrarian migrations in Russia, 1861-1917.) Vopr. Ist., 83, n° 3, p. 17-31.

5943. JONES (Robert Leslie). History of agriculture in Ohio to 1880. Kent, Ohio, Kent State U.P., 83, in-8, X-416 p.

5944. JULIEN-LABRUYERE (François). Paysans charentais: histoire des campagnes d'Aunis et Saintonge. Vol. 1: Economie rurale. Vol. 2: Sociologie rurale. La Rochelle, Rupella, 83, 2 vol. in-8, 528, 400 p. (ill.).

5945. KALAPHATĒS (Thanasēs). Symmetochikes agrotikes ekmetalleuseis stēn Aigialeia (1870-1996). (Exploitations rurales à participation dans la région d'Aigion, 1870-1886.) Historika [Athēna], 83, vol. 1, n° 1, p. 175-192.

5946. KARK (Ruth). The agricultural character of Jewish settlement in the Negev: 1939-1947. Jewish soc. Stud., 83, vol. 45, n° 2, p. 157-174.

5947. KENNEDY (Mark E.). Fen drainage, the central government, and local interest: Carleton and the gentlemen of South Holland. Hist. J., 83, vol. 26, p. 15-37.

5948. KIDWELL (Peggy). Nicholas Fatio de Dullier and Fruit-Walls Improved: natural philosophy, solar radiation, and gardening in late seventeenth-century England. Agric. Hist., 83, vol. 57, n° 4, p. 403-415.

5949. KIRBY (Jack Temple). The transformation of southern plantations ca. 1920-1960. Agric. Hist., 83, vol. 57, n° 3, p. 257-276.

5950. KISS (István N.). Die Monokulturen und die aktive Handelsbilanz Ungarns, 16.-18. Jahrhundert. Z. f. Agrargesch., 83, Jg. 31, p. 133-152.

5951. KÖLL (Ann-Mai). Tradition och reform i västra Södermanlands jordbruk 1810-1890: agrar teknik i kapitalismens inledningsskede. (Tradition and reform in Western Sudermania's farming, 1810-90: agricultural techniques at an early stage of capitalism.) Stockholm, Almqvist a. Wiksell Internat., 83, in-4, 252 p. (diagr.). (Stockholm stud. in econ. hist., 7) [Eng. summary]

5952. Bibl. 82, n° 5966. KOVALEV (E.V.). Latinskaja Amerika: agrarnye reformy i ékonomičeskoe razvitie. (Latin America: agrarian reforms and economic development.) - CR: Jančuk, Vopr. Ist., 83, n° 7, p. 147-150. M. V. Kulakov, Lat. Am., 83, n° 5, p. 135-136.

5953. KOZLOV (V.A.). Kul'turnoe razvitie sovetskogo dokolkhoznogo krest'janstva. Po materialam agrarnoj statistiki 20-kh godov. (Cultural development of Soviet pre-collective farm peasantry.) Vopr. Ist., 83, n° 4, p. 3-19.

5954. KRAMER (Randall A.). Federal crop insurance, 1938-1982. Agric. Hist., 83, vol. 57, n° 2, p. 181-200.

5955. Krest'janvstvo Central'nogo promyšlennogo rajona (XVIII-XIX vv.). (The peasantry of the Central Industrial Region [of the USSR], 18th-19th cent.) Sbornik nauč. tr. Redkol.: N. S. VOSKRESENSKAJA (otv. red.) i dr. Kalinin, Kalinin. gos. un-t, 83, 120 p.

5956. LARSSON (Lars-Olof). Bönder och gårdar i stormaktspolitikens skugga: studier kring hemmansklyvning, godsbildning och mantalssättning i Sverige 1625-1750. (Farmers and farms in the shadow of great power politics: studies on homestead division, the formation of estates and the assessment and registration of land in Sweden, 1625-1750.) Växjö, Hegborns tr., 83, in-8, 260 p. (ill.). (Acta Wexionensia, ser. 1, 3) [Eng. summary]

5957. LAZĂR (Mihai). Gorștina (desetina) de porci în Moldova în secolele XV-XVIII. (La "Gorștina" [dîme] sur les porcs en Moldavie aux XVe-XVIIIe s.) Suceava, 83, t. 10, p. 455-470.

5958. LEQUENNE (Fernand). Olivier de Serres, agronome et soldat de Dieu. Paris, Berger-Levrault, 83, in-8, 199 p. (ill.).

5959. LIEBMAN (Ellen). California farmland: a history of large agricultural landholdings. Totowa, N.J., Rowman a. Allanheld, 83, in-8, XI-226 p.

5960. LOUDIL (Lumír). Vývoj živočišné výroby v českých zemích v období monopolního kapitalismu. 1900-1945. (Die Entwicklung der animalischen Produktion in den böhmischen Ländern in der Zeit des Monopolkapitalismus.) Praha, Zemědeělské muzeum, 83, in-8, 140 p. (Prameny a studie, 25)

5961. LYONS (Michael J.). British liberals and Irish land: the late Victorian transformation. Historian, 83, vol. 45, n° 2, p. 167-185.

5962. McCREERY (David). Debt servitude in rural Guatemala, 1867-1936. Hisp. am. hist. R., 83, vol. 63, n° 4, p. 735-760.

5963. McDEAN (Harry C.). "Reform" social Darwinists and measuring levels of living on American farms, 1920-1926. J. econ. Hist., 83, vol. 43, n° 1, p. 79-85.

5964. MacEWAN (Grant). Charles Noble, guardian of the soil. Saskatoon, Western Producer Prairie Books, 83, in-8, 208 p. - CR: J. N. Thompson, Canad. hist. R., 84, vol. 65, p. 596-597.

5965. McFARLANE (Larry A.). British investment and the land: Nebraska, 1877-1946. Business Hist. R., 83, vol. 57, n° 2, p. 258-272.

5966. MARTIN (John E.). Feudalism to capitalism: peasant and landlord in English agrarian development. Atlantic Highlands, N.J., Humanities, 83, in-8, XXII-255 p. (Stud. in Hist. Sociol.)

5967. MARTINELLI (Bruno). Une communauté rurale de Provence face au changement: Pourrières et ses environs dans la haute vallée de l'Arc. Paris, Ed. du C.N.R.S., 83, in-8, 253 p.

5968. MAXEY (David W.). The union farm: Henry Drinker's experiment in deriving profit from virtue. Pennsylvania Mag. Hist., 83, vol. 107, n° 4, p. 607-630.

5969. MBITSIADOU-IOANNIDOU (Geōrgia). Apopseis schetika me to agrotiko kathestōs stēn Thessalia sta mesa tou 19 aiōna. (Aspects de la situation agricole en Thessalie au milieu du XIXe siècle.) Balkanika Symmeikta, 83, vol. 2, p. 61-79.

5970. MIESZCZANKOWSKI (Mieczysław). Rolnictwo II Rzeczypospolitej. (L'agriculture de la IIe République [polonaise]. Warszawa, Książka i Wiedza, 83, in-8, 447 p.

5971. MOREN (Gudmund). Sammenhengen mellom klassekampen på landsbygda og oppslutningen om Nasjonal Samling; (The connection between the class struggle in the countryside and the rallying round the Nasjonal Samling party.) [Annex:] HENRIKSEN (Lars). En liten sidestrøm. Svar til Gudmund Moren. [Norsk] Hist. T., 83, vol. 62, p. 287-306. [Eng. summary]

5972. MULLIEZ (Jacques). Les chevaux du royaume [de France, XVIIe-XVIIIe s.]. Paris, Arthaud-Montalban, 83, in-8, 399 p.

5973. NORTH (Michael). Untersuchungen zur adligen Gutswirtschaft im Herzogtum Preußen des 16. Jahrhunderts. Vjschr. f. Sozial- u. Wirtschaftsgesch., 83, Bd 70, p. 1-20.

5974. NYE (Ronald L.). Federal vs. state agricultural research policy: the case of California's Tulare experiment station, 1888-1909. Agric. Hist., 83, vol. 57, n° 4, p. 436-449.

5975. OLAI (Brigitta). Storskiftet i Ekebyborna: svensk jordbruksutveckling avspeglad i en östgötasocken. (The first phase of the Swedish enclosure movement - the storskifte: Swedish agricultural development as reflected in a parish in Ostergötland.) Stockholm, Almqvist a. Wiksell Internat., 83, in-8, 289 p. (ill., maps). (Studia hist. Upsaliensia, 130) [Eng. summary]

5976. PANICO (Guido). Agricoltura e popolazione in Campania in età liberale (1880-1914). Napoli, Guida, 83, in-8, 130 p.

5977. PĂTROIU (Ion). La cumpăna a două epoci: 1849-1877. Studiu asupra vieții agrare din Oltenia. (Etude sur la vie agraire en Olténie, 1849-1877.) Prefață de Gheorghe PLATON. Craiova, Scrisul românesc, 83, in-8, 324 p.

5978. PETTERSSON (Jan Erik). Då böndernas mejerier lades ned: långsiktig och situationsbetonad strukturomvandling i Uppsala län kring andra världskriget.(When the farmers' dairies were shut down: structural changes in the County of Uppsala in the long term, and conditions existing around World War II.) [Svensk] Hist. T., 83, vol. 103, p. 32-62. [Eng. summary]

5979. PETTERSSON (Ronny). Laga skifte i Hallands län 1827-1876: förändring mellan regeltvång och handlingsfrihet. (The first phase of enclosure in the province of Halland [Sweden]: change between coercive measures and freedom of action.) Stockholm, Almqvist a. Wiksell Internat., 83, in-4, 386 p. (diagr.). (Stockholm stud. in hist., 6) [Eng. summary]

5980. PICON (François-René). Pasteurs du Nouveau Monde. Adoption de l'élevage chez les Indiens guajiros. Paris, Ed. de la Maison des Sciences de l'Homme, 83, in-8, 314 p. (fig., pl.). (Travaux et Doc.)

5981. PISANI (Donald J.). Reclamation and social engineering in the progressive era. Agric. Hist., 83, vol. 57, n° 1, p. 46-63.

5982. PRICE (Roger). The modernization of rural France: communication net works and agricultural market structures in nineteenth-century France. London, Melbourne a. Sydney, Hutchinson, 83, in-8, 503 p. (ill.).

5983. PRUSKI (Witold). Dwa wieki pol-

5. AGRICULTURE AND AGRICULTURAL PROBLEMS

skiej hodowli koni arabskich (1778-1978) i jej sukcesy w świecie. (Deux siècles d'élevage de pur-sang arabes en Pologne et son succès dans le monde.) Warszawa, Państw. Wydawn. Roln. i Leśne, 83, in-8, 386 p.

5984. RICHARDSON (Elmo). David T. Mason, forestry advocate: his role in the application of sustained yield management to private and public forest lands. Santa Cruz, Calif., Forest Hist. Soc., 83, XII-125 p.

5985. ROBINSON (W.R.B.). The Valor Ecclesiasticus of 1535 as evidence of agrarian output: tithe data for the Deanery of Abergavenny. B. Inst. hist. Research, 83, vol. 56, p. 16-33.

5986. RUSSELL (Peter A.). Forest into farmland: upper Canadian clearing rates, 1822-1839. Agric. Hist., 83, vol. 57, n° 3, p. 326-339.

5987. SACHS (Carolyn E.). The invisible farmers: women in agricultural production. Totowa, N.J., Rowman a. Allanheld, 83, in-8, XIV-153 p.

5988. ŞANDRU (D.). Capitalul străin în agricultura României în anii crizei economice. (Le capital étranger dans l'agriculture de la Roumanie pendant les années de la crise économique.) Anu. Inst. Ist. Arheol. Iaşi, 82, t. 19, p. 431-445.

5989. SCHAEFER (Donald F.). The effect of the 1859 crop year upon relative productivity in the antebellum South. J. econ. Hist., 83, vol. 43, n° 4, p. 851-866.

5990. SCHNEIDER (Karl Heinz). Die landwirtschaftlichen Verhältnisse und die Agrarreformen in Schaumburg-Lippe im 18. und 19. Jahrhundert. Rinteln, Bösendahl, 83, in-8, 324 p. (8 graph. Darst. u. Kt.). (Schaumburger Stud., 44)

5991. SEGRE (Luciano). Agricoltura e costruzione di un sistema idraulico nella pianura piemontese (1800-1880). Milano, Banca Commerciale Ital., 83, in-8, 190 p.

5992. Social'no-političeskoe i pravovoe položenie krest'janstva v dorevoljucionnoj Rossii. (Socio-political and legal state of the peasantry in pre-revolutionary Russia.) Sbornik. Redkol.: V. P. PAŠUTO (otv. red.) i dr. Voronež, Izd-vo Voronež, 83, 270 p. (AN SSSSR. Otd-nie istorii. ln-t istorii SSSR AB SSSR, Voronež. gos. un-t)

5993. SOLAKIAN (Daniel). Le problème des bois dans la communauté agro-pastorale en Haute-Provence orientale (XVIIIe siècle). A. hist. Révol. franç., 83, a. 55, n° 251, p. 65-92.

5994. SPECTOR (David). Agriculture dans les Prairies, 1870-1940. Ottawa, Parcs Canada, 83, in-8, 293 p. (Histoire et archéol., 65) - CR: W. J. C. Cherwinski, Sask. Hist., 85, vol. 38, p. 77. [Eng. version: Agriculture in the Prairies, 1870-1940.]

5995. STAMPACCHIA (Mauro). Tecnocrazia e ruralismo. Alle origini della bonifica fascista (1918-1928). Pisa, ETS, 83, in-8, 110 p.

5996. STEFĂNESCU (Barbu). Consideraţii asupra nivelului tehnicii agricole din Bihor în secolul al XVIII-lea. Implicaţii ale introducerii şi generalizării culturii porumbului. (Considérations sur le niveau de la technique agricole dans le département de Bihor [Roumanie] au XVIIIe siècle. Implications de l'introduction et de la généralisation de la culture du maïs.) Crisia, 83, t. 13, p. 167-181.

5997. STEINBORN (Hans-Christian). Abgaben und Dienste holsteinischer Bauern im 18. Jahrhundert. Neumünster, Wachholtz, 82, in-8, 203 p. (graph. Darst.). (Quellen u. Forsch. z. Gesch. Schlesw.-Holst., 79)

5998. SUTTON (Inez). Labour in commercial agriculture in Ghana in the late 19th and early 20th centuries. J. afr. Hist., 83, vol. 24, p. 461-483.

5999. TAKAKI (Ronald). Pau Hana: plantation life and labor in Hawaii, 1835-1920. Honolulu, Univ. of Hawaii Press, 83, in-8, XIV-213 p. (ill.).

6000. TEMIN (Peter). Patterns of cotton agriculture in postbellum Georgia. J. econ. Hist., 83, vol. 43, n° 3, p. 661-674.

6001. THIRSK (Joan). The horticultural revolution: a cautionary note on prices. J. interdisc. Hist., 83, vol. 14, n° 2, p. 299-302.

6002. ŢINTĂ (Aurel). Structura unor domenii şi moşii din Banat la 1780. (La structure de quelques domaines et propriétés foncières du Banat vers 1780.) A. Inst. Ist. Arheol. Cluj, 82, t. 25, p. 93-130.

6003. Bibl. 82, 6012. TJURINA (A.P.). Social'no-èkonomičeskoe razvitie sovetskoj derevni, 1965-1980. (Socio-economic development of the soviet village, 1965-1980.) - CR: P. I. Simuš, Vopr. Ist. KPSS, 83, n° 1, p. 132-134.

6004. VAUGHAN (W.E.). Farmer, grazier and gentleman: Edward Delaney of Woodtown, 1851-99. Irish econ. soc. Hist., 82, vol. 9, p. 53-72.

6005. WALTERS (William D.), MANSBERGER (Floyd). Initial field location in Illinois. Agric. Hist., 83, vol. 57, n° 3, p. 289-296.

6006. WATTS (Michael). Silent violence: food, famine, and peasantry in northern Nigeria. Berkeley a. Los Angeles, Univ. of California Press, 83, in-8, XXXI-687 p.

6007. WAYNE (Michael). The reshaping of plantation society: the Natchez district, 1860-1880. Baton Rouge, Louisiana State U.P., 83, in-8, XII-226 p.

6008. WHATLEY (Warren C.). Labor for the picking: the New Deal in the South. J. econ. Hist., 83, vol. 43, n° 4, p. 905-930.

6009. WILBUR (Elvira M.). Was Russian peasant agriculture really that impoverished? New evidence from a case study from the "impoverished center" at the end of the nineteenth century. J. econ. Hist., 83, vol. 43, n° 1, p. 137-144.

6010. WOJTAS (Andrzej). Problematyka agrarna w polskiej myśli politycznej 1918-1948. (La problématique agraire dans la pensée politique polonaise 1918-1948.) Warszawa, Lud. Spółdz. Wydawn., 83, in-8, 483 p.

6011. YANEY (G.). The urge to mobilize. Agrarian reform in Russia, 1861-1930. Urbana, Univ. of Illinois Press, 83, in-8, 600 p.

6012. ZIMMERMANN (Clemens). Reformen in der bäuerlichen Gesellschaft. Studien z. aufgeklärten Absolutismus in d. Markgrafschaft Baden 1750-1790. Ostfildern, Scripta Mercaturae, 83, in-8, 218 p. (Stud. z. Wi.- u. Sozialgesch., 4)

Cf. n°s 343, 3352, 3441, 3610, 3873, 4062, 4890, 5626, 5660, 6055, 6177, 6249, 6396, 6775, 7536.

§ 6. Money and finance.

6013. ADSHEAD (S.A.M.) Un cycle bureaucratique: l'administration du sel en Orient et en Occident. A. Ec., Soc., Civ., 83, a. 38, p. 221-233.

6014. ANDERSON (William G.). The price of liberty. The public dept of the American Revolution. Charlottesville, U.P. of Virginia, 83, in-8, XII-180 p.

6015. ANDERSSON (Bertil). Early history of banking in Gotheburg discount house operations, 1683-1712. Scand. econ. Hist. R., 83, vol. 31, p. 49-66.

6016. ANDRIEU (Claire). Genèse de la loi du 13 juin 1941, première loi bancaire française (sept. 1940 - sept. 1941). R. hist., 83, a. 107, t. 269, p. 385-397.

6017. BASILOPOULOS (Nikos). Hē nomismatikē historia tēs drachmēs. 150 chronia drachmēs. (L'histoire monétaire de la drachme. 150 ans de drachme.) Athēna, Hellēniko Nomisma, 83, in-8, 222 p. (ill.).

6018. BEAUD (Claude). Une multinationale au lendemain de la première guerre mondiale: Schneider et l'Union européenne industrielle et financière. Hist. Ec. et Soc., 83, a. 2, n° 4, p. 625-645.

6019. BLUCHE (François), SOLNON (Jean-François). La véritable hiérarchie de l'Ancienne France. Le tarif de la capitation de 1695. Genève, Droz, 83, in-8, 212 p. (Travaux d'Hist. éthico-politique, 42)

6020. BØEGH NIELSEN (Peter). Aspects of industrial financing in Denmark 1840-1914. Scand. econ. Hist. R., 83, vol. 31, n° 2, p. 79-108.

6021. BOYAJIAN (James C.). Portuguese bankers at the court of Spain, 1626-1650. New Brunswick, N.J., Rutgers U.P., 83, in-8, XIV-289 p.

6022. CAPIE (Forrest), WEBBER (Alan). Total coin and coin circulation in the United Kingdom, 1868-1914. J. of Money, Credit a. Banking, 83, vol. 15, n° 1, p. 24-39.

6023. CARMAGNANI (Marcello). Finanzas y estado en México, 1820-1880. Ibero-am. Arch., 83, N.F., Jg. 9, n° 3-4, p. 279-317.

6024. CASSANDRO (Michele). Lettere di cambio alle fiere di Lione, 1569-1570. Econ. e Stor., 83, ser. 2, a. 4, fasc. 1, p. 5-26.

6025. CASTRONOVO (Valerio). Storia di una banca - la Banca Nazionale del Lavoro. Torino, Einaudi, 83, in-8, 460 p.

6026. COLSON (R. Frank). European investment and the Brazilian "Boom" 1886-1892. The roots of speculation. Ibero-am. Arch., 83, N.F., Jg. 9, n° 3-4, p. 401-413.

6027. COPE (S.R.). Walter Boyd, a merchant banker in the age of Napoleon. Gloucester, A. Sutton, 83, in-8, 208 p.

6028. DELORME (Robert), ANDRE (Christiane). L'Etat et l'économie. Un essai d'explication de l'évolution des dépenses publiques en France, 1870-1980. Paris, Ed. du Seuil, 83, in-8, 757 p.

6029. DAVIS (Eric). Challenging colonialism: Bank Misr and Egyptian industrialization, 1920-1941. Princeton, N.J., Princeton U.P., 83, in-8, XV-232 p. (Princeton Stud. on the Near East)

6030. DAVIS (Richard). The English Rothschilds. Chapel Hill, Univ. of North Carolina Press; London, Collins, 83, in-8, 272 p.

6031. DE ROSA (Luigi). Storia del Banco di Roma. 2. Roma, Banco di Roma, 83, in-8, 580 p.

6032. Deutsche Bankengeschichte. Hrsg. im Auftr. d. Inst. f. Bankhist. Forsch. e. V. von seinem wissenschaftl. Beirat Gunther ASCHHOFF [u.a.]. [Bd 1, 2. Cf. Bibl. 82, n° 6031.] Bd 3: Vom Beginn des Ersten Weltkrieges bis zum Ende der Weimarer Republik (1914-1933). Von Karl Erich BORN. Das Deutsche Bankwesen im Dritten Reich (1933-1945). Von Eckhard WANDEL [u.a.]. Frankfurt (Main), Knapp, 83, in-8, 424 p. (graph. Darst.).

6033. DRALLE (Lothar). Die Ausgaben des Deutschordenshochmeisters Friedrich von Sachsen (1498-1510). Ein Beitr. z. Finanzgesch. Z. f. Ostforsch., 81 [83], Jg. 30, p. 195-228.

6034. European Communities. National accounts, 1975: Input - output tables. London, H. M. Stationery Office, 83, in-4, 263 p. (tab.).

6035. European Communities. National accounts, 1960-1981: Aggregates. London, H. M. Stationery Office, 83, in-4, 135 p. (tab.).

6036. Export (The) of capital to Latin America in the 19th and 20th centuries. Ibero-am. Arch., 83, N.F., Jg. 9, n° 3-4, p. 253-439. [Cf. n°s 6023, 6026, 6037, 6044, 6050, 6051, 6053]

6037. FERNÁNDEZ (Manuel A.). Merchants and bankers: British direct and portofolio investment in Chile during the nineteenth century. Ibero-am. Arch., 83, N.F., Jg. 9, n° 3-4, p. 349-379.

6038. GLAZIER (Ira A.). Il sistema monetario italiano tra 1815 e 1848: il Lombardo-Veneto e la patente monetaria del 1823. R. stor. ital., 83, a. 95, fasc. 1, p. 150-185.

6039. GOLDSMITH (Raymond W.). The financial development of India, Japan, and the United States. A trilateral institutional, statistical and analytic comparison. New Haven, Conn., a. London, Yale U.P., 83, in-8, XIV-120 p. (tabl.). - IDEM. The financial development of Japan, 1868-1977. New Haven, Conn., a. London, Yale U.P., 83, in-8, XVI-231 p. (tabl.).

6040. GREGORY (Frances W.). A tale of three cities: the struggle for banking stability in Boston, New York, and Philadelphia, 1839-1841. New England Quar., 83, vol. 56, n° 1, p. 3-38.

6041. HALL (Maximilian). Monetary policy since 1971. London, Macmillan, 83, in-8, 200 p.

6042. HANSEN (Bent). Interest rates and foreign capital in Egypt under British occupation. J. econ. Hist., 83, vol. 43, n° 4, p. 867-884.

6043. HELLER (Klaus). Die Geld- und Kreditpolitik des Russischen Reiches in der Zeit der Assignaten (1768-1839/43). Wiesbaden, Steiner, 83, in-8, VI-273 p. (Quellen u. Stud. z. Gesch. d. östl. Europa, 19)

6044. JONES (Charles A.). Personalism, indebtedness, and venality: the political environment of British firms in Santa Fé province [Argentine]. Ibero-am. Arch., 83, N.F., Jg. 9, n° 3-4, p. 381-399.

6045. KING (Frank H.H.). Eastern banking: essays in the history of the Hong Kong and Shanghai Banking Corporation. London, Athlone Press, 83, in-4, 807 p. (ill., fig., maps).

6046. KOCH (Henri). Histoire de la Banque de France et de la monnaie sous la IVe République. Paris, Dunod, 83, in-4, XV-438 p.

6047. KREUTER (Josef). Destrukce stability ekonomického vývoje vyspělého kapitalismu v 60. a 70. letech (Peněžní a měnové otázky). (Die Destruktion der Stabilität der ökonom. Entwicklung d. hochentwickelten Kapitalismus in d. 60er u. 70er Jahren. Geld- u. Währungsfragen.) Praha, Academia, 83, in-8, 284 p.

6048. LACINA (Vlastislav). Živnobanka a její koncern v letech velké hospodářské krize (1929-1934). (Die Živnobank u. ihr Konzern in d. Jahren d. großen Wirtschaftskrise 1929-1934.) Českoslov. Čas. hist., 83, vol. 31, p. 350-377.

6049. LANDAU (Zbigniew). The inflow of foreign capital into Poland after the coup d'état of May 1926. Acta Poloniae hist., 83, vol. 46, p. 159-177.

6050. LEWIS (Colin M.). British railways in Argentina 1857-1914. A case study of foreign investment. London, Athlone Press, 83, in-8, XII-259 p. (tables, maps). - IDEM. The financing of railway development in Latin America, 1850-1914. Ibero-am. Arch., 83, N.F., Jg. 9, n° 3-4, p. 255-278.

6051. LIEHR (Reinhard). La deuda exterior de México y los "merchant bankers" británicos, 1821-1860. Ibero-am. Arch., 83, N.F., Jg. 9, n° 3-4, p. 415-439.

6052. MEL'NIKOVA (A.S.). Sobytija 1598 goda i monety Borisa Godunova. (The events of the year 1598 and the coins of Boris Godunov.) Ist. Zap., 83, vol. 109, p. 339-349.

6053. MILLER (Rory [MacDonald]). The Grace contract [1889], the Peruvian Corporation, and Peruvian history. Ibero-am. Arch., 83, N.F., Jg. 9, n° 3-4, p. 319-348.

6054. MUNN (Charles). The emergence of central banking in Ireland: the Bank of Ireland, 1814-1850. Irish econ. soc. Hist., 83, vol. 10, p. 19-32.

6055. MUZZIOLI (Giuliano). Banche e agricoltura. Il credito all'agricoltura italiana dal 1861 al 1940. Bologna, Il Mulino, 83, in-8, 306 p.

6056. OFFICER (Lawrence). Dollar-sterling mint parity and exchange rates, 1791-1834. J. econ. Hist., 83, vol. 43, n° 3, p. 579-616.

6057. Organisation for Economic Cooperation and Development. Revenue statistics of O.E.C.C. member countries, 1965-1982. London, H. M. Stationery Office, 83, in-4, 210 p. (tab.).

6058. PLATT (D.C.M.). Las finanzas extranjeras en España, 1820-1870. R. Hist. econ. [Madrid], 83, t. 1, n° 1, p. 121-150.

6059. POPIOŁ-SZYMAŃSKA (Aleksandra). Poglądy na czynniki determinujące funkcje pieniądza w Polsce od XV do XVIII wieku. (Opinions sur les facteurs déterminant les fonctions de l'argent en Pologne du XVe au XVIIIe s.) Roczn. Dziej. społ. gosp., 82 [83], vol. 43, p. 57-73.

6060. RILEY (James C.), McCUSKER (John J.). Money supply, economic growth, and the quantity theory of money: France, 1650-1788. Explor. in econ. Hist., 83, vol. 20, n° 3, p. 274-293.

6061. SAINT-ETIENNE (Christian). L'offre

et la demande de monnaie dans la France de l'entre-deux-guerres. R. econ., 83, vol. 34, n° 2, p. 344-367. [Eng. summary]

6062. SAINT-MARC (Michèle). Histoire monétaire de la France, 1800-1980. Paris, Presses Univ. France, 83, in-8, 441 p.

6063. SANDSTRÖM (Åke). Stockholms stads finanser 1608-1621. (Stockholm - the town's finances, 1608-1621.) [Svensk] Hist. T., 83, vol. 103, p. 258-296. [Eng. summary]

6064. SOLTOW (Lee). Kentucky wealth at the end of the eighteenth century. J. econ. Hist., 83, vol. 43, n° 3, p. 617-634.

6065. SPOONER (Frank C.). Risks at sea: Amsterdam insurance and maritime Europe, 1766-1780. London a. New York, Cambridge U.P., 83, in-8, XI-306 p.

6066. STOLLEIS (Michael). Pecunia nervus rerum. Zur Staatsfinanzierung in d. frühen Neuzeit. Frankfurt (Main), Klostermann, 83, in-8, 184 p.

6067. TAMAKI (Norio). The life cycle of the Union Bank of Scotland, 1830-1954. Aberdeen, Univ. Press, 83, in-8, 200 p.

6068. TEBBUTT (Melanie). Making ends meet: pawnbroking and working-class credit. New York, St. Martin's Press, 83, in-8, 235 p.

6069. THUILLIER (Guy). La monnaie en France au début du XIXe siècle. Genève, Droz, 83, in-8, 460 p. (Publ. de l'Ecole Prat. des Hautes Etudes, IVe Section: Sci. hist. et philol., Hautes Et. médiévales et mod., 51)

6070. TORTELLA (Gabriel), PALAFOX (Jordi). Banca e industria en España, 1918-1936. Invest. econ., 83, n° 20, p. 33-64.

6071. TREUE (Wilhelm). Das Schicksal des Bankhauses Sal. Oppenheimer jr. & Cie und seiner Inhaber im Dritten Reich. Wiesbaden, Steiner, 83, in-8, VII-117 p. (Z. f. Unternehmensgesch., Beiheft 27)

6072. ULLMANN (Hans-Peter). Öffentliche Finanzen im Übergang vom Ancien Régime zur Moderne: die bayerische Finanzreform der Jahre 1807/08. Arch. f. Sozialgesch., 83, Bd 23, p. 51-98. - IDEM. Der Staatskredit im Rheinbund: Bayern, Württemberg und Baden im Vergleich. Francia [München], 82 [83], Bd 10, p. 327-343.

6073. WHITE (Eugene Nelson). The regulation and reform of the American banking system, 1900-1929. Princeton, N.J., Princeton U.P., 83, in-8, XIV-251 p.

6074. ZYLBERBERG (Michel). Un centre financier "périphérique": Madrid dans la seconde moitié du XVIIIe siècle. R. hist., 83, a. 107, t. 269, n° 546, p. 265-309.

Cf. n°s 98, 135, 2735, 5621, 5650.

§ 7. Demography and town-planning.

* 6075. Bibliography of Finnish population research 1981-1982. Y. B. Pop. Res. Finl., 83, t. 21, p. 159-169.

* 6076. BLOOMFIELD (Elizabeth). Bibliography: recent publications relating to Canada's urban past = Bibliographie: contributions récentes à l'histoire urbaine du Canada. R. Hist. urb., 83, vol. 12, p. 107-135.

* 6077. DUPAQUIER (Jaques). Dix ans de démographie historique [bibliographie commentée]. R. hist., 82 [83], a. 106, t. 268, n° 544, p. 461-470.

* 6078. LAROSE (André). Bibliographie courante sur l'histoire de la population canadienne et la démographie historique au Canada, 1982 = A current bibliography on the history of Canadian population and historical demography in Canada, 1982. [Cf. Bibl. 82, n° 6087.] Hist. soc., 83, vol 16, p. 443 et seq.

* 6079. PITKÄNEN (Kari). Suomalaisen väestöntutkimuksen bibliografia 1756-1944. (Bibliography of Finnish population research in 1756-1944.) Helsinki, Finnish Demographic Soc., 83, in-8, 50 p.

6080. ALESTALO (Jouko). The concentration of population in Finland between 1880 and 1980. Fennia, 83, t. 161, p. 263-288.

6081. ALLEN (Bryant J.). A bomb or a bullet or the bloody flux? Population change in the Aitape Inland, Papua New Guinea, 1941-1945. J. pacific Hist., 83, vol. 18, n° 3-4, p. 218-235.

6082. ANDERSSON (Harri). Urban structural dynamics in the city of Turku, Finland. Fennia, 83, t. 161, p. 146-261 (ill.).

6083. BAGIAKAKOS (Dikaios E.). Hoi Maniates tes diasporas. Tomos I: Hoi Maniates tes Korsikes, 2. (Les Magniotes de la diaspora. T. I: Les Magniotes de Corse, 2.) Athènes, l'auteur, 83, in-8, p. 531-836.

6084. BELLAVITIS (Giorgio). L'arsenale di Venezia. Storia di una grande struttura urbana. Padova, Marsilio, 83, in-8, 285 p.

6085. BOYER (M. Christine). Dreaming the rational city: the myth of American city planning. Cambridge, Mass., MIT Press, 83, XII-331 p.

6086. BROWER (Daniel R.). Urbanization and autocracy: Russian urban development in the first half of the nineteenth century. Russian R., 83, vol. 42, n° 4, p. 377-402.

6087. BURTON (John). A dysentery epidemic in New Guinea and its mortality [1943-1945]. J. pacific Hist., 83, vol. 18, n° 3-4, p. 36-261.

6088. BUTLER (Rémy), NOISETTE (Patrice). Le logement social en France, 1815-

1891, de la cité ouvrière au grand ensemble. Paris, Maspero, 83, in-8, 200 p. (ill.).

6089. CAIN (Louis P.). To annex or not? A tale of two towns: Evanston and Hyde Park. Explor. in econ. Hist., 83, vol. 20, n° 1, p. 58-72.

6090. CHAN (Anthony B.). Gold mountain: the Chinese in the New World. Vancouver, New Star Books, 83, in-8, 223 p.

6091. CHENEY (Rose A.). Seasonal aspects of infant and childhood mortality: Philadelphia, 1865-1920. J. interdisc. Hist., 83, vol. 14, n° 3, p. 561-586.

6092. Construire la ville: XVIIIe-XXe siècles. Actes de la Table ronde organisé par le Centre Pierre Léon, Univ. de Lyon II, Lyon 1981. Sous la dir. de Maurice GARDEN et Yves LEQUIN. Lyon, Presses univ. Lyon, 83, in-8, IV-188 p.

6093. CONZEN (Kathleen Neils). Quantification and the new urban history. J. interdisc. Hist., 83, vol. 13, n° 4, p. 653-676.

6094. DAUNTON (M.J.). House and home in the Victorian city: working class housing, 1850-1914. London, E. Arnold, 83, in-8, 352 p. (Stud. in Urban Hist.)

6095. DICKSON (D.), O GRADA (C.), DAULTREY (S.). Hearth tax, household size, and Irish population change 1672-1821. Proc. Roy. Ir. Acad., 82, vol. 82 C, p. 125-181.

6096. DON (Yehuda), MAGOS (George). The demographic development of Hungarian Jewry. Jewish soc. Stud., 83, vol. 45, n° 3-4, p. 189-216.

6097. ELTIS (David). Free and coerced transatlantic migrations: some comparisons. Am. hist. R., 83, vol. 88, n° 2, p. 251-280.

6098. ENGELSEN (Rolf). Mortalitetsdebatten og sosiale skilnader i mortalitet. (The mortality debate and social differences of mortality.) [Norsk] Hist. T., 83, vol. 62, p. 161-202. [Eng. summary]

6099. ERICSON (Lars). Emigrationen från Stockholm vintern 1598-1599: kring några tidiga politiska flyktingar. (The emigration from Stockholm during the Winter 1598-1599: some early political refugees.) Släkt och Hävd, 83, vol. 34, p. 440-450.

6100. FIALOVÁ (Ludmila). Rozdíly v poklesu plodnosti v českých zemích ve venkovských a městských oblastech v letech 1869-1930. (Les différences dans l'abaissement de la fécondité des régions rurales et urbaines des pays tchèques dans les années 1869-1930.) Hist. Demogr. [Praha], 83, vol. 8, p. 133-147.

6101. GILAM (Abraham). The burial grounds controversy between Anglo-Jewry and the Victorian board of health, 1850. Jewish soc. Stud., 83, vol. 45, n° 2, p. 147-156.

6102. GOLDSTEIN (Alice). The coordinated use of data sources in research on the demographic characteristics and behavior of Jewish immigrants to the U.S. Am. jewish Hist., 83, vol. 72, n° 3, p. 293-308.

6103. GUTIERREZ (Hector), HOUDAILLE (Jacques). La mortalité maternelle en France au XVIIIe siècle. Population, 83, a. 38, n° 6, p. 975-994.

6104. HIETALA (Marjatta). Urbanization: contradictory views. Finnish reactions to the continental discussion at the beginning of the 20th century. Studia hist. [Helsinki], 83, t. 12, p. 7-20.

6105. HOCHSTADT (Steve). Migration in preindustrial Germany. Central european Hist., 83, vol. 16, n° 3, p. 195-224.

6106. KÄLVENMARK (Ann-Sofie). Utvandring och självständighet: några synpunkter på den kvinnliga emigrationen från Sverige. (Emigration and emancipation: some views on the emigration of women from Sweden.) [Svensk] Hist. T., 83, vol. 103, p. 140-174. [Eng. summary]

6107. KEMPF (Gérard). Un exemple d'habitat urbain: une maison d'Argentan du XVIIe au XIXe siècle. A. Normandie, 83, a. 33, n° 3, p. 199-238.

6108. KERO (Reino). Neuvosto-Karjalaa rakentamassa. Pohjois-Amerikan suomalaiset teniikan tuojina 1930-luvun Neuvosto-Karjalassa. (Migration of the Finns from North America to Soviet Karelia in the 1930s. North American Finns bringing technical assistance to Soviet Karelia.) Helsinki, Suomen historiallinen seura, 83, in-8, 231 p. (Hist. Tutkimuksia, 122) [Eng. summary]

6109. KORBEL (Jan). Emigracja z Polski do RFN. Wybrane problemy. (Emigration de la Pologne vers la République Fédérale d'Allemagne. Problèmes choisis.) Opole, 83, in-8, 114 p. (Wyższa Szkoła Pedagog. im. Powstańców Śląskich, Ser. B: Studia i Monografie, 92)

6110. KUNITZ (Stephen J.). Speculations on the European mortality decline. Econ. Hist. R., 83, vol. 26, p. 349-364.

6111. LATER-CHODYŁOWA (Elżbieta). Organizacja polskiego ruchu emigracyjnego do Danii w latach 1892-1929. (L'organisation du mouvement de l'émigration polonaise vers le Danemark dans les années 1892-1929.) Przegl. zach., 83, a. 39, n° 1, p. 43-59.

6112. McCAA (Robert). Marriage and fertility in Chile: demographic turning points in the Petorca Valley, 1840-1976. Boulder, Colo., Westview, 83, in-8, XV-207 p.

6113. McCLELLAND (Peter D.), ZECKHAUSER (Richard J.). The demographic dimensions of the New Republic: American interregional migration, vital statistics and manumissions, 1800-1860. London, Cambridge U.P., 83, in-8, 222 p. (dr., tab.).

6114. McDONALD (Michael J.), WHEELER (William Bruce). Knoxville, Tennessee: continuity and changing in an Appalachian city. Knoxville, Univ. of Tennessee Press, 83, in-8, 192 p.

6115. McLAREN (Angus). Sexuality and social order: the debate over the fertilituy of women and workers in France, 1770-1920. London a. New York, Holmes a. Meier, 83, in-8, VII-226 p.

6116. MARKS (I.), RICHARDSON (P.). International labour migration: historical perspectives. London, M. T. Smith, 83, in-8, 288 p.

6117. MAUR (Eduard). K demografickým aspektům tzv. druhého nevolnictví. (Sur les aspects démographiques du "second servage".) Hist. Demogr. [Praha], 83, vol. 8, p. 7-43.

6118. MAVRODIN (V.V.). Osnovanie Peterburga. (The foundation of Petersburg.) 2-e izd. Leningrad, Lenizdat, 83, 208 p. (ill.).

6119. MURPHY (Richard Charles). Guestworkers in the German Reich: a Polish community in Wilhelmian Germany. Boulder, Colo., East Eur. Monogr., 83, in-8, XI-255 p. (East Eur. Monogr., 143)

6120. NIEMINEN (Mauri). Internal migration in Finland in 1977-78. A survey investigating the reasons for migration. Y. B. Pop. Res. Finl., 83, t. 21, p. 99-117.

6121. OPPL (Ferdinand). Wien im Bild historischer Karten. Die Entwicklung d. Stadt bis in d. Mitte d. 19. Jh. Aufnahmen v. Michael OBERER u. Österr. Nationalbibliothek. Wien, Köln u. Graz, Böhlau, 83, in-4, 80 p. (50 Taf., Kt.).

6122. PANAGIOTOPOULOS (Basilēs). Megethos kai synthesē tēs oikogenias stēn Peloponnēso gyro sta 1700. (Grandeur et structure de la famille dans le Péloponnèse autour de 1700.) Historika [Athēna], 83, vol. 1, n° 1, p. 5-18.

6123. PARDAILHE-GALABRUN (Annik). Les déplacements des Parisiens dans la ville au XVIIe et XVIIIe siècles. Un essai de problématique. Hist., Ec. et Soc., 83, a. 2, p. 205-253.

6124. PARSONS (James J.). The migration of Canary islanders to the Americas: an unbroken current since Columbus. Americas, 83, vol. 39, n° 4, p. 447-482.

6125. PATRINELĒS (Ch. G.). Katanomē hellēnikōn plēthysmōn se phyla kai se omades hēlikiōn. (Répartition de populations grecques par sexe et par groupes d'âge.) Hellēnika, 82-83, vol. 34, n° 2, p. 369-411.

6126. PETTIGREW (Eileeen). The silent enemy: Canada and the deadly flu of 1918. Saskatoon, Western Producer Prairie Books, 83, in-8, 156 p. - CR: G. Bilson, Canad. hist. R., 84, vol. 65, p. 598-599. C. S. Houston, Sask. Hist., 84, vol. 37, p. 78-79.

6127. PLATT (Harold L.). City building in the new south: the growth of public services in Houston, Texas, 1830-1910. Philadelphia, Pa., Temple U.P., 83, in-8, XX-252 p.

6128. POITRINEAU (Abel). Remues d'hommes: les migrations montagnardes en France, XVIIe-XVIIIe siècles. Paris, Aubier-Montaigne, 83, in-8, 328 p.

6129. ROBINSON (Philip). Urbanization in north-west Ulster, 1609-1670. Irish Geogr., 82, vol. 15, p. 35-50 (ill.).

6130. Russkij gorod. Issledovanija i materialy. (The Russian town. Researches and material.) Sbornik. Vyp. [5. Cf. Bibl. 82, n° 6143.] 6. Pod. red. V. L. JANINA. Moskva, Izd-vo MGU, 83, 227 p. (ill.).

6131. Scandinavian emigration to Australia and New Zealand projet. Proceedings of a symposium February 17-19, 1982, Turku, Finland. Ed. by Olavi KOIVUKANGAS. Turku, Institute of Migration, 83, in-8, 138 p. (ill., map). (Migration studies, C 7)

6132. SCHOFIELD (Roger). The impact of scarcity and plenty on population change in England, 1541-1871. J. interdisc. Hist., 83, vol. 14, n° 2, p. 265-292.

6133. SMITH (Daniel Scott). Differential mortality in the United States before 1900. J. interdisc. Hist., 83, vol. 13, n° 4, p. 735-760.

6134. Städte (Die) Mitteleuropas im 19. Jahrhundert. Hrsg. v. Wilhelm RAUSCH im Auftr. d. Österr. Arbeitskreises f. Stadtgeschichtsforschung u. d. Ludwig-Boltzmann-Inst. f. Stadtgeschichtsforschung. Linz, Österr. Arbeitskreis f. Stadtgeschichtsforschung, 83, in-8, XIV-254 p. (Beiträge z. Gesch. d. Städte Mitteleuropas, 7)

6135. Suomen kaupunkilaitoksen historia. (Histoire urbaine de la Finlande.) Päätoim.: (Réd. en chef:) Päiviö TOMMILA. [1. Cf. Bibl. 81, n° 5550.] 2: 1870-luvulta autonomian ajan loppuun. (De 1870 jusqu'à la fin de l'ère de l'autonomie.) Par Eino JUTIKKALA et al. Helsinki, Suomen kaupunkiliitto, 83, in-8, 429 p. (ill., carte).

6136. SUPPAN (Arnold). Die österreichischen Volksgruppen. Tendenzen ihrer gesellschaftl. Entwicklung im 20. Jh. Wien, Gesch. u. Politik, 83, in-8, 263 p. (Österreich-Archiv)

6137. TOSI (Luciano). L'emigrazione italiana all'estero: il caso umbro. Firenze, Olschki, 83, in-8, 264 p.

6138. TSIMHONI (Daphne). Demographic trends of the Christian population in Jerusalem and the West Bank 1948-1978. Middle East J., 83, vol. 37, n° 1, p. 54-64.

6139. Urbanisierung im 19. und 20. Jahrhundert. Hist. u. geogr. Aspekte. Hrsg. v. Hans Jürgen TEUTEBERG. Köln u. Wien, Böhlau, 83, in-4, X-608 p. (Ill., graph. Darst., Kt.). (Städteforschung, Reihe A: Darst., 16)

6140. VASILE (Radu I.). Urbanizare şi urbanism în România. Structuri socioprofesionale în oraşele din Muntenia (1862). (Urbanisation et urbanisme en Roumanie. Structures socio-professionnelles dans les villes de Valachie, 1862.) R. de Statistică, 83, t. 36, n° 8, p. 774-801.

6141. VASSORT (Jean). Mobilité et enracinement en Vendômois au tournant des XVIIIe et XIXe siècles. A. Ec., Soc., Civ., 83, a. 38, p. 735-768 (11 fig.).

6142. WATKINS (Susan Cotts), VAN DE WALLE (Etienne). Nutrition, mortality, and population size: Malthus' court of last resort. J. interdisc. Hist., 83, vol. 14, n° 2, p. 205-226.

6143. WHITING (R.C.). The view from Cowley: the impact of industrialization upon Oxford, 1918-1939. London a. New York, Oxford U.P., 83, in-8, VI-214 p. (Oxford Hist. Monogr.)

6144. ZELLER (Olivier). Les recensements lyonnais de 1597 et 1636: démographie historique et géographie sociale. Lyon, Presses univ. Lyon, 83, in-8, 472 p.

Cf. n°s 736, 4032, 4064, 5446, 5694, 6282, 6338, 6443.

§ 8. Social history.

* 6145. American popular culture in historical perspective: an annotated bibliography. Ed. by Arthur Frank WERTHEIM. Introd. by John CAWELTI. Santa Barbara, Calif., ABC-Clio, 83, VII-246 p. (Clio Bibl. Ser., 14)

* 6146. European immigration and ethnicity in the United States and Canada: a historical bibliography [of periodical literature, 1973-1982]. David L. BRYE, editor. Santa Barbara, Calif., ABC-Clio, 83, in-8, VIII-458 p. (Clio Bibl. Ser., 7)

* 6147. Social reform and reaction in America: an annotated bibliography. Santa Barbara, Calif., ABC-Clio, 83, in-8, VIII-375 p. (Clio Bibl. Ser., 13)

** 6148. Labour and the poor in England and Wales, 1849-1951: the letters to the Morning Chronicle from the correspondents in the manufacturing a. mining districts, the towns of Liverpool a. Birmingham, and the rural districts. Ed. with an introd. by Jules GINSWICK. Vol. 1: Lancashire, Cheshire, Yorkshire. Vol. 2: Northumberland a. Durham, Staffordshire, the Midlands. Vol. 3: The mining districts of South Wales a. North Wales. London, F. Cass, 83, 3 vol. in-8, LXXXVI-229, VIII-216, VIII-216 p. (ill., pl., maps).

** 6149. SAPIEHA (Aleksander). Podróże w krajach słowiańskich odbywane. (Les voyages en pays slaves [Europe du Sud-Est, 1802].) Ed. préparée par Tadeusz JABŁOŃSKI. Avant-propos: Ljubomir DURKOVIČ-JAKŠIĆ. Wrocław, Zakł. Narod. im Ossolińskich, 83, in-8, 335 p. (Studia i Rozpr. z. Hist. Stosunków Jugosł.-Pol.)

6150. ALBIN (Janusz). Polacy w Jugosławii. (Les Polonais en Yougoslavie.) Lublin, Polonijne Centrum Kult.-Oświat. Univ. M. Curie-Skłodowskiej w Lublinie, 83, in-8, 134 p. (Z Dziejów Polonii)

6151. ANKARLOO (Bengt). Sekler av kvinnoliv: 18 svenska kvinnokohorter och deras livscykelförlopp. (The life cycle experience of Swedish women, 1750-1970.) Scandia, 83, vol. 49, p. 277-290. [Eng. summary, p. 305]

6152. ASDRACHAS (Spyros I.). Hellēnikē koinōnia kai oikonomia, 18 kai 19 aiōnes (Hypotheseis kai proseggiseis). (Sociologie et économie grecques, XVIIIe et XIXe s. Hypothèses et approches.) Athēna, Hermēs, 82, in-8, XVIII-454 p.

6153. ASKER (Björn). Officerarna och det svenska samhället 1650-1700. (Officers and Swedish society, 1650-1700.) Stockholm, Almqvist a. Wiksell, 83, in-8, VII-214 p. (Studia hist. Upsaliensia, 133) [Eng. summary]

6154. BACKHOUSE (Marcel F.). Guerilla war and banditry in the sixteenth century: the wood beggars in the Westkwartier of Flanders (1567-1568). Arch. f. Reformationsgesch., 83, Jg. 74, p. 232-256.

6155. BAILY (Samuel L.). The adjustment of Italian immigrants in Buenos Aires and New York, 1870-1914. Am. hist. R., 83, vol. 88, n° 2, p. 281-305.

6156. BANNER (Lois W.). American beauty. New York, A. A. Knopf, 83, in-8, VIII-369 p.

6157. BARDET (Jean-Pierre). Rouen aux XVIIe et XVIIIe siècles: les mutations d'un espace social. Paris, SEDES, 83, 2 vol. in-8, 600 p. ens.

6158. BARKAI (Avraham). Sozialgeschichtliche Aspekte der deutschen Judenheit in der Zeit der Industrialisierung. Jb. d. Inst. f. deutsche Gesch., 82, Bd 11, p. 237-260.

6159. BARNES (Catherine A.). Journey from Jim Crow: the desegregation of [American] southern transit. New York, Columbia U.P., 83, in-8, XI-313 p.

6160. BARTRIP (P.W.J.), BURMAN (S.B.). The wounded soldiers of industry: industrial compensation policy, 1833-1897. London a. New York, Oxford U.P., 83, in-8, XI-253 p. (Oxford Socio-Legal Stud.)

6161. BATTAN (Jesse F.). The "new narcissism" in 20th-century America: the shadow and substance of social change. J. soc. Hist., 83, vol. 17, n° 2, p. 199-220.

6162. BECHU (Philippe). Noblesse d'épée et tradition militaire au XVIIIe siècle [en France]. Hist., Ec. et Soc., 83, a. 2, n° 4, p. 507-548.

6163. BEIER (Lucinda). The problem of the poor in Tudor and early Stuart England. London, Methuen, 83, in-8, 64 p.

6164. BEIER (Rosmarie). Frauenarbeit und Frauenalltag im Deutschen Kaiserreich. Heimarbeiterinnen in d. Berliner Bekleidungsindustrie 1880-1914. Frankfurt (Main) u. New York, Campus-Verl., 83, in-8, 246 p. (Ill., graph. Darst.). (Campus. Forschung, 348)

6165. BENDJEBBAR (André). La vie quotidienne en Anjou au XVIIIe siècle. Paris, Hachette, 83, in-8, 288 p. (La vie quotidienne)

6166. BERGMARK (Aron). Ur Uppsala-idrottens historia. (Contribution to the history of athletics in Uppsala.) Uppsala, Uppsala kommun, 83, in-4, 89 p. (ill.). (Uppsala stads hist., 6/3)

6167. BERLIN (Ira), GUTMAN (Herbert G.). Natives and immigrants, free men and slaves: urban workingmen in the antebellum South. Am. hist. R., 83, vol. 88, n° 5, p. 1175-1200.

6168. BERNSTEIN (Deborah). The plough woman who dried into the pots: the position of women in the labor force in the pre-state Israeli society. Jewish soc. Stud., 83, vol. 45, n°1, p. 43-56.

6169. BERTAUD (Jean-Paul). La vie quotidienne en France au temps de la Révolution (1789-1795). Paris, Hachette, 83, in-8, 348 p. (La vie quotidienne)

6170. BJØRNSON (Øyvind). Kontrol og tvang. En arbeidsplass i omforming. Stordø kisgruver 1911-40. (Control and force. Workers' conditions in the Stordø pyrite mine 1911-1940.) [Norsk] Hist. T., 83, vol. 62, p. 127-160. [Eng. summary]

6171. BLANCPAIN (Marc). La vie quotidienne dans la France du Nord sous les occupations (1814-1944). Paris, Hachette, 83, in-8, 410 p. (La vie quotidienne)

6172. BLICKLE (Peter). Untertanen in der Frühneuzeit. Zur Rekonstruktion d. polit. Kultur u. d. sozialen Wirklichkeit Deutschlands im 17. Jh. Vjschr. f. Sozial- u. Wirtschaftsgesch., 83, Bd 70, p. 483-522.

6173. BÖLLING (Rainer). Sozialgeschichte der deutschen Lehrer: ein Überblick v. 1800 bis z. Gegenwart. Göttingen, Vandenhoeck u. Ruprecht, 83, in-8, 193 p.

6174. BORSCHEID (Peter). Die Entstehung der deutschen Lebensversicherungswirtschaft im 19. Jahrhundert. Zum Durchsetzungprozeß e. Basisinnovation. Vjschr. f. Sozial- u. Wirtschaftsgesch., 83, Bd 70, p. 305-330.

6175. BORSCHEID (Peter), TEUTEBERG (Hans J.). Ehe, Liebe, Tod. Zum Wandel d. Familie, d. Geschlechts- u. Generationsbeziehungen in d. Neuzeit. Münster, Coppenrath, 83, in-8, XV-333 p. (Studien z. Gesch. d. Alltags, 1)

6176. BOSWELL (Jonathan). The informal social control of business in Britain: 1880-1939. Business Hist. R., 83, vol. 57, n° 2, p. 237-257.

6177. BOTTIN (Jacques). Seigneurs et paysans dans l'Ouest du pays de Caux, 1540-1650. Paris, Sycomore, 83, in-8, 350 p. (pl.).

6178. BOUCHARD (Gérard). Les systèmes de transmission des avoirs familiaux et le cycle de la société rurale au Québec, du XVIIe au XXe siècle. Hist. soc., 83, vol. 16, p. 35-60.

6179. BOUSSARD (Isabel). Fonctionnaires et notables agricoles en France. Mél. Ec. franç. Rome, Moyen Age, Temps mod., 83, t. 95, n° 2, p. 51-68.

6180. BRANCA (Lodovico). Pauperismo, assistenza e controllo sociale a Firenze (1621-1632): materiali e ricerche. Arch. stor. ital., 83, a. 141, n° 517, p. 421-462.

6181. BRANDES (Stuart D.). America's super rich, 1941. Historian, 83, vol. 45, n° 3, p. 307-323.

6182. BRENZEL (Barbara M.). Daughters of the state: a social portrait of the first reform school for girls in North America, 1856-1905. Cambridge, Mass., MIT Press, 83, in-8, XI-206 p.

6183. BRUCKER (Gene). Bureaucracy and social welfare in the Renaissance: a Florentine case study. J. mod. Hist., 83, vol. 55, n° 1, p. 1-21.

6184. BUCHER (Peter). Kinderarbeit im 19. Jahrhundert. Die Anwendung d. Regulative vom 9. März 1839 im Regierungsbezirk Kolbenz. Jb. f. westdeutsche Landesgesch., 83, Jg. 9, p. 221-267.

6185. BUCKMAN (Joseph). Immigrants and the class struggle: the Jewish immigrant in Leeds, 1880-1914. Dover, N.H., Manchester U.P., 83, in-8, XII-183 p.

6186. BULARZIK (Mary J.). The bonds of belonging: Leonora O'Reilly and social reform. Labor Hist., 83, vol. 24, n° 1, p. 60-83.

6187. BURKHARDT (William R.). Institutional barriers, marginality, and adaptation among the American-Japanese mixed bloods in Japan. J. asian Stud., 83, vol. 42, n° 3, p. 519-544.

6188. CANCILA (Orazio). Baroni e popolo nella Sicilia del grano. Palermo, Palumbo, 83, in-8, 238 p.

6189. CARLTON (David L.). Mill and town in South Carolina, 1880-1920. Baton Rouge, Louisiana State U.P., 82, in-8, XII-313 p.

6190. CLOULAS (Ivan). La vie quotidienne dans les châteaux de la Loire au temps de la Renaissance. Paris, Hachette, 83, in-8, 351 p. (La vie quotidienne)

6191. COLLOMP (Alain). La maison du père. Famille et village en Haute-Provence aux XVIIe et XVIIIe siècles. Paris, Presses univ. France, 83, in-8, 340 p.

6192. CONRAD (Margaret). The re-birth

of Canada's past: a decade of women's history. Acadiensis, 83, vol. 12, n° 2, p. 140-162.

6193. COOPER (Patricia A.). The "traveling fraternity": union cigar makers and geographic mobility, 1900-1919. J. soc. Hist., 83, vol. 17, n° 1, p. 127-138.

6194. CORDATO (Mary Francis). Towards a new century: women and the Philadelphia centennial exhibition, 1876. Pennsylvania Mag. Hist., 83, vol. 107, n° 1, p. 137-142.

6195. CORNELL (Lasse), KARLSSON (Jan Ch.). Arbetetssociala former. (Social forms of work) [Svensk] Hist. T., 83, vol. 103, p. 393-415. [Eng. summary]

6196. COURTWRIGHT (David T.). The hidden epidemic: opiate addiction and cocaine use in the South, 1860-1920. J. south. Hist., 83, vol. 49, n° 1, p. 57-72.

6197. COWAN (Ruth Schwartz). More work for mother: the ironies of household technology from the open hearth to the microwave. New York, Basic Books, 83, in-8, XIV-257 p.

6198. CROSS (Gary S.). Immigrant workers in industrial France: the making of a new laboring class. Philadelphia, Pa., Temple U.P., 83, in-8, X-299 p.

6199. CROWTHER (M.A.). The workhouse system, the history of an English social institution. London, Methuen, 83, in-8, 316 p.

6200. DALY (Mary Elizabeth). Social and economic history of Ireland since 1800. Dublin, Educational Co., 81, in-8, 236 p. (ill.). - EADEM. Social structure of the Dublin working class, 1871-1911. Irish hist. Stud., 82, vol. 33, p. 121-133.

6201. DASZKIEWICZ (Robert Kazimierz). Harcerstwo polskie poza granicami kraju od zarania do 1930 roku w relacjach i dokumentach. (Le scoutisme polonais à l'étranger, de l'origine à l'année 1930, dans les relations et les documents.) Ed. [posthume] de Leon FORMELA. Lublin, 83, in-8, 218 p. (Kat. Uniw. Lub. Inst. Duszpasterstwa i Migracji Polonijnej)

6202. DAVIS (Natalie Zemon). The return of Martin Guerre. Cambridge, Mass., Harvard U.P., 83, in-8, X-162 p.

6203. DEMARS-SION (Véronique). Illégimité et abandon d'enfants: la position des provinces du Nord (XVIe-XVIIIe s.). R. Nord, 83, t. 65, p. 481-506.

6204. D'EMILIO (John). Sexual politics, sexual communities: the making of a homosexual minority in the United States, 1940-1070. Chicago, Univ. of Chicago Press, 83, in-8, X-257 p.

6205. DESERT (Gabriel) La vie quotidienne sur les plages normandes du Second Empire aux années folles. Paris, Hachette, 83, in-8, 334 p. (La vie quotidienne)

6206. DINER (Hasia R.). Erin's daughters in America: Irish immigrant women in the nineteenth century. Baltimore, Md., Johns Hopkins U.P., 83, in-8, XVI-192 p. (Johns Hopkins Univ. Stud. in Hist. a. Pol. Sci., 101st Ser., 2)

6207. DUDDEN (Faye E.). Serving women: household service in nineteenth-century America. Middletown, Conn., Wesleyan U.P., 83, in-8, VIII-344 p.

6208. DUIS (Perry R.). The saloon: public drinking in Chicago and Boston, 1880-1920. Urbana, Univ. of Illinois Press, 83, in-8, 380 p.

6209. Dzieje Polonii w Ameryce Łacińskiej. Zbiór studiów pod red. Marcina Kuli. (Histoire de la Polonia [émigration polonaise] en Amérique latine. Recueil d'études sous la réd. de Marcin KULA.) Wrocław, Zakł. Narod. im. Ossolińskich, 83, in-8, 500 p. (Bibl. Polonijna, 10)

6210. EDER (Wiesława). Dzieje Polonii belgijskiej 1919-1980 (w zarysie). (Histoire de la Polonia [émigration polonaise] en Belgique. Précis.) Warszawa, 83, in-8, 205 p. (Wydawn. Polonijne, 2)

6211. Ehe, Liebe, Tod. Zum Wandel d. Familie, d. Geschlechts- u. Generationsbeziehungen in d. Neuzeit. Peter BORSCHEID, Hans J. TEUTEBERG [Hrsg.]. Münster, Coppenrath, 83, in-8, XV-330 p. (graph. Darst.). (Studien z. Gesch. d. Alltags, 1)

6212. ENGEL (J. Ronald). Sacred sands: the struggle for community in the Indiana dunes. Middletown, Conn., Wesleyan U.P., 83, in-8, XXII-352 p.

6213. ENGLANDER (David). Landlord and tenant in urban Britain, 1838-1918. London a. New York, Oxford U.P., 83, in-8, XVIII-342 p.

6214. EROFEEV (N.A.). Anglijskaja buržuaznaja istoriografija o social'nikh posledstvijakh promyšlennogo perevorota. (English bourgeois historiography on social consequences of the industrial revolution.) Nov. novejš. Ist., 83, n° 2, p. 59-71.

6215. Family forms in historic Europe [ca. 1600-1970]. Ed. by Richard WALL in collab. with Jean Robin a. Peter LASLET. London, Cambridge U.P., 83, in-8, X-606 p. (dr., tab., maps).

6216. FILLAUT (Thierry). L'alcoolisme dans l'Ouest de la France pendant la seconde moitié du XIXe siècle. Rennes, Univ. de Haute-Bretagne, Inst. des Sci. hist. et pol.; Paris, Documentation franç., 83, in-8, 247 p.

6217. FLADER (Susan L.) a. others. The Great Lakes forest: an environmental and social history. Minneapolis, Univ. of Minnesota Press, 83, in-8, XXXII-336 p.

6218. FLYNN (Charles L.) Jr. White land, black labor: caste and class in late nineteenth-century Georgia. Baton Rouge, Louisiana State U.P., 83, in-8, XI-196 p.

6219. FRÅNBERG (Per). Umeåsystemet: en

studie i alternativ nykterhetspolitik 1915-1945. (The Umeå system: a study in alternative temperance politic, 1915-1945.) Stockholm, Almqvist a. Wiksell, 83, in-4, 242 p. (diagr., maps). (Umeå stud. in the humanities, 50) [Eng. summary]

6220. Frauen suchen ihre Geschichte. Histor. Studien z. 19. u. 20. Jh. Hrsg. v. Karin HAUSEN. München, Beck, 83, in-8, 278 p. (Beck'sche schwarze Reihe, 276)

6221. FREEMAN (J.). Social movements of the sixties and seventies. London, Longman, 83, in-8, XVII-382 p.

6222. GARNIER (Josette). Bourgeoisie et propriété immobilière en Forez aux XVIIe et XVIIIe siècles. Saint-Etienne, Centre d'Etudes foréziennes, 82, in-8, 515 p. (ill.).

6223. GAUTIER (Arlette). Les esclaves femmes aux Antilles françaises, 1635-1848. Hist. Reflections, 83, vol. 10, n° 3, p. 409-433.

6224. GELBER (Steven M.). Working at playing: the culture of the workplace and the rise of baseball. J. soc. Hist., 83, vol. 16, n° 4, p. 3-22.

6225. Gerontologie und Sozialgeschichte: Wege zu einer historischen Betrachtung des Alters. Beiträge einer internat. Arbeitstagung am Deutschen Zentrum f. Altersfragen Berlin, 5.-7. Juli 1982. Hrsg. v. Christoph CONRAD, Hans-Joachim KONDRATOWITZ. Berlin, Deutsches Zentrum f. Altersfragen, 83, in-8, IV-523 p. (Beitr. z. Gerontologie u. Altenarbeit, 48)

6226. Gesellschaftliche Prozesse. Beiträge z. hist. Soziologie u. Gesellschaftsanalyse. Hrsg. v. Karl ACHAM. Graz, Akad. Druck- u. Verl.-Anst., 83, in-8, VIII-253 p. (Publikationen aus d. Archiv d. Univ. Graz, 13)

6227. GEYER (Michael). Ein Vorbote des Wohlfahrtsstaates: die Kriegsopferversorgung in Frankreich, Deutschland u. Großbritannien nach d. Ersten Weltkrieg. Gesch. u. Ges., 83, Jg. 9, p. 230-277.

6228. GOLDBERG (Robert A.). Racial change on the southern periphery: the case of San Antonio, Texas, 1960-1965. J. south. Hist., 83, vol. 49, n° 3, p. 349-374.

6229. GOLDIN (Claudia). The changing economic role of women: a quantitative approach. J. interdisc. Hist., 83, vol. 13, n° 4, p. 707-734.

6230. GORHAM (Deborah). The Victorian girl and the feminine ideal. Bloomington, Indiana U.P., 82, in-8, 223 p.

6231. GRIBBON (Sybil). Edwardian Belfast: a social profile. Belfast, Appletree Press, 82, in-8, 64 p. (ill.). (Explorations in Irish hist.)

6232. GRIMMER (Claude). La femme et le bâtard. Paris, Presses de la Renaissance, 83, in-8, 288 p.

6233. GRIMMER (Claude). Vivre à Aurillac au XVIIIe siècle. Préf. d'Emmanuel LE ROY LADURIE. Aurillac, Gerbert; Paris, Presses univ. France, 83, in-8, 261 p.

6234. HABER (Carole). Beyond sixty-five: the dilemma of old age in America's past. New York, Cambridge U.P., 83, in-8, IX-181 p.

6235. HANSOTTE (Véronique). Les prévenus de crimes et de délits à Liège sous le régime français. R. belge Hist. contemp., 83, t. 14, n° 1-2, p. 115-175.

6236. HAPKE (Laura). The late nineteenth-century streetwalker: images and realities. Mid-Am., 83, vol. 65, n° 3, p. 155-162.

6237. HARTMANN (Peter Claus). Zur Ökonomie des höfischen Luxus im 18. Jahrhundert in Frankreich und Kurbayern. In: Festschr. f. A. Kraus [Cf. n° 497], p. 309-318.

6238. HASS (Ludwik). Polska klasa robotnicza epoki kapitalizmu (do 1914 r.). (La classe ouvrière polonaise à l'époque du capitalisme avant 1914.) Z Pola Walki, 83, a. 26, n° 2, p. 19-47.

6239. HENTSCHEL (Volker). Geschichte der deutschen Sozialpolitik (1880-1980). Soziale Sicherung u. kollektives Arbeitsrecht. Frankfurt (Main), Suhrkamp, 83, in-8, 318 p. (edition suhrkamp, 1247, N. F., 247)

6240. HERZIG (Arno). Kinderarbeit in Deutschland in Manufaktur und Protofabrik (1750-1850). Arch. f. Sozialgesch., 83, Bd 23, p. 311-375.

6241. HIMMELFARB (Getrude). The idea of poverty: England in the early industrial age. New York, A. A. Knopf, 83, in-8, X-596 p.

6242. HINDELANG (Sabine). Konservatismus und soziale Frage: Viktor Aimé Hubers Beitr. z. sozialkonservativen Denken im 19. Jh. Frankfurt (Mai), Bern u. New York, Lang, 83, in-8, 363 p. (Europ. Hochschulschr., R. 3: Gesch. u. ihre Hilfswiss., 201)

6243. HORSKÁ (Pavla). K ekonomické aktivitě žen na přelomu 19. a 20. století. Příklad Českých zemí. (Zur ökonomischen Aktivität der Frauen an der Wende d. 19. zum 20. Jh. Am Beispiel der Böhmischen Länder.) Československ. Čas. hist., 83, vol. 31, p. 711-743. - EADEM. K otázce sociálního vývoje Českých zemí na přelomu 19. a 20. století. (Zur Frage d. sozialen Entwicklung in d. Böhmischen Ländern um die Wende d. 19. zum 20. Jh.) Sborn. hist., 82, vol. 29, p. 119-177.

6244. HUFTON (Olwen H.). Social conflict and the grain supply in eighteenth-century France. J. interdisc. Hist., 83, vol. 14, n° 2, p. 303-332.

6245. HUNECKE (Volker). Überlegungen zur Geschichte der Armut im vorindustriellen Europa. Gesch. u. Ges., 83, Jg. 9, p. 480-512.

6246. Inteligencja polska XIX i XX wieku. Studia. (Les intellectuels polonais aux XIXe et XXe s. Etudes.) Réd. par Ryszarda CZEPULIS RASTENIS. Warszawa, Państw. Wydawn. Nauk., 83, in-8, 267 p. [Cf. Bibl. 81, n° 5672]

6247. Istorija rabočikh Moskvy, 1917-1945 gg. (History of Moscow workers, 1917-1945.) Redkol.: A. M. SINICYN (otv. red.) i dr. Moskva, Nauka, 83, 471 p. (AN SSSR. In-t istorii SSSR. In-t istorii partii MGK i MK KPSS- fil. In-ta marksizma-leninizma pri CK KPSS)

6248. JAKOBSSON Svante). Fattighjonets värld i 1800-talets Stockholm. (The world of the paupers in the poor-hauses in 19th-century Stockholm.) Stockholm, Almqvist a. Wiksell, 82, in-8, 205 p. (ill.). (Studia hist. Upsaliensia, 126) [Eng. summary]

6249. JESSENNE (Jean-Pierre). Le pouvoir des fermiers dans les villages d'Artois (1770-1848). A. Ec., Soc., Civ., 83, a. 38, p. 702-734.

6250. JÖRBERG (Lennart). Kvinnen i det svenska industrisamhället: en historisk översikt. (Women in the Swedish industrial society: a historical review.) Lund, Univ., Ekon.-hist. inst., 83, in-8, 23 p.

6251. JONES (Colin). Charity and bienfaisance: the treatment of the poor in the Montpellier region, 1740-1815. London, Cambridge U.P., 83, in-8, 317 p. (dr., tab., maps).

6252. JONES (Colin), SONENSCHER (Michael). The social functions of the hospital in eighteenth-century France: the case of the Hôtel-Dieu of Nîmes. French hist. Stud., 83, vol. 13, n° 2, p. 172-214.

6253. JONES (David C.). Midways, judges and smooth-tongued fakirs: the illustrated story of country fairs in the Prairie West. Saskatoon, Western Producer Prairie Books, 83, in-8, 157 p. - CR: XXX, Canad. hist. R., 84, vol. 65, p. 617-618.

6254. JOSELIT (Jenna Weissman). Our gang: Jewish crime and the New York Jewish community, 1900-1940. Bloomington, Indiana U.P., 83, in-8, XII-209 p.

6255. JÜTTE (Robert). Das Frankfurter Hl. Geist-Spital im 16. und frühen 17. Jahrhundert. Aufgabe u. Funktion einer bürgerlichen Fürsorgeanstalt. Hess. Jb. f. Landesgesch., 83, Bd 33, p. 145-169.

6256. JURLOVA (E.S.). Social'noe položenie ženščin i ženskoe dviženie v Indii. (The social position of women and the women's movement in India.) Moskva, Nauka, 82, 184 p.

6257. KAELBLE (Hartmut). Soziale Mobilität und Chancengleichheit im 19. und 20. Jahrhundert. Deutschland im internat. Vergleich. Göttingen, Vandenhoeck u. Ruprecht, 83, in-8, 322 p. (3 graph. Darst.). (Krit. Stud. z. Geschichtswiss., 55)

6258. KARPIŃSKI (Andrzej). Pauperes. O mieszkańcach Warszawy XVI i XVII wieku. (Pauperes. Les habitants de Varsovie aux XVIe et XVIIe s.) Warszawa, Państw. Wydawn. Nauk., 83, in-8, 383 p.

6259. KATZ (Michael B.). Poverty and policy in American history. London a. New York, Academic Press, 83, in-8, XII-289 p. (ill.).

6260. KAUFMAN (Joyce P.). The social consequences of war: the social development of four nations. Armed Forces a. Soc., 83, vol. 9, n° 2, p. 245-264.

6261. Kinderstuben. Wie Kinder zu Bauern, Bürgern, Aristokraten wurden, 1700-1850. Hrsg. v. Jürgen SCHLUMBOHM. München, Deutsch. Taschenbuch-Verl., 83, in-8, 443 p. (dtv, 2933. dtv-Dokumente)

6262. KLEIN (Herbert J.). The integration of Italian immigrants into the United States and Argentina: a comparative analysis. Am. hist. R., 83, vol. 88, n° 2, p. 306-329.

6263. KLONDER (Andrzej). Wyżywienie wojsk szwedzkich w Prusach Królewskich w dobie "Potopu". (L'alimentation de l'armée suédoise dans la Prusse Royale à l'époque de l'invasion au XVIIe s.) Kwart. Hist. Kult. mater., 83, a. 31, n° 1, p. 27-36.

6264. KOCH (Rainer). Grundlagen bürgerlicher Herrschaft. Verfassungs- u. sozialgesch. Studien zur bürgerl. Gesellschaft in Frankfurt am Main (1612-1866). Wiesbaden, Steiner, 83, in-8, VIII-450 p. (graph. Darst.). (Frankfurter hist. Abh., 27)

6265. KOLCHIN (Peter). Reevaluating the antebellum slave community: a comparative perspective. J. am. Hist., 83, vol. 70, n° 3, p. 589-601.

6266. KONINCKX (Christian). L'alimentation et la pathologie des déficiences alimentaires dans la navigation au long cours au XVIIIe siècle. R. Hist. mod., 83, t. 30, p. 109-138.

6267. KORROL (Virginia E. Sanchez). From colonia to community: the history of Puerto Ricans in New York City, 1917-1948. Westport, Conn., Greenwood, 83, in-8, 242 p. (Contrib. in Ethnic Stud., 9)

6268. KOŚCIELECKA (Stanisława). Dzieje Polonii w Danii w latach 1892-1940. (Histoire de la Polonia [émigration polonaise] au Danemark dans les années 1892-1940.) Szczecin, 83, in-8, 195 p. (Wyższa Szkoła Pedagog. w Szczecinie. Rozprawy i Studia, 58)

6269. KÜTHER (Carsten). Menschen auf der Straße. Vagierende Unterschichten in Bayern, Franken u. Schwaben in d. 2. Hälfte d. 18. Jh. Göttingen, Vandenhoeck u. Ruprecht, 83, in-8, 173 p. (1 graph. Darst., 3 Kt.). (Krit. Stud. z. Geschichtswiss., 56)

6270. Kultur der einfachen Leute. Bayerisches Volksleben vom 16. bis zum 19. Jh. Hrsg. v. Richard VAN DÜLMEN. München, Beck, 83, in-8, 264 p.

6271. LAMBERT (W.R.). Drink and sobriety in Victorian Wales, 1820-1895. Cardiff, Wales U.P., 83, in-8, 304 p.

6272. LAMONTAGNE (Sophie-Laurence). L'hiver dans la culture québécoise, XVIIe-XIXe siècles. Québec, Institut québécois de recherche sur la culture, 83, in-8, 194 p. - CR: J.-C. Robert, Canad. hist. R., 84, vol. 65, p. 289-290. F. Parmentier, R. Hist. Amérique franç., 84, vol. 37, p. 619-621.

6273. LANDER (Ernest McPherson) Jr. The Calhoun family and Thomas Green Clemson: the decline of a southern patriarchy. Columbia, Univ. of South Carolina Press, 83, in-8, XV-275 p.

6274. Lebensgeschichte und Sozialkultur im Ruhrgebiet 1930-1960. Lutz NIETHAMMER (Hrsg.). Bd 1: "Die Jahre weiß man nicht, wo man die heute hinsetzen soll". Faschismuserfahrungen im Ruhrgebiet. Bd 2: "Hinterher merkt man, daß es richtig war, daß es schiefgegangen ist". Nachkriegserfahrungen im Ruhrgebiet. Berlin u. Bonn, Dietz, 83, 2 vol. in-8, 360, 327 p. (1 graph. Darst.).

6275. LEHTO (Marja-Liisa). Muotipuku Helsingissä 1550-1950. (Fashion clothes in Helsinki 1550-1950.) Narinkka, 83, p. 19-104 (ill.). [Summary in Eng. a. Swedish]

6276. LEIMU (Pekka). Forssa - elämää tehtaan pillin mukaan. Tutkimus Forssan puuvillatehtaan työntekijöistä 1840-luvulta 1980-luvullle. (A study of the workers of the Forsssa cotton mill 1840-1980.) Helsinki, Museovirasto, 83, in-4, IX-164 p. (18 ill.). (Työväen kultuuriprojektin julk., 2) [Eng. summary]

6277. LESZCZYŃSKI (Zdzisław). Ochrona zdrowia robotników w Królestwie Polskim 1870-1914. (La protection de la santé des ouvriers dans le Royaume de Pologne, 1870-1914.) Warszawa, Lud. Spółdz. Wydawn., 83, in-8, 236 p.

6278. LEWIS (Jan). The pursuit of happiness: family and values in Jefferson's Virginia. London a. New York, Cambridge U.P., 83, in-8, XIX-290 p. (ill.).

6279. LEWIS (Jane). Motherhood issues during the late nineteenth and early twentieth centuries: some recent view points. Ontario Hist., 83, vol. 75, p. 4-20.

6280. LINDERT (Peter H.). English living standards, population growth, and Wrigley-Schofield. Explor. in econ. Hist., 83, vol. 20, n° 2,p. 131-155.

6281. LINDERT (Peter H.), WILLIAMSON (Jeffrey G.). The political economy of tariff policy: a case study of the United States. Explor. in econ. Hist., 83, vol. 20, n° 1, p. 94-109.

6282. LOGETTE (Aline). Naissances illégitimes en Lorraine dans la première moitié du XVIIIe siècle, d'après les déclarations de grossesse et la jurisprudence. A. Est, 83, sér. 5, a. 35, p. 91-125, 221-245.

6283. LÜSEBRINK (Hans-Jürgen). Kriminalität im Frankreich des 18. Jahrhunderts. Literar. Formen, soziale Funktionen u. Wissenskonstituenten v. Kriminalitätsdarstellungen im Zeitalter der Aufklärung. München u. Wien, Oldenbourg, 83, in-8, XVII-306 p. (Ancien Régime, Aufklärung u. Revolution, 8)

6284. McCONNACHIE (Kathleen). Methodology in the study of women in history: a case study of Helen MacMurchy, M. D. Ontario Hist., 83, vol. 75, p. 61-70.

6285. McDONALD (Michael J.), MULDOWNY (John). TVA and the dispossessed: the resettlement of population in the Norris Dam area. Knoxville, Univ. of Tennessee Press, 82, in-8, XV-334 p.

6286. McDOUGALL (Mary Lynn). Protecting infants: the French campaign for maternity leaves, 1890s-1913. French hist. Stud., 83, vol. 13, n° 1, p. 79-105.

6287. MACLEOD (David I.). Building character in the American boy: the Boy Scouts, YMCA, and their forerunners, 1870-1920. Madison, Univ. of Wisconsin Press, 83, in-8, XX-404 p.

6288. Maîtresses de maison, maîtresses d'école: femmes, familles et éducation dans l'hisoire du Québec. Sous la dir. de Nadia FAHMY-EID, Micheline DUMONT. Montréal, Boréal express, 83, in-8, 413 p. (Etudes d'histoire du Québec, 12) [Contient: BARRY (Francine). Familles et domesticité féminine au milieu du XVIIIe siècle, p. 223-236. - BRADBURY (Bettina). L'économie familiale et le travail dans une ville en voie d'industrialisation: Montréal dans les années 1870, p. 287-318. - DANYLEWYCZ (Marta). Sexes et classes sociales dans l'enseignement: le cas de Montréal à la fin du XIXe siècle, p. 93-118. - DUMONT (Micheline). Des garderies au XIXe siècle: les salles d'asile des soeurs Grises de Montréal, p. 261-286. - EADEM. Découvrir la mémoire des femmes, p. 363-376. - FAHMY-EID (Nadia). L'éducation des filles chez les Ursulines de Québec sous le régime français, p. 49-76. - EADEM, LAURIN-FRENETTE (Nicole). Théories de la famille et rapports famille/pouvoirs dans le secteur éducatif au Québec et en France, 1850-1960, p. 339-362. - FAHMY-EID (Nadia), THIVIERGE (Nicole). L'éducation des filles au Québec et en France (1880-1930): une analyse comparée, p. 191-220. - JEAN (Michèle). L'enseignement supérieur des filles et son ambiguité: le collège Marie-Anne, 1932-1958, p. 143-170. - LAVIGNE (Marie). Réflexions féministes autour de la fertilité des Québecoises, p. 319-338. - LEMIEUX (Denise). La socialisation des filles dans la famille, p. 237-260. - MALOUIN (Marie-Paule). Les rapports entre l'école privée et l'école publique: l'académique Marie-Rose au XIXe siècle, p. 77-92. - THIVIERGE (Marîse). La syndicalisation des institutrices catholiques, 1900-1959, p. 171-190. - THIVIERGE (Nicole). L'enseignement ménager, 1880-1970, p. 119-142.]

6289. MALCMSON (A.P.W.). The pursuit of the heiress: aristocratic marriage in Ireland, 1750-1820. Belfast, Ulster Hist.

Foundation, 82, in-8, 70 p. (ill.).

6290. MARINBACH (Bernard). Galveston: Ellis Island of the west. Albany, State Univ. of New York Press, 83, in-8, XX-240 p. (SUNY Ser. in Mod. Jewish Hist.)

6291. MATĚJCEK (Jiří). Reálné mzdy zaměstnaných dělníku železářských hutí v českých zemích od poloviny 19. století do roku 1915. (Reallöhne der Eisenhüttenarbeiter in den Böhmischen Ländern v. d. Mitte d. 19. Jh. bis 1914). Teil 1. Z Děj. hut., 82, vol. 11, p. 207-234.

6292. MAZA (Sarah C.). Servants and masters in eighteenth-century France: the uses of loyalty. Princeton, N.J., Princeton U.P., 83, in-8, XIV-368 p.

6293. MELVIN (Patricia Mooney). Milk to motherhood: the New York milk committee and the beginning of well-child programs. Mid-Am., 83, vol. 65, n° 3, p. 111-136.

6294. MINTZ (Steven). A prison of expectations: the family in Victorian culture. New York, New York U.P., 83, in-8, XIII-234 p.

6295. MITTERAUER (Michael). Ledige Mütter. Zur Gesch. illegitimer Geburten in Europa. München, Beck, 83, in-8, 175 p. (10 Abb.).

6296. MONTER (William). Ritual, myth, and magic in early modern Europe. Athens, Ohio U.P., 83, in-8, 184 p.

6297. MORRIS (R.J.). Voluntary societies and the British urban elites, 1780-1850, an analysis. Hist. J., 83, vol. 26, p. 95-118.

6298. MOSK (Carl). Patriarchy and fertility: Japan and Sweden, 1880-1960. London, Academic Press, 83, in-8, 320 p.

6299. MOTZ (Marilyn Ferris). True sisterhood: Michigan women and their kin, 1820-1920. Albany, State Univ. of New York Press, 83, in-8, XII-199 p. (SUNY Ser. in Am. Soc. Hist.)

6300. MROZEK (Donald J.). Sport and American mentality, 1880-1910. Knoxville, Univ. of Tennessee Press, 83, in-8, XX-284 p.

6301. NELLI (Humbert S.). From immigrants to ethnics: the Italian Americans. London a. New York, Oxford U.P., 83, in-8, VIII-225 p.

6302. O'BRIEN (Gerard). The establishment of Poor Law unions in Ireland, 1838-43. Irish hist. Stud., 82, vol. 23, p. 97-120.

6303. O'CONNOR (Carol A.). A sort of utopia: Scarsdale, 1891-1981. Albany, State Univ. of New York Press, 83, in-8, X-283 p.

6304. ÖSTBERG (Eva). Våld och våldsmentalitet bland bönder: jämförande perspektiv på 1500- och 1600-talens Sverige. (Violence among peasants: comparative perspectives on sixteenth- and seventeenth-century Sweden.) Scandia, 83, vol. 49, p. 5-30. [Eng. summary, p. 157-158]

6305. OFFER (Avner). Empire and social reform: British overseas investment and domestic politics, 1908-1914. Hist. J., 83, vol. 26, p. 119-138.

6306. Oisiveté et loisirs dans les sociétés occidentales au XIXe siècle. Colloque pluridisciplinaire, Amiens, 19-20 nov. 1982. Prés. par Adeline DAUMARD. Amiens, Centre de Recherche d'Hist. soc. de l'Univ. de l'Univ. de Picardie, 83, in-8, 248 p.

6307. OLIVIERI SECCHI (Sandra). Il "borghese gentiluomo" di George Huppert [Cf. Bibl. 76-77, n° 6942.]. Ric. Stor. soc. e relig., 83, n. s., n° 23, p. 125-153.

6308. OZMENT (Steven). When fathers ruled: family life in Reformation Europe. Cambridge, Mass., Harvard U. P., 83, in-8, VIII-238 p. (Stud. in Cult. Hist.)

6309. PAPASTAMOU (Stamos), MIOUNY (Gabriel). Meionotētes kai exousia. Mia koinōniopsychologikē kai peiramatikē prosengisē tēs koinonikēs epirroes kai symperiphoras tōn meionotētōn. (Minorités et pouvoir. Une approche psychosociologique et expérimentale de l'influence sociologique et du comportement des minorités.) Athēna, Aletri, 83, in-8, 256 p.

6310. PARISEAU (Jean). Les mouvements sociaux, la violence et les interventions armées au Québec 1867-1967. R. Hist. Amérique franç., 83, vol. 37, p. 67-79.

6311. PARSSINEN (Terry M.). Secret passions, secret remedies: narcotic drugs in British society, 1820-1930. Philadelphia, Pa., Institute for the Study of Human Issues, 83, in-8, XII-243 p.

6312. PERLMANN (Joel). Beyond New York: the occupations of Russian Jewish immigrants in Providence, R.I., and in other small Jewish communities, 1900-1915. Am. jewish Hist., 83, vol. 72, n° 3, p. 369-396.

6313. PETERSSON (Birgit). "Den farliga underklassen": studier i fattigdom och brottslighet i 1800-talets Sverige. ("The dangerous classes": studies in poverty and crime in nineteenth-century Sweden.) Stockholm, Almqvist a. Wiksell, 83, in-8, 308 p. (diagr.). (Umeå stud. in the humanities, 53) [Eng. summary]

6314. PITSULA (James M.). Let the family flourish: a history of the Family Service Bureau of Regina 1913-1982. Regina, Family Service Bureau, 83, in-8, 162 p. - CR: P. Havemann, Sask. Hist., 83, vol. 36, p. 115-117.

6315. PRICE (Roger). Poor relief and social crisis in mid-nineteenth-century France. European Stud. R., 83, vol. 13, p. 423-454.

6316. PRONOVOST (Gilles). Temps, culture et société: essai sur le processus de formation du loisir et des sciences du loisir dans les sociétés occidentales. Québec, Presses de l'Univ., 83, in-8, 333 p.

6317. QUATAERT (Jean H.). A source analysis in German women's history: factory inspectors' reports and the shaping of working-class lives, 1878-1914. Central european Hist., 83, vol. 16, n° 2, p. 99-122.

6318. Rabočij klass Rossii ot zaroždenija do načala XX v. (The working class of Russia from the origins till the beginning of the 20th cent.) Redkol.: M. S. VOLIN (otv. red.) i dr. Moskva, Nauka, 83, 575 p. (ill.). (Istorija rabočego klassa SSSR. AN SSSR. In-t istorii SSSR, VCSPS. Vysš. šk. profdviženija)

6319. RANLETT (John). "Checking nature's desecration": late-Victorian environmental organization. Victorian Stud., 83, vol. 26, n° 2, p. 197-22.

6320. REIFF (Janice L.), DAHLIN (Michael R.), SMITH (Daniel Scott). Rural push and urban pull: work and family experiences of older black women in southern cities, 1880-1900. J. soc. Hist., 83, vol. 16, n° 4, p. 39-48.

6321. RICCI (Giovanni). Naissance du pauvre honteux: entre l'histoire des idées et l'histoire sociale. A. Ec., Soc., Civ., 83, a. 38, p. 158-177.

6322. RICE (Kym S.). Early American taverns: for the entertainment of friends and strangers. Chicago, Regnery Gateway Press, 83, in-8, XVIII-168 p.

6323. RICHARD (Lionel). La vie quotidienne sous la République de Weimar (1919-1933). Paris, Hachette, 83, in-8, 322 p. (La vie quotidienne)

6324. RIPERT (Aline), FRERE (Claude). La carte postale: son histoire, sa fonction sociale. Paris, Ed. du C.N.R.S.; Lyon, Presses univ. Lyon, 83, 194 p. (ill.).

6325. RITTER (Gerhard). Genesi, carattere ed effetti dell'assicurazione sociale in Germania dal 1881 al 1914. Quellen u. Forsch., 83, Bd 63, p. 267-291.

6326. ROECK (Bernd). "Arme" in Augsburg zu Beginn des 30jährigen Krieges. Z. f. bayer. Landesgesch., 83, Bd 46, p. 515-558.

6327. ROMO (Ricardo). East Los Angeles: history of a barrio. Austin, Univ. of Texas Press, 83, in-8, XII-220 p.

6328. ROOKE (Patricia T.), SCHNELL (R.L.). Discarding the asylum: from child rescue to the welfare state in English-Canada (1800-1950). Lanham, Md., U.P. of America, 83, in-8, XII-497 p.

6329. ROSENZWEIG (Roy). Eight hours for what we will: workers and leisure in an industrial city, 1870-1920. New York, Cambridge U.P., 83, in-8, X1-304 p. (Interdisc. Perspectives on Mod. Hist.)

6330. ROTUNDO (Anthony E.). Body and soul: changing ideals of American middle-class manhood, 1770-1920. J. soc. Hist., 83, vol. 16, n° 4, p. 23-38.

6331. RYAN (Dennis P.). Beyond the ballot box: a social history of the Boston Irish, 1845-1917. East Brunswick, N.J., Fairleigh Dickinson U.P., 83, in-8, 173 p.

6332. RYNDZJUNSKIJ (P.G.). Krest'jane i gorod v kapitalističeskoj Rossii vtoroj poloviny XIX veka. Vzaimootnošenie goroda i derevni v soc.-ékon. stroe Rossii. (Peasants and the town in capitalist Russia, second half of the 19th cent.) Moskva, Nauka, 83, 269 p. (AN SSSR. In-t istorii SSSR)

6333. SANDERSON (Michael). Education, economic change and society in England, 1780-1870. London, Macmillan, 83, in-8, 80 p. (Stud. in Econ. a. Soc. Hist.)

6334. SANDIFORD (Keith A. P.). Cricket and the Victorian society. J. soc. Hist., 83, vol. 17, n° 2, p. 303-318.

6335. SCALLY (Robert). Liverpool ships and Irish emigrants in the age of sail. J. soc. Hist., 83, vol. 17, n° 1, p. 5-30.

6336. Schichtung und Entwicklung der Gesellschaft in Polen und Deutschland im 16. und 17. Jahrhundert. Parallelen, Verknüpfungen, Vergleiche. Hrsg. v. Marian BISKUP u. Klaus ZERNACK. Wiesbaden, Steiner, 83, in-8, VIII-310 p. (Vjs. f. Sozial- u. Wirtschaftsgesch., Beih., 74)

6337. SCHUBERT (Ernst). Arme Leute, Bettler und Gauner im Franken des 18. Jahrhunderts. Neustadt (Aisch), Degener, 83, in-8, 486 p. (Veröff. d. Ges. f. Fränkische Gesch., Reihe 9: Darst. aus d. fränk. Gesch., 26)

6338. SCHUPBACH (Werner). Die Bevölkerung der Stadt Luzern, 1850-1914: Demographie, Wohnverhältnisse, Hygiene u. medizin. Versorgung. Luzern u. Stuttgart, Rex, 83, in-8, 323 p (Luzerner hist. Veröff., 17)

6339. SHAMMAS (Carole). The female social structure of Philadelphia in 1775. Pennsylvania Mag. Hist., 83, vol. 107, n° 1, p. 69-84.

6340. SHAW (J.S.). The management of Scottish society, 1707-1764. Edinburgh, J. Donald, 83, in-8, 300 p.

6341. SIDERĒS (Nikos). Arrōsties kai arrōstoi stē Leukada ton 19o aiōna. (Maladies et malades en Leucade au XIXe siècle.) Historika [Athēna], 83, vol. 1, n° 1, p. 101-120.

6342. SINGER (Barnett). Village notables in nineteenth-century France: priests, mayors, schoolmasters. Albany, State Univ. of New York Press, 83, in-8, VIII-199 p. (SUNY Ser. in Europ. Soc. Hist.)

6343. SITARI (Taimi). Settlement changes in Bagamoyo district of Tanzania as a consequence of villagization. Fennia, 83, t. 161, p. 1-90.

6344. SLATER (Miriam). Family life in the 17th century: the Verneys, a case study. London, Routledge, 83, in-8, 224 p.

6345. SOKOLOV (V.T.). Gorodskie raby i ikh sem'ja na juge SŠA. 1830-1860 gg. (The urban slaves and their families in the US South, 1830-1860.) Sovet. Ėtnogr., 83, n° 3, p. 45-56.

6346. SOWERWINE (Charles). Workers and women in France before 1914: the debate over the Couriau affair. J. mod. Hist., 83, vol. 55, n° 3, p. 411-441.

6347. Sozialgeschichte der Bundesrepublik Deutschland. Beitr. zum Kontinuitätsproblem. Hrsg. v. Werner CONZE u. M. Rainer LEPSIUS. Stuttgart, Klett-Cotta, 83, in-8, 467 p. (Industrielle Welt, 34)

6348. SPINDEL (Donna J.), THOMAS (Stuart W.) Jr. Crime and society in North Carolina, 1663-1740. J. south. Hist., 83, vol. 49, n° 2, p. 223-244.

6349. Społeczeństwo staropolskie. Studia i szkice. (La société dans l'ancienne Pologne. Etudes et essais.) Sous la réd. d'Andrzej WYCZAŃSKI. [T. 2. Cf. Bibl. 80, n° 5808.] T. 3. Warszawa, Państw. Wydawn. Nauk., 83, in-8, 266 p. (Pol. Akad. Nauk, Inst. Hist.)

6350. Sprachgeschichte und Sozialgeschichte. Hrsg. dieses Heftes: Brigitte SCHLIEBEN-LANGE u. Joachim GESSINGER. Göttingen, Vandenhoeck u. Ruprecht, 82, in-8, 147 p. (Z. f. Literaturwiss. u. Linguistik, H. 47)

6351. STENKULA (Carl Gustaf). Gammal i Lund: utvecklingstendenser inom den kommunala, kyrkliga och enskilda åldringsvården i Lund 1900-1918. (Old in Lund: development tendencies within the communal [i. e. municipal], church and private care of the elderly in Lund, 1900-1918.) Lund, Liber/Gleerup, 83, in-8, 248 p. (Bibl. hist. Lundensis, 56) [Eng. summary]

6352. STEPANSKIJ (A.D.). Liberal'naja intelligencija v obščestvennom dviženii Rossii na rubeže XIX-XX vekov. (Liberal intelligentsia in the social movement of Russia on the turn of the 19th-20th cent.) Ist. Zap., 83, vol. 109, p. 64-94.

6353. Studia z dziejów kontaktów polsko-ormiańskich. (Etudes sur l'histoire des contacts polono-arméniens.) Sous la réd. de Mirosława ZAKRZEWSKA-DUBASOWA. Lublin, 83, in-8, 247 p. (Uniw. Marii Curie-Skłodowskiej w Lublinie, Uniw. Państw. w Erewaniu)

6354. SUMMERFIELD (Penelope). Women, work and welfare: a study of child care and shopping in Britain in the second world war. J. soc. Hist., 83, vol. 17, n° 2, p. 249-270.

6355. THILLAUD (Pierre). Les maladies et la médecine en Pays Basque nord à la fin de l'Ancien Régime (1690-1789). Genève, Droz, 83, in-8, 244 p. (10 cartes et plans). (Publ. de l'Ecole Prat. des Hautes Etudes, IVe Section, Hautes Et. médiévales et mod., 50)

6356. TOLL (William). The female life cycle and the measure of social change: Portland, Oregon, 1880-1930. Am. jewish Hist., 83, vol. 72, n° 3, p. 309-332.

6357. TORBACKE (Jarl). Enskild arbetsförmedling och den kvinnliga arbetskraftens rörlighet 1880-1930. (Private employment bureaux and the mobility of women's labour, 1880-1930.) [Svensk] Hist. T., 83, vol. 103, p. 378-392. [Eng. summary]

6358. Travailleuses et féministes: les femmes dans la société québécoise. Sous la dir. de Marie LAVIGNE, Yolande PINARD. Montréal, Boréal Express, 83, in-8, 430 p. (Etudes d'hist. du Québec, 13) [Contient: CROSS (D. Suzanne). La majorité oubliée: le rôle des femmes à Montréal au XIXe siècle, p. 61-84. - DAIGLE (Johanne). L'éveil syndical des "religieuses laïques": l'émergence et l'évolution de l'Alliance des infirmières de Montréal, 1946-1966, p. 115-138. - DANYLEWYCZ (Marta). Une nouvelle complicité: féministes et religieuses à Montréal, 1890-1925, p. 245-270. - DESJARDINS (Ghislaine). Les cercles des fermières et l'action féminine en milieu rural, 1915-1944, p. 217-244. - DUMONT (Micheline). Vocation religieuse et condition féminine, p. 271-292. - FOURNIER (Francine). Les femmes et la vie politique au Québec, p. 337-358. - GAGNON (Mona-Josée). Les comités syndicaux de condition féminine, p. 161-176. - EADEM. Les femmes dans le mouvement syndical québécois, p. 139-160. - LAURIN-FRENETTE (Nicole). La libération des femmes, p. 359-387. - LAVIGNE (Marie), STODDART (Jennifer). Ouvrières et travailleurses montréalaises, 1900-1940, p. 99-114. - LAVIGNE (Marie), PINARD (Yolande), STODDART (Jennifer). La Fédération nationale Saint-Jean-Baptiste et les revendications féministes au début du XXe siècle, p. 199-216. - PINARD (Yolande). Les débuts du mouvement des femmes à Montréal, 1893-1902, p. 197-198. - STODDART (Jennifer). Quand les gens de robe se penchent sur les droits des femmes: le cas de la commission Dorion, 1929-1931, p. 307-336. - TROFIMENKOFF (Susan Mann). Contraintes au silence ... Les ouvrières vues par la Commission royale d'enquête sur les relations entre le capital et le travail, p. 85-98. - EADEM. Henri Bourassa et la question des femmes, p. 293-306. - Travail et mouvement des femmes: une histoire visible bilan historiographique, p. 7-60.]

6359. Trends in Nordic tradition research. Ed. by Lauri HONKO a. Pekka LAAKSONEN. Helsinki, 83, in-8, 260 p. (Stud. Fennica, 27)

6360. TREUE (Wilhelm). Sozialgeschichte des Handwerks im Übergang zur privatkapitalistischen Industriewirtschaft. Z. f. Unternehmensgesch., 83, Jg 28, p. 214-222.

6361. TYGIEL (Jules). Baseball's great experiment: Jackie Robinson and his legacy. New York, Oxford U.P., 83, in-8, XII-392 p.

6362. VAUGHAN (Megan). Idioms of madness: Zomba Lunatic Asylum, Nyasaland, in the colonial period. J. southern afr. Stud., 83, vol. 9, p. 218-238.

6363. WALASZEK (Adam). Reemigracja ze Stanów Zjednoczonych do Polski po I wojnie światowej (1919-1924). (La réémigration des Etats-Unis en Pologne après la Première guerre mondiale, 1919-1924.) Kraków, Państw. Wydawn. Nauk., 83, in-8, 182 p. (Zesz. Nauk. Uniw. Jagiell., 655. Prace Polonijne, 7)

6364. WALTON (John K.). The English seaside resort: a social history, 1750-1914. New York, St. Martin's Press, 83, in-8, XII-265 p.

6365. WALVIN (James). Slavery and the slave trade. London, Macmillan, 83, in-8, 168 p.

6366. WARNICKE (Retha M.). Women of the English Renaissance and Reformation. Westport, Conn., Greenwood, 83, in-8, VIII-228 p. (Contrib. in Women's Stud., 38)

6367. WATSON (Ian). Song and democratic culture in Britain: an approach to popular culture in social movements. New York, St. Martin's Press, 83, in-8, VI-247 p.

6368. WEBER-KELLERMANN (Ingeborg). Frauenleben im 19. Jahrhundert. Empire u. Romantik, Biedermeier, Gründerzeit. München, Beck, 83, in-4, 245 p. (265 Ill.).

6369. WENDT (Wolf Rainer). Geschichte der sozialen Arbeit. Von d. Aufklärung bis zu d. Alternativen. Stuttgart, Enke, 83, in-8, 458 p.

6370. WITTRAM (Heinrich). Vom Kampf gegen das soziale Elend in den baltischen Provinzen. Evangelische Initiativen vom Anfang d. 19 Jh. bis z. Ersten Weltkrieg. Z. f. Ostforsch., 82 [83], Jg. 31, p. 337-360.

6371. WONG (R. Bin). Les émeutes de subsistances en Chine et en Europe occidentale. A. Ec., Soc., Civ., 83, a. 38, p. 234-258.

6372. ZAGVOZDKINA (M.N.). Razvitie kapitalizma i obostrenie social'nykh protivorečij v iranskom gorode (60-e – 70-e gody). (Development of capitalism and exacerbation of social contradictions in the Iranian city in the 1960s and 1970s.) Nar. Azii Afr., 83, n° 6, p. 100-106.

6373. ZBYSZEWSKA (Zofia). Ministerstwo Polskiej Biedy. Z dziejów Towarzystwa Opieki nad Więźniami "Patronat" w Warszawie 1909-1944. (Le ministère de la misère polonaise. Histoire de la Société d'Assistance aux Détenus "Le Patronat" à Varsovie 1909-1944.) Avant-propos: Karol PĘDOWSKI. Warszawa, Państw. Inst. Wydawn., 83, in-8, 339 p. (Bibl. Syrenki)

6374. Związek Harcerstwa Polskiego w Niemczech. Wybór tekstów źródłowych (1933-1939). (L'Union des Eclaireurs Polonais en Allemagne. Choix de textes, 1933-1939.) Publ. prép. et avant-propos par Michał LIS. Opole, Inst. Śląski, 83, in-8, 218 p.

Cf. n°s 298, 3414, 3441, 3469, 3734, 3837, 4310, 4974, 5158, 5618, 5638, 5639, 5642, 5731, 5816, 5932, 5944, 6012, 5094, 6140, 6576, 6843, 7441.

§ 9. Working class movement and socialism.

* 6375. GRESLE (François). Conscience de classe, mobilisation politique et socialisme en France au XIXe siècle. Une revue de travaux anglo-saxons récents. R. franç. Sociol., 83, t. 24, p. 535-556.

* 6376. LEDUC (Marcel), VAISEY (Douglas). The Canadian labour bibliography = La bibliographie du mouvement ouvrier canadien. Labour, 83, n° 12, p. 223-248.

* 6377. Leniniana. Bibliogr. ukaz. proizvedenij V. I. Lenina i lit. o nem. (Bibliographical register of the writings of V. I. Lenin a. the literature about him.) T. 6: Literatura o žizni i dejatel'nosti V. I. Lenina. 1968-1971. Č. 1: Apr. 1870 – okt. 1917. (Literature on V. I. Lenin's life a. activity, 1968-1971. Part 1: April 1870 – Oct. 1917.) Redkol.: R. M. SAVICKAJA (nauč. red.) i dr. Moskva, Kniga, 83, 453 p. (In-t marksizma-leninizma pri CK KPSS. Gos. b-ka SSSR im. V. I. Lenina)

* 6378. NEUFELD (Maurice F.), LEAB (Daniel J.), SWANSON (Dorothy). American working class history. A representative bibliography. New York a. London, Bowker, 83, in-8, XI-356 p.

* 6379. O'CONNELL (Deirdre). A bibliography of Irish labour history, 1978-9, 1979-80, 1980-81. Saothar, 80, vol. 6, p. 124-132; 81, vol. 7, p. 128-132; 82, vol. 8, p. 107-114.

* 6380. SWANSON (Dorothy). Annual bibliography in American labor history, 1982. Labor Hist., 83, vol. 24, n° 4, p. 526-545. [Cf. Bibl. 81, n° 5803]

** 6381. Archives de Jules Humbert-Droz. [I. Cf. Bibl. 70-71, n° 7688.] II: Les Partis Communistes des pays latins et l'Internationale Communiste dans les années 1923-1927. Textes établis, annotés et préfacés par Bernhard BAYERLEIN, Eugen KRETSCHMANN, Reiner TOSSTORFF. Dordrecht, Boston a. London, Reidel, 83, in-8, L-703 p.

** 6382. BEBEL (August). Ausgewählte Reden und Schriften. Inst. f. Marxismus-Leninismus beim ZK d. SED; Zentralinst. f. Gesch. bei d. Akad. d. Wiss. d. DDR. Hrsg. v. Horst BARTEL. [Bd 2. Cf. Bibl. 78-79; n° 6574.] Bd 6: Aus meinem Leben. Bearb. v. Ursula HERRMANN unter Mitarbeit v. ... Berlin, Dietz, 83, 35-809 p. (Abb.).

** 6383. Bildung und Organisation in den deutschen Handwerksgesellen- und Arbeitsvereinen in der Schweiz. Texte u. Dokumente zur Kultur d. deutsch. Handwerker u. Arbeiter 1834-1845. Hrsg. u. eingel. v. Hans-Joachim RUCKHÄBERLE. Tübingen, Niemeyer, 83, in-8, XII-558 p. (Stud. u. Texte z. Sozialgesch. d. Lit., 4)

** 6384. Ihre Namen leben durch die

9. WORKING CLASS MOVEMENT AND SOCIALISM

Jahrhunderte fort. Kondolenzen u. Nekrologe zum Tode von Karl Marx u. Friedrich Engels. Berlin, Dietz, 83, in-8, 607 p. (Abb.).

** 6385. Iz pisem 1840-kh godov o K. Markse. (From the letters of the 1840s about K. Marx.) Vstupit. st. i prim. Ja. G.ROKITJANSKOGO i A. Ju. RYBIKOVOJ. Vopr. Ist., 83, n° 3, p. 60-78.

** 6386. LUXEMBURG (Rosa). Gesammelte Briefe. Inst. f. Marxismus-Leninismus beim ZK d. SED. [Bd 1-3. Cf. Bibl. 82, n° 6452.] Bd 4. Berlin, Dietz, 83, in-8, 418 p.

** 6387. MARX (Karl), ENGELS (Friedrich). Gesamtausgabe (MEGA). Hrsg. v. Inst. f. Marxismus-Leninismus beim ZK d. KPdSU u. vom Inst. f. Marxismus-Leninismus beim ZK d. SED. Abt. 2: "Das Kapital" u. Vorarbeiten. [Bd 3, T. 6. Cf. Bibl. 82, n° 6453.] Bd 5: MARX (Karl). Das Kapital. Kritik d. polit. Ökonomie. Bd 1: Hamburg 1867. Text. Apparat. Abt. 4: Exzerpte, Notizen Marginalien. Bd 6: Exzerpte u. Notizen, Sept. 1846 bis Dez. 1847. Text. Apparat. Bd 7: Exzerpte u. Notizen, Sept. 1848 bis Februar 1851. Text. Apparat. Berlin, Dietz, 83, 6 vol. in-8, 60, 649 p.; p. 659-1092; 53, 977 p.; p. 985-1241; 45, 617 p.; p. 625-916.

** 6388. Neopublikovannye pis'ma Laury Lafarg i Ženni Longe Karlu Marksu. K istorii francuzskogo izdanija "Kapitala". (Unpublished letters of Laura Lafargue and Jenny Longet to Karl Marx concerning the history of the French edition of Marx's Kapital.) Pub. podgot. I. M. SINEL'NIKOVOJ, pod red. I. A. BAKH. Nov. novejš. Ist., 83, n° 7, p. 3-10.

** Cf. n° 3886.

6389. ALUF (I.A.). O načale leninskogo ětapa v razvitii marksizma. (On the beginning of the Leninist stage in the development of Marxism.) Vopr. Ist. KPSS, 83, n° 4, p. 29-41.

6390. ARGERSINGER (Jo Ann E.). "The right to strike": labor organization and the New Deal in Baltimore. Maryland hist. Mag., 83, vol. 78, n° 4, p. 299-318.

6391. BARNARD (John). Walter Reuther and the rise of the auto workers. Boston, Little, Brown, 83, in-8, VIII-236 p. (Lib. of Am. Biogr.)

6392. BATSCH (Laurent). C.G.T., autour de la scission de 1921: la charte d'Amiens, les rapports parti-syndicat, unité et démocraties syndicales. Paris, La Brèche, 83, in-8, 197 p.

6393. BELCHEM (John). Chartism and the trades, 1845-1850. Eng. hist. R., 83, vol. 98, p. 558-587.

6394. BILLSTEIN (Heinrich). Marx in Köln. Mit einem Beitr. v. Karl OBERMANN. Köln, Pahl-Rugenstein, 83, in-8, 218 p. (Kleine Bibliothek, 287)

6395. BONNELL (Victoria E.). Roots of rebellion: workers' politics and organization in St. Petersburg and Moscow, 1900-1914. Berkeley a. Los Angeles, Univ. of California Press, 83, in-8, XXI-560 p.

6396. CADÉ (Michel). Un épisode de la lutte des classes dans les campagnes: la grève des ouvriers agricoles de Rivesaltes en 1928. A. Midi, 82 [83], t. 94, n° 159, p. 403-440.

6397. CĂPREANU (Ioan). Mișcarea muncitorească în luptele politice din România între anii 1900-1914. (Le mouvement ouvrier dans les luttes politiques de Roumanie entre 1900 et 1914.) Iași, Junimea, 83, in-8, 280 p.

6398. CASSIDY (Keith). The American left and the problem of leadership, 1900-1920. South Atlantic Quar., 83, vol. 82, n° 4, p. 386-397.

6399. CRONIN (James), SIRIANNI (Carmen) a. others. Work, community, and power: the experience of labor in Europe and America, 1900-1925. Philadelphia, Pa., Temple U.P., 83, in-8, VIII-318 p.

6400. CRUMP (John). The origins of socialist tought in Japan. London, Croom Helm, 83, in-8, 374 p.

6401. DEBRIZZI (John A.). Ideology and the rise of labor theory in America. Westport, Conn., Greenwood, 83, in-8, 196 p. (Contrib. in Labor Hist., 14)

6402. DE SHAZO (Peter). Urban workers and labor unions in Chile, 1902-1927. Madison, Univ. of Wisconsin Press, 83, in-8, XXXI-351 p.

6403. Dictionnaire biographique du mouvement ouvrier français. 4e partie: 1914-1939, de la Première à la Seconde guerre mondiale. [T. 17, 18. Cf. Bibl. 82, n° 6480.] T. 19: Bern à Bore. T. 20, Bore à By. Paris, Ed. ouvrières, 83, 2 vol. in-8, 446, 429 p.

6404. DREYFUS (Michel). Guide des centres de documentation en histoire ouvrière et sociale. T. 1: Paris. Paris, Ed. ouvrières, 83, in-8, IV-238 p.

6405. DURCAN (J.W.). Strikes in post war Britain: a study of stoppages due to disputes, 1946-1973. London, Allen a. Unwin, 83, in-8, 456 p.

6406. Effects (The) of World War I: the class war after the great war: the rise of communist parties in East Central Europe, 1918-1921. Ed. by Ico BANAC. Boulder, Colo., East European Monographs, 83, in-8, XV-277 p. (East European Monogr., 137. War a. Soc. in East Central Europe, 13)

6407. ERICSSON (Tom). Den andra fackföreningsrörelsen: tjänstemän och tjänstemannaorganisationer i Sverige före första världskriget. (The other trade unionism: white-collar workers and white-collar unions in Sweden before the First World War.) Umeå, Hist. inst., Univ., 83, in-8, 153 p. (ill.). (Forskningsrapporter från

Hist. inst. vid Umeå univ., 2)

6408. ERLICH (Mark). Peter J. McGuire's trade unionism: socialism of a trades union kind. Labor Hist., 83, vol. 24, n° 2, p. 165-197.

6409. Europäische Arbeiterbewegungen im 19. Jahrhundert. Deutschland, Österreich, England u. Frankreich im Vergleich. Mit Beitr. v. John BREUILLY [u.a.]. Hrsg. v. Jürgen KOCKA. Göttingen, Vandenhoeck u. Ruprecht, 83, in-8, 169 p. (Kleine Vandenhoeck-Reihe, 1494)

6410. FEDOSOVA (E.P.). Očerki russkopribaltijskikh revoljucionnykh svjazei vtoroj poloviny XIX v. (1861-1895 gg.). (Essays on Russian-Baltic revolutionary ties in the second half of the 19th cent., 1861-1895.) Moskva, Nauka, 83, 143 p. (AN SSSR. In-t istorii SSSR)

6411. Feliks Ėdmundovič Dzeržinskij. Biografija. (F. E. Dzerzhinski. Biography.) Redkol.: I. DOROSENKO i dr. 2-e izd., dop. Moskva, Politizdat, 83, 494 p.

6412. FELIX (David). Marx as politician. Carbondale, Southern Illinois U.P., 83, in-8, XI-308 p.

6413. FELIX (David). The dialectic of the First International and nationalism. R. Politics, 83, vol. 45, n° 1, p. 20-44.

6414. FICKEN (Robert E.). The wobbly horrors: Pacific northwest lumbermen and the Industrial Workers of the World, 1917-1928. Labor Hist., 83, vol. 24, n° 3, p. 325-341.

6415. FILIPPOV (R.V.). Gruppa "Osvoboždenie truda" v leninksoj koncepcii istorii sozdanija partii (k 100-letiju so dnja osnovanija). (The group "Liberation of labour" in Lenin's conception of the history of the party's creation.) Vopr. Ist. KPSS, 83, n° 4, p. 17-28.

6416. FINK (Leon). Workingmen's democracy: the Knights of Labor and American politics. Urbana, Univ. of Illinois Press, 83, in-8, XVII-249 p. (Working Class in American Hist.)

6417. FREEMAN (Joshua B.). Irish workers in the twentieth-century United States: the case of the Transport Workers' Union. Saothar, 82, vol. 8, p. 24-45.

6418. FRICK (Jean-Paul). Les détours de la problématique sociologique de Saint-Simon. R. franç. Sociol., 83, a. 24, p. 183-202.

6419. FRICKE (Dieter). Zur Geschichte der christlichen Gewerkschaften vor 1918. Z. f. Geschichtswiss., 83, Jg. 31, p. 1029-1105.

6420. GEARY (R.J.). Revolution and the German working class, 1848-1933. Brighton, Harvester, 83, in-8, 256 p.

6421. GELBARD (Arieh). Ha-weida haaharona shel ha-"bund". (The last conference of the "Bund".) M'asef, 82-83, vol. 13, p. 18-47.

6422. GEMKOV (Heinrich). Vom Highgate-Friedhof zum Marx-Engels-Platz. Marx-Engels-Jubiläen im Spiegel eines Jahrhunderts. Berlin, Dietz, 83, in-8, 300 p. (Abb.).

6423. GOLIN (Steve). Defeat becomes disaster: the Paterson strike of 1913 and the decline of the IWW. Labor Hist., 83, vol. 24, n° 2, p. 223-248.

6424. GOLOVINA (G.D.). Karl Marks i kel'nskij process nad kommunistami 1852 g. (Karl Marx and the communist trial in Cologne in 1852.) Vopr. Ist. KPSS, 83, n° 5, p. 36-48.

6425. GORNY (Joseph). The British Labour movement and Zionism, 1917-48. London a. Totowa, N.J., Cass, 83, in-8, XVI-251 p.

6426. GREAVES (C. Desmond). The Irish Transport and General Workers Union: the formative years, 1909-1923. Dublin, Gill a. Macmillan, 82, in-8, 363 p.

6427. HASS (Ludwik). Aktywność polityczna i organizacyjna klasy robotniczej Drugiej Rzeczypospolitej. (L'activité politique et organisatrice de la classe ouvrière de la IIe République [polonaise].) Dzieje najnowsze, 83, a. 15, n° 1-2, p. 19-44.

6428. HEITZER (Horstwalter). Georg Kardinal Kopp und der Gewerkschaftsstreit 1900 bis 1914. Köln u. Wien, Böhlau, 83, in-8, XVIII-259 p. (Forsch. u. Quellen z. Kirchen- u. Kulturgesch. Ostdeutschlands,18)

6429. HIMKA (John-Paul). Socialism in Galicia: the emergence of Polish social democracy and Ukrainian radicalism, 1860-1890. Cambridge, Mass., Harvard U.P., 83, in-8, XI-244 p. (Harvard Ukrainian Research Institute Monographs Ser.)

6430. HIMMELFARB (Gertrud). Engels in Manchester: inventing the proletariat. Am. Scholar, 83, vol. 52, n° 4, p. 479-496.

6431. HOBSBAWM (Eric John). History of Marxism. [Vol. 1. Cf. Bibl. 81, n° 5858.] Vol. 2: Marxism in the age of the Second International. Brighton, Harvester, 83, in-8, 500 p.

6432. HOERDER (Dirk) a. others. American labor and immigrant history, 1877-1920s: recent European research. Urbana, Univ. of Illinois Press, 83, in-8, IX-286 p.

6433. HOGAN (Heather). Industrial rationalization and the roots of labor militance in the St. Petersburg metalworking industry, 1901-1914. Russian R., 83, vol. 42, n° 2, p. 163-190.

6434. HOWELL (David). British workers and the Independent Labour Party, 1880-1906. Manchester, Univ. Press, 83, in-8, 531 p.

6435. IACOŞ (Ion). Pregătirea politică şi ideologică a Congresului partidului politic al clasei muncitoare din România - P.S. D.M.R. (1893). (La préparation politique et idéologique du Congrès du parti politique de la classe ouvrière de Roumanie - P.S. D.O.R.) R. Ist., 83, t. 36, n° 3, p. 223-240.

6436. IOANNISJAN (A.R.). Revoljucionno-kommunističeskoe dviženie vo Francii v 1840-1841 gg. (The revolutionary and communist movement in France in 1840-1841.) Moskva, Nauka, 83, 272 p. (AN SSSR. Otd-nie istorii)

6437. Istorija rabočego dviženija v SŠA v novejšee vremja. (History of the working-class movement in the USA in contemporary times.) Redkol., B. Ja. MIKHAILOV (otv. red.) i dr. T. 3: 1965-1980. G. N. SEVOST'JAN, V. P. ANDROSOV, N. V. KURKOV i dr. Moskva, Nauka, 83, 366 p. (ill.). (AN SSSR. In-t vseobšč. istorii)

6438. IVANJAN (Ė.A.). Karl Marks i amerikanskaja istorija. (Karl Marx and American history.) K 100-letiju so dnja smerti i 165-letiju so dnja roždenija. SŠA - ėkon., pol., ideol., 83, n° 3, p. 4-15.

6439. JAKOVLEV (B.M.). Leninskij "Rasskaz o II s-ezde RSDRP". (Lenin's "Account of the IInd Congress of the RSDWP".) Vopr. Ist. KPSS, 83, n° 6, p. 27-36.

6440. JEFFERY (Keith), HENNESSY (Peter). States of emergency: British Governments and strikebreaking since 1919. London, Routledge, 83, in-8, 320 p.

6441. JONES (David). Women and chartism. History, 83, vol. 68, p. 1-21.

6442. JONES (Gareth Stedman). Languages of class: studies in English working class history, 1832-1982. New York, Cambridge U.P., 83, in-8, VIII-260 p.

6443. JUNGHANNS (Kurt). Die Stellung der Arbeiterbewegung zum Wohnungs- und Städtebau und zur Architektur in der Weimarer Republik. Jb. f. Volkskde u. Kulturgesch., 83, N.F., Bd 11, p. 9-43.

6444. KAMALETDINOVA (N.M.), KULEŠOV (S.V.). Bor'ba leninskoj partii za internacional'noe edinstvo trudjaščikhsaja (1917-1922 gg.). (Struggle of Lenin's party for the international unity of working people, 1917-1922.) Vopr. Ist. KPSS, 83, n° 10, p. 101-109.

6445. KEALEY (Gregory S.), PALMER (Bryan D.). Dreaming of what might be: the Knights of Labour in Ontario, 1880-1900. London, Cambridge U.P., 83, in-8, 487 p. (ill., tab., maps).

6446. KIM (M.P.). Problemy teorii i istorii real'nogo socializma. (Problems of theory and history of real socialism.) Moskva, Nauka, 83, 557 p. (AN SSSR. Otd-nie istorii)

6447. Klassiki marksizma-leninizma i voennaja istorija. (The classics of Marxism-Leninism and the history of war.) Pod red. P. A. ŽILINA. Moskva, Voenizdat, 83, 343 p. (In-t voen. istorii M-va oborony SSSR)

6448. KLEPSCH (Rudolf). British Labour im Ersten Weltkrieg. Die Ausnahmesituation d. Krieges 1914-1918 als Problem u. Chance d. brit. Arbeiterbewegung. Göttingen, Bautz, 83, in-8, 375 p.

6449. KNOX (Bill). Scottish Labour leaders, 1919-1939, a biographical dictionary. Edinburgh, Mainstream, 83, in-8, 320 p. (ill.).

6450. KOBERDOWA (Irean). II Międzynarodówka a polski ruch robotniczy. (La IIe Internationale et le mouvement ouvrier polonais.) Dzieje najnowsze, 83, a. 15, n° 1-2, p. 3-18.

6451. KOCKA (Jürgen). Lohnarbeit und Klassenbildung. Arbeiter u. Arbeiterbewegung in Deutschland 1800-1875. Berlin u. Bonn, Dietz, 83, in-8, 207 p.

6452. KORONEN (M. M.). V. I. Lenin i Finlanjandija. (V. I. Lenin and Finland.) 2-e izd., dop. Leningrad, Lenizdat, 83, 319 p. (ill.).

6453. KOUKOULES (Giōrgos Ph.). Gia mia historia tou hellēnikou syndikalistikou kinēmatos. Eisagōgē stēn paidagōgikē tēs historikēs ereunas. (Pour une histoire du mouvement syndical grec. Introduction à la pédagogie de la recherche historique.) Athēna, Odysseas, 83, in-8, 258 p.

6454. KUCOBIN (P.V.). Kommunističeskaja partija Indii v gody vtoroj mirovoj vojny. (The communist party of India during the second world war.) Nar. Azii Afr., 83, n° 6, p. 41-51.

6455. KUPKA (Jaroslav). Odborové hnutí po XVI. sjezdu KSČ. Vývoj odborového hnutí a jeho poslání v období rozvinuté socialistické společnosti. (Die Gewerkschaftsbewegung nach d. XVI. Parteitag d. KPTsch. Die Entwicklung d. Gewerkschaftsbewegung u. ihre Sendung im Zeitalter d. entwickelten sozialist. Gesellschaft.) Praha, Svoboda, 83, in-8, 131 p.

6456. KURBATOVA (I.N.). K istorii izdanija i rasprostranija "Manifesta Kommunističeskoj partii" v perevode G. V. Plekhanova. (Contribution to the history of the publication and distribution of the "Manifesto of the Communist party" in G. V. Plekhanov's translation.) Vopr. Ist. KPSS, 83, n° 9, p. 56-65.

6457. LACROIX-RIZ (Annie). La C.G.T., de la Libération à la scission de 1944-1947. Paris, Ed. sociales, 83, in-8, 399 p. (ill.). - EADEM. La C.G.T., un exemple de renouvellement des dirigeants syndicaux. Mél. Ecole franç. Rome, Moyen Age, Temps mod., 83, t. 95, n° 2, p. 69-89.

6458. LEVIN (I.B.). Rabočee dviženie v Italii 1966-1976 gg. (Problemy i tendencii zabostovočnoj bor'by). (The working-class movement in Italy, 1966-1976.) Moskva, Nauka, 83, 336 p. (ill.). (AN SSSR. In-t meždunar. rabočego dviženija)

6459. LEVINE (Susan). Labor's true woman: domesticity and equal rights in the Knights of Labor. J. am. Hist., 83, vol. 70, n° 2, p. 323-339.

6460. LINDEMANN (Albert S.). A history of European socialism. New Haven, Conn., a. London, Yale U.P., 83, in-8, 385 p.

6461. LOŽKIN (V.V.). Sostav rabočikh social-demokratov i ikh rol' v sozdanii leninskoj partii. (The effectives of social-democratic workers [in Russia] and their role in the creation of the Leninist party.) Vopr. Ist., 83, n° 7, p. 64-80.

6462. MAI (Gunther). Kriegswirtschaft und Arbeiterbewegung in Württemberg 1914-1918. Stuttgart, Klett-Cotta, 83, in-8, 487 p. (Industrielle Welt, 35)

6463. MALYŠ (A.I.). Velikij revoljucioner i myslitel' (K 165-letiju so dnja roždenija i k 100-letiju so dnja smerti Karla Marksa). (The great revolutionary and thinker. On the occasion of the 165th anniversary of K. Marx's birth and the centenary of his death.) Vopr. Ist. KPSS, 83, n° 3, p. 13-27.

6464. MAMINA (Ion), NICULAE (Vasile). Partidul clasei muncitoare în viaţa politică a României. 1893-1913. (Le parti de la classe ouvrière dans la vie politique de la Roumanie.) Bucureşti, Ed. politică, 83, in-8, 272 p.

6465. MARTYNENKO (A.K.). Iz žizni i revoljucionnoj dejatel'nosti Uil'jama Gallakhera (1881-1965). (On the life and activites of William Gallacher, 1881-1965.) Nov. novejš. Ist., 83, n° 5, p. 74-93; n° 6, p. 78-96.

6466. MILLER (Sally M.). Other socialists: native-born and immigrant women in the Socialist Party of America. Labor Hist., 83, vol. 24, n° 1, p. 84-102.

6467. MILLES (Dieter). "... aber es kam kein Mensch nach den Gruben, um anzufahren". Arbeitskämpfe d. Ruhrbergarbeiter 1867-1878. Frankfurt (Main) u. New York, Campus-Verl., 83, in-8, 466 p. (1 Kt.).

6468. MINAEV (L.M.). Meždunarodnoe značenie leninskoj koncepcii partii novogo tipa. (The international significance of the Leninist conception of a party of a new type.) Nov. novejš. Ist., 83, n° 4, p. 3-18.

6469. Mişcarea muncitorească, socialistă, democratică: activitatea Partidului Comunist Român şi apărarea patriei la români. Repere cronologice. (Le mouvement ouvrier, socialiste, démocratique: l'activité du Parti Communiste Roumain et la défense de la patrie chez les Roumains. Repères chronologiques.) De Constantin OLTEANU, Ilie CEAUŞESCU, Vasile MOCANU, Florian TUCĂ. Bucureşti, Ed. militară, 83, in-8, XXXII-1535 p.

6470. MISHKINSKY (Moshe). Reshit tenu'at ha-po'alim ha-yehudit be-Rusia. (The emergence of the Jewish labor movement in Russia.) Tel-Aviv, Hakibbutz Hameuchad, 81, in-8, 357 p.

6471. MOCIOIU (Nicolae). Mişcarea muncitorească şi socialistă din Brăila de la primele începuturi pînă în anul 1910. (Le mouvement ouvrier et socialiste à Brăila depuis ses premiers débuts jusqu'à l'an 1910.) Istros, 81-83, t. 2-4, p. 379-414.

6472. MOLENDA (Antoni). Ruch komunistyczny w Zagłębiu Dąbrowskim w latach 1918-1939. (Le mouvement communiste dans le Bassin de Dąbrowa Górnicza dans les années 1918-1939.) Katowice, 83, in-8, 238 p. (Prace Nauk. Uniw. Śląskiego w Katowicach, 598)

6473. MONROY (Douglas). Anarquismo y communismo: Mexican radicalism and the Communist Party in Los Angeles during the 1930s. Labor Hist., 83, vol. 24, n° 1, p. 34-59.

6474. MORAVCOVÁ (Dagmar). Leninova teorie imperialismu a němečtí sociální demokraté do roku 1918. (Lenins Theorie des Imperialismus und die deutschen Sozialdemokraten bis z. J. 1918.) Praha, Academia, 83, in-8, 135 p. (Studie ČSAV 1983, 19)

6475. MULLANEY (Marie Marmo). Revolutionary women: gender and the socialist revolutionary role. New York, Praeger, 83, in-8, X-401 p. (Praeger Scientific: Praeger Special Stud.)

6476. NAISON (Mark). Communists in Harlem during the depression. Urbana, Univ. of Illinois Press, 83, in-8, XXI-355 p. (Blacks in the New World)

6477. NAJDUS (Walentyna). Polska Partia Socjalno-Demokratyczna Galicji i Śląska 1890-1919. (Le Parti Social-Démocrate Polonais de Galicie et de Silésie 1890-1919.) Warszawa, Państw. Wydawn. Nauk., 83, in-8, 718 p.

6478. NEROD (V.A.). Internacional'nye svjazi trudjaščikhsja Ukrainskoj SSR i Pol'ši, 1929-1933. (International ties of working people of the Ukrainian SSR and Poland, 1929-1933.) Kiev, Nauk. dumka, 83, 124 p. (AN USSR. In-t istorii)

6479. NOLTE (Ernst). Marxismus und industrielle Revolution. Stuttgart, Klett-Cotta, 83, in-8, 656 p.

6480. Osnovopoložnik naučnogo kommunizma: Mirovaja pečat' 1883 g. o Karle Markse. (Founder of scientific communism. The world press of 1883 about Karl Marx.) Publ. podgot. L. A. VELIČANSKAJ, A. Ju. ČEPURENKO. Nov. novejš. Ist., 83, n° 2, p. 3-29.

6481. Bibl. 82, n° 6574. Ot Marksa do naših dnej. (From Marx till our time.) - CR: Ju. S. Aksenov, Vopr. Ist. KPSS, 83, n° 3, p. 122-125.

6482. PALMER (Bryan D.). Working-class experience: the rise and reconstitution of Canadian labour, 1800-1980. Toronto, Butterworth, 83, in-8, 347 p. - CR: L. S. Macdowell, Canad. hist. R., 84, vol. 65, p. 267-268.

6483. PANKRATOVA (A.M.). Rabočij klass Rossii. (The working class of Russia.) Izbr. tr. Moskva, Nauka, 83, 559 p.

6484. PERFAHL (Brigitte). Marx oder Lassalle? Zur ideolog. Position d. österr. Arbeiterbewegung 1869-1889. Mit Beitr. v. Helmut KONRAD u. Hermann KEPPLINGER. Wien, Europaverl., 82, in-8, IX-327 p. (Materialien z. Arbeiterbewegung, 22)

6485. PEŠA (Václav). Die Entwicklung der Sozialdemokratischen Partei in Österreich in den Jahren 1868-1874. Historica [Praha], 83, vol. 22, p. 5-75.

6486. QUACK (Sibylle). Geistig frei und niemandes Knecht: Paul Levi - Rosa Luxemburg. Polit. Arbeit u. persönl. Beziehung. Mit 50 unveröff. Briefen. Köln, Kiepenheuer u. Witsch, 83, in-8, 295 p.

6487. RABENSCHLAG-KRÄUSSLICH (Jutta). Parität statt Klassenkampf? Zur Organisation d. Arbeitsmarktes u. Domestizierung d. Arbeitskampfes in Deutschland u. England 1900-1918. Frankfurt (Main) u. Bern, Lang, 83, in-8, 421 p. (Europ. Hochschulschr., Reihe 3: Gesch. u. ihre Hilfswiss., 189)

6488. REULECKE (Jürgen). Sozialer Frieden durch soziale Reform. der Centralverein für d. Wohl d. Arbeitenden Klassen in d. Frühindustrialisierung. Wuppertal, Hammer, 83, in-8, 307 p. (Düsseldorfer Schr. z. neueren Landesgesch. u. z. Gesch. Nordrhein-Westfalens, 6)

6489. ROUILLARD (Jacques). Le militantisme des travailleurs au Québec et en Ontario, niveau de syndicalisation et mouvements de grèves (1900-1980). R. Hist. Amérique franç., 83, vol. 37, p. 201-225.

6490. ROUSSEAU (René). Les femmes rouges - chronique des années Vermeersch. Paris, A. Michel, 83, in-8, 293 p.

6491. SALINGER (Sharon V.). Artisans, journeymen, and the transformation of labor in late eighteenth-century Philadelphia. William a. Mary Quar., 83, vol. 40, n° 1, p. 62-84.

6492. SAUTTER (Udo). North American government labor agencies before world war one: a cure for unemployment. Labor Hist., 83, vol. 24, n° 3, p. 366-393.

6493. SENATOROV (A.I.). Sên Katajama: stranicy žizni i dejatel'nosti. (Sen Katayama: pages of life and work.) Nov. novješ. Ist., 83, n° 1, p. 70-91; n° 2, p. 72-92.

6494. Sozializm i mir. Istorija, teorija, sovremennost'. (Socialism and peace. History, theory, present.) Otv. red. A. L. NAROČNICKIJ. Moskva, Meždunar. otnošenija, 83, 320 p. (Nauč. sovet AN SSSR po istorii vnešnej politiki SSSR i meždunar. otnošenij)

6495. STRICKER (Frank). Affluence for whom? - Another look at prosperity and the working classes in the 1920s. Labor Hist., 83, vol. 24, n° 1, p. 5-33.

6496. STUCHLIK (Karl-Heinz) Die Arbeitsverhältnisse in deutschen Konsumgenossenschaften. Von d. Anfängen bis 1933. Berlin, Duncker u. Humblot, 83, in-8, 533 p. (graph. Darst.). (Schr. zum Genossenschaftswesen u. z. öffentl. Wirtschaft, 8)

6497. TAYLOR (Barbara). Eve and the new Jerusalem: socialism and feminism in the nineteenth century. New York, Pantheon Books, 83, in-8, XVIII-394 p.

6498. TEITELBAUM (Kenneth), REESE (William J.). American socialist pedagogy and experimentation in the progressive era: the socialist sunday school. Hist. Educat. Quar., 83, vol. 23, n° 4, p. 429-454.

6499. TENNSTEDT (Florian). Vom Proleten zum Industriearbeiter. Arbeiterbewegung u. Sozialpolitik in Deutschland 1800 bis 1914. Köln, Bund-Verl., 83, in-8, 614 p. (Schriftenr. d. Otto-Brenner-Stiftung, 32)

6500. TOMICKI (Jan). Austromarksizm a polska lewica socjalistyczna w okresie Drugiej Rzeczypospolitej (1918-1939). (L'austromarxisme et la gauche socialiste polonaise dans la période de la IIe République, 1918-1939.) Dzieje najnowsze, 83, a. 15, n° 1-2, p. 129-144.

6501. TOMICKI (Jan). The General Union of Jewish Workers (Bund) in Poland 1918-1939. Acta Poloniae hist., 82 [83], vol. 45, p. 99-122.

6502. TYCH (Feliks). Encylopedystyka ruchu robotniczego (historia, stan obecny, perspektywy). (Les encyclopédies du mouvement ouvrier - histoire, état actuel, perspectives.) Kwart. hist., 83, a. 90, n° 3, p. 541-554.

6503. TYCH (Feliks). The Polish question at the International Socialist Congress in London in 1896. A contribution to the history of the Second International. Acta Poloniae hist., 83, vol 46, p. 97-140.

6504. VALJUŽENIČ (A.V.). Socialističeskaja mysl' i dviženie v SŠA. Ot utopičeskikh obščin do obrazovanija kom. partii. (Socialist thought and movement in the USA. From utopian communes to the foundation of the Communist Party.) Moskva, Mysl', 83, 303 p.

6505. VOGEL (Bernhard). Karl Marx. 1818-1883-1983. Rede zum 100. Todestag von Karl Marx am 13. März 1983 in Trier. Jb. f. westdeutsche Landesgesch., 83, Jg. 9, p. 379-397.

6506. WALICKI (Andrzej). Polska, Rosja, marksizm. Studia z dziejów marksizmu i jego recepcji. (Pologne, Russie, marxisme. Etudes d'histoire du marxisme et de sa réception.) Warszawa, Książka i Wiedza, 83, in-8, 373 p. (Bibl. Studiów nad Marksizmem, 24)

6507. WALL (Irwin M.). French communism in the years of Stalin: the quest for unity and integration, 1945-1962. London a. Westport, Conn., Greenwood, 83, in-8, XII-268 p. (Contrib. in Pol. Sci., 97)

6508. WINTER (Jay Murray). The working class in modern British history: essays in honour of Henry Pelling. London, Cambridge U.P., 83, in-8, 315 p. (dr., tab.).

6509. WRIGHT (Anthony). British socialism: socialist thought from the 1880's to the 1960's. London, Longman, 83, in-8, XII-188 p.

6510. Wspólne tradycje. Współdziałanie polskiego i niemieckiego ruchu robotniczego. Wybór dokumentów i materiałów. (Traditions communes. La coopération des mouvements ouvriers polonais et allemand. Choix de documents et matériaux.) Com. de réd.: Heinrich GEMKOW, Władysław GÓRA et al. T. 1: 1847-1950. Ed.: H. GEMKOW et al. Warszawa, Książka i Wiedza, 83, in-8, 418 p. (Inst. Ruchu Robotniczego Wyższej Szkoły Nauk Społ. przy KC PZPR, Centr. Archiwum KC PZPR, Inst. Marksizmu-Leninizmu przy KC SED)

6511. WYLIE (William N. T.). Poverty, distress, and desease: labour and the construction of the Rideau canal, 1826-32. Labour, 83, n° 11, p. 7-29.

6512. ŻARNOWSKI (Janusz). Klasa robotnicza a ruch robotniczy. (La classe ouvrière et le mouvement ouvrier.) Nauka polska, 82 [83], a. 30, n° 5-6, p. 49-63.

6513. ZLOBIN (V.I.). II s-ezd RSDRP: nekotorye voprosy istoriografii. (The II Congress of the RSDWP: some problems of historiography.) Vopr. Ist. KPSS, 83, n° 11, p. 122-132.

Cf. n°s 272, 354, 3147, 3866, 4047, 4106, 4173, 7482.

O

MODERN LEGAL AND CONSTITUTIONAL HISTORY

§ 1. General history of law. 6514-6538. - § 2. History of constitutionål law. 6539-6561. - § 3. Public law and institutions. 6562-6585. - § 4. Civil and penal law. 6586-6610. - § 5. International law. 6611-6614.

§ 1. General history of law.

6514. AUERBACH (Jerold S.). Justice without law? Resolving disputes without lawyers. New York, Oxford U.P., 83, in-8, XIII-182 p.

6515. BERMAN (Harold J.). Law and revolution: the formation of the western legal tradition. Cambridge, Mass., Harvard U.P., 83, in-8, VIII-657 p.

6516. BLASIUS (Dirk). Geschichte der politischen Kriminalität in Deutschland (1800-1980). Eine Studie zu Justiz u. Staatsverbrechen. Frankfurt (Main), Suhrkamp, 83, in-8, 159 p. (Ed. Suhrkamp, 1242 = N.F., 242: Neue hist. Bibl.)

6517. BREUER (Stefan). Sozialgeschichte des Naturrechts. Opladen, Westdeutsch. Verl., 83, in-8, 702 p. (Beitr. z. sozialwiss. Forsch., 42)

6518. Dějiny státu a práva socialistických zemí. (Staats- und Rechtsgeschichte der sozialistischen Länder.) Von Eduard VLČEK u. a. Praha, Panorama, 83, in-8, 360 p.

6519. DENNING (Lord). Denning, the closing chapter. London, Butterworth, 83, in-8, 280 p.

6520. DEWEY (Frank L.). Thomas Jefferson's law practice: the Norfolk anti-inoculation riots. Virginia Mag. Hist. a. Biogr., 83, vol. 91, n° 1, p. 39-53.

6521. GILISSEN (John). Codifications et projets de codification en Belgique au XIXe siècle (1804-1914). R. belge Hist. contemp., 83, t. 14, n° 1-2, p. 203-285.

6522. GLENN (Myra C.). The naval reform campaign against flogging: a case study in changing attitudes toward corporal punishment, 1830-1850. Am. Quar., 83, vol. 35, n° 4, p. 408-425.

6523. GOLDING (G.M.). George Gavan Duffy: a legal biography. Dublin, Irish Academic Press, 82, in-8, 224 p.

6524. HARTOG (Hendrik). Public property and private power: the corporation of the city of New York, 1730-1870. Chapel Hill, Univ. of North Carolina Press, 83, in-8, XIV-274 p. (Stud. in Legal Hist.)

6525. Hermann Conring (1606-1681). Beiträge zu Leben u. Werk. Symposion d. Herzog-August-Bibl. Wolfenbüttel vom 9.-12. Dez. 1981. Hrsg. v. Michael STOLLEIS. Berlin, Duncker u. Humblot, 83, in-8, 590 p. (Hist. Forsch., 23)

6526. HUGHES (Michael L.). Private equity, social inequity: German judges react to inflation, 1914-1924. Central european Hist., 83, vol. 16, n° 1, p. 76-94.

6527. IRONS (Peter). Justice at war. London a. New York, Oxford U.P., 83, in-8, XIII-407 p. [Japanese relocation in U.S., World War II]

6528. KLEINHEYER (Gerd), SCHRÖDER (Jan). Deutsche Juristen aus fünf Jahrhunderten. Eine biograph. Einführung in d. Gesch. d. Rechtswissenschaft. Heidelberg, Müller, 83, in-8, 409 p.

6529. PICKL (Eckhart). Aufklärung und Erneuerung des juristischen Studiums: Verfassung, Studium u. Reform in Dokumenten am Beispiel d. Mainzer Fakultät gegen Ende d. Ancien Régime. Berlin, Duncker u. Humblot, 83, in-8, 251 p. (Histor. Forsch., 24)

6530. PLUCKNETT (T.F.T.). Studies in English legal history. London, Hambledon, 83, in-8, 352 p.

6531. POPESCU (Anicuţa). Unificarea şi modernizarea legislaţiei în timpul domniei lui Alexandru I. Cuza. (L'unification et la modernisation de la législation [roumaine] sous le règne d'A. I. Cuza.) Studii Mater. Ist. mod., 83, t. 7, p. 61-114.

6532. RUBIN (G.R.), SUGEMAN (D.). Law, economy and society: essays in the history of English law. Abington, Professional Books, 83, in-8, 450 p.

6533. RUSSELL (Peter E.). The development of judicial expertise in eighteenth-century Massachusetts and a hypothesis concerning social change. J. soc. Hist., 83, vol. 16, n° 3, p. 143-154.

6534. Staats- und Rechtsgeschichte der

DDR. Grundriß. (Hrsg.:) Bereich Staats- u. Rechtsgesch. d. Humboldt-Univ. zu Berlin. Berlin, Staatsverl. d. DDR, 83, 254 p.

6535. TRIPP (Dietrich). Der Einfluß des naturwissenschaftlichen, philosophischen und historischen Posivitismus auf die deutsche Rechtslehre im 19. Jahrhundert. Berlin, Duncker u. Humblot, 83, in-8, 301 p. (Schr. z. Rechtsgesch., 31)

6536. WILLIAMS (Robert A.) Jr. The medieval and Renaissance origins of the status of the American Indian in western legal thought. South. Calif. Law R., 83, vol. 57, n° 1, p. 1-99.

6537. WILLMAN (Robert). Blackstone and the "theoretical perfection" of English law in the reign of Charles II. Hist. J., 83, vol. 26, p. 39-72.

6538. WUNDER (John R.). The Chinese and the courts in the Pacific northwest: justice denied? Pacific hist. R., 83, vol. 52, n° 2, p. 191-211.

Cf. n°s 4878, 4962.

§ 2. History of constitutional law.

** 6539. MOSER (Johann Jakob). Mömpelgardisches Staatsrecht. Hrsg. u. eingel. v. Wolfgang Hans STEIN. Mit einer Übers. v. Georg ANDERS. Stuttgart, Kohlhammer, 83, in-8, VIII-205 p. (Veröff. d. Komm. f. geschichtl. Landeskunde in Baden-Württemberg, Reihe A: Quellen, 35)

6540. BARDACH (Juliusz). Sejm dawnej Rzeczypospolitej jako najwyższy organ reprezentacyjny. (La Diète de l'ancienne République [polonaise] comme organe représentatif suprême.) Czas. prawno-hist., 83, vol. 35, fasc. 1, p. 135-147. [Cf. n°s 6548, 6575]

6541. CRUICKSHANKS (Eveline). Parliamentary history. Vol. 1, 2. Gloucester, A. Sutton, 83, 2 vol. in-4, 288, 256 p.

6542. DESPLAT (Christian). Les Etats de Béarn et la définition de la souveraineté béarnaise à l'époque moderne. Parliaments, Estates a. Representation, 83, vol. 3, part 2, p. 89-99.

6543. DRAKEMAN (Donald L.). Religion and the republic: James Madison and the first amendment. J. Church a. State, 83, vol. 25, n° 3, p. 427-446.

6544. FEUCHTE (Paul). Verfassungsgeschichte von Baden-Württemberg. Stuttgart, Kohlhammer, 83, in-8, XVII-618 p. (Ill., Kt.). (Veröff. z. Verfassungsgesch. v. Baden-Württemberg seit 1945, 1)

6545. FRÅNBERG (Per). "Den sanna kvinnan och politiken": en studie av röstuppdelningsdebatten 1922. ("The true woman and politics": on the debate on separation of votes in 1922 [in Sweden].) Scandia, 83, vol. 49, p. 139-154.

6546. FREY (Sabine). Rechtsschutz der Juden gegen Ausweisungen im 16. Jahrhundert. Frankfurt (Main), Bern u. New York, Lang, 83, in-8, XVII-158 p. (Rechtshist. Reihe, 30)

6547. Gegenstand und Begriffe der Verfassungsgeschichtsschreibung. Tagung d. Vereinigung f. Verfassungsgesch. in Hofgeismar am 30./31. März 1981. Berlin, Duncker u. Humblot, 83, in-8, 151 p. (Der Staat, Beih. 6)

6548. GRODZISKI (Stanisław). Sejm dawnej Rzeczypospolitej jako najwyższy organ ustawodawczy. Konstytucje sejmowe - pojęcie i próba systematyki. (La Diète de l'ancienne République [polonaise] comme organe législatif suprême. Les constitutions de la Diète - idée et essai de systématique.) Czas. prawno-hist., 83, vol. 35, fasc. 1, p. 163-175. [Cf. n°s 6540, 6575]

6549. GRÜNTHAL (Günther). Zwischen König, Kabinett und Kamarilla. Der Verfassungsoktroi in Preußen vom 5. 12. 1848. Jb. f. d. Gesch. Mittel- u. Ostdeutschl., 83, Bd 32, p. 119-174.

6550. HÅGARD (Birger). Partiparlamentarism eller intresserepresentation: konservativ kritik av regeringen Lindman författningsreform. (Party parliamentarism or representation of interests: conservative criticism of the Lindman Government's constitutional reform.) [Svensk] Hist. T., 83, vol. 31, p. 297-309. [Eng. summary]

6551. HALL (Kermit L.). The judiciary on trial: state constitutional reform and the rise of an elected judiciary, 1846-1860. Historian, 83, vol 45, n° 3, p. 337-354.

6552. HANLEY (Sarah). The Lit de justice of the kings of France. Constitutional ideology in legend, ritual and discours. Princeton, N.J., Princeton U.P., 83, in-8, 388 p.

6553. Istorija buržuaznogo konstitucionalizma XVII-XVIII vv. (History of bourgeois constitutionalism in the 17th a. 18th cent.) Otv. red.: V. S. NERSESJANC Moskva, Nauka, 83, 296 p.

6554. KENNEALLY (James J.). Catholicism and the supreme court reorganization proposal of 1937. J. Church a. State, 83, vol; 25, n° 3, p. 469-490.

6555. KRÜGER (Kersten). Die ständischen Verfassungen in Skandinavien in der Frühen Neuzeit. Modelle einer europ. Typologie? Z. f. hist. Forsch., 83, Bd 10, p. 129-148.

6556. NWABUEZE (B.O.). Federalism in Nigeria under the Presidential constitution. London, Sweet a. Maxwell, 83, in-8, XXVI-413 p.

6557. PACHECO (Josephine F.) a. others. The legacy of George Mason. Fairfax, Va., George Mason U.P., 83, in-8, 149 p.

6558. SUEUR (Jean-Jacques). Le régime d'assemblée et l'élaboration de la constitution de la IVe République. R. Droit public Sci. pol., 83, n° 5, p. 1209-1258.

6559. VOGEL (Barbara). Beamtenkonservatismus. Sozial- u. verfassungsgeschichtl. Voraussetzungen d. Parteien in Preußen im frühen 19. Jh. In: Deutscher Konservatismus im 19. u. 20. Jh. [Cf. n° 487], p. 1-31.

6560. WEIS (Eberhard). Kontinuität und Diskontinuität zwischen den Ständen des 18. Jahrhunderts und den frühkonstitutionellen Parlamenten von 1818/19 in Bayern und Württemberg. In: Festschr. f. A. Kraus [Cf. n° 497], p. 337-355.

6561. WEST (Ellis M.). The supreme court and religious liberty in the public schools. J. Church a. State, 83, vol. 25, n° 1, p. 87-112.

Cf. n°s 3390, 4255.

§ 3. Public law and institutions.

6562. ALEXANDER (Alan). Local government in Britain since reorganization. London, Allen a. Unwin, 83, in-8, 200 p.

6563. ATLESON (James B.). Values and assumptions in American labor law. Amherst, Univ. of Massachusetts Press, 83, in-8, X-240 p.

6564. Beiträge zu Geschichte und aktueller Situation der Sozialversicherung. Colloquium d. Max-Planck-Inst. f. ausländ. u. internat. Sozialrecht über "Ein Jahrhundert Sozialversicherung - Bismarcks Sozialgesetzgebung im internat. Vergleich", Berlin, 16. bis 20. Nov. 1981. Hrsg. v. Peter A. KÖHLER, Hans F. ZACHER. Berlin, Duncker u. Humblot, 83, in-8, 737 p. (Schriftenr. f. internat. u. vergleichendes Sozialrecht, 8)

6565. CAULIER-MATY (N.). La persistance de l'Ancien Régime: le droit liégeois et la loi impériale de 1810 sur les mines. R. belge Hist. contemp., 83, t. 14, n° 1-2, p. 53-89.

6566. DIESTELKAMP (Bernhard). Einige Beobachtungen zur Geschichte des Gesetzes in vorkonstitutioneller Zeit. Z. f. hist. Forsch., 83, Bd 10, p. 385-420.

6567. DINKLAGE (Karl). Die Anfänge der Kärntner Landesverwaltung. Der Aufbau von Kanzlei, Buchhaltung, Registratur u. Archiv bis z. Adelsemigration v. 1629. Carinthia I, 83, Jg. 173, p. 239-287.

6568. DUNBAR (Robert G.). Forging new rights in western waters. Lincoln, Univ. of Nebraska Press, 83, in-8, XIII-278 p.

6569. EFREMOVA (N.N.). Ministerstvo justicii Rossijskoj imperii, 1802-1917 gg. (The ministry of justice of the Russian empire, 1802-1917.) Ist. pravovoe issled. Moskva, Nauka, 83, 149 p. (AN SSSR. In-t gosudarstva i prava)

6570. HELLIEZ (Chantal). Les intendants sous Louis XIV. A. Univ. Abidjan, Hist., 83, t. 11, p. 85-98.

6571. HERNES (Gudmund). Makt of styring. (Power and administration [in Norway].) Oslo, Gyldendal, 83, 357 p. (ill.). (Det moderne Norge, 5)

6572. HOCKERTS (Hans Günther). Hundert Jahre Sozialversicherung in Deutschland. Ein Bericht über d. neuere Forschung. Hist. Z., 83, Bd 237, p. 361-384.

6573. IMREH (István). A történyhozó székely falu (1581-1847). (La fonction législative du village chez les Szeklers.) Bucureşti, Kriterion, 83, in-8, 547 p.

6574. MACOVEI (Adrian). Organizarea administrativ-teritorială a Moldovei între anii 1832 şi 1862. (L'organisation administrative-territoriale de la Moldavie entre 1832 et 1862.) A. Inst. Ist. Arheol. Iaşi, 82, t. 19, p. 353-354; 83, t. 20, p. 153-173.

6575. MAISEL (Witold). Trybunal Koronny w świetle laudów sejmikowych i konstytucji sejmowych. (Le Tribunal de la Couronne [en Pologne, 1578-1792] sous l'aspect des résolutions des diétines et des constitutions des diètes.) Czas. prawno-hist., 82 [83], vol. 34, fasc. 2, p. 73-109. [Cf. n°s 6540, 6548]

6576. MERIGI (Marco). Amministrazione e classi sociali nel Lombardo-Veneto (1814-1848). Bologna, Il Mulino, 83, in-8, 361 p. (Storia e amministrazione, 3)

6577. OWEN (A.). Conservation under Franklin D. Roosevelt. London, Praeger, 83, in-8, 288 p.

6578. PAPATHANASSOPOULOS (Thanassēs). Laïko dēmosio dikaio 1941-1945. (Droit public populaire, 1941-1945.) Athēna, Philippotēs, 82, in-8, 136 p.

6579. PINAUD (Pierre-François). Les trésoriers-payeurs généraux au XIXe siècle [en France]. Préf. de Michel PRADA. Paris, Ed. de l'Erudit, 83, in-8, 244 p. (Hist. prosopographique)

6580. PREU (Peter). Polizeibegriff und Staatszwecklehre. Die Entwicklung d. Polizeibegriffs durch d. Rechts- u. Staatswissenschaft d. 18. Jh. Göttingen, Schwartz, 83, in-8, 385 p. (Göttinger rechtswiss. Stud., 124)

6581. RITTER (Gerhard A.). Sozialversicherung in Deutschland und England. Entstehung u. Grundzüge im Vergleich. München, Beck, 83, in-8, 188 p. (Beck'sche Elementarbücher)

6582. SCHULTZ (Helga). Handwerkerrecht und Zünfte auf dem Lande im Spätfeudalismus. Jb. f. Gesch. d. Feualismus, 83, Bd 7, p. 327-350.

6583. STAN (Valeriu). Desăvîrşirea Unirii Principatelor Române pe plan administrativ (1859-1864). (Le parachèvement de l'union des Principautés Roumaines sur le plan administratif.) Studii Mater. Ist. mod., 83, t. 7, p. 7-60.

6584. TRIPP (Joseph F.). Progressive

jurisprudence in the west: the Washington Supreme Court, labor law, and the problem of industrial accidents. Labor Hist., 83, vol. 24, n° 3, p. 342-365.

6585. VOGEL (Jürgen). Westdeutschland 1945-1950. dDr Aufbau v. Verfassungs- u. Verwaltungseinrichtungen über d. Ländern d. drei westl. Besatzunszonen. Teil 3: Einzelne Verwaltungszweige. Boppard a. Rh., Boldt, 83, in-8, XI-714 p. (Schr. d. Bundesarchivs, 32)

Cf. n° 6016.

§ 4. Civil and penal law.

* 6586. Crime and punishment in America: a historical bibliography. Santa Barbara, Calif., ABC-Clio, 83, XII-346 p. (Research Guides, 6)

** 6587. Aktenversendung und Hexenprozeß. Sönke LORENZ. [1. Cf. Bibl. 82, n° 6730.] 2: Quellen. 1: Die Hexenprozesse in den Rostocker Spruchakten von 1570 bis 1630. 2: Die Hexenprozesse in den Greifswalder Spruchakten von 1582-1630. Frankfurt (Main), Bern u. New York, Lang, 83, 2 vol. in-8, 689, 459 p. (Studia philos. et hist., 1)

** 6588. MOLLIER (Jean-Yves). Dans les bagnes de Napoléon III. Mémoires de Charles-Ferdinand Gambon. Paris, Presses univ. France, 83, in-8, 296 p.

6589. ALLASON (Rupert). The Branch: the history of the Metropolitan Police Special Branch, 1883-1983. London, Secker a. Warburg, 83, in-8, 238 p.

6590. BAKKEN (Gordon Morris). The development of law on the Rocky Mountain frontier: civil law and society, 1850-1912. Westport, Conn., Greenwood, 83, in-8, 200 p. (Contrib. in Legal Stud., 27)

6591. BEE (Michel). Le spectacle de l'exécution dans la France d'Ancien Régime. A. Ec., Soc., Civ., 83, a. 38, p. 843-862.

6592. BONFIELD (Lloyd). Marriage settlements, 1601-1740: the adoption of the strict settlement. London, Cambridge U.P., 83, in-8, 136 p. (tab.). (Cambr. Stud. in Legal Hist.)

6593. COPPENS (C.). Het Tribunal civil du département de l'Escaut en de rechtbank van eerste anleg te Gent. Een bijdrage tot de studie van de burgerlijke rechtspraak in de periode 1796-1830. (Le Tribunal civil du département de l'Escaut et le tribunal de première instance à Gand. Contribution à l'étude de la justice civile, 1796-1830.) R. belge Hist. contemp., 83, t. 14, n° 1-2, p. 1-51. [Rés. franç. - Eng. summary]

6594. DUMAN (Daniel). The judicial bench in England, 1727-1875, the reshaping of a professional elite. London, Roy. Hist. Soc., 83, in-8, 208 p.

6595. FISCH (Jörg). Cheap lives and dear limbs. The British transformation of the Bengal criminal law 1769-1817. Wiesbaden, Steiner, 83, in-8, 154 p. (Beitr. z. Südasienforsch., 79)

6596. FLOSSMANN (Ursula). Österreichische Privatrechtsgeschichte. Wien u. New York, Springer, 83, in-8, 369 p. (Springer Kurzlehrbücher d. Rechtswiss.)

6597. GRUCHMANN (Lothar). "Blutschutzgesetz" und Juden. Zur Entstehung u. Auswirkung d. Nürnberger Gesetzes v. 15. Sept. 1936. Vjhefte f. Zeitgesch., 83, Jg. 31, H. 3, p. 418-442.

6598. HAMMEN (Horst). Die Bedeutung Friedrich Carl von Savignys für die allgemeinen dogmatischen Grundlagen des deutschen Bürgerlichen Gesetzbuches. Berlin, Duncker u. Humblot, 83, in-8, 228 p. (Schr. z. Rechtsgesch., 29)

6599. HARRING (Sidney L.). Policing a class society: the experience of American cities, 1865-1915. New Brunswick, N.J., Rutgers U.P., 83, in-8, XII-301 p.

6600. JONES (D.J.V.). The new police, crime and people in England and Wales, 1829-1888. Trans. roy. hist. Soc., 83, vol. 33, p. 151-168.

6601. JUXON (John). Lewis and Lewis, the life of a celebrated Victorian solicitor. London, Collins, 83, in-8, 350 p.

6602. LARMINIE (V.M.). The godly magistrate: the private philsophy and public life of Sir John Newdigate, 1571-1610. Stratford-upon-Avon, Dugdale Soc., 83, in-8, 34 p.

6603. LEWIS (Geoffrey). Lord Atkin. London, Butterworth, 83, in-8, 288 p.

6604. RUBELLIN-DEVICH (Jacqueline). L'évolution du statut civil de la famille [en France] depuis 1945. Paris, Ed. du C.N.R.S., 83, in-8, 136 p.

6605. SHARPE (J. A.). Crime in seventeenth-century England: a county study. London a. New York, Cambridge U. P., 83, in-8, VII-289 p. (dr., tab., maps). (Past a. Present Publ.)

6606. Słownik biograficzny adwokatów polskich. (Dictionnaire biographique des avocats polonais [morts avant 1918].) Com. de réd.: Zdzisław CZESZEJKO-SOCHACKI et al. [M-R. Cf. Bibl. 82, n° 6743.] S-Ż. Warszawa, Wydawn. Prawnicze, 83, in-8, p. 373-520.

6607. STYLES (John). Sir John Fielding and the problem of criminal investigation in 18th-century England. Trans. roy. hist. Soc., 83, vol. 33, p. 127-149.

6608. WEBER-WILL (Susanne). Die rechtliche Stellung der Frau im Privatrecht des Preußischen Allgemeinen Landrechts von 1794. Frankfurt (Main), Bern u. New York, Lang, 83, in-8, 317 p. (Europ. Hochschulschr., Reihe 2: Rechtswiss., 350)

6609. WRIGHT (Gordon). Between the

guillotine and liberty: two centuries of the crime problem in France. London a. New York, Oxford U.P., 83, in-8, IX-290 p. (ill.).

6610. YOUNG (James Harvey). Three southern food and drug cases. J. south. Hist., 83, vol. 49, n° 1, p. 3-36.

Cf. n°s 3560, 3862, 3956, 6234.

§ 5. International law.

6611. CONOT (Robert E.). Justice at Nuremberg. London, Weidenfeld a. Nicolson, 83, in-8, 608 p. (ill.).

6612. GREWE (Wilhelm G.). Grotius - Vater des Völkerrechts? Staat, 83, Bd 23, n° 2, p. 161-178.

6613. HAGGENMACHER (Peter). Grotius et la doctrine de la guerre juste. Paris, Presses univ. France, 83, in-8, 682 p. (Publ. de l'Inst. univ. des Hautes Etudes internat., Genève)

6614. MICHAËL (Michaël Dem.). Ta archaiologika kai historika antikeimena tēs hyphalokrēpidas. To diethnes dikaio kai to Aigaio. (Les aspects archéologiques et historiques du problème de la délimitation des eaux territoriales. Le droit international et la mer Egée.) Athēna, Sakkoulas, 83, in-8, 133 p.

P

HISTORY OF INTERNATIONAL RELATIONS

§ 1. General. 6615-6674. - § 2. History of colonization (a. General; b. Asia; c. Africa; d. America; e. Oceania). 6675-6862. - § 3. From 1500 to 1789 (a. General; b. 1500-1648; c. 1648-1789). 6863-6930. - § 4. From 1789 to 1815. 6931-6950. - § 5. From 1815 to 1910. 6951-7009. § 6. From 1910 to 1935. The First World War. 7010-7097. - § 7. From 1935 to 1945. The Second World War (a. General; b. Diplomacy. Economy; c. Military operations; d. Resistance). 7098-7279. - § 8. From 1945. 7280-7388.

§ 1. General.

* 6615. CHAND (Attar). Disarmament, detente and world peace: a bibliography with selected abstracts, 1916-1981. New Delhi, Sterling Publ.; London, Independent Publ. Co., 83, in-8, 167 p.

* 6616. Guide to American foreign relations since 1700. Ed. by Richard Dean BURNS. Santa Barbara, Calif., a. Oxford, Clio, 83, XXVI-1311 p.

* 6617. MAGUIRE (Maria). A bibliography of published works on Irish foreign relations, 1921-78. Dublin, R.I.A., 81, in-8, 136 p.

** 6618. Dokumenty i materialy po istorii sovetsko-čekhoslovackikh otnošenij (Documents and materials on the history of Soviet-Czechoslovak relations.) Redkol.: A. I. NEDOREZOV, V. KRAL' (otv. red.) i dr. T. 4, [Kn. 1. Cf. Bibl. 81, n° 6105.] Kn. 2: Dekabr' 1943 - maj 1945 g. Moskva, Nauka, 83, 472 p. (AN SSSR. In-t slavjanovedenija i balkanistiki i dr. Čekhosl. AN. Čekhosl.-sov. in-t. Slovac. AN. In-t istorii evrop. soc. stran)

** 6619. Dokumenty i materialy po istorii sovetsko-pol'skikh otnošenij. (Documents and materials on the history of Soviet-Polish relations.) Redkol.: I. I. KOSTJUŠKO, V. BAL'CERAK (otv. red.) i dr. T. 11: Janvar' 1956 - dekabr' 1960 g. Podgot. E. BASIN'SKIJ, V. BAL'CERAK, I. I. KOSTJUŠKO i dr. Moskva, Nauka, 83, 603 p. (AN SSSR. In-t slavjanovedenija i balkanistiki. Pol. akad. nauk. In-t soc. stran i dr.)

** 6620. Dokumenty oprovergajut. Protiv fal'sifikacii istorii russko-kitajskikh otnošenij. (Documents refute. Against the falsification of the history of Russian-Chinese relations.) Otv. red. S. L. TIKHVINSKIJ. Moskva, Mysl', 82, 511 p. - CR: A. L. Naročnickij, Vopr. Ist., 83, n° 8, p. 112-115

** 6621. GHEORGHE (Gheorghe). Tratatele internaţionale ale României. (Les traités internationaux de la Roumanie.) [Vol. 2. Cf. Bibl. 80, n° 6521.] Vol. 3: 1939-1965. Texte, rezumate, adnotări, bibliografie. Bucureşti, Ed. ştiinţ. şi enciclop., 83, in-8, 424 p.

6622. ABRASIMOV (P.A.). 300 metrov ot Brandeburgskikh vorot. Vzgljad skvoz' gody. (300 metres from Brandenburg Gate [in Berlin]. Look through the years.) Moskva, Politizdat, 83, 352 p. (ill.).

6623. AKINO (Yutaka). Soviet policy in eastern Europe, 1943-1948: a geo-political analysis. East european Quar., 83, vol. 17, n° 3, p. 257-266.

6624. ALEXANDRIS (Alexis). The Greek minority of Istanbul and Greek-Turkish relations 1918-1974. Athens, Center for Asia Minor Studies, 83, in-8, 381 p. (ill.).

6625. Aspects des relations de la Belgique, du Grand-Duché de Luxembourg et des Pays-Bas avec l'Italie, 1925-1940. Sous la dir. de Michel DUMOULIN, Jacques WILLEQUET. Bruxelles, Istituto ital. di Cultura, 83, in-8, 374 p.

6626. BĂDĂRAU (Gabriel). Consideratii privind raporturile româno-otomane între 1774 si 1802 (I). (Considérations sur les rapports roumano-ottomans entre 1774 et 1802.) A. Inst. Ist. Arheol. Iaşi, 83, t. 20, p. 135-151.

6627. BESPROZVANNYKH (E.L.). Priamur'e v sisteme russko-kitajskikh otnošenij. XVII - seredina XIX v. (The Amur region in the system of Russian-Chinese relations, 17th - middle of the 19th cent.) Moskva, Nauka, 83, 207 p. (AN SSSR. In-t Dal. Vostoka)

6628. CARISIUS (Albrecht), LAMBRECHT (Rainer), DORST (Klaus). Weltgendarm USA. Der militär. Interventionismus d. USA seit d. Jahrhundertwende: kurzgefaßter Überblick. Berlin, Militärverl. d. DDR, 83, in-8, 260 p. (Abb., Kt.). (Schr. d. Militärgeschichtl. Inst. d. DDR)

6629. CHESTER (Edward W.). United States oil policy and diplomacy: a twentieth-century overview. Westport, Conn., 83, in-8, XIV-399 p. (Contrib. in Econ. a. Econ. Hist., 52)

6630. COMBS (Jerald A.). American diplomatic history: two centuries of changing interpretations. Berkeley a. Los Angeles, Univ. of California Press, 83, in-8, XII-413 p.

6631. CRAIG (Gordon A.), GEORGE (Alexander L.). Force and statecraft: diplomatic problems of our time. New York, Oxford U.P., 83, in-8, XIV-288 p.

6632. CUMINGS (Bruce). Korean-American relations: a century of contact and thirty-five years of intimacy. In: New frontiers in American-East Asian relations [Cf. n° 477], p. 237-282.

6633. CUMINGS (Bruce) a. others. Child of conflict: the Korean-American relationship, 1943-1953. Seattle, Univ. of Washington Press, 83, in-8, XIV-335 p.

6634. DIANOUX (Hugues-Jean de). Kouang-Tchéou-Wan, un territoire cédé à bail par la Chine à la France de 1899 à 1945. C.R. Séances Acad. Sci. Outre-Mer, 82 [83], t. 42, n° 3, p. 517-576.

6635. DIOSZEGI (István). Hungarians in the Ballhausplatz [Vienna]. Studies on the Austro-Hungarian common foreign policy. Budapest, Corvina, 83, in-8, 363 p. (fig.).

6636. DYSKANT (Józef Wieslaw). Konflikty i zbrojenia morskie 1918-1939. (Les conflits et les armements navals 1918-1939.) Gdańsk, Wydawn. Morskie, 83, in-8, 678 p. (Hist. Morska)

6637. ENGMAN (Max). S:t Petersburg och Finland. Migration och influens 1703-1917. (St. Petersburg and Finland. Migration and influence, 1703-1917.) Helsingfors, Societas scientiarum Fennica, 83, in-8, 453 p. (Bidr. t. Känn. av Finl. Natur Folk, 130) [Eng. summary]

6638. GIRENKO (Ju. S.). Sovetsko-jugoslavskie otnošenija. Stranicy istorii. (Soviet-Yugoslavian relations. Pages of history.) Moskva, Meždunar. otnošenija, 83, 192 p.

6639. GROMYKO (A.A.). Vnešnjaja ekspansija kapitala: istorija i sovremennost'. (Foreign expansion of capital: past and present.) Moskva, Mysl', 83, 494 p. - CR: O. S. Bogdanov, P. P. Sevost'janov, P. I. Markov, Vopr. Ist., 83, n° 8, p. 55-65. V. M. Kudrov, G. A. Trofimenko, SŠA - ěkon. pol., ideol., 83, n° 5, p. 99-106. A. G. Miletkovksij, Ju. I. Judanov, Nov. novejš. Ist., 83, n° 6, p. 160-163. G. F. Kim, Nar. Azii Afr., 83, n° 5, p. 189-192.

6640. GUREVIČ (B.P.). Meždunarodnye otnošenija v Central'noj Azii v XVII - pervoj polovine XIX v. (International relations in Central Asia, 17th - first half of the 19th cent.) 2-e izd., dop. Moskva, Nauka, 83, 300 p. (AN SSSR. In-t vostokovedenija)

6641. HEINRICHS (Waldo). The middle years, 1900-1945, and the question of a large U.S. policy for East Asia. In: New frontiers in American-East Asian relations [Cf. n° 477], p. 77-106.

6642. HERRE (Franz). Deutsche und Franzosen: der lange Weg zur Freundschaft. Bergisch-Gladbach, Lübbe, 83, in-8, 320 p.

6643. HUNT (Michael H.). The making of a special relationship: the United States and China to 1914. New York, Columbia U.P., 83, in-8, XII-416 p.

6644. KENNEDY (Paul). Strategy and diplomacy, 1870-1945: eight studies. London, Allen a. Unwin, 83, in-8, 254 p.

6645. LANGLEY (Lester D.). The banana wars: an inner history of American empire, 1900-1934. Lexington, Univ. Press of Kentucky, 83, in-8, VIII-255 p.

6646. LAVROV (N.M.). SSSR i Latinskaja Amerika: k 40-letiju Stalingradskoj bitvy. (USSR and Latin America, on the occasion of the 40th anniversary of the battle of Stalingrad.) Lat. Am., 83, n° 3, p. 116-122.

6647. LEVY (Jack S.). War in the modern great power system, 1495-1975. Lexington, U.P. of Kentucky, 83, in-8, XIV-215 p.

6648. LITTLE (Douglas). Antibolshevism and American foreign policy, 1919-1939: the diplomacy of self-delusion. Am. Quar., 83, vol. 35, n° 4, p. 376-390.

6649. LOZZI (Carlo). Mussolini - Stalin. Storia delle relazioni italo-sovietiche prima e durante il fascismo. Milano, Ed. Domus, 83, in-8, 163 p.

6650. LUO (Rongqu), JIANG (Xiangze). Research in Sino-American relations in the People's Republic of China. In: New frontiers in American-East Asian relations [Cf. n° 477], p. 1-16.

6651. MAPRAYIL (Cyriac). Britain and Afghanistan in historical perspective. London, Cosmic Press, 83, in-8, 165 p.

6652. MARCUS (Harold G.). Ethiopia, Great Britain, and the United States, 1941-1974: the politics of empire. Berkeley, Los Angeles a. London, Univ. of California Press, 83, in-8, XII-205 p.

6653. MAY (Ernest R.). Military and naval affairs since 1900. In: New frontiers in American-East Asian relations [Cf. n° 477], p. 107-127.

6654. NIEDHART (G.). Der Westen und die Sowjetunion. Einstellungen u. Politik gegenüber d. UdSSR in Europa u. in den USA seit 1917. Paderborn, Schöningh, 83, in-8, 372 p.

6655. PALMER (Alan). The chancelleries of Europe. London a. Boston, Mass., Allen a. Unwin, 83, in-8, XI-275 p.

6656. PARKS (J.D.). Culture, conflict, and coexistence: American-Soviet cultural relations, 1917-1958. Jefferson, N.C.,

McFarland Press, 83, in-8, VII-231 p.

6657. PIETROW (Bianka). Stalinismus, Sicherheit, Offensive: das "Dritte Reich" in d. Konzeption d. sowjet. Außenpolitik 1933-1941. Melsungen, Schwartz, 83, in-8, 456 p. (Kasseler Forsch. z. Zeitgesch., 2)

6658. PODLESNYJ (P.T.). SSSR i SŠA. 50 let diplomatičeskikh otnošenij. (USSR and USA. 50 years of diplomatic relations.) Moskva, Meždunar. otnošenija, 83, 135 p. - Cf. SOKOLOV (V.V.). 50 let diplomatičeskikh otnošenij meždu SSSR i SŠA. (50 years of diplomatic relations between USSR and USA.) SŠA - ėkon., pol., ideol., 83, n° 11, p. 16-27.

6659. Politique étrangère de la France. T. 1: DUROSELLE (Jean-Baptiste). La décadence, 1932-1939. Paris, Ed. du Seuil, 83, in-8, 568 p. (Points, Ser. Histoire, 63)

6660. RÁNKI (György). Economy and foreign policy: the struggle of the great powers for hegemony in the Danube valley, 1919-1939. Boulder, Colo., East European Monographs, 83, in-8, 224 p. (East European Monographs, 141)

6661. RHODES (Benjamin D.). British diplomacy and the congressional circus 1929-1939. South Atlantic Quar., 83, vol. 82, n° 3, p. 300-313.

6662. ROSS (G.). The great powers and the decline of the European states system, 1914-1945. London, Longman, 83, in-8, 192 p.

6663. SBOLOPOULOS (Kōnstantinos). Hē hellenikē exōterikē politikē apo tis arches tou 20ou aiōna hōs to Deutero Pankosmio Polemo. (La politique extérieure grecque depuis le début du XXe siècle jusqu'à la Seconde guerre mondiale.) Thessalonikē, Sakkoulas, 83, in-8, 260 p.

6664. ŞERBAN (Constantin), ABRAHAMOWICZ KOPČAN (V.), KUNT (M.), MAROSI (E.), MOČANIN (N.), TEPLY (K.). Die Türkenkriege in der historischen Forschung. Wien, Deuticke, 83, in-8, 184 p. (Forsch. u. Beitr. z. Wiener Stadtgesch., 13)

6665. SHORROCK (William I.). The Tunisian question in French policy toward Italy, 1881-1940. Int. J. african hist. Stud., 83, vol. 16, n° 4, p. 631-651.

6666. SIZONENKO (A.I.). Stanovlenie diplomatičeskikh otnošenij Rossii so stranami Južnoj Ameriki i Meksikoj. (The formation of Russia's diplomatic relations with the countries of South America and Mexico.) Lat. Am., 83, n° 5, p. 61-73.

6667. SKOWRONEK (Jerzy). Sprzymierzeńcy narodów bałkańskich. (Les alliées des nations balkaniques.) Warszawa, Państw. Wydawn. Nauk., 83, in-8, 427 p. [La Pologne et les pays balkaniques, XVIIIe-XIXe s.]

6668. STAGG (J.C.A.). Mr. Madison's war: politics, diplomacy, and warfare in the early American republic, 1783-1830. Princeton, N.J., Princeton U.P., 83, in-8, XVIII-538 p.

6669. THOMAS (Daniel H.). The guarantee of Belgian independence and neutrality in European diplomacy, 1830's - 1930's. Kingston, R.I., D. H. Thomas, 83, in-8, XII-789 p.

6670. VARG (Paul A.). New England and foreign relations, 1789-1850. Hanover, N.H., Univ. Press of New England, 83, in-8, IX-260 p.

6671. Bibl. 82, n° 6798. Vnešnjaja politika stran Latinskoj Ameriki. (Foreign policy of Latin American countries.) Otv. red. A. N. GLINKIN, A. I. SIZONENKO. - CR: A. I. Kedrov, Lat. Am., 83, n° 4, p. 132-134.

6672. WEHLER (Hans-Ulrich). Grundzüge der amerikanischen Außenpolitik. 1: 1750-1900. Von den englischen Küstenkolonien zur amerikanischen Weltmacht. Frankfurt (Main), Suhrkamp, 83, in-8, 221 p. (Ed. Suhrkamp, 1254 = N.F., 254. Neue hist. Bibliothek)

6673. WILSON (Keith M.). Imperialism and nationalism in the Middle East: the Anglo-Egyptian experience, 1882-1982. London, Mansell, 83, in-8, 192 p.

6674. ZERNACK (Klaus). Die Geschichte Preußens und das Problem der deutsch-polnischen Beziehungen. Zugleich e. erster Rückblick auf die Preußen-Welle. Jb. f. Gesch. Osteuropas, 83, Bd 31, p. 1-27.

Cf. n° 3961.

§ 2. History of colonization.

a. General.

6675. BOUCHER (Philip P.). Comment se forme un ministre colonial: l'initiation de Colbert, 1651-1664. R. Hist. Amérique franç., 83, vol. 37, n° 3, p. 431-452.

6676. BRAUNSTEIN (Dieter). Französische Kolonialpolitik 1830-1852. Expansion, Verwaltung, Wirtschaft, Mission. Wiesbaden, Steiner, 83, in-8, XIII-503 p. (Beitr. z. Kolonial- u. Uberseegesch., 25)

6677. ČERKASOV (P.P.). Sud'ba imperii. Očerk kolonial'noj ekspansii Francii v XVI-XX vv. (Destiny of an empire. Essays on the colonial expansion of France in the 16th-20th cent.) Moskva, Nauka, 83, 184 p. (ill.). (Istorija i sovremennost'. AN SSSR) - IDEM. Kolonial'naja politika Francii v gody vtoroj mirovoj vojny. (French colonial policy in the Second World War.) Vopr. Ist., 83, n° 7, p. 81-95.

6678. ECCLES (William J.). The fur trade and eighteenth-century imperialism. William a. Mary Quar., 83, vol. 40, n° 3, p. 341-362.

6679. GOTHSCH (Manfred). Die deutsche Volkskunde und ihr Verhältnis zum Kolonialismus. Ein Beitr. z. kolonialideolog. u. kolonialpraktischen Bedeutung d. deutschen Völkerkunde in d. Zeit v. 1870 bis 1975. Baden-Baden, Nomos, 83, in-8, II-288 p. (Veröff. aus d. Inst. f. Internat. Angelegenheiten d. Univ. Hamburg, 13)

6680. HALSTEAD (John P.). The second British empire: trade, philanthropy, and good government, 1820-1890. Westport, Conn., Greenwood, 83, in-8, XIII-261 p. (Contrib. in Comp. Colonial Stud., 14)

6681. PERSELL (Stuart Michael). The French colonial lobby, 1889-1938. Stanford, Calif., Hoover Inst. Press, 83, in-8, XII-235 p. (Hoover Colonial Stud.)

6682. PORTER (Bernard) Britain, Europe, and the world, 1850-1982: delusions of grandeur. London a. Boston, Allen a. Unwin, 83, in-8, XV-173 p.

6683. REINHARD (Wolfgang). Geschichte der europäischen Expansion. Bd 1: Die alte Welt bis 1818. Stuttgart, Kohlhammer, 83, in-8, 279 p. (79 Ill., graph. Darst., Kt.).

6684. SULLIVAN (Eileen P.). Liberalism and imperialism: John Stuart Mill's defense of the British empire. J. Hist. Ideas, 83, vol. 44, n° 4, p. 599-618.

6685. TENGWALL (David). A study in military leadership: Portuguese south Atlantic empire. Americas, 83, vol. 40, n° 1, p. 73-94.

Cf. n°s 5891, 6677.

b. Asia.

** 6686. British Library, London. Burma, the struggle for independence, 1944-1948: documents from official and private sources. Vol. 1: From military occupation to civil government, January 1, 1944 to August 31, 1946. London, H. M. Stationery Office, 83, in-4, 1214 p.

** 6687. HOTCHAND (Seht Naomul). Memoirs, 1804-1878, CSI. Ed. by Hamida KHUHRO. Karachi, Oxford U.P., 83, in-8, 254 p.

6688. ARNOLD (David). White colonization and labour in 19th-century India. J. imp. commonw. Hist., 83, vol. 11, p. 133-158.

6689. BANDARAGE (Asoka). Colonialism in Sri Lanka. The polit. economy of the Kandyan Highlands, 1833-1886. Amsterdam, Berlin a. New York, Mouton, 83, in-8, XIV-404 p. (Stud. in the social Sciences, 39)

6690. DE SCHWEINITZ (Karl). The rise and fall of British India: imperialism as inequality. London a. New York, Methuen, 83, in-8, 275 p.

6691. GIANAKOS (Perry E.). George Ade's critique of benevolent assimilation. Dipl. Hist., 83, vol. 7, n° 3, p. 223-237. [U.S. - Philipines 1899]

6692. GUHA (Ranajit). Elementary aspects of peasant insurgency in colonial India. London a. New York, Oxford U.P., 83, in-8, VIII-361 p.

6693. HEUSSLER (Robert). Completing a stewardship: the Malayan Civil Service, 1942-1957. Westport, Conn., Greenwood, 83, in-8, XVII-240 p. (Contrib. in Comp. Colonial Stud., 15)

6694. LUTT (Jürgen). Gandhis Fasten als politische Waffe. Internat. Asienforum, 83, Bd 14, n° 4, p. 381-397.

6695. MAY (Glenn A.). Why the United States won the Philippine-American war, 1899-1902. Pacific Hist. R., 83, vol. 52, n° 4, p. 353-377.

6696. MINERS (N.J.). The Hong Kong government opium monopoly, 1914-1941. J. imp. commonw. Hist., 83, vol. 11, p. 275-299.

6697. MOORE (R.J.). Escape from empire: the Attlee government and the Indian problem. London a. New York, Oxford U.P., 83, in-8, X-376 p.

6698. PAGE (David). Prelude to partition: Indian Muslims and the imperial system of control, 1920-1932. New Delhi, Oxford U.P., 83, in-8, 304 p. (tab., maps).

6699. Rural India. Land, power and society under British rule [1765-1947]. Ed. by P. ROBB. London, Curzon, 83, in-8, 322 p. (Collected Papers on South Asia, 6)

6700. STOKES (Eric). English Utilitarians and India. New Delhi, Oxford U.P., 83, in-8, 352 p.

6701. TARLING (Nicholas). The burthen, the risk and the glory, a biography of Sir James Brooke. London, Oxford U.P., 83, in-8, 474 p. - IDEM. Lord Mountbatten and the return of civil government to Burma. J. imp. commonw. Hist., 83, vol. 11, p. 197-226.

6702. TAYLOR (Jean Gelman). The social world of Batavia: European and Eurasian in Dutch Asia. Madison, Univ. of Wisconsin Press, 83, in-8, XXII-249 p.

6703. THOMAZ (Lufz Filipe Ferreira Rei). Goa: une société luso-indienne. B. Et. portugaises, 81-82 [83ä, t. 42-43, p. 15-44.

6704. WILLIAMSON (Philip). "Party first and India second": the appointment of the Viceroy of India in 1930. B. Inst. hist. Research, 83, vol. 56, p. 86-101.

Cf. n° 5878.

c. Africa.

** 6705. NIVEN (Sir Rex). Nigerian kaleidoscope: memoirs of a colonial servant. London, C. Hurst, 83, in-8, X-278 p.

** 6706. PERHAM (Dame Margery). West African passage, a journey through Nigeria, Chad and the Cameroons, 1931-1932. Ed. by Anthony H. M. KIRK-GREENE. London, P. Owen, 83, in-8, 245 p.

** 6707. WIESE (Carl). Expedition in

east-central Africa, 1888-1891: a report. Transl. by Donald RAMOS. Ed. by Harry W. LANGWORTHY. Norman, Univ. of Oklahoma Press, 83, in-8, XVI-383 p.

6708. ALPERS (Edward A.). Muqdisho in the 19th century, a regional perspective. J. afr. Hist., 83, vol. 24, p. 441-459.

6709. ANDREW (Christopher), KANYA-FORSTNER (A. Sydney). France and the disposition of Germany's African colonies, 1914-1922. In: Et. afric. offertes à H. Brunschwig [Cf. n° 479], p. 209-223.

6710. BIRMINGHAM (David), MARTIN (P. M.). History of Central Africa. London, Longman, 83, 2 vol. in-8, 332, 454 p.

6711. BONNER (Philip). Kings, commoners and concessionaires: the evolution and dissolution of the 19th century Swazi State. London, Cambridge U.P., 83, in-8, 315 p. (maps). (Afr. Stud.)

6712. BRAIN (J.B.). Christian Indians in Natal, 1860-1911, historical and statistical survey. Pretoria, Oxford U.P., 83, in-8, 294 p. (ill., tab., fig.).

6713. CAUTE (David). Under the skin: the death of white Rhodesia. London, A. Lane, 83, in-8, 416 p.

6714. CHABAL (Patrick). Amilcar Cabral, revolutionary leadership and people's war. London, Cambridge U.P., 83, in-8, 273 p. (tab., maps).

6715. CHRETIEN (Jean-Pierre). Féodalité ou féodalisation du Burundi sous le mandat belge. In: Et. afric. offertes à H. Brunschwig [Cf. n° 479], p. 367-387.

6716. COHEN (William B.). Malaria and French imperialism. J. afr. Hist., 83, vol. 24, p. 23-36.

6717. COLLINS (Robert O.). Shadows in the grass: Britain in the southern Sudan, 1918-1956. New Haven, Conn., Yale U.P., 83, in-8, XIV-494 p.

6718. COQUERY-VIDROVITCH (Catherine). Le financement de la mise en valeur coloniale [en Afrique noire franç.]: méthode et premiers résultats. In: Et. afric. offertes à H. Brunschwig [Cf. n° 479], p. 237-251.

6719. DALY (M.W.). The development of the Governor Generalship of the Sudan, 1899-1934. J. afr. Hist., 83, vol. 24, p. 77-96.

6720. DERMENJIAN (Geneviève). Juifs et Européens d'Algérie: l'antisémitisme oranais (1892-1905). Jerusalem, Institut Ben Zvi, 83, in-8, XXIII-278 p. (ill., 8 p. de pl.).

6721. DERRICK (Jonathan). The "native clerk" in colonial West Africa. African Affairs, 83, vol. 82, p. 61-74.

6722. DU TOIT (Andre). No chosen people: the myth of the Calvinist origins of Afrikaner nationalism and racial ideology. Am. hist. R., 83, vol. 88, n° 4, p. 920-952.

6723. FETTER (Bruce). Colonial rule and regional imbalance in central Africa. Boulder, Colo., Westview, 83, in-8, XV-223 p.

6724. FLINT (John). Planned decolonization and its failure in British Africa. African Affairs, 83, vol. 82, p. 389-411.

6725. FOUTRY (Vita). Belgisch-Kongo tijdens het Interbellum: een immigratiebeleid gericht op sociale controll. (Le Congo belge durant l'entre-deux-guerres: une politique d'immigration axée sur le contrôle social.) R. belge Hist. contemp., 83, t. 14, n° 3-4, p. 461-488. [Rés. franç. - Eng. summary]

6726. FUGLESTAD (Finn). The history of Niger, 1850-1960. London a. New York, Cambridge U.P., 83, in-8, VII-275 p. (maps). (Afr. Stud., 41)

6727. GANNON (Margaret). The Basle mission trading company and British colonial policy in the Gold Coast, 1918-1928. J. afr. Hist., 83, vol. 24, p. 503-515.

6728. HARRISON (Christopher). French attitudes to empire and the Algerian war. African Affairs, 83, vol. 82, p. 75-95.

6729. Histoire des Seychelles. Ed. par Jean-Michel FILLIOT. Bondy, Ed. de l'ORSTOM, 83, in-8, 225 p.

6730. ISICHEI (Elizabeth). History of Nigeria. London, Longman, 83, in-8, 544 p.

6731. KEIM (Curtis A.). Long-distance trade and the Mangbetu. J. afr. Hist., 83, vol. 24, p. 1-22.

6732. KEPPEL-JONES (Arthur). Rhodes and Rhodesia: the white conquest of Zimbabwe, 1884-1902. Buffalo, N. Y., McGill-Queen's U.P., 83, in-8, XIV-674 p.

6733. KINSMAN (Margaret). "Beasts of burden": the subordination of Southern Tswana women, ca. 1800-1840. J. southern afr. Stud., 83, vol. 10, p. 39-54.

6734. LAMB (David). The Africans: encounters from the Sudan to the Cape. London, Bodley Head, 83, in-8, 384 p.

6735. LAW (Robin). Trade and politics behind the Slave Coast: the lagoon traffic and the rise of Lagos, 1500-1800. J. afr. Hist., 83, vol. 24, p. 321-348.

6736. LEITH-ROSS (Sylvia), CROWDER (Michael). Stepping stones: memoirs of Nigeria, 1907-1960. London, P. Owen, 83, in-8, 191 p. (maps).

6737. McCARTHY (Mary). Social change and the growth of British power in the Gold Coast: the Fante states, 1807-1874. New York, U.P. of America, 83, in-8, XII-196 p.

2. HISTORY OF COLONIZATION

6738. McCARTHY (Michael). Dark continent: Africa as seen by Americans. Westport, Conn., Greenwood, 83, in-8, XXVII-192 p. (Contrib. in Afro-American a. African Stud., 75)

6739. MACKENZIE (John). The partition of Africa. London, Methuen, 83, in-8, 64 p.

6740. McSHEFFREY (Gerald M.). Slavery, indentured servitude, legitimate trade and the impact of abolition in the Gold Coast, 1874-1901, a reappraisal. J. afr. Hist., 83, vol. 24, p. 349-368.

6741. MAIER (D.J.E.). Priests and power: the case of the Dente shrine in nineteenth-century Ghana. Bloomington, Indiana U.P., 83, in-8, XIII-258 p.

6742. MANN (Kristin). The dangers of dependence: Christian marriage among elite women in Lagos Colony, 1880-1916. J. afr. Hist., 83, vol. 24, p. 37-56.

6743. MARTIN (Jean). Comores: quatre îles entre pirates et planteurs. T. 1: Razzias malgaches et rivalités internationales, fin XVIIe s. - 1875. T. 2: Genèse, vie et mort du protectorat, 1875-1912. Paris, L'Harmattan, 83, 2 vol. in-8, 611, 477 p. (ill., cartes).

6744. MOSLEY (Paul). Settler economies: studies in the economic history of Kenya and Southern Rhodesia, 1900-1963. London a. New York, Cambridge U.P., 83, in-8, XIV-289 p. (dr., tab., maps). (African Stud.)

6745. MUNRO (J. Forbes). British rubber companies in East Africa before the First World War. J. afr. Hist., 83, vol. 24, p. 369-379.

6746. MUNSLOW (Barry). Mozambique, the revolution and its origin. London, Longman, 83, in-8, XII-196 p.

6747. NEWBURY (Colin). The economics of conquest in Nigeria, 1900-1920: amalgamation reconsidered. In: Et. afric. offertes à H. Brunschwig [Cf. n° 479], p. 253-269.

6748. PALMBERG (Mai). The struggle for Africa. London, Zed Press, 83, in-8, 304 p.

6749. PASQUIER (Roger). La Compagnie commerciale et agricole de la Casamance: prélude au régime concessionnaire du Congro [français]? In: Et. afric. offertes à H. Brunschwig [Cf. n° 479], p. 189-207.

6750. PEARCE (R.D.). Morale in the Colonial Service in Nigeria during the Second World War. J. imp. commonw. Hist., 83, vol. 11, p. 175-196.

6751. ROSS (Robert). The rise of the Cape gentry. J. southern afr. Stud., 83, vol. 9, p. 193-217.

6752. SAMMUT (Carmel). L'impérialisme capitaliste français et le nationalisme tunisien, 1881-1914. Paris, Publisud, 83, in-8, 415 p.

6753. SANDERSON (G.N.). Aspects of resistance to the British rule in the Southern Sudan, 1900-1928. In: Et. afric. offertes à H. Brunschwig [Cf. n° 479], p. 347-365.

6754. SCARR (Deryck). Whispers and fancy: with Mr. Arthur Creech Jones in Seychelles. J. imp. commonw. Hist., 83, vol. 11, p. 322-338.

6755. SCHWARZFUCHS (Simon). Les Juifs d'Algérie et la France (1830-1855). Jerusalem, Institut Ben-Zvi, 81, in-8, LV-400 p.

6756. SEIDENBERG (D.A.). Uhuru and the Kenya Indians: the role of a minority community in Kenya politics, 1939-1963. London, Vikas, 83, in-8, 296 p.

6757. ŠKLJAŽ (I.M.). Britanskaja kolonial'naja politika v Južnoj Afrike. Konec XVIII - pervaja četvert' XIX v. (British colonial policy in South Africa, end of the 18th - first quarter of the 19th cent.) Vopr. Ist., 83, n° 2, p. 109-121.

6758. STENGERS (Jean). Le Katanga et le mirage de l'or. In: Et. afric. offertes à H. Brunschwig [Cf. n° 479], p. 149-175.

6759. SULLIVAN (Anthony Thrall). Thomas-Robert Bugeaud: France and Algeria, 1784-1849: politics, power, and the good society. Hamden, Conn., Archon Books, 83, in-8, 216 p.

6760. SURET-CANALE (Jean). "Résistance" et "collaboration" en Afrique noire coloniale. In: Et. afric. offertes à H. Brunschwig [Cf. n° 479], p. 319-331.

6761. TEPLOV (L.F.). Antikolonial'nye vystuplenija v Sudane v 1924 godu. (Anti-colonial actions in the Sudan in 1924.) Vopr. Ist., 83, n° 5, p. 32-44.

6762. THOMAS (Roger G.). The 1916 Bongo "riots" and their background: aspects of colonial administration and African response in Eastern Upper Ghana. J. afr. Hist., 83, vol. 24, p. 57-75.

6763. VAIL (Leroy), WHITE (Landeg). Forms of resistance: songs and perceptions of power in colonial Mozambique. Am. hist. R., 83, vol. 88, n° 4, p. 883-919.

6764. VAN DANTZIG (Albert). Les Hollandais sur la Côte des Esclaves: parties gagnées et parties perdues. In: Et. afric. offertes à H. Brunschwig [Cf. n° 479], p. 79-89.

6765. VAN-HELTEN (Jean Jacques), WILLIAMS (Keith). "The crying need of South Africa": the emigration of single British women to the Transvaal, 1901-1910. J. southern afr. Stud., 83, vol. 10, p. 17-38.

6766. WARWICK (Peter). Black people and the South African war, 1899-1902. London a. New York, Cambridge U. P., 83, in-8, XIV-226 p. (tab., maps). (African Stud. Ser., 40)

6767. YAHAYA (A.D.). The native authority system in Northern Nigeria, 1950-1970. Ahmadu Bello, Univ. Press; London, Books from Africa, 83, in-8, 256 p. (tab., map).

Cf. n°ˢ 3217, 3746, 4150, 4461, 4886, 5609.

c. America.

* Cf. n° 3463.

** 6768. Falkland Islands (The) review: report of a Committee of Privy Counsellors. Chairman: Lord Franks. London, H.M. Stationery Office, 83, in-8, VI-105 p.

** 6769. Letters of delegates to Congress, 1774-1789. [Vol. 9. Cf. Bibl. 82, n° 6903.] Vol. 10: June 1 - September 30, 1778. Ed. by Paul H. SMITH a. others. Washington, D.C., Libr. of Cong., 83, XXIX-766 p.

** 6770. Proceedings and debates of the British parliaments respecting North America 1754-1783. [Vol. 1. Cf. Bibl. 82, n° 6908.] Vol. 2: 1765-1768. Ed. by R. C. SIMMONS, P. D. G. THOMAS. Millwood, N.Y., Kraus Internat., 83, XI-602 p.

** 6771. WASHINGTON (George). The papers of George Washington, colonial series. Vol. 1: 1748 - August 1755. Vol. 2: August 1755 - April 1756. Ed. by W. A. ABBOTT a. others. Charlottesville, U.P. of Virginia, 83, 2 vol., XXVIII-390, XXIV-385 p.

** 6772. William Penn and the founding of Pennsylvania, 1680-1684: a documentary history. Ed. by Jean R. SODERLUND a. others. Philadelphia, Univ. of Pennsylvania Press, 83, VIII-419 p.

6773. ACEVEDO (Edberto Oscar). Las nuevas ideas en las intendencias altoperuanos. Anu. Est. am., 81 [83], t. 38, p. 25-56.

6774. ALDEN (John R.). Stephen Sayre: American revolutionary adventurer. Baton Rouge, Louisiana State U.P., 83, in-8, IX-219 p.

6775. ALTMANN (Morris). Seigneurial tenure in New France, 1688-1739: an essay on income distribution and retarded economic development. Hist. Reflections, 83, vol. 10, n° 3, p. 335-375.

6776. ANDERSON (Fred). A people's army: provincial military service in Massachesetts during the Seven Years' War. William a. Mary Quar., 83, vol. 40, n° 4, p. 499-527.

6777. ANNA (Timothy E.). Spain and the loss of America. Lincoln, Univ. of Nebraska Press, 83, in-8, XXIV-343 p.

6778. ARRANZ MÁRQUEZ (Luiz). Don Diego Colón, almirante, virrey y gobernador de las Indias. T. 1. Madrid, Consejo Sup. de Invest. Científ., 83, in-8, 392 p. (Tierra nueva y cielo nuevo, 5)

6779. BAUSS (Rudy). Rio Grande do Sul in the Portuguese empire: the formative years, 1777-1808. Americas, 83, vol. 39, n° 4, p. 519-536.

6780. BERLIN (Ira), HOFFMAN (Ronald) a. others. Slavery and freedom in the age of the American revolution. Charlottesville, Univ. Press of Virginia, 83, in-8, XXVII-314 p.

6781. BODINIER (Gilbert). Les officiers de l'armée royale [française] combattants de la guerre d'Indépendance des Etats-Unis, de Yorktown à l'an II. Vincennes, Service hist. de l'Armée de Terre, 83, in-8, VII-593 p. (ill.). [Cf. Bibl. 82, n° 6921]

6782. BORAH (Woodrow). Justice by insurance: the general Indian court of colonial Mexico and the legal aides of the Half-Real. Berkeley a. Los Angeles, Univ. of California Press, 83, in-8, XVIII-479 p.

6783. BORREGO PLÁ (María Carmen). Cartagena de Indias en el siglo XVI. Sevilla, Escuela de Estudios hispano-americanos, 83, in-8, XXIII-556 p. (Publ. de la Esc. de Est. hisp.-am., 288)

6784. BOYER (William W.). America's Virgin Islands: a history of human rights and wrongs. Durham, N.C., Carolina Academic Press, 83, in-8, XXIII-418 p.

6785. CARDOSO (Gerald). Negro slavery in the sugar plantations of Veracruz and Pernambuco, 1550-1680. Washington, D.C., U. P. of America, 83, in-8, XI-211 p.

6786. COLE (Jeffrey A.). An abolitionism born of frustration: the Conde de Lemos and the Potosi Mita, 1667-1673. Hisp. am. hist. R., 83, vol. 63, n° 2, p. 307-334.

6787. CRONON (William). Changes in the land: Indians, colonists, and the ecology of New England. New York, Hill a. Wang, 83, in-8, X-241 p.

6788. CUSHNER (Nicholas P.). Jesuit ranches and the agrarian development of colonial Argentina, 1650-1767. Albany, State Univ. of New York Press, 83, in-8, XI-206 p.

6789. DANIELS (Bruce C.). Dissent and conformity on Narragansett Bay: the colonial Rhode Island town. Middletown, Conn., Wesleyan U. P., 83, in-8, XII-137 p.

6790. DAWSON (Frank Griffith). William Pitt's settlement at Black river on the Mosquito shore: a challenge to Spain in Central America, 1732-1787. Hisp. am. hist. R., 83, vol. 63, n° 4, p. 677-706.

6791. DEAGAN (Kathleen). Spanish St. Augustine: the archaeology of a colonial Creole community. London, Academic Press, 83, in-8, 317 p. (ill.).

6792. DICKASON (Olive P.). The myth of the savage and the beginnings of French colonialism in the Americas. Edmonton, Univ. of Alberta Press, 83, in-8, 416 p.

6793. DILL (Alonzo Thomas). Carter Braxton, Virginia signer: a conservative in revolt. Lanham, Md., U.P. of America, 83, in-8, XII-284 p. [Signer of U.S. Decl. of Indep.]

2. HISTORY OF COLONIZATION

6794. DIN (Gilbert C.), NASATIR (Abraham P.). The imperial Osages: Spanish-Indian diplomacy in the Mississippi valley. Norman, Univ. of Oklahoma Press, 83, in-8, XV-432 p. (Civ. of the Am. Indian Ser., 161)

6795. DOBYNS (Henry F.), SWAGERTY (William R.). Their number become thinned: native American population dynamics in eastern North America. Knoxville, Univ. of Tennessee Press, 83, in-8, 378 p. (Native Am. Hist. Demogr. Ser.)

6796. DOERFLINGER (Thomas M.). Philadelphia merchants and the logic of moderation, 1760-1775. William a. Mary Quar., 83, vol. 40, n° 2, p. 197-226.

6797. DUNN (Mary Maples). The personality of William Penn. Proc. am. philos. Soc., 83, vol. 127, n° 5, p. 316-321.

6798. DUNN (Richard S.). William Penn and the selling of Pennsylvania, 1681-1685. Proc. am. philos. Soc., 83, vol. 127, n° 5, p. 322-329.

6799. Economy and society during the French Regime to 1759. Ed. by Michael S. CROSS a. Gregory S. KEALY. Toronto, McClelland a. Stewart, 83, in-8, 210 p. (Readings in Canadian soc. hist., 1)

6800. ERNST (Robert). A Tory-eye view of the evacuation of New York. New York Hist., 83, vol. 64, n° 4, p. 377-394.

6801. FINGERHUT (Eugene R.). Survivor: Cadwallader Colden II in revolutionary America. Washington, D.C., U.P. of America, 83, in-8, 194 p.

6802. FLOWER (Milton E.). John Dickinson: conservative revolutionary. Charlottesville, U.P. of Virginia, 83, in-8, XII-338 p.

6803. FREY (Sylvia R.). Between slavery and freedom: Virginia blacks in the American revolution. J. south. Hist., 83, vol. 49, n° 3, p. 375-398.

6804. FROST (J. William). William Penn's experiment in the wilderness: promise and legend. Pennsylvania Mag. Hist., 83, vol. 107, n° 4, p. 577-606.

6805. GOUGH (Robert). The myth of the middle colonies. Pennsylvania Mag. Hist., 83, vol. 107, n° 3, p. 393-420.

6806. GREENLEAF (Richard E.). The inquisition brotherhood: Cofradia de San Pedro Martir of colonial Mexico. Americas, 83, vol. 40, n° 2, p. 171-208.

6807. GREENOW (Linda). Credit and socio-economic change in colonial Mexico: loans and mortgages in Guadalajara, 1720-1820. Boudler, Colo., Westview, 83, in-8, XVI-249 p.

6808. HARGROVE (Richard J.) Jr. General John Burgoyne. Newark, Univ. of Delaware Press, 83, in-8, 294 p.

6809. HOFFER (Peter Charles). Revolution and regeneration: life cycle and the historical vision of the generation of 1776. Athens, Univ. of Georgia Press, 83, in-8, XII-166 p.

6810. HOLLAND (R.F.). The end of an imperial economy: Anglo-Canadian disengagement in the 1930s. J. imp. commonw. Hist., 83, vol. 11, p. 159-174.

6811. HORRELL (Joseph). George Mason and the Fairfax court. Virginia Mag. Hist. a. Biogr., 83, vol. 91, n° 4, p. 418-439.

6812. HUNEFELDT (Christine). Comunidad, curas y comuneros hacia fines del período colonial: ovejas y pastores indomados en el Perú. R. latinoam. Hist. econ. soc., 83, vol. 2, n° 2, p. 3-31.

6813. JAENEN (Cornelius J.). Pelleteries et Peaux Rouges: perceptions françaises de la Nouvelle-France et de ses peuples indigènes aux XVIe, XVIIe et XVIIIe siècles. Rech. amérindiennes Québec, 83, vol. 13, p. 107-114.

6814. JAMIESON (Alan G.). American privateers in the Leeward islands. Am. Neptune, 83, vol. 43, n° 1, p. 20-30.

6815. JUDD (Jacob). The unknown Philip van Cortlandt: loyalist. New York Hist., 83, vol. 64, n° 4, p. 395-408.

6816. KICZA (John E.). Colonial entrepreneurs: families and business in Bourbon Mexico city. Albuquerque, Univ. of New Mexico Press, 83, in-8, XVII-313 p.

6817. KONETZKE (Richard). Lateinamerika: Entdeckung, Eroberung, Kolonisation. Gesammelte Aufsätze. Hrsg. v. Günther KAHLE u. Horst PIETSCHMANN. Köln u. Wien, Böhlau, 83, in-8, XXI-718 p. (Lateinamerikan. Forsch., 10)

6818. KROSS (Jessica). The evolution of an American town: Newtown, New York, 1642-1775. Philadelphia, Pa., Temple U.P., 83, in-8, XVIII-335 p.

6819. LEMAY (J. A. Leo). John Mercer and the stamp act in Virginia, 1764-1765. Virginia Mag. Hist. a. Biogr., 83, vol. 91, n° 1, p. 3-38.

6820. LOKER (Zvi). Cayenne: pereq behagira ubehityashvut yehudim ... (Cayenne: a chapter in the Jewish settlement of the New World in the 17th century.) Zion, 83, vol. 48, p. 107-116. [Eng. summary]

6821. LUSTIG (Mary Lou). Robert Hunter, 1666-1734: New York's Augustan statesman. Syracuse, N.Y., Syracuse U.P., 83, in-8, XVI-277 p.

6822. MACLEOD (Murdo J.), WASSERSTROM (Robert). Spaniards and Indians in southeastern Mesoamerica: essays on the history of ethnic relations. Lincoln, Univ. of Nebraska Press, 83, in-8, XVI-291 p.

6823. MANDLE (J.R.). Patterns of Caribbean history and development. London, Gordon a. Breach, 83, in-8, 168 p.

6824. MARCHENA FERNÁNDEZ (Juan). Oficiales y soldados en el ejército de América. Sevilla, Escuela de Estudios hispano-americanos, 83, in-8, XVIII-400 p. (Publ. de la Esc. de Est. hisp.-am., 286)

6825. MENDEZ (Russell R.), CARR (Lois Green), WALSH (Lorena S.). A small planter's profits: the Cole estate and the growth of the early Chesapeake economy. William a. Mary Quar., 83, vol. 40, n° 2, p. 171-196.

6826. MÖRNER (Magnus). Economic factors and stratification in colonial Spanish America with special regard to elites. Hisp. am. hist. R., 83, vol. 63, n° 2, p. 335-370.

6827. MORGAN (Edmund S.). The world and William Penn. Proc. am. philos. Soc., 83, vol. 127, n° 5, p. 291-315.

6828. NOBLES (Gregory H.). Divisions throughout the whole: politics and society in Hampshire county, Massachusetts, 1740-1775. London a. New York, Cambridge U.P., 83, in-8, XII-258 p. (tab., maps).

6829. ONUF (Peter S.). The origins of the federal republic: jurisdictional controversies in the United States, 1775-1787. Philadelphia, Univ. of Pennsylvania Press, in-8, XVII-284 p.

6830. ORTIZ (Altagracia). Eighteenth-century reforms in the Caribbean: Miguel de Muesas, Governor of Puerto Rico, 1769-1776. London, Dent, 83, in-8, 253 p.

6831. POTTER (Janice). The liberty we seek: loyalist ideology in colonial New York and Massachusetts. Cambridge, Mass., Harvard U.P., 83, in-8, X-238 p.

6832. RICHARDSON (Bonham C.). Caribbean migrants: environment and human survival on St. Kitts and Nevis. Knoxville, Univ. of Tennessee Press, 83, in-8, XIII-209 p.

6833. SHEA (William L.). The Virginia militia in the seventeenth century. Baton Rouge, Louisiana State U.P., 83, in-8, XI-152 p.

6834. SLOAN (Herbert), ONUF (Peter). Politics, culture, and the revolution in Virginia: a review of recent work. Virginia Mag. Hist. a. Biogr., 83, vol. 91, n° 3, p. 259-284.

6835. SODERLUND (Jean R.). Black women in colonial Pennsylvania. Pennsylvania Mag. Hist., 83, vol. 107, n° 1, p. 49-68.

6836. Spaniards and Indians in southeastern Mesoamerica: essays on the history of ethnic relations. Ed. by Murdo J. MacLEOD a. Robert WASSERSTROM. Lincoln a. London, Univ. of Nebraska Press, 83, in-8, XVI-291 p.

6837. STANISLAWSKI (Dan). The transformation of Nicaragua 1519-1548. Berkeley, Los Angeles a. London, Univ. of California Press, 83, in-8, 150 p. (Ibero-Americana, 54)

6838. SZEMIŃSKI (Jan). Los objetivos de los Tupamaristas. Las concepciones de los revolucionarios peruanos de los años 1780-1783. Wrocław, Zakł. Narod. im. Ossolińskich, 83, in-8, 202 p. (Pol. Akad. Nauk, Inst. Hist.)

6839. TARDIEU (J.-P.). L'affranchissement des esclaves aux Amériques espagnoles (XVIe-XVIII siècles). R. Hist., 82 [83], a. 106, t. 268, n° 544, p. 341-364.

6840. TORTAROLO (Edoardo). Rivoluzione americana e cospirazione inglese. Alcune interpretazioni europee. R. stor. ital., 83, a. 95, fasc. 1, p. 102-134.

6841. TRUDEL (Marcel). Catalogue des immigrants [au Canada], 1632-1662. Montréal, Hurtubise HMH, 83, in-8, 569 p. (Cah. du Québec, CQ 74. Coll. Histoire)

6842. TULLY (Alan W.). Ethnicity, religion, and politics in early America. Pennsylvania Mag. Hist., 83, vol. 107, n° 4, p. 491-536.

6843. TUTINO (John). Power, class, and family: men and women in the Mexican elite, 1750-1810. Americas, 83, vol. 39, n° 3, p. 359-382.

6844. VIVES AZANCOT (Pedro A.). Región e historia en la América hispano-colonial. Ensayo de método e hipótesis sobre la regionalización, c. 1520 - c. 1720. Quinto Centenario, 83, t. 5, p. 131-208.

6845. WEIR (Robert M.). Colonial South Carolina: a history. Millwood, N.Y., KTO Press, 83, in-8, XIX-409 p. (Hist. of the Am. Colonies)

6846. WELLENREUTHER (Hermann). The quest for harmony in a turbulent world: the principle of "love and unity" in colonial Pennsylvania politics. Pennsylvania Mag. Hist., 83, vol. 107, n° 4, p. 537-576.

6847. WRIGHT (Thomas C.). The investiture of bishops and archbishops in Spanish America: protocol and church-state conflict in the late 1700s. J. Church a. State, 83, vol. 25, n° 2, p. 279-298.

Cf. n°s 252, 3208, 4966, 6223, 6348, 6896.

e. Oceania.

* 6848. JUILLERAT (Michèle). Index analytique des tomes 29 à 35 (1970 à 1979) du Journal de la Société des Océanistes. J. Soc. Océanistes, 83, t. 39, n° 76, p. 103-128.

* Cf. n°s 666, 3736.

** 6849. BOOTH (Charles O'Hara). Journal of C. O. Booth, Commandant of the Port Arthur penal settlement. Ed. by Dora HEARD. Hobart, P. Moore; London, Cambridge U. P., 83, in-8, XVI-298 p. [Limited ed.]

6850. BARBELET (Margaret). Far from a low gutter girl: the forgotten world of State wards, South Australia, 1887-1940. Melbourne, Oxford U.P., 83, in-8, 304 p. (ill., tab.).

6851. BARTON (Leonard L.). Australians in the Waikito war, 1863-1864. Stevenage, Spa Books, 83, in-8, 119 p. (ill., maps). (Libr. of Austral. Hist.)

6852. Bishop Selwyn in New Zealand 1841-1868. Ed. by Warren E. LIMBRICK. Palmerston North, Dunmore, 83, in-8, 160 p. (ill.).

6853. CALHOUN (Charles W.). Morality and spite: Walter W. Gresham and U.S. relations with Hawaii. Pacific hist. R., 83, vol. 52, n° 3, p. 292-311.

6854. COBLEY (John). Sydney Cove. Vol. 4: 1793-1795, the spread of settlement. Sydney a. London, Angus a. Robertson, 83, in-8, 368 p.

6855. FIRTH (Stewart). New Guinea under the Germans. Carlton/Vict., Melbourne U.P., 83, in-8, XIII-216 p. (ill.).

6856. KOHLER (Michael). Akkulturation in der Südsee: die Kolonialgeschichte der Karolinen-Inseln im Pazifischen Ozean und der Wandel ihrer sozialen Organisation. Frankfurt (Main) u. Bern, Lang, 82, in-8, 668 p. (Kt.). (Europ. Hochschulschriften, Reihe 19: Volkskunde-Ethnologie, 19)

6857. LIEP (John). "This civilising influence": the colonial transformation of Rossel Island society. J. pacific Hist., 83, vol. 18, n° 1-2, p. 113-131.

6858. MORTON (Harry), The whale's wake. Honolulu, Univ. of Hawaii Press, 82, in-8, 396 p.

6859. REYNOLDS (Henry). The other side of the frontier: aboriginal resistance to the European invasion of Australia. Harmondsworth, Penguin, 83, in-8, 260 p.

6860. Vacat.

6861. TOULLELAN (Pierre-Yves). L'administration française des archipels E.F.O. [Etablissements français de l'Océanie]. B. Soc. Et. océaniennes, 82 [83], t. 18, p. 1057-1087. - IDEM. Colons français en Polynésie orientale, 1830-1914. Ibid., p. 1165-1243.

6862. WOOD ELLEM (Elizabeth). Salote [Tupou, queen] of Tonga and the problem of national unity. J. pacific Hist., 83, vol. 18, n° 3-4, p. 163-182.

Cf. n°s 277, 503, 3413, 3414, 6852, 7582.

§ 3. From 1500 to 1789.

a. General.

6863. MĄCZAK (Antoni). Dania i Rzeczypospolita w dobie nowożytnej. Problemy i perspektywy badań porównawczych. (Le Danemark et la République [polonaise] à l'époque moderne. Problèmes et perspectives de recherches comparatives. Zap. hist., 82 [83], vol. 47, n° 4, p. 167-180.

6864. MAXIM (Mihai). Teritorii româneşti sub administraţie otomană în secolul al XVII-lea. (Territoires roumains sous administration ottomane au XVIIe s.) R. Ist., 83, n° 8, p. 802-817; n° 9, p. 879-890.

6865. WOLIŃSKI (Janusz). Z dziejów wojen polkso-tureckich. (Histoire des guerres polono-turques.) Warszawa, Wydawn. Min. Obrony Narod., 83, in-8, 233 p.

b. 1500-1648.

** 6866. PARISET (Jean-Daniel). La France et les princes allemands. Documents et commentaires (1545-1557). Francia [München], 82 [83], Bd 10, p. 229-301.

** 6867. SCHAENDLINGER (Anton C.). Die Schreiben Süleymans des Prächtigen an Karl V., Ferdinand I. und Maximilian II. Unter Mitarb. v. Claudia RÖMER. Bd 1: Faksimile. Bd 2: Transkriptionen u. Übersetzungen. Wien, Verl. d. Österr. Akad. d. Wiss., 83, 2 vol. in-4, 78 Taf., XXXII-118 p. (Osman.-türk. Dok. aus d. Haus-, Hof- u. Staatsarchiv zu Wien, 1. Denkschriften, Österr. Akad. d. Wiss., Philos.-hist. Kl., 163)

6868. ALTMANN (Hugo). Die bayerische Haltung in der Frage der Freilassung des ehemaligen Salzburger Erzbischofs Wolf Dietrich von Raitenau in den Jahren 1612 bis 1615. Z. f. bayer. Landesgesch., 83, Bd 46, p. 37-79.

6869. ANDREESCU (Ştefan). La Pologne, la Moldavie et la "Sainte Ligue" en 1596: une nouvelle source. R. roumaine Hist., 83, t. 22, n° 3, p. 239-255.

6870. BISKUP (Marian). Polska a Zakon Krzyżacki w Prusach w początkach XVI wieku. U źródeł sekularyzacji Prus krzyżackich. (La Pologne et l'Ordre Teutonique en Prusse au début du XVIe siècle. Aux origines de la sécularisation de la Prusse Teutonique.) Olsztyn, Pojezierze, 83, in-4, 646 p.

6871. BLOK (Lodewijk). Die niederländische Revolution und die Absetzung Philipps II., 1581. Jb. f. Gesch. d. Feudalismus, 83, Bd 7, p. 287-297.

6872. BONFINI (Giuseppe). La Sicilia e i Barbareschi. Incursioni corsare e riscatto degli schiavi (1570-1606). Prefaz. di S. BONO. Palermo, Ila-Palma, 83, in-8, 218 p.

6873. CIOBANU (Veniamin). Contribuţii româneşti la cercetarea raporturilor româno-polone din a doua jumătate a secolului XVI. (Contributions roumaines à la recherche des rapports roumano-polonais pendant la seconde moitié du XVIe siècle.) A. Inst. Ist. Arheol. Iaşi, 83, t. 20, p. 289-401.

6874. FIRPO (Massimo). Filippo II, Paolo

IV e il processo inquisitoriale del cardinal Giovanni Morone. R. stor. ital., 83, a. 95, fasc. 1, p. 5-62.

6875. JANÁČEK (Josef). Italové v předbělohorské Praze [1526-1620]. Pražský Sborn. hist., 83, vol. 16, p. 77-118. - En français: Les Italiens à Prague à l'époque précédant la bataille de la Montagne Blanche (1526-1620). Historica [Praha], 83, vol. 23, p. 5-45.

6876. KALIDOVA (Robert). Husitství a jeho vyústění v době předbělohorské a pobělohorské. (Das Hussitentum und sein Ausgang in d. Zeit vor u. nach d. Schlacht am Weißen Berge.) Studia comeniana et hist., 83, vol. 13, n° 25, p. 3-44.

6877. LEMONNIER (Henry). La France sous Henri II: la lutte contre la maison d'Autriche, 1519-1559. Paris, Tallandier, 83, in-8, 401 p.

6878. MARTEL (Marie-Thérèse de). La mission de Jean Yversen à la Porte du Grand Seigneur (mai-juin 1559). R. Hist. dipl., 83, a. 97, n° 1-2, p. 5-53.

6879. NÅVDAL-LARSEN (Bodil). Erik XIV, Ivan Groznyj och Katarina Jagellonica. (Erik XIV [of Sweden], Ivan the Terrible and Catarina Jagellonica [of Poland].) Stockholm, Almqvist a. Wiksell, 83, in-8, 115 p. (ill.). (Studia hist. Upsaliensia, 129) [Eng. summary]

6880. NEHRING (Karl). Adam Freiherrn zu Herbersteins Gesandtschaftsreise nach Konstantinopel. Ein Beitr. zum Frieden v. Zsitvatorok (1606). München, Oldenbourg, 83, in-8, 231 p. (Südosteurop. Arbeiten, 78)

6881. PĂIUŞAN (Vasile), SAV (Corneliu). Lupta anti-otomană în Banat şi Mihai Viteazul. (La lutte anti-ottomane au Banat et Michel le Brave.) Studii Ist. Banatului, 83, t. 9, p. 29-42.

6882. POTTER (David). The Duc de Guise and the fall of Calais, 1557-1558. Eng. hist. R., 83, vol. 98, p. 481-512.

6883. SCHOOS (Jean). Der Orden vom Goldenen Vlies, Luxemburg und Nassau. Hémecht, 83, Bd 35, p. 583-611.

6884. SCHULZE (Winfried). Möglichkeiten der Reichspolitik zwischen Augsburger Religionsfrieden und Ausbruch des 30jährigen Krieges. Z. f. hist. Forsch., 83, Bd 10, p. 253-256.

6885. WÓJCIK-GÓRALSKA (Danuta). Król niemalowany. (Il n'était pas un roi de carton [Etienne Bátory].) Warszawa, Lud. Spółdz. Wydwan., 83, in-8, 269 p.

Cf. n°s 2626, 6154.

c. 1648-1789.

** 6886. Akten und Urkunden zur Außenpolitik Christoph Bernhards von Galen (1650-1678). Hrsg. v. Wilhelm KOHL. [T. 1. Cf. Bibl. 80, n° 6343.] T. 2: Vom Frieden von Kleve bis zum Kölner Frieden (1666-1674). Münster, Aschendorff, 83, in-8, XII-620 p. (Veröff. d. Hist. Komm. f. Westfalen, 42. Quellen u. Forsch. zum Absolutismus in Westfalen, 1)

** 6887. Recueil des instructions données aux ambassadeurs et ministres de France, des traités de Westphalie jusqu'à la Révolution française. Vol. 30: Suisse. T. 1: Les XIII canton. Avec une introd. générale et des notes par Georges LIVET. 2: Genève, les Grisons, Neuchâtel et Valangin, l'Evéché de Bâle, le Valais. Par Georges LIVET. Paris, Ed. du C.N.R.S., 83, 2 vol. in-8, 620, 504 p.

6888. BELY (Lucien). Les larmes de Monsieur de Torcy. Un essai sur les perspectives de l'histoire diplomatique à propos des conférences de Gertruydenberg (mars-juillet 1710). Hist., Ec. et Soc., 83, a. 2, n° 3, p. 429-456.

6889. BERNARD (Paul P.). Kaunitz and the cost of diplomacy. East european Quar., 83, vol. 17, n° 1, p. 1-14.

6890. BRIERE (Jean-François). Pêche et politique à Terre-Neuve au XVIIe siècle: la France véritable gagnante du traité d'Utrecht? Canad. hist. R., 83, vol. 64, p. 168-187.

6891. CEGIELSKI (Tadeusz). La France et la politique du Tiers Parti en Allemagne 1763-1774. Acta Poloniae hist., 83, vol. 45, p. 67-97.

6892. FELDBAEK (Ole). Eighteenth-century Danish neutrality: its diplomacy, economics and law. Scand. J. Hist., 83, vol. 8, p. 3-21.

6893. FREY (Linda), FREY (Marsha). A question of empire: Leopold I and the War of Spanish Succession, 1701-1705. Boulder, Colo., East European Monogr., 83, in-8, IX-165 p. (East European Monogr., 146)

6894. GUITTARD (Jean-Michel). Une tentative de conquête d'Alger au XVIIIe siècle. Mél. Bibl. Sorbonne, 82, t. 3, p. 44-67.

6895. HARTMANN (Stefan). Die Beziehungen Preußens zu Dänemark von 1688 bis 1789. Köln u. Wien, Böhlau, 83, in-8, XXII-402 p. (16 Ill.). (Neue Forsch. z. brandenburg-preuß. Gesch., 3)

6896. HILTON (Sylvia-Lyn). El conflicto anglo-español en Florida: utopía y realismo en la política española, 1732-39. Quinto Centenario, 83, t. 5, p. 97-128.

6897. KAMIŃSKA (Anna). Brandenburg-Prussia and Poland. A study in diplomatic history (1669-1672). Marburg, Herder-Institut, 83, in-8, X-166 p. (Marburger Ostforschungen, 41)

6898. KATZ (David S.). Menasseh ben Israel's mission to Queen Christina of Sweden, 1651-1655. Jewish soc. Stud., 83, vol. 45, n° 1, p. 57-72.

6899. KÖPECZI (Béla). Hongrois et Français, de Louis XIV à la Révolution française. Paris, Ed. du C.N.R.S., 83, in-8, 452 p. - IDEM. Staatsräson und christliche Solidarität. Die ungar. Aufstände u. Europa in d. 2. Hälfte d. 17. Jh. Köln u. Wien, Böhlau, 83, in-8, 423 p. (32 Taf., Kt.).

6900. KOMASZYŃSKI (Michał). Die Beziehungen zwischen den Höfen der Wittelsbacher und dem von Sobieski in der zweiten Hälfte des XVII. Jahrhunderts. Z. f. bayer. Landesgesch., 83, Bd 46, p. 313-327.

6901. LIND (Gunner). The making of the Neutrality Convention of 1756: France and her Scandinavian allies. Scand. J. Hist, 83, vol. 8, p. 171-192.

6902. MIMLER (Manfred). Der Einfluß kolonialer Interessen in Nordamerika auf die Strategie und Diplomatie Großbritanniens während des österreichischen Erbfolgekrieges 1744-1748. Ein Beitr. z. Identitätsbestimmung d. brit. Empire um d. Mitte d. 18. Jh. Hildesheim, Zürich u. New York, Olms, 83, in-8, VIII-226 p. (Kt.). (Hist. Texte u. Stud., 5)

6903. MÜLLER (Michael G.). Polen zwischen Preußen und Rußland. Souveränitätskrise u. Reformpolitik 1736-1752. Berlin, Colloquium-Verl., 83, in-8, VIII-275 p. (Einzelveröff. d. Hist. Komm. zu Berlin, 40. Publ. zur Gesch. d. deutsch-poln. Beziehungen, 3)

6904. Osmanische Reich (Das) und Europa 1683 bis 1789. Konflikt, Entspannung und Austausch. Hrsg. v. Gernot HEISS u. Grete KLINGENSTEIN. München, Oldenbourg, 83, in-8, 243 p. (23 Abb.). (Wiener Beitr. z. Gesch. d. Neuzeit, 10)

6905. PRESS (Volker). Bauern am Scheideweg. Die Reichspolitik Kaiser Josephs II. und der Bayerische Erbfolgekrieg 1777-1779. In: Festschr. f. A. Kraus [Cf. n° 497], p. 277-307.

6906. SALMONOWICZ (Stanisław). Friedrich der Große und Polen. Acta Poloniae hist., 83, vol. 46, p. 73-95.

6907. SIOROKAS (Geõrgios). Eidēseis gia tē stratiōtikē parousia tēs Benetias sto Ionio (Prōto miso 18ou ai.). (Des avis sur la présence militaire de Venise dans la mer Ionienne, première moitié du XVIIIe s.) Dōdōnē, 83, vol. 12, p. 421-441.

6908. SONNINO (Paul). Jean-Baptiste Colbert and the origins of the Dutch war. European Stud. R., 83, vol. 13, p. 1-11.

6909. WALKER (Nancy). Territorial transfers at Passarowitz, 1718. East european Quar., 83, vol. 17, n° 4, p. 391-400.

*
* *

3rd Centenary of the Turkish Siege of Vienna in 1683.

** 6910. Diariusz całego oblężenia wiedeńskiego od Turków i wybawienia przez wojska chrześcijańskie 1683. (Journal du siège total de Vienne par les Turcs et de sa libération par les armées chrétiennes en 1683.) Ed. et avant-propos par Konrad ZAWADZKI. Warszawa, Muzeum Hist. miasta stoł. Warszawy, 83, in-8, 21 p.

** 6911. MARIA KAZIMIERA, JAN SOBIESKI. Listy okresu odzieczy wiedeńskiej. (Lettres de la période de l'expédition de Vienne.) Avant-propos par Zbigniew WÓJCIK. Warszawa, Czytelnik, 83, in-8, 170 p.

** 6912. Tagebuch eines Augenzeugen: 1683. Die Aufzeichnungen des Freiherrn von P. erstmals gesichtet u. hrsg. v. Kurt EIGL. Wien, Tusch, 83, in-8, 260 p.

** Cf. n° 3418.

6913. ABRAHAMOWICZ (Zygmunt). Der politische und ökonomische Hintergrund des Wiener Feldzuges von Kara Mustafa. Zesz. nauk. Uniw. Jagiell., 83, n° 672, p. 7-14.

6914. ACKERL (Isabella). Von Türken belagert - von Christen entsetzt: das belagerte Wien 1683. Wien, Österr. Bundesverl., 83, in-8, 193 p. (Ein Österreich-Thema) - EADEM. Vor 300 Jahren: Zweite Türkenbelagerung Wien 1683: eine entscheidende Wende in d. Gesch. Österreichs. Wien, Bundespressedienst, 82, in-8, 74 p. (Ill., Kt.). (Österreich-Dokumentation)

6915. BOŃCZAK (Jerzy). Służba zdrowia w wyprawie wiedeńskiej w 1683 r. (Le service sanitaire pendant la campagne de Vienne en 1683.) Wojsk. Przegl. hist., 83, a. 28, n° 1, p. 27-46.

6916. BUCHMANN (Bertrand Michael). Türkenlieder zu den Türkenkriegen und besonders zur zweiten Wiener Türkenbelagerung. Köln u. Wien, Böhlau, 83, in-8, 120 p. (Notenbeispiele).

6917. Chwała i sława Jana II w sztuce i literaturze XVII-XX w. Katalog wystawy jubileuszowej z okazji trzechsetlecia odsieczy wiedeńskij, wrzesień-grudzień 1983. (Lob und Ruhm Johanns III. [Sobieski] in Kunst und Literatur des 17.-20. Jh. Katalog d. Jubiläumsausstellung anläßl. d. 300-Jahresfeier d. Entsatzes v. Wien, Sept.-Dez. 1983.) Elab.: Włodzimierz BAŁDOWSKI et al. Réd.: Wojciech FIJAŁKOWSKI, Jadwiga MIELESZKO. Warszawa, Muzeum Narod., 83, 2 vol. in-8, 309, 172 p. (Muzeum w Wilanowie)

6918. CIACHIR (Nicolae). Asediul Vienei din 1683 și implicațiile sale europene. (Le siège de Vienne en 1683 et ses implications européennes.) R. Ist., 83, t. 36, p. 685-713.

6919. DÜRIEGL (Günter). Vienna 1683: the second siege by the Turks. Köln u. Wien, Böhlau, 83, in-8, 40 p. (17 fig.).

6920. LEITSCH (Walter). Il dolce suono della pace. Der Kaiser als Vertragspartner des Königs von Polen im Jahre 1683. Zesz. nauk. Uniw. Jagiell., 83, n° 672, p. 165-197.

6921. MACEK (Jaroslav). Kaspar Zdenko Kaplíř von Sullowitz und seine Bedeutung für die Verteidigung der Stadt Wien - ein Beitr. z. Türkenjahr 1683. Österr. in Gesch. u. Lit., 83, Bd 27, p. 203-224. [Cf. n° 6927]

6922. Relations (Les) franco-autrichiennes sous Louis XIV: siège de Vienne (1683). Colloque à propos du tricentenaire du siège de Vienne, 9-11 mars 1983, Saint-Cyr-Coëtquidan, organisé par l'Ecole spéc. milit. de Saint-Cyr et l'Institut autrichien de Paris. Vincennes, Service hist. de l'Armée de Terre, 83, pagination multiple.

6923. REZACHEVICI (Constantin). "Steagurile româneşti" din oastea lui Jan Sobieski în campania pentru eliberarea Vienei (1683), după un nou izvor polon. ("Les drapeaux roumains" de l'armée de Jean Sobieski pendant la campagne pour la libération de Vienne en 1683, d'après une nouvelle source polonaise.) R. Ist., 83, t. 36, p. 605-624.

6924. ŞERBAN (Constantin). Einige unveröffentlichte oder wenig bekannte Handschriften zur Belagerung Wiens 1683. Jb. d. Ver. f. Gesch. d. Stadt Wien, 83, Jg. 39, p. 130-141.

6925. SERCZYK (Władysław Andrzej). Beziehungen zwischen Rzeczpospolita, Rußland und dem Reich vor der Schlacht vor Wien. Zesz. nauk. Uniw. Jagiell., 83, n° 672, p. 267-284.

6926. Sieg (Der) bei Wien. Verf.: Peter BROUCEK et al. Übers. d. Beiträge v. Jan WIMMER, Zbigniew WÓJCIK, Elisa TUSCHEL. Warszawa, Wydawn. Szkolne i Pedagog., 83, in-8, 186 p.

6927. Studien zur Geschichte Wiens im Türkenjahr 1683. Red. v. Peter CSENDES. Wien, Verl. d. Ver. f. Gesch. d. Stadt Wien, 83, in-8, 208 p. (Jb. d. Ver. f. Gesch. d. Stadt Wien, 39) [Inhalt: MACEK (Jaroslav). Kaspar Zdenko Kaplíř von Sullowitz (1611-1686), p. 7-68. [Cf. n° 6921.] - PICKL (Ingeborg). Daniel Stuttinger und Leander Auguissola, die Karthographen von Wien 1683, 69-103. - POLLEROSS (Friedrich B.). Geistliches Zelt und Kriegslager: die Wiener Peterskirche als barockes Gesamtkunstwerk, p. 142-208 (15 Abb.). - REITTERER (Hubert). Eine zeitgenössiche Quelle zum Aufgebot der Wiener Universität im Jahre 1683, p. 104-129. - Cf. n° 6924.]

6928. TOMIAK (Janusz). English public opinion and the siege and relief of Vienna in 1683. Zesz. nauk. Uniw. Jagiell., 83, n° 672, p. 333-358.

6929. WIMMER (Jan). Odsiecz wiedeńska. Stan badań i sporne problemy. (L'expédition de Vienne. Etat actuel des recherches et problèmes litigeux.) Kwart. hist., 83, a. 90, n° 1, p. 93-108. - IDEM. Wiedeń 1683. Dzieje kampanii i bitwy. (Vienne 1683. Histoire de la campagne [de Jean III Sobieski] et de la bataille.) Warszawa, Wydawn. Min. Obrony Narod., 83, in-8, 480 p. (Wojsk. Inst. Hist. im. Wandy Wasilewskiej)

6930. ZGÓRNIAK (Marian). Die Struktur des polnischen Heeres zur Zeit des großen Türkenkrieges (1672-1699). Zesz. nauk. Uniw. Jagiell., 83, n° 672, p. 381-399.

Cf. n°s 368, 4167, 4203, 6664, 6958, 7006.

§ 4. From 1789 to 1815.

** 6931. CLERMONT-TONNERRE (Gaspard de). L'expédition d'Espagne, 1808-1810. Ed. par Catherine DESPORTES. Paris, Perrin, 83, in-8, 527 p.

6932. ANTONIELLI (Livio). I prefetti dell'Italia napoleonica. Repubblica e regno d'Italia. Bologna, Il Mulinos, 83, in-8, 568 p.

6933. AYMES (Jean-René). La déportation sous le Premier Empire: les Espagnols en France (1808-1814). Préf. de Jean TULARD. Paris, Publ. de la Sorbonne, 83, in-8, 568 p. (France XIXe - XXe siècles, 15)

6934. BLANNING (T.C.W.). The French revolution in Germany: occupation and resistance in the Rhineland, 1792-1802. London a. New York, Oxford U.P., 83, in-8, VI-353 p.

6935. EGAN (Clifford L.). Neither peace nor war: Franco-American relations, 1803-1812. Baton Rouge, Louisiana State U.P., 83, in-8, XVI-226 p. (pl.).

6936. EVRARD (E.). Le Service de santé militaire hollando-belge à la bataille de Waterloo et dans les hôpitaux de Bruxelles en juin 1815. R. belge Hist. milit., 83, t. 25, p. 61-96.

6937. GUYON (Edouard-Félix). Joseph de Maistre, diplomate sarde, témoin et juge de son temps (1792-1817). R. Hist. dipl., 83, a. 97, n° 1-2, p. 75-107.

6938. HASE (Alexander von). Im Zeichen wachsender Gefahr. Friedrich (v.) Gentz als Verteidiger der alten Mächte und Kritiker ihres Systems (1801-1805). Arch. f. Kulturgesch., 80/81 [83], Bd 62/63, p. 271-300.

6939. HERBST (Stanisław). Z dziejów wojskowych powstania kościuszkowskiego 1794 roku. (Histoire militaire de l'insurrection de Kościuszko en 1794.) Warszawa, Książka i Wiedza, 83, in-8, VII-469 p.

6940. JONES (Colin). Britain and revolutionary France: conflict, subversion and propaganda. Exeter, Univ. Press, 83, in-8, 96 p.

6941. Klöppelkrieg. Die Bauernrevolte gegen die Franzosen in Luxemburg und in der Eifel. Hrsg. v. Pol TOUSCH. Luxemburg, Text u. Bild, 83, in-8, 256 p. (ill.). (Ardennenchronik, 2)

6942. KOUKOU (Helenē E.). Historia tōn Heptanēsōn apo to 1797 mechri tēn Anglokratian. (Histoire de l'Heptanèse depuis

1797 jusqu'à la domination anglaise.) Athēna, Papadēmas, 83, in-8, 230 p.

6943. LOJEK (Jerzy). British policy toward Russia, 1790-1791, and Polish affairs. Polish R., 83, vol. 28, n° 2, p. 3-18.

6944. MOTZKI (Harald). Bonaparte und die ägyptischen Religionsgelehrten - koloniale Religionspolitik und ihre Beantwortung durch die islamische Elite. Saeculum, 83, Bd 34, p. 10-35.

6945. Pervoe serbskoe vosstanie 1804-1813 gg. i Rossija. (The first Serbian revolt of 1804-1813 and Russia.) Redkol.: I. S. DOSTJAN, V. ČUBRILOVIČ (otv. red.) i dr. Kn. 2: 1803-1813. Moskva, Nauka, 83, 398 p. (ill.). (AN SSSR. In-t slavjanovedenija i balkanistiki. Gl. arkh. upr. pri Sovete Ministrov SSSR. Ist.-diplomat. upr. MID SSSR, Serb. akad. nauk i iskusstv. Otd-nie ist. nauk)

6946. RAGDDALE (Hugh). Russia, Prussia, and Europe in the policy of Paul I. Jb. f. Gesch. Osteuropas, 83, Bd 31, p. 81-118.

6947. SOLOVIEFF (Georges). Les relations franco-américaines entre 1775 et 1800. A. hist. Révol. franç., 83, a. 55, p. 114-129.

6948. STANISLAVSKAJA (A.M.). Političeskaja dejatel'nost' F. F. Ušakova v Grecii. 1798-1800 g. (Political activities of F. F. Ushakov in Greece, 1798-1800.) Moskva, Nauka, 83, 302 p. (AN SSSR. In-t istorii SSSR)

6949. TANGERAAS (Lars). Castlereagh, Bernadotte and Norway. Scand. J. Hist., 83, vol. 8, n° 3, p. 193-223.

6950. TULARD (Jean). Murat ou l'éveil des nations. Paris, Hachette, 83, in-8, 252 p.

6950a. WEIS (Eberhard). Bayern und Frankreich in der Zeit des Konsulats und des ersten Empire (1799-1815). Hist. Z., 83, Bd 237, p. 559-595.

Cf. n°s 229, 3428, 3432, 3965.

§ 5. From 1815 to 1910.

** 6951. Documenti (I) diplomatici italiani. A cura del Ministero degli Affari Esteri, Commissione per la pubblicazione dei documenti diplomatici. Prima serie: 1861-1870. [Vol. 5. Cf. Bibl. 76-77, n° 7863.] Vol. 6 (16 maggio 1865 - 19 giugno 1866). Vol. 7 (20 giugno - 7 nov. 1866. - Secunda serie: 1870-1896. [Vol. 5 Cf. Bibl. 78-79, n° 7257.] Vol. 6 (1 gennaio 1875 - 24 marzo 1876). Roma, Istituto Poligraf. e Zecca dello Stato, Libreria dello Stato, 81-83, 3 vol. in-4, LXVII-857, LXIV-575, LXIX-839 p.

** 6952. Wiener Schiedsspruch (Der) von 1881: eine Dokumentation z. Schlichtung d. Konfliktes zw. Großbritannien u. Nicaragua um Mosquitia. Eingel. u. hrsg. v. Günther KAHLE unter Mitw. v. Barbara POTTHAST. Köln u. Wien, Böhlau, 83, in-8, XCVII-276 p. (Lateinamerikan. Forsch., 11)

6953. ALVAREZ (David J.). The papacy in the diplomacy of the American civil war. Cath. hist. R., 83, vol. 69, n° 2, p. 227-248.

6954. Aspects des relations franco-allemandes à l'époque du Second Empire, 1851-1866. Actes du Colloque d'Otzenhausen, 5-8 oct. 1981. Metz, Centre de Recherches Hist. et Civilis. de l'Europe occid., 82, in-8, 174 p.

6955. BARRAT (Glynn R. V.). Russian shadows on the British Northwest Coast of North America, 1810-1890: a study of rejection of defence responsibilities. Vancouver, Univ. of British Columbia Press, 83, in-8, 196 p. (Pacific maritime studies, 3) - CR: B. Hunt, Canad. hist. R., 84, vol. 65, p. 428-430.

6956. BERGQUIST (Harold E.) Jr. Henry Middleton as political reporter: the United States, the Near East, and eastern Europe, 1821-1829. Historian, 83, vol. 45, n° 3, p. 355-371.

6957. BERINDEI (Dan). Relations roumano-polonaises pendant la quatrième décennie du XIXe siècle. Précisions et contributions. R. Et. sud-est europ., 82, t. 20, t. 20, n° 1, p. 129-144.

6958. BIEŃKOWKSI (Wiesław). Wien und Krakau 1883. Die Feierlichkeiten zum 200-jährigen Jubiläum. Zesz. nauk. Uniw. Jagiell., 83, n° 672, p. 401-439.

6959. BODUNESCU (Ion). Diplomația românească în slujba independenței. (La diplomatie roumaine au service de l'indépendance.) Vol. 2. Iași, Junimea, 82, in-8, 232 p.

6960. BRANOPOULOS (Epam. A.). Hē Europaïkē diplomatia sto thema tēs apeleutherōsēs tēs Euboias kai hē exagora tōn Tourkikōn ktēmatōn tēs. (La diplomatie européenne sur la question de la libération de l'Eubée et le rachat des biens turcs.) Archeion euboïkōn Meletōn, 83, vol. 25, p. 253-269 (4 tabl.).

6961. BRYER (Antony). The crypto-Christians of the Pontos and consul William Gifford Palgrave of Trebizond. Deltio Kentrou mikrasiat. Spoudōn, 83, vol. 4, p. 13-68.

6962. CĂZAN (Gheorghe Nicolae), RĂDULESCU-ZONER (Șerban). Rumänien und der Dreibund 1878-1914. București, Ed. Acad., 83, in-8, 304 p.

6963. CLIVETI (Gheorghe). Geneza și instituirea garanției colective a puterilor semnatare ale Tratatului de la Paris (1856) asupra Principatelor române (I). (La genèse et l'institution de la garantie collective des puissances signataires du traité de Paris de 1856 au sujet des Principautés roumaines.) A. Inst. Ist. Arheol. Iași, 83, t. 20, p. 175-189.

6964. COCKFIELD (Jamie). Germany and the Fashoda crisis, 1898-1899. Central european Hist., 83, vol. 16, n° 3, p. 256-275.

6965. CRAWFORD (Martin). The Anglo-American crisis of the early 1860's: a framework for revision. South Atlantic Quar., 83, vol. 82, n° 4, p. 406-423.

6966. DACH (Krzysztof). Współdziałanie polskich i rumuńskich demokratów w czasie wojny wschodniej 1853-1856. (La coopération des democrates polonais et roumains au cours de la guerre à l'Est 1853-1856.) Studia hist. [Kraków], 83, a. 26, fasc. 3, p. 417-439.

6967. DECSY (János). Andrássy's views on Austria-Hungary's foreign policy toward Russia. In: Society in change [Cf. n° 495], p. 599-612.

6968. DEININGER (Helga). Frankreich - Rußland - Deutschland 1871-1891. Die Interdependenz v. Außenpolitik, Wirtschaftsinteressen u. Kulturbeziehungen im Vorfeld d. russ.-franz. Bündnisses. München u. Wien, Oldenbourg, 83, in-8, XVIII-340 p. (Stud. z. mod. Gesch., 28)

6969. DELUREANU (Ştefan). Mazzini e Garibaldi tra progetto e azione nell'Europa centro-orientale (1859-1870). R. roumaine Hist., 83, t. 22, p. 159-168.

6970. DERTILĒS (Giōrgos). Diethneis oikonomikes scheseis kai politikē exartēsē: hē hellēnikē periptōsē, 1824-1878. (Relations économiques internationales et dépendance politique: le cas grec, 1824-1878.) Historika (Athēna], 83, vol. 1, n° 1, p. 145-174.

6971. DONNINI (Guido). L'accordo italo-russo di Racconigi [ottobre 1909]. Milano, Giuffrè, 83, in-8, IX-303 p. (Quad. della rivista Il Politico, 19)

6972. DUMOULIN (Michel). La reconnaissance du royaume d'Italie par la Belgique en 1861. R. Hist. dipl., 83, a. 97, n° 1-2, p. 145-164.

6973. DUTHIE (John Lowe). Sir Henry Creswicke Rawlinson and the art of great gamesmanship. J. imp. commonw. Hist., 83, vol. 11, p. 253-274.

6974. ECHARD (William E.). Napoleon III and the concert of Europe. Baton Rouge a. London, Louisiana State U.P., 83, in-8, XIV-327 p.

6975. ELROD (Richard B.). Realpolitik or concert diplomacy: the debate over Austrian foreign policy in the 1860's. Austrian Hist. Y.B., 81-82, vol. 27-28, p. 84-97.

6976. GARDIKA-ALEXANDROPOULOU (Katerina). Ho Kōnstantinos Karapanos kai hoi diapragmateuseis gia tēn prosartēsē Thessalias kai Epeirou. (Constantin Karapanos et les négociations en vue de l'annexion de la Thessalie et de l'Epire.) Deltio tēs hist. kai ethnol. Hetaireias tēs Hellados, 83, vol. 26, p. 327-382.

6977. GILAS (Teresa). Kuba pod okupacją amerykańską 1899-1902. (Cuba sous l'occupation américaine 1899-1902.) Toruń, 83, in-8, 241 p. (Uniw. Mikołaja Kopernika. Rozprawy)

6978. GRUCHAŁA (Janusz). Współpraca Koła Polskiego ze staroczechami w ramach koalicji "Żelaznego pierścienia" (1879-1891). (La collaboration du Cercle Polonais avec les Vieux-Tchèques dans le cadre de la coalition de "l'anneau de fer" 1879-1891.) Studia hist. [Kraków], 83, a. 26, fasc. 1, p. 65-88.

6979. HAWIG (Peter). Napoleon III. und Europa - Revision eines Geschichtsbildes. Aufgezeigt an d. Beurteilung seiner Mittelmeerpolitik. Frankfurt (Main), Bern u. New York, Lang, 83, in-8, X-396 p. (Europ. Hochschulschr., Reihe 3: Gesch. u. ihre Hilfswiss., 207)

6980. HEALY (Ann E.). Tsarist anti-semitism and Russian-American relations. Slavic R., 83, vol. 42, n° 3, p. 408-425.

6981. HELLER (Joseph). British policy towards the Ottoman Empire, 1908-1914. London, F. Cass, 83, in-8, 240 p.

6982. HOOD (Miriam). Gunboat diplomacy, 1895-1905: Great Power pressure in Venezuela. London, Allen a. Unwin, 83, in-8, 210 p.

6983. HUNT (Michael H.). New insights but no new vistas: recent work on nineteenth-century American-East Asian relations. In: New frontiers in American-East Asian relations [Cf. n° 477], p. 17-43.

6984. JONES (Raymond A.). The British diplomatic service, 1815-1914. Gerrards Cross, C. Smythe, 83, in-8, XIV-258 p. (tab.).

6985. JUSSILA (Osmo). Suomen ja Venäjän perustuslaillisten suhteet 1900-luvun alkuvuosina. (Relationship between the Russian and Finnish constitutionalists at the beginning of the 1900's.) Scripta hist., 83, t. 8, p. 69-79. [Eng. summary]

6986. K 200-letiju so dnja roždenija Simona Bolivara. (200 years from the birthday of Simón Bolívar.) Lat. Am., 83, n° 7, 145 p.

6987. KOMISSAROV (B.N.). Latinskaja Amerika v rossijskikh diplomatičeskikh dokumentakh 1819-1822 gg. (Latin America in Russian diplomatic documents of 1819-1822.) Lat. Am., 83, n° 8, p. 111-120.

6988. KOZŁOWSKI (Eligiusz). Legion Polski na Węgrzech 1848-1849. (La Légion Polonaise en Hongrie 1848-1849.) Warszawa, Wydawn. Min. Obrony Narod., 83, in-8, 308 p.

6989. McINTIRE (C.T.). England against the papacy, 1858-1861: Tories, liberals, and the overthrow of papal temporal power during the Italian risorgimento. London a. New York, Cambridge U.P., 83, in-8, XV-249 p.

6990. MARINESCU (Beatrice). Romania and South-East Europe at the end of the 19th century. R. Et. sud-est europ., 83, t. 21, n° 4, p. 323-340. - EADEM. Romanian-British political relations 1848-1877. Bucureşti, Ed. Acad., 83, in-8, 240 p.

6991. MENCÍA (Carmen). Expulsión del Embajador inglés Henry Litton Bulwer [de España, 1848]. B. real Acad. Hist. [Madrid], 83, t. 180, p. 495-550.

6992. Meždunarodnye otnošenija na Balkanakh. 1815-1830 gg. (International relations in the Balkans, 1815-1830.) Redkol.: V. N. VINOGRADOV (otv. red.) i dr. Moskva, Nauka, 83, 296 p. (AN SSSR. In-t slavjanovedenija i balkanistiki)

6993. OFFNER (John). The United States and France: ending the Spanish-American war. Dipl. Hist., 83, vol. 7, n° 1, p. 1-21.

6994. PAULSEN (George E.). Fraud, honor, and trade: the United States-Mexico dispute over the claim of La Abra [Mining] Company, 1875-1902. Pacific hist. R., 83, vol. 52, n° 2, p. 175-190.

6995. PELOSI (Hebe Carmen). La historiografía del Trienio Constitucional [en España]. Cuad. Hist. España, 82 [83], t. 67-68, p. 348-368.

6996. PÉREZ (Louis A.) Jr. Cuba between empires, 1878-1902. Pittsburgh, Univ. of Pittsburgh Press, 83, in-8, XX-490 p.

6997. SCHROEDER (Paul W.). Containment nineteenth-century style: how Russia was restrained. South Atlantic Quar., 83? vol. 82, n° 1, p. 1-18.

6998. SCHULTE (Bernd F.). Europäische Krise und Erster Weltkrieg. Beiträge z. Militärpolitik d. Kaiserreichs, 1871-1914. Frankfurt (Main) u. Bern, Lang, 83, in-8, 327 p. (Europ. Hochschulschriften, Reihe 3: Gesch. u. ihre Hilfswiss., 161)

6999. SPENCER (Warren F.). The confederate navy in Europe. University, Univ. of Alabama Press, 83, in-8, XII-268 p.

7000. Symposium historique international: La dernière phase de la Crise Orientale et l'hellénisme (1878-1881). Actes. Athènes, Assoc. Internat. des Etudes du Sud-Est europeen, Comité Nat. Grec des Et. du Sud-Est europeen, 83, in-8, 553 p.

7001. TSAI (Shi-Shan Henry). China and the overseas Chinese in the United States, 1868-1911. Fayetteville, Univ. of Arkansas Press, 83, in-8, IX-166 p.

7002. Unirea principatelor [române] şi puterile europene. (The union of the Romanian Principalities and the European powers.) Bucureşti, Ed. Acad., 83, in-8, 283 p.

7003. VINOGRADOV (V.N.). "Svjatye mesta" i zemnye dela (anglo-russkie otnošenija nakanune Krymskoj vojny). ("Holy places" and earthly deeds, or Anglo-Russian relations before the Crimean war.) Nov. novejš. Ist., 83, n° 5, p. 136-152; n° 6, p. 119-128.

7004. WALTER (Rolf). Venezuela und Deutschland (1815-1870). Wiesbaden, Steiner, 83, in-8, 420 p. (Ill., graph. Darst., Kt.). (Beitr. z. Wi.- u. Sozialgesch., 22)

7005. WEGNER-KORFES (Sigrid). Außen- und wirtschaftspolitische Aspekte der russisch-deutschen und russisch-französischen Beziehungen während der Reichskanzlerzeit Caprivis (1890-1894). Jb. f. Gesch. d. sozialist. Länder Europas, 83, Bd 27, p. 95-121.

7006. WIERZCHOSŁAWSKI (Szczepan). Dwusetna rocznica odsieczy wiedeńskiej na Pomorzu Gdańskim i Ziemi chełmińskiej w 1883 roku. (Le deuxième centenaire de l'expédition à Vienne en Poméranie de Gdańsk et dans le Pays de Chełmno en 1883.) Zap. hist., 83, vol. 48, n° 3, p. 131-141.

7007. WOLTER (Heinz). Bismarcks Außenpolitik 1871-1881. Außenpolit. Grundlinien v. d. Reichsgründung bis z. Dreikaiserbündnis. Berlin, Akad.-Verl., 83, in-8, 379 p. (Schr. d. Zentralinst. f. Gesch., 71)

7008. WONG (John Yue-Wo). Anglo-Chinese relations, 1839-1860, a calendar of Chinese documents in the British Foreign Office records. London, Oxford U.P., 83, in-8, 414 p.

7009. ZOLOTAREV (V.A.). Rossija i Turcija. Vojna 1887-1878 gg. Osnovn. probl. vojny v rus. istočnikovedenii i istoriografii. (Russia and Turkey. The war of 1877-1878. Main problems of the war in the Russian critique of sources and historiography.) Moskva, Nauka, 83, 232 p.

Cf. n°s 3166, 3427, 3606, 4079, 4119, 4192.

§ 6. From 1910 to 1935.
The First World War.

* 7010. KILLEN (Linda), LAEL (Richard L.). Versailles and after: an annotated bibliography of American diplomatic relations, 1919-1933. New York, Garland, 83, XVI-469 p. (Garland Reference Libr. of Soc. Sci., 135)

* Cf. n° 3140.

** 7011. Akten zur deutschen auswärtigen Politik, 1918-1945. Ser. A: 1918-1925. Bd 1: 9. Nov. bis 5. Mai 1919. Auswahl d. Dokumente: John P. FOX et al. Ed. Bearb.: Peter GRUPP. Ser. B: 1925-1933. [Bd 17. Cf. Bibl. 82, n° 7150.] Bd 18: 1. Juli bis 15. Okt. 1931. Auswahl d. Dokumente: Christian BAECHLER et al. Ed. Bearb.: Peter GRUPP. Bd 19: 16. Okt. 1931 bis 29. Febr. 1932. Auswahl d. Dokumente: Christian BAECHLER et al. Ed. Bearb.: Peter GRUPP. Bd 20: 1. März bis 15. Aug. 1932. Auswahl d. Dokumente: Christian BAECHLER. Ed. Bearb.: Harald SCHINKEL u. Roland THIMME. Bd 21: 16. Aug. 1932 bis 29. Jan. 1933. Auswahl d. Dokumente: Christian BAECHLER. Ed. Bearb.: Harald SCHINKEL u. Roland THIMME. Göttingen, Vandenhoeck u. Ruprecht, 82-83, 5 vol. in-8, LII-516, XLVI-575, LIV-671, LII-637, LXIX-650 p.

** 7012. BEAN (C.E.W.). Gallipoli correspondent: frontline diary. Ed. by Kevin FEWSTER. Melbourne, Allen a. Unwin, 83, in-8, 217 p.

** 7013. Deutsche Gesandtschaftsberichte aus Prag. Innenpolitik u. Minderheitenprobleme in d. 1. Tschechoslowakischen Republik. Ausgew., eingel. u. komm. v. Manfred ALEXANDER. T. 1: Von der Staatsgründung bis zum ersten Kabinett Beneš 1918-1921. Berichte d. Generalkonsuls v. Gebsattel [et al.]. München u. Wien, Oldenbourg, 83, in-8, 751 p. (Veröff. d. Collegium Carolinum, 49)

** 7014. Documents diplomatiques français 1932-1939. 1e série: 1932-1935. [T. 10. Cf. Bibl. 81, n° 6487.] T. 11: 1er juin - 20 août 1935. Paris, Imprimerie nationale, 82, in-8, LXI-713 p.

** 7015. FLOCKERZIE (Lawrence J.). Poland's Louvain: documents on the destruction of Kalisz, August 1914. Polish R., 83, vol. 28, n° 4, p. 73-88.

** 7016. Pe aici nu se trece! Mărturii. Amintiri [despre primul război mondial şi Unirea din 1918]. (On ne passe pas par ici! Témoignages. Souvenirs]de la première Guerre mondiale et de l'Union de la Roumanie de 1918].) Antologie, prefaţă, note şi comentarii de Constantin CĂZĂNIŞTEANU şi Doina RUSU. Bucureşti, Albatros, 82, in-8, 394 p.

7017. ÅHLANDER (Olof). Staat, Wirtschaft und Handelspolitik: Schweden u. Deutschland 1918-1921. Lund, Esselte Studium, 83, in-8, II-440 p. (Lund Studies in internat. Hist., 20)

7018. AHMEDOV (Ahmed S.). Les antagonismes interalliés sur les problèmes turcs après l'armistice de Moudros jusqu'au traité de Sèvres. Et. balkaniques, 83, a. 19, p. 27-48.

7019. ANASTASIADOU (Iphigeneia). Ho Benizelos kai to hellēnotourkiko Symphōno Philias tou 1930. (Vénizélos et le traité d'amitié gréco-turc de 1930.) Athēna, Philippotēs, 82, in-8, 126 p.

7020. Armia Polska we Francji 1917-1919. Materiały sympozjum z okazji 65 rocznicy powstania Armii Polskiej we Francji. (L'Armée Polonaise en France 1917-1919. Matériaux du colloque tenu à l'occasion du 65e anniversaire de la formation de l'Armée Polonaise en France.) Réd.: Piotr STAWECKI. Warszawa, Wojsk. Inst. Hist., 83, in-8, 145 p.

7021. ATANASIU (Victor). Bătălia din zona Sibiu-Cîneni. Septembrie 1916. (La bataille dans la zone Sibiu-Cîneni, sept. 1916.) Bucureşti, Ed. militară, 82, in-8, 195 p.

7022. AVETJAN (A.S.). Germano-russkie diplomatičeskie otnošenija 1911-1914 gg. v svete mežimperialističeskoj bor'by. (German-Russian diplomatic relations of 1911-1914 in the context of the interimperialist struggle.) Nov. novejš. Ist., 83, n° 2, p. 42-58.

7023. BAUMGART (Marek). Polska a Wielka Brytania na tle nowego układu sił w Europie (maj 1923 - wrzesień 1924). (La Pologne et la Grande-Bretagne dans le contexte des nouveaux rapports de force en Europe, mai 1923 - sept. 1924.) Przegl. zach., 83, a. 39, n° 2, p. 93-112.

7024. BECK (Peter J.). "Impartial soldiers" as one approach to Balkan instability: the example of the "peacekeeping past". East european Quar., 83, vol 17, n° 1, p. 15-30.

7025. BOSWORTH (Richard J. B.). Italy and the approach of the First World War. London, Macmillan; New York, St. Martin's Press, 83, in-8, VIII-174 p. (The Making of the 20th Century)

7026. BOTEZAN (Liviu). Contribuţii la problema recrutării de voluntari dintre românii transilvăneni ajunşi prizonieri în Rusia în primul război mondial. (Contribution à l'étude du problème du recrutement de volonaires parmi les Roumains transylvains prisonniers en Russie pendant la Première guerre mondiale.) Acta Musei napocensis, 83, t. 20, p. 273-292.

7027. BOTORAN (Constantin). România şi statele succesorale din centrul şi sud-estul Europei la Conferinţa de pace de la Paris (1919-1920). (La Roumanie et les Etats successoraux du centre et du Sud-Est de l'Europe à la conférence de paix de Paris.) R. Ist., 83, t. 36, n° 11, p. 1120-1135.

7028. BRADÁČ (Zdeněk). "Zlatá" dvacátá léta. Počátky hegemonie USA v kapitalistickém světě 1914-1929. (Die "goldenen" zwanziger Jahre. Die Anfänge d. USA-Hegemonie in d. kapitalist. Welt 1914-1929.) Praha, Mladá fronta, 83, in-8, 280 p. (16 fig.). (Archiv, 38)

7029. BUŁHAK (Henryk). La Pologne et les relations franco-allemandes 1925-1932. Perspective polonaise. Acta Poloniae hist., 83, vol. 46, p. 141-158.

7030. CAPLAN (Neil). Futile diplomacy: early Arab-Zionist negotiation attempts, 1913-1931. London, F. Cass, 83, in-8, 277 p. (ill.).

7031. CARLEY (Michael Jabara). Revolution and intervention: the French government and the Russian civil war, 1917-1919. Buffalo, N.Y., McGill-Queen's U.P., 83, in-8 XIII-265 p.

7032. CIUREA (Ioan). Ţara Făgăraşului în timpul campaniei armatei române în Transilvania, august-septembrie 1916. (Le pays de Făgăraş au temps de la campagne de l'armée roumaine en Transylvanie, août-sept. 1916.) Acta Musei napocensis, 83, t. 20, p. 615-638.

7033. COLE (Bernard D.). Gunboats and marines: the United States navy in China, 1915-1928. Newark, Univ. of Delaware Press, 83, in-8, 229 p.

7034. CZARNIK (Andrzej). Stosunki polityczne na Pomorzu Zachodnim w okresie republiki weimarskiei 1919–1933. (Les relations politiques en Poméranie Occidentale à l'époque de la République de Weimar 1919-1933.) Poznań, Wydawn. Pozn., 83, in-8? 353 p.

7035. DELMAS (Jean). L'état-major français et le gouvernement bolchévique (1917-1918): stratégie et idéologie. Relat. int., 83, n° 35, p. 291-303.

7036. DU BOIS (Pierre). La question ukrainienne (1917-1921). Schweiz. Z. f. Gesch., 83, Bd 33, p. 141-167.

7037. ELLIS (Stephen). The censorship of the Official naval history of Australia in the Great War. Hist. Stud., 83, vol. 20, p. 367-382.

7038. FERNER (Wolfgang). Das Deuxième Bureau der französischen Armee: subsidiäres Überwachungsorgan der Reichswehr 1919-1923. Frankfurt (Main) u. Bern, Lang, 82, in-8, 497 p. (Europ. Hochschulschriften, R. 3: Gesch. u. ihre Hilfswiss., 177)

7039. FRENCH (David). The origins of the Dardanelles campaign reconsidered. History, 83, vol. 68, p. 210-224.

7040. GALANDAUER (Jan). Šmerals Auffassung der Nationalitätenfrage und des Verhältnisses der tschechischen Nation zu Österreich-Ungarn am Vorabend des Ersten imperialistischen Weltkrieges. Historica [Praha], 83, vol. 23, p. 47-99.

7041. GEISS (Imanuel). Die manipulierte Kriegsschuldfrage. Deutsche Reichspolitik in d. Julikrise 1914 u. deutsche Kriegsziele im Spiegel d. Schuldreferats d. Auswärtigen Amtes, 1919-1931. Militärgesch. Mitt., 83, H. 34, p. 31-60.

7042. GILDERHUS (Mark T.). Wilson, Carranza, and the Monroe doctrine: a question in regional organization. Dipl. Hist., 83, vol. 7, n° 2, p. 103-115.

7043. GRUCHAŁA (Janusz). Sprawa przynależności politycznej Śląska Cieszyńskiego w latach I wojny światowej. (Le problème de la dépendance politique de la Silésie de Cieszyn dans les années de la Première guerre mondiale.) Śląski Kwart. hist. Sobótka, 83, a. 37, n° 3, p. 351-363.

7044. HASLAM (J.). Soviet foreign policy, 1930-1933. London, Macmillan, 83, in-8, 184 p.

7045. HEŘTOVÁ (Yvette). Zákopová válka. (Der Grabenkrieg.) Praha, Mladá fronta, 83, in-8, 408 p. (16 fig.). (Archív, 37)

7046. HILLGRUBER (Andreas). "Revisionismus" - Kontinuität und Wandel in der Außenpolitik der Weimarer Republik. Hist. Z., 83, Bd 237, p. 597-621.

7047. HÖPFNER (Hans-Paul). Deutsche Südosteuropapolitik in der Weimarer Republik. Franfurt (Main) u. Bern, Lang, 83, in-8, IX-396 p. (Europ. Hochschulschriften, Reihe 3: Gesch. u. ihre Hilfswiss., 182)

7048. HOUGH (Richard). The Great War at sea, 1914-1918. London, Oxford U.P., 83, in-8, 370 p. (ill., maps).

7049. HOUSEPIAN (Marjorie), HORTON (George), BRISTOL (Mark L.). Opposing forces in U.S. foreign policy 1919-1923. Deltio Kentrou mikrasiat. Spoudōn, 83, vol. 4, p. 131-158.

7050. HYRŠLOVÁ (Květa). Die ČSR als eines der Hauptzentren der deutschen antifaschistischen Kultur in den Jahren 1933-1939. Der gemeinsame tschechisch-deutsche Kampf zur Verteidigung der Kultur.) Historica [Praha], 83, vol. 22, p. 183-229.

7051. Bibl. 82, n° 7194. ILJUKHINA (R.M.). Liga nacij, 1919-1934. (The League of Nations, 1919-1934.) - CR: V. G. Trukhanovskij, A. S. Protopopov, Vopr. Ist., 83, n° 8, p. 115-118. I. M. Tabagua, Nov. novejš. Ist., 83, n° 3, p. 191-193.

7052. JACOBSON (Jon). Is there a new international history of the 1920s? Am. hist. R., 83, vol. 88, n° 3, p. 617-645.

7053. JACOBSON (Jon). Stragies of French foreign policy after world war I. J. mod. Hist., 83, vol. 55, p. 78-95.

7054. KALAŠNÍKOVÁ (Světlana). Otázka iznání SSSR de iure v politice Československa v letech 1924-926. (Die Frage der De-iure-Anerkennung d. UdSSR in d. Politik d. Tschechoslowakei in d. J. 1924-1926.) Praha, Academia, 83, in-8, 135 p. (Studie ČSAV 1983, 15)

7055. KEIGER (John F. V.). France and the origins of the First World War. London, Macmillan, 83, in-8, VII-201 p. (The Making of the 20th Century) - IDEM. Jules Cambon and Franco-German détente, 1907-1014. Hist. J., 83, vol. 26, p. 641-659.

7056. KOLÁŘ (Josef). Bulharská demokratická emigrace v Československu v letech 1923-1933. (Die bulgarische demokratische Emigration in d. Tschechoslowakei in d. J. 1923-1933.) Praha, Academia, 83, in-8, 113 p. (Studie ČSAV 1983, 22)

7057. Konstellationen internationaler Politik 1924-1932. Polit. u. wirtschaftl. Faktoren in d. Beziehungen zwischen Westeuropa u. d. Vereinigten Staaten. Referate u. Diskussionsbeiträge e. Dortmunder Symposions, 18.-21. Sept. 1981. Gustav SCHMIDT (Hrsg.). Bochum, Brockmeyer, 83, in-8, XII-445 p.

7058. KORCZYK (Henryk). Polska dyplomacja wobec traktatu berlińskiego z 1926 r. w świetle dokumentów. (La diplomatie polonaise face au traité de Berlin de 1926 à la lumière des documents.) Przegl. hist., 83, vol. 74, p. 301-330.

7059. LEATHERDALE (Clive). Britain and Saudi Arabia, 1925-1939: the imperial oasis. London, F. Cass, 83, in-8, 400 p.

7060. LIEVEN (D.C.B.). Russia and the origins of the First World War. London, Macmillan; New York, St. Martin's Press,

83, in-8, 213 p. (The Making of the 20th Century)

7061. LINDBERG (Anders). Småstat mot stormakt: beslutssystemet vid tillkomsten av 1911 års svensk-tyska handels- och sjöfartstraktat. (Kleinstaat gegen Großmacht: die Beschlußordung bei der Entstehung des schwedisch-deutschen Handels- und Schiffahrtsvertrages von 1911.) Lund, Liber/Gleerup, 83, in-8, 281 p. (Bibl. hist. Lundensis, 55) [Deutsche Zsfassung] 83, in-8, 213 p. (The Making of the 20th

7062. MACDONALD (Lyn). The Somme. London, M. Joseph, 83, in-8, 384 p. (ill., maps).

7063. McTAGUE (John J.). British policy in Palestine, 1917-1922. Lanham, Md., U.P. of America, 83, in-8, X-276 p.

7064. MAMŌNĒ (Kyriāke). Ho Hellēnikos Philologikos Syllogos Kōnstantinopoleōs, ho Benzelos kai hē Mikrasiatikē Ekstrateia (Apo to Archeio K. Misaēlide). (Le Syllogue Littéraire Grec de Constantinople, Vénizélos et l'expédition en Asie Mineure - à partir des Archives de K. Misaelide.) Deltio Kentrou mikrasiat. Spoudōn, 83, vol. 4, p. 277-297.

7065. MARÈS (Antoine). Mission militaire et relations internationales: l'exemple franco-tchécoslovaque, 1918-1925. R. Hist. mod., 83, t. 30, p. 559-586.

7066. MARKS (Sally). "My name is Ozymandias": the Kaiser in exile. Central european Hist., 83, vol. 16, n° 2, p. 122-170.

7067. MESEBERG-HAUBOLD (Ilse). Der Widerstandt Kardinal Merciers gegen die deutsche Besetzung Belgiens 1914-1918. Ein Beitr. z. polit. Rolle d. Katholizismus im Ersten Weltkrieg. Frankfurt (Main) u. Bern, Lang, 82, in-8, 400 p.

7068. MIQUEL (Pierre). La Grande Guerre. Paris, Fayard, 83, in-8, 663 p.

7069. MOURELOS (Giannēs). Hē Gallotourkikē prosengisē tou 1921. To symphōno Franklin-Bouillon kai hē ekkenōsē tēs Kilikias. (Le rapprochement franco-turc de 1921. Le pacte Franklin-Bouillon et l'évacuation de la Cilicie.) Deltio Kentrou mikrasiat. Spoudōn, 83, vol. 4, p. 211-276.

7070. MROCZKO (Marian). Problematyka wschodniopruska w myśli zachodniej Drugiej Rzeczypospolitej. (La problématique de la Prusse Orientale dans la pensée occidentale de la Seconde République [polonaise]). Komunikaty maz.-warm., 82 [83], a. 30, n° 4, p. 377-396.

7071. NILSON (Bengt). Handelspolitik under skärpt konkurrens: England och Sverige 1929-39. (Trade policy under sharpened competition: England and Sweden, 1929-39.) Lund, Liber/Gleerup, 83, in-8, 217 p. (Bibl. hist. Lundensis, 58) [Eng. summary]

7072. OPRESCU (Paul). Problema naţională în politica externă a României din preajma primului război mondial. (La question nationale dans la politique extérieure de la Roumanie à la veille de la Première guerre mondiale.) R. Ist., 83, t. 36, n° 11, p. 1089-1103.

7073. PETRICIOLI (M.). L'Italia in Asia Minore. Equilibrio mediterraneo e ambizioni imperialiste alla vigilia della prima guerra mondiale. Firenze, Sansoni, 83, in-8, 476 p.

7074. PISAREV (Ju. A. Germanskij imperializm i Balkany: rokovye rešenija Vil'gel'ma II Gogencollerna. (German imperialism and the Balkans. Fatal decisions of Wilhelm II of Hohenzollern.) Nov. novejš. Ist., 83, n° 5, p. 60-73.

7075. POGGE VON STRANDMANN (Hartmuth). Deutscher Imperialismus nach 1918. In: Deutscher Konservatismus im 19. u. 20 Jh. [Cf. n° 487], p. 281-293.

7076. PRZEWŁOCKI (Jan). Międzynarodowe uwarunkowania podziału Górnego Śląska w 1922 roku. (Les stipulations internationales de la division de la Haute Silésie en 1922.) Zaranie śląskie, 82 [83], a. 45, n° 1-2, p. 57-72.

7077. RAKOVÁ (Svatava). Politika Spojených států ve střední Evropě po první světové válce. (Die Politik der USA in Mitteleuropa nach d. Ersten Weltkrieg.) Praha, Academia, 83, in-8, 152 p. - EADEM. U.S. Central European policy (November 1918 - June 1919). Historica [Praha], 83, vol. 22, p. 119-181.

7078. RAYNAUD-LACROZE (Eugène). Méharistes au combat. Paris, Ed. France-Empire, 83, in-8, 217 p. (16 p. de pl., cartes).

7079. REED (James). The missionary mind and American East Asia policy, 1911-1915. Cambridge, Mass., Council on East Asian Stud., Harvard Univ., 83, in-8, XIV-258 p. (Harvard East Asian Monographs, 104)

7080. REPGEN (Konrad). Vom Fortleben nationalsozialistischer Propaganda in der Gegenwart: der Münchener Nuntius und Hitler 1933. Gesch. in Wiss. u. Unterr., 83, Jg. 34, p. 29-49. - IDEM. Zur vatikanischen Strategie beim Reichskonkordat [1933]. Vjhefte f. Zeitgesch., 83, Jg. 31, H. 3, p. 506-536.

7081. România şi Conferinţa de pace de la Paris (1918-1920). Triumful principiului naţionalităţilor. (La Roumanie et la Conférence de paix de Paris. Le triomphe du principe des nationalités.) Autori: Constantin BOTORAN, Ion CALAFETEANU, Eliza CAMPUS, Viorica MOISUC. Coordonator: Viorica MOISUC. Cluj-Napoca, Dacia, 83, in-8, 412 p.

7082. SCHRÖTER (Harm G.). Außenpolitik und Wirtschaftsinteresse. Skandinavien im außenwirtschaftl. Kalkül Deutschlands u. Großbritanniens 1918-1939. Frankfurt (Main), Bern u. New York, Lang, 83, in-8, 567 p. (graph. Darst.). (Europ. Hochschulschr., Reihe 3: Gesch. u. ihre Hilfswiss., 195)

7083. SIERPOWSKI (Stanisław). Wystąpienie Niemiec z Ligi Narodów. (Le retrait de l'Allemagne de la Société des Nations.) Przegl. zach., 83, a. 39, n° 2, p. 67-92.

7084. SILIN (A.S.). Begstvo "Gebena" i "Breslau" v Dardanelly v 1914 g. (Iz istorii pervoj mirovoj vojny). (The escape into the Dardanelles of the cruisers "Goeben" and "Breslau" in 1914.) Nov. novejš. Ist., 83, n° 3, p. 131-146.

7085. ŠIŠKIN (V.A.). "Polosa priznanij" i vnešneėkonomičeskaja politika SSSR (1924-1928 gg.). ("The period of recognition" and the Soviet foreign economic policy, 1924-1928.) Leningrad, Nauka, 83, 365 p. - CR: Ju. A. Poljakov, Vopr. Ist., 84, n° 3, p. 124-127.

7086. STANWOOD (Frederick). War, revolution and British imperialism in Central Asia. London, Ithaca Press, 83, in-8, 256 p. (maps).

7087. STEHLIN (Stewart A.). Weimar and the Vatican, 1919-1933: German-Vatican diplomatic relations in the interwar years. Princeton, N.J., Princeton U.P., 83, in-8, XVI-490 p.

7088. TIMOTEO ÁLVAREZ (Jesús). Elementos para una reinterpretación histórica del siglo XX: el caso de la información-propaganda en Gran Bretaña, 1914-1918. B. real Acad. Hist. [Madrid], 83, t. 180, p. 149-184.

7089. Titulescu şi strategia păcii. (Titulescu et la stratégie de la paix.) Cuvînt înainte: Mihnea GHEORGHIU. Coordonator. Gh. BUZATU. Autori: I. AGRIGOROAIEI, Emilian BALD, Constantin BUŞE et al. Iaşi, Junimea, 82, in-8, 502 p.

7090. TREADWAY (John D.). The falcon and the eagle: Montenegro and Austria-Hungary, 1908-1914. West Lafayette, Ind., Purdue U.P., 83, in-8, XIX-349 p.

7091. ULLRICH (Volker). Das deutsche Kalkül in der Julikrise 1914 und die Frage der englischen Neutralität. Gesch. in Wiss. u. Unterr., 83, Jg. 34, p. 79-97.

7092. URBAN (Loslo K.). Once more with hindsight: German-Polish interwar trade negotiations. East european Quar., 83, vol. 17, n° 1, p. 89-198.

7093. VINOGRADOV (V.N.). "Dve Rumynii" i Sovetskaja Rossija (Nojabr' 1917 - 1918 gg.). (The "Two Romanias" and Soviet Russia, Nov. 1917 - 1918.) Ist. SSSR, 83, n° 5, p. 30-49.

7094. WANNER (Gerhard). Die Bedeutung der K. u. K. Gesandtschaft und des Militärattachements in Stockholm für die Beziehungen zwischen Schweden und Osterreich-Ungarn während des Ersten Weltkrieges. Osnabrück, Biblio-Verl., 83, in-8, 630 p. (Stud. z. Militärgesch., Militärwiss. u. Konfliktforsch., 29)

7095. WILLIAMS (Jeffrey). Byng of Vimy. London, Secker a. Warburg, 83, in-8, 392 p.

7096. WILLIAMSON (Samuel R.) Jr., PASTOR (Peter) a. others. Essays on World War I: origins and prisoners of war. New York, Brooklyn College Press, 83, in-8, XVIII-264 p. (East European Monographs, 126)

7097. WILLIS (James F.). Prologue to Nuremberg: the politics and diplomacy of punishing war criminals of the First World War. Westport, Conn., Greenwood, 82, in-8, XIII-292 p. (Contrib. in Legal Stud., 20)

Cf. n°s 254, 3599, 5685, 6624, 6709, 6962.

§ 7. From 1935 to 1945.
The Second World War.

a. General.

* 7098. Bibliographie de la Seconde guerre mondiale. [Cf. Bibl. 82, n° 7251.] R. Hist. 2e Guerre mond., 83, a. 33, n° 129, p. 123-141; n° 130, p. 119-137; n° 132, p. 107-124.

* 7099. Druga wojna światowa 1939-1945. (La Seconde guerre mondiale 1939-1945.) Bibliographies sous la réd. de Bożena SIELIŃSKA. Cz. 2: Prace ogólne. Materiały z lat 1939-1979. (Matériaux des années 1939-1979.) [P. 1. Cf. Bibl. 74-75, n° 7704.] P. 2: Travaux généraux. Auteur: Zofia URBAŃSKA. Warszawa, Wojsk. Inst. Hist., 81 [82], in-8, XIV-119 p.

* 7100. LEVY (Claude). Essai bibliographique sur la Collaboration en France. B. Inst. Hist. Temps présent, 83, n° 11, p. 35-55.

* 7101. World War II from an American perspective: an annotated bibliography [of periodical literature, 1973-1982]. Santa Barbara, Calif., ABC-Clio, 83, in-8, VI-277 p. (ABC-Clio Research Guide, 2)

* Cf. n° 3140.

** 7102. CZERNIAKÓW (Adam). Dziennik getta warszawskiego 6 IX 1939 - 23 VII 1942. (Journal du ghetto de Varsovie.) Ed. par Marian FUKS. Avant-propos par Czesław MADAJCZYK. Warszawa, Państw. Wydawn. Nauk., 83, in-8, 411 p.

** 7103. Pamiętniki ocalonych. Wspomnienia więźniów hitlerowskich miejsc kaźni w Wielkopolsce. (Mémoires de sauvés. Souvenirs d'anciens détenus des prisons nazies en Grande Pologne.) Choix et élab.: Wojciech JAMROZIAK et Marian OLSZEWSKI. Av.-propos et annotations par M. OLSZEWSKI. Notes sur les auteurs: W. JAMROZIAK. Poznań, Wydawn. Pozn., 83, in-8, 587 p.

7104. AMORT (Čestmír). SSSR a obrana Československa v roce 1938 ve světle československo-sovětských dokumentů a materiálů. (UdSSR und die Verteidigung der Tschechoslowakei im J. 1938 im Lichte der tschechoslowak.-sowjet. Dokumente u. Materialian.) Českoslov.-sovět. Vztahy, 83, vol. 12, p. 27-67.

7105. BARANY (George). Jewish prisoners of war in the Soviet Union during World War II. Jb. f. Gesch. Osteuropas, 83, Bd 31, p. 161-209.

7106. BARON (Lawrence). Haven from the Holocaust: Oswego, N.Y., 1944-1946. New York Hist., 83, vol. 64, n° 1, p. 5-34.

7107. BAUER (Yehuda). Ha-shoa; hebetim historiyyim. (The holocaust - some historical aspects.) Tel-Aviv, Sifriat Poalim, 82, in-8, 226 p.

7108. BAUMEL (Judith Tydor). Twice a refugee: the Jewish refugee children in Great Britain during evacuation, 1939-1943. Jewish soc. Stud., 83, vol. 45, n° 2, p. 175-184.

7109. BRATZEL (John), ROUT (Leslie) Jr. Once again: Pearl Harbor, microdots, and J. Edgar Hoover. Am. hist. R., 83, vol. 88, n° 4, p. 953-960.

7110. BROWNING (Christopher R.). The final solution in Serbia: the Semlin Judenlager. Yad Vashem Stud., 83, vol. 15, p. 55-90.

7111. ČEIJKA (Eduard). Kdo zastaví příval. Válečná léta 1941-1942. (Wer hält die Flut an? Kriegsjahre 1941-1942.) Praha, Panorama, 83, in-8, 480 p. (32 fig.).

7112. CHOLAWSKI (Shalom). Al naharot ha-Neman weha-Dnieper. (The Jews in Belorussia during World War II.) Jerusalem, Inst. of Contemporary Jewry, Hebrew Univ. of Jerusalem, 82, in-8, 367 p. (maps).

7113. CRONE (Michael). Hilversum unter dem Hakenkreuz: die Rundfunkpolitik d. Nationalsozialisten in d. besetzten Niederlanden 1940-1945. München, New York, London u. Paris, K. G. Saur, 83, in-8, 350 p. (Kommunikation u. Politik, 15)

7114. DOBROWOLSKI (Kazimierz). Zagadnienie przyszłego państwa polskiego (1944). (La question du futur Etat polonais, 1944.) Ed. Wiesław BIENKOWSKI. Studia hist. [Kraków], 83, a. 26, fasc. 1, p. 125-139.

7115. DU RÉAU (Elisabeth). Enjeux stratégiques et redéploiement diplomatique français, Nov. 1938 - sept. 1939. Relations int., 83, n° 35, p. 319-335.

7116. ELIASH (Shulamit). Hazalat yeshivot Polin ... (The rescue of the yeshivot from Poland to Lithuania at the outset of World War II.) Yalkut Moreshet, 81, vol. 32, p. 127-168.

7117. ENGEL (David). The Polish government-in-exile and the deportation of Polish Jews from France in 1942. Yad Vashem Stud., 83, vol. 15, p. 91-123. - IDEM. An early account of Polish Jewry under nazi and soviet occupation presented to the Polish government-in-exile, February 1940. Jewish soc. Stud., 83, vol. 45, n° 1, p. 1-16.

7118. ENGEL (Marcel), HOHENGARTEN (André). Hinzert. Das SS-Sonerlager im Hunsrück, 1939-1945. Luxemburg, Sankt-Paulus-Druckerei, 83, in-8, 632 p. (ill.).

7119. FAFARA (Eugeniusz). Gehenna ludności żydowskiej. (La géhenne de la population juive [en Pologne, 1939-1945].) Avant-propos de Maria KUNCEWICZOWA. Warszawa, Lud. Spółdz. Wydawn., 83, in-8, 669 p.

7120. GOLDNER (Franz). Die Flucht in die Schweiz: die neutrale Schweiz u. die österr. Emigration 1938 bis 1945. Wien u. Zürich, Europaverl., 83, in-8, 174 p.

7121. HAYES (Grace Person). History of the Joint Chiefs of Staff in World War II. London, Arms a. Armour Press, 83, in-4, 990 p.

7122. HERDE (Peter). Italien, Deutschland und der Weg in den Krieg im Pazifik 1941. Wiesbaden, Steiner, 83, in-8, 105 p. (S.-B. d. Wiss. Ges. an d. Johann-Wolfgang-Goethe-Univ. Frankfurt a. M., 20, 1)

7123. HEYEN (Franz-Joseph). Hinzert, Ort des Leidens und der Schmach. Gedenkstätte d. freien Luxemburg. Hémecht, 83, Bd 35, p. 133-157.

7124. HOMER (D.M.). The High Command: Australia and allied strategy, 1939-1945. London a. Melbourne, Allen a. Unwin, 83, in-8, 106 p.

7125. KÁRNÝ (Miroslav). Princip "Vernichtung durch Arbeit" a problematika úmrtnosti v nacistických koncentračních táborech. ("Vernichtung durch Arbeit" und die Sterblichkeit in d. nazist. Konzentrationslagern.) Sborn. k Problem. Děj. Imper., 83, vol. 16, p. 5-46.

7126. KEYSERLINGK (Robert H.). Die deutsche Komponente in Churchills Strategie der nationalen Erhebungen 1940-1942. Der Fall Otto Strasser. Vjhefte f. Zeitgesch., 83, Jg. 31, H. 4, p. 614-645.

7127. KOCHAN (Miriam). Britain's internees in the Second World War. London, Macmillan, 83, in-8, 195 p. (ill.).

7128. KRAMMER (Arnold). Japanese prisoners of war in America. Pacific hist. R., 83, vol. 52, n° 1, p. 67-92.

7129. KUL'KOV (E. N.), RŽEŠEVSKIJ (O. A.), ČELYŠEV (I. A.). Pravda i lož' o vtoroj mirovoj vojne. (Truth and lie about the Second World War.) Moskva, Voenizdat, 83, 334 p. - CR: A. S. Orlov, Vopr. Ist., 84, n° 6, p. 129-132.

7130. LOWENTHAL (Mark M.). Limits of war planning: Roosevelt and "RAINBOW 5". In: Society in change [Cf. n° 495], p. 103-121.

7131. MADAJCZYK (Czesław). Faszyzm i okupacje 1938-1945. Wykonywanie okupacji przez państwa Osi w Europie. T. 1: Ukształtowanie się zarządów okupacyjnych. (Fascisme et occupations 1938-1945. La réalisation des occupations en Europe par les pays de l'Axe. T. 1: L'établissement des administrations d'occupation.) Poznań,

Wydawn. Pozn., 83, in-8, 791 p.

7132. MARÈS (Antoine). Les attachés militaires en Europe centrale et la notion de puissance en 1938. R. hist. Armées, 83, n° 1, p. 60-72.

7133. MORTON (Desmond). A peculiar kind of politics: Canada's overseas ministry in the First World War. Toronto, Univ. Press, 83, in-8, 267 p. - CR: D. M. Schuman, Int. J., 83-84, vol. 39, p. 223-224.

7134. NAZAREWICZ (Ryszard). Razem na tajnym froncie. Polsko-radzieckie współdziałanie wywiadowcze w latach II wojny światowej. (Ensemble au front clandestin. Collaboration polono-soviétique des services de renseignement dans les années de la IIe guerre mondiale.) Warszawa, Wydawn. Min. Obrony Narod., 83, in-8, 337 p.

7135. NOVOSELOV (B.N.). SŠA, Velikobritanija i vtoroj front (Kritika novykh tendencij v buržuaznoj istoriografii). (The USA, Britain and the second front: critique of new tendencies in bourgeois historiography.) Nov. novejš. Ist., 83, n° 4, p. 32-48.

7136. NESVADBA (František). Čs. buržoazní armáda a obrana země proti agresi fašistického Německa v roce 1938. (Die tschechoslowak. bourgeoise Armee u. d. Landesverteidigung gegen d. Aggression d. faschist. Deutschlands im Jahre 1938.) I, II. Hist. Vojen., 83, vol. 32, n° 1, p. 101-121; n° 2, p. 3-20.

7137. NYGAARDSVOLD (Johan). Norge i krig: London 1940-1945. (Norway at war.) Oslo, Tiden, 83, 274 p. (ill.).

7138. PANECKI (Tadeusz). Polonia zachodnio-europejska w planach rządu RP na emigracji (1940-1944). (La Polonia [émigrants polonais] en Europe occidentale dans les plans du gouvernement de la République Polonaise en émigration, 1940-1944.) Przegl. polon., 83, a. 9, fasc. 2, p. 23-36.

7139. PERLIS (Riwka). Tenu'ot ha-no'ar ha-haluziyot be-Polin ha-kevusha. (The pioneering Zionist youth movements in Nazi-occupied Poland during the Holocaust.) Jerusalem, 82, 2 vol. in-4. [Thesis. Hebrew Univ. of Jer. - Eng. summary]

7140. POLAK (Edmund). Dziennik buchenwaldski. (Journal de Buchenwald.) Avantpropos: Czeslaw PILICHOWKSI. Warszawa, Wydawn. Min. Obrony Narod., 83, in-8, 457 p.

7141. PORAT (Dina). "Al-domi" ... ("Al-Domi", a group of [Jewish] intellectuals, and the Holocaust.) Ha-Ziyyonut, 83, vol. 8, p. 245-275.

7142. PRIOR (Robin). Churchill's World Crisis as history. London, Croom Helm, 83, in-8, 352 p.

7143. PRZYBYSZ (Kazimierz). Chłopi polscy wobec okupacji hitlerowskiej 1939-1945. Zachowanie i postawy polityczne na terenach Generalnego Gubernatorstwa. (Les paysans polonais face à l'occupation 1939-1945. Comportements et attitudes politiques sur le territoire du "General-Gouvernement".) Warszawa, Lud. Spółdz. Wydawn., 83, in-8, 347 p.

7144. RINGELBLUM (Emanuel). Kronika getta warszawskiego. Wrzesień 1939 - styczeń 1943. (Chronique du ghetto de Varsovie, sept. 1939 - janv. 1943.) Avantpropos et réd.: Artur EISENBACH. Trad. du yiddish par Adam RUTKOWSKI. Ed. et annotations: Tatiana BERENSTEIN et al. Consultation scientif.: Tomasz SZAROTA. Warszawa, Czytelnik, 83, in-8, 641 p.

7145. ROBINSON (Denis M.). British microwave radar 1939-1941. Proc. am. philos. Soc., 83, vol. 127, n° 1, p. 26-31.

7146. SOKOŁOWSKI (Marek). Berlin w planach anglo-amerikańskich 1944-1945. (Berlin dans les plans anglo-américains 1944-1945.) Wojsk. Przegl. hist., 83, a. 28, n° 2-3, p. 480-492.

7147. SPECTOR (Shmuel). Sho'at Yehude Volhyn. (The Holocaust of Volhynian Jews, 1941-1944.) Jerusalem, 82, 2 vol. in-4. [Thesis. Hebrew Univ. of Jer. - Eng. summary]

7148. SZEFER (Andrzej). Kilka uwag o hitlerowskiej propagandzie w 1944 roku. (Quelques remarques concernant la propagande nazie en 1944.) Zaranie śląskie, 83, a. 46, n° 1-2, p. 102-121.

7149. WEINGARTEN (R.). Die Hilfeleistung der westlichen Welt bei der Endlösung der deutschen Judenfrage. Das "Intergovernmental Committee on Political Refugees" 1938-1939. Frankfurt (Main) u. Bern, Lang, 83, in-8, 232 p. (Europ. Hochschulschr., Reihe 3: Gesch. u. ihre Hilfswiss., 157)

7150. Więzienia hitlerowskie na Śląsku, w Zagłębiu Dąbrowskim i w Częstochowie 1939-1945. (Les prisons nazies en Silésie, dans le Bassin de Dąbrowa Górnicza et à Częstochowa, 1939-1945.) Ouvrage collectif sous la réd. d'Andrzej SZEFER. Katowice, Śląski Inst. Nauk., 83, in-8, 279 p.

7151. YAHIL (Leni). Raoul Wallenberg: his mission and his activities in Hungary. Yad Vashem Stud., 83, vol. 15, p. 7-53.

7152. ŽILIN (P. A.), JAKUŠEVSKIJ (A. C.), KUL'KOV (A. N.). Kritika osnovnykh koncepcij buržuaznoj istoriografii vtoroj mirovoj vojny. (Critique of the main conceptions of bourgeois historiography of the Second World War.) Moskva, Nauka, 83, 384 p. (AN SSSR. In-t voen. istorii M-va oborony SSSR)

Cf. n° 4497.

b. Diplomacy. Economy.

** 7153. Documents diplomatiques français 1932-1939. 2e série: 1936-1939. [T. 15. Cf. Bibl. 81, n° 6636.] T. 16: 1er mai - 24 juin 1939. Paris, Imprimerie nationale, 83, in-8, XCV-1018 p.

** 7154. Documents on Australian foreign policy 1937-1949. Vol. 6: July 1942 - December 1943. Ed. by W. J. HUDSON a. H. J. W. STOKES. Canberra, Australian Government Printing Service, 83, VII-677 p.

** 7155. Documents on German foreign policy, 1918-1945. Ser. C. [Vol. 5. Cf. Bibl. 66, n° 7291.] Vol. 6: November 1, 1936 - November 14, 1937. Washington, D.C., Government Printing Office; London, H. M. Stationery Office, 83, in-8, LXXXI-1140 p.

** 7156. KHARLAMOV (N.M.). Trudnaja missija. (Difficult mission.) Moskva, Voenizdat, 83, 224 p. (Voen. memuary)

** 7157. Sovetsko-anglijskie otnošenija vo vremja Velikoj Otečestvennoj vojny, 1941-1945. Dokumenty i materialy. (USSR relations with Britain during the Great Patriotic war, 1941-1945. Documents and materials.) Redkol.: G. P. KYNIN i dr. V 2-kh t. T. 1: 1941-1943. T. 2: 1944-1945. Moskva, Politizdat, 83, 2 vol., 542, 494 p. (M-vo inostr. del SSSR)

** 7158. Sovetsko-francuzskie otnošenija vo vremja Velikoj Otečestvennoj vojny, 1941-1945. Dokumenty i materialy. V. 2-kh t. (USSR relations with France during the Great Patriotic war, 1941-1945. Documents and materials. In two volumes.) Redkol.: A. L. ADAMIŠIN i dr. T. 1: 1941-1943. Moskva, Politizdat, 83, 432 p. (M-vo inostr. del SSSR)

** Cf. n° 7282.

7159. AULACH (Harindar). Britain and the Sudeten issue, 1938. The evolution of a policy. J. contemp. Hist., 83, vol. 18, 233-259.

7160. BARROS (James). Britain, Greece and the polititcs of sanction: Ethiopia, 1935-1936. London, Roy. Hist. Soc., 83, in-8, 248 p.

7161. BAVENDAMM (Dirk). Roosevelts Weg zum Krieg: amerikan. Politik 1934-1939. München u. Berlin, Herbig, 83, in-8, 639 p.

7162. BITTNER (Donald F.). The lion and the white falcon: Britain and Iceland in the World War II era. Hamden, Conn., Archon Books, 83, in-8, XII-207 p.

7163. BOLL (Michael M.). Reality and illusion: the Allied Control Commission for Bulgaria as a cause of the Cold War. East european Quar., 83, vol. 17, n° 4, p. 417-436. - IDEM. U.S. plans for a postwar pro-western Bulgaria: a little-known wartime initiative in eastern Europe. Dipl. Hist., 83, vol. 7, n° 2, p. 117-138.

7164. BONUSIAK (Włodzimierz). Polityka ekonomiczna III Rzeszy na okupowanych terenach ZSRR (1941-1944). (La politique économique du IIIe Reich sur les territoires occupés de l'URSS, 1941-1944.) Rzeszów, Wydawn. Uczelniane, 83, in-8, 356 p. (Politechnika Rzeszowska, Rozprawy, 32)

7165. BORISOV (A. Ju.). SSSR i SŠA: sojuzniki v gody vojny. 1941-1945. (USSR and USA: allies in the years of war, 1941-1945.) Moskva, Meždunar. otnošenija, 83, 286 p.

7166. BRAUMANN-LETTNER (Lydia). Die französische Österreichplanung und Österreichpolitik von 1943 bis zur Anerkennung der Regierung Figl [Dez. 1945]. Jb. f. Zeitgesch., 82-83, p. 81-131.

7167. COINTET (Jean-Paul). Les relations entre de Gaulle et le Gouvernement britannique durant la seconde guerre mondiale. R. hist., 82 [83], a. 106, t. 268, n° 544, p. 431-451.

7168. CROWE (David). American foreign policy and the Baltic state question, 1940-1941. East european Quar., 83, vol. 17, n° 4, p. 401-415.

7169. CSÖPPÜS (István). Die Entwicklung des ungarischen Agrarexports nach Deutschland zur Zeit des Zweiten Weltkrieges 1938 bis 1944. Z. f. Agrargesch., 83, Bd 31, p. 57-69.

7170. DICKEL (Horst). Die deusche Außenpolitik und die irische Frage von 1932 bis 1944. Wiesbaden, Steiner, 83, in-8, X-254 p. (Frankfurt hist. Abh., 26)

7171. DMITRZAK (Andrezj). Hitlerowskie kontrybucje w okupowanej Polsce 1939-1945. (Les contributions [de guerre] nazies en Pologne occupée, 1939-1945.) Poznań, 83, in-8, 98 p. (Uniw. im. Adama Mickiewicza w Poznaniu, Historia, 109)

7172. DUROSELLE (Jean-Baptiste). Les rêves et l'inaction (septembre 1939 - mars 1940). Faravid, 83, t. 7, p. 225-254.

7173. EINHORN (Marion). Wer half Franco? Spanien in d. Politik Großbritanniens u. d. USA 1939-1953. Berlin, Akad.-Verl., 83, in-8, 171 p. (Schr. d. Zentralinst. f. Gesch., 64)

7174. FERRETTI (Valdo). Il Giappone e la politica estera italiana 1935-1940. Milano, Giuffrè, 83, in-8, XI-254 p.

7175. FISK (Robert). In time of war: Ireland, Ulster and the price of neutrality, 1939-1945. London, Deutsch, 83, in-8, 565 p.

7176. FUCHSER (Larry William). Neville Chamberlain and appeasement, a study in the politics of history. London, W. W. Norton, 83, in-8, 254 p.

7177. GATES (Eleanor M.). The end of the affair: the collapse of the Anglo-French Alliance, 1939-1940. London, Allen a. Unwin, 83, in-8, 648 p.

7178. GHIKAS (I.). Ho Moussolini kai hē Hellada. (Mussolini et la Grèce.) Athēna, Hestia, 82, in-8, 244 p.

7179. GOTOVITCH (José). La Belgique et la guerre civile espagnole: un état des questions. R. belge Hist. contemp., 83, t. 14, n° 3-4, p. 497-532.

7180. HAIGHT (John McVickar) Jr. Franklin D. Roosevelt, l'aviation européenne et la crise de Munich. R. Hist. 2e Guerre mond., 83, a. 38, n° 132, p. 23-40.

7181. HAIM (Yehoyada). Abandonment of illusions: zionist political attitudes toward Palestinian Arab nationalism, 1936-1939. Boulder, Colo., Westview, 83, in-8, IX-173 p.

7182. HEIKKILÄ (Hannu). Liittoutuneet ja kysymys Suomen sotakorvauksista 1943-1947. (The allied countries and the question of Finnish reparations to the Soviet Union 1943-1947.) Helsinki, Suomen historiallinen seura, 83, in-8, 231 p. (Hist. Tutkimuksia, 121) [Eng. summary]

7183. HIGHAM (Charles). Trading with the enemy: exposé of the Nazi/American money plot, 1933-1949. London, Hale, 83, in-8, 288 p.

7184. Vacat.

7185. KOŁODZIEJ (Edward). Organizacja i kancelarie polskich placówek dyplomatycznych i konsularnych w latach 1939-1945. (L'organisation et la chancellerie dans les postes diplomatiques et consulaires polonais dans les années 1939-1945.) Archeion, 83, vol. 75, p. 151-177.

7186. LACAZE (Yvon). Edouard Beneš et la France libre à la lumière des documents diplomatiques français. R. Hist. dipl., 83, a. 97, n° 3-4, p. 279-321.

7187. LOW (Alfred D.). The Anschluss-movement, 1933-1938, and the policy of France. Jb. d. Inst. f. deutsche Gesch., 82, Bd 11, p. 295-323.

7188. LUKACS (John). The diplomacy of the Holy See before the end of World War II in Europe. Cath. hist. R., 83, vol. 69, n° 3, p. 413-419.

7189. NUREK (Mieczysław). Polska w polityce Wielkiej Brytanii w latach 1936-1941. (La Pologne dans la politique de la Grande Bretagne dans les années 1936-1941.) Warszawa, Państw. Wydawn. Nauk., 83, in-8, 343 p.

7190. PENKOWER (Monty Noam). The Jews were expendable: free world diplomacy and the holocaust. Urbana, Univ. of Illinois Press, 83, in-8, X-429 p.

7191. PREDA (Eugen). Miza petrolului în vîltoarea războiului [1940-1944]. (La mise du pétrole dans le tumulte de la guerre.) București, Ed. militară, 83, in-8, 256 p.

7192. RÁNKI (György). Hitler and the statesmen of east central Europe: 1939-1945. In: Society in change [Cf. n° 495], p. 641-671.

7193. REYNOLDS (David). FDR's foreign policy and the British royal visit to the U.S.A., 1939. Historian, 83, vol. 45, n° 4, p. 461-472.

7194. ROBERTSON (John). Australia and the "Beat Hitler first" strategy, 1941-1942, a problem in wartime consultation. J. imp. commonw. Hist., 83, vol. 11, p. 300-321.

7195. SBREGA (John J.). Anglo-American relations and colonialism in east Asia, 1941-1945. New York, Garland, 83, in-8, XIII-332 p. (Mod. Am. Hist.)

7196. SCHUSTEREIT (Hartmut). Planung und Aufbau der Wirtschaftsorganisation Ost vor dem Rußlandfeldzug - Unternehmen "Barbarossa" 1940/41. Vjschr. f. Sozial- u. Wirtschaftsgesch., 83, Bd 70, p. 50-70.

7197. STAFFORD (Paul). The Chamberlain-Halifax visit to Rome [Jan. 1939], a reappraisal. Eng. hist. R., 83, vol. 98, p. 61-100.

7198. SUNDHAUSSEN (Holm). Wirtschafts-geschichte Kroatiens im nationalsozialistischen Großraum 1941-1945. Das Scheitern einer Ausbeutungsstrategie. Stuttgart, Deutsche Verl.-Anst., 83, in-8, 386 p. (graph. Darst., Kt.). (Stud. z. Zeitgesch., 23)

7199. TARTAKOVER (Aryeh). Ha-peilut ha-medinit lemaan yehude Polin ... (Political action in the U.S. for Polish Jewry during World War II.) Gal-Ed, 82, vol. 6, p. 167-184. [Eng. summary]

7200. TERRY (Sarah Meiklejohn). Poland's place in Europe: general Sikorski and the origin of the Oder-Neisse line, 1939-11943. Princeton, N.J., Princeton U.P., 83, in-8, XVI-394 p.

7201. ULLMANN (Walter). Great Britain and the cession of Transcarpathian Ruthenia, 1945. East european Quar., 83, vol. 17, n° 2, p. 173-184.

7202. VARES (P.A.). Rim i Vašington. Istorija neravnogo partnerstva. (Rome and Washington. History of an unequal partnership.) Moskva, Nauk, 83, 319 p. (AN SSSR. In-t vseobšč. istorii) - CR: M. K. Arbatova, Nov. novejš. Ist., 84, n° 2, p. 197-198.

7203. VARGA (Endre). Lutowa wizyta Horthyego w Polsce w roku 1938 a stosunki polsko-węgierskie. (La visite de Horthy en Pologne au mois de février 1938 et les relations polono-hongroises.) Studia hist. [Kraków], 83, a. 26, fasc. 2, p. 315-322.

7204. WEHNER (Gerd). Großbritannien und Polen 1938-1939. Die britische Polen-Politik zw. München u. d. Ausbruch d. Zweiten Weltkrieges. Frankfurt (Main) u. Bern, Lang, 83, in-8, 312 p. (Europ. Hochschulschr., Reihe 3: Gesch. u. ihre Hilfswiss., 183)

Cf. n°s 3970, 4504, 6624, 7279, 7430.

c. Military operations.

** 7205. BRADLEY (Omar Nelson). A general's life: an autobiography. London, Sidgwick a. Jackson, 83, in-8, 752 p. (32 p.).

** 7206. BYSTRYCKI (Przemyslaw). Znak

cichociemnych. (Le signe des parachutistes.) Warszawa, Państw. Inst. Wydawn., 83, in-8, 328 p.

7207. BAILY (Charles M.). Faint praise: American tanks and dank destroyers during World War II. Hamden, Conn., Archon, 83, in-8, XII-196 p.

7208. BARDE (Robert E.). Midway: tarnished victory. Milit. Affairs, 83, vol. 47, n° 4, p. 188-192.

7209. BARNETT (Correlli). Desert generals. London, Allen a. Unwin, 83, in-8, 352 p.

7210. BASOV (A.V.). Stalingradskaja bitwa: ot oborony k nastupleniju. (The battle of Stalingrad: from defence to offensive.) Ist. SSSR, 83, n° 1, p. 3-15.

7211. BAXTER (Colin F.). Winston Churchill: military strategist? Milit. Affairs, 83, vol. 47, n° 1, p. 7-10.

7212. BERTRAND (Michel). La marine française au combat, 1939-1945. [T. 1. Cf. Bibl. 82, n° 7367.] T. 2: Du sabordage à la victoire. Paris, Lavauzelle, 83, 228 p. (ill.).

7213. BIEGAŃSKI (Witold). Z walk polskich formacji na Zachodzie. Bitwa o Ankonę. (Les luttes des formations polonaises en Occident. La bataille d'Ancône [18 juillet 1944].) Wojsk. Przegl. hist., 83, a. 28, n° 2-3, p. 131-157.

7214. BŁAGOWIESZCZAŃSKI (Igor). Artyleria w II wojnie światowej. Studium historyczno-wojskowe. (L'artillerie pendant la Seconde guerre mondiale. Etude historico-militaire.) Warszawa, Wydawn. Min. Obrony Narod., 83, in-8, 287 p. (Bibl. Wiedzy Wojsk. Rodzaje Wojsk i Sił Zbrojnych)

7215. ČEJKA (Eduard). Bitva u Moskvy. Zhroucení nacistického "blitzkriegu" (Die Schlacht bei Moskau. Das Scheitern d. nazist. "Blitzkrieges".) Hist. Vojen., 83, vol. 32, n° 4, p. 51-77. - IDEM. Před rozhodující bitvou roku 1941. Operace Tajfun. (Vor der entscheidenden Schlacht im J. 1941. Operation Taifun.) Ibid., n° 3, p. 16-38.

7216. CHARLTON (Peter). The unnecessary war: island campaigns of the Sout-West Pacific, 1944-1945. Melbourne, Macmillan, 83, in-8, 188 p. (pl., maps).

7217. D'ESTE (Carlo). Decision in Normandy: the unwritten story of Montgomery and the allied campaign. London, Collins, 83, in-8, 528 p.

7218. ERICKSON (John). The road to Berlin: continuing the history of Stalin's war with Germany. Boulder, Colo., Westview Press; London, Weidenfeld a. Nicolson, 83, in-8, XIII-877 p. (maps). [Cf. Bibl. 74-75, n° 7911]

7219. FJAERLI (Eystein). Den norske haer i Storbritannia 1940-1945. (The Norwegian army in the U.K. 1940-1945.) Oslo, Tanum, 82, 310 p. (ill.).

7220. FRANKS (Norman L.). The air battle of Dunkirk. London, Kimber, 83, in-8, 224 p. (ill.).

7221. GINCBERG (L.I.). Nemeckie antifašisty na frontakh respublikanskoj Ispanii. (German anti-fascists on the fronts of republican Spain.) Nov. novejš. Ist., 83, n° 2, p. 103-125; n° 3, p. 97-113.

7222. GRAS (Yves). L'intrusion japonaise en Indochine (juin 1940 - mars 1945). R. hist. Armées, 83, n° 4, p. 86-102.

7223. HAMILTON (Nigel). Monty, the life of Montgomery of Alamein. [Vol. 1. Cf. Bibl. 81, n° 6710.] Vol. 2: Master of the battlefield, 1942-1944. London, Hamilton, 83, in-8, 912 p. (maps).

7224. HORTON (D.C.). Ring of fire: Australian guerilla operation against the Japanese in World War II. London, Secker a. Warburg; Melbourne, Macmillan, 83, in-8, X-164 p. (ill., pl.).

7225. HOWARTH (Stephen). Morning glory: a history of the Imperial Japanese Navy. London, Hamish Hamilton, 83, in-8, XII-398 p. (ill., maps).

7226. HRBEK (Jaroslav). Vznik a provádění zločinných rozkazů o komisařích a komandech (The origins and the execution of the criminal commissariat and comando orders.) Sborn. k Problem. Děj. Imper., 83, vol. 16, p. 47-179.

7227. JACKSON (Robert). Douglas Bader. London, Barker, 83, in-8, 208 p. (ill.).

7228. KARPIŃSKI (Antoni). Kursk 1943. Warszawa, Wydawn. Min. Obrony Narod., 83, in-8, 171 p. (Historyczne Bitwy) [En polonais]

7229. KHADZI MURAT IBRAGIMBEJLI. Krušenie planov gitlerovskoj Germanii na Kavkaze. (The collapse of the Caucasian plan of Hitler's Germany.) Vopr. Ist., 83, n° 7, p. 48-63.

7230. KLEINFELD (Gerald R.). Hitler's strike for Tikhvin. Milit. Affairs, 83, vol. 47, n° 3, p. 122-128.

7231. KOLTUNOV (G.A.). Bitwa pod Kurskom. (The battle at Kursk.) Vopr. Ist., 83, n° 8, p. 21-34.

7232. KRINOV (Ju. S.). Lužskij rubež: god 1941-j. (Luzhsky line: the year of 1941.) Leningrad, Lenizdat, 83, 303 p.

7233. KRÓL (Wacław). Polskie skrzydła w inwazji na Francję. (Les ailes polonaises pendant l'invasion de la France.) Warszawa, Wydawn. Min. Obrony Narod., 83, in-8, 262 p.

7234. KRZEMIŃSKI (Czesław). Wojna powietrzna w Europie 1939-1945. (La guerre aérienne en Europe, 1939-1945.) Warszawa, Wydawn. Min. Obrony Narod., 83, in-8, 456 p. (Bibl. Wiedzy Wojsk. Rodzaje Wojsk i Sił Zbrojnych)

7235. LAMB (Richard). Montgomery in Europe, 1943-1945: success or failure? New York, Franklin Watts, 83, in-8, 472 p.

7236. LONGMATE (Norman R.). The bombers: the Royal Air Force air offensive against Germany, 1939-1945. London, Hutchinson, 83, in-8, 415 p. (ill.).

7237. LORD (Walter). The miracle of Dunkirk. London, A. Lane, 83, in-8, 352 p. (maps).

7238. LYTTON (Henry D.). Bombing policy in the Rome and pre-Normandy invasion aerial campaigns of World War II: bridge-bombing strategy vindicated - and rail-yard-bombing strategy invalidated. Milit. Affairs, 83, vol. 47, n° 2, p. 53-58.

7239. MIDDLEBROOK (Martin). The Schweinfurt-Regensburg mission: American raids on 17th August 1943. London, A. Lane, 83, in-8, 352 p. (ill., dr.).

7240. MORRIS (Eric). Salerno. London, Hutchinson, 83, in-8, 358 p.

7241. NITZ (Kiyoko Kurusu). Japanese military policy towards French Indochina during the Second World War: the road to the Meigo Sakusen (9 March 1945). J. southeast asian Stud., 83, vol. 14, n° 2, p. 238-253.

7242. ORLOV (A.S.). Nezrimyj front ("Vojna v êfire") na zapadnom fronte v gody vtoroj mirovoj vojny. (The invisible front - the radio war - on the western front during the Second World War.) Nov. novejš. Ist., 83, n° 2, p. 173-181.

7243. PALMER (Annette). The politics of race and war: black American soldiers in the Caribbean theater during the Second World War. Milit. Affairs, 83, vol. 47, n° 2, p. 59-62.

7244. PARRISH (Michael). Formation and leadership of the Soviet mechanized corps in 1941. Milit. Affairs, 83, vol. 47, n° 2, p. 63-66.

7245. PELTONEN (Martti). Ilmasota saksalaisia vastaan 1944-1945. (The aerial warfare against Germans in 1944-1945.) Tiede ja Ase, 83, t. 41, p. 104-162.

7246. PERTEK (Jerzy). "Barbarossa" na morzu 1941-1942. ("Barbarossa" sur la mer, 1941-1942.) Poznań, Wydawn. Pozn., 83, in-8, 174 p.

7247. PIEKALKIEWICZ (Janusz). Unternehmen Zitadelle: Kursk und Orel, die größte Panzerschlacht des 2. Weltkrieges. Bergisch Gladbach, Lübbe, 83, in-8, 287 p. (Abb.).

7248. PROCTOR (Raymond L.). Hitler's Luftwaffe in the Spanish civil war. Westport, Conn., Greenwood, 83, in-8, X-289 p. (Contrib. in Milit. Hist., 35)

7249. RICHTER (Karel). Zrod 1. čs. samostatné brigády v SSSR. (Die Entstehung der 1. selbständigen tschechoslowak. Brigade in d. UdSSR.) Hist. Vojen., 83, vol. 32, n° 5, p. 3-24.

7250. SAMSONOV (A.M.). Vklad sovetskogo tyla v zavoevanie pobedy pod Stalingradom. (The contribution of the Soviet rear to the victory at Stalingrad.) Vopr. Ist., 83, n° 1, p. 17-27.

7251. SAWICKI (Tadeusz). Załamanie niemieckiego frontu wschodniego w 1945 r. (L'effondrement du front allemand de l'Est en 1945.) Warszawa, Wojsk. Inst. Hist. im. W. Wasilewskiej, 83, in-8, 227 p.

7252. SCHILEN (J. Alvar). Det västallierade bombkriget mot de tyska storstäderna under andra världskriget och civilbefolkningens reaktioner i de drabbade städerna. (The Western allies' bombing of the German cities in 1942-1945 and the reactions of the civilian population.) Stockholm, Almqvist & Wiksell, 83, in-8, 160 p. (Acta Univ. Upsaliensis: Studia hist. upsaliensia, 128)

7253. SEXTON (Donald J.). Phantoms of the north: British deceptions in Scandinavia, 1941-1944. Milit. Affairs, 83, vol. 47, n° 3, p. 109-114.

7254. SKIBIŃSKI (Franciszek). Bitwa o Kretę - maj 1941 r. (La bataille de Crète - mai 1941.) Warszawa, Wydawn. Min. Obrony Narod., 83, in-8, 239 p. (Bibl. Wiedzy Wojsk.)

7255. SOBCZAK (Kazimierz). Lenino 1943. Warszawa, Wydawn. Min. Obrony Narod., 83, in-8, 183 p. (Hist. Bitwy) [En polonais]

7256. VINCENT (Jean-Noël). Les forces françaises dans la lutte contre l'axe en Afrique. T. 1: Les forces françaises libres en Afrique, 1940-1943. Vincennes, Service hist. de l'Armée de Terre, 83, in-8, 407 p. (ill.).

7257. Y'BLOOD (William T.). Hunter-killer: U.S. escort carriers in the battle of the Atlantic. Annapolis, Md., Naval Inst. Press, 83, in-8, VIII-322 p.

7258. ZIEMKE (Earl F.). Stalin as a strategist, 1940-1941. Milit. Affairs, 83, vol. 47, n° 4, p. 173-180.

Cf. n° 3946.

d. Resistance.

7259. ANDRIEU (Claire). Le programme commun de la Résistance: des idées dans la guerre. Préf. de René REMOND. Paris, Ed. de l'Erudit, 83, in-8, 180 p. (ill.).

7260. BALÁŽOVÁ (Eva). Vznik a činnosť 1. čs. partizánskeho oddielu kpt. Jána Nálepku. (Entstehung und Tätigkeit der tschechoslowak. Partisanenabteilung des Hauptmanns Ján Nálepka.) Hist. Vojen., 83, vol. 32, n° 5, p. 25-46.

7261. BRONIEWSKI (Stanisław). Całym życiem. Szare Szeregi w relacji naczelnika. (De toute leur vie. Les "Colonnes Grises" d'après les relations de leur commandant.) Warsawa, Państw. Wydawn. Nauk., 83, in-8, 367 p.

7262. CHLEBOWSKI (Cezary). Wachlarz. Monografia wydzyelonej organizacji dywersyjnej Armii Krajowej wrzesień 1941 - marzec 1943. (L'éventail. Monographie d'une organisation de diversion détachée de l'Armée de l'Intérieur [polonaise], sept. 1941 - mars 1943.) Warszawa, Pax, 83, in-8, 353 p.

7263. DATNER (Szymon). Zbrojne wystąpienia Żydów polskich a gettach i obozach śmierci w II wojnie światowej. (Les actions armées des Juifs polonais dans les ghettos et les camps de la mort pendant la 2e guerre mondiale.) B. Żyd. Inst. hist., 83, a. 33, n° 1, p. 11-24.

7264. GEBHART (Jan). K počátkům partyzánského hnutí v českých zemích. (Zu den Anfängen der Partisanenbewegung in den böhmischen Ländern.) I, II. Hist. Vojen., 83, vol. 32, n° 1, p. 77-100; n° 2, p. 21-45.

7265. GRĒGORIADĒS (Solōn). Synoptikē historia tēs Ethnikēs Antistasēs (1941-45). (Abrégé d'histoire de la Résistance nationale [en Grèce], 1941-1945.) Athēna, Kapopoulos, 82, in-8, 532 p.

7266. HELLER (Michał). Ruch oporu na Śląsku Cieszyńskim w latach 1939-1945. (La Résistance en Silésie de Cieszyn dans les années 1939-1945.) Opole, Inst. Śląski, 83, in-8, 274 p.

7267. HONDROS (John Louis). Occupation and resistance: the Greek agony, 1941-1944. New York, Pell, 83, in-8, 340 p.

7268. Kalendarium działalności bojowej Batalionów Chłopskich 1940-1945. (Journal des opérations militaires des Bataillons Paysans [polonais], 1940-1945. Auteurs: Janusz GMITRUK, Piotr MATUSAK, Jan NOWAK. Warszawa, Lud. Spółdz. Wydawn., 83, in-8, 757 p.

7269. KLES (Shlomo). Peulot ha-meri weha-lehima ha-yehudit be-Belgia. (Resistance and fighting in Belgium during the Holocaust.) Zion, 82, vol. 47, p. 463-482. [Eng. summary]

7270. KYRGIANNĒS (Miltos), PAPADĒMĒTRIOU (Panagiotēs). Hē antiphasistikē organōsē tēs hellēnikēs meionotētas stēn Albania (1943-1944). Politikē, stratiōtikē. (L'organisation anti-fasciste de la minorité grecque en Albanie, 1943-44. Aspects politiques et militaires.) Athēna, Dodōnē, 82, in-8, 200 p.

7271. MALINOWSKI (Kazimierz). Żołnierze łączności walczącej Warszawy. (Les soldats de liaison de la Varsovie combattante.) Warszawa, Pax, 83, in-8, 371 p.

7272. MARCOT (François). Pour une enquête sur les maquis: quelques problèmes. R. Hist. 2e Guerre mond., 83, a. 38, n° 132, p. 89-100.

7273. MATUSAK (Piotr). Ruch oporu w przemyśle wojennym okupanta hitlerowskiego na ziemiach polskich w latach 1939-1945. (La Résistance dans l'industrie de guerre de l'occupant nazi sur le territoire de la Pologne dans les années 1939-1945.) Warszawa, Wydawn. Min. Obrony Narod., 83, in-8, 411 p. (Wojsk. Inst. Hist. im. Wandy Wasilewskiej)

7274. Osvobotidel'naja bor'ba protiv fašizma. 1939-1945. (Struggle for liberation against fascism. 1939-1945.) Redkol.: Ju. A. POLJAKOV (otv. red.) i dr. Moskva, Nauka, 83, 300 p. (AN SSSR. In-t istorii SSSR)

7275. Partijnoe podpol'e. Dejatel'nost podpol'nykh partijnykh organov i organizacij na okkupirovannoj sovetskoj territorii v gody Velikoj Otečestvennoj vojny. (Party underground activity. (The activity of Party underground bodies and organizations in occupied Soviet territories during the Great Patriotic war.) Redkol., N. I. MAKAROV (rukovodietl') i dr. Moskva, Politizdat, 83, 352 p.

7276. ŠIMOVČEK (Ján), GEBHART (Jan). Partizánske hnutie v Československu za druhej svetovej vojny. (Die Partisanenbewegung in d. Tschechoslowakei während d. Zweiten Weltkrieges.) Hist. Vojen., 83, vol. 32, n° 4, p. 3-31.

7277. SZAROTA (Tomasz). Stefan Rowecki "Grot". Warszawa, Państw. Wydawn. Nauk, 83, in-8, 287 p. [En polonais]

7278. Vsenarodnaja bor'ba v Belorussi protiv nemecko-fašistskikh zakhvatčikov v gody Velikoj Otečestvennoj vojny. (The people's struggle in Byelorussia against the German-fascist aggressors in the years of the Great Patriotic war.) V. 3-kh t. Gl. redkol.: A. T. KUZ'MIN (predsedatel') i dr. T. 1. Red.: I. M. IGNATENKO, P. P. LIPILO (rukovoditeli) i dr. Minsk, Belarus', 83, 591 p. (ill.). (In-t istorii partii pri CK KPB-fil. In-t marksizma-leninizma pri CK KPSS)

7279. WYRWA (Tadeusz). La Résistance polonaise et la politique en Europe. Paris, France-Empire, 83, in-8, 590 p.

Cf. n°s 3821, 4283.

§ 8. From 1945.

* 7280. Bibliographie zur Zeitgeschichte, 1953-1980. Im Auftr. d. Inst. f. Zeitgesch. München hrsg. v. Thilo VOGELSANG u. Hellmuth AUERBACH. Unter Mitarb. v. Ursula van LAAK. [Bd 1, 2. Cf. Bibl. 82, n° 3105.] Bd 3: Geschichte des 20. Jahrhunderts seit 1945. Allg. Gesch. - Europ. Gesch. - Deutsche Gesch. - Gesch. einzelner Staaten. München, New York, London u. Paris, K. G. Saur, 83, in-4, XI-501 p.

* Cf. n° 3140.

** 7281. American foreign policy: basic documents, 1977-1980. Washington, D.C., Government Printing Office, 83, L-1458 p.

** 7282. BOWMAN (Alfred Connor). Zones of strain [Trieste]: a memoir of the early Cold War [1943-1947]. Stanford, Calif.,

Hoover Institution Press, 82, in-8, XII-175 p. (Hoover Press Publ., 273)

** 7283. Documents on Swedish foreign policy. [1977-80. Cf. Bibl. 82, n° 7438.] 1981, 1982. Stockholm, LiberFörl./Allmänna förl., 83, 2 vol. in-8, 206, 249 p. (Min. for foreign affairs, New ser., 1:C, 31, 32)

** 7284. Dokumente zur Außenpolitik der Deutschen Demokratischen Republik. Hrsg. vom Inst. f. Internat. Beziehungen an d. Akad. f. Staats- u. Rechtswiss. d. DDR, Potsdam-Babelsberg, in Zusammenarbeit mit d. Abt. Rechts- u. Vertragswesen d. Ministeriums f. Auswärtige Angelegenheiten d. DDR. [Bd 25. Cf. Bibl. 82, n° 7439.] Bd 26: 1978. Halbbd 1, 2. Berlin, Staatsverl. d. DDR, 83, 2 vol. in-8, 784 p., p. 789-1374.

** 7285. Dviženie neprisoedinenija v dokumentakh i materialakh. (The non-alignment movement in documents and facts.) Otv. red.: Ju. N. VINOKUROV. Moskva, Nauka, 83, 341 p. (AN SSSR. In-t Afriki)

** 7286. Foreign relations of the United States, 1951. [Vol. 3, Pt. 1, 2. Cf. Bibl. 81, n° 6801.] Vol. 5: The Near East and Africa. Vol. 7, Pt. 1, 2: Korea and China. Washington, D.C., Government Printing Office, 82-83, 3 vol., XXXV-1497, XII-1473 p., p. 1474-2091. (Department of State Publ., 9114, 9270, 9271)

** 7287. Foreign relations of the United States, 1952-1954. [Vol. 13, Pt. 1, 2. Cf. Bibl. 82, n° 7440.] Vol. 1, Pt. 1, 2: General: economic and political matters. Vol. 4: The American republics. Vol. 5, Pt. 1, 2: Western European security. Vol. 11, Pt. 1, 2: Africa and South Asia. Washington, D.C., Government Printing Office, 83, 7 vol., XXI-816 p.; XXI p., p. 817-1887; XXXVII-1729 p.; XXIX-1113 p.; XXXIX p., p. 1114-1882; XXXIX-1056 p.; p. 1057-1917. (Departement of State Publ., 9366, 9367, 9354, 9288, 9289, 9280, 9281)

** 7288. Secret (The) diplomacy of the Vietnam war: the negotiating volumes of the Pentagon papers. Ed. by George C. HERRING. Austin, Univ. of Texas Press, 83, in-8, XL-873 p.

** 7289. Select documents on India's foreign policy and relations, 1947-1972. Ed. by Arjun APPADORAI. Vol. 1. New Delhi, Oxford U.P., 82, in-8, XLII-751 p.

** 7290. Sovetsko-finljandskie otnošenija 1948-1983. Dogovor 1948 g. o družbe, sotrudničestve i vzaimnoj pomošči v dejstvii. Dokumenty i materialy. (Soviet-Finnish relations 1948-1983. The treaty of 1948 on friendship, cooperation and mutual assistance in action. Documents and materials.) Gl. redkol.: A. G. KOVALEV (SSSR), Cheijkki IMPOLA (Finl.) i dr. Moskva, Politizdat, 83, 494 p. (M-vo inostran. del SSSR, Gl. Arkh. upr. pri Sovete Ministrov SSSR, M-vo inostran. del Finljandii, M-vo prosvešč. Finljandii, Gos. Arkh. Finljandii)

** 7291. Vereinten (Die) Nationen und ihre Spezialorganisationen. Dokumente. [Bd 18. Cf. Bibl. 82, n° 7446.] Bd 10: Der Weltpostverein. Zusammengestellt u. eingel. v. Karl-Heinz SCHRAMM. Berlin, Staatsverl. d. DDR, 83, in-8, 504 p.

** 7292. Za mir i bezopasnost' narodov. Dokumenty vnešnej politiki SSSR. (For peace and security of the peoples. Documents on the foreign policy of the USSR.) V 2-kh kn. Kn. 1: 29 marta - 30 ijulja 1966 g. Redkol.: M. G. GRIBANOV i dr. Moskva, Politizdat, 83, 318 p. (M-vo inostr. del SSSR)

7293. ADOMEIT (Hannes). Die Sowjetmacht in internationalen Krisen und Konflikten: Verhaltensmuster, Handlungsprinzipien, Bestimmungsfaktoren [am Beispiel d. Berlin-Krisen 1948 u. 1961]. Baden-Baden, Nomos, 83, in-8, 496 p. (Internat. Politik u. Sicherheit, 11)

7294. ARAMPATZES (E.). Hē mesogeiakē politikē tēs EOK. Politikes, nomikes kai oikonomikes apopseis. (La politique méditerrranéenne de la Communauté Européenne. Aspects politiques, juridiques et économiques.) Thessalonikē, Aphoi Kyriakide, 83, in-8, 268 p.

7295. Außenpolitik (Die) befreiter Länder. Autorenkoll. unter Leitung v. Renate WÜNSCHE. Berlin, Staatsverl. d. DDR, 83, 239 p.

7296. BACKER (John H.). Winds of history: the German years of Lucius Dubignon Clay. New York, Van Nostrand Reinhold, 83, in-8, IX-323 p.

7297. BAKER (Elisabeth). The British between the superpowers, 1945-1950. Buffalo, N.Y., Univ. of Toronto Press, 83, in-8, XII-269 p.

7298. Belorusskaja SSR v meždunarodnykh otnošenijakh. Mnogostoron. meždunar. dogovory, konvencii i soglašenija BSSR (1960-1980). (The Byelorussian SSR in international relations. Multilateral international treaties, conventions and agreements.) Otv. za vyp. A. A. ZARICKIJ. Minsk, Belarus', 83, 740 p. (M-vo inostr. del BSSR)

7299. BERGOT (Erwan). Bataillon de Corée: les volontaires français, 1950-1953. Paris, Presses de la Cité, 83, in-8, 294 p. (ill., pl.).

7300. BERMAN (Larry). Planning a tragedy: the Americanization of the war in Vietnam. London, W. W. Norton, 83, in-8, 220 p.

7301. BERRIDGE (G.R.). International politics: States, power and conflict since 1945. Brighton, Wheatsheaf Books, 83, in-8, 300 p.

7302. BOYCE (P.J.), ANGEL (J.R.). Independence and alliance: Australia in world affairs, 1976-1980. Melbourne, Allen a. Unwin, 83, in-8, 368 p.

7303. BUTEUX (Paul). The politics of nuclear consultation in N.A.T.O., 1965-1980. London, Cambridge U.P., 83, in-8, XIII-292 p. (Internat. Stud.)

7304. COHEN (Warren I.). The United States and China since 1945. In: New frontiers in American-East Asian relations [Cf. n° 477], p. 129-167.

7305. Deutschlandpolitik (Die) Frankreichs und die Französische Zone 1945-1949. Hrsg. v. Claus SCHARF u. Hans-Jürgen SCHRÖDER. Wiesbaden, Steiner, 83, in-8, 315 p. (graph. Darst., Kt.). (Veröff. d. Inst. f. Europ. Gesch. Mainz, Abt. Universalgesch., Beih. 14)

7306. DOERING-MANTEUFFEL (Anselm). Die Bundesrepublik Deutschland in der Ära Adenauer. Außenpolitik u. innere Entwicklung 1949-1963. Darmstadt, Wiss. Buchges., 83, in-8, X-279 p.

7307. EAYRS (James). In defence of Canada-Indochina: roots of complicity. Toronto, Univ. Press, 83, in-8, 348 p. - CR: D. A. Ross, Canad. hist. R., 83, vol. 64, p. 378-379.

7308. EDMONDS (Robin). Soviet foreign policy in the Brezhnev years. London, Oxford U.P., 83, in-8, 288 p. (maps). (Oxford Publ.)

7309. EISENBERG (Carolyn). Working-class politics and the Cold War: American intervention in the German labor movement, 1945-49. Dipl. Hist., 83, vol. 7, n° 4, p. 283-306.

7310. EISNEROVA (Věra), STORCHOVÁ (Ilona). USA a Latinská Amerika po druhé světové válka. (United States and Latin America after World War II.) Sborn. hist., 83, vol. 29, p. 217-262.

7311. ERLICH (Haggai). The struggle over Eritrea, 1962-1978: war and revolution in the horn of Africa. Stanford, Calif., Hoover Institution Press, 83, in-8, XIV-155 p. (Hoover International Stud.)

7312. FRESCO-KAUTSKY (Edith J.). Henry A. Kissinger, Historiker und Staatsmann. Köln u. Wien, Böhlau, 83, in-8, VIII-322 p. (13 Abb.). (Diss. z. neueren Gesch., 13)

7313. GADDIS (John Lewis). The emerging post-revisionist synthesis on the origins of the Cold War. Dipl. Hist., 83, vol. 7, n° 3, p. 171-190.

7314. GEORGE (Timothy). India and the Great Powers. Aldershot, Gower, 83, in-8, 260 p. (Security in Southern Asia, 2)

7315. GLUCK (Carol). Entangling illusions - Japanese and American views of the occupation. In: New frontiers in American-East Asian relations [Cf. n° 477], p. 169-236.

7316. GUILLEN (Pierre). Les chefs militaires français, le réarmement de l'Allemagne et la C.E.D. (1950-1954). R. Hist. 2e Guerre mond., 83, a. 33, n° 129, p. 3-33.

7317. HACKE (Christian). Die Ära Nixon-Kissinger, 1969-1974. Konservative Reform d. Weltpolitik. Stuttgart, Klett-Cotta, 83, in-8, 319 p. (Forsch. u. Quellen z. Zeitgesch., 5)

7318. HAFTENDORN (Helga). Sicherheit und Entspannung: zur Außenpolitik d. Bundesrepublik Deutschland 1955-1982. Baden-Baden, Nomos, 83, in-8, 707 p.

7319. HARJULA (Juha), JÄRVENPÄÄ (Pauli). Ranskan ja Saksan Liittotaasavallan turvallisuuspoliittisten suhteiden kehitys: vastakkainasettelusta yhteistyöhön. (From confrontation to cooperation: Franco-German security relations since 1945.) Tiede ja Ase, 83, t. 41, p. 66-89.

7320. HARRINGTON (Daniel F.). As others saw us: a Canadian view of U.S. policy toward the Soviet Union, 1947. Dipl. Hist., 83, vol. 7, n° 3, p. 239-244.

7321. HILLEL (Marc). L'occupation française en Allemagne, 1945-1949. Paris, Balland, 83, in-8, 400 p.

7322. HUTCHINGS (Robert L.). Soviet - East European relations: consolidation and conflict, 1968-1980. Madison, Univ. of Wisconsin Press, 83, in-8, XVI-314 p.

7323. ISAEV (M.P.), PIVOVAROV (Ja. N.). Vnešnjaja politika Socialističeskoj Respubliki V'etnam. (Foreign policy of the Socialist Republic of Vietnam.) Moskva, Nauka, 83, 215 p.

7324. ISAEV (V.A.). Ėkonomičeskie otnošenija meždu arabskimi i osvobodivšimisja stranami. 1961-1980 gg. (Economic relations between Arabic and liberated countries. 1961-1980.) Moskva, Nauk, 151 p. (AN SSSR. In-t vostokovedenija)

7325. JHA (C.S.). From Bandung to Tashkent: glimpses of India's foreign policy. London, Sangam Books, 83, in-8, VI-362 p.

7326. KAUFMAN (Menahem). America's Jerusalem policy, 1947-1948. Jerusalem, Inst. of Contemporary Jewry, Hebrew Univ., 82, in-8, XI-178 p. (ill., 7 p. of pl., map).

7327. KING (Peter). Australia's Vietnam: Australia in the second Indo-China war. London a. Melbourne, Allen a. Unwin, 83, in-8, 226 p.

7328. KNIGHT (Wayne). Labourite Britain: America's "sure friend"? The Anglo-Soviet treaty issue, 1947. Dipl. Hist., 83, vol. 7, n° 4, p. 267-282.

7329. KRANIDIŌTĒS (Nikos). Hoi diethneis diastaseis tou Kypriakou. (Les dimensions internationales du problème chypriote.) Athēna, Thememlio, 83, in-8, 148 p.

7330. KÜPPERS (Heinrich). Wollte Frankreich das Saarland annektieren? Jb. f. westdeutsche Ldesgesch., 83, Bd 9, p. 345-356.

7331. KÜSTERS (Hans Jürgen). Adenauers Europapolitik in der Gründungsphase der europäischen Wirtschaftsgemeinschaft. Vjhefte f. Zeitgesch., 83, Jg. 31, H. 4, p. 646-673.

7332. KUNADZE (G.F.). Japono-kitajskie otnošenija na sovremennom etape. 1972-1982. (Japanese-Chinese relations 1972-1982.) Moskva, Nauka, 83, 184 p. (AN SSSR. In-t vostokovedenija)

7333. KUTAKOV (L.N.). Ot Pekina do N'ju-Jorka. Zapiski sovetskogo učenogo i diplomata. (From Peking to New York. Notes of a Soviet scientist and diplomat.) Moskva, Nauka, 83, 271 p.

7334. LABOOR (Ernst). Kalter Krieg oder Entspannung? Die Außenpolitik d. Sowjetunion im Kampf um d. kollektive Sicherung d. Friedens in Europa 1954-55. Berlin, Akad.-Verl., 83, in-8, 316 p. (Schr. d. Zentralinst. f. Gesch., 68)

7335. ŁAPTOS (Józef). Francuska opinia publiczna wobec spraw polskich w latach 1919-1925. (L'opinion publique en France à l'égard des questions polonaises dans les années 1919-1925.) Wrocław, Zakł. Narod. im. Ossolińskich, 83, in-8, 174 p. (Prace Komisji Hist. Pol. Akad. Nauk, Oddz. w Krakowie, 45)

7336. LEBOW (Richard Ned). The Cuban missile crisis: reading the lessons correctly. Pol. Sci. Quar., 83, vol. 98, n° 3, p. 431-458.

7337. LEFFLER (Melvyn P.). From the Truman doctrine to the Carter doctrine: lessons and dilemmas of the Cold War. Dipl. Hist., 83, vol. 7, n° 4, p. 245-266.

7338. LEWIS (Vaughan A.). The small state alone: Jamaican foreign policy, 1977-1980. J. inter-am. Stud. a. World Affairs, 83, vol. 25, n° 2, p. 139-170.

7339. MAHONEY (Richard D.). JFK: ordeal in Africa. New York, Oxford U.P., 83, in-8, VIII-338 p.

7340. MAI (Joachim). Die Rolle der Sowjetunion bei der antifaschistisch-demokratischen Umwälzung 1945-1949, dargestellt am Beispiel Mecklenburgs. Jb. f. Gesch., 83, Bd 28, p. 193-234.

7341. MALAKASSES (J.T.). The comparative strenght of the Greek and Turkish navies and their relative importance in the Aegean. Dōdōnē, 82, vol. 12, p. 179-197. - IDEM. American strategic interests in Turkey and Greece. The relative importance of Turkey to American overall policy objectives and Turkey's definition, in this framework, of her mission as the dominant power in the area. Ibid., p. 235-252.

7342. MAX (Stanley M.). Cold War on the Danube: the Belgrade conference of 1948 and Anglo-American efforts to reinternationalize the river. Dipl. Hist., 83, vol. 7, n° 1, p. 57-77.

7343. MELICHAR (Václav). Proti socialismu a pokroku. Strategie agrese v politice imperialismu. (Gegen Sozialismus und Fortschritt. Agressionsstrategie in der Politik des Imperialismus.) Praha, Svoboda, 83, in-8, 230 p.

7344. MEL'NIKOV (Ju. M.). Sila i bessilie: vnešnjaja politika Vašingtona, 1945-1982 gg. (Strenght and weakness: Washington's foreign policy, 1945-1982.) Moskva, Politizdat, 83, 368 p.

7345. Mesē Anatolē kai Hellada. (Moyen-Orient et Grèce.) Etude collective du Département des Problèmes internat. du Centre de recherches marxistes. Sous la dir. de K. CHATZĒARGYRĒ. Athēna, Synchronē Epochē, 82, in-8, 220 p.

7346. MILJUKOVA (V.I.). Otnošenija SSSR - FRG i problemy evropejskoj bezopasnosti, 1969-1982. (USSR - GFR relations and problems of European security, 1969-1982.) Moskva, Nauka, 83, 303 p. (AN SSSR. Nauč. sovet po istorii vneš. politiki SSSR i meždunar. otnošenij. In-t istorii SSSR)

7347. MILLER (James E.). Taking off the gloves: the United States and the Italian elections of 1948. Dipl. Hist., 83, vol. 7, n° 1, p. 35-55.

7348. MITTENDORFER (Rudolf). Robert Schuman - Architekt des neuen Europa. Mit e. Vorwort v. Alain POHER. Hildesheim, Zürich u. New York, Olms, 83, in-8, XII-555 p. (Ill.). (Hist. Texte u. Stud., 6)

7349. MULARSKA-ANDZIAK (Lidia). Pakt Madrycki. (Le pacte de Madrid [1953].) Przegl. hist., 83, vol. 74, p. 97-112.

7350. MYYRÄ (Jarmo). Elektronista sodankäyntiä Falklandeilla ja Libanonissa vuonna 1982. (Electronic warfare in Falkland and in Lebanon in 1982.) Tiede ja Ase, 83, t. 41, p. 220-244.

7351. NEWMAN (Robert P.). Clandestine Chinese national efforts to punish their American detractors. Dipl. Hist., 83, vol. 7, n° 3, p. 205-222.

7352. OVENDALE (R.). Britain, the United States and the recognition of communist China. Hist. J., 83, vol. 26, p. 139-158.

7353. PILÁT (Jan). Svět doktora Kinga. (Die Welt Dr. Kings.) Praha, Práce, 83, in-8, 248 p.

7354. POIDEVIN (Raymond). La France devant le problème de la C.E.D.: incidences nationales et internationales (été 1951 à été 1953). R. Hist. 2e Guerre mond., 83, a. 33, n° 129, p. 35-57.

7355. Relațiile internaționale postbelice. Cronologie diplomatică. (Les relations internationales d'après-guerre. Chronologie diplomatique.) Vol. 1: 1945-1964. Vol. 2: 1965-1980. Colectivul de autori: Petre BĂRBULESCU, Ion CALAFETEANU, Ionel CLOȘCA, Nicolae ECOBESCU (coordonator), George MARIN, Ilie ȘERBĂNESCU. București, Ed. politică, 83, 2 vol. in-8, 468, 552 p.

7356. RENOUF (A.). Let justice be done: the foreign politicy of Dr. H. V. Evatt. Brisbane, Queensland U.P., 83, in-8, 320 p.

7357. SANDNER (Margit). Die französischösterreichischen Beziehungen während der Besatzungszeit von 1947 bis 1955. Wien,

Verb. d. Wiss. Gesellschaften Österreichs, 83, in-8, XIII-377 p. (Diss. d. Univ. Wien, 162)

7358. SARRĒS (Neoklēs). Hē allē pleura. Tomos 2: Diplōmatikē chronographia tou diamelismou tēs Kyprou me basē tourkikes pēges. (L'autre côté. Vol. 2: Chronique diplomatique du partage de Chypre fondée sur les sources turques.) Livre 1: 1955-1963. Athēna, Grammē, 83, in-8, XIV p., p. 391-925.

7359. Vacat.

7360. SHLAIM (Avi). Conflicting approaches to Israel's relations with the Arabs: Ben Gurion and Sharett, 1953-1956. Middle East J., 83, vol. 37, n° 2, p. 180-201.

7361. SHLAIM (Avi). The United States and the Berlin blockade, 1948-1949: a study in crisis decision-making. Berkeley a. Los Angeles, Univ. of California Press, 83, in-8, XIII-463 p.

7362. SLAVENOV (V.P.). Vnešnjaja politika Francii, 1974-1981 gg. (Foreign policy of France, 1974-1981.) Moskva, Meždunar. otnošenija, 81, 239 p. - CR: S. L. Dadiani, Nov. novejš. Ist., 84, n° 2, p. 208-209.

7363. SMITH (E. Timothy). The fear of subversion: the United States and the inclusion of Italy in the North Atlantic Treaty. Dipl. Hist., 83, vol. 7, n° 2, p. 139-155.

7364. SMITH (Steve). The impotence of power: the case of the American hostages in Iran. London, F. Pinter, 83, in-8, 200 p.

7365. SNÍTIL (Zdeněk). Vítězný únor a jeho mezinárodní význam. (Der siegreiche Februar [in d. Tschechoslowakei] und seine internationale Bedeutung.) Praha, Svoboda, 83, in-8, 180 p.

7366. SSSR i strany Afriki. 1963-1970 gg. (USSR and African countries, 1963-1970.) Č. 1, 2. Moskva, Politizdat, 82, 304 p. - CR: F. P. Petrov, Nov. novejš. Ist., 83, n° 4, p. 176-178.

7367. STATHĒ (Sasa K.). Giougoslvia kai Tito. 1919-1953. Tito-Cominform kai hē diaphōnia tou me ton Stalin. (La Yougoslavie et Tito. Le Cominform de Tito et son désaccord avec Staline.) Athēna, Hestia, 83, in-8, 400 p.

7368. STOURZH (Gerald). Towards the settlement of 1955: the Austrian state treaty negotiation and the origins of Austrian neutrality. Austrian Hist. Y.B., 81-82, vol. 27-28, p. 174-187.

7369. STRUM (Harvey). Henry Stimson and the Nuremberg war crimes trial. Mid-Am., 83, vol. 65, n° 1, p. 3-14.

7370. SULICKAJA (T.I.). Kitaj i Francija (1948-1981). (China and France, 1948-1981.) Moskva, Nauka, 83, 184 p. (AN SSSR. In-t Dal. Vostoka)

7371. ŠVEDOV (A.A.). Nezavisimaja Afrika: vnešnepolitičeskie problemy, diplomatičeskaja bor'ba. (Independent Africa: problems of foreign policy, diplomatic struggle.) Moskva, Politizdat, 83, 350 p.

7372. TAMNES (Rolf). Norwegian attitudes to a Nordic nuclear-free zone 1958-1982. Scand. J. Hist., 83, vol. 8, p. 225-246.

7373. TOWPIK-SZEJNOWSKA (Teresa). Rozwiązanie P[olskich] S[ił] Z[brojnych] na Zachodzie 1945-1949. (La dissolution des Forces Militaires Polonaises en Occident 1945-1949.) Wojsk. Przegl. hist., 83, a. 28, n° 2-3, p. 363-378.

7374. TROEBST (Stefan). Die bulgarisch-jugoslawische Kontroverse um Makedonien 1967-1982. München u. Wien, Oldenbourg, 83, in-8, 249 p. (Untersuchungen z. Gegenwartskunde Südosteuropas, 23)

7375. TUCKER (Nancy Bernkopf). Patterns in the dust: Chinese-American relations and the recognition controversy, 1949-1950. New York, Columbia U.P., 83, in-8, X-396 p. (Contemporary Am. Hist. Ser.)

7376. ULAM (Adam B.). Dangerous relations: the Soviet Union in world politics, 1970-1982. New York, Oxford U. P., 83, in-8, VI-325 p.

7377. VASIL'EV (Ju. V.). Švecija i strany Latinskoj Ameriki: osobennosti otnošenij. 1970-e - 1980-e gg. (Sweden and Latin American countries: peculiarities of their relations, 1070s - 1980s.) Lat. Am., 83, n° 3, p. 36-60.

7378. VASOLD (Manfred). Versäumte Gelegenheiten? Die amerikan. Chinapolitik im Jahr 1949. Vjhefte f. Zeitgesch., 83, Jg. 31, H. 2, p. 242-271.

7379. VEREMIS (Thanos). Greek security problems. A historical perspective. 2nd ed. Athens, Papazēssēs, 82, in-8, 128 p.

7380. VESELÝ (Zdeněk). Začátek studené války a Marshallův plán. (Der Anfang des "kalten Krieges" und der Marshall-Plan.) Acta Univ. Carolinae, Philos. et hist., 81, fasc. 1: Studia historica, 83, vol. 20, p. 89-128.

7381. WAH (Chin Kin). The defence of Malaysia and Singapore: the transformation of a security system, 1957-1971. New York, Cambridge U.P., 83, in-8, XII-219 p.

7382. WEILEMANN (Peter). Die Anfänge der europäischen Atomgemeinschaft: zur Gründungsgeschichte von EURATOM 1955-1957. Baden-Baden, Nomos, 83, in-8, 204 p.

7383. WEINBAUM (Marvin G.). Politics and development in foreign aid: US economic assistance to Egypt, 1975-1982. Middle East J., 83, vol. 37, n° 4, p. 636-656.

7384. WEXLER (Imanuel). The Marshall Plan revisited: the European recovery program in economic perspective. Westport, Conn., Greenwood, 83, in-8, XI-327 p. (Contrib. in Econ. a. Econ. Hist., 55)

7385. YAHUDA (Michael). The end of isolationism: China's foreign policy after Mao. London, Macmillan, 83, in-8, 296 p.

7386. YOSHITSU (Michael M.). Japan and the San Francisco peace settlement. New York, Columbia U.P., 83, in-8, VIII-120 p.

7387. YUN (Ki-Whang). Die Rolle der Friedenslinie (Rhee Line) im Normalisierungsprozeß der Beziehungen zwischen Korea und Japan in der Nachkriegszeit: in d. Perzeptions- u. Aktionsstruktur d. südkorean. Regierung. Frankfurt (Main) u. Bern, Lang, 83, in-8, XII-345 p. (Europ. Hochschulschr., Reihe 3: Gesch. u. ihre Hilswiss., 185)

7388. Za mir, razoruženie i bezopasnost' narodov. Letopis' vneš. politiki SSSR. (For peace, disarmament and security of the peoples. Chronicle of the foreign policy of the USSR.) Pod obšč. red. N. I. LBEDEVA. Moskva, Politizdat, 83, 432 p.

Cf. n[os] *678, 3165, 5683, 6624, 7182.*

R

ASIA

§ 1. General. 7389-7393. - § 2. Western and central Asia. 7394-7422. - § 3. Indian subcontinent and Ceylon. 7423-7456. - § 4. Southeast Asia. 7457-7476. - § 5. China. 5477-7537. - § 6. Japan (before 1868). 7538-7541. - § 7. 7542.

§ 1. General.

7389. BONGARD-LEVIN (G. M.), GRANTOVSKIJ (E. A.). Ot Skifii do Indii. Drevnie arii: mify i istorija. (From Scythia to India. Ancient Aryans: myths and history.) 2-e izd., ispr. i dop. Moskva, Mysl', 83, 206 p. (ill.).

7390. HÖPP (Gerhard), ROBBE (Martin). Geistige Auseinandersetzungen in Asien und Afrika. Nichtproletarische Ideologie im Kampf für nationale u. soziale Befreiung. Berlin, Dietz, 83, in-8, 220 p.

7391. IRIYE (Akira). Americanization of East Asia: writings on cultural affairs since 1900. In: New frontiers in American-East Asian relations [Cf. n° 4877], p. 45-75.

7392. LADSTÄTTER (Otto), LINHART (Sepp). China und Japan. Wien u. Heidelberg, Ueberreuter, 83, in-8, 428 p. (Phot.). (Die Kulturen Ostasiens)

7393. MOISE (Edwin E.). Land reform in China and North Vietnam: consolidating the revolution at the village level. Chapel Hill, Univ. of North Carolina Press, 83, in-8, XIV-305 p.

§ 2. Western and central Asia.

* Cf. n° 3403.

7394. ALLEN (Terry). Timurid Herāt. Wiesbaden, Reichert, 83, in-8, 95 p. (3 fig.). (Tübinger Atlas d. Vorderen Orients, Beihefte, Reihe B: Geisteswiss., 56)

7395. AŠURBEJLI (S.). Gosudarstvo Širvanšakhov. VI-XVI vv. (The State of the Shirvan shahs, 6th-16th cent.) Baku, Ėlm, 83, 343 p.

7396. BIDWELL (Robin), SMITH (G.R.). Arabian and Islamic studies. London, Longman, 83, in-8, 300 p.

7397. Buddijskie pamjatniki Karatepe v Starom Termeze. Osnovnye itogi rabot 1974-1977 gg. Materialy sovmestnoj arkheol. ėkspedicii na Karatepe. (Buddhist monuments of Karatepe in Old Termez. Main results of the campaigns 1974-1977. Material of the joint archaeological expedition in Karatepe.) Pod obšč. red. B. Ja. STAVINSKOGO. Moskva, Nauka, 82, 200 p. - CR: L. A. Lelekov, Nar. Azii Afriki, 83, n° 1, p. 203-206.

7398. FAWAZ (Leila Tarazi). Merchants and migrants in nineteenth-century Beirut. Cambridge, Mass., Harvard U.P., 83, in-8, X-182 p. (Harvard Middle Eastern Stud., 18)

7399. HADIDI (Adnan). Studies in the history and archaeology of Jordan. Vol. 1. Jordan, Dept. of Antiq.; London, J. Berry, 83, in-4, 400 p. (ill., pl.).

7400. HAUSSIG (Hans W.). Die Geschichte Zentralasiens und der Seidenstraße in vorislamischer Zeit. Darmstadt, Wiss. Buchges., 83, in-8, XII-318 p. (1 Kt.). (Grundzüge, 49)

7401. HOURANI (Albert H.). Arabic thought in the liberal age, 1798-1939. London, Cambridge U.P., 83, in-8, 406 p.

7402. Istorija i kul'tura Central'noj Azii. (History and culture of Central Asia.) Redkol.: G. M. BONGARD-LEVIN i dr. Moskva, Nauk, 83, 363 p. (ill.). (AN SSSR. In-t vostokovedenija)

7403. KASSIS (Hanna E.). Qāḍī 'Iyāḍ's rebellion against the Almohads in Sabtah (A.H. 542-543/A.D. 1147-1148: new numismatic evidence. J. am. orient. Soc., 83, vol. 103, n° 3, p. 505-514.

7404. KHOURY (Philip S.) Urban notables and Arab nationalism: the politics of Damascus, 1860-1020. London a. New York, Cambridge U.P., 83, in-8, XI-153 p. (maps). (Cambridge Middle East Lib.)

7405. Khudožestvennajy kul'tura Srednej Azii IX-XIII vekov. (Art of Central Asia, 9th-13th cent.) Pod nauč. red. L. I. REMPELJA. Taškent, Izd-vo lit i iskusstva, 83, 207 p. (ill.).

7406. LINDNER (Rudi Paul). Nomads and Ottomans in medieval Anatolia. Bloomington, Ind., Research Institute for Inner Asian Stud., 83, XIV-167 p.

7407. LINDEGGER (Peter). Griechische und römische Quellen zum peripheren Tibet. [Bd 1. Cf. Bibl. 78-79, n° 7875.] Bd 2: Überlieferungen von Herodot bis zu den Alexanderhistorikern (die nördlichsten Grenzregionen Indiens). Rikon, Tibet-Inst., 82, in-8, XIII-192 p. (Opuscula Tibetana, 14)

7408. LITVINSKIJ (B.A.). Drevnjaja etnokul'turnaja obščnost' Vostočnogo Turkestana i Srednej Azii. (The common ethnic and cultural background of East Turkestan and Central Asia.) Nar. Azii Afr., 83, n° 6, p. 61-69. - IDEM. Neuere Forschungen zur Archäologie und alten Geschichte Mittelasiens. Beitr. z. allg. u. vergleich. Archäol., 82, Bd 4, p. 26-64.

7409. LITVINSKIJ (B.A.), SEDOV (A.V.). Tepai-šakh. Kul'tura i svjazi kušanskoj Baktrii. (Tepai-shah. Culture and contacts of Kushan Bactria.) Moskva, Nauka, 83, 239 p. (ill.). (AN SSSR. In-t vostokovedenija)

7410. McCARTHY (Justin). Muslims and minorities: the population of Ottoman Anatolia and the end of the empire. New York, New York U.P., 83, in-8, XII-248 p.

7411. MALJAVKIN (A.G.). Ujgurskie gosudarstva v IX-XII vv. (Uigur states in the 9th-12th cent.) Novosibirsk, Nauka, 83, 297 p. (AN SSSR. Sib. otd-nie. In-t istorii, filologii i filosofii)

7412. NINI (Yehuda). Teman we-ziyyon. (Yemen and Zion: the Jews of Yemen, 1800-1914.) Jerusalem, World Zionist Organization, 82, in-8, XII-345 p. (ill., facsim., portr., 16 p. of pl.). (Series of Studies a. Sources of the Inst. for Zionist Research, Tel-Aviv Univ.

7413. PASCUAL (Jean-Paul). Damas à la fin du XVIe siècle, d'après trois Actes de Waaf ottomans. 1. Damas, Inst. franç. de Damas, 83, in-8, XIII-160 p. (pl.).

7414. RASCHNEVSKY (Paul. Činggis-Khan, Sein Leben und Wirken. Wiesbaden, Steiner, 83, in-8, X-207 p. (Münchener ostasiat. Stud., 32)

7415. SEALE (Peter). The shaping of an Arab statesman: Sharif Abd al-Hamid Sharaf and the modern Arab world. London, Quartet Books, 83, in-8, 256 p.

7416. SNESAREV (G.P.). Khorezmskie legendy kak istočnik po istorii religioznykh kul'tov Srednej Azii. (Khorezm legends as a source for the history of religious cults in Central Asia.) Moskva, Nauka, 83, 212 p.

7417. Srednevekovaja gorodskaja kul'tura Kazakhstana i Srednej Azii. (Medieval urban culture of Kazakhstan and Central Asia.) Materialy Vsesojuz. soveščanija 13-15 maja 1981 g., g. Alma-Ata. Gl. red.: B. A. TULENBAEV. Alma-Ata, Nauka, 83, 231 p.

7418. Srednjaja Azija, Kavkaz i zarubežnyj Vostok v drevnosti. (Central Asia, the Caucasus and foreign countries of the East in ancient times.) Sbornik. Pod. red. B. A. LITVINSKOGO. Moskva, Nauka, 83, 181 p. (ill.). (AN SSSR. In-t vostokovedenija)

7419. Studies in the history and culture of central Eurasia. Asian a. african Stud., 82, vol. 16, n° 3.

7420. Studies in the social history of the Middle East in memory of Prof. Gabriel Baer. Asian a. african Stud., 83, vol. 17, n° 1-3.

7421. TAUBE (Erika), TAUBE (Manfred). Schamanen und Rhapsoden. Die geistige Kultur d. alten Mongolei. Leipzig, Koehler u. Amelang, 83, in-8, 279 p. (Abb.).

7422. ZLATKIN (I. Ja.). Istorija Džungarskogo khanstva. 1635-1758. (History of the Dzungarian khanate, 1635-1758.) 2-e izd. Moskva, Nauka, 83, 332 p. (AN SSSR. In-t vostokovedenija)

Cf. n° 491.

§ 3. Indian subcontinent and Ceylon.

* 7423. SAHAI-ACHUTHAN (Nisha). Soviet indologists and the Institute of Oriental Studies: works on contemporary India in the Soviet Union. J. asian Stud., 83, vol. 42, n° 2, p. 323-344.

7424. AŠRAFJAN (K.Z.). Zrednevekovyj gorod Indii XIII - serediny XVII veka (Probl. ekon. i social. istorii.) (The medieval town of India, 13th - middle of the 18th cent.) Moskva, Nauka, 83, 231 p. (AN SSSR. In-t vostokovedenija)

7425. BANERJEE (Sumanta). India's simmering revolution: the Naxalite uprising. London, Zed Press, 83, in-8, 464 p.

7426. BAYLY (C.A.). Rulers, townsmen, and bazaars: North Indian society in the age of British expansion, 1770-1870. London a. New York, Cambridge U.P., 83, in-8, XIII-489 p. (maps). (Cambridge South Asian Stud., 28)

7427. Cambridge (The) economic history of India. [Vol. 1. Cf. Bibl. 82, n° 7574.] Vol. 2: c. 1757 - c. 1970. Ed. by Dharma KUMAR, with the assist. of Meghand DESAI. London a. New York, Cambridge U.P., 83, in-8, XVIII-1073 p. (fig., tab., maps).

7428. CARRUTHERS (Michael). The forest monks of Sri Lanka, an anthropolocial and historical study. New Delhi, Oxford U.P., 83, in-8, 318 p.

7429. CARSTAIRS (G.M.). The death of a witch: a village in North India, 1950-1981. London, Hutchinson, 83, in-8, 144 p. (ill.).

7430. CHAR (S. V. Desika). Readings in the constitutional history of India, 1757-1947. New Delhi, Oxford U.P., 83, in-8, 720 p.

7431. DHANAGARE (D.N.). Peasant movements in India, 1920-1950. London a. New Delhi, Oxford U.P., 83, in-8, 280 p. (maps).

7432. ETIENNE (Gilbert). India's changing rural scene, 1963-1979. New Delhi, Oxford U.P., 83, in-8, 200 p.

7433. EWING (Katherine E.). The politics of Sufism: redefining the saints of Pakistan. J. asian Stud., 83, vol. 42, n° 2, p. 251-268.

7434. HARDY (Friedhelm). Viraha-bhakti: the early history of Krishna devotion in South India. New Delhi, Oxford U.P., 83, in-8, 714 p. (ill., tab., maps).

7435. HAYDEN (Robert M.). Excommunication as everyday event and ultimate sanction: the nature of suspension from an Indian caste. J. asian Stud., 83, vol. 42, n° 2, p. 291-308.

7436. ICKE-SCHWALBE (Lydia). Die Munda und Oraon in Chota Nagpur. Geschichte, Wirtschaft u. Gesellschaft. Berlin, Akad.-Verl., 83, in-8, 200 p. (64 p. Abb., Kt.). (Abh. u. Ber. d. Staatl. Museum f. Völkerkunde Dresden, Forschungsstelle 40: Monographien, 6)

7437. Indija. Ežegodnik. [1980. Cf. Bibl. 82, n° 7586.] 1981-1982. Gl. red.: P. V. KUCOBIN. Moskva, Nauka, 83, 312 p. (AN SSSR. In-t vostokovedenija)

7438. IYER (J.), CHAWLA (V.). Early Indian political history, from ancient times to the Mughals. London, Sangam Books, 83, in-8, VII-319 p.

7439. KRICK (Hertha). Das Ritual der Feuergründung (Agnyādheya). Hrsg. v. Gerhard OBERHAMMER. Wien, Verl. d. österr. Akad. d. Wiss., 82, in-8, XVII-682 p. (Veröff. d. Komm. f. Sprachen u. Kulturen Südasiens, 6. Österr. Akad. d. Wiss., Phil.-hist. Kl., Sitzungsberichte, 399)

7440. KRISHAN (Y.). Mountbatten and the partition of India. History, 83, vol. 68, p. 22-38.

7441. KUMAR (Ravinder). Essays in the social history of modern India. New York, Oxford U.P., 83, in-8, VIII-306 p.

7442. McALPIN (Michelle Burge). Famines, epidemics, and population growth: the case of India. J. interdisc. Hist., 83, vol. 14, n° 2, p. 351-366. - EADEM. Subject to famine: food crises and economic change in western India, 1860-1920. Princeton, N.J., Princeton U.P., 83, in-8, XVI-288 p.

7443. MYLIUS (Klaus). Geschichte der Literatur im alten Indien. Leipzig, Reclam, 83, in-8, 526 p. (Reclams Universal-Bibliothek, 1021)

7444. NAIK (J.P.). Development and Gandhian tradition in India. R. Politics, 83, vol. 45, n° 3, p. 345-365.

7445. NANDY (Ashis). The intimate enemy: loss and recovery of self under colonialism. New York, Oxford U.P., 83, in-8, XX-121 p.

7446. NIGHAM (M.L.). Cultural history of Bundelkhand, 3rd cent. B.C. to A.D. 650. Delhi, Sundeep Prakashen, 83, in-8, XV-190 p. (2 fig., 4 plans, 50 pl., map).

7447. NJAMMASCH (Marlene). Veränderungen in der rechtlichen Lage der Sklaven in der spätaltorientalischen Klassengesellschaft Indiens. Klio, 83, Bd 65, p. 475-485.

7448. PANDIT (H.N.). Fragments of history: India's freedom movement and after. New Delhi, Sterling Publ.; London, Independent Publ. Co., 83, in-8, 299 p.

7449. REHMAN (Inamur). Public opinion and political development in Pakistan, 1947-1958. Karachi, Oxford U.P., 83, in-8, 298 p.

7450. ROSS (Alan). Ranji, prince of cricketers. London, Collins, 83, in-8, 246 p.

7451. SAHGAL (Nayantara). Indira Gandhi, her road to power. London, Macdonald, 83, in-8, 208 p. (ill.).

7452. ŠERKOVINA (R.I.). Političeskie partii i političeskaja bor'ba v Pakistane. 60-70 gody. (Political parties and political struggle in Pakistan in the 60s-70s.) Moskva, Nauka, 83, 264 p. (AN SSSR. In-t vostokovedenija)

7453. SINGHAL (Damodar). History of the Indian people. London, Methuen, 83, in-8, 500 p.

7454. TWOMEY (Michael J.). Employment in nineteenth-century Indian textiles. Explor. in econ. Hist., 83, vol. 20, n° 1, p. 37-57.

7455. WALSH (Judith E.). Growing up in British India: Indian autobiographers on childhood and education under the Raj. New York, Holmes a. Meier, 83, in-8, XII-178 p.

7456. WURFAFT (Lewis D.). The imperial imagination: magic and myth in Kipling's India. Middletown, Conn., Wesleyan U.P., 83, in-8, XXI-211 p.

Cf. n° 5934.

§ 4. Southeast Asia.

* 7457. BERNOT (Denise). Bibliographie birmane. Années 1960-1970. Partie méthodique. [1e fasc. Cf. Bibl. 82, n° 7607.] 2e fasc. Avec la collab. de Gilles GARACHON, Liêu MIGNOT, Jean-Pierre SRIBNAI, Laurent TCHANG. Pairs, Ed. du C.N.R.S., 83, in-8, 324 p.

* 7458. DESCOURS-GATIN (Chantal), VILLIERS (Hugues). Guide de recherches sur le Vietnam. Bibliographies, archives et bibliothèques de France. Sous la dir. de G. BOUDAREL, P. BROCHEUX et D. HEMERY.

Paris, L'Harmattan, 83, in-8, 260 p.

* 7459. SARKISYANZ (Manuel). Südostasien. Literaturbericht über neuere Veröffentlichungen von 1961-1979. München u. Wien, Oldenbourg, 83, in-8, 206 p. (Hist. Z., Sonderheft 12)

** 7460. Malay Annals, Sejarah Melayu. Tr. from Malay by C. C. BROWN. Kuala Lumpur, Oxford U.P., 83, in-8, 408 p.

7461. AGADŽANJAN (A.S.). Provincial'noe činovničestvo i gosudarstvennyj feodalizm v Brime. (Provincial administration and state feudalism in Burma.) Nar. Azii Afr., 83, n° 3, p. 29-39.

7462. ANDERSON (Benedict R. O'G.). Old state, new society: Indonesia's new order in comparative historical perspective. J. asian Stud., 83, vol. 42, n° 3, p. 477-496.

7463. BLACK (Ian Donald). A gambling style of government: the establishment of the Chartered Company's rule in Sabah, 1878-1915. Kuala Lumpur a. New York, Oxford U.P., 83, in-8, VI-254 p. (maps). (East Asian Hist. Monographs)

7464. CHANDLER (David P.). A history of Cambodia. Boulder, Colo., Westview, 83, in-8, XVI-237 p.

7465. DAWEEWARN (Dawee). Brahmanism in Sout-East Asia: from the earliest times to 1445 A.D. New Delhi, Sterling; London, Independent Publ. Co., 83, in-8, 322 p.

7466. Bibl. 82, n° 7615. FEDOROV (V.A.). Armija i političeskij režim v Tailande. 1945-1980. (Army and political regime in Thailand, 1945-1980.) - CR: V. P. Klimentov, Nar. Azii Afriki, 83, n° 5, p. 192-196.

7467. HO TAI (Hue-Tam). Millenarianism and peasant politics in Vietnam. Cambridge, Mass., Harvard U.P., 83, in-8, XII-220 p. (Harvard East Asian Ser., 99)

7468. Jugo-Vostočnaja Azija. Istorija, sovremennost'. (South-East Asia. History, present.) Sbornik statej. Otv. red. A. N. UZJANOV, Ju. O. LEVTONOVA. Moskva, Nauka, 83, 285 p. (AN SSSR. In-t vostokovedenija)

7469. REECE (R.H.W.). The name of Brooke: the end of White Rajah rule in Sarawak. London, Oxford U.P., 83, in-8, 362 p. (ill., tab., maps).

7470. REID (Anthony). Slavery, bondage and dependency in Southeast Asia. Brisbane, Univ. of Queensland Press, 83, in-8, 398 p.

7471. REYNOLDS (Craig J.), LYSA (Hong). Marxism in Thai historical studies. J. asian Stud., 83, vol. 43, n° 1, p. 77-104.

7472. SANDHU (Kernial Singh), WHEATLEY (Paul). Melaka, the transformation of a Malay capital, c. 1400-1978. Vol. 1, 2. Kuala Lumpur, Oxford U.P., 83, 2 vol. in-8, 846, 808 p.

7473. SIAW (Laurence K. L.). Chinese society in rural Malaysia: a local history of the Chinese in Titi, Jelebu. New York, Oxford U.P., 83, in-8, VIII-197 p.

7474. SLOVESNAJA (N.G.). Intelligencija Tailanda. (Intelligentsia of Thailand.) Moskva, Nauk, 83, 152 p. (AN SSSR. In-t vostokovedenija)

7475. TAYLOR (Keith Weller). The birth of Vietnam. Berkeley a. Los Angeles, Univ. of California Press, 83, in-8, XXI-397 p.

7476. TERWIEL (B.J.). A history of modern Thailand, 1767-1942. Brisbane a. New York, Univ. of Queensland Press, 83, in-8, X-379 p. (Hist. of Southeast Asia Ser.)

§ 5. China.

* 7477. China. Comp. by Peter CHENG. Santa Barbara, Calif., a. Oxford, Clio, 83, in-8, XX-391 p. (World bibliographical ser., 35)

* 7478. Deutschlands Einfluß auf die moderne chinesische Geistesgeschichte. Eine Bibliographie chinesischsprachiger Werke / German impact of modern Chinese intellectual history. A bibliography of Chinese publications. Hrsg. v. W. BAUER unter Mitarb. v. Shen-chang HWAN. Wiesbaden, Steiner, 82, in-8, XLIII-510 p. (Münchener ostasiat. Studien, 24)

* 7479. PERKINS (Dwight H.). Research on the economy of the People's Republic of China: a survey of the field. J. asian Stud., 83, vol. 42, n° 2, p. 345-372.

** 7480. Kitajskie dokumenty iz Dun'-khuana. (Chinese documents from Tun Huang.) Faksimile. Izd. tekstov, per. s kit., issled i priloženija L. I. ČUGUEVSKOGO. Vyp. 1. Moskva, Nauka, 83, 560 p. (Pamjatniki pis'mennosti Vostoka)

** 7481. MATHIEU (Rémi). Etude sur la mythologie et l'ethnologie de la Chine ancienne. I: Traduction annotée du Shanhai jing. II: Index du Shanhai jing. Paris, Collège de France, Institut des Hautes Etudes chinoises; diff. de Boccard, 83, 2 vol. in-4, 653 p., p. 654-1217 (36 p. de cartes). (Mém. de l'Inst. franç. des Hautes Etudes chinoises, 22)

7482. AKATOVA (T.N.). Rabočee dviženie v gomin'danovskom Kitae. 1927-1937. (The working-class movement in Kuomintang China, 1927-1937.) Moskva, Nauka, 83, 272 p. (AN SSSR. In-t vostokovedenija)

7483. ANDORS (P.H.). The unfinished liberation of Chinese women, 1949-1980: economic development and socialist feminism in China. Brighton, Wheatsheaf, 83, in-8, 256 p.

7484. BEAL (T.). Calculating China's terms of trade, 1930-1969: methodological problems and strategies. Sheffield, City Polytechnic, 83, in-8, 179 p.

7485. BOGRAD (V.E.), RIFTIN (B.L.). Russkij kitaeved De-min, ego "Poezdka v Kitaj" i perevod iz "Sna v Krasnom tereme". (The Russian sinologist De Ming, his "Journey to China" and translated excerpts from "The dream in the Red chamber".) Nar. Azii Afr., 83, n° 6, p. 78-87.

7486. BOKŠČANIN (A.A.). Udel'nye vlastiteli v Kitae (konec XIV veka). (Fief holders in China, late 14th century.) Nar. Azii Afr., 83, n° 2, p. 46-54.

7487. BOLOTINA (O.P.). Lao Šè. Tvorčestvo voennykh let, 1937-1949. (Lao She. Writings of the war years, 1937-1949.) Moskva, Nauka, 83, 231 p. (AN SSSR. In-t Dal. Vostoka)

7488. BORTHWICK (Sally). Education and social change in China: the beginnings of the modern era. Stanford, Calif., Hoover Institution Press, 83, in-8, XVIII-216 p.

7489. Cambridge (The) history of China. [Vol. 3, 11. Cf. Bibl. 80, n° 7015.] Vol. 12: Republican China, 1912-1949. Pt. 1. Ed. by John K. FAIRBANK. London a. New York, Cambridge U.P., 83, in-8, XVIII-1002 p. (tab., maps).

7490. CARTIER (Michel). La vision chinoise du monde: Taiwan dans la litérature géographique ancienne. In: Appréciation par l'Europe ... [Cf. n° 224], p. 1-12.

7491. CHAND (Attar). Tibet, past and present, 1660-1981. New Delhi, Sterling; London, Independent Publ. Co., 83, in-8, 257 p.

7492. CHANG (Aloysius). The concept of Li in the political philosophy of Hsün Tzu. Chinese Culture, 83, vol., 24, n° 3, p. 27-39.

7493. CHANG (K.G.). Art, myth, and ritual: the path to political authority in ancient China. Cambridge, Mass., a. London, Harvard U.P., 83, in-8, X-142 p. (49 fig., map).

7494. COHEN (Stanley G.). The religiousness of K'ung-fu-tzu (Confucius). Z. f. Religions- u. Geistesgesch., 83, Bd 35, p. 34-49.

7495. DARDESS (John W.). Confucianism and autocracy: professional elites in the founding of the Ming dynasty. Berkeley a. Los Angeles, Univ. of California Press, 83, in-8, IX-358 p.

7496. DAVIS (Richard L.). Historiography as politics in Yang Wei-chen's "Polemic on legitimate succession". T'oung Pao, 83, vol. 69, p. 33-72.

7497. DEGKWITZ (Jochen). Yue Fei und sein Mythos: die Entwicklung der Yue-Fei-Sage bis zum "Shuo Yue quan shuan". Bochum, Brockmeyer, 83, in-8, 220 p. (Chinathemen, 13)

7498. DEHERGNE (Joseph). Une grande collection: Mémoires concerant les Chinois (1776-1814). B. Ec. franç. Extr.-Orient, 83, t. 72, p. 267-298.

7499. DIXON (John). The welfare of People's Liberation Army veterans and dependants in China, 1949-1979. Armed Forces a. Soc., 83, vol. 9, n° 3, p. 483-494.

7500. Drevnie kitajcy v èpokhy centralizovannykh imperij. (The ancient Chinese in the time of centralized empires.) M. V. KRJUKOV, L. S. PERELOMOV, M. V. SOFRONOV, N. N. ČEBOKSAROV. Moskva, Nauka, 83, 415 p. (ill.). (AN SSSR. In-t étnografii, In-t Dal. Vostoka)

7501. DZIAK (Waldemar). Walka o koncepcje linii politycznej Komunistycznej Partii Chin w latach 1956-1960. (La lutte pour la conception de la ligne politique du Parti Communiste de Chine dans les années 1956-1960.) Warszawa, Centr. Ośrodek Metodyczny Studiów Nauk Polit., 83, in-8, 358 p.

7502. EBREY (Patricia). Patron-client relations in the late Han. J. am. orient. Soc., 83, vol. 103, n° 3, p. 533-542.

7503. FEIGON (Lee). Chen Duxiu: founder of the Chinese Communist Party. Princeton, N.J., Princeton U.P., 83, in-8, XV-279 p.

7504. GATU (Dagfinn). Toward revolution: war, social change and the Chinese communist party in north China, 1937-45. Stockholm, Inst. of·oriental Stud., Univ., 83, in-4, III-353 p. (Skrifter utg. av Föreningen för orient. studier, 16)

7505. Bibl. 82, n° 7649. GERNET (Jacques). Chine et christianisme. - CR: N. Standaert, T'oung Pao, 83, vol. 69, p. 149-157.

7506. GILLIN (Donald G.), ETTER (Charles). Staying on: Japanese soldiers and civilians in China, 1945-1949. J. asian Stud., 83, vol. 42, n° 2, p. 497-518.

7507. GRAFFLIN (Dennis). The onomastics of medieval south China: patterned naming in the Lang-Yeh and T'ai-Yüan Wang. J. am. orient. Soc., 83, vol. 103, n° 2, p. 383-398.

7508. HANDLIN (Joanna F.). Action in late Ming thought: the reorientation of Lü K'un and other scholar-officials. Berkeley a. Los Angeles, Univ. of California Press, 83, in-8, XIII-256 p.

7509. HAVILAND (E.K.). Early steam navigation in China: the Yangtze river, 1861-1867. Am. Neptune, 83, vol. 43, n° 2, p. 85-128; n° 3, p. 186-221; n° 4, p. 274-299.

7510. JUR'EV (M.F.). Vooružennye sily KPK v osvoboditel'noj bor'be kitajskogo naroda. 20-40-e gody. (Armed forces of the CCP in the liberation struggle of the Chinese people, 20s-40s.) Moskva, Nauka, 83, 335 p. (MGU, In-t stran Azii i Afriki)

7511. KARTUNOVA (A.I.). Politika kom-partii Kitaja v rabočem voprose nakanune revoljucii 1925-1927 godov. (Chinese communist party policy concerning working people before the revolution of 1925-1927.) Moskva, Nauka, 83, 190 p. (AN SSSR. In-t Dal. Vostoka)

7512. KUZNECOV (V.S.). Cinskaja imperija na rubežakh Central'noj Azii (vtoraja polovina XVIII - pervaja polovina XIX v.). (The Ch'ing empire on the frontiers of Central Asia, 2nd half of the 18th - 1st half of the 19th cent.) Novosibirsk, Nauka, 83, 126 p. (Istorija i kul'tura Vostoka Azii. AN SSSR, Sib. otd-nie. Komis. po vostokovedeniju, In-t istorii, filologii i filosofii)

7513. LUNDBAEK (Knud). The image of neo-Confucianism in Confucius Sinarum philosophus. J. Hist. Ideas, 83, vol. 44, n° 1, p. 19-30.

7514. LUNDBAEK (Knud). Notes sur l'image du néo-confucianisme dans la littérature européenne du XVIIe à la fin du XIXe siècle. In: Appréciation par l'Europe ... [Cf. n° 224], p. 131-176.

7515. MacFARQUHAR (Roderik). The origins of the cultural revolution. [Vol. 1. Cf. Bibl. 74-75, n° 8350.] Vol. 2: The great leap forward, 1958-1960. New York, Columbia U.P., 83, in-8, XVII-470 p. (Stud. of the East Asia Inst.)

7516. MALJAVIN (V.V.). Gibel' drevnej imperii. (The fall of the old empire.) Moskva, Nauka, 83, 225 p.

7517. MOISEEV (V.A.). Cinskaja imperija i narody Sajano-Altaja v XVIII v. (The Ch'ing empire and the peoples of the Sayan-Altai region in the 18th cent.) Moskva, Nauka, 83, 149 p. (AN SSSR. In-t vostokovedenija, AN KazSSR. In-t istorii, arkheologii i ètnografii)

7518. Novejšaja istorija Kitaja. 1917-1927. (Modern history of China, 1917-1927.) Gl. red.: M. I. SLADKOVSKIJ. Moskva, Nauka, 83, 399 p. (AN SSSR. In-t Dal. Vostoka)

7519. Origins (The) of Chinese civilization. Ed. by David N. KEIGHTLEY. Berkeley, Los Angeles a. London, Univ. of California Press, 83, in-8, XXIX-617 p. (fig., maps). (Stud. on China, 1)

7520. PASTERNAK (Burton). Guests in the Dragon: social demography of a Chinese district, 1895-1946. New York, Columbia U.P., 83, in-8, X-190 p.

7521. POLACHEK (James M.). The moral economy of the Kiangsi Soviet (1928-1934). J. asian Stud., 83, vol. 42, n° 4, p. 805-830.

7522. PUSEY (James Reeve). China and Charles Darwin. Cambridge, Mass., Harvard U.P., 83, in-8, XI-544 p. (Harvard East Asian Monographs, 100)

7523. ROBINET (I.). Kouo Siang (†312) ou le monde comme absolu. T'oung Pao, 83, vol. 69, p. 73-107.

7524. RODZIŃSKI (Witold). Chiny w ogniu. Rewolucja w latach 1925-1927. (La Chine en feu. La révolution dans les années 1925-1927.) Wrocław, Zakł. Narod. im. Ossolińskich, 83, in-8, 219 p. (Azja, Afryka, Ameryka Lacińska. Historia) - IDEM. History of China. Oxford, Pergamon Press, 83, 2 vol. in-8, 310, 310 p.

7525. ROSSABI (Morris) a. others. China among equals: the middle kingdom and its neighbors, 10th-14th centuries. Berkeley a. Los Angeles, Univ. of California Press, 83, in-8, XIV-419 p.

7526. SALISBURY (Harrison Evans). China: 100 years of revolution. London, Deutsch, 83, in-4, 256 p. (ill., pl.).

7527. SALMONY (Alfred). Carved jade of ancient China. London, Han-Shan Tang, 83, in-4, 241 p. (ill.).

7528. STABUROVA (E. Ju.). Anarkhizm v Kitae. 1900-1921. (Anarchism in China, 1900-1921.) Moskva, Nauka, 83, 184 p. (AN SSSR. In-t vostokovedenija)

7529. STACEY (Judith). Patriarchy and socialist revolution in China. Berkeley, Los Angeles a. London, Univ. of California Press, 83, in-8, XI-324 p.

7530. STRAUCH (Judith). Community and kinship in south-eastern China: the view of the multilineage villages of Hong Kong. J. asian Stud., 83, vol. 43, n° 1, p. 21-50.

7531. THOMAS (S. Bernard). Labor and the Chinese revolution: class strategies and contradictions of Chinese communism, 1928-48. Ann Arbor, Center for Chinese Stud., Univ. of Michigan, 83, in-8, XI-341 p. (Michigan Monogr. in Chinese Stud., 49)

7532. Tradicionnaja kul'tura Kitaja. K 100-letiju so dnja roždenija akad. V. M. Alekseeva. (Traditional culture of China.) Sbornik statej. Otv. red. L. Z. EJDLIN. Moskva, Nauka, 83, 208 p. (ill.). (AN SSSR. In-t vostokovedenija)

7533. TWITCHETT (Denis). Printing and publishing in mediaeval China. London, Lund Humphries, 83, in-8, 96 p. (ill.).

7534. VOROB'EV (M.V.). Kul'tura Čžurčženej i gosudarstva Czin' (X - 1234 g.). (The culture of the Jurchen people and the Chin state, 10th cent. - 1234.) Moskva, Nauka, 83, 367 p. (ill.). (AN SSSR. In-t vostokovedenija. Leningr. otd-nie)

7535. WALDER (Andrew G.). Organized dependence and cultures of authority in Chinese industry. J. asian Stud., 83, vol. 43, n° 1, p. 51-76.

7536. WILL (Pierre-Etienne). Le stockage public des grains en Chine à l'époque des Quing (1644-1911). Problèmes de gestion et problèmes de stockage. A. Ec., Soc., Civ., 83, a. 38, p. 259-278.

7537. ZAVADSKAJA (E.V.). Mudroe vdokhnovenie: Mi Fu (1057-1107). (Wise inspiration: Mi Fu, 1057-1107.) Moskva, Nauka, 83, 200 p. (ill.). (AN SSSR. In-t vostokovedenija)

Cf. n° 658.

§ 6. Japan (before 1868).

7538. MARKHAM (Elizabeth). Saibara: Japanese court songs of the Heian period. Vol. 1: Text. Vol. 2: Music. London, Cambridge U.P., 83, 2 vol. in-4, 411, 388 p. (ill., tab.).

7539. RUBINGER (Richard). Private academies of Tokugawa Japan. Princeton, N.J., Princeton U.P., 82, in-8, XVI-282 p.

7540. UOZUMI (Masayoshi). Stadt und Bürgertum in der mittelalterlichen Geschichte Japans. Jb. f. Gesch. d. Feudalismus, 83, Bd 7, p. 114-129.

7511. WALTHALL (Anne). Narratives of peasant uprisings in Japan. J. asian Stud., 83, vol. 42, n° 3, p. 571-588.

§ 7. Korea.

7542. COLE (David C.), PARK (Yung Chul). Financial development in Korea, 1945-1978. Cambridge, Mass., Council on East Asian Stud., Harvard Univ., 83, in-8, XXII-349 p. (Harvard East Asian Monographs, 106)

S

AFRICA
(to its colonization)

Nᵒˢ 7543-7561.

** 7543. LA VERONNE (Chantal de). Sources françaises de l'histoire du Maroc au XVIIIe siècle. T. 2: 1733-1735. Tunis, Publ. de la Revue d'Hist. maghrébine, 83, in-8, 127 p. [Cf. Bibl. 82, n° 7713]

** 7544. MAHIBOU (Sidi Mohamed) TRIAUD (Jean-Louis). Voilà ce qui est arrivé. Bayân mâ waqa'a d'al Hâǧǧ 'Umar al-Fûtî. Plaidoyer pour une guerre sainte en Afrique de l'Ouest au XIXe siècle. Publ. avec le concours de la Maison des Sci. de l'Homme, Paris. Paris, Ed. du C.N.R.S., 83, in-4, 262 p. et 58 p. de texte arabe.

7545. BAH (Thierno Mouctar). Les armées peul de l'Adamawa au 19e siècle. In: Et. afric. offertes à H. Brunschwig [Cf. n° 479], p. 57-71.

7546. CURTIN (Patricia Romero). Laboratory for the oral history of slavery: the island of Lamu on the Kenyan coast. Am. hist. R., 83, vol. 88, n° 4, p. 858-882.

7547. CURTIN (Philip D.). Nutrition in African history. J. interdisc. Hist., 83, vol. 14, n° 2, p. 371-382.

7548. HARMS (Robert W.). The wars of August: diagonal narratives in African history. Am. hist. R., 83, vol. 88, n° 4, p. 809-834.

7549. LEAKEY (Mary). Africa's vanishing art: rocks and paintings of Tanzania. London, H. Hamilton, 83, in-4, 128 p. (ill., pl.).

7550. LEWICKI (Tadeusz). Etudes maghrébines et soudanaises. [P. 1. Cf. Bibl. 76-77, n° 2693.] T. 2. Varsovie, Ed. Scient. de Pologne, 83, in-8, 99 p. (Acad. pol. des sciences. Comité des études orientales. Prace Orientalist., 26) [Afrique du Nord, Xe-XVe s.]

7551. LOVEJOY (Paul E.). Transformation in slavery: a history of slavery in Africa. London a. New York, Cambridge U.P., 83, in-8, XVI-349 p. (tab., maps). (African Stud., 36)

7552. MANNING (Patrick). Contours of slavery and social change in Africa. Am. hist. R., 83, vol. 88, n° 4, p. 835-857.

7553. NEUGEBAUER (O.). Abu-Shaker and the Ethiopic Hasab. J. near east. Stud., 83, vol. 42, n° 1, p. 55-58.

7554. PANKOVA (N.G.). Dinamika etnopolitičeskikh processov v rajone Zolotogo Berega (XV-XIX vv.). (The development of ethnopolitical processes in the Gold Coast area, 15th - 19th centuries.) Sovet. Ètnogr., 83, n° 4, p. 105-117.

7555. PERROT (Claude-Hélène). Ecrits coloniaux et crise dynastique anyi-ndenye: essai d'analyse critique. In: Et. afric. offertes à H. Brunschwig [Cf. n° 479], p. 15-31.

7556. ROBERTSHAW (Peter), COLLETT (David). A new framework for the study of early pastoral communities in East Africa. J. afr. Hist., 83, vol. 24, p. 289-301.

7557. SAAD (Elias N.). Social history of Timbuktu: the role of Muslim scholars and notables, 1400-1900. London a. New York, Cambridge U.P., 83, in-8, VIII-324 p. (tab., maps). (Cambridge Stud. in Islamic Civ.)

7558. SELLNOW (Irmgard). Gentile und politische Institutionen im Prozeß der Staatsentstehung. Tatsachen u. Theorien. Dargestellt am afrikan. Beispiel. Ethnogr.-archäol. Z., 83, Jg. 24, p. 25-47.

7559. SIMENSEN (Jarle). Afrikas historie: nye perspektiver. (History of Africa: new perspectives.) Oslo, Cappelen, 83, 474 p. (ill.).

7560. THORNTON (John K.). The kingdom of Kongo: civil war and transition, 1641-1718. Madison, Univ. of Wisconsin Press, 83, in-8, XXI-193 p.

7561. ŽUKOV (A.A.). Kul'tura, jazyk i literatura suakhili: Dokolonial'nyj period; (Culture, language and literature of the Swahili. Pre-colonial period.) Leningrad, LGU, 83, 153 p. (ill.).

Cf. nᵒˢ 757, 4267.

T

AMERICA
(to its colonization)

Nᵒˢ 7562-7581.

7562. DIEHL (Richard A.). Tula: Toltec capital of ancient Mexico. London, Thames a. Hudson, 83, in-4, 184 p. (37 fig., 78 pl.). (New Aspects of Antiquity)

7563. Disease in ancient man. Ed. by Gerald D. HART. Agincourt, Ontario, Clark Irwin, 83, XVIII-297 p. (34 fig., 67 phot., 15 tables, map).

7564. DUVERGER Christian). L'origine des Aztèques. Paris, Ed. du Seuil, 83, in-8, 367 p. (Recherches anthropol.)

7565. FRISON (George C.), STANFORD (Dennis J.). Agate Basin site: record of the Palaeoindian occupation of the North-Western High Plains. London, Academic Press, 83, in-8, 403 p. (ill.) (Stud. in Archaeol.)

7566. HEALAN (Dan M.), KERLEY (Janet M.), BEY (George J.) III. Excavation and preliminary analysis of an obsidian workshop in Tula, Hidalgo, Mexico. J. Field Archaeol., 83, vol. 10, p. 127-145 (8 fig., 5 tables).

7567. JULIEN (Catherine). Hatungolla: a view of Inca rule from the lake Titicaca region. Berkeley, Los Angeles a. London, Univ. of California Press, 83, in-8, 340 p. (47 fig., 55 pl.). (Univ. of Calif. Publ. in Anthrop., 15)

7568. KEATINGE (Richard W.), CONRAD (Geoffrey W.). Imperialist expansion in Peruvian prehistory: Chimu administration of a conquered territory. J. Field Archaeol., 83, vol. 10, p. 255-283 (16 fig.).

7569. KENT (Kate Peck). Prehistoric textiles of the Southwest [of the U.S., A.D. 200 - c. 1400]. Albuquerque, Univ. of New Mexico Press, 83, XX-315 p. (161 fig., 18 pl., maps).

7570. LeBLANC (Steven A.). The Mimbres people: ancient Pueblo painters of the American South-West. London, Thames a. Hudson, 83, in-8, 184 p. (29 fig., 100 p.). (New Aspects of Antiquity)

7571. MacNEICH (Richard S.), NELKENTERNER (Antoinette). (The preceramic in Mesoamerika. J. Field Archaeol., 83, vol. 10, p. 71-84 (6 fig.).

7572. MAYER (Karl Herbert). Gewölbesteine mit Dekor der Maya-Kultur. Arch. f. Orientforsch., 83, Bd 37, p. 1-62 (62 fig.)

7573. OFFNER (Jerome A.). Law and politics in Aztec Mexico. New York, Cambridge U. P., 83, in-8, XVII-340 p. (20 fig., 43 tables, 3 maps). (Cambridge Lat. Am. Stud., 14)

7574. PARKERSON (Phillip T.). The Inca coca monopoly: fact or legal fiction? Proc. am. philos. Soc., 83, vol. 127, n° 2, p. 107-123.

7575. PASZTORY (Esther). Aztec art. London, Abrams, 83, in-4, 320 p. (ill.).

7576. POLLARD (Gordon C.). The prehistory of NW Argentina: the Calchaquí Valley project, 1977-1981. J. Field Archaeol., 83, vol. 10, p. 11-32 (18 fig., 7 tables).

7577. RICHTER (Daniel K.). War and culture: the Iroquois experience. William a. Mary Quar., 83, vol. 40, n° 4, p. 528-559.

7578. RODRIGUEZ (François). Outillage lithique de chasseurs-collecteurs du Nord du Mexique: le Sud-Ouest de l'Etat de San Luis Potosí. Avec la collab. de Henri PUIG, Carlos SERRANO et Rosa María RAMOS. Paris, Recherche sur les Civilisations, 83, in-4, 223 p. (ill.). (Cahier, 13)

7579. SCHELE (Linda), MILLER (Jeffrey H.). The mirror, the rabbit, and the bundle: "accession" expressions and the classic Maya inscriptions. Washington, D.C., Dumbarton Oaks Research Libr. a. Coll., 83, 99 p. (33 fig.). (Stud. in pre-Columbian art a. archaeol., 25)

7580. SNYDERMAN (George S.). Witches, witchcraft, and Allegany Seneca medicine. Proc. am. philos. Soc., 83, vol. 127, n° 4, p. 263-277.

7581. SPRANZ (Bodo). Berichte über die im 18. Jahrhundert entdeckten Ruinen in Palenque, Mexiko, in einer deutschen Veröffentlichung von 1832. Jb. f. Gesch. Lateinamerikas, 83, Bd 20, p. 239-256.

U

OCEANIA
(to its colonization)

Nᵒˢ 7582-7598.

* 7582. HEYUM (Renée). Bibliographie de l'Océanie, [1971. Cf. Bibl. 73, n° 6007; Bibl. 74-75, n° 8460.] 1972-1976. Paris, Soc. des Océanistes, 82, in-8, 479 p.

* Cf. nᵒˢ 666, 6848.

** 7583. AFFLECK (Donald). Manuscript XVIII - information on customs and practices of the people of Woodlark Island [Papua New Guinea]. A translation of "Ragguagli sugli usi e costumi del popolo Woodlarkese" by the Reverend Father Carlo SALERIO, with notes by David LITHGOW. J. pacific Hist., 83, vol. 18, n° 1-2, p. 57-72.

** 7584. DRIVER (Marjorie G.). Fray Juan Pobre of Zamora and his account of the Mariana Islands [ca. 1598-1603]. J. pacific Hist., 83, vol. 18, n° 3-4, p. 198-216.

** 7585. TERRELL (Jennifer). Joseph Kabris and his notes on the Marquesas [at the turn of the 18th cent.]. J. pacific Hist., 82, vol. 17, n° 1-2, p. 101-112.

7586. ADAMS (Ron). In the land of strangers: a century of European contact with Tanna [Vanuatu archip.] 1774-1874. Canberra, Australian National Univ., 83, in-8, X-194 p. (ill., maps). (Pacific Research Monogr., 9)

7587. CEA EGANA (A.). Embarcations de l'ancienne île de Pâques, plus spécialement des pirogues à balancier (Vaka Ana). B. Soc. Et. océaniennes, 83, vol. 19, p. 1411-1432.

7588. FEDOROVA (I.K.). Teksty ostrova Paskhi (Rapa-Nui). (Easter Island (Rapa Nui) texts.) Sovet. Ètnogr., 83, n° 1, p. 42-53.

7589. FLOOD (Josephine). Archaeology of the dreamtime: the story of aboriginal Australia and its people. London, Collins, 83, in-8, 288 p. (fig., pl.).

7590. GILDING (Michael). The massacre of the Mystery [island of Aoba, Vanuatu, 1878]. J. pacific Hist., 82, vol. 17, n° 1-2, p. 66-85.

7591. HAYDEN (Brian). Social characteristics of early Austronesian colonizers. B. indo-pacific prehist. Assoc., 83, vol. 4, p. 123-134.

7592. HEZEL (Francis X.). The first taint of civilization: a history of the Caroline and Marshall islands in pre-colonial days, 1951-1885. Honolulu, Univ. of Hawaii, 83, in-8, XVI-365 p. (Pacific Islands Stud. Ser., 1)

7593. PUČKOV (P.I.). Ètničeskaja situacija v Okeanii. (The ethnic situation in Oceania.) Moskva, Nauka, 83, 250 p. (AN SSSR. In-t ètnografii)

7594. ROBSON (Lloyd). A history of Tasmania. Van Diemen's Land from the earliest times to 1855. Vol. 1. New York, Oxford U.P., 83, VIII-632 p.

7595. SERJEANTSON (S.W.), RYAN (D.P.), THOMPSON (A.R.). The colonization of the Pacific: the story according to human leukocyte antigen. Am. J. human Genetics, 83, vol. 34, p. 904-916.

7596. TUMARKIN (D.D.). Materialy èkcpedicii M. N. Vasil'eva - cenny istočnik po istorii i ètnografii Gavajskikh ostrovov. (The material of M. N. Vasilyev's expedition - a valuable source for the history and ethnography of the Hawaiian islands.) Sovet. Ètnogr., 83, n° 6, p. 48-61.

7597. WERNHART (K.R.). Zur Frage der Zusammenarbeit von Archäologie und Ethnohistorie im ozeanischen Raum: Entwurf einer Kulturgeschichte Polynesiens. Z. f. Ethnol., 83, Bd 108, H. 1, p. 35-51.

7598. ZAMBUCKA (Kristin). Kalakaua: Hawaii's last king. Honolulu, Mana Publ. Co., 83, in-8, 169 p.

Cf. nᵒˢ 158, 503, 6857.

INDEX OF NAMES[1]

A

Aaronson (Ran), 4073.
Abad Casal (L.), 2036.
Abbott (W. W.), 6771.
Abel (Charles W.), 4736.
Abel (K.), 1223.
Abélard (Pierre), 2886.
Abellán (Joaquín), 793.
Abernathy (Glen), 3539.
Aberdeen (George Hamilton-Gordon, 4th earl of), 3906.
Abitbol (Michel), 3746, 4751.
Abraham (Reinhard), 3487.
Abrahamowicz (Zygmunt), 368, 6913.
Abrahamowicz Kopčan (V.), 6664.
Abramea (Anna), 95.
Abramowicz (Andrzej), 313.
Abramowski (Luise), 2181.
Abrams (Philip), 517.
Abrasimov (P.A.), 6622.
Abrudan (Paul), 435, 4029, 4223.
Abu-Salim (M.I.), 4267.
Abū-Shāker, 7553.
Accame (Silvio), 1453.
Acevedo (Edberto Oscar), 6773.
Acham (Karl), 6226.
Achéménides (les), dynastie, 1235, 1363, 1364, 1368.
Achilles (Walter), 2758.
Ackerl (Isabella), 3420, 6914.
Ackner (Johann Michael), 378.
Adalbert I., Erzbischof von Mainz, 2602.
Adam (Erik), 4950.
Adam (Ernst), 2947.
Adam (Iosif I.), 5860, 5897.
Adam (Jean-Pierre), 2037.
Adam (Walter L.), 400.
Adamišin (A.L.), 7158.
Adams (Bernard), 5450.
Adams (Bradley), VI.
Adams (John), 3532, 3668, 5116.
Adams (John), family, 3668.
Adams (John G.), 3540.
Adams (Ron), 7586.
Ade (George), 6691.
Adelman (Irma), 5670.
Adenauer (Konrad), 7306, 7331.
Ado (A.V.), 3143.
Adomeit (Hannes), 7293.
Adorni-Braccessi(Simonetta), 4086.
Adorno (Francesco), 1543.
Adshead (S.A.M.), 6013.
Adžiev (M.), 4330.
Aélion (R.), 1544.
Aethicus Ister, v. Virgilius (Fergal), Ep. Salisburgensis, Sanctus.
Aetius (Flavius), 1857.
Affleck (Donald), 7583.
Agadžanjan (A.S.), 7461.
Agbunov (M.V.), 177.
Agresto (John), 3541.
Agrigoroaiei (Ion), 4225, 7089.
Aguila (Yves), 3208.
Agulhon (Maurice), 736.
Åhlander (Olof), 7017.
Ahlbäck (Tore), 4622.
Ahlström (Carl Gustaf), 5144.
Ahmedov (Ahmed S.), 7018.
Ahnlund (Nils), 315.
Ahrweiler (Hélène), 2310.
Aischylos, 1443, 1556, 1581, 1589, 1598, 1627, 1628, 1655.
Aizenberg (Isidoro), 4742.
Ajzin (B.A.), 701.
Akatova (T.N.), 7482.
Akhmedov (A.A.), 2878.
Akimova L.I.), 1670.
Akindynos (Gregorios), 2282.
Akino (Yukata), 6623.
Aland (Kurt), 2156.
Alas (Leopoldo), 5372.
Alba (Fernando Álvarez de Toledo, duque de), 3505.
Albee (Parker Bishop) Jr., 437.
Albert (Saxe-Coburg-Gotha, prince consort of Great Britain), 3949.
Albert-Samuel (Colette), IX.
Albertazzi (A.), 4087.
Albertz (Rainer), 2182.
Albin (Janusz), 6150.
Albisette (James C.), 4873.
Albònico (Aldo), 3496.
Albornoz (Gil Alvarez Carrillo de), cardenal, 2755.
Albrecht von Hohenlohe, Fürstbischof von Würzburg, 2432.
Albrecht (Dieter), 506.
Albrecht (Gerd), 1048.
Albrecht-Szymanowska (Wiesława), 999.
Albu (Corneliu), 4224.
Alcuin, 3064.
Aldcroft (Derek H.), 5611, 5708.
Aldea (Ioan Al.), 764.
Alden (John R.), 6774.
Alderman (Geoffrey), 4743.
Alecsandri (Vasile), 183, 5261, 5362.
Alef (Gustave), 2606.
Aleksandr III, empereur de Russie, 4407.
Alekseev (G.A.), 5021.
Alekseev (M.P.), 674.
Alestalo (Jouko), 6080.
Aletti (Jean-Noël), 2256.
Alexander (Alan), 6562.
Alexander (Archibald), 4682.
Alexander (James W.), 2557.
Alexander (Manfred), 7013.
Alexandre-Debray (Janine), 3747.
Alexandrescu (Petre), 1150.
Alexandris (Alexis), 4601, 6624.
Alexandros II ho Megas [le Grand], roi de Macédoine, 141, 1424, 1452, 1460, 1488, 1600, 1692.
Alexandros Aphrodisieos, 1048.
Alföldy (Géza), 463.
Alfonso V el Magnánimo, rey de Aragón y de Nápoles, 2817.
Alfonso II, re di Napoli, 2620.
Alford (Edward), 3999.
Alibizatos (Nilos), 4001.
Alink (Marinus Johannes), 1545.
Alksnis (Imants), 4984.
Allam (S.), 1224.
Allard (André), 1409.

---

1. The Slavonic and in particular the Russian names are given in their national form transliterated following the usual methods and are classified accordingly. Characters with diacritics, for instance č, š, ć, ś, are considered as if ordinary c, s. The German modified vowels ä, ö, ø, ü are indexed as if ae, oe, ue. - The names of saints, popes and Roman emperors are indexed in their Latin form, Mc and M' as if Mac.

INDEX OF NAMES

Allason (Rupert), 6589.
Allen (Bryant J.), 6081.
Allen (Diogenes), 5022.
Allen (James Sloan), 4789.
Allen (James Smith), 5328.
Allen (R.E.), 1454.
Allen (Terry), 7394.
Allin (Lawrence Carroll), 3542.
Allmand (C.T.), 2607.
Almagro-Gorbea (Martín), 1151, 1293.
Almohades (les), dynastie, 7403.
Alonso-Núñez (José M.), 1969, 1970, 2183.
Alsonso-Schokel (Luis) 1294.
Alp (Sedat), 1285.
Alpern (Kenneth D.), 1546.
Alpers (Edward A.), 6708.
Alpers (Svetlana), 5405.
Alscher (Ludger), 1671.
Alsop (J.D.), 2759.
Alston (Lee J.), 5898.
Altenbaugh (Richard J.), 4874.
Altenmüller (Hartwig), 1225.
Altenstein (Karl, Freiherr von Stein zum), 4944.
Alterescu (Simion), 5502.
Altermatt (Urs), 4518.
Althoff (Gerd), 2468, 2541.
Althusser (Louis), 559.
Altmann (Hugo), 6868.
Altmann (Morris), 6775.
Altschuler (Glenn C.), 4623.
Altshuler (Mordechai), 4331.
Aluf (I.A.), 6389.
Alvar (J.), 1295.
Alvarez (David J.), 6953.
Aly (W.), 1410.
Amalric (Jean-Pierre), 5612.
Amandry (Angélique), 5483.
Amann (Ludwig), 1411.
Amarelli (Francesco), 1858.
Amargier (Paul), 732.
Ambronn (Karl-Otto), 3236.
Ambrose (David P.), 4129.
Ambrosiaster, 2154.
Ambrosino (D.), 1547.
Ambrosius, Ep. Mediolanensis, Sanctus, 2144, 2159, 2258.
Ameling (Walter), 1763.
Amenhotep, grand prêtre égyptien, 1255.
Amidon (Ph. R.), 2184.
Amin Dada (Idi), 4321.
Amir (Yehoshua), 1296.
Ammianus Marcellinus, 1739, 1744, 1856, 1969.
Ammōnios Sakkas, 1637.
Ammōnios tou Hermeiou, 1415.
Amort (Čestmír), 7104.
Amouroux (Henri), 3748.
Ampère (André Marie), 5251.
Amusin (I.D.), 1297.
Anagnostes (Johannes), 2379.
Anagnostou-Canas (B.),1490.
Anastasiadou (Iphigeneia), 7019.
Anchor (Robert), 518.
Anckar (Dag), 3730.
Anderle (Alfred), 544.
Andernach (Norbert), 2455.
Anders (Georg), 6539.
Anderson (Alastair Scott), 2038.

Anderson (Benedict R.O'G.), 7462.
Anderson (Fred), 6776.
Anderson (Gerald D.), 3887.
Anderson (Harri), 6082.
Anderson (Jeffrey C.), 2311.
Anderson (R.D.), 4875.
Anderson (Wilda C.), 519.
Anderson (William G.),6014.
Andersson (Aron), 2946.
Andersson (Bertil), 6015.
Andors (P.H.), 7483.
Andrae (Carl Göran), 412.
András II, roi de Hongrie, 2464.
Andrássy (Gyula) [1823-1890], 6967.
André (Bernard), 3811.
André (Christiane), 6028.
André (Jean-Marie), 1971.
Andreas, Könige von Ungarn, v. András.
Andreescu (Ștefan), 2389, 6869.
Andreev (V.N.), 1516, 1517.
Andrei (Nicolae), 886.
Andrén (Anders), 2760.
Andreolli (B.), 2761..
Andresen (Carl), 942.
Andrew (Christopher), 6709.
Andrew (Roy D.), 1420.
Andrieu (Claire), 7259.
Andronikos II Palaiologos, empereur de Byzance, 2374.
Andropov (Jurij Vladimirovič), 4352, 4400.
Androsov (V.P.), 6437.
Andruș Irimescu (Rodica), 5851.
Andrzejewski (Marek), 4876.
Andrzejewski (Roman), 4573.
Anes (Gonzalo), 5626.
Angel (J.R.), 7302.
Angelescu (Constantin C.), 447.
Angelescu (Silviu), 642.
Angelidē (Ch.), 2312.
Angenendt (Arnold), 3056.
Anghel (Gheorghe), 911, 5574.
Anghelescu (Mircea), 183.
Angermeier (Heinz), 4493.
Aniel (Jean-Pierre), 2948.
Anisimov (E.V.), 4332.
Ankerloo (Bengt), 6151.
Ankersmit (F.R.), 520.
Anna (Timothy E.), 6777.
Annas (Julia), 1623.
Anne, queen of Great Britain a. Ireland, 4060.
Annell (Gunnar), 3024.
Annequin (Jacques), 1177.
Anonymus Belae regis notarius, 2453.
Anonymus Valesianus II, 2393.
Anquetil-Duperron (Abraham Hyacinthe), 379.
Anselm de Laon, 3083.
Anselmus, Archiepiscopus Cantuarensis, Sanctus, 2988.
Antes (Serge), 399.
Anthony (J.), 96.
Antiochos III ho Megas [le Grand], roi séleucide, 1432.

Antiochos IV Epiphanes, roi séléucide, 1334.
Anton (Hans Hubert), 2709.
Antonakatou (Diana), 2313.
Antonescu (Ion), 4231, 4246.
Antonielli (Livio), 6932.
Antonini,empereurs romains, 2030.
Antoninus Pius (Titus Aelius), empereur romain, 1912.
Antonou-Ouseyenko (A.), 4333.
Apanovič (E.M.), 31.
Apathy (P.), 1859.
Apel (Willi), 5503.
Apollonios Rhodios, 1428, 1559.
Apollonios Tyaneus, 1436.
Appadorai (Arjun), 7289.
Appel (Josef), 1413.
Appianos, 1432, 1446.
Appleboom (Th. G.), 1008.
A Prato (Giovanni Battista Bar), 251.
Apuleius (Lucius), 1987.
Arabantinou (Mantō), 5329.
Arampatzes (E.), 7294.
Arano (Luisa Cogliati), 2466.
Arató (Paulo), 949.
Arbini (Ronald), 5023.
Arce Martínez (Javier), 1764.
Archer (John), 5425.
Archi (Alfonso), 1283, 1286.
Archidamos II, king of Sparta, 1458.
Ardeleanu (Ion), 178, 772, 4220, 4221.
Ardoș (A.M.), 4227.
Ardzinba (V.G.), 1205.
Areios Didymos, 1621.
Arendt (Hannah), 5037.
Arendt (Hans-Júrgen), 4877.
Argersinger (Jo Ann E.), 6390.
Argyriou (Alex.), 5330.
Argyriou (Asterios), 5024.
Aricò Anselmo (G.), 1860.
Ariel (O.T.), 97.
Arimia Vasile), 4220, 4221.
Aristarchos Samios, 1592.
Aristeidēs (P. Ailios), 1438.
Aristophanēs, 1423, 1545, 1547, 1551, 1562.
Aristophōn, 1437.
Aristotelēs, 989, 1415, 1449, 1543, 1546, 1548, 1568, 1575, 1579, 1580, 1606, 1611, 1616, 1629, 1638, 1639, 1648, 1657, 2989, 3001, 3005.
Ariton (Ioan), 885.
Arius, Haeresiarcha, 2226, 2252.
Arius Didymus, v. Areios Didymos.
Armi (C. Edson), 2949.
Armstrong (C.A.J.), 2608.
Armstrong (David), 5146.
Arn, Erzbischof von Salzburg, 2448.
Arnauld (Henry), évêque d'Angers, 4525.
Arnold II. von Isenburg, Erzbischof von Trier, 2577.

INDEX OF NAMES

Arnold (David), 6688.
Arnold (N. Scott), 5025.
Arnsberg (Paul), 3237.
Arnulf, Herzog von Bayern, 2605.
Aron (Raymond), 380.
Arranz Márquez (Luiz), 6778.
Arrignon (Jean-Pierre), 2517.
Arrington (Leonard J.), 3544.
Artaban II, roi parthe, 1366.
Artéus (Gunnar), 4268.
Artola (Miguel), 5626.
Arvin (Vasile), 149.
Arzakanjan (M.C.), 3750.
Asachi (Gheorghe), 5261.
Asche (Ulrike), 1766.
Aschhoff (Gunther), 6032.
Asdrachas (Spyros I.), 98, 4868, 6152.
Ash (Tim Garton), 4164.
Asher (Robert), 3545.
Asheri (David), 1206.
Ashmole (Elias), 311.
Ashtor (Eliyahu), 2668, 2762.
Asker (Björn), 6153.
Aslanapa (Oktay), 328.
Asklēpiadēs Bithynos, 1588.
Asmis (Elizabeth), 1972.
Ašrafjan (K.Z.), 7424.
Assis (Yom Tov), 2670.
Assmann (Jan), 1226.
Astaf'eva (L.A.), 235.
Astarita (Maria Laura), 1767.
Åström (Paul), 308.
Ašurbejli (S.), 7395.
Atanasiu (Victor), 7021.
Athanasius, Patriarcha Alexandrinus, Sanctus, 2226.
Atkin (James Richard Atkin, baron of Aberdovey), 6603.
Atkins (Harold), 5517.
Atkinson (Clarissa W.), 3057.
Atkinson (Dorothy), 4334.
Atleson (James B.), 6563.
Atsma (Hartmut), 3.
Attalides (les), dynastie, 1454.
Attfield (Robin), 2185.
Attlee (Clement Richard Attlee, 1st earl), 6697.
Attmann (Artur), 5852.
Attwater (Donald), 959.
Aubert (Roger), 937.
Aubin (Paul), 3463.
Aubineau (Michel), 2135.
Aubreton (Robert), 1416.
Aubry (Martine), 2763.
Auden (Wystan Hugh), 5336.
Audoin (Stéphane), 3751.
Audoleon, roi de Péonie, 140.
Auer (Leopold), 521.
Auerbach (Hellmuth), 7280.
Auerbach (Jerold S.), 6514.
Auguissola (Leandro), 6927.
Augustin (Matthias), 1298.
Augustinus (Aurelius), Sanctus, 2125, 2141, 2172, 2189, 2255, 2259, 3003.
Augustsson (Lars-Åke) 3888.

Augustus (Gaius Julius Caesar Octavianus), empereur romain, 1777, 1787, 1800, 1818, 1847, 2020, 2052.
Aujoulat (Noël), 1770.
Aulach (Harindar), 7159.
Aulie (Richard P.), 522.
Aurelianus (Lucius Domitianus), empereur romain, 146.
Aurelius (Carl Axel), 4624.
Aurelius Victor (Sextus), 1720.
Auria (Joseph), 1409.
Aurnhammer (Achim), 4519.
Ausonius (Decimus Magnus), 1968, 2017.
Austen (Jane), 5355, 5401.
Austin (Colin), 1437.
Avella-Widhalm (Gloria), 2498.
Avesani (Rino), 2481.
Avetjan (A.S.), 7022.
Avidius (Cassius), v. Cassius (Gaius Avidius).
Avigar (Tony), 4321.
Avila (Robert A. J.), 1110.
Aviram (Joseph), 1349.
Avni (Haim), 3404.
Avotins (Ivars), 1427.
Avotins (Miriam Ilner), 1427.
Avrahami (Itshaq), 4306.
Avram (Alexandru), 301.
Avril (François), 669.
Aymard (Maurice), 5625.
Aymes (Jean-René), 6933.

B

Baack (Bennet D.), 5575.
Baar (Lothar), 5709.
Bååth (Käthe), 3111.
Babeş (Mircea), 1129.
Babur (Zahir ud-Din Mohammed), Mogul ruler, 2926.
Bacchi (Carol Lee), 3469.
Bacewieczowa (Danuta), 39.
Bachmann (Peter), 555, 3266.
Bachmann (Werner), 928.
Bachofen (Johann Jakob), 381.
Bachrach (Bernard S.), 2541, 2558.
Backer (John H.), 7296.
Backhouse (Marcel F.) 6154.
Backmund (Norbert), 960.
Backus (Irena), 4625.
Bacon (Ernest W.), 5293.
Baconthorpe (John), 3003.
Bacqué-Grammont (Jean-Louis), 4310.
Bădărau (Gabriel), 765, 6626.
Badea (Marin), 4213.
Bader (Sir Douglas), 7227.
Bader (Tiberiu), 1111.
Badia (Gilbert), 3238.
Badoglio (Pietro), 3496.
Bäbler (Mathias), 779.
Baechler (Christian), 7011.
Baer (Gabriel), 7420.
Bärnthaler (Günther), 2874.
Bäumer (Remigius), 4474, 4879.

Bagatti (Bellarmino), 2114.
Bagge (Sverre), 2454.
Bagiakakos (Dikaios E.), 6083.
Bah (Thierno Mouctar), 7545.
Bahloul (Brahim), 928.
Bahloul (Joëlle), 618.
Bahn (Paul G.), 1014.
Bailey (Charles M.), 7207.
Bailey (Colin J.), 5451.
Bailey (Geoffrey), 1055.
Baily (Samuel L.), 6155.
Bak (Joan L.), 3454.
Bak (Stanisław), 4165.
Bakala (Jaroslav), 4298.
Bakalo (Helenē), 5406.
Bakalopoulos (Apost. E.), 680.
Bakalopoulos (Kon. An.), 5853.
Baker (Jean H.), 3546.
Baker (Lewis), 3547.
Baker (Robert D.), 5786.
Bakh (I.A.), 6388.
Bakken (Gordon Morris), 6590.
Bałaban (Majer), 382.
Bălan (Ştefan), 886.
Balard (Michel), 2391, 2764.
Bălăşescu (Nicolae Nifon), 385.
Balážová (Eva), 7260.
Balbín (Bohuslav), 383.
Balcer (Bogdan), 1077.
Balcer (Jack Martin), 1360.
Balcerak (Wiesław), 6619.
Bălcescu (Nicolae), 384.
Bald (Emilian), 7089.
Baldick (Chris), 5331.
Baldowski (Włodzimierz), 6917.
Balduin, Erzbischof von Trier, 2439.
Baldung Grien (Hans), 5472.
Baldwin (Deborah), 4136.
Baleka (Jan), 5419.
Ball (Nancy), 4880.
Ball (Robert J.), 1974.
Ballard (Jack Stokes), 3548.
Baloğlu (Zekaī), 328.
Balty (JeanCharles), 1672.
Băluţă (Cloşca L.), 1721, 1722, 2039.
Balz (Horst Robert), 947.
Balzac (Honoré de), 5400, 5339.
Balzarini (Marco), 1861.
Balzer (Marjorie Mandelstam), 4336.
Bambeck (M.), 961.
Bammer (Atnon), 1207.
Banac (Ivo), 4455, 6406.
Banaszak (Marian), 4573.
Bandarage (Asoka), 6689.
Bandy (Anastasius C.), 2283.
Banerjee (Sumanta), 7425.
Bănescu (Nicolae), 2790.
Bangura (Yusuf), 5613.
Bankel (H.), 99.
Bankier (David), 3239.
Banner (Lois W.), 6156.
Banning (Lance), 3549.
Bannon (M.J.), 4062.
Banulesko-Bodoni (Gavriil), metropolitan, 4602.
Bar-Ilan (Meir), 1299.

Bar-Yosef (O.), 1106.
Barag (D.), 130.
Baranowski (Henryk), 4848.
Barany (George), 7105.
Baras (Zvi), 1316.
Barassin (Jean), 4520.
Barbalet (Margaret), 6850.
Barber (L.H.), 5900.
Barbery (Jean), 2040.
Barbet (A.), 2057.
Barbey (Jean), 2710.
Barbey d'Aurevilly (Jules-Amédée), 5313.
Barbier (Josiane), 2711.
Barbirolli (Sir John), 5517.
Barbour (Thomas), 4064.
Barbu (Paul Emanoil), 4214.
Bărbuleanu (Rea Silvia), 576.
Bărbulescu (Elena), 886.
Bărbulescu (Petre), 7355.
Barcia (Franco), 4088.
Bardach (Juliusz), 4166, 6540.
Bardanes Tourkos, général byzantin, 2352.
Barde (Robert E.), 7208.
Bardet (Jean-Pierre), 3859, 6157.
Bardon (Jonathan), 3889.
Barg (M.A.), 523.
Baribeau (Claude), 5901.
Bariţ (George), 385.
Barkai (Avraham), 6158.
Barker (Elisabeth), 7297.
Barker (Nancy N.), 3752.
Barkin (Kenneth), 4881.
Barletta (Barbara A.), 1673.
Barlow (Frank), 2559.
Barmeyer (Heide), 3240.
Barnabas, Sanctus, 2260.
Barnai (Jacob [Yaakov]), 4074, 4309.
Barnard (F.M.), 5026.
Barnard (John), 6391.
Barnard (T.C.), 5710.
Barnea (Ioan), 77, 1771, 1772.
Barnes (Catherine A.), 6159.
Barnes (John), 5504.
Barnett (Correlli), 7209.
Barnett (Ursula A.), 5332.
Barnish (S.J.B.), 2393.
Baron (Lawrence), 5027, 7106.
Baron (Salo Wittmayer), 962.
Baron (William R.), 5902.
Barozzi (P.), 4466.
Barr (James), 2186.
Barral i Altet (Xavier), 669.
Barrandon (Jean-Noël), 115, 127.
Barrat (Glynn R.V.), 6955.
Barrau (Jacques), 823.
Barre (Michael L.), 1300.
Barret-Krieger (B.), 4372.
Barrett (Gillian), 3113.
Barrett (Paul), 5711.
Barros (James), 7160.
Barrotta (Pierluigi), 5147.
Barry (Francine), 6288.
Barta (Winfried), 65.
Bartalucci (A.), 2032.
Bartel (Horst), 700, 6382.
Bartel (Wojciech Maria), 4177.
Barth (Hans), 776.

Barthel (Günter) 3146, 4041.
Bartholomaeus, Apostolus, Sanctus, 2261.
Bartikian (H.M.), 2314.
Bartley (Numan V.), 3550.
Bartoletti (Anna Maria), 2286.
Bartoli (Cosimo), 5275.
Bartolo da Sassoferrato, 2654.
Barton (Leonard L.), 6851.
Bartoszewicz (Juljan), 4198.
Bartrip (P.W.J.), 6160.
Barzos (K.), 2315.
Bascapè (Giacomo C.), 78.
Baschet (Jérôme), 215.
Basdevant-Gaudemet (Bri--gitte), 2712.
Basileios Ier, empereur de Byzance, 2317, 2348.
Basilius Magnus, Ep. Caesariensis, Sanctus, 2108, 2262, 2274.
Basilopoulos (Nikos), 6017.
Basinski (Eusebiusz), 6619.
Basov (A.V.), 7210.
Bassanelli Sommariva (G.), 1862, 1863.
Bassarak (Gerhard), 4685.
Bassole (J.Y.), 2187.
Bastian (Sonia), 1741.
Bastier (Jean), 5903.
Baszkiewicz (Jan), 3753, 3754.
Bataillon (Louis-Jacques), 2875, 2987.
Batalden (Stephen K.), 4602.
Batchelder (Ronald W.), 3149.
Bater (James A.), 179.
Báthory (István), v. Stefan Batory, roi de Pologne, prince de Transylvanie.
Batkoš (Peter), 2453.
Bator (Paul Adolphus), 5148.
Bătrîna (Adrian), 3114.
Bătrîna (Lia), 3114.
Batsch (Laurent), 6392.
Battaglia (Rosario), 5854.
Battan (Jesse F.), 6161.
Battenberg (Friedrich), 2414, 2713.
Battini (Michele), 524.
Battista (Antonio), 2114.
Battlori (Miquel), 4587.
Baudry (Jean), 176.
Bauer (Adolf), 543.
Bauer (Arnold J.), 4521.
Bauer (Johannes B.), 2132.
Bauer (W.), 7478.
Bauer (Yehuda), 7107.
Bauler-Margue (Andrée), 4131.
Baulez (Christian), 5447.
Baum (Dale), 3551, 3552.
Baum (Wilhelm), 3058.
Bauman (Mark), 4744.
Baumann (Richard A.), 1773, 1864.
Baumann (Uwe), 1774.
Baumann (Victor Heinrich), 1915.
Baumel (Judith Tydor), 7108.
Baumgart (Marek), 7023.
Baumgart (Peter), 3241, 3380, 3389.
Baumgart (Winfried), 3242.
Baur (Ferdinand Christian), 2231.

Baurmeister (Ursula), 32.
Bauss (Rudy), 6779.
Bautier (Robert-Henri), 453.
Bavendam (Dirk), 7161.
Bax (M.), 4062.
Baxter (Colin F.), 7211.
Baxter (Stephen B.), 3890.
Bayard (Jean-Pierre), 216.
Bayat (Mangol), 4038.
Bayer (E.), 1674.
Bayer (Hans), 3059.
Bayerlein (Bernhard), 6381.
Baylen (Joseph O.), 3895.
Bayly (C.A.), 7426.
Bazylow (Ludwik), 788.
Beal (T.), 7484.
Beale (Edward F.), 3708.
Beames (Michael R.), 4049.
Bean (C.E.W.), 7012.
Beard (Charles A.), 386.
Beato (Guillermo), 5712.
Beattie (James), 5080.
Beaud (Claude), 6018.
Beaujard (Philippe), 619.
Beaujeu (Jean), 1730.
Beaujour (Elizabeth Klosty), 5426.
Beaulieu (Armand), 5141.
Beauregard (Pierre) Gustave Toutant de), 3656.
Beaver (Daniel R.), 3553.
Bebel (August), 6382.
Bec (Christian), 5562.
Becher (Hartmut), 3060.
Becht (Hans-Peter), 2504.
Bechu (Philippe), 6162.
Beck (Bernhard), 5713.
Beck (C.W.), 1078.
Beck (Doroethea), 3244.
Beck (Peter J.), 7024.
Beck (Pirhiya), 1301.
Becker (David G.), 4159.
Becker (Jean-Jacques), 3755.
Becker (Josef), 3265.
Becker (William), 5855.
Becker (Winfried), 4626.
Beckett (J.C.), 3891.
Beckett (J.V.), 5904.
Bečková (Marta), 4882.
Beda Venerabilis, Sanctus, 2431.
Bednarczyk (Andrzej), 5149.
Bednářová (Věra), 4281.
Bée (Michel), 6591.
Beebe (Keith H.), 1775.
Beech (Beatrice), 5614.
Beede (Benjamin R.), 3554.
Beer (Wilfried), 3285.
Beethoven (Ludwig van), 5530.
Behr (Hans-Joachim), 3245.
Behre (K.-E.), 2765.
Behrens (Hermann), 1272.
Beier (Lucinda), 6163.
Beier (Rosmarie), 6164.
Bein (Alex), 3417.
Beinart (Haim), 2671.
Beiu-Paladi (Luminita), 5310.
Bejan (Adrian), 3115.
Bejor (Giorgio), 1776.
Belanger (Réal), 3470.
Belchem (John), 6393.
Belcin-Pleşca (Cornelia), 442.
Beldeanu (Adrian), 4256.
Beldiceanu (Nicoara), 2609.
Belenkova (L.P.), 5029.

Bělina (Pavel), 2610.
Belinskij (Vissarion Grigo-revič), 5109.
Bell (Vanessa), 5478.
Bellamy (Edward), 4841.
Bellavitis (Giorgio), 6084.
Bellen (Heinz), 1370.
Bellenger (Dominic), 4475.
Beller (Mara), 5030.
Bellicini (Lorenzo), 5905.
Belloni (G.G.), 1865.
Beloudēs (Giōrgios), 408.
Beltrán Lloris (M.), 1777.
Belvederi (Raffaele), 3148.
Bély (Lucien), 6888.
Bělza (I.), 5505.
Bement (Rhoda), 4623.
Ben-Ami (Shlomo), 3497.
Ben-Arieh (Yehoshua), 4075.
Ben-Gurion (David), 7360.
Benario (H.W.), 1718.
Benassar (Bartolomé), 5612.
Benayahu (Meir), 4745.
Bender (Albrecht), 2188.
Bendersky (Joseph W.),3246.
Bendjebbar (André), 6165.
Bendor (Zvi), 1302.
Bendrikova (L.A.), 3756.
Benea (Doina), 1152, 1778.
Benecke (Gerhard), 3247.
Benedek (István), 5150.
Benedictus Nursinus, Sanc-tus, 2180.
Beneš (Edward), 7013, 7186.
Bengtson (Hermann), 474, 1455.
Benigno (Francesco), 5856.
Benin (Stephen D.), 2189.
Benini (A.), 4096.
Benizelos (Eleutherios), 7019, 7064.
Benkart (Paula K.), 4522.
Benner (Judith Ann), 3555.
Bennett (Michael J.), 2766.
Bennett (Shelley M.), 5452.
Bennigsen (Alexandre),4329.
Benoit (Paul), 2834.
Benrekassa (Georges), 5031.
Benson (Charles D.), 5159.
Benson (John), 5714.
Benson (Robert L.), 2922.
Bentham (Jeremy), 5052.
Bentley (Gerald E.) Jr., 5453.
Bentley (Jerry H.), 4790.
Bentz (Wolfgang), 3257.
Bentzien (Ulrich), 5906.
Benz (Wolfgang), 3165.
Beran (Jiří), 5143.
Bérard (Claude), 1675.
Bercé (Yves-Marie), 5151.
Bercea (Elena), 766.
Bercherie (Paul), 5152.
Berciu (Dumitru), 178, 774.
Berding (Helmut), 3248.
Berdnikov (A.F.), 4851.
Berdnikov (G.P.), 1003.
Beremēs (Thanos M.), 4003, 7379.
Berenstein (Tatiana), 7144.
Berezowski (Stanisław), 525.
Berg (Dieter), 3026.
Berg (M.), 5784.
Bergad (Laird W.), 5907.
Berger (Albrecht), 2316.
Berger (Carl), 5032.
Berger (David), 4746.
Berger (Peter A.), 1180.

Bergeron (Henri-Paul), 4523.
Bergeron (Louis), 3811.
Berges (Wilhelm), 418, 2395.
Berghaus (Peter), 5465.
Bergman (Hay), 4337.
Bergmark (Aron), 6166.
Bergner (Heinz), 2909.
Bergot (Erwan), 7299.
Bergquist (Harold E.) Jr., 6956.
Berindei (Dan), 5715, 6957.
Bering (Vitus Jonassen) 209.
Berkov (P.N.), 4791.
Berlin (Ira), 3525, 6167, 6780.
Berlioz (Hector), 5499.
Berlogea (Ileana), 5506.
Berman (Barbara), 4883.
Berman (Harold J.), 6515.
Berman (Larry), 7300.
Bermejo Barrera (José C.), 526, 1456.
Bernadotte (Jean), v. Karl XIV Johan, roi de Suède et de Norvège.
Bernandt (G.), 5507.
Bernard (Paul P.), 6889.
Bernard (Richard M.), 3556.
Bernardus, Abbas Clarae-vallensis, Sanctus, 3048, 4735.
Bernart von Ventadorn,2901.
Berneckerer (Walther L.), 3265.
Berner (Richard D.), 253.
Berner (Ulrich), 527.
Bernhard (Hans Joachim), 1001.
Bernhard (Ludger), 2691.
Bernhard (Oskar Ernst), 4622.
Bernier (Gildas), 3061.
Bernier (Jacques), 5153.
Bernier (Joseph Elzéar), 4463.
Bernot (Denise), 7457.
Bernštam (T.A.), 620.
Bernstein (Deborah), 6188.
Bernstein (Eduard), 5577.
Bernus (Marthe), 302, 328.
Berquist (Goodwin), 3557.
Berridge (G.R.), 7301.
Berry (E.), 1550.
Berschin (Walter), 2471.
Bersohn (Mathias), 4792.
Bertaux (J.-J.), 723.
Bertaud (Jean-Paul), 6169.
Bertelli (L.), 1551.
Berthier (Philippe), 5333.
Bertier de Sauvigny (Guillaume de), 3757, 3758.
Bertin (Celia), 3759.
Bertini (Ferruccio), 2481.
Bertola (Ermengildo), 2988.
Bertrand (Michel), 7212.
Bertrand (Régis), 4580.
Berwiński (Ryszard Wincenty), 5346.
Besançon (J.), 180.
Besier (Gerhard), 4473, 4627.
Besley (E.), 100.
Besnier (R.), 1916.
Bespalova (L.A.), 5454.
Besprozvannykh (E. L.), 6628.
Bessarion (Johannes), cardinal, 2285.

Besseler (Heinrich), 928.
Bessone (L.), 1917.
Best (Gary Dean), 3558.
Bethlen (Gábor), prince de Transylvanie, roi de Hongrie, 4027.
Betlyon (John Wilson), 101.
Bettalli (M.), 1520.
Bettelheim (Charles), 4338.
Beumann (Helmut), 2518.
Beutner (Wilhelm), 1154.
Beveridge (Charles E.), 3531.
Bevin (Ernest), 3900.
Bew (Paul), 4050, 4062.
Bey (George J.) III, 7566.
Beylerian (Arthur), 254.
Beyray (Dietrich), 789.
Bèze (Théodore de), 4615.
Bezzel (Irmgard), 64.
Bialer (Uri), 3893.
Bianchi (Angelo), 1918.
Bianchi (E.), 1866.
Bibescu (N.), 183.
Bichler (Reinhold), 1457.
Becknor (Alexander), 2635.
Biddle (James), 3651.
Bideau (Alain), 825.
Bidez (J.), 2153.
Bidwell (Robin), 7396.
Biegański (Witold), 7213.
Bieńkowksi (Wiesław), 6958, 7114.
Biget (Jean-Louis), 733.
Biggs (Lesley C.), 5154.
Bigwood (J.M.), 1361.
Bihl (Wolfdieter), IV.
Bilabel (Friedrich), 1221.
Bill (E.G.W.), 284.
Billot (Claudine), 2767.
Billstein (Heinrich), 6394.
Bilstein (Roger E.), 5716.
Binder (Dieter Anton), 4884.
Binder (Paul), 771, 776.
Binford (Lewis R.), 912, 1015.
Birckell (Maurice), 3208.
Birke (Adolf M.), 3250, 3990.
Birkenhead (Frederick Edwin Smith, 1st earl of), 3902.
Bîrlea (Ovidiu), 623, 628.
Birmingham (David), 6710.
Bīrūnī (Abū l-rayḥān Muḥammad b. Aḥmad al-), 2897.
Biscardi (Arnaldo), 1393.
Bischoff (J.P.), 2768.
Biscop (J.L.), 2190.
Bishko (Charles Julian), 2479.
Biskup (Marian), 670, 6336, 6870.
Bismarck (Otto, Fürst v.), 3242, 3281, 3285, 3308, 3329, 4822, 6564, 7007.
Bisti (D.S.), 51.
Bistřický (Jan), 2396.
Bitschnau (Martin), 2769.
Bittel (Kurt), 475, 1287.
Bitterli (Thomas), 290, 2836.
Bittner (Donald F.), 7162.
Björk (Ragnar), 315.
Bjørnson (Øyvind), 6179.
Blackburn (Mark), 102.
Blackett (R.J.M.), 3559.
Blackmore (Robert), 5321.

Blackstone (Sir William), 6537.
Blackwell, publishing firm, 56.
Blagojević (Miloš), 2714.
Błagowieszczański (Igor), 7214.
Blăjan (Mihai), 2102.
Blake (William), 5452, 5453, 5461.
Blanc (André), 1779.
Blanch (Lesley), 5334.
Blanchard (Joël), 2446.
Blanco Freijeiro (Antonio), 1723.
Blancpain (Jean-Pierre), 3483.
Blancpain (Marc), 6171.
Bland (R.), 100.
Blankenhorn (Heber), 3601.
Blanning (T.C.W.), 6934.
Blasius (Dirk), 6516.
Blavatskaja (T.V.), 1521.
Blázquez (José-María), 1155, 2049.
Bleker (Johanna), 5155.
Blenkinsopp (Joseph), 1303.
Blessing (Tim H.), 3667.
Blessing (Werner K.), 697.
Blewett (Mary H.), 5717.
Blickle (Peter), 6172.
Blindheim (Martin), 2950.
Bliss (L.), 5508.
Bloch (Denise), 283.
Block (Raymond), 226.
Block (Lodewijk), 6871.
Blockley (R.C.), 1724.
Bloedow (E.F.), 1458.
Blom (Grethe Authén), 2611.
Blomberg (Mary), 308.
Blond (Georges), 3761.
Bloom (Khaled), 5908.
Bloomfield (Elizabeth), 6076.
Bluche (François), 6019.
Blum (Moshe), 4782.
Blum (Shimon), 4782.
Blumberg (Janice Rothschild), 4747.
Blume (Horst D.), 484.
Blumenthal (Elke), 1227.
Blumenthal (Uta-Renate), 2484.
Blysidou (B.), 2317, 2318.
Blyth (John A.), 4885.
Blythe (Ronald), 3896.
Boari (Marco), 806.
Boas (Franz), 653.
Bocci Pacini (P.), 303.
Bocher (Hélène), 3859.
Bockhorst (Johann), 5465.
Bocquet (A.), 1078.
Bocşan-Decusară (Dorina), 417.
Bocşe (Maria), 885.
Bodea (Cornelia), 421.
Bodea (Gheorghe), 4212.
Bodenhamer (David J.), 3560.
Bodinier (Gilbert), 6781.
Bodunescu (Ion), 6959.
Böckenförde (Ernst-Wolfgang), 5033.
Boeder (Robert B.), 4133.
Bøegh Nielsen (Peter), 6020.
Boehler (Jean-Michel), 5909.
Boehm (Erich H.), 665.
Böhme (Jakob), 4731.
Böhmer (J.F.), 2397.

Boehmer (R.M.), 475.
Böhner (K.), 698.
Bölhoff (Reiner), 5284.
Boelke (Willi A.), 3251.
Bölling (Rainer), 6173.
Boessneck (Joachim), 1522.
Boethius (Anicius Manlius Severinus), 2437.
Böttcher (Kurt), 5373.
Boffa (Giuseppe), 4339.
Boffo (L.), 1362.
Bogdan-Cătăniciu (Ioana), 1780.
Bogdanov (A.I.), 4328.
Bogojavlenskij (S.N.), 5542.
Bogoljubov (K.M.), 5896.
Bogoslovskij (E. S.), 1228.
Bograd (V.E.), 7485.
Bogucka (Maria), 4628.
Bogucki (Janusz), 5407.
Bogucki (Peter I.), 1079.
Bogue (Allan G.), 529, 3561, 5910.
Boháč (Zdeněek), 3116.
Bohstedt (John), 3897.
Boia (Lucian), 316.
Boisset (L.), 3062.
Boitani (Piero), 2876.
Bokščanin (A.A.), 7486.
Boldt (Hans), 3230.
Bolintineanu (Dimitrie), 183.
Bolívar (Simón), 3142, 3154, 3157, 3186, 3189, 6986.
Bolkhovitinov (N.N.), 3624.
Boll (Michael M.), 7163.
Bollacher (Martin), 5335.
Bollack (Jean), 1419.
Bolomey (Alexandra), 1023, 1080.
Bolotina (O.P.), 7487.
Boltin (I.N.), 387.
Bomati (Y.), 1708.
Bommelaer (J.F.), 1676.
Bonald (Louis Gabriel Ambroise, vicomte de), 5110.
Bonaparte (Joseph), roi de Naples, puis d'Espagne, 3507.
Bonaparte (Maria Letizia Ramolino, épouse), 3759.
Bonaventura [Giovanni di Fidanza], Ep. Albanensis, Sanctus, 2998.
Bończak (Jerzy), 6915.
Bond (Brian), 3150.
Bondi (Sandro Filippo), 1304.
Bondoc (Gheorghe), 4221.
Bonfante (Giuliano), 150.
Bonfante (Larissa), 150.
Bonfield (Lloyd), 6592.
Bonfini (Giuseppe), 6872.
Bongard-Levin (G.M.), 7389, 7402.
Boniecki (Adam), 4503.
Bonjour (Edgar C.), 245.
Bonneau (Danielle), 1229.
Bonnell (Victoria E.), 6395.
Bonner (Philip), 6711.
Bonnerot (Alain), 5323.
Bonnet (Philippe), 5427.
Bonnot (Isabelle), 4525.
Bono (S.), 6872.
Bonusiak (Wlodzimierz), 7164.
Bony (Jean), 2951.
Boochs (Wolfgang), 79.
Booms (Hans), 3224.

Booraem (Hendrik V.), 3562.
Boorstin (Daniel J.), 874.
Booth (Charles O'Hara), 6849.
Booth (Edward), 2989.
Booth (M.B.), 530.
Borah (Woodrow), 6782.
Borchardt (Knut), 3252.
Bordonove (Georges), 2560, 3762.
Borek (Johanna), 5034.
Boren (H.C.), 1867.
Borg (Dorothy), 477.
Borgegård (Lars-Erik), 5912.
Borgers (Beverly), 3676.
Borghero (Carlo), 317.
Borgia (Luigi), 78.
Boris Godunov, v. Godunov (Boris Fedorovič).
Borisov (Ju. S.), 427.
Borisov (N.S.), 66.
Borkowska (Urszula), 2877.
Bormann (Martin), 3223.
Born (Karl Erich), 6032.
Bornet (Vaughn Davis), 3563.
Bornkamm (Heinrich), 4476.
Borodaj (T. Ju.), 1552.
Borrero Fernández (Mercedes), 2770.
Borrego Plá (María Carmen), 6783.
Borsa (Gedeon), 34.
Borscheid (Peter), 6174, 6175, 6211.
Borsody (Stephen), 4025.
Borst (Otto), 2771.
Borthwick (Sally), 7488.
Bos (Th. S. H.), XV.
Bosher (John F.), 5857.
Bossy (John), 964.
Boswell (Jonathan), 6176.
Bosworth (Richard J. B.), 7025.
Botez (Constantin), 5615.
Botezan (Ioana), 4787.
Botezan (Liviu), 7026.
Botoran (Constantin), 7027, 7081.
Bottéro (Jean), 1267.
Bottin (Jacques), 6177.
Bottin (Michel), 2715.
Botvinnik (M.B.), 47.
Botz (Gerhard), 3421.
Boubín (Jaroslav), 2398, 2612.
Bouchard (Gérard), 6178.
Bouche (Denise), 4886.
Boucher (J.-P.), 2071.
Boucher (Philip P.), 6675.
Bouchez (Daniel), 398.
Boudarel (G.), 7458.
Bougainville (Louis Antoine de), 5113.
Bouhot (Jean-Paul), 2109.
Bouillon (Jacques), 3138.
Boulainvilliers (Henri, comte de), 388.
Boulanger (Georges), 3838.
Boulet-Sautel (Marguerite), 805.
Boulnois (Lucette), 103.
Bourassa (Henri), 6358.
Bourassin (Emmanuel), 2613.
Bourbons (les), dynastie, 3843.
Bourdé (Guy), 531.
Bourderon (Roger), 3738.

Bourgeois (J.), 1008.
Bourides (les), dynastie turque, 2463.
Bournas (Tasos), 4004.
Bourriot (F.), 1450.
Bousquet (Pierre), 4915.
Boussard (Isabel), 6179.
Bouzek (Jan), 1040, 1156, 1208.
Bovon (F.), 2271.
Bovykin (V.I.), 5718.
Bowen (Alan C.), 1583.
Bowers (Paul C.) Jr., 3557.
Bowers (Richard H.), 2772.
Bowersock (G.W.), 1781.
Bowle (John), 5289.
Bowler (Peter J.), 5156.
Bowman (A.K.), 2041.
Bowman (Alfred Connor), 7282.
Boyajian (James C.), 6021.
Boyce (D. George), 4051.
Boyce (P.J.), 7302.
Boyd (Julian P.), 3527.
Boyd (Lois A.), 4477.
Boyd (Walter), 6027.
Boyer (M. Christine), 6085.
Boyer (William W.), 6784.
Boylan (Henry), 4052.
Boyle (A.J.), 2016.
Boyle (David), 5196.
Boyle (Marjorie O'Rourke), 4478.
Boyle (Robert), 5202.
Bozac (Ileana), 4219.
Bozga (Vasile), 4887.
Bozzolo (Carla), 35.
Brabec (Jan), 5519.
Bracher (Karl Dietrich), 3253, 5035.
Brackenridge (R. Douglas), 4477.
Bradáč (Zdeněk), 7028.
Brădăţeanu (Virgil), 5509.
Bradbury (Bettina), 6288.
Bradford (Alan T.), 3898.
Bradley (Omar Nelson) 7205.
Braeman (John), 3564.
Braet (Herman), 2881.
Bräuer (Siegfried), 4629.
Braganskij (I.S.), 1003.
Braidwood (Linda S.), 1016.
Braidwood (Robert J.), 478, 1016, 1028.
Brain (J.B.), 6712.
Brain (Peter), 1553.
Branca (Lodovico), 6180.
Brâncuş (Grigore), 151.
Brand (Donald R.), 5719.
Brand (Paul), 2716.
Brandenstein (Christoph Freiherr von), 2614.
Brandes (Stuart D.), 6181.
Brandl (Baruch), 1230.
Brandmüller (Walter), 3063.
Brandsch (Rudolf), 4235.
Brandt (Willy), 3244.
Branopoulos (Epam. A.), 6960.
Branousě (E.), 2279.
Brantlinger (Patrick), 826.
Braque (Georges), 5457.
Braschowanowa (Lada) 2979.
Brătescu (Constantin), 4216.
Brătescu (G.), 5213.
Brather (Hans-Stephan), I.
Brătianu (Gheorghe I.),389.
Bratož (Rajko), 2278.

Bratzel (John), 7109.
Braud (Philippe), 794.
Braudel (Fernand), 390.
Brauer (Carl M.), 3565.
Brauer (J.C.), 948.
Braumann-Lettner (Lydia), 7166.
Braun (René), 2178.
Braunstein (Dieter), 6676.
Braunstein (Philippe), 2834.
Braxton (Carter), 6793.
Brecht (Martin), 4617.
Bredero (Adriaan H.), 3085.
Bredin (Jean-Denis), 3763.
Breen (David H.), 5911.
Breeze (David J.), 2042.
Brehme (Gerhard), 3144.
Breil (Winfried), 795.
Breisach (Ernst), 318.
Bremmer (J.), 1658.
Brendler (Gerhard), 4630.
Brennan (J. William), 3471.
Brenner (Reuven), 532.
Brentjes (Burchard), 1181.
Brentjes (Sonja), 880.
Brenzel (Barbara M.), 6182.
Brerewood (Edward), 4517.
Bresc (Henri), 2773.
Breton Frères, de Nantes, 5868.
Brett (Michael), 2692.
Breuer (Stefan), 472, 6517.
Breuilly (John), 6409.
Breveglieri (Bruno), 1.
Brežnev (Leonid Il'ič),7308.
Brezuleanu (Ana-Maria), 5310.
Briant (Pierre), 1363.
Bridges (Anne F.), 5902.
Brière (Jean-François),6890.
Briggs (A.D.P.), 4399.
Briggs (Asa, Lord), 827, 3151, 3899.
Briggs (Julia), 5274.
Briggs (Ward W.) Jr., 1731, 1734.
Brigida, Thaumaturga Kildariae, Sancta, 2152, 3049.
Brillante (C.), 1677.
Brind'Amour (P.), 67.
Bringmann (Klaus), 1305.
Brinks (Jürgen), 1247.
Briquel (Dominique), 1709.
Brisson (Luc), 1406, 1551.
Brisson (Réal N.), 5720.
Bristol (Mark L.), 7049.
Britten (Benjamin), 5571.
Broc (Numa), 181.
Brocheux (P.), 7458.
Brockhaus (Heinz Alfred), 913.
Brockman (James R.), 4526.
Brockmeyer (Norbert), 1370.
Broder (Albert), 5612.
Brödner (Erika), 1920, 2043.
Bromlej (Ju. V.), 621, 622, 1029.
Brommer (Frank), 1375.
Brommer (Peter), 3254.
Broniewski (Stanisław), 7261.
Brooke (Christopher Nugent L.), 3010.
Brooke (Sir James), 6701, 7469.
Brooke (Rosalind B.), 3010.
Brosses (Charles de), 4594.

Broszat (Martin), 3243, 3255, 3271.
Broucek (Peter), 3416, 6926.
Brousek (Karl M.), 5804.
Brovkin (Vladimir), 4340.
Brower (Daniel R.), 6086.
Brown (Andrew L.), 1555, 1556.
Brown (C.C.), 7460.
Brown (Earl Kent), 4631.
Brown (Henry Phelps), 5721.
Brown (Peter B.), 4341.
Brown (Raymond E.), 2162.
Brown (Reginald Allen), 2591.
Brown (Stewart J.), 4632.
Browne (Janet), 182.
Browning (Christopher R.), 7110.
Browning (Robert S.) III, 3566.
Brow (Norbert), 2163.
Bruce (Frederick Fyvie), 2191.
Brucker (Gene), 4089, 6183.
Bruckmann (J.), 3001.
Bruckner (Albert), 3, 4.
Brück (Dr. Gregor), 3360.
Brückner (W.), 1590.
Brüggemeier (Franz-Josef), 5722.
Brüning (Heinrich), 3252, 3309.
Brugmann (Lduwig), 2280.
Bruguière (Marie-Bernadette), 807.
Bruhat (Jean), 391.
Bruins (E.M.), 1557.
Brumfield (William Craft), 914.
Bruneau-Latouche (Eugène), 75.
Brunet (Jean-Paul), 3764.
Brunn (Gerhard), 3176.
Bruno Astensis, Ep. Segnensis, Sanctus, 3050.
Brunschwig (Henri), 392, 479, 3139.
Brunt (P.A.), 1868.
Brunterc'h (Jean-Pierre), 3054.
Bruss (Regina), 3256.
Brutus (Marcus Junius), 1822.
Bryce (Judith), 5275.
Bryce (T.R.), 1182.
Bryce (David L.), 6146.
Bryer (Antony), 6961.
Brym (Robert J.), 4448.
Brynn (Edward), 4633.
Bryson (Norman), 5455.
Brzeziński (Andrzej Maciej), 3765.
Bubuiog (Toader), 4264.
Bucci (Onorato), 1364.
Bucer (Martin), 4625.
Buchan (William), 5318.
Buchanan & Simson, Glasgow firm, 5885.
Bucher (Peter), 6184.
Buchheit (Vinzenz), 2192.
Buchloh (Benjamin H. D.), 5496.
Buchmann (Bertrand Michael), 6916.
Buchner (Edmund), 2895.
Buchner (Walter), 5053.
Buchsweiler (Meir), 4342.

Buchvaldeck (Miroslav), 1040.
Buck (Mark C.), 2615.
Buck (Robert J.), 1921.
Buckland (William), 5238.
Buckman (Joseph), 6185.
Buculei (Teodor), 4226.
Bucur (Corneliu), 885.
Bucur (Marin), 4985, 5373.
Bürge (A.), 1869.
Büsch (Otto), 419, 3380.
Büttner (Manfred), 214.
Büttner (Theo), 3144.
Buffon (Georges Louis Leclerc, comte de), 5175.
Buffotot (Patrice), 3766.
Bugaev (B.P.), 5761.
Bugeaud (Thomas Robert), marquis de La Piconnerie, duc d'Isly, 6759.
Bugenhagen (Johannes), 4654.
Buitenhuis (Aylke), 1108.
Bukey (Evan B.), 3422.
Bukharin (Nikolaj Ivanovič), 4399.
Bularzik (Mary J.), 6186.
Bulborea (Ion), 5582.
Bulgakov (P.G.), 2878.
Bułhak (Henryk), 7029.
Bulin (Rudolf Karl), 1782.
Bullock (Alan, Lord), 3900.
Bullough (Donald A.), 3064.
Bulow-Jacobsen (A.), 1433.
Bulst (Neithard), 824.
Buluță (Gheorghe), 28.
Bulwer (Henry Lytton), v. Dalling and Bulwer (William Henry Lytton Early Bulwer, baron).
Bunta (Magda), 828.
Bunta (P.), 4227.
Bunte (Rune), 5912.
Bunyan (John), 5293.
Bunzl (John), 3423.
Buonocore (Michele), 1459.
Bur (Michel), 2774.
Burck (Erich), 1998.
Burckhardt (Jacob), 393.
Burckhardt (M.), 290.
Burdeau (François), 794.
Burger (Christoph), 4516.
Burgess (C.), 1153.
Burgoyne (John), 6808.
Burk (Kathleen), 3901.
Burke (Edmund M.), 1460.
Burkhardt (William R.), 6187.
Burman (S.B.), 6160.
Burmeister (Karl Heinz), 707.
Burnett (James), 5510.
Burnham (John C.), 5136.
Burns (Malcolm R.), 5723.
Burns (Richard Dean), 6616.
Burr (Aaron), 3650.
Burrow (John), 3155.
Burstin (Haim), 3767.
Burton (John), 6087.
Buscaglia (Marino), 5246.
Busch (Jane), 4888.
Bușe (Constantin), 7089.
Bush (Michael Laccohee), 829.
Bushnell (David), 3152, 3405.
Bushnell (Horace), 4660.
Busino (Giovanni), 320.

Bußmann (H.), 152.
Bußmann (Walter), 3258.
Buszko (Józef), 4167.
Buteux (Paul), 7303.
Butler (Jon), 4634.
Butler (Rémy), 6088.
Button (H. Warren), 4889.
Butvin (Jozef), 4282.
Buzatu (Gheorghe), 765, 4225, 7089.
Buznik (V.V.), 5364.
Bykov (G.V.), 905.
Byng (Julian Hedworth George Byng, 1st viscount), 7095.
Byron (George Gordon Noel Byron, 6th baron), 5360.
Bystrzycki (Przemysław), 7206.

C

Cabantous (Alain), 735.
Cabral (Amilcar), 6714.
Cacciatore (G.), 403.
Cadé (Michel), 6396.
Cadell (Hélène), 1231.
Cadogan (Gerald), 1401.
Caecina (Aulus), 1885, 1908.
Caelius Rufus (Marcus), 1726.
Caesar (Gaius Julius), 1803, 1805, 1811, 1855.
Çağman (Filig), 304.
Cagnazzi (S.), 1465.
Cahen (Claude), 2483.
Cahen (Gilbert), 80.
Caillat (Colette), 410.
Caillet (Maurice), 36.
Cain (Louis P.), 6089.
Cain (Neville G.), 5753.
Cajetan (Tommaso de Vio), cardinale, 4584.
Cakebread (D.), 5566.
Calafeteanu (Ion), 7081, 7355.
Calderón de la Barca (Pedro), 5559.
Calhoun, family, 6273.
Calhoun (Charles W.), 6853.
Calhoun (John C.), 3521.
Calkins (Robert G.), 2952.
Callahan (Patrick Henry), 4532.
Callan (Edward), 5336.
Callas (Maria [Kalogeropoulos]), 5538.
Callistratus, miles et martyr, probabilius Byzantii, Sanctus, 2127.
Callmer (Christian), 282, 4005.
Callu (Jean-Pierre), 104.
Calmes (Albert), 4132.
Calmeyer (P.), 1278.
Caltabiano (M.), 1783.
Calvert (Randall L.), 3567.
Calvin (Jean), 4647, 4703.
Cambel (Samuel), 4283.
Cambitoglou (Alexander), 1701.
Cambon (Jules Martin), 7055.
Cameron (Averil), 1383.
Cameron (Joy), 808.
Camic (Charles), 4793.
Camp (John), 285.

Camp (Wesley D.), 875.
Camanini (G.), 4087.
Campbell (Bruce M. A.), 2775.
Campbell (David A.), 1558.
Campbell (Debra), 4527.
Campbell (John), 3902.
Campbell (Malcolm), 1428, 1559.
Campbell (Randolph B.), 3568.
Campus (Eliza), 7081.
Câncea (Paraschiva), 4243.
Cancila (Orazio), 6188.
Candolle (Alphonse Louis Pierre Pyrame de), 5167.
Caner (Ertuğrul), 1112.
Canflora (Luciano), 533.
Caniou (Juliette), 4890.
Canning (Joseph P.), 2990.
Cannyer (Christian), 2399.
Canny (Nicholas), 4053.
Canovan (Margaret), 5037.
Cantacuzino (Constantin), 394.
Cantillo (G.), 403.
Capasso (M.), 2.
Capetiens (les), dynastie, 2575.
Capie (Forrest), 3903, 5616, 6022.
Capitani (F. de), 2258.
Capito (Wolfgang Fabricius), 4692.
Čapková (Dagmar), 4891.
Caplan (Neil), 7030.
Căpreanu (Ioan), 6397.
Caprivi (Leo, Graf von), 7005.
Caquot (André), 407, 462.
Caracalla (Marcus Aurelius Antoninus), empereur romain, 1808, 2079.
Caracciolo (Francesco), 4090.
Caragiale (Ion Luca), 5362.
Caraman (Petru), 623.
Carandini (A.), 1922.
Carawan (Edwin M.), 1492.
Carbonell (Charles Olivier), 314.
Cardascia (Guillaume), 1204.
Cárdenas (Lázaro), 4144.
Cardoso (Gerald), 6785.
Cark (Sandra), 5276.
Carlé (María del Carmen), 2717.
Carle (Paul-Laurent), 2110.
Carlen (Louis), 2722.
Carley (Lionel), 5511.
Carley (Michael Jabara), 7031.
Carlier (Claude), 5724.
Carlisle (George William Frederick Howard, 7th earl), 3968.
Carlos III, rey de España, 3498.
Carlson (Leonard A.), 3569.
Carlton (Charles), 3904.
Carlton (David L.), 6189.
Carlyle (Aelred), bishop, 4676.
Carlyle (Thomas), 395.
Çarmagnani (Marcello) 6023.
Carmichael (C.M.), 1306.
Carmigniani (Juan Carlos), 3877.
Carmona (Michel), 3768.

Carmona Badia (X.), 5725.
Carnarvon (James Brydges, earl of), v. Chandos James Brydges, 1st duke of).
Carnegie (Andrew), 4923.
Caro (Robert A.), 3570.
Caroli (Michael), 3232.
Carolingiens (les), dynastie, 2426, 2484, 2509, 2525, 2530, 2549, 2573, 2711, 2727, 2729, 2750, 2799, 2883, 2890, 3038, 3038, 3064, 3065.
Caron (François), 534.
Carozza (Maria Eloisa), 908.
Carp (E. Wayne), 3571.
Carr (Annemarie Weyl), 2320.
Carr (Barry), 4137.
Carr (Francis), 5512.
Carr (Lois Green), 6825.
Carranza (Venustiano),4140, 7042.
Carreira (António), 5617.
Carretta (Vincent), 5294.
Carrié (Jean-Michel), 1870.
Carrion (Arturo Morales), 4206.
Carroll (F.M.), 4054.
Carruthers (Michael), 7428.
Carson (D.A.), 972.
Carstairs (G.M.), 7429.
Carstensen (Fred V.), 5629, 5726.
Cârțână (Iulian), 321.
Carter (Harold), 184.
Carter (Jimmy [James Earl]), 3539, 3593, 4961, 7337.
Carter (Margaret), 5428.
Carter (Robert E.), 2113.
Cartier (Michel), 7490.
Carus-Wilson (E.M.), 2779.
Carver (Terrell), 5038.
Casada (James A.), 4635.
Casanova (Angelo), 1560.
Casciaro (José María), 2164.
Casertano (Giovanni), 1561, 1567.
Casetti (P.), 1307.
Casini (Paolo), 5157.
Cassandro (Michele), 5618, 6024.
Cassano (Selene M.), 1081.
Cassard (Jean-Christophe), 2776.
Cassidy (Keith), 6398.
Cassiodorus (Flavius Magnus Aurelius C. Senator), 2215, 2550, 2931.
Cassius (Gaius Avidius), 1767.
Castelot (André), 3769.
Castiglione (Branda de), légat apostolique, 2622.
Castlereagh (viscount), v. Londonderry (Robert Stewart, 2nd marquess of).
Castries (René de La Croix, duc de), 3770-3772.
Castro Calvo (Manuel de), 4588.
Castronovo (Valerio), 6025.
Cataldi (Silvio), 1504.
Cato (Marcus Porcius), Censor, 1731.

Cato (Marcus Porcius), Uticentis, 1798.
Catrinoiu (Ilie), 2193.
Catullus (Gaius Valerius), 1727, 2013.
Caulier-Maty (N.), 6565.
Caute (David), 6713.
Cavallo (Guglielmo), 2.
Cavarzere (Alberto), 1726.
Cavendish, House of, 744.
Cavendish (Richard), 1017.
Cawelti (John), 6145.
Cayron (Claire), 5337.
Cazaban (Ion), 5502.
Cazacu (Matei), 4343.
Căzan (Florentina), 2616.
Căzan (Gheorghe Nicolae), 6962.
Căzănișteanu (Constantin), 7016.
Cazelles (Henri), 946, 1315.
Cazin (Paul), 4528.
Cea Egana (A.), 7587.
Ceacalopol (Gloria), 576.
Ceaușescu (Ilie),4229, 6469.
Ceaușu (Mihai Ștefan), 309.
Čeboksarov (N.N.), 7500.
Cebuc (Alexandru), 310.
Cecil (Lord David), 5338.
Cedzow (John F.), 4228.
Cegielski (Tadeusz), 6891.
Cegna (Romolo), 2401.
Čejka (Eduard), 7111, 7215.
Cejpová (Zdena), 4280.
Ceka (Neritan), 1157.
Célérier (Guy), 1057.
Celsus (Aulus Cornelius), 1749.
Čelyšev (I.A.), 7129.
Censorinus, Grammaticus, 1728, 2012.
Čeporanová (Drahomíra), 5519.
Čepurenko (A. Ju.), 6480.
Čerkasov (P.P.), 6677.
Cernigliaro (Aurelio), 4091.
Černjak (A.B.), 1975.
Cernovodeanu (Dan), 81.
Černý (František), 5519.
Cerri (Giovanni), 1380.
Čertina (Z.S.), 4344.
Cervenca (Giuliano), 1871.
Cesana (Andreas), 381.
Češka (Josef), 2165.
Çetin (Attilâ), 255.
Chabal (Patrick), 6714.
Chabanne (Robert), 2617.
Chadwick (Henry), 2107, 2141.
Chadwick (Owen), 3905.
Chafe (William H.), 3572.
Chałasiński (Józef), 481.
Chalcidius, 797.
Challe (Robert), 5015.
Chalmers (Thomas), 4632.
Chamberlain (Muriel E.), 3906.
Chamberlain ([Arthur] Neville), 7176, 7197.
Chamberlin (E.R.), 2618.
Chambers (Bettye Thomas), 29.
Chambers (Frances J.), 4022.
Chambord (Henri de Bourbon, duc de Bordeaux, comte de), 3823.
Chambrun (René de), 3773.

Champollion(Jean François), 396.
Chan (Anthony B.), 6090.
Chand (Attar), 6615, 7491.
Chandler (David P.), 7464.
Chandler (William E.),3542.
Chandos (James Brydges, earl of Carnarvon, 1st duke of), 3951.
Chang (Aloysius), 7492.
Chang (K.C.), 7493.
Chaplin (Ari), 4230.
Chapman (G.A.H.), 1562.
Chapman (J.C.), 877.
Char (S. V. Desika), 7430.
Charcot (Jean Martin), 5152.
Chardin (Jean Baptiste Siméon), 5477.
Charisius (Albrecht), 6628.
Charland (Jean-Pierre), 4869, 4892.
Charlemagne, v. Karl I., röm. Kaiser, König der Franken.
Charles V le Sage, roi de France, 2655.
Charles VII, roi de France, 2625.
Charles I, king of Great Britain a. Ireland, 3885, 3904, 3938, 3943.
Charles II, king of Great Britain a. Ireland, 6537.
Charlot (Jean), 3774.
Charlton (Peter), 7216.
Charon-Bordas (Jeannine), 256.
Charon-Parent (Annie), 32.
Charous (J.), 5501.
Chartier (Roger), 43, 535.
Chastagnol (André), 1760.
Chastenet (Geneviève), 3775.
Chateaubriand (François René, vicomte de), 5370.
Châtelain (André), 2953.
Châtelet (François), 1461.
Chatham (William Pitt, 1st earl of), 6790.
Chatzēargyrē (K.), 7345.
Chaumeil (Jean-Pierre), 624.
Chauney (Martine), 724.
Chaunu (Pierre), 3803, 4479.
Chaussinand-Nogaret (Guy), 3811.
Chauveau (Jean-Paul), 161.
Chavaillon (Jean), 1059.
Chavaillon (Nicole), 1059.
Chawla (V.), 7438.
Checkland (Sydney George), 5576.
Chejne (Anwar G.), 4748.
Chemetsov (A.V.), 105.
Ch'en (Tu-hsiu), 7503.
Chenevière (Jean-Jacques-Caton), 4983.
Cheney (Christopher R.), 3027.
Cheney (Rose A.), 6091.
Cheng (Peter), 7477.
Chernaik (Warren L.), 5295.
Cherry (John F.), 1015.
Cherwinski (W.J.C.), 3471.
Chester (Ranulf de Blundeville, earl of), 2558.
Chester (Edward W.), 6629.
Chevallier (Raymonde),1784.
Cheyns (André), 1563.
Chiabò (Maria), 1739.

INDEX OF NAMES

Chiappa Mauri (Luisa), 2778.
Chidester (David), 2259.
Childers (Thomas), 3259.
Chilton (B.D.), 1308.
Chimelli (Claire), 4615.
Chin, dynasty of north China, 7534.
Chindriş (Ioan), 385.
Ch'ing, Chinese dynasty, 7512, 7517, 7536.
Chiosso (Giorgio), 4893.
Chiper (Marieta Adam), 769.
Chirilă (Eugen), 106.
Chissell (Joan), 5513.
Chlebowski (Cezary), 7262.
Chodubski (Andrzej), 4794.
Choffel (Jacques), 2561.
Choisy (François-Timoléon, abbé de), 5305.
Chojnacki (Władysław), XVI, 4795.
Cholawski (Shalom), 7112.
Chollet (Roland), 5339.
Chortatos (Titos K.), Archim., 2262.
Chouet (Jean-Robert), 4856.
Chouteau, family, 5861.
Chrestou (Chrysanthos), 5456.
Chrétien (Jean-Pierre), 6715.
Christ (Günter), 3260.
Christ (Karl), 1785.
Christensen (T.), 2112.
Christes (J.), 1975.
Christina, reine de Suède, 6898.
Christoph Bernhard von Galen, Bischof von Münster, 6886.
Christophe (J.), 461.
Christophilopoulou (Aikaterinē), 2321.
Chrościcki (Juliusz Antoni), 5408.
Chrysostomus, v. Johannes Chrysostomus.
Church (Clive H.), 3153.
Churchill (Charles), 5294.
Churchill (Sir Winston Leonard Spencer), 3935, 3962, 3964, 3085, 7126, 7142, 7211.
Ciachir (Nicolae), 6918.
Ciampi (Gabriella), 4894.
Cicero (Marcus Tullius), 795, 1730, 1750, 1757, 1860, 1885, 1908, 1976, 1988, 1999, 2007, 2019, 2028, 2029.
Cieślak (Tadeusz), 3728.
Cinadone, v. Kinadōn.
Činggis-Kan, v. Genghis Khan.
Ciobanu (Gheorghe), 5498.
Ciobanu (Radu Ştefan), 394.
Ciobanu (Ştefan), 774.
Ciobanu (Veniamin), 765, 6873.
Ciobotea (Dinică), 107.
Ciolkovskij (Konstantin Eduardovič), 5139.
Cioranescu (Alexandre), 4796.
Cipolla (Carlo Maria), 2785.
Circourt (Adolphe de), 3745.
Circourt (Mme de), 3745.
Ciriacono (Salvatore), 5727.

Cirillo (Luigi), 2194.
Čistjakov (O.I.), 4345.
Čistjakova (E.V.), 467.
Čistjakova (N.A.), 1564.
Čistov (K.V.), 625.
Citron (Pierre), 5499.
Ciubotaru (Silvia), 623.
Ciurdariu (Ana), 4210.
Ciurea (Ioan), 7032.
Cizek (Eugen), 1786.
Clack (J.), 1412.
Clairmont (Christoph), 1493.
Clanchy (M.T.), 2562.
Clarendon (Edward Hyde, 1st earl of), 3938.
Clarín [pseud.], v. Alas (Leopoldo).
Clark (Geoffrey A.), 1060.
Clark (M.E.), 1787.
Clark (Michael D.), 5039.
Clark (Peter), 830.
Clark (Ronald William), 3573.
Clark (Samuel), 4055, 4062.
Clark (Stuart), 536.
Clark (W. Leland), 3471.
Clarke (H.W.), 1646.
Clarke (Roger Alfred), 5619.
Clarkson (L.A.), 4064, 4067.
Clarysse (Willy), 1232.
Classen (C. Joachim), 1626.
Classen (Peter), 878, 2879.
Claudius I (Tiberius C. Nero Germanicus), empereur romain, 1907.
Claus (Helmut), 4616.
Clausewitz (Karl von), 3350.
Clauss (Manfred), 1462.
Clavel-Lévêque (Monique), 831, 1376, 1872.
Claxton (Robert H.), 537.
Clay (Lucius Dubignon), 7296.
Clemenceau (Georges), 3800, 3863.
Clemens Alexandrinus (Titus Flavius), 2254.
Clemens (Gabriele), 3261.
Clément (Pierre-A.), 832.
Clements (Frank A.), 4153.
Clements (R.E.), 1309.
Clemoes (Peter), 2516.
Clemson (Thomas Green), 6273.
Clermont-Tonnerre (Gaspard de), 6931.
Clines (David J.A.), 1038.
Cliveti (Gheorghe), 6963.
Cloşca (Ionel), 7355.
Clostermeyer (Claus-Peter), 5040.
Clottes (Jean), 1093.
Cloulas (Ivan), 6190.
Clovis, roi des Francs, 2551.
Clowt (H.D.), 5914.
Clutton-Brock (Juliet), 1054.
Coarelli (Filippo), 2044, 2946.
Cobb (Richard), 3776.
Cobban (Alan B.), 2880.
Cobbett (William), 3986.
Cobden (Richard), 5577.
Cobley (John), 6854.
Cochlaeus (Johannes), 4474.
Cochran (Thomas C.), 5728.
Cociş (Sorin), 2047.
Cockfield (Jamie), 6964.

Coelho (Maria Helena da Cruz), 2780.
Cohen (Amnon), 4749.
Cohen (David), 1494.
Cohen (I.I.), 4037.
Cohen (Jeremy), 2672.
Cohen (Lester H.), 4797.
Cohen (Robert), 4750.
Cohen (S.J.D.), 1310.
Cohen (Sol), 4895.
Cohen (Stanley G.), 7494.
Cohen (Warren I.), 477, 7304.
Cohen (William B.), 6716.
Cohen (Yerachmiel Richard), 3777.
Cointet (Jean-Paul), 7167.
Colaiaco (James A.), 5041.
Colbert (Jean Baptiste), 6675, 6908.
Colburn (David R.), 3574.
Colcord (Lincoln), 437.
Colden (Cadwallader) II, 6801.
Cole (Bernard D.), 7033.
Cole (Jeffrey A.), 6786.
Cole (Wayne S.), 3575.
Coleman (John), 3778.
Coleridge (Samuel Taylor), 5301, 5342.
Colette (Sidonie Gabrielle), 5394.
Collaer (Paul), 928.
Collett (David), 7556.
Collier (George A.), 627.
Collier (John), 3634.
Collier (John) Jr., 3634.
Collier (Simon), 3154.
Collin-Delavaud (A.), 5913.
Collini (Stefan), 3155.
Collins (B.), 3627, 4064.
Collins (Desmond), 1061.
Collins (Michael), 4057, 5616.
Collins (Philip), 5340.
Collins (Robert O.), 6717.
Collinson (Patrick), 4636.
Collis (John), 1130.
Collison (Robert L.), 4128, 4320.
Collodo (Silvana), 5620.
Collomp (Alain), 6191.
Colón (Cristóbal), 4462.
Colón (Diego), 6778.
Colson (R. Frank), 6026.
Columba, Abbas Hiensis, Sanctus, 3051.
Columbus, v. Colón.
Columella (Lucius Junius Moderatus), 1922.
Colvin (Howard), 5429.
Coman (Ioan G.), 2195.
Combs (Jerald A.), 6630.
Comenius, v. Komenský (Jan Amos).
Commins (P.), 4062.
Commodus (Lucius Aelius Aurelius), empereur romain, 1813, 2051.
Compère (Marie-Madeleine), 4852.
Compton (W. David), 5159.
Comşa (Eugen), 1082.
Condurachi (Emil), 397.
Cone (John Frederick), 5514.
Confalonieri (Antonia), 5621.
Confucius, 5045, 7494, 7513.
Congdon (Lee), 5042.

INDEX OF NAMES

Conk (Margo A.), 5622.
Conlon (Patrick), 257.
Conlon (Pierre M.), 5013.
Connell (K.H.), 4064.
Connelly (Thomas L.), 3654.
Conner (Valerie Jean), 3576.
Connolly (Cyril), 5392.
Connolly (S.J.), 4056.
Conole (P.), 1788.
Conomos (Dimitri E.), 5515.
Conot (Robert E.), 6611.
Conquest (Robert), 4415.
Conrad (Christoph), 6225.
Conrad (Geoffrey W.), 7568.
Conrad (Joseph), 5314.
Conrad (Margaret), 6192.
Conring (Hermann), 6525.
Conser (Walter H.) Jr., 4637.
Constable (Giles), 2922, 2304.
Constant (Edward W.), 5160.
Constantin Dragaš, 2632.
Constantinescu (Justin), 767.
Constantinescu (N.N.), 5582.
Constantiniu (Florin), 322, 413, 4231.
Coonstantinus I Magnus (Flavius Valerius), empereur romain, 1772, 2187.
Contreni (John J.), 3065.
Contreras (Remedios), 185.
Conze (Werner), 450, 3262, 6347.
Conzen (Kathleen Neils), 6093.
Cook (Chris), 3156.
Cook (J.M.), 1365.
Cook (William R.), 2485.
Cooley (John K.), 4130.
Cooney (Jerry W.), 4155, 4896.
Cooper (Artemis), 3882.
Cooper (Lady Diana), 3882.
Cooper (Douglas), 5457.
Cooper (Duff), v. Norwich (Alfred Duff Cooper, 1st viscount).
Cooper (John Milton), Jr., 3577.
Cooper (Patricia A.), 6193.
Cooper (William J.), 3578.
Cooperman (Bernard Dov), 4752.
Cope (S.R.), 6027.
Copoiu (Nicolae), 4232.
Coppens (C.), 6593.
Coq (Dominique), 32.
Coquerel (Charles), 4983.
Coquery-Vidrovitch (Catherine), 5609, 6718.
Corbea (Andrei), 4233.
Corbo (Virgilio C.), 2196.
Corcelle (Francisque de), 3745.
Cordato (Mary Francis), 6194.
Cordoş (Eva), 766.
Corish (Patrick J.), 4056.
Corley (T.A.B.), 5729.
Corn (Joseph J.), 5730.
Cornea (Andrei), 2048.
Cornell (Lasse), 6195.
Cornell (Sara), 915.
Cornevin (Marianne), 1083.
Coron (Antoine), 32.
Corsaro (Mauro), 1209.
Corsetti (Pierre-Paul), II.

Corsi (Pietro), 879, 5161.
Cortlandt (Philip van), v. Van Cortlandt (Philip).
Corvisier (André), 739, 3779.
Cosgrove (Art), 2619.
Cosma (Octavian Lazăr), 5516.
Costa-Foru (Anca), 5502.
Costea (Florea), 1162.
Costescu (Eleonora), 5409.
Cotes (Peter), 5517.
Cotter (Cornelius), 3579.
Cottrell (Philip L.), 5697.
Courant (Maurice), 398.
Couriau (Louis), 6346.
Courtille (Anne), 2955.
Courtwright (David T.), 6196.
Courville (Serge), 186.
Cousin (Jean), 399, 480.
Coutau-Bégarie (Hervé), 538.
Couthon (Georges), 3872.
Cowan (Ian B.), 742.
Cowan (Ruth Schwartz), 6197.
Coward (Barry), 743.
Cowdrey (H.E.J.), 3028.
Cowless (Virginia), 3907.
Cox (Alwyn), 5484.
Cox (Angela), 5484.
Cox (Michael Andrew), 4897.
Cox (Patricia), 1978.
Cox (Richard J.), 258, 259.
Crăciunoiu (Cristian), 1184.
Crafts (N.F.R.), 5623.
Crahay (Roland), 4495.
Craig (Ann L.), 5915.
Craig (Barbara Lazenby), 5162.
Craig (Edward Gordon), 5528.
Craig (Frederick Walter S.), 3908.
Craig (Gordon A.), 539, 6631.
Craig (Maurice), 916.
Crampton (Richard J.), 3459.
Crankshaw (Shelley), 1062.
Cranston (Maurice), 5043.
Craveri (Marcello), 2166.
Crawford (E.M.), 4064.
Crawford (Martin), 6965.
Crawford (Michael H.), 1198, 1414.
Creangă (Ion), 5362.
Creed (Walter G.), 5044.
Cremades (Ignacio), 1873.
Cremascoli (Giuseppe), 2481.
Crepu (Michel), 272.
Creutz (Ursula), 3022.
Crimmins (Thimoty), 3519.
Criniti (N.), 1789.
Criscuolo (U.), 1979.
Crist (Linda Lasswell), 3522.
Cristea (Gheorghe), 5916.
Cristian (Vasile), 490.
Cristofani (Mauro), 1711.
Crobylus, v. Krōbylos.
Croce (Benedetto), 320, 400.
Croke (Brian), 1791, 1792.
Crone (Michael), 7113.
Cronin (James), 6399.
Cronon (William), 6787.
Crosby (Earl W.), 5917.
Crosby (Everetto Uberto), 2479.
Cross (D. Suzanne), 6358.

Cross (Gary S.), 6198.
Cross (Michael S.), 6799.
Crout (Robert Rhodes), 3741.
Crouwel (Joost), 1120.
Crouzel (Henri), 2197.
Crouzet (Denis), 3780.
Crouzet (Henri), 2179.
Crowder (Michael), 6736.
Crowe (David), 7168.
Crown (Alan D.), 1311.
Crowther (M.A.), 6199.
Cruickshanks (Eveline), 6541.
Crummey (Robert O.), 4346.
Crump (John), 6400.
Crunden (Robert M.), 3580.
Csendes (Peter), 6927.
Csöppüs (István), 7169.
Čubrilovič (V.), 6945.
Cudworth (Charles), 5527.
Čuenot (René), 725.
Čuguevskij (L.I.), 7480.
Cugusi (Paolo), 1980.
Cuillieron (Monique), 3066, 3781.
Culianu (Ioan Petru), 965.
Cullen (Charles T.), 3527.
Cullen (L.M.), 4064.
Cumberland (William H.), 3581.
Cumings (Bruce), 6632, 6633.
Cummianus Fada Hibernus, Sanctus, 69.
Cunha (Mafalda Soares da), 5869.
Cunliffe (Barry), 1131.
Cunninghame Graham (Gabriela), 5377.
Cunninghame Graham (Robert Bontine), 5377.
Cuozzo (Errico), 2719, 2781.
Cupşa (Ion), 178.
Curchin (Leonard A.), 1923.
Curl (James Stevens), 5430.
Curticăpeanu (Vasile), 323.
Curtin (Patricia Romero), 7546.
Curtin (Philip D.), 7547.
Curtis (Patrick), archbishop of Armagh, 4560.
Curtius Rufus (Quintus), 1424.
Curzon of Kedleston (George Nathaniel Curzon, 1st marquess), 3953.
Cusanus (Nicolaus), v. Nikolaus von Kues.
Cuscito (G.), 2116, 2198.
Cushner (Nicholas P.), 6788.
Cutişteanu (Simion), 4212.
Cutsinger (James S.), 5342.
Cuvier (Georges Léopold Chrétien Frédéric Dagobert, baron), 5149.
Cuza (Alexandru Ioan), prince de Roumanie, 4254, 4260, 5261, 6531.
Cybenko (O.P.), 1565.
Cygielman (S.A.), 2673.
Cyprianus (Caecilius), Thascius, Ep. Carthaginiensis, Sanctus, 2142, 2184.
Cyrillus, Patriarcha Alexandrinus, Sanctus, 2117.
Cyrillus Scythopolitanus, v. Kyrillos Skythopolitos.
Czachowska (Jadwiga), 5311.
Czarnecki (Maciej), 760.

INDEX OF NAMES

Czarnik (Andrzej), 7034.
Czepulis Rastenis (Ryszarda), 6246.
Czerniaków (Adam), 7102.
Czeszejko-Sochacki (Zdzisław), 6606.
Czok (Karl), 324.

D

Dąbrowa (Edward), 1366.
Dach (Krzysztof), 6966.
Dacke (Bärbel), 796.
Dadian (Cecelia), 3520.
Däuble (Friedrich), 4519.
Daget (Serge), 5858.
Dagobert I., König der Franken, 2409.
Dagron (Gilbert), 2322.
Dahan (Gilbert), 402, 3067.
Dahlin (Michael R.), 5320.
Dahlmann (Friedrich Christoph), 693.
Dahm (Volker), 3223.
Dahnke (Hans-Dietrich), 5268.
Daicu (Jordan), 628.
Daigle (Johanne), 6358.
Daix (Pierre), 5458.
Dalberg (Karl Theodor von), Erzbischof von Mainz, Bischof von Regensburg, 3260.
Dalgaard (Bruce R.), 4021.
Dalla (Danilo), 1874.
Dallek (Robert), 3582.
Dalling and Bulwer (William Henry Lytton Earle Bulwer, baron), 6991.
Daltroff (Jean), 3879.
Daly (Kathleen), 2404.
Daly (Lawrence J.), 1793, 2323.
Daly (M.), 4064, 4067.
Daly (M.W.), 4266, 6719.
Daly (Mary Elizabeth), 6200.
Damas (Germán Carrera), 3157.
Damascus, Papa, Sanctus, 2175.
D'Amico (John F.), 4800.
Damon (Frederick H.), 629.
D'Amore (Arcangelo R. T.), 5136.
Dan (Ilie), 153, 3118.
Dandamaev (M.A.), 1268.
D'Andria (Francesco), 1703.
Dani (Ioan), 4787.
Daniel (Constantin), 1269.
Daniel (Glyn), 1076.
Daniels (Bruce C.), 6789.
Danielson (Elena S.), 3516.
Danka (Jolanta), 2429.
Danopoulos (Constantine P.), 4006.
Danylewycz (Marta), 6288, 6358.
Dardess (John W.), 7495.
Dargomyžskij (Aleksandr Sergeevič), 5545.
Daris (Sergio), 1233, 1735.
Darroch (A. Gordon), 5731.
Darrouzès (Jean), 2298.
Darvish (Tikva), 4046.
Darwin (Charles Robert), 5156, 5180, 5195, 5234, 5240, 7522.

Dascălu (Nicolae) 421, 4234.
Daškova (Ekaterina Romanovna Voroncova, knjaginja), 4394.
Daszkiewicz (Robert Kazimierz), 6201.
Datema (C.), 2118.
Datner (Szymon), 7263.
Daubigney (Alain), 1158.
Daugsch (Walter), 4481.
Daultrey (S.), 6095.
Daumard (Adeline), 6306.
Daunton (M.J.), 6094.
Dauphin (Claudine), 2324.
Dautzenberg (Gerhard), 2211.
Dauvillier (Jean), 2300.
Daux (Georges), 68.
Davenport (James), 4719.
David ben Isaac, rabbi, 4785.
David (Jean-Michel), 2050.
David (Philippe), 3734.
Davidovič (D.A.), 701.
Davidovič (E.A.), 110.
Davidson (Basil), 3158.
Davies (A.C.), 4064.
Davies (D. Hywel), 3909.
DAvies (James A.), 5343.
Davies (Laurence), 5314.
Daviet (Jean-Pierre), 5732.
Davis (Eric), 6029.
Davis (J.), 4638.
Davis (Jefferson), 3522.
Davis (Natalie Zemon), 3782, 6202.
Davis (Richard), 6030.
Davis (Richard L.), 7496.
Davis (S.J.M.), 1019.
Davis (Walter W.), 5045.
Davis (Whitney), 1234.
Daweewarn (Dawee), 7465.
Dawson (Frank Griffith), 6790.
Day (John), 2782.
Deac (Alexandrina), 5423.
Deac (Augustin), 4213.
Deagan (Kathleen), 6791.
Deak (Istvan), 4026.
Debien (Gabriel), 5847.
De Boer (M.B.), 1757.
Debrizzi (John A.), 6401.
Debussy (Claude), 5518.
Decker (Wolfgang), 1218.
Decsy (János), 6967.
Dedek (John F.), 3068.
Deeters (Joachim), 847.
Defrasne (colonel Jean), 3783.
De Frede (Carlo), 2620.
Degani (Hentzius), 1426.
Degany (Ben-Zion), 2674.
Deger-Jalkotzky (S.), 1187.
De Giovanni (Lucio), 1875.
Degkwitz (Jochen), 7497.
Degn (Christian), 4487.
Dehergne (Joseph), 4593, 7498.
Dehler (Thomas), 3231.
Deichgräber (Karl), 1566.
Deichmann (Friedrich Wilhelm), 2199.
Deininger (Helga), 6968.
Deisenroth (Alexander), 325.
Dekkens (Eligius), 2882.
De Krey (Gary S.), 3910.
De Laet (S.J.), 1008, 1101.
Delaney (Edward), 6004.
Delebecque (E.), 401, 482.

De Leo (Pietro), 3069.
De Leon (Arnaldo), 3583.
Delhoume (Jean-Pierre) 2040.
Delisle (Joseph-Nicolas), 5137.
Delius (Frederick), 5511.
Delluc (Brigitte), 1063.
Delluc (Gilles), 1063.
Delmaire (Bernard), 2783.
Delmaire (Roland), 108.
Delmas (Jean), 7035.
Deloffre (Frédéric), 5015.
Delorme (Robert), 6028.
Delort (Robert), 2784.
Delpech (François), 402, 3159.
Delperrié de Bayac (Jacques), 2563.
Del Piazzo (Marcello), 78.
De Lucia (M.), 5624.
Delumeau (Jean), 966.
Delureanu (Ștefan), 6969.
De Maddalena (Aldo), 2785, 5046.
Dēmakēs (Iōannēs D.), 3160.
Demandt (Alexander), 4801.
Demandt (Dieter), 2675.
Dēmaras (K. Th.), 5048, 5344.
Demargne (P.), 228.
Demars-Sion (Véronique), 6203.
Dembo (Jonathan), 3584.
Demel (Walter), 3263.
Demény (Lajos), 4027, 4222.
Demerliac (Jean-Gabriel), 1312.
Demetrius, Martyr, Sanctus, 2263.
Dēmētropoulos (Char.), 5499.
Dēmētropoulos (Haralampos P.), 5431.
Demicheli (Anna Maria) 2325.
Demidov (V.A.), 4347.
D'Emilio (John), 6204.
De-min, De Ming, Russian sinologist, 7485.
Demo (Z.), 111.
Dēmokritos, 1567, 1569, 1590, 1605.
De Morgan (Augustus), 5228.
Dēmosthenēs, 1418, 1442, 1473, 1488, 2029.
Demougeot (Emilienne), 112.
Demuth (Joseph), 756.
Deneen (Terrence M.), 3106.
Dennell (Robin), 1020.
Dennery (Annie), 2980.
Denning (Alfred Denning, baron), 6519.
Denoon (Donald), 833.
Dent (C.M.), 4639.
Denvir (Bernard), 5410.
Depretis (Agostino), 4894.
Dereine (Charles), 21, 3070.
Derevjanko (A.P.), 1064.
Derfler (Leslie), 3785.
Dermenjian (Geneviève), 6720.
Deroc (Antonin), 113.
Déroche (François), 2405.
De Rosa (Luigi), 6031.
Deroux (C.), 2021.
Derrick (Jonathan), 6721.
Derry (T.K.), 4151.
Dertilēs (Giōrgos), 6970.
Derville (Alain), 2786.
Desai (Meghnad), 7427.

Desanges (Jehan), 1371.
Descartes (René) 5023, 5062, 5079.
Deschner (Karlheinz), 4504.
De Schweinitz (Karl), 6690.
Descimon (Robert), 3786.
Descours-Gatin (Chantal), 7458.
Désert (Gabriel), 6205.
De Shazo (Peter), 6402.
Desiderius, abbas, v. Victor III, Papa.
De Simone (Carlo), 154.
Desjardins (Ghislaine),6358.
De Smet (J.M.), 483.
Desmond (Adrian), 5163.
Des Périers (Bonaventure), 5272.
Des Places (Edouard), 2121.
Desplat (Christian), 6542.
Desportes (Catherine), 6931.
Desportes (Pierre), 738.
Despotopoulos (C.), 1568.
Despotopoulos (K.I.), 1569.
Desroches (Jean Marie), 4853.
D'Este (Carlo), 7217.
Destombes (Marcel), 188.
Dethlefs (Gerd), 3285.
Detorakēs (Theocharēs S.), 5259.
Detys (Simone), 1132.
Deuchert (Norbert), 3264.
De Valera (Eamon), 4048, 4054, 4057.
Devine (Thomas Martin), 3911.
Devine (Warren D.) Jr., 5733.
Devonshire, Dukes of, 744.
De Vries (Willem A.), 540.
Dewailly (Martine), 1705.
Dewey (Frank L.), 6520.
Dewitte (Alfons), 5277.
De Witte (Charles-Martial), 2406.
Dexippus (Publius Herennius), 1724.
Dhanagare (D.N.), 7431.
Dhérent (Catherine), 2788.
Dianoux (Hugues-Jean de), 6634.
Díaz (José), 3508.
Díaz (Porfirio), 4142.
Díaz-Bautista (Antonia), 2326.
Díaz y Díaz (Manuel C.), 2136, 2407.
Di Berardino (Angelo), 2167.
Dickason (Olive P.), 6792.
Dickel (Horst), 7170.
Dickerhof (Harald), 3029.
Dickerson (Dennis C.), 4640.
Dickinson (John), 6802.
Dickson (D.), 3911, 6095.
Diderot (Denis), 5113.
Didymus Alexandrinus Caecus, 2203, 2247.
Didymus (Arius), v. Areios Didymos.
Diefendorf (Barbara A.), 3787.
Diefenthaler (Jon), 5047.
Diehl (Richard A.), 7562.
Diesbach (Ghislain de), 5345.
Diestelkamp (Bernard),6566.
Dietmar (Carl D.), 2519.

Dietrich (Dieter), 4898.
Dietrichstein, Adelsgeschlecht, 73.
Dietz (Karlheinz), 2051.
Dietze (Walter), 5296.
Di Felice (Renzo), 4769.
Dikova (T.M.), 1021.
Dilg (Peter), 898.
Dill (Alonzo Thomas), 6793.
Dilthey (Wilhelm), 403.
Dilts (M.R.), 1442.
Dimakis (Panayotis), 1393, 1495.
Dimaras, v. Dēmaras.
Di Marco (M.), 1570.
Dimitrijev (Alexander S.), 5268.
Din (Gilbert C.), 6794.
Diner (Hasia R.), 6206.
Dinet (Dominique) 287, 4530.
Dinet (Henri), 3788.
Dingley (Nelson A.) Jr., 3542.
Dinklage (Karl), 6567.
Dinnerstein (Leonard), 3585.
Dinwiddy (Hugh), 4322.
Dinzelbacher (Peter), 2883.
Dio Cassius, v. Diōn Kassios Kokkēianos.
Diodōros ho Sikelos, 1424, 1430, 1441.
Diogenēs ho Apollōniatēs, 1419.
Diogenēs ho Oinoandaios, 1560.
Diogenēs ho Sinōpikos, 1610.
Diōn Chrysostomos, 1550, 1614, 1632.
Diōn Kassios Kokkēianos, 1793, 1800.
Dionysios Halikarnassios, 1439, 1709, 2183.
Dionysius Aeropagita, 2241, 2995.
Diophantos Alexandreōtikos, 1409.
Dioskorides (Pedanius), 1440, 1447.
Diószegi (István), 6635.
Dipper (Christof), 4092.
Ditchfield (G.M.), 3912.
Di Tella (Guido), 3406.
Dittrich (Bernhard), 4482.
Divine (Donna Robinson), 4753.
Di Vita (Antonio), 2052.
Divjak (Johannes), 2141.
Dixon (John), 7499.
Dixon (Suzanne), 1794.
Djakin (V.S.), 4348.
D'jakonova (I.M.), 1189.
Długosz (Jan), 404, 2430, 2877, 2899.
Dmitrzak (Andrzej), 7171.
Dobbin (Christine), 4754.
Dobbins (John J.), 2053.
Dobkowski (Michael N.), 3268.
Dobrinescu (Valeriu), 4225.
Dobrogeanu-Gherea (Constantin), 5386.
Dobrowolski (Kazimierz), 7114.
Dobson (Richard Barrie), 2564.
Dobyns (Henry F.), 6795.
Dodd (Dianne), 5164.
Dodd-Oprițescu (Ann), 1084.

Dölger (Franz Joseph), 945.
Döllinger (Johann Josef Ignaz von), 4507.
Dörflinger (Johannes), 189.
Doerflinger (Thomas M.), 5859, 6796.
Doering-Manteuffel (Anselm), 7306.
Dörrie (Heinrich), 484.
Dogaru (Maria), 4214.
Dokoupil (Lumír), 326.
Dolbeau (François), 2119.
Dolch (M.), 835.
Dollfuß (Engelbert), 3420.
Dols (Michael W.), 2693.
Domange (Michel), 3742.
Domergue (Claude), 1924.
Domergue (L.), 3498.
Domínguez Perela (Enrique), 2956.
Domitianus (Titus Flavius), empereur romain, 1848.
Domnick (Heinz Joachim), 3142.
Domonkos (L.S.), 2884.
Domsta (Hans J.), 2475.
Don (Yehuda), 6096.
Donadoni (Sergio), 1235.
Donaldson (Gordon), 4899.
Donciu (Ramiro), 1795.
Dondero (I.), 1835.
Donlon (W.), 1571.
Donnelly (James S.) Jr., 4055.
Donnert (Erich), 2885, 4802.
Donnini (Guido), 6971.
Donoiu (Ion), 114.
Donovan (Robert J.), 3586.
Doolittle (I.G.), 3913.
Dopierała (Kazimierz), 5346.
Dorandi (T.), 2.
Doré (Gustave), 4390, 5475.
Doré (J.), 499.
Dorigny (Marcel), 3789.
Doriot (Jacques), 3764.
Dorn (Jacob H.), 4641.
Dorner-Bader (Eszter), 3419.
Dornic (François), 3811.
Dorošenko (I.), 6411.
Dorosz (Janina), 3161.
Dorovský (Ivan), 422.
Dorpalen (Andreas), 3269.
Dorst (Klaus), 6628.
Doruțiu-Boilă (Emilia),1876.
Dostjan (I.S.), 6945.
Dostojevskij (Fëdor Mikhajlovič), 5347.
Dothan (Moshe), 1313, 1314.
Dotsenko (Paul), 4327.
Dotterweich (Rainer), 2621.
Doughty (Darrell J.), 2200.
Douglass (Andrew Ellicott), 5248.
Doutreleau (Louis), 2108.
Dover (Kenneth J.), 1523, 1572.
Dovženko (Aleksandr), 5536.
Dozier (Robert R.), 3914.
Drabina (Jan), 2622.
Drabkin (Jakov S.), 3270.
Drachenberg (Erhard), 2954.
Dragaš (Constantin), 2632.
Dragne (Florea), 4212.
Dragnich (Alex N.), 4456.
Drago (Roland), 4915.
Dragomir (Ion T.), 1085.
Dragu (Marin), 777.
Drakeman (Donald L.), 6543.

INDEX OF NAMES

Dralle (Lothar), 6033.
Draus (Franciszek), 380.
Dravers (Pauric), 4063.
Dreghiciu (Doina), 37.
Dreher (Martin), 1573.
Dreijmanis (John), 3424.
Drews (Robert), 1496.
Drexhage (Hans-Joachim), 439, 1736.
Dreyer (Frederick), 4642.
Dreyfus (Alfred),3763, 3792, 3822.
Dreyfus (Michel), 6404.
Driesch (A. von den), 1522.
Drimys (Johannes), 2374.
Drincu (Sergiu), 4849.
Drinker (Henry), 5968.
Drinkwater (John F.), 1796.
Driver (Marjorie G.), 7584.
Drobižev (V.Z.), 230.
Drolle (Lothar), 668.
Drotleff (Dieter), 776.
Drouilly (Pierre), 3473.
Droulers (Paul), 5734.
Droulia (Loukia), 4000.
Droysen (Johann Gustav), 403.
Drozdowicz (Zbigniew),4803.
Drydy (P.J.), 4062.
Druyan (Nitza), 4076.
Družinin (Nikolaj Mikhajlovič), 405.
Dubler (Anne-Marie), 836.
Dubnickaja (P.A.), 4431.
Dubofsky (Melvyn), 3587.
Dubois (Jacques), 3030.
Du Bois (Pierre), 7036.
Du Boulay (F.R.H.), 2623.
Du Bourguet (Pierre), 396.
Dubská (Alica), 5519.
Duby (Georges), 736, 2789.
Ducat (Jean), 1451.
Ducellier (A.), 2694.
Duchhardt (Heinz), 3272.
Ducker (James H.), 5735.
Duclos (Jacques), 3871.
Dudden (Faye E.), 6207.
Dudson (Winthrop S.), 4661.
Due (O.S.), 1981.
Dülmen (Richard van),6270.
Düriegl (Günter), 6919.
Dürr (Carl), 2054.
Düsing (Klaus), 5049.
Düwell (Kurt), 3220.
Duffy (Dennis), 5348.
Duffy George Gavan), 6523.
Dufour (Alain), 4615.
Dufour (Jean), 5.
Dufournet (Paul), 485.
Dufresne (Claude), 3790.
Duggan (Margaret), 4643.
Du Halde (Jean-Baptiste), 191.
Duhoux (Yves), 156.
Duicu (Serafin), 457.
Duis (Perry R.), 6208.
Dulaey (M.), 2201.
Dulinicz (Marek), 1022.
Dulles (John W. F.), 3455.
Dulov (A.V.), 4349.
Duman (Daniel), 6594.
Dumas (Françoise), 115.
Dumbravă (Lucian), 1819.
Dumézil (Georges), 406, 969.
Duminil (Marie-Paule), 1574.
Dumitrescu (Vladimir), 1023.
Dumitrescu-Bușulenga (Zoe), 5310, 5373.

Dummer (Jürgen), 672.
Dumont (Micheline), 6288, 6358.
Dumont (Paul), 4310.
Dumortier (Jean), 2137.
Dumoulin (Jean), 3071.
Dumoulin (Michel), 6625, 6972.
Dumova (N.G.), 4350.
Dunand (Françoise), 1236.
Dunbar (Robert G.), 6568.
Duniway (Abigail Scott), 3665.
Dunn (Mary Maples), 6797.
Dunn (Richard S.), 6798.
Dunne (Tom), 3915.
Dunning (C.A.), 3471.
Dunning (Chester), 4351.
Dupanloup (Félix), évêque d'Orléans, 4507.
Dupâquier (Jacques), 3859, 6077.
Dupont-Sommer (André), 407.
Dupuy (Micheline), 4483.
Durand (Georges Mathieu de), 2103, 2108.
Durand (Jean-Marie), 1266.
Durcan (J.W.), 6405.
Du Réau (Elisabeth), 7115.
Dures (Alan), 4498.
Duret (Luc), 2055.
Durkheim (Emile), 524.
Durkovič-Jakšić (Ljubomir), 6149.
Durliat (Jean), 2327.
Duroselle (Jean-Baptiste), 6658, 7172.
Dussault (Gabriel), 5918.
Dutailly (Henry), 3791.
Duthier (John Lowe), 6973.
Du Toit (Andre), 6722.
Dutton (H.I.), 5736.
Dutton (P.E.), 797.
Duțu (Alexandru), 541,4804.
Duval (Paul-Marie), 407.
Duval (Yves-Marie), 2408.
Duval (Yvette), 2328.
Duverger (Christian), 7564.
Duvoisin-Bammate (Juliette), 11.
Dwight (Timothy), 4713.
Dwyer (T. Ryle), 4057.
Dybenko (Pavel Efimovič), 4450.
Dyck (Joachim), 997.
Dylągowa (Hanna), 4531.
Dyskant (Józef Wiesław), 6636.
Dzeržinskij (Feliks Édmundovič), 6411.
Dziak (Waldemar), 7501.
Dzierzbicka (Anna), XVI.
Dziubiński (Andrzej), 757.

E

Eakins (Thomas), 3628.
Easterling (P.E.), 1555.
Eastman (Charles), 3723.
Eayrs (James), 7307.
Ebel (Friedrich), 810.
Ebeling (Erich), 1278.
Eberl (Immo), 2409.
Ebner (Herwig), 2720.
Ebon (Martin), 4352.
Ebrei (Patricia), 7502.
Eccles (William J.), 6678.

Echard (William E.), 6074.
Eck (Werner), 1877, 2202.
Eckhart (Lothar), 2257.
Eckstein (A.M.), 1797.
Ecobescu (Nicolae), 7355.
Eden (Anthony), 3988.
Eden (Robert), 472, 5050.
Eder (Klaus), 1180.
Eder (Wiesława), 6210.
Edgren (Lars), 5627.
Edmonds (Bill), 3793, 3794.
Edmonds (Robin), 7308.
Edmunds (R. David), 3588.
Edroiu (Nicolae), 4219.
Edward I, king of England, 2557.
Edward III, king of England, 2650, 2868.
Edwards (David L.), 971.
Edwards (Jonathan), 4659.
Edwards (Mark U.) Jr., 4644.
Edwards (P.G.), 3412.
Edwards (Robert W.), 2329.
Edwards-Stuart (I. A. J.), 3916.
Edzard (Otto D.), 1278.
Eecke (Wilfred ver), 5051.
Efremova (N.N.), 6569.
Egan (Clifford L.), 6935.
Egan (Kieran), 542.
Eginhard, v. Einhard.
Egorov (B.F.), 4392.
Ehbrecht (Wilfried), 504.
Ehlers (W.W.), 1982.
Ehrenpreis (Irvin), 5297.
Ehrhardt (Norbert), 1463.
Ehrlich (C.), 4064.
Ehrman (B.D.), 2203.
Ehrman (John), 3917.
Eichhorn (Wolfgang), 543.
Eichler (Hava), 4028.
Eichler (Jan), 3795.
Eigl (Kurt), 6912.
Einhard, Chronist, 2435.
Einhorn (Marion), 7173.
Einstein (Albert), 5145.
Eirēnē, Irène, impératrice de Byzance, 2293.
Eisen (Arnold M.), 4754a.
Eisenach (Eldon J.), 5052.
Eisenbach (Artur), 4169, 7144.
Eisenberg (Carolyn), 7309.
Eisenburger (Eduard), 4235.
Eisenhower (Dwight David), 3526, 3579, 3625, 3670, 3680.
Eisenhut (Werner), 1727.
Eisenstein (Elizabeth L.), 40.
Eisenstein (Sergei M.), v. Ejzenštijn (Sergej Mikhajlovič).
Eisler (Jiří), 2533.
Eisnerová (Věra), 7310.
Eitner (Lorenz E.A.), 5460.
Ejdlin (L.Z.), 7532.
Ejzenštejn (Sergej Mikhajlovič), 5536.
Elam (Lloyd C.), 4965.
Eldot (Paula), 3589.
Eleazar ben Jair, 1355.
Elefterescu (Dan), 2081.
Eliade (Mircea), 939.
Eliade (Pompiliu), 4804.
Eliade Rădulescu (Ion), 5261.

Eliash (Shulamit), 7116.
Eliav (Mordechai), 4077.
Eliot (George) [pseud. of Mary Ann Evans], 5129.
Eliseeva (N.V.), 5628.
Elizabeth I, queen of England a. Ireland, 3918, 3957, 3966, 3969, 3976.
Elkana (Yehuda), 5145.
Elkar (Rainer S.), 834.
Ellis (Maria de Jong), 1270.
Ellis (Stephen), 7037.
Ellis (William E.), 4532.
Ellul (Jacques), 486.
Elm (Ludwig), 4850.
Elon (Amos), 4078.
Eloni (Jehuda), 3273.
Elrod (richard B.), 6975.
Elsenbast (K.), 3119.
Elsner (Jürgen), 928.
Eltis (David), 6097.
Elton (G.R.), X, 546, 3989.
Eluard (Paul) [pseud. d'Eugène Grindel], 5463.
Elzevier, imprimeurs, 54, 55.
Emandi (Emil Ioan), 2790.
Embree (Ainslie T.), 327.
Emery (Marc), 5432.
Eminescu (Mihai), 5362, 5371, 5384, 5388.
Emmanuel (Patrick A.M.), 3163.
Emmett (Acannam), 1792.
Emmons (Terence), 4353.
Enderle-Burcel (Gertrude), 3420.
Ene (Elena), 576.
Enepekidēs (Polychronēs K.), 4007.
Engberg-Pedersen (Troels), 1575.
Engel (A.J.), 4900.
Engel (Barbara Alpern), 4354.
Engel (David), 7117.
Engel (J. Ronald), 6212.
Engel (Johannes), 2904.
Engel (Marcel), 7118.
Engelhardt (Carroll), 4901.
Engelhardt (Hans Dieter von), 5919.
Engels (Friedrich), 340, 803, 5003, 5038, 6384, 6387, 6422, 6430.
Engels (Odilo), 2565.
Engelsen (Rolf), 6098.
Engerman (Stanley L.), 5920.
Englander (David), 6213.
Engman (Max), 6637.
Engová (Helen), 4280.
Ennen (Edith), 3274.
Eogan (G.), 1113.
Ephraem Syrus, Sanctus, 2264.
Epikouros, 1543, 1578, 1618, 1626.
Epsztein (Léon), 1315.
Erasmus Roterodamus (Desiderius), 4478, 5278.
Erbe (Michael), 419.
Erbse (Hartmut), 1444.
Erdmann (Karl Dietrich), 3275.
Erickson (Carolly), 3918.
Erickson (John), 7218.
Ericson (Lars), 6099.

Ericsson (Tom), 4269, 6407.
Erik XIV, roi de Suède, 6879.
Eriugena (Johannes Scotus), 2995, 3002, 3009.
Erkens (Franz-Reiner), 2410, 2566, 2567.
Erlande-Brandenburg (Alain), 2943.
Erlich (Haggai), 3725, 7311.
Erlich (Mark), 6408.
Ermak Timofeevič, 208.
Ermakova (E.V.), 4355.
Ermolin (A.P.), 4356.
Ermolova (Marija Nikolaevna), 5555.
Ernst (Juliette), II.
Ernst (Robert), 6800.
Ernst (W.), 1878.
Erofeev (N.A.), 6214.
Erren (Manfred), 1983.
Erskine (Audrey M.), 2387.
Ery (K.K.), 1133.
Eschment (Beate), 405.
Esdras, Ezra, prêtre juif, 2140.
Esposito (Anna), 2676.
Essick (Robert N.), 5461.
Estermann-Juchler (Margit), 5433.
Estes (Leland L.), 4533, 5165.
Etienne (Gilbert), 7432.
Etienne de Tournai, 2734.
Etkes (Immanuel), 4755.
Etter (Charles), 7506.
Eucken (Christoph), 1576.
Eudokia, épouse de Theodosius II, empereur d'Orient, 2126.
Eudokia Ingerina, épouse de Basileios I, empereur de Byzance, 2348.
Eukleidēs, 1644.
Eulenburg und Hertefeld (Philipp Fürst zu), 3228.
Eunapios, 1427, 1724.
Eunomius, Ep. Cyzici, 2108.
Euripidēs, 1407, 1544, 1570, 1591.
Eusebia, épouse de Constantius II, empereur d'Orient, 1770.
Eusebius Caesariensis, 2112, 2121.
Eustathius, Ep. Sebastenus, 2274.
Evans (Eric John), 3919.
Evans (Sir George de Lacy), 3982.
Evans (Gillian R.), 2992, 3048.
Evans (H.B.), 1984.
Evatt (Herbert Vere), 7356.
Evdokimova (Ju. K.), 2982.
Evelyn (John), 5289.
Eversley (D.E.C.), 4064.
Evins (Mary A.), 1965.
Evrard (E.), 6936.
Evriviades (Marios), 715.
Evstatie, Protopsaltul Putnei, 5498.
Ewards (John), 1824.
Ewig (Eugen), 2543.
Ewing (Katherin E.), 7433.
Ezergailis (Andrew), 4335, 4357.
Ezquerra Abadía (R.), 4462.

F

Faber (Karl-Georg), 4805.
Faber (Richard), 3920.
Fabian (Bernhard), 41.
Facer (G.S.), 5278.
Fadda (Bianco), 5166.
Fadrique, maestre de Santiago, 2589.
Fąfara (Eugeniusz), 7119.
Fahlbusch (Friedrich Bernward), 2624.
Fahmy-Eid (Nadia), 6288.
Fahrenhorst (Eberhard), 3166.
Failler (Albert), 2298.
Fairbank (John K.), 7489.
Faivre (Alexandre), 471.
Fakhry (Majid), 2695.
Falla (P.S.), 2528.
Fallmerayer (Jakob Philipp) 408.
Faltys (Antonín), 4284.
Fancher (Raymond E.), 5167.
Fanfani (Tommaso), 4093.
Farcy (Jean-Claude), 5922.
Farganel (Jean-Pierre), 4534.
farquharson (John), 3302.
Farioli (R.), 2330.
Fascione (Lorenzo), 1879.
Fatas Cabeza (G.), 2204.
Fātima bint Mohammed, 74.
Fatio de Dullier (Nicholas), 5948.
Fatouros (Georgios), 1602.
Faugères (Arlette), 329.
Faußner (Hans Constantin), 2722.
Faust (Ulrich), 2258.
Faustus, Ep. Rhegiensis, Sanctus, 2110.
Favez (Pierre-Yves), 780.
Favier (Jean), 453, 2488.
Fawaz (Leila Tarazi), 7398.
Fawtier (Robert), 409.
Fayolle (Gérard), 730.
Fazzo (Vittorio), 2284, 2331.
Fedalto (Giorgio), 2205.
Fedele (Santi), 4094.
Fedorov (Ivan), 47.
Fedorov (V.A.), 7466.
Fedorova (I.K.), 7588.
Fedosova (E.P.), 6410.
Feely (Terence), 3021.
Feeny (David), 5923.
Feffe (Tobias), 4764.
Fehér (Ferenc), 4030.
Fehrenbach (Elisabeth), 3278.
Fehrle (Rudolf), 1798.
Feigl (Helmuth), 3130.
Feigon (Lee), 7503.
Feingold (Henry L.), 3590.
Feinstein (C.H.), 5631.
Feissel (D.), 2122.
Felcman (Ondřej), 4285.
Feldbaek (Ole), 6892.
Feldman (Eliyahu), 5737.
Felecetti (Francesco), 811.
Felipe II, rey de España, 4588, 6871, 6874.
Felix (David), 6412, 6413.
Felmy (Karl Christian), 4603.
Felteau (Cyrille), 4986.
Fénelon (François de Salignac de La Mothe-) 4514, 4911.

Feneşan (Costin), 4218.
Feneşan (Cristina), 4218.
Fennell (John L.I.), 2568.
Fenster (Aristide), 5632.
Fenton (Alexander), 2706.
Fenton (Paul), 2677.
Ferdinand I., röm.-deutscher Kaiser, 6867.
Ferdinand von Wittelsbach, Kurfürst von Köln, 3274.
Ferejohn (John A.), 3557.
Ferenczi (Caspar), 4358.
Ferenczi (István), 2056.
Ferguson (Christ D.), 2886.
Ferguson (E. James), 3591.
Ferjančić (Božidar), 2332.
Ferluga (Jadran), 2490, 2491.
Ferm (Olof), 2792.
Fernández (Manuel A.), 6037.
Fernándz-Cordero Azorín (María Concepción), 3499.
Fernandez-Santamaria (J. A.), 3500.
Fernando, roi de Portugal, 2665.
Ferner (Wolfgang), 7038.
Fernie (Eric C.), 2957.
Ferrary (Jean-Louis), 1880.
Ferré (Régine), 329.
Ferreira (Jaime A. do C.), 5738.
Ferreiro (Alberto), 2272, 2569.
Ferrell (Robert H.), 3526, 3592.
Ferretti (Valdo), 7174.
Festugière (André-Jean), 2107.
Festy (M.), 1881.
Feuchte (Paul), 6544.
Feuerbach (Ludwig Andreas) 5068.
Feuillet (André), 946.
Fewster (Kevin), 7012.
Fialová (Ludmila), 6100.
Fic (Vladimír), 4286.
Fichte (Johann Gottlieb), 5115.
Fichtner (Gerhard), 1421.
Ficken (Robert E.), 6414.
Ficker (Julius), 2397.
Field (Alexander James), 5633.
Fielding (Sir John), 6607.
Fields (Leslie), 3922.
Fiereder (Helmut), 5739.
Fierro (Alfred), 190.
Figl (Leopold), 7166.
Figurovskaja (N.K.), 5924.
Fijałkowski (Wojciech), 6917.
Fijałkowski (Zenon), 4535.
Fjaerli (Eystein), 7219.
Filarska (Barbara), 918.
Filatov (G.S.), 4106.
Filenko (G.T.), 5521.
Filipkowski (Tadeusz), 4168.
Filipowiak (Władysław), 760.
Filippov (R.V.), 6415.
Filippov (V.N.), 4290.
Fillaut (Thierry), 6216.
Filliot (Jean-Michel), 4467, 6729.
Filliozat (Jean), 410.
Findlay (Allan M.), 4305.
Findlay (Anne M.), 4305.

Fine (John V.A.), 1464.
Fingerhut (Eugene R.) 6801.
Fink (Béatrice), 5925.
Fink (Gonthier-Louis), 5298.
Fink (Leon), 6416.
Fink (Paul), 5740.
Finkelstein (Israel), 1317.
Finlayson (Michael G.), 3923.
Finley (Gerald), 5462.
Finley (Moses I.), 1378.
Finzsch (Norbert), 5741.
Fiocchi Nicolai (V.), 2206.
Firan (Florea), 767.
Firnberg (Hertha), 3147.
Firpo (G.), 2207.
Firpo (Massimo), 6874.
Firth (Stewart), 6855.
Firzell (Barbro), 308.
Fisch (Jörg), 6595.
Fischel (Klaus-Dietrich), 1738.
Fischer (Conan), 3279.
Fischer (Fritz), 487.
Fischer (Holger), 330.
Fischer (Hubertus), 2887, 3280.
Fischer (I.), 157, 1372.
Fischer (Joseph A.), 2208.
Fischer (Karl A.F.), 5168.
Fischer (Klaus), 5169.
Fischer (Th.), 2097.
Fisk (Robert), 7175.
Fitz (Jenő), 1882, 1883.
Fitzgerald (James), 545.
Fitzgibbon (Constantine), 4058.
Fitzherbert (Margaret) 3924.
Fitzpatrick (Brian), 3796.
Fitzpatrick (D.), 4062.
Fitzsimons (M.A.), 331.
Fitz Thomas (Maurice), 1st earl of Desmond, 2648.
Fladby (Rolf), 4821.
Flader (Susan L.), 6217.
Flanagan (Thomas), 3474.
Flandrin (Jean-Louis), 837, 3072.
Flavianus (Virius Nicomachus), 1850.
Fleischmann (Suzanne) 2888.
Fleming (N.C.), 1070.
Fleming (Robin), 2570.
Fletcher (Charlotte), 4902.
Fletcher (R.A.), 5577.
Flint (John), 6724.
Flockerzie (Lawrence J.), 7015.
Flodoard, chroniqueur, 2412.
Flood (Josephine), 7589.
Florescu (Marin), 4213.
Florja (B.N.), 2487.
Florus (Publius Annius), 1970.
Flossmann (Ursula), 6596.
Flower (Milton E.), 6802.
Flowers (Ronald B.), 3593.
Flusin (Bernard), 2209.
Flynn (Charles L.) Jr., 6218.
Flynn (Geroge Q.), 3594.
Förster (Wolfgang), 5036, 5055.
Fogel (Robert William), 546.
Fohlen (Claude), 3595.
Fohrer (Georg), 1345.
Folda (Jaroslav) 2333, 2958.
Foley (Vernard), 5140.

Foley (William E.), 5861.
Folger (Charles S.), 3542.
Foner (Eric), 3596.
Fones-Wolf (Elizabeth), 3597.
Fontaine (Jacques), 2267, 3014.
Fontana (Josef), 5626.
Fontane (Theodor), 5402.
Forbes (Eric G.), 5137.
Ford (Colin), 3925.
Foreman-Peck (James), 5634.
Forest (Alain), 5609.
Formel (Gérard), 3735.
Formela (Leon), 6201.
Formisano (Ronald P.) 3598.
Fornara (Charles W.), 1376, 1422.
Forster (Edward Morgan), 5315.
Forster ([Johann] Georg [Adam]), 3798.
Forster (Johann Reinhold), 4465.
Forster (John), 5343.
Fortenbaugh (William W.), 1621.
Fortescue (William), 5349.
Fortin (M.), 1114.
Foss (Theodore Nicholas), 191.
Fossati Vanzetti (Maria Bianchi), 1884.
Fossier (Robert), 2501, 2797.
Fossum (J.), 2210.
Foster (Elizabeth Read), 3026.
Foster (G.C.F.), 3927.
Foster (Gaines M.), 5171.
Foster (Janet), 260.
Foster (John E.), 3471.
Foster (R.F.), 3928.
Foucault (Michel), 574.
Foucquet (Jean-François), 4594.
Foulois (Benjamin), 3698.
Foulques Nerra, comte d'Anjou, 2558.
Foult (Claude-Lise), 11.
Fouquet (Catherine), 889.
Fournier (Francine), 6358.
Foutry (Vita), 6725.
Fowler (Peter Jon), 1024.
Fox (John P.), 7011.
Fox (Richard Wightman), 4806.
Frängsmyr (Tore), 547, 5172.
Fraenkel (Pierre), 4625.
Fraginals (Manuel Moreno), 5921.
Fragner (Bert G.), 4039.
Frame (Robin), 2520.
Frånberg (Per), 6219, 6545.
Frančić (Mirosław), 3599.
Francis (Daniel), 631.
Franciscus Assisiensis, Sanctus, 3052.
Franciscus Salesius, Sanctus, 4512, 4562.
Francks (Penelope), 5926.
Franco y Bahamonde (Francisco), 3503, 7173.
François Ier, roi de France, 44, 3743, 3769.
Frandsen (Karl-Erik), 5927.
Frangipani (Ottavio Mirto), Nuntius apostolicus, 4502.
Frank (Free), 3715.

INDEX OF NAMES

Franke (Detlef), 1238.
Franklin (Benjamin), 3524, 3573, 5242.
Franklin (Kay), 3600.
Franklin (Woodman B.), 4020.
Franklin-Bouillon (Henri), 7069.
Franková (Hana), 4903.
Franks (Norman L.), 7220.
Franks (Lord Oliver Shewell), 6768.ì
Frantz-Szabó (Gabriella), 493.
Frantzen (Allen J.), 3073.
Franz I., Kaiser von Österreich, 300.
Fraser (Sir Bruce), 3946.
Fraser (David), 1086.
Fraser (Derek), 548.
Fraser (Peter), 3929.
Fraser (Steven), 5742.
Frattarelli Fischer (Lucia), 4095.
Frazee (Charles A.), 4536.
Frederik Hendrik, prince d'Orange, 4157.
Fredouille (Jean-Claude), 2178.
Freeborn (Richard), 5350.
Freedman (Paul H.), 3074.
Freeman (J.), 6221.
Freeman (Joshua B.), 6417.
Freeman (Michael), 5708.
Freeze (Gregory L.), 4604.
Frejdzon (V.I.), 676.
Fremdling (Rainer), 5678.
French (David), 7039.
French (R.A.), 179.
Frend (W.H.C.), 2141, 2212.
Frenkel (Joshua), 2696.
Frère (Claude), 6324.
Frère (Jean-Claude), 3799.
Frere (Sheppard S.), 1836, 2058, 2059.
Fresco-Kautsky (Edith J.), 7312.
Freud (Sigmund),5136, 5211.
Freudenberger (Herman), 3149.
Freudenberger (Theobald), 4537.
Freudenthal (Gad), 5173.
Frey (Herbert), 4138.
Frey (Linda), 6893.
Frey (Marsha), 6893.
Frey (Sabine), 6546.
Frey (Sylvia R.), 6803.
Frézouls (Edmond), 1186, 1790.
Friberg (Nils), 2793.
Frick (Jean-Paul), 6418.
Fricke (Dieter), 3227, 3323, 6419.
Friebe (Wolfgang), 4904.
Fried (Johannes), 2571, 2879.
Fried (Pankraz), 497, 2572.
Friedberger (Mark), 5928.
Friedel (Robert), 5743.
Friedlander (Alan), 83.
Friedman (Ellen G.), 3501.
Friedman (Isaiah), 4079.
Friedman (Jerome), 4484.
Friedrich I. Barbarossa, röm.-deutscher Kaiser, 2571.
Friedrich II., röm.-deutscher Kaiser, 2397, 2937, 2939.
Friedrich III., röm.-deutscher Kaiser, 2456.
Friedrich II. der Große, König von Preußen, 3368, 6906.
Friedrich I. [Wilhelm Ludwig], Großherzog von Baden, 3359.
Friedrich von Saarwerden, Erzbischof von Köln, 2455.
Friedrich von Sachsen,Hochmeister, 6033.
Frier (B.W.), 1885.
Frijhoff (Willem), 4933.
Frischer (Bernard), 1578.
Frison (George C.), 7565.
Fritz (Kurt von), 1579.
Fritz (Volkmar), 1025.
Fritze (Wolfgang H.), 2489.
Fritzsche (Gabriela), 2959.
Frizot (Michel), 2037.
Fröhlich (Elke), 3243.
Froggatt (P.), 4067.
Froissart (Jean), chroniqueur, 2938.
Frolova (N.A.), 116.
Frontini (P.), 1712.
Frontinus (Sextus Julius), 1737, 1982.
Frost (J. William), 6804.
Frugoni (Luciana), 2794.
Fruin (W. Mark), 5744.
Frutos Mejías (E.), 1580.
Fryde (Edmund B.), 332, 2795.
Fuchs (Günther), 3800.
Fuchs (Konrad), 5635, 5745.
Fuchser (Larry William), 7176.
Fučík (Julius), 4290.
Fugariu (Florea), 312.
Fugger, Familie, 3338.
Fuglestad (Finn), 6726.
Fuhrmann (Manfred), 2111.
Fuks (Marian), 7102.
Fulbrook (Mary), 3168.
Fulgentius, Ep. Ruspensis, Sanctus, 2123.
Fulk Nerra, v. Foulques Nerra.
Fuller (Margaret), 5316.
Furbank (P.N.), 5315.
Fure (Eli), 550.
Fure (Odd-Bjørn), 551.
Furet (François), 552, 3801.
Fussell (George Edwin), 5894.
Fūtī (al-Ḥağğ 'Umar al-), 7544.
Fyfe (Christopher), 5929.

G

Gabalas, famille de Byzance, 2370.
Gabba (Emilio), 500.
Gabor (Ioan), 385.
Gaborit-Chopin (Daniel) 669.
Gadd (Carl-Johan), 5636.
Gaddis (John Lewis), 7313.
Gadille (Jacques), 967.
Gadžief (K.S.), 5054.
Gäbler (Ulrich), 4645.
Gänssler (Hans-Joachim), 4646.
Gärtner (Helga), 11.
Gagnon (Mona-José), 6358.
Gagnon (Robert), 4853.
Gagnon (Serge), 4538.
Gaius, jurisconsultus, 1860.
Gal (Alexandra), 3235.
Gal (Ionel), 4214, 5848.
Gal (Zvi), 1134.
Galambos (Louis), 5578.
Galanda (Brigitte), 3147.
Galandauer (Jan), 7040.
Galanti (Giuseppe Maria), 411.
Galarneau (Claude), 46.
Galasso (Giuseppe), 411, 754.
Galba (Servius Sulpicius), empereur romain, 1840.
Galen (Christoph Bernhard von), v. Christoph Bernhard von Galen, Bischof von Münster.
Galēnos, 1421, 1553.
Galenson (Walter), 5746.
Galerius (Gaius G. Valerius Maximinianus), empereur romain, 2219.
Galilei (Galileo), 5169.
Gall (Gilbert J.), 3601.
Gall (Lothar), 3281.
Gallacher (William), 6465.
Gallagher (Nancy Elizabeth), 5174.
Gallavotti (Carlo), 2281.
Gallet (Jean), 838.
Gallet de Santerre (H.), 1524.
Gallet-Guerne (Danielle), 5447.
Gallichan (Gilles), 46.
Gallienus (Publius Licinius Egnatius), empereur romain, 111, 2242.
Gallo (Luigi), 1525.
Galter (Hannes), 1271.
Galton (Sir Francis), 5167.
Gambari (I.A.), 4147.
Gamberini (Federico), 1985.
Gambiano (Giuseppe), 1377.
Gambon (Charles-Ferdinand) 6588.
Gamer-Wallert (Ingrid), 1247.
Gandhi (Indira), 7451.
Gandhi (Mohandas Karamchand), 6694, 7444.
Gankovskij (Ju. V.), 671.
Ganne (Bernard), 5747.
Gannon (Margaret), 6727.
Ganocsy (Alexandre), 4647.
Gantz (G.), 1581.
Ganz (A.), 5351.
Ganzert (J.), 1678.
Ganzin (Michel), 3802.
Garachon (Gilles), 7457.
Garavaglia (Giampolo) 3930.
Garbini (Giovanni), 1318.
García Cordero (M.), 1319.
García-Gallo (A.), 804.
Garden (Maurice), 6092.
Gardika-Alexandropoulou (Katerina), 6976.
Gardina (A.), 3044.
Garibaldi (Giuseppe), 4096-4098, 4104, 4110, 4119, 4120, 6969.
Garncarska-Kadari (Bina), 5637.

Garnier (Bernard), 117.
Garnier (Josette), 6222.
Garnier (Robert), 2889.
Garnsey (Peter), 1200, 1396.
Garosci (Aldo), 400.
Garrard (John), 553, 3931.
Garrett (J.), 4485.
Garrisson (Francis), 812.
Garrod (D.A.E.), 1053.
Garsoïan (Nina G.), 2274.
Garthwaite (Gene R.), 4040.
Garvey (Marcus), 3530.
Garvin (Tom), 4059.
Gascar (Pierre), 5175.
Gaspard (Monique-Cécile), 2413.
Gasparotto (G.), 2267.
Gasparri (Françoise), 6.
Gasratjan (M.A.), 4311.
Gassendi (Pierre), 5104.
Gateau (Jean-Charles), 5463.
Gates (Eleanor M.), 7177.
Gattinara (Mercurino), 3297.
Gatu (Dagfinn), 7504.
Gatz (Erwin), 4524, 4539.
Gaul (Jerzy), 1159.
Gaulle (Charles de), 3739, 3749, 3774, 3784, 3852, 3865, 7167.
Gaunitz (Sven), 5912.
Gaunt (David), 554.
Gauron (André), 5638.
Gauron (Edmond), 1087.
Gaussent (Jean-Claude), 5862.
Gaussin (Pierre-Roger), 2625.
Gaustad (Edwin S.), 4486.
Gautier (Arlette), 6223.
Gavalas, v. Gabalas.
Gavalierová (Krista), 3141.
Gavrilov (L.M.), 4359.
Gawlas (Slawomir), 404.
Gawrecki (Dan), 4298.
Geary (James W.), 262.
Geary (R.J.), 6420.
Gebauer (Jan), 4967.
Gebert (Alfred), 4277.
Gebhart (Jan), 7264, 7276.
Gebsattel, deutscher Generalkonsul in Prag, 7013.
Gedeon, juge d'Israël, 1322.
Gediga (Bogusław), 1115.
Geld (Marek), 1116.
Geerard (M.), 2124.
Gehrke (Hans-Joachim), 1497, 1886.
Geier (Luzian), 776.
Geijer (Erik Gustaf), 412, 488.
Geiler von Kaysersberg (Johann), 2911.
Geiß (Imanuel), 677, 7041.
Gelabert González (Juan Eloy), 5639.
Gelbard (Arieh), 6421.
Gelber (Steven M.), 6224.
Gelber (Yoav), 4080.
Gelfand (Lawrence E.), 3602.
Gelfand (Toby), 5176.
Geller (Jacob), 4237.
Gelling (Margaret), 3120.
Gellner (Ernest), 3169.
Gemelli (Giuliana), 390.
Gemil (Tahsin), 2626.
Gemkow (Heinrich), 6422, 6510.
Gendre (Renato), 7.
Gendron (François), 3803.

Genghis Khan, empereur mongol, 7414.
Génicot (Lépold), 2797.
Genizi (Haim), 4756.
Gennadios II, Patriarcha byzantinus, 2376.
Gentili (Bruno), 1380.
Gentles (Ian), 3932.
Gentry (Robert J.), 3170.
Gentz (Friedrich von), 6938.
George V, king of Great Britain, 3975.
George (Alexander L.), 6631.
George (Henry), 4841.
George (Timothy), 7314.
George (W.R.P.), 3933.
Georgescu (Florian), 4236.
Georgescu (Titu), 774.
Georgescu (Valentin Al.), 413.
Georgievskij (A.I.), 4378.
Geraci (Giovanni), 1799.
Geraghty (Paul A.), 158.
Gérard (Yves), 5499.
Gerasimenko (G.A.), 4360.
Gerbaud (Paul), 4915.
Gerber (Haim), 4312.
Gerbert, v. Silvester II, Papa.
Gerbod (Paul), 3804.
Gercen (Aleksandr Ivanovič), 4392.
Gerhard (Hans-Jürgen) 3282.
Gericault (Jean Louis André Théodore), 5460.
Gerlich (Peter), 3451.
Germanicus Caesar, 1743, 2032.
Gernet (Jacques), 7505.
Géro (Jules), 909.
Gerrish (Brian A.), 4648.
Gerson (Jean Charlier, dit de), 3108.
Geršov (Z.M.), 3603.
Gerteis (Klaus), 3283.
Gervers (Michael), 2521.
Gerz - von Buren (Véronika), 280.
Gessinger (Joachim), 6350.
Getty (J. Arch), 4361.
Getzler (Israel), 4362.
Geuenich (Dieter), 2890.
Geuß (Herbert), 693.
Geva (Hillel), 1320.
Geva (Shulamit), 1321.
Gewertz (Deborah B.), 632.
Geyer (Michael), 6227.
Ghiara (Carola), 5748.
Gheorghe (Gheorghe), 6621.
Gheorghiu (Mihnea), 7089.
Gheorghiu-Cernat (Manuela), 5522.
Gherasim (Iuliana), 4887.
Ghikas (I.), 7178.
Ghinatti (Franco), 1659.
Ghişe (Dumitru), 312.
Ghizzoni (Flaminio), 1986.
Ghosh (P.R.), 414.
Giacchero (Marta), 2033.
Giacomelli (R.), 159.
Giammarco Razzano (M.C.), 1660.
Gianakos (Perry E.), 6691.
Giangiulio (Maurizio), 1661.
Giannopoulos (Iōannēs Th.), 1498.
Gianotti (Gian Franco), 1987.
Giard (J.B.), 118.

Giard (Luce), 2993.
Giataganas (X.), 4019.
Gibbon (Edward), 414.
Gibbons (J.D.), 4062.
Gibert (Pierre), 3745.
Gibson (Arrell Morgan), 4808.
Gibson (Frederick W.), 4940.
Gideon, v. Gedeon, juge d'Israël.
Giertych (Jedrzej), 4170.
Giesey (Ralph E.), 3805.
Gieysztor (Aleksander) 4191, 4196.
Gigante (Marcello), 489.
Gignoux (Philippe), 84.
Gil (Czesław), 4540.
Gil (Moshe), 2678.
Gil Albarracín (A.), 2060.
Gilam (Abraham), 6101.
Gilas (Teresa), 6977.
Gilbert (Arthur N.), 3934.
Gilbert (Martin), 3935.
Gilbert (William), 5173.
Gildea (Robert), 4905.
Gilderhus (Mark T.), 7042.
Gildin (Hilail), 5056.
Gilding (Michael), 7590.
Gilead (Chaim), 1322.
Gilissen (John), 6521.
Gilissen (Léon), 42.
Gilles (Henri), 807.
Gillespie (Charles Coulston), 5177.
Gillespie (Raymond), 821.
Gillin (Donald G.), 7506.
Gillis (Carole), 308.
Gilman (Sander L.), 5178.
Gilpin (John E.), 3471.
Giménez-Candela (Teresa), 1887, 1906.
Gincberg (L.I.), 3286, 7221.
Ginev (V.N.), 4363.
Ginsberg (Asher), 4766.
Ginswick (Jules), 6148.
Gioacchino da Fiore, 3110.
Giolitti (Giovanni), 4893.
Giolitto (Pierre), 4906.
Giorgetti (Pier Fernando), 4098.
Giōtopoulou-Sissilianou (Helē), 4008.
Giovannini (Adalberto), 1888.
Girard (Louis), 3806.
Girard (M.C.), 1582.
Girardet (Klaus M.), 1988.
Girardet (Raoul), 557.
Girardot (Alain), 2798.
Giraudou (Jean), 5341.
Girenko (Ju. S.), 6638.
Giua (M.A.), 1800.
Giuffrida Ientile (M.), 1925.
Giura (Lucian), 2102.
Given-Wilson (C.J.), 2721.
Glaber (Raoul), 2413.
Glack (Ian Donald), 7463.
Gladstone (William Ewart), 3899, 3940.
Glaise von Horstenau (Edmund), 3416.
Glaser (Franz), 1679.
Glasneck (Johannes), 4313.
Glatz (Ferenc), 334.
Glazier (Ira A.), 6038.
Gleason (Philip), 558.
Glendinning (Victoria), 5352.
Glénisson (Jean), XI, 470.
Glenn (Myra C.), 6522.

Glinkin (A.N.), 6671.
Glodariu (Ioan), 1161.
Gloor (Pierre), 780.
Gluck (Carol), 7315.
Gluščenko (E.A.), 4148.
Gluskina (L.M.), 1526.
Gmitruk (Janusz), 7268.
Gob (André), 1008.
Gockel (Michael), 2787.
Godechot (Jacques), 3807.
Godenne (René), 5299.
Godin (André), 4541.
Godinho (Vitorino Magalhães), 5057.
Godunov (Boris Fedorovič), tsar de Russie, 6052.
Gøbel (Erik), 5863.
Göllner (Carl), 4029, 4307.
Goen (Clarence C.), 4649.
Göring (Hermann), 3349.
Goethe (Johann Wolfgang von), 3798, 5114, 5286, 5288, 5296, 5298, 5300, 5306.
Göttschin (Paul), 798.
Goetz (Hans-Werner), 2573, 2799.
Goetze (Jochen), 813.
Goetzmann (William H.),192.
Goez (Werner), 2492, 2513.
Goffart (Walter), 2415.
Gogoneaţă (Nicolae), 5058.
Goitein (S.D.), 2679.
Golczewski (Mechthild),3235.
Goldberg (Edward L.), 5279.
Goldberg (Giora), 4082.
Goldberg (Robert A.), 6228.
Goldbrunner (Hermann M.), 4650.
Golden (Richard M.), 3808.
Goldin (Claudia), 6229.
Golding (G.M.), 6523.
Goldlich (Robert L.), 3604.
Goldner (Franz), 7120.
Goldsmith (Raymond W.), 6039.
Goldstein (Alice), 6102.
Goldstein (Bernard R.), 1583.
Goldstein (David), 4527.
Goldstein (Doris S.), 335.
Goldstein (Joseph), 4364.
Goldstein (Robert Justin), 3172.
Goldstrom (J.M.), 4064.
Gołębiowski (Łukasz), 633.
Golescu, famille, 4240.
Golin (Steve), 6423.
Goliński (Zbigniew), 4528.
Goll (Jaroslav), 326.
Golovina (G.D.), 6424.
Golubcova (E.S.), 1518.
Gómez (Juan Vicente), 4454, 5780.
Gómez (María), 2671.
Gonda (M.E.), 4037.
Goñi Gatzambide (José), 953.
González Enciso (Agustín), 5749.
Goodchild (Peter), 5179.
Goodenow (Ronald K), 4907.
Goodwin (Jack), 871.
Goody (Jack), 839.
Gool (Selim), 5750.
Góra (Władysław), 6510.
Góralski (Zbigniew), 814.
Gordeev (D.I.), 887.
Gordon (Linda), 4365.

Gordon (Mary McDougall), 5864.
Gordon (Robert B.), 5751.
Gordy (Michael), 559.
Gorecki (Piotr), 2800.
Goren (Arthur A.), 4757.
Gorham (Deborah), 6230.
Gorjuškin (L.M.), 5940.
Gorman (M.M.), 2125.
Gorny (Joseph), 6425.
Gorodeckij (E.N.), 4366.
Górska (Urszula), 4542.
Górski (Karol), 684, 3121.
Górski (Konstanty), 4171.
Gossman (Norbert J.), 3895.
Gostar (Nicolae), 490.
Gothsch (Manfred), 6679.
Gotovich (José), 7179.
Gottfried (Robert S.), 2801.
Gottlieb (Moshe R.), 4758.
Goubert (Pierre), 3817.
Gough (Robert), 6805.
Gouhier (Henri), 5059.
Goukowsky (Paul), 1452.
Goulet (Jacques), 3809.
Goulet (Patrice), 5432.
Gounaridi (P.), 2334.
Gourevič (A.), v. Gurevič (Aaron).
Gourevitch (Danielle), 1989.
Gowing (Lwarence), 919.
Grab (Walter), 3311, 4807.
Grabois (Aryeh), 2680, 2891, 3075.
Grabowska (Janina), 5485.
Grace (Michael), 6053.
Graeber (Andreas), 1889.
Graeser (Andreas), 989.
Graetz (Michael), 3810.
Graf (Christoph), 3287.
Graf (Leroy P.), 3528.
Graf (Otto A.), 5434.
Graf (Sieglinde), 4854.
Grafflin (Dennis), 7507.
Grafton (Anthony), 455.
Graham (Roger), 4940.
Graham (Ruth), 5060.
Graham (Sally Hunter),3605.
Graham (Terence), 3606.
Graml (Hermann), 3165.
Granatstein (J.L.), 3475.
Grandrue (Claude de), 280.
Grane (Leif), 4651.
Grant (Eric G.), 3881.
Grant (H. Roger), 5640.
Grant (James A.), 4635.
Grant (Robert M.), 2169.
Grantham (Dewey W.), 3607.
Grantovskij (E.A.), 7389.
Granville-Barker (Harley), 5554.
Grappin (Pierre), 5021.
Gras (Yves), 7222.
Graß (Nikolaus), 2722.
Grassotti (Hilda), 2723.
Gratianus, Magister, 2740.
Gray (John), 4908.
Greaves (C. Desmond), 6426.
Greaves (Richard L.), 3894, 4652.
Grębecka (Wanda), 5180.
Green (Alberto R.), 1323.
Green (E.R.R.), 4064.
Green (Judith), 2126.
Green (Louis), 2627.
Green (Michael), 193.
Green (William A.), 3936.
Greene (Sir Hugh), 5836.

Greengrass (Mark), 3812, 4703.
Greenleaf (Richard E.), 6806.
Greenleaf (W.H.), 3937.
Greenow (Linda), 6807.
Greer (Allan), 46.
Gregersen (H.V.), 2724.
Grego (Igino), 2213.
Grégoire (Pierre), 799.
Gregor-Dellin (Martin) 5523.
Grēgoriadēs (Solōn), 7265.
Grēgoriou-Iōannidou (Martha), 2263.
Gregorius, Ep. Nyssenus, Sanctus, 2995.
Gregorius, Ep. Turonensis, Sanctus, 2936.
Gregorius Nazianzenus,Sanctus, 2265.
Gregorius I Magnus, Papa, Sanctus, 2172, 2416, 3014, 3020.
Gregorius VII [Hildebrand], Papa, Sanctus, 2874.
Gregorius IX [Ugolino, conte di Segni], Papa, 3021.
Gregory (Frances W.), 6040.
Gregory (Paul R.), 5641.
Greipl (Egon Johannes), 4505, 4543.
Greive (Hermann), 3288.
Grell (Chantal), 336.
Greschat (Martin), 940.
Gresham (Walter Q.), 6853.
Greslé (François), 6375.
Greve (Tim), 4151.
Grew (Raumond), 4909.
Grewe (Wilhelm G.), 6612.
Grewolls (Grete), 692.
Grey (Marina), 3813.
Gribanov (M.G.), 7292.
Gribanov (P.V.), 634.
Gribbon (H.D.), 4064.
Gribbon (Sybil), 4067, 6231.
Griboedov (Aleksandr Sergeevič), 5381.
Grierson (Carline), 1054.
Grierson (Philip), 139.
Griffin (John), 4544.
Griffith (Arthur), 4071.
Griffith (Robert), 3608.
Griggs (Clive), 4910.
Grignaschi (Mario), 2725.
Grigoriu (Elena), 5524.
Grigor'jan (A.T.), 884.
Grigulevič (I.R.), 656.
Grill (John Peter Horst), 3289.
Grillet (Bernard), 2153.
Grilli (A.), 1990.
Grillmeister (H.), 2802.
Grimal (Pierre), 1991, 2055.
Grimm (Gunter E.), 5260.
Grimm (Reinhold), 612.
Grimmer (Claude)6232, 6233.
Grimsley (Ronald), 5061.
Grinberg (Martine), 1002.
Gringmuth-Dallmer (Eike), 1011, 3122.
Grišina (R.P.), 3460.
Grmek (Mirko Drazen), 1527.
Grob (Gerald N.), 5181.
Grobelný (Andělín), 4298.
Grodziski (Stanisław), 6548.
Groen (M.-P. de), 667.
Groenewegen (Peter), 5579.
Grönroos (Gun), VIII.

Grössing (Helmuth), 73.
Gromyko (Anat. A.), 920, 3183, 6639.
Gronke (Monika), 2417.
Gropius (Georg Christian), 4005.
Grose (Peter), 4759.
Gross (Leonard), 3290.
Gross (Nachum T.), 4081.
Groß (Reiner), 4619.
Grosseteste (Robert), 2910, 2998.
Großmann (Walter), 3291.
Groten (Manfred), 3076.
Grotius (Hugo), 6612, 6613.
Grover (Ray F.), 4152.
Gruber (Howard E.), 5195.
Gruber (Jörn), 2892.
Gruchała (Janusz), 6978, 7043.
Gruchmann (Lothar), 6597.
Grünert (Eberhard), 3292.
Grünthal (Günther), 6549.
Grundbock (Ecaterina), 5522.
Grunwald (C.), 1681.
Grupp (Peter), 7011.
Gryson (Roger), 2109.
Grzebień (Ludwik), 4573.
Guarducci (Margherita), 1382.
Guarneri (Carl J.), 4653.
Gubin (Eliane), 5752.
Gudea (Nicolae), 1801.
Gudmondson (Lowell), 3485.
Guenancia (Pierre), 5062.
Guenée (Bernard), 2893.
Günther (Johann Christian), 5284.
Günther (Gottfried), 5285.
Guerlac (Henry), 5182.
Guerre (Martin), 6202.
Güterbock (Hans G.), 1288.
Guha (Ranajit), 6692.
Guibert de Nogent, 2886.
Guicciardini (Francesco), 415.
Guichard (Pierre), 2574.
Guillard (Charlotte), 5614.
Guillaume d'Auvergne, 2998.
Guillaume d'Auxerre, 3083.
Guillaume de Machaut, 2938.
Guillaume (Gabriel), 161.
Guillen (Pierre), 7316.
Guillerme (André), 840.
Guiral (Pierre), 732.
Guise (François Ier, 2e duc de), 6882.
Guittard (Jean-Michel), 6894.
Guizot (François Pierre Guillaume), 345.
Gukhman (M.M.), 162.
Gullickson (Gay L.), 5930.
Gullini (Giorgio), 2061.
Gumbrecht (Hans-Ulrich), 3814.
Gunnarsson (Gisli), 5865.
Gunneweg (Jan), 2062.
Gunns (Albert F.), 3609.
Gurevič (Aaron Ja.), 2894, 3085.
Gurevič (B.P.), 6640.
Gurevič (N.M.), 3212.
Gurikov (V.A.), 881.
Guroff (Gregory), 5629.
Gurvič-Liščiner (S.D.), 4392.
Guržij (A.I.), 4367.
Gustav I Vasa, roi de Suède, 2793, 4272.

Gustav III, roi de Suède, 4268.
Gutenberg (Johann), 58.
Gutgesell (Manfred), 1239.
Guth (Delloyd J.), 3989.
Guth (Ekkehart P.), 3293.
Guth (Morand), 85.
Guthrie (Christopher E.), 3815.
Gutierrez (Hector), 6103.
Gutman (Herbert G.), 6167.
Gutmann (Joseph), 217.
Gutsell (Barbara J.), 174.
Guyon (Edouard-Félix) 6937.
Gyémánt (Ladislau), 4219.
Györffy (György), 5642.
Gyselen (Rika), 84.

H

Haakon VII, roi de Norvège, 4151.
Haaland (Randi), 1088.
Haarstad (Kjell), 5931.
Haas (Christopher J.), 2214.
Haase (Günter), 4861.
Haase (Wolfram), 1769.
Haber (Carole), 6235.
Habicht (Bernd), 5643.
Habsburg, Dynastie, 809, 3441, 3506, 6877.
Hacke (Christian), 7317.
Hachmann (Rolf), 1026.
Hacker (Jens), 3173.
Hacker (Joseph R.), 2681.
Hacking (Ian), 5063.
Hadidi (Adnan), 7399.
Hadrianus (Publius Aelius), empereur romain, 1825.
Hadžijahić (Muhamed), 2418.
Hägermann (Dieter), 2544.
Hägg (Robin), 1680.
Hägler (Rudolf-Peter), 1585.
Händel (Georg Friedrich), 5526.
Händel (P.), 501.
Haendler (Gert), 4654.
Haenel (Thomas), 841.
Haenens (Albert d'), 8.
Häntzschel (Günter), 1586.
Häusler (Alexander), 1163.
Haftendorn (Helga), 7318.
Hagård (Birger), 6550.
Hagenbuchner (Albertine), 424.
Hagendahl (Harald), 2215.
Hager (F.P.), 1587.
Hagerty (James C.), 3526.
Haggenmacher (Peter), 6613.
Hahn (Hans Henning), 3174.
Hahn (Karl-Heinz), 5288.
Hahn (Philipp Matthäus), 4617.
Hahn (Steven), 3610.
Hahn (Wolfgang), 119.
Haig (Bryan D.), 5753.
Haight (John McVickar) Jr., 7180.
Haillant (Marguerite), 4911.
Haim (Yehoyada), 7181.
Haimovici (Sergiu), 1164.
Hainsworth (D.R.), 3883.
Haker (Horst), 5354.
Hale (John R.), 2522, 4099.
Halecki (Oscar), 761.
Halifax (Edward Frederick Lindley Wood, 1st earl of), 7197.
Halimi (André), 3816.
Halkin (François), 288, 956, 2127-2129.
Hall, family, 4990.
Hall (A. Rupert), 5183.
Hall (Grover C.), 4990.
Hall (Kermit L.), 6551.
Hall (Maximilian), 6041.
Hall (Sir Peter), 5500.
Hallam (E.), 2575.
Hallauer (Hermann), 2388.
Halle (Antoinette), 5486.
Hallé (Sir Charles), 5529.
Hallencreutz (Carl Fredrik), 4655.
Hallier (G.), 2057.
Hallinger (Kassius), 2403.
Halleu (A. de), 2264.
Halpenny (Francess G.), 3472.
Halperin (John), 5355.
Halstead (John P.), 6680.
Hamann (Manfred), 278.
Hamberg (Erik), 337.
Hamelin (Jean), 3472.
Hamell (Patrick J.), 4545.
Hamerow (Theodore S.), 338, 3175.
Hamilton (Alexander), 795.
Hamilton (Dagmar S.), 3692.
Hamilton (Emma, Lady), 3981.
Hamilton (Nigel), 7223.
Hamm (Berndt), 4516.
Hamm-Brücher (Hildegard), 3231.
Hammack (David C.), 4912.
Hammarberg (Melvyn), 3611.
Hammarström (Ingrid), 4270.
Hammen (Horst), 6598.
Hammermayer (Ludwig), 4855.
Hammerstein (Notker), 4913.
Hammond (Nicholas Geoffrey L.), 1424.
Hammond (Peter), 2663.
Hamon (Philippe), 5356.
Hampson (Norman), 5064.
Han, Chinese dynasties, 7502.
Hanchett (William), 3612.
Handler (Andrew), 4760.
Handler (Jerome S.), 5932.
Handlin (Joanna F.), 7508.
Handy (Peter), 3294.
Hanfmann (George M. A.), 1210.
Hanisch (Ernst), 3425.
Hankin (C.A.), 5319.
Hanley (Sarah), 6552.
Hannah (Leslie), 5866.
Hannan (D.), 4062.
Hannibal, général carthaginois, 1300, 1797.
Hannick (Christian), 2156.
Hannig (Jürgen), 2727.
Hannon le Grand, général carthaginois, 1312.
Hans (Linda-Marie), 1324.
Hansen (Bent), 6042.
Hansen (Mogen Herman), 1466.
Hansen (Peter A.), 1417.
Hanson (Victor David), 1528.
Hanson (William S.), 2064.
Hansotte (Véronique), 6236.
Hanța (Alexandru), 4987.

INDEX OF NAMES

Hantos (Theodora), 1802.
Hapke (Laura), 6237.
Harari (Ibram), 1240.
Haraszti (Eva H.), 3295.
Harck (Ole), 3123.
Hardenberg (Karl August, Fürst von), 5703.
Harder (Hans-Bernd), 199.
Harder (Hermann), 4594.
Hardie (A.), 1992.
Harding (Alan), 2728.
Harding (Robert), 3817.
Hardy (Friedhelm), 7434.
Hare (John), 46.
Harel (Chaya), 3417.
Hargrove (Richard J.) Jr., 6808.
Harig (Georg), 1588.
Harjula (Juha), 7319.
Harkness (David), 4067.
Harlan (Louis R.), 3535, 3613.
Harley (C. Knick), 5754.
Harmand (J.), 1803.
Harms (Robert W.), 7548.
Harran (Marilyn J.), 4656.
Harrigan (Patrick J.), 4909.
Harriman (Edward Henry), 192.
Harring (Sidney L.), 6599.
Harrington (Daniel F.), 7320.
Harriot (Thoimas), 5241.
Harris (Emma), 5485.
Harris (Frank), 5325.
Harris (Karsten), 5435.
Harris (R.W.), 3938.
Harrison (Brian), 3925.
Harrison (Christopher), 6728.
Harrison (Joseph), 5644.
Hart (E.J.), 5755.
Hart (Gerald D.), 7563.
Hart-Davis (Rupert), 5317.
Harte (N.B.), 2779.
Harth (Erica), 3818.
Hartke (Werner), 1834, 1993.
Hartleben (Hermine), 396.
Hartley (B.), 1836.
Hartmann von Auen, 2887.
Hartmann (Peter Claus), 6238.
Hartmann (Stefan), 6895.
Hartmann (Wilfried), 2729.
Hartog (Henrik), 6524.
Hartung (Fritz), 416.
Hartung (Günter), 5357.
Hartung (Wolfgang), 2545.
Harvey (Alan), 2336.
Harvey (P.D.A.), 263.
Haşdeu (Bogdan Petriceicu), 417.
Hase (Alexander von), 6938.
Hašek (Jaroslav), 5368.
Haselsteiner (horst), 3426.
Hasenfratz (Hans-Peter) 844.
Haskins (Ralph W.), 3528.
Haslam (J.), 7044.
Haslam (Jeremy), 3124.
Hass (Ludwik), 6239, 6427.
Hasubek (Peter), 1000.
Hattaway (Herman), 3614.
Hatton (T.J.), 5867.
Hattusilis Ier, roi des Hittites, 1289.
Hatzenbuehler (Ronald L.), 3615.

Hatzopoulos (M.B.), 1476.
Hatzopoulou (Yann.), 5358.
Haubrichs (Wolfgang), 2419, 3137.
Hauck (Karl), 2895.
Haudry (J,), 1663.
Haug (Walter), 2941.
Hauptfeld (Georg), 2546.
Hauptmann (H.), 475.
Hausberger (Karl), 3296.
Hausen (Karin), 6220.
Hauser (Oswald), 3389.
Hausmann (U.), 1896.
Haussig (Hans W.), 7400.
Havas (László), 1926.
Havenaar (R.), 4156.
Haviland (E.K.), 7509.
Havlík (Lubomír E.), 2547.
Havran (Martin J.), 3939.
Hawig (Peter), 6979.
Hawkins (Angus B.), 3940.
Haya de la Torre (Victor Raúl), 4163.
Hayden (Brian), 7591.
Hayden (Michael), 4914.
Hayden (Robert M.), 7435.
Hayes (Grace Person), 7121.
Hayez (Anne-Marie), 3015.
Haykal (Muhammad Husayn), 3491.
Haynes (John Earl), 3616.
Hayton (David), 4060.
Hazidimitriou (C.), 2337.
Headley (John M.), 3297.
Healan (Dan M.), 7565.
Healy (Ann E.), 6980.
Healy (James), 4061.
Heard (Dora), 6849.
Hearder (Harry), 4100.
Hébert (Jacques), 3813.
Heckel (Martin), 3298.
Hecker (Gerhard), 3299.
Hecker (Hans), 339.
Hedio (Kaspar), 4650.
Hedlund (Stefan), 4368.
Hedwig von Windheim, 2578.
Heeney (Brian), 4657.
Heerma Van Voss (Matthieu), 1256.
Hegel (Georg Wilhelm Friedrich), 4822, 5033, 5049, 5051, 5088, 5114, 5122, 5123.
Heiber (Helmut), 3223.
Heikal (Mohamed), 3489.
Heikkilä (Hannu), 7182.
Heim (Carol E.), 5756.
Heim (Wolf-Dieter), 3042.
Heimann (Heinz-Dieter), 2628.
Heimpel (Hermann), 693, 3077.
Heine (Heinrich), 5290.
Heinmann (Christiane), 704.
Heinemann (Ronald L.), 3617.
Heinemann (Ulrich), 3300.
Heinemeyer (Karl), 2787.
Heinemeyer (Walter), 5247.
Heinen (Heinz), 474.
Heinhold-Kramer (S.), 493.
Heinig (Paul-Joachim), 2456, 2730.
Heinrich VI., röm.-deutscher Kaiser, 2599.
Heinrich (VII.), deutscher König, 2397.
Heinrich der Löwe, Herzog von Sachsen u. Bayern, 2565, 2601.
Heinrich Raspe, Landgraf von Thüringen, deutscher Gegenkönig, 2397.
Heinrich von Laufenberg, 2874.
Heinrich von Mügeln, 2923.
Heinrich Zdík, Bischof von Olmütz, v. Jindřich Zdík.
Heinrichs (Waldo), 6641.
Heintzman (Ralph), 3476.
Heinz (Werner), 1927.
Heinzelmann (Wartin), 1890.
Heiss (Gernot), 6904.
Heissig (Walther), 491.
Heitel (Radu R.), 3125.
Heitsch (Ernst), 1448.
Heitzer (Heinz), 340.
Heitzer (Horstwalter), 6428.
Hejna (Antonín), 3126.
Heland (Madeleine von), 308.
Helander (Voitto), 3730.
Helena, épouse de Julianus, empereur romain, 1770.
Heller (Agnes), 4030, 5065.
Heller (Joseph), 6981.
Heller (Klaus), 6043.
Heller (Michał), 7266.
Hellholm (David), 1178.
Helliez (Chantal), 6570.
Hellmann (Manfred), 789, 4369.
Hellmann (Martin), 2490, 2491.
Helmert (Theodor), 3078.
Heltzer (Michael), 1325.
Hemery (D.), 7458.
Henderson (W.O.), 5580.
Hendrickx (J.-P.), 937.
Hengel (Martin), 2216.
Hengstl (Joachim), 1221.
Henig (Martin), 2063.
Hénin (Béatrice), 3880.
Henkel (Willi), 951.
Henn (Volker), 2803.
Henneman (John Bell), 2804.
Hennessy (Peter), 6440.
Hennig (Dieter), 1664.
Hennig (John), 5300.
Henning (Basil Duke), 3941.
Henning (Friedrich), 3231.
Henning (Hans), 5286.
Henning (Hannsjoachim), 3233.
Hennis (Wilhelm), 472.
Henri II, roi de France, 6877.
Henri V, v. Chambord (Henri de Bourbon, duc de Bordeaux, comte de).
Henri de Gand, 2998.
Henriksen (Lars), 5971.
Henrikson (Anders), 4370.
Henry II, king of England, 2579.
Henri III, king of England, 2754.
Henry (Alan S.), 1499.
Henry (Joseph), 5138.
Henseke (Hans), 3800.
Hensel (Witold), 1144.
Henson (Hensley), 3905.
Hentschel (Cedric), 5321.
Hentschel (Volker), 5645, 6234.
Hentz (G.), 508.
Henwood (Philippe), 726.

Hepburn (A.C.), 3942.
Hērakleitos, 1549.
Herbers (Klaus), 3053.
Herberstein (Adam, Freiherr zu), 6880.
Herbert (Aubrey), 3924.
Herbst (Ludolf), 3301.
Herbst (Stanisław), 6939.
Herde (Peter), 7122.
Herder (Johann Gottfried), 5026.
Heremans (Roger), 4595.
Herennios Philōn, 1434.
Hergemöller (Bernd-Ulrich), 2731.
Hergenröther (Joseph), Kardinal, 4543.
Herget (Winfried), 4721.
Herihor, grand prêtre d'Amon, 1251.
Heriot (George), 5462.
Herlihy (David), 341.
Hermand (Jost), 612.
Hermann (Werner), III.
Hermann-Fichtenau (Elisabeth), 5464.
Hermas, 2194.
Herms (Eilert), 5066.
Hernes (Gudmund), 6571.
Hero (Angela Constantinides), 2282.
Herodes Magnus, roi de Judée, 1348, 1774.
Herodes Atticus (Lucius Vibullius Hipparchus Tiberius Claudius),1763.
Hērodotos, 201, 1431, 1483, 7407.
Herre (Franz), 3427, 6642.
Herrera (María Teresa), 2470.
Herrgeist (Fritz), 5933.
Herring (George C.), 7288.
Herrmann (Elisabeth), 1370.
Herrmann (Erwin), 196.
Herrmann (Joachim), 1027, 1165, 2573.
Herrmann (Ursula), 6382.
Hershey (Lewis), 3594.
Herstein (Sheila R.), 3518.
Hertenberger (Helmut), 3428.
Hertner (Peter), 5699.
Heřtová (Yvette), 7045.
Hertz (Deborah), 4809.
Hervé (Roger), 172.
Herzen (A.I.), v. Gercen Aleksandr Ivanovič).
Herzfeld (Hans), 418.
Herzig (Arno), 6240.
Herzig (H.E.), 1928.
Herzl (Theodor), 3417, 4760.
Herzman (Ronald B.), 2485.
Hēsiodos, 1624.
Heß (Rudolf), 3223.
Hesse (Peter), 866.
Hessen (Otto von), 86.
Heston (Alan), 5934.
Hesychius Hierosolymitanus, 2130, 2135.
Heubeck (Alfred), 1405.
Heumos (Gustav), 5646.
Heurgon (Jacques), 226.
Heuß (Alfred), 1804, 1805.
Heuß (Theodor), 3231, 3396.
Heussler (Robert), 6693.
Heyd (Michael), 4856.
Heyen (Franz-Joseph), 7123.
Heyse (Irénée), 1069.

Heyum (Renée), 7582.
Heyworth (Peter), 5525.
Hezel (Francis X.), 4596, 7592.
Hibbard (Caroline N.), 3943.
Hiden (John), 3302.
Hierokles Alexandrinos,1425.
Hieronymus Stridonius (Eusebius Sophronius), Sanctus, 2111, 2131, 2132, 2408.
Hiestand (Rudolf), 2420, 2422, 2444.
Hietala (Marjatta), 4810, 6104.
Higgins (M.D.), 4062.
Higham (Charles), 7183.
Higounet (Charles), 863.
Higounet-Nadal (Arlette), 740, 2805.
Hildesheimer (Esriel), 3303.
Hill (J.), 5757.
Hill (Joyce), 3079.
Hill (Robert A.), 3530.
Hillel (Marc), 7321.
Hiller (Kurt), 4988.
Hillgarth (J.N.), 2421.
Hillgruber (Andreas), 3265, 7046.
Hilprecht (Hermann Vollrath), 1279.
Hilton (Rodney H.), 2806.
Hilton (Sylvia-Lyn), 6896.
Himka (John-Paul), 6429.
Himmelfarb (Getrude), 6241, 6430.
Himsworth (S.J.), 2896.
Hincker (François), 391.
Hindelang (Sabine), 6242.
Hine (William C.), 3618.
Hingley (Ronald), 5359.
Hingst (H.), 1135.
Hinkel (Friedrich W.), 1241.
Hinks (Peter), 5487.
Hinojosa (Gilberto Miguel), 3619.
Hintze (Otto), 419.
Hippokratēs, 1566, 1574, 1577, 1582, 1620.
Hipponax, 1426.
Hirsch-Dyczek (Olga), 1682.
Hirschfeld (Gerhard), 3277.
Hirschfeld (Yizhar), 1326.
Hitchins (Keith), 4238.
Hitler (Adolf), 3224, 3295, 3302, 3321, 3335, 3351, 3363, 3365, 3422, 3430, 7080, 7192, 7194, 7230, 7248.
Hlaváček (Ivan), 22.
Hlaváček (Luboš), 5419.
Hlawitschka (Eduard), 2548.
Hlušičková (Růžena), 4287, 5501.
Ho Tai (Hue-Tam), 7467.
Hoare (Michael E.), 4465.
Hobbes (Thomas), 5094.
Hobley (B.), 2088.
Hobsbawm (Eric John), 3178, 6431.
Hobson (Antony), 44.
Hobson (Fred), 3620.
Hochstadt (Steve), 6105.
Hockerts (Hans Günther), 6572.
Hocquet (Jean Claude),2807.
Hodge (A.T.), 1529, 2065.
Hodges (Richard), 2493.

Hodgetts (Christine), 2338.
Hodgson (Robert), 2133.
Hodkinson (Stephen), 1530.
Höckmann (Olaf), 2066.
Hödl (Günther), IV.
Hoefer (Frank Thomas), 4989.
Höfer (Peter), 5868.
Höffe (Otfried), 5067.
Höflechner (Walter), 708.
Hoens (Dirk Jan), 1256.
Hoensch (Jörg K.), 762.
Höpfner (Hans-Paul), 7047.
Höpp (Gerhard), 7390.
Höppner (Joachim), 5068.
Hoerder (Dirk), 6432.
Hörmann-von Stepski (Stanislaus), 2297.
Hoernle (E.), 3304.
Hörsell (Ann), 5647.
Hörtberg (Norbert), 289.
Hoexter (Miriam), 3219.
Hof (Hagen), 815.
Hofer (Walther), 3287.
Hoff-Wilson (Joan), 264.
Hoffer (Peter Charles), 6809.
Hoffman (Ronald), 6780.
Hoffmann (Erich), 3397.
Hoffmann (G.), 1589.
Hoffmann (Hans), 5526.
Hoffmann (Hermann), 2432.
Hoffmann (Stanley), 380.
Hoffmeister (Gerhart), 5360.
Hofmann (Inge), 493, 1216.
Hofmann (Tessa), 5361.
Hofseth (Ellen Høigård), 1136.
Hogan (Heather), 6433.
Hogwood (Christopher),5527.
Hohengarten (André), 7118.
Hohlweg (A.), 2297.
Hoke (Rudolf), 3080.
Holbach (Rudolf), 2577.
Holbo (Paul S.), 3621.
Holbrook (Francis X.), 4101.
Holland (R.F.), 6810.
Hollerweger (Hans), 4546.
Hollis (Daniel Webster) III, 4990.
Hollos (Marida), 4031.
Holt (Arthur E.), 4641.
Holt (J.C.), 2808.
Holtheide (Bernard), 1806, 1891.
Holton (Gerald), 5145.
Holz (Hans Heinz), 5069.
Holzer (Willibald), 3429.
Hombert (Marcel), 1173.
Home (Bruce), 1016.
Homer (D.M.), 7124.
Homēros, 1420, 1444, 1541, 1563, 1571, 1586, 1601, 1604, 1612, 1624, 1625, 1630, 1633, 1645, 1646.
Hommel (Hildebrecht), 2217.
Hondros (John Louis), 7267.
Honecker (Martin), 4658.
Honey (Martha), 4321.
Honko (Lauri), 6359.
Hont (I.), 5601.
Hoock (J.), 824.
Hood (Miriam), 6982.
Hoopes (James), 4659.
Hoover (Herbert Clark), 3516, 3558, 3669, 3675, 3681.
Hoover (J. Edgar), 7109.
Hopfenzitz (Josef), 2809.

INDEX OF NAMES

Hôpital (R.), 1916.
Hopkins (Donald R.), 882.
Hopkins (Keith), 1200, 1929.
Hoppen (K. Theodore), 4857.
Hopwood (D.), 3490.
Horáčková (Svatava), 5935.
Horatius Flaccus (Quintus), 1990, 2003.
Horea (Ursu Nicolae), 4218, 4219.
Horn (Maurycy), 382.
Horn (Stephen O.), 2218.
Hornblower (Simon), 1467.
Hornsby (Peter R.G.), 5488.
Horowitz (Vladimir), 5548.
Horrell (Joseph), 6811.
Horsfall (Nicholas), 45.
Horská (Pavla), 6243.
Horthy de Nagybánya (Miklós), 4036, 7203.
Horton (D.C.), 7224.
Horton (George), 7049.
Horton (John J.), 4072.
Horváth (Pavel), 342.
Hotchand (Seth Naomul), 6687.
Hotson (Fred W.), 5758.
Hotz (Joachim), 921.
Houben (Hubert), 2549.
Houdaille (Jacques), 6103.
Hough (Richard), 3944,7048.
Hourani (Albert H.), 7401.
Housepian (Marjorie), 7049.
Houser (Caroline), 1683.
Houwink ten Cate (Philo H. J.), 1289.
Howard (Rio), 5184.
Howard (Victor B.), 3622.
Howarth (Stephen), 4121, 7225.
Howe (Daniel Walker), 4660.
Howe (Irving), 4746.
Howell (Cicely), 845.
Howell (David), 6434.
Howell (John M.), 1089.
Howse (Alfred Leslie), 3976.
Hoyer (Siegfried), 4690.
Hrbek (Jaroslav), 7226.
Hrechorowicz (Beata), 4977.
Hristov (Hristo A.), 713.
Hristova (Aksenia), 1090.
Hsün-tzu, 7492.
Huard (Pierre), 5185.
Hubatsch (Walther), 3305.
Huber (Alexander), 2629.
Huber (Ernst Rudolf), 3378.
Huber (Viktor Aimé), 6242.
Huber (Wolfgang), 3378.
Hubert (Jean), 409.
Hubschmid (Raymonde), 280.
Hudson (P.), 5784.
Hudson (W.J.), 7154.
Hudspeth (Robert N.), 5316.
Hübner (Wolfgang), 883.
Huel (Raymond J.A.), 3471.
Huelin (Gordon), 4488.
Huetz de Lemps (H.), 5913.
Hufton (Olwen H.), 5936, 6244.
Hugh (Ronald K.), 3945.
Hughes (H. Stuart), 4761.
Hughes (Judith M.), 3179.
Hughes (Michael), 3306.
Hughes (Michael L.), 6526.
Hughes (Richard T.), 4662.
Hughes (Thomas P.), 5759.
Hugues de Saint-Victor, 2993.

Hugues (Stuart H.), 4102.
Huiskes (Manfred), 3235.
Hulin (Nicole), 4916.
Hulliung (Mark), 4103.
Hult (Gunnel), 1117.
Humbert de Romans, 3030.
Humbert (M.), 2057.
Humbert-Droz (Jules), 6381.
Humble (Richard), 3946.
Humboldt (Wilhelm, Freiherr von), 4959.
Hume (David), 5025, 5066, 5080.
Humes (Walter), 4917.
Humphrey (Hubert Horatio), 3616.
Humudi (Salah at-Tiwani), 2697.
Hundert (Gershon David), 4172.
Hunecke (Volker), 6245.
Hunefeldt (Christine), 6812.
Hunnicutt (Benjamin K.), 4547.
Hunt (Bruce J.), 5186.
Hunt (Lynn), 3819.
Hunt (Michael H.), 6643, 6983.
Hunt (William), 3947.
Hunter (Laurence J.K.),311.
Hunter (R.J.), 4067.
Hunter (Robert), 6821.
Hunyadi (János), 2459.
Hupka (Werner), 169.
Huppert (George), 6307.
Hurezeanu (Damian), 4239.
Hurowitz (Avigdor Victor), 1327.
Hus (Jan), 2478, 3080, 3108, 4735.
Hussain (A. Gouda), 1242.
Husserl (Edmund), 5027.
Husson (Geneviève), 163.
Huston (James L.), 3623, 5937.
Husung (Hans-Gerhard), 3307.
Hutcheson (John), 5648.
Hutchins (Robert L.), 7322.
Hutten (Ulrich von), 3334.
Huyghebaert (Nicolas-N.), 514.
Huysecom (E.), 1091.
Hwan (Shen-chang), 7478.
Hyginus, Philosophus, 1758.
Hynson (Leon O.), 4663.
Hyršlová (Květa), 7050.

I

Iacoş (Ion), 6435.
Iakōbides (Christos), 5436.
Iakovidis (Spyros E.), 1684.
Iancu de Hunedoara, v. Hunyadi (János).
Ibn al-Khusain, 2897.
Ibn Sīnā (Abū Sīnā, dit Avicenna), 2795.
Ibsen (Henrik Johan), 5387.
Icke-Schwalbe (Lydia), 7436.
Ickes (Harold Le Clair), 3683.
Idzerda (Stanley J.), 3741.
Iercoşan (Sara), 5362.
Ignatenko (I.M.), 7278.
Ignatieff (M.), 5601.

Igor Svjatoslavič, prince de Novgorod-Severš et de Černigov, 13.
Iliescu (Ion), 4849.
Iliescu (Octavian), 1772.
Iliffe (John), 5649.
Il'in (G.F.), 1188.
Il'in (I.A.), 923.
Il'ina (L.N.), 4328.
Il'ina (T.D.), 5187.
Ilincioiu (Ion), 5938.
Il'inskaja (L.S.), 2067.
Iljukhina (R.M.), 7051.
Ilowski (Stanisław), 420.
Imbert (Jacques), 4915.
Imkamp (Wilhelm), 3016.
Impola (Chijkki), 7290.
Imreh (István), 6573.
Indrelid (Svein), 1092.
Inés [of Herrera], daughter of Juan Esteban, 2671.
Inglis (Kenneth Stanley), 5760.
Inkster (Ian), 5188.
Innes (Christopher), 5528.
Innes (Stephen), 5651.
Innis (Harold), 5648.
Innocentius II [Gregorio Papareschi dei Guidoni], Papa, 3019.
Innocentius III [Giovanni Lotario, conte di Segni], Papa, 3016.
Inojatov (K. Kh.), 4371.
Ioannidi (Hélène), 1406.
Iōannikios, Byzantine scribe, 20.
Ioannisjan (A.R.), 6436.
Ioffe (G.Z.), 4373.
Iofrida (Manlio), 5070.
Ionescu (Florin), 5522.
Ionescu (Gheorghe Z.),4217.
Ionescu (Marin), 5498.
Ionescu (Toader), 5581.
Ioniţă (Gheorghe I.), 774.
Iordache (Anastasie), 4240, 4243.
Iordache (R.), 2423.
Iorga (Nicolae), 421, 5261.
Iorgulescu (Vasile), 3031.
Iosa (Mircea), 343, 4243.
Iosipescu (Sergiu), 2523.
Iphikratēs, 1468.
Iplikcioğlu (Sitki Isa Bülent), 1892.
Iradiel Murugarren (Paulino), 2811.
Ireland (Aideen), 4858.
Irène, impératrice de Byzance, v. Eirēnē.
Iribadžakov (Nikolaj), 1590.
Irimescu (Gavril Sevastiţa), 309.
Irimia (Mihai), 1137.
Irye (Akira), 7391.
Irmscher (Johannes), 672, 1548, 4009.
Irons (Peter), 6527.
Irsigler (Franz), 824.
Irtenkauf (Wolfgang), 2981.
Irwin (T.H.), 1591.
Isaacman (Allen F.), 4145.
Isaacman (B.), 4145.
Isaev (M.P.), 7323.
Isaev (V.A.), 7324.
Isaias, propheta biblicus, 1308, 1328, 2137.
Isambert Jamati (Viviane), 4931.

Isar (Nicolae), 4241.
Iscru (Gheorghe D.), 4242.
Iserloh (Erwin), 4502, 4548, 4664.
Ishmail ben Phiabi, 1843.
Isichei (Elizabeth), 6730.
Isidorus Hispalensis, Sanctus, 2136, 2148, 2267.
Isokratēs, 1576.
Isola (A.), 2123.
Israel (Jonathan I.), 4157, 4762.
Isserlin (B.S.), 9.
Isticioaia-Budura (Tatiana), XVII.
Itenberg (B.S.), 4421.
Ivan IV Groznij [le Terrible], tsar de Russie, 2662, 6879.
Ivan Aleksandǎr, tsar bulgare, 2632.
Ivan (Franz), 5012.
Ivanjan (Ė.A.), 6438.
Ivanov (R.F.), 3625.
Ives (E.W.), 2732.
Ivie (Robert L.), 3615.
Ivo, Ep. Carnotensis, Sanctus, 2712.
Iwańczak (Wojciech), 2524.
'Iyāḍ b. Mūsā b. 'Iyāḍ b. 'Amran al-Yaḥṣubī al-Sabtī al-Ḳāḍī, 7403.
Iyer (J.), 7438.

J

Jablon (Howard), 3626.
Jablońska-Deptuła (Ewa), 4589.
Jabłoński (Tadeusz), 6149.
Jackson (Andrew), 3560.
Jackson (H.J.), 5301.
Jackson (Robert), 7227.
Jacob (James R.), 4665.
Jacobs (Donald M.), 5941.
Jacobs (Manfred), 4666.
Jacobsen (Thorkild), 1273.
Jacobson (Jon), 7052, 7053.
Jacobson Schutte (Anne), 48.
Jacobus Maior, Apostolus, Sanctus, 3053.
Jacques de Vitry, évêque d'Acre, 2399, 2451.
Jacquesson (Guy), 562.
Jacquet (Jean), 1244.
Jacyna (L.S.), 5071.
Jaeck (Hans-Peter), 345.
Jäckel (Günter), 3798.
Jäger (Eckhard), 195.
Jäger (Helmut), 2812.
Jägerskiöld (Stig), 3729.
Jähnig (Bernhart), 963.
Jaenen (Cornelius J.), 6813.
Järvenpää (Pauli), 7319.
Jaggard (Edwin), 3948.
Jagger (Cedric), 888.
Jagiello (Jerzy), 4173.
Jahn (J.), 1893.
Jakemon de Deinze, General Receiver of Flanders, 2749.
Jakomentko (N.A.), 5942.
Jakob von Sierck, Kurfürst von Trier, 2643.
Jakob (O.), 1592.
Jakob-Rost (Liane), 1283.
Jakobson (A.L.), 2961.

Jakobsson (Svante), 6248.
Jakovlev (B.M.), 6439.
Jakubowski-Tiessen (Manfred), 4667.
Jakuševskij (A.C.), 7152.
Jal (Augustin), 164.
James I, king of Great Brittain a. Ireland, 3979.
James (Harold), 3309.
James (John A.), 5762.
James (M.R.), 4897.
James (Robert Rhodes), 3949.
Jamieson (Alan G.), 6814.
Jamison (Robert), 997.
Jamroziak (Wojciech), 7103.
Jan III Sobieski, roi de Pologne, 4196, 4203, 6900, 6911, 6917, 6923, 6929.
Janáček (Josef), 781, 6875.
Jandt (Johannes), 694.
Janin (V.L.), 6130.
Jank (Dagmar), 3081.
Jankuhn (Herbert), 843, 2707.
Jann (Rosemary), 346.
Janotta (Christine Edith), 2456.
Janšin (A.L.), 577.
Jański (Bogdan), 4564.
Janssen (Jacob J.), 1216.
Janssen (Walter), 863.
Janssens (Yvonne), 1662.
Jaquet (Frits G.P.), 275.
Jarausch (Konrad H.), 4918, 4972.
Jarosch (Günther), 689.
Jarrell (Richard A.), 5133.
Jasiewicz (Zbigniew), 641.
Jasiński (Janusz), 4174.
Jaspert (Bernd), 2180.
Jauffret (Jean-Charles), 3820.
Jaurès (Jean), 3765.
Jayawardene (S.A.), 872.
Jean de Terrevermeille, 2710.
Jean (Michèle), 6288.
Jean (Suzanne), 272.
Jeanne d'Arc, 2617, 2658, 2661.
Jeauneau (Edouard), 2994, 2995.
Jędruszczak (Hanna), 5705.
Jefferson (Thomas), 3517, 3527, 3631, 5074, 6278, 6520.
Jeffery (Keith), 6440.
Jeffreys (E.M.), 2339.
Jeffreys (M.J.), 2339.
Jeffreys-Jones (R.), 3627.
Jelavich (Barbara), 3180.
Jelavich (Charles), 4919.
Jelink (Yeshayahu A.), 4288.
Jenewein (Gunhild), III.
Jenkins (Philip), 3950.
Jenks (Stuart), 2900.
Jensen (Joan M.), 3691.
Jensen (Richard), 563.
Jentz (John B.), 5768.
Jequier (François), 5763.
Jerphagnon (Lucien), 1994.
Jesaja, v. Isaias, propheta biblicus.
Jeserich (Kurt G.A.), 809.
Jespersen (Knud J. V.), 3181, 3488.
Jessenne (Jean-Pierre), 6249.
Jesus Christus, 220, 527, 2166, 2176, 2182, 2226.

Ježek (Alexandr), 4375.
Ježková (Anna), 3141.
Jha (C.S,), 7325.
Jiang (Xiangze), 6650.
Jílek (František), 820, 5243.
Jílková (Jaroslava), 820.
Jindřich Zdík, Bischof von Olmütz, 2396.
Jireček (Konstantin), 422.
Joachim of Fiore, v. Gioacchino da Fiore.
Job, propheta bilbicus, 1294.
Jobey (George), 1153.
Jobst (Werner), 2068.
Jörberg (Lennart), 6250.
Jørgensen (Harold), 266.
Johannes Akathios ou Akatzes, Sanctus, 2129.
Johannes Baptista, Sanctus, 2118, 2268.
Johannes Chrysostomus, Patriarcha Byzantinus, Sanctus, 2113, 2118, 2137, 2189, 2269.
Johannes Damascenus, Sanctus, 2284, 2331.
Johannes Evangelista, Sanctus, 2106, 2151, 2270.
Johannes XXII [Jacques Duèse], Papa, 2411.
Johannes, abbas Biclarensis, 2428.
Johannes Lydos, 2283.
Johannes Paulus II [Karol Wojtyła], Papa, 4501, 4503, 4508, 4510.
Johannsen (Robert W.), 236.
Johansen (Jahn Otto), 3731.
Johansen (Øystein), 975.
Johanson (Gösta), 4920.
John of Salisbury, 2994, 3001.
John (Catherine Rachel), 959.
John (Jürgen), 3310.
Johne (Klaus-Peter), 1930.
Johns (Elizabeth), 3628.
Johnson (Andrew), 3528.
Johnson (Anne), 2069.
Johnson (Arthur M.), 5764.
Johnson (Charles S.), 4936.
Johnson (Christine), 4499.
Johnson (Christopher H.), 5765.
Johnson (D.S.), 4064.
Johnson (David R.), 3629.
Johnson (Endicott), 5846.
Johnson (Lyndon Baines), 3563, 3570, 3692.
Johnson (Paul), 3182.
Johnson (Samuel), 5304.
Johnson (Stephen), 2070.
Johnston (A.), 1808.
Joinville (Jean, Sire de), 87, 2889.
Joly (Bertrand), 3822.
Jones (Archer), 3614.
Jones (Arthur Creech), 6754.
Jones (Charles A.), 6044.
Jones (Clyve), 3951.
Jones (Colin), 6251, 6252, 6940.
Jones (D.J.V.), 6600.
Jones (David), 6441.
Jones (David C.), 6253.
Jones (E.D.), 2636.
Jones (Gareth Stedman) 6442.

Jones (Kathleen W.), 5191.
Jones (Maldwin A.), 3630.
Jones (N.), 4668.
Jones (Raymond A.), 6984.
Jones (Robert Leslie), 5943.
Jones (S.R.H.), 5736.
Jones (Sydney J.), 3430.
Joost (Ulrich), 5140.
Joravsky (David), 4921.
Jordan (Daniel P.), 3631.
Jordanes, 2423, 2460.
Josan (Nicolae), 4244.
José Bonaparte, rey de España, v. Bonaparte (Joseph).
Joselit (Jenna Weissman), 4763, 6254.
Joseph II., röm.-deutscher Kaiser, 300, 3426, 3431, 4495, 4546, 6905.
Josephus, Sanctus, 4523.
Josephus (Flavius), 1310, 1341, 1843, 1894.
Jossa (Giorgio), 2138.
Jossinet (Alain), 3823.
Jost (I.M.), 423.
Jouhaud (Christian), 3824.
Jouve (Michel), 5466.
Joyce (Donald Franklin), 49.
Joyce (James [Augustine]), 5329.
Joyce (William L.), 50.
Juan II, rey de Aragón, 2817.
Juan Manuel (Don), 2649.
Judd (Jacob), 6815.
Judge (Edward H.), 4376.
Jürss (F.), 1381.
Jütte (Robert), 6255.
Jüttner (Guido), 898.
Juillerat (Michèle), 6848.
Julia (Dominique), 4852.
Juliana, martyr Ptolemaide, Sancta, 2128.
Julianus (Flavius Claudius), empereur romain, 1332, 1770, 1783, 1979, 2034.
Julien (Catherine), 7567.
Julien-Labruyère (François), 5944.
Julius Possessor (Sextus), 1828.
Julku (Kyösti), 4859.
Julku (Liisa), 4859.
Jullian (Marcell), 846.
Junecke (Hans), 2340.
Jung (Carl Gustav), 5136.
Junghanns (Kurt), 6443.
Junghans (Helmar), 4679.
Jungmann-Stadler (Franziska), 2578.
Jungmayr (Jörg), 1006.
Junod (Eric), 2106, 2139.
Jupp (P.), 4067.
Jur'ev (M.F.), 7510.
Jurkiewicz (Jan), 4377.
Jurlova (E.S.), 6256.
Jussila (Osmo), 6985.
Just (Ernest Everett), 5209.
Justinianus I, empereur de Byzance, 1862, 2286, 2325, 2326, 2553.
Justino (David), 5869.
Justinus II, empereur de Byzance, 2294.
Justinus (Marcus Junianus), 1424.

Jutikkala (Eino), 6135.
Juralova (E.P.), 2962.
Juxon (John), 6601.
Juynboll (G.H.A.), 2424.

K

Kabris (Joseph), 7585.
Kadatz (Hans-Joachim), 5437.
Kaden (Klaus), 5287.
Kaehne (Michael), 2901.
Kaelble (Hartmut), 5652, 5766, 6257.
Kälvermark (Ann-Sofie), 6106.
Kämpfer (Christel), 175.
Kärki (Ilmari), 1264.
Kaestli (Jean-Daniel), 2106.
Kätzel (Siegfried), 5072.
Kaganoff (Nathan M.), 4764.
Kahana (David), 2682.
Kahane (Henry), 2341.
Kahane (Renée), 2341.
Kahle (Günther), 3142, 6817, 6952.
Kahn (Miriam), 635.
Kaiser (David), 3312.
Kaiser (Friedhelm Berthold), 4378, 5028.
Kaiser (Reinhold), 2733.
Kaiser (Thomas E.), 3825.
Kajanti (Caius), 3733.
Kajanto (Iiro), 4812.
Kalakaua, king of Hawaii, 7598.
Kalaphatēs (Thanasēs) 5945.
Kalašnikov (Ju. S.), 5557.
Kalašnikov (V.M.), 3532.
Kalašniková (Světlana), 7054.
Kalb (H.), 2734.
Kalckhoff (Andreas), 2495.
Kalidova (Robert), 6876.
Kalinowski (Rafał), 4540.
Kalisch (Philip A.), 5192.
Kallet (Lisa), 1468.
Kallias, 1453.
Kallinikos, son of Euxeinos, 1487.
Kallixenos Rhodios, 1220.
Kallmann (Helmut), 5520.
Kalmykov (K.F.), 5240.
Kałużyński (Stanisław), 2496.
Kamaletdinova (N.M.), 6444.
Kamen (Henry), 3502.
Kamińska (Anna), 6897.
Kaminski (John P.), 3523.
Kaminsky (Howard), 3017.
Kammenhuber (Annelies) 424, 493.
Kammerer (Louis), 4549.
Kampuš (Ivan), 2735.
Kan (A.S.), 4271.
Kancal (Salgur), 5870.
Kancewicz (Jan), 5011.
Kandler (Manfred), 2068.
Kanellopoulos (Panagiotes), 3826.
Kaniščeva (N.I.), 4379.
Kann (Robert A.), 425.
Kannengiesser (Charles), 2160.
Kansanaho (Erkii), 4669.
Kant (Immanuel) 5067, 5080, 5091, 5117.
Kantowicz (Edward R.) 4550.

Kanya-Forstner (A. Sydney), 6709.
Kaplan (Fred), 395.
Kaplan (Steven B.), 3082.
Kaplan (Yosef), 4765.
Kaplíř (Kaspar Zdenko), 6921, 6927.
Kaplony (Peter), 1243.
Kapodistrias (Ioannēs) 4016.
Kara Mustafa, 6913.
Karabelias (Evanghelos), 2309.
Karagioannopoulos (Giannēs), 2302.
Karamaloudē (A.), 2318, 2342.
Karamanski (Theodore J.), 4468.
Karapanos (Kōnstantinos), 6976.
Karathanasēs (Athanasios E.), 4813.
Karayannopoulos (I.), 2343.
Kardaševa (Ju. P.), 4326.
Karețchi (A.), 4225.
Kark (Ruth), 5946.
Karl I. der Große, Charlemagne, röm. Kaiser, König d. Franken, 2435, 2493, 2542, 2544.
Karl IV., röm.-deutscher Kaiser, 2621, 2731.
Karl V., röm.-deutscher Kaiser, 3297, 4474, 4519, 6867.
Karl VI., röm.-deutscher Kaiser, 3272.
Karl XIV Johan, roi de Suède et de Norvège, 6949.
Karl [Ludwig Johann], Erzherzog von Österreich, 3428.
Karl (Frederick R.), 5314.
Karlsson (Ingemar), 3313.
Karlsson (Jan Ch.), 6195.
Karniel (Josef), 3431.
Kárný (Miroslav), 7125.
Karpiński (Andrzej), 6258.
Karpiński (Antoni), 7228.
Karpozēlos (Apostolos), 2344.
Karpp (Heinrich), 4472.
Karsten (Peter), 3633, 3952.
Kartunova (A.I.), 7511.
Karyškovskij (P.O.), 1487.
Kasaba (Reşat), 5704.
Kašpar (Oldřich), 5262.
Kassel (Rudolf), 1437.
Kassēs (Kyriakos D.), 5365.
Kassimatēs (Ioannēs), 5543.
Kassis (Hanna E.), 7403.
Kaster (R.A.), 1593, 1995.
Katargiu (Virgil Emilian), 442.
Katarina Jagellonica, épouse du roi Johan III de Suède, 6879.
Katayama (Sen), 6493.
Kater (Michael H.), 3314, 5193.
Katinčarov (R.), 1118.
Kato (Shuichi), 5366.
Katona (Imre), 828.
Katsaros (B.), 2345.
Katz (Barry R.), 1809.
Katz (David S.), 6898.
Katz (Michael B.), 4922, 6259.
Katzir (Yael), 3018.

INDEX OF NAMES

Kaufhold (Karl Heinrich), 5654.
Kaufman (Joyce P.), 6260.
Kaufman (Menahem), 7326.
Kaunitz (Wenzel Anton, Reichsfürst von K.-Rietberg), 3431, 6889.
Kavelin (K.D.), 4445.
Kavtaradze (G.), 1094.
Kawecka-Gryczowa (Alodia), 39.
Kayser (Edmond), 5767.
Každan (Aleksandr Petrovič), 458, 2303, 2304.
Kazhdan (A.), v. Každan (Aleksandr Petrovič).
Kealey (Gregory S.), 6445, 6799.
Kean (Beverley Whitney), 5412.
Kean (Edmund), 5549.
Kearl (J.R.), 5655.
Keating (Carla), 821.
Keatinge (Richard W.), 7568.
Keaveney (Arthur), 1810.
Kebell (Thomas), 2732.
Kebric (Robert B.), 1685.
Keddie (Nikki R.), 4043, 4044.
Kedrov (B.M.), 5194.
Kee (Howard Clark), 2170.
Keeding (Ekkehart), 4814.
Keefe (Susan A.), 2426.
Keefe (Thomas K.), 2579.
Keegan (Robert T.), 5195.
Keel (Othmar), 1245.
Keeler (Mary Frear), 3884.
Keene (Arthur S.), 1039.
Keep (J.L.H.), 667.
Keiger (John F.V.), 7055.
Keightley (David N.), 7519.
Keil (Hartmut), 5768.
Keim (Curtis A.), 6731.
Kejř (Jiří), 2813.
Keller (Angela), 5871.
Keller (Donald R.), 925, 1031.
Keller (Erwin), 4551.
Keller (Robert H.) Jr., 4670.
Kelley (A.K.), 4671.
Kelley (Donald R.), 564.
Kellogg (Robert Leland), 2479.
Kelly (Edward Joseph), 3688.
Kelly (Lawrence), 5367.
Kelly (Lawrence C.), 3634.
Kelly (Thomas), bishop of Dromore, coadjutor archbishop of Armagh, 4560.
Kellyš (Ju. V.), 924.
Kemal Atatürk (Mustafa), 328, 4313.
Kemmerer (Donald L.), 4021.
Kempe (Margery), 3057.
Kempf (Friedrich), 494.
Kempf (Gérard), 6107.
Kendall (Calvin B.), 2902.
Kenneally (James J.), 6554.
Kennedy, family, 3722.
Kennedy (D.L.), 1894.
Kennedy (G.A.), 2346.
Kennedy (John Fitzgerald), 3636, 3660, 7339.
Kennedy (L.), 4064.
Kennedy (Margaret), 5391.
Kennedy (Mark E.), 5947.

Kennedy (Michael), 5529.
Kennedy (Paul), 6644.
Kennedy (Thomas C.), 3635.
Kenrick (P.M.), 1261.
Kent (Kate Peck), 7569.
Kenwood (A.G.), 5656.
Kenyon (John Philipps), 347.
Kenyon (T.A.), 5073.
Keppel-Jones (Arthur), 6732.
Keppie (Lawrence), 1895.
Keppler (Wilhelm), 3351.
Kepplinger (Hermann), 6484.
Ker (Neil Ripley), 291.
Keresztes (Paul), 2219.
Kergoat (J.), 3827.
Kerley (Janet M.), 7566.
Kerman (Joseph), 5530.
Kern (Montague), 3636.
Kern (Stephen), 4815.
Kerns (Virginia), 637.
Kero (Reino), 6108.
Kerr (A.P.), 3745.
Kerr (Donal K.), 4552.
Kershaw (Ian), 3315.
Kersten (Adam), 426.
Kessler (Sanford), 5074.
Kettler (Wilhelm Emmanuel Freiherr von), Bischof von Mainz, 4548.
Kettenacker (Lothar), 745.
Kettenhofen (Erich), 1367.
Keul (Michael), XI.
Keynes (John Maynard Keynes, 1st baron), 5573, 5597.
Keynes (Milo), 5531.
Keyserlingk (Robert H.), 7126.
Khačaturjan (N.A.), 2815.
Khadzi Murat Ibragimbejli, 7229.
Khalfin (N.A.), 3953.
Kharlamov (N.M.), 7156.
Khazini (Abū 'Abd al-Raḥmān Manṣūr al-), 2897.
Khenkin (S.M.), 3503.
Khoury (Philip S.), 7404.
Khuro (Hamida), 6687.
Khvostova (K.V.), 565.
Khwarizmi (Mohammed ibn Musa al-), 2878.
Kibre (Pearl), 2903.
Kickleighter (Joseph A.), 2630.
Kicza (John E.), 6816.
Kidwell (Peggy), 5948.
Kieffer (Jean-Luc), 379.
Kielmansegg (Peter, Graf), 3316.
Kiene (Michael), 926.
Kieniewicz (Jan), 681.
Kieniewicz (Stefan), 348, 4860.
Kießling (Emiel), 1221.
Kießling (Rolf), 697.
Kilani (Mondher), 638.
Kilbourne (James), 3557.
Kilcullen (John), 5075.
Kilian (Lothar), 1032.
Kilian (Rudolf), 1328.
Killan (Gerald), 5196.
Killen (Linda), 7010.
Killick (Alistair), 2347.
Killilae (Walter), 3676.
Killingray (David), 3156.
Kim (M.P.), 427, 6446.
Kimmig (W.), 1469.
Kinadōn, Spartiate, 1486.

Kinder (A. Gordon), 4612.
Kindler (A.), 121, 130.
King (Andrew J.), 3537.
King (Frank H.H.), 6045.
King (John Owen) III, 4672.
King (Peter), 7327.
King (William M.), 3637.
King (William McGuire), 4673.
Kingsley (Henry), 5379.
Kingston (P.K.), 3828.
Kingston-Mann (Esther), 4380.
Kinjapina (N.S.), 4381.
Kinser (Sam), 1002.
Kinsman (Margaret), 6733.
Király (Béla K.), 428, 495.
Kirby (Jack Temple), 3638, 5949.
Kirchhoff (Hans Georg), 556.
Kirk (John M.), 3486.
Kirk-Greene (Anthony H.M.), 6706.
Kirkham (Graeme), 821.
Kiryk (Feliks), 2899.
Kiškin (L.S.), 1004.
Kislinger (E.), 2348.
Kiss (István N.), 4032, 5950.
Kissinger (Henry A.), 7312, 7317.
Kitamura (Tôkoku), 5396.
Kitchen (K.A.), 1246.
Kitromilides (Paschalis M.), 715.
Kittel (Ellen E.), 2749.
Kitzinger (E.), 2944.
Klaiber (Jeffrey L.), S.J., 4553.
Klapp (Otto), 996.
Klarsfeld (Serge), 3829.
Klauser (Theodor), 945.
Klecka (Joseph), 1733.
Klein (Herbert J.), 6262.
Klein (Herbert S.), 5921.
Klein (Jürgen), 3954.
Klein (Richard), 1438.
Klein-Franke (Felix), 2698.
Kleinfeld (Gerald R.), 7230.
Kleinheyer (Gerd), 6528.
Kleinschroth (Balthasar), 3418.
Kleist (Heinrich von), 3241, 5354.
Klemperer (Otto), 5525.
Klengel (Horst), 1265.
Klengel-Brandt (Evelyn), 1274.
Klenner (Hermann), 5067.
Klepsch (Rudolf), 6448.
Kles (Shlomo), 7269.
Klessmann (Christoph), 3317.
Klevanskij (A. Kh.), 5368.
Klibaner (Irwin), 3639.
Klier (John D.), 4991.
Klijn (A.-Frederick J.), 2140.
Klinge (Matti), 4272.
Klingenstein (Grete), 6904.
Ključevskij (V.O.), 429.
Kloft (Hans), 1811.
Klonder (Andrzej), 6263.
Klopsch (Paul), 2909.
Klosko (George), 1594.
Kłoskowska (Antonina), 481.
Klüpfel (Engelbert), 4551.
Kluth (Rolf), 2513.

Kluxen (Kurt), 3990.
Knaack (Rudolf), 3227.
Knapp (Robert C.), 1812.
Kneidl (Pravoslav), 5467.
Kneißl (P.), 1931.
Kneller (Sir Godfrey), 5480.
Kneppe (Alfred), 439.
Knibiehler (Yvonne), 889.
Knight (G. Wilson), 5321.
Knight (Wayne), 7328.
Knights (B.A.), 1932.
Knobloch (Eberhard), 2904.
Knoch (Wendelin), 3083.
Knoll (Heiner), 1687.
Knorr (W.), 1595.
Knothe (Tomasz), 3162.
Knowles (Christine), 2349.
Knox (Bill), 6449.
Koberdowa (Irena), 6450.
Koblitz (Ann Hibner), 4382.
Kobuch (Manfred), 4619.
Kobusch (Th.), 2259.
Kobylina (M.M.), 1033.
Koch (Ernst), 4674.
Koch (Heidemarie), 1368.
Koch (Henri), 6064.
Koch (Manfred), 3230.
Koch (Rainer), 3318, 6264.
Koch-Harnack (Gundel), 1596.
Kochan (Miriam), 7127.
Kocka (Jürgen), 6409, 6451.
Kočka (Wojciech), 496.
Kockel (V.), 2072.
Köbler (Gerhard), 2427, 2736.
Köhler (Friedrich W.), 1425.
Köhler (Peter A.), 6564.
Koehn (Horst), 4675.
Köhn (Jens), 1930.
Köll (Ann-Mai), 5951.
Kölzer (Theo), 23, 2400.
Köpeczi (Béla), 6899.
Koepke (Robert Louis), 3830.
Köpstein (Helga) 2299, 2308.
Körtner (Ulrich H.), 2220.
Koestler (Arthur), 5382.
Kötting (Helmut), 3881.
Kofas (Jon V.), 4010.
Kogălniceanu (Mihail), 5261.
Kogan (Norman), 4105.
Kohl (Wilhelm), 705.
Kohler (Michael), 6856.
Kohlmeyer (Kay), 1290.
Kohn (Roger S.), 2683, 2737.
Koivukangas (Olavi), 6131.
Kokkinobaphos master (the), 2311.
Kolafa (Štěpán J.), 2580.
Kolankowski (Ludwik), 430.
Kolář (Josef), 7056.
Kolb (David A.), 1597.
Kolb (Philip), 5322.
Kolbe (Maksymilian), v. Maximilianus Maria Kolbe, Sanctus.
Kolčak (Aleksandr V.), 4373.
Kolchin (Peter), 6265.
Koleška (Zdeněk), 4289.
Kollantz (A.), 2428.
Kollar (Rene M.) O.S.B., 4676.
Koller (Heinrich), 2456.
Kollias (Aristeidēs), 639.
Kolmer (Lothar), 432.
Kołodziej (Bernard), 4554.
Kolosov (Ju. G.), 1066.
Koltunov (G.A.), 7231.

Komaszyński (Michał), 4175, 6900.
Komeńsky (Jan Amos), 4870, 4882, 4891.
Kometopuli, famille, 2593.
Komissarov (B.N.), 5197, 6987.
Komlos (John), 5657, 5658.
Komnēnoi, Comnènes, dynastie, 2345.
Komolova (N.P.), 4106.
Konakov (N.D.), 640.
Kondakčjan (R.P.), 4315.
Kondratowitz (Hans-Joachim), 6225.
Kondufor (Ju. Ju.), 790, 4374.
Kondylēs (Panagiōtēs), 991, 5077.
Konečký (Dušan), 5419.
Konefsky (Alfred S.), 3537.
Konetzke (Richard), 6817.
Koninckx (Christian), 6266.
Konjušaja (R.P.), 4383.
Konrad I., deutscher König, 2573.
Konrad IV., deutscher König, König von Sizilien, 2397.
Konrad (Helmut), 3147, 6484.
Konstan (David), 1996.
Konstantinopoulos (Chrēstos G.), 5438.
Kōnstantinos IV, empereur de Byzance, 2375.
Kōnstantinos V, empereur de Byzance, 2280, 2385.
Kōnstantinos VII Porphyrogenētos, empereur de Byzance, 2295.
Kōnstantinos Rhodios, 2312.
Konstantinou (E.), 2350.
Konstanze, Gemahlin Kaiser Heinrich VI., Königin von Sizilien, 23, 2400.
Konti (B.), 197.
Kontogiōrgēs (Giōrgos), 4011.
Kopernik (Mikolaj), 5225.
Kopicki (Edmund), 122.
Kopitzsch (Franklin), 5078, 5264.
Kopp (Georg von), Kardinal, 6428.
Koraes (Adamantios), 4000.
Korbel (Jan), 6109.
Korgun (V.G.), 3213.
Kornberg (Jacques), 4766.
Kornilov (A.A.), 431.
Korobkova (G.F.), 1103.
Korolev (G.I.), 4290.
Korolev (Ju. N.), 3484.
Korolev (S.P.), 5190.
Koronen (M.M.), 6452.
Korres (Th.), 2351.
Korrol (Virginia E. Sanchez), 6267.
Koršunov (A.F.), 47.
Korta (Wacław), 2581.
Korytkowski (Jan Edmund), 5707.
Korzec (Paweł), 4176.
Korzon (Andrzej), 4816.
Korzyk (Henryk), 7058.
Košak (Silvin), 1284.
Kosch (Arlette), 3235.
Kościelecka (Stanisława), 6268.
Kościuszko (Tadeusz), 6939.

Koseski (Adam), 3461.
Košnar (Lubomír), 1040.
Kosthorst (Erich), 3319.
Kostiainen (Auvo), 567.
Kostin (A.V.), 5139.
Kostjuško (I.I.), 235, 6619.
Kotel'nikova (Ljubov' Aleksandrovna), 2816.
Koto (V.N.), 4384.
Kotze (Hildegard von), 3223.
Koukou (Helenē E.), 6942.
Koukoules (Giōrgos Ph.), 6453.
Koumarianou (Aikaterinē), 4017.
Kountoura-Galane (E.), 2318, 2352.
Kouo Siang, v. Kuo Hsiang.
Kovács (Elisabeth), 4506.
Koval' (S.F.), 4416.
Koval'cenko (I.D.), 445.
Kovalenko (I.I.), 755.
Kovalev (A.A.), 3832.
Kovalev (A.G.), 7290.
Kovalev (E.V.), 5952.
Kovalevskaja (Sof'ia), 4382.
Kowalewicz (Henryk), 981.
Kowalewiczowa (Monika), 981.
Kozieł (Andrzej), 4992.
Kozlov (V.A.), 4385, 5953.
Kozłowski (Eligiusz), 6988.
Kozłowski (Janusz Krzysztof), 1018, 1813.
Kozłowski (Stefan Karol), 1018.
Kraehe (Enno E.), 3432.
Král (Václav), 6618.
Kramer (G.), 1410.
Kramer (Johannes), 160.
Kramer (Randall A.), 5954.
Krammer (Arnold), 7128.
Kranidiōtēs (Nikos), 7329.
Krantz (Olle), 5585.
Krasicki (Ignacy), évêque de Warwie, 4528.
Krasnick (Cheryl L.), 5198.
Krasnovskaja (N.A.), 1704.
Kraus (Andreas), 497, 703.
Kraus (Pamela A.), 5079.
Kraus (W.), 1598.
Krause (Friedhilde), 61.
Krause (Gerhard), 947.
Krauskopf (I.), 123.
Kraut (Alan M.), 3640.
Krautheimer (Richard), 2221.
Krautschick (Stefan), 2550.
Kreikamp (Hans-Dieter), 3226.
Kreiser (Klaus), 4767.
Kreissig (Heinz), 1500.
Kremenjuk (V.A.), 3641.
Kremer (Hans-Jürgen), 3232.
Kren (Thomas), 2963.
Krengel (Jochen), 5769.
Kretschmann (Eugen), 6381.
Kreuter (Josef), 6047.
Krick (Hertha), 7439.
Kriedte (Peter), 5770.
Krieger (Joel), 5771.
Krier (Jean), 2073.
Krinov (Ju. S.), 7232.
Krischer (Tilman), 1602.
Krishan (Y.), 7440.
Krizevskaja (L. Ja.), 1030.
Krjukov (M.V.), 7500.
Krōbylos, 1437.
Kroeber (Clifton B.), 4139.

Król (Wacław), 7233.
Królik (Ludwik), 4555.
Kronemayer (Volker), 1933.
Kropač (Ingo Herbert), 2738.
Kross (Jessica), 6818.
Krüger (Bruno), 1160.
Krüger (Dieter), 5586.
Krüger (Kersten), 6555.
Kruk (Janusz), 1034.
Kruman (Marc W.), 3642.
Krummel (Richard Frank), 5014.
Krupskaja (Naděžda Konstantinovna), 294, 4375.
Krušanov (A.I.), 4387.
Krzemiński (Czesław), 7234.
Krzyszkowska (O.), 1402.
Kselman (Thomas A.), 4556.
Ksenofontova (I.V.), 237.
Kubů (František), 2739.
Kučera (Jan P.), 383.
Kuch (Heinrich), 1584.
Kuchenbuch (Ludolf), 2489.
Kucobin (P.V.), 6454, 7437.
Kudelin (A.B.), 2905.
Kudrna (Jaroslav), 349.
Küchler (Winfried), 2817.
Kuehn (Manfred), 5080.
Kühn (Margarete), 2402.
Kühnrich (Heinz), 3320.
Kümmel (Juliane), 2818.
Kümmel (Werner Georg), 2161.
Küppers (Heinrich), 7330.
Kürzinger (Josef), 2222.
Küsters (Hans Jürgen), 7331.
Küther (Carsten), 6269.
Küttler (Wolfgang), 333, 340.
Kuev (Kujo), 713.
Kuhlen (Franz-Josef), 890.
Kuhles (Doris), 696.
Kuhn (Thomas S.), 5250.
Kuhoff (Wolfgang), 1934.
Kuhrt (Amélie), 1383.
Kuisel (Richard F.), 3833.
Kuisma (Markku), 5772.
Kujala (Antti), 4388.
Kuksewicz (Zdzisław), 2991.
Kukuzel (Joan), 2979.
Kula (Marcin), 6209.
Kula (Witold), 5659.
Kulczykowski (Mariusz), 4977.
Kulešov (S.V.), 6444.
Kulesza (Władysław T.), 4178.
Kuli-Zade (Z.), 2996.
Kul'kov (A.N.), 7152.
Kul'kov (E.N.), 7129.
Kulski (W.W.), 4389.
Kumanev (G.A.), 454.
Kumanev (V.A.), 445.
Kumar (Dharma), 5934, 7427.
Kumar (Ravinder), 7441.
Kummer (Dagmar), 5287.
Kumoš (Zbigniew), 4179.
Kunadze (G.F.), 7332.
Kuncewiczowa (Maria), 7119.
K'ung-fu-tzu, v. Confucius.
Kunisch (Johannes), 3433.
Kunitz (Stephen J.), 6110.
Kunow (Jürgen), 1935.
Kunt (I. Metin), 4316, 6664.
Kuntzmann (Raymond), 1190.
Kunzle (David), 4390.
Kuo Hsiang, 7523.
Kuparinen (Eero), 234.

Kupka (Jaroslav), 6455.
Kurbatova (I.N.), 6456.
Kurkov (N.V.), 6437.
Kurmačeva (M.D.), 4391.
Kurth (Godefroid), 2551.
Kurze (Dietrich), 418.
Kushan, dynasty, 7409.
Kusternig (Andreas), 3130.
Kutakov (L.N.), 7333.
Kuthan (Jiří), 2964.
Kuttner (Stephan), 2740.
Kutuzov (Mikhail Ilarionovič), 4451.
Kuvaldin (V.B.), 3643.
Kuz'min (A.T.), 7278.
Kuz'mina (L.P.), 622.
Kuznecov (N. A.), 4042, 4044a.
Kuznecov (V.S.), 7512.
Kwiatkowski (Marek), 5439.
Kynin (G.P.), 7157.
Kyprianidēs (Tasos), 5239.
Kypselos, tyran de Corinthe, 1483.
Kyrgiannēs (Miltos), 7270.
Kyrillos Skythopolitos, 2209.

L

Laak (Ursula van), 7280.
Laaksonen (Pekka), 6359.
Laasonen (Pentti), 4677.
Labarre (albert), 32.
Labelle (Antoine), curé, 5918.
La Boëtie (Etienne de), 3740.
Laboor (Ernst), 7334.
Labrie (Vivian), 46.
La Brosse (Guy de), 5184.
Labuda (Gerard), 760, 2430.
Labudda (Alfons), 4557.
Labussière (Jeannine), 3811.
Labutina (T.L.), 3955.
Lacam (Guy), 124.
Lacapra (Dominick), 568.
Lacaze (Yvon), 2631, 7186.
Lacey (W.K.), 1531.
Lacina (Vlastislav), 6048.
Lacroix-Riz (Annie), 6457.
Lactantius (Lucius Caecilius Firmianus), 2188.
Lademacher (Horst), 4158.
Ladero Quesada (Miguel Ángel), 2819, 2820.
Ladner (P.), 290.
Ladstätter (Otto), 7392.
Lael (Richard L.), 7010.
Laestadius (Lars Levi), 4724.
Laetarii (les), famille romaine, 1962.
Lafargue (Laura), 6388.
La Fayette (Marie Joseph Gilbert Motier, marquis de), 3741.
Lafitte (Marie-Pierre), 283.
Lageman (Ellen Condliffe), 4923.
La Genière (Juliette de), 1191, 1705.
Lagides, v. Ptolémées, dynastie.
Lago (Mary M.), 5315.
La Gorce (Jérôme de), 5532.
La Gorce (Paul-Marie de), 3321.
Lajeunesse (Marcel), 46.
Lajos I, roi de Hongrie et de Pologne, 2639.
Laharie (Muriel), 2821.
Lahrkamp (Helmut), 3285, 5465.
Lahusen (Götz), 1896.
Laks (André), 1419.
Lamant (Hubert), 76.
Lamarck (Jean Baptiste Pierre Antoine de Monet, chevalier de), 5161.
Lamarre (Christine), 198.
Lamartine (Alix de), 3742.
Lamartine (Alphonse de), 3742, 5349.
Lamb (Charles), 5338.
Lamb (David), 6734.
Lamb (Richard), 7235.
Lamberg (Peter), 2741.
Lambert von Brunn, Bischof von Bamberg, 2621.
Lambert (P.-Y.), 2431.
Lambert (W.R.), 6271.
Lamberti (Jean-Claude), 5081.
Lambrecht (Rainer), 6628.
Lamennais (Félicité Robert de), 3482, 4577.
Lamirande (E.), 2258.
Lamonde (Yvan), 46, 292, 5369.
Lamontagne (Sophie-Laurence), 6272.
Lampos (Kōstas), 5660.
Lampsides (O.), 2285.
Lancaster, House of, 2607, 2636.
Lancel (Serge), 1329, 1371.
Lancha (Janine), 2074.
Lanczkowski (Günter), 943.
Landau (Jacob M.), 4308.
Landau (Zbigniew), 6049.
Lander (Ernest McPherson) Jr., 6273.
Lander (J.), 1814.
Landes (David S.), 891, 5763.
Lang (B.), 935.
Lang (Helmut Walter), 5012.
Langbein (Hermann), 3357.
Lange (Per-Adolf), 2075.
Langemeyer (Gerhard), 5465.
Langewiesche (Dieter), 3267.
Langley (Lester D.), 6645.
Langlois (Pierre), 11.
Langmuir (Irving), 5233.
Langner (Barbara), 2699.
Langstaff (Eleanor DeSelms), 4154.
Lanham (Carol D.), 2922.
Laniado (Ezra), 1330.
Lankton (Larry D.), 5773.
Lannoy (Gilbert de), 2656.
Lao Seh [pseud. of Shu she-ju], 7487.
Laourdas (B.), 2290.
Lapeyre (Henri), 5849.
Laplanche (François), 4678.
Laplane (Robert), 5285.
Lapšin (V.P.), 5533.
Laptos (Józef), 7335.
Lara Izquierdo (Pablo), 2822.
Lardet (Pierre), 2131, 4625.
Larkin (James F.), 3885.
Larminie (V.M.), 6602.

Laronde (André), 1262.
Larose (André), 6078.
Larson (Gary O.), 3644.
Larsson (Lars-Olof), 5956.
Lascu (Nicolae), 5423.
Laskier (Michael M.), 4768.
Laslet (Peter), 6215.
Lasotta (Arnold), 847.
Lassalle (Ferdinand), 6484.
Lassandro (D.), 1740.
Lassère (Jean-Marie), 1815.
Lasserre (F.), 1577.
László (Attila), 490.
Later-Chodylowa (Elżbieta), 6111.
Latham (Robert), 5291.
La Tour (Charles de Saint-Etienne de), 3477.
Laube (Adolf), 700, 4616, 4690.
Lauber (Volkmar), 5587.
Laud (William), archbishop, 4717.
Laudon (Gideon Ernst, Freiherr von), 3433.
Laufer (Roger), 281.
Launay (Denise), 5534.
Launay (Michel), 272.
Laurans (R.), 5774.
Laurendeau (André), 3478.
Laura (Ruggiero di), 2592.
Laurin-Frenette (Nicole), 6288, 6358.
Laurioux (Bruno), 2823.
Lauvrière (Robert), 3811.
Lauxerois (Roger), 2076.
Lavagne d'Ortigue (Xavier), 4515.
Laval (Pierre), 3773.
Lavallé (Bernard), 3208.
La Veronne (Chantal de), 7543.
Lavigne (Marie), 6288, 6358.
Lavoisier (Antoine Laurent), 5147.
Lavrov (N.M.), 6646.
Law (Robin), 6735.
Law (W.), 1997.
Lawless (Richard I.), 4305.
Lawrence (A.W.), 2353.
Lazăr (Mihai), 5957.
Lazarovici (Gheorghe), 1095.
Lazonick (William), 5775.
Lazurskij (V.V.), 51.
Lazzeri (Alessandro), 4107.
Lea (Homer), 3635.
Leab (Daniel J.), 6378.
Leach (Peter), 3133.
Leacy (F.H.), 860.
Leaf (William), 87.
Leakey (Mary), 7549.
Leanu (Valeriu), 1119.
Lears (T.J. Jackson), 4806.
Leatherdale (Clive), 7059.
Leavitt (Judith Walzer), 5200.
Lebeau (Marc), 1138.
Lebecq (Stéphane), 2824.
Lebedev (N.I.), 4245, 7388.
Lebedjanskij (M.S.), 5468.
Lebegue (Maurice), 3127.
Lebek (W.D.), 1751.
Lebel-Gagnon (Louise), 4538.
Leber (Julius), 3244.
Lebergott (Stanley), 3645.
LeBlanc (Steven A.), 7570.
Le Borgne, famille, 2783.

Le Bouedec (Gérard), 5872.
Lebow (Richard Ned), 7336.
Le Brun (Jacques), 4514, 4517.
Lecaque (Pierre), 2632.
Lechicki (Czesław), 4993.
Leclercq (Jean), 3048, 3084.
Lecuyer (Joseph), 976.
Ledóchowska (Urszula), 4542.
Ledoux (Claude Nicolas), 5446.
Ledoyen (Henri), 957.
Leduc (Marcel), 6376.
Lee (Joseph), XII, 4048, 4064.
Lee (P.J.), 569.
Lee (Thomas), 4469.
Lefebvre (Marie-Madeleine), 4317.
Lefevre (Eckard), 1998, 2023.
Lefevre (Simone), 3032.
Leff (Mark H.), 3646.
Leff (Nathaniel H.), 3456.
Leffler (Melvyn P.), 7337.
Lefkowitz (Mary R.), 1384.
Lefort (René), 3726.
Legg (Rodney), 1816.
Le Goff (Jacques), 3085.
Le Goff (T.J.A.), 3834.
Legras (Anne-Marie), 3033.
Leguay (Jean-Pierre), 737.
Lehman-Wilzig (Sam), 4082.
Lehmann (G.A.), 1501.
Lehnert (Detlef), 3322.
Lehto (Marja-Liisa), 6275.
Leibniz (Gottfried Wilhelm), 5016, 5022, 5069.
Leikola (Anto), 5201.
Leimu (Pekka), 6276.
Leiner (Wolfgang), 1600.
Leith-Ross (Sylvia), 6736.
Leitsch (Walter), 239, 6920.
Lejeune (Michel), 10.
Leland (Waldo Gifford), 273.
Lelièvre (Michel), 5370.
Leloudis (James L.), 4924.
Le Loup (Laurence), 5440.
Lemaître (Nicole), 4558.
Lemarchand (Guy), 831.
Lemass (Séan), 4050.
Lemay (J. A. Leo), 6819.
Lemieux (Denise), 6288.
Lemire (Maurice), 46.
Lemmy (Ştefan), 350, 5371.
Le Moine (Roger), 46, 293.
Lemonnier (Henry), 6877.
Lemos (Pedro Antonio Fernández de Castro, X conde), 6786.
Lencek (Rado L.), 713.
Lendle (Otto), 1385.
Lenin (Vladimir Il'ič Ul'janov, dit), 340, 376, 4380, 4398, 4425, 4439, 4998, 6377, 6389, 6415, 6439, 6444, 6452, 6468, 6474.
Lennox (James), 5202.
Lentakēs (A.), 88.
Leo I Magnus, Papa, Sanctus, 2175.
Leo XIII [Vincenzo Gioacchino Pecci], Papa, 4504.
Leon III, empereur de Byzance, 2280, 2385.
Leon VI ho Sophos [le Sage], empereur de Byzan-

ce, 2322.
Léonard (Jacques), 5203.
Leonardi (Claudio), 2481.
Leonardo da Vinci, 5170.
Leone (Alfonso), 848.
Leone (Massimo), 4769.
Leonhard (Joachim-Felix), 2825.
Leonrod (Franz Leopold, Freiherr von), Bischof von Eichstätt, 4543.
Leopold I., röm.-deutscher Kaiser, 6893.
Léotard (Jean-Marc), 1069.
Lepkowski (Tadeusz), 3162, 3210.
Lepore (Ettore), 1665.
Lepsius (M. Rainer), 6347.
Lequenne (Fernand), 5958.
Lequin (Yves), 3835, 6092.
Lermontov (Mikhail Jur'evič), 5367.
Lerner (Robert E.), 977.
Leroi-Gourhan (André), 1035.
Leroy (Béatrice), 2497.
Leroy (Pierre), 4817.
Le Roy Ladurie (Emmanuel), 3128, 3836, 6233.
Le Sage (Hervé-Julien), 4515.
Leščenko (N.F.), 351.
Leščenko (N.N.), 790.
Lesenne (M.), 1008.
Leslie (Donald D.), 978.
Lessing (Theodor), 5027.
Lester (Ruth W.), 3527.
Leszczyński (Zdzisław), 6277.
Lissorgues (Yvan), 5372.
Leti (Gregorio), 4088.
Letnev (A.B.), 5082.
Letocha (Michael), 866.
Letoublon (F.), 1601.
Lettinck (Nico), 2906.
Leuchtenburg (William E.), 3647.
Leuschner (Joachim), 498.
Levain (Janine), 5776.
Levandovskij (A.A.), 431.
Leveau (Philippe), 1936, 2077.
Levenstein (Harvey), 5204.
Lévêque (Pierre), 3837.
Levey (Santina M.), 992.
Levi (Paul), 6486.
Lévi-Strauss (Claude), 570, 5224.
Levillain (Philippe), 3838, 4559.
Levin (I.B.), 6458.
Levine (Lee I.), 1331.
Levine (Susan), 6459.
Levinova (I.S.), 2897.
Levit (I.E.), 4246.
Levočkin (I.V.), 2960.
Levtonova (Ju. O.), 7468.
Levy (Azaria), 3214.
Lévy (Claude), 7100.
Lévy (Edmond), 1185.
Levy (Jack S.), 6647.
Lewandowsky (Ignacy), 420.
Lewes (George Henry), 5129.
Lewicki (Tadeusz), 7550.
Lewin (Izaak), 4180.
Lewis (Colin M.), 6050.
Lewis (Geoffrey), 6603.
Lewis (Sir George Henry), 6601.
Lewis (Gordon K.), 4818.

INDEX OF NAMES

Lewis (Gwynne), 3760.
Lewis (Jan), 6278.
Lewis (Jane), 6279.
Lewis (Judith Schneid) 5205.
Lewis (Naphtali) 1897, 1937.
Lewis (Thomas T.), 3648.
Lewis (Vaughan A.), 7338.
Lewy (Yohanan), 1332.
Leyser (Karl), 2582.
Liakos (Antōnēs), 4012.
Liang chou, 188.
Libanios, 1593, 1602.
Libich (V.), 4280.
Licht (Walter), 5777.
Lichtenberg (Georg Christoph), 432, 5140.
Lichtenstein (Nelson), 5778.
Lichtman (Allan J.), 3649.
Lieberman (S.), 3504.
Liebert (Robert S.), 5469.
Liebeschütz (Hans), 3086.
Liebman (Ellen), 5959.
Liedgren (Jan), 2434.
Lieffooghe (Arthur), 2137.
Liehr (Reinhard), 6051.
Lienesch (Michael), 571.
Liep (John), 6857.
Lietzmann (Hilda), 907.
Lieu (S.N.C.), 2224.
Lieven (D.C.B.), 7060.
Lievens (R.), 483.
Lifšic (M.A.), 5983.
Ligaridēs (Panteleimon [Paisios]), 4837.
Ligi (Kh. M.), 230.
Likhačev (D.S.), 1042.
Lilja (Saara), 1938.
Lill (Rudolf), 3192.
Lilliu (Giovanni), 1036.
Limbrick (Warren E.), 6852.
Limona (Dumitru), 5848.
Linage Conde (Antonio), 4590.
Lincoln (Abraham), 3614, 3717.
Lind (Gunner), 6901.
Lindberg (Anders), 7061.
Lindberg (Carter), 4680.
Lindberg (David C.), 2223, 2907.
Lindegger (Peter), 7407.
Lindemann (Albert S.), 6460.
Lindert (Peter H.), 6280, 6281.
Lindeskog (G.), 2268.
Lindley (Keith J.), 3956.
Lindley (Richard B.), 5661.
Lindmann (Arvid), 6550.
Lindner (Rudi Paul), 7406.
Lindqvist (Svante), 5662.
Lindstrom (Diane), 5663.
Lings (Martin), 2700.
Linhart (Sepp), 7392.
Link (Arthur S.), 3538.
Linnell (John), 5461.
Linteau (Paul-André), 3463.
Lipartito (Kenneth J.), 5873.
Lipec (R.S.), 630.
Lipilo (P.P.), 7278.
Lippincott (Louise), 5413.
Lipscher (Ladislav), 4291.
Lipstadt (Deborah E.), 4994.
Lis (Michał), 6374.
List (Friedrich), 5580.
Liszt (Franz), 5568.
Lithgow (David), 7583.
Littauer (Mary Aiken), 1120.
Little (Douglas), 6648.

Litton (Frank), 4056.
Litvinskij (B.A.), 7408, 7409, 7418.
Litwin (Henry), 849.
Livanova (T.N.), 2892.
Liverani (Mario), 1333.
Livet (Georges), 314, 6887.
Livius (titus), 1998.
Lizzi (R.), 2225.
Ljapustin (B.S.), 1939.
Ljubin (V.P.), 4108.
Llobregat (Enrique A.), 200.
Lloyd (Geoffrey E.R.), 1693.
Lloyd (Henry Demarest), 4841.
Lloyd (Howell Arnold), 3839.
Lloyd (J.A.), 1261.
Lloyd George of Dwyfor (David Llohd George, 1st earl), 3933, 3997.
Llull (Ramón), 3007.
Loane (Marcus), 4681.
Lobrano (Giovanni), 1898.
Locke (John), 5074, 5075, 5131.
Lodge (Tom), 3215.
Loeb (Ariane), 2908.
Lökkös (Antal), 52.
Lönnroth (Erik), 315.
Loetscher (Lefferts A.), 4682.
Löw ben Bezalell (Judah), 4778.
Löwe (Heinz), 2435.
Löwe (Heinz-Dietrich), 4393.
Logan (A.H.B.), 514.
Logan (Donald), 2708.
Logan (George M.), 5084.
Logette (Aline), 6282.
Lohrmann (Dietrich), 24, 863, 3087.
Lojek (Jerzy), 6943.
Loker (Zvi), 4770, 6820.
Lomanto (Valeria), 1742.
Lomask (Milton), 3650.
Lombard-Jourdan (Anne), 2826.
Lombardini (Sandro), 3184.
Lombardo de Ruiz (Sonia), 5441.
Lomidze (Georgij), 5373.
Lomunov (K.N.), 4392.
Londonderry (Robert Stewart, 2nd marquess of), 6949.
Long (David F.), 3651.
Longère (Jean), 3088.
Longet (Jenny), 6388.
Longmate (Norman R.), 7236.
Longo (Oddone), 1532.
Longworthy (Harry W.), 6707.
Looß (Sigrid), 4616.
Lope de Vega, v. Vega (Lope de).
López Alonso (Carmen), 2827.
López Monteagudo (G.), 1037.
Lopokova (Lydia), 5531.
Lorcin (Marie-Thérèse), 831.
Lord (Walter), 7237.
Lordkipanidze (Othar D.), 1211.
Lorenz (H.), 1139.
Lorenz (Rudolf), 2226.
Lorenz (Sönke), 6587.
Loriot (X.), 108.
Lo Schiavo (A.), 1604.
Losev (A.F.), 5085.

Loss (M.), 2296.
Losurdo (Domenico), 4822.
Lothar III., röm.-deutscher Kaiser, 2602.
Loti (Pierre) [pseud. de Louis Marie JulienViaud], 5334.
Lott (Elizabeth S.), 1743.
Lotter (Friedrich), 2227.
Lottin (Alain), 3164.
Lotze (D.), 1470.
Loudil (Lumír), 5960.
Loudon, v. Laudon (Gideon Ernst, Freiherr von).
Louggēs (T. Kh.), 2303, 2318, 2354.
Lougheed (A.L.), 5656.
Loughney (Patrick G.), 5535.
Louis VI le Gros, roi de France, 2563.
Louis VIII le Lion, roi de France, 2561.
Louis IX, Saint Louis, roi de France, 2594, 2600, 2857, 2889.
Louis XIV, roi de France, 3753, 3836, 5532, 6570, 6922.
Louis XV, roi de France, 3781, 3849.
Louis XVI, roi de France, 3762, 3849.
Loukopoulos (L.D.), 1476.
Loule-Theodorake (Nitsa), 643.
Loulēs (Dēmētrēs), 4013.
Lourdaux (Willem), 3025.
Louvois (François Michel Le Tellier, marquis de), 3779.
Loveday (Amos J.) Jr., 5779.
Lovejoy (Paul E.), 7551.
Low (Alfred D.), 7187.
Lowden (John), 2355.
Lowenthal (Abraham F.), 4161.
Lowenthal (Mark M.), 7130.
Lowmiański (Henryk), 2633.
Lowther (Sir John), 3883.
Lozinskaja (L. Ja.), 4394.
Ložkin (V.V.), 6461.
Lozzi (Carlo), 6649.
Lubac (H. de), 499.
Lubenov (W.G.), 3958.
Lubin (Georges), 5324.
Lucas, Evangelista, Sanctus, 2182, 2216, 2271.
Lucas (Colin), 3760.
Lucie-Smith (Edward), 5489.
Lucius, martyr Carthagine, Sanctus, 2119.
Luckett (Richard), 5527.
Lucretius Carus (Titus), 1590, 1972, 2267.
Łuczak (Aleksander), 4181.
Ludat (Herbert), 2490, 2491, 2499.
Ludwig V. der Bayer, röm.-deutscher Kaiser, 2629, 2642.
Ludwig III., Kurfürst von der Pfalz, 2614.
Ludwig (Michael), 352.
Ludwik Węgierski, roi de Pologne, v. Lajos I, roi de Hongrie et de Pologne.
Lü K'un, 7508.
Lübbe (Hermann), 3325.

INDEX OF NAMES

Lüderitz (Gert), 1263.
Lueger (Karl), 3449.
Lüsebrink (Hans-Jürgen), 572, 3840, 6283.
Lütgemeier-Davin (Reinhold), 3185.
Lütt (Jürgen), 6694.
Luft (David S.), 5086.
Lukács (György), 5042, 5065.
Lukacs (John), 7188.
Lukina (B.V.), 4788.
Lumpe (A.), 953.
Lunačarskij (Anatolij Vasil'evič), 4409.
Lundbaek (Knud), 7513, 7514.
Lungu (Radu), 2634.
Luo (Rongqu), 6650.
Lupu (Ioan), 5310.
Luraschi (Giorgio), 1899.
Luria (Ben-Zion), 1334.
Lurke (Manfred), 979.
Lustig (Mary Lou), 6821.
Luther (Martin), 3294, 3383, 4307, 4478, 4584, 4614, 4618, 4619, 4624, 4628, 4629, 4630, 4644, 4646, 4651, 4656, 4658, 4664, 4674, 4679, 4683-4685, 4689, 4690, 4694, 4695, 4700, 4706, 4707, 4726, 4734, 4735, 5017.
Lutz (Dietrich), 2757.
Lutz (Heinrich), 3326.
Lutz (Liselotte), 2498.
Luxemburg (Rosa), 6386, 6486.
Luxemburger (die), Dynastie, 2519, 2938.
Luxton (Eleanor G.), 3471.
Luzzatti (Michele), 2684.
Lybarger (Michael), 4823.
Lydon (James F.), 2635.
Lynch (John), 3186.
Lyonnet (B.), 1121.
Lyons (John S.), 5867.
Lyons (Michael J.), 5961.
Lysa (Hong), 7471.
Lythcott (George L.), 882.
Lyttelton (George), 5317.
Lytton (Henry D.), 7238.

M

Maayan (Shmuel), 3327.
Mabillon (Jean), 22.
McAleese (D.), 4062.
McAlpin (Michelle Burge), 7442.
Macaulay (Thomas Babington Macaulay, baron), 433.
MacAuley (Ambrose), 4560.
McBeth (B.S.), 4454, 5780.
McCaa (Robert), 6112.
Maccabées (les), famille juive, 1346.
McCampbell (Alice E.), 4686.
McCann Frank D.) Jr., 3457.
McCarthy (Joseph R.), 3540, 3675.
McCarthy (Justin), 7410.
McCarthy (Mary), 6737.
McCarthy (Michael), 6738.
McCauley (Martin), 3328, 4395, 4396.

Maccioni (L.), 1605.
McClelland (Peter D.), 6113.
McClintock (Cynthia), 4161.
McColgan (John), 3959.
McCone (Kim), 3049.
McConnachie (Kathleen), 6284.
McCoy (Donald R.), 3652.
McCreery (David), 5962.
McCulloch (D.), 2636.
McCusker (John J.), 6060.
McCusker (P.J.), 3960.
McDean (Harry C.), 3653, 5963.
McDonagh (Oliver), 3961, 4063.
MacDonald (Hugh J.), 5499.
McDonald (James), 3661.
Macdonald (Lyn), 7062.
MacDonald (Marjorie Ann), 3477.
McDonald (Michael J.) 6114, 6285.
McDonough (James Lee), 3654.
McDougall (Glen B.), 3329.
MacDougall (J. Jain), 1430.
McDougall (Mary Lynn), 6286.
MacDowell (Douglas M.), 1502.
McDowell (Laurel Sefton), 5781.
Macek (Jaroslav), 6921, 6927.
McEvoy (Arthur F.), 5782.
McEvoy (James), 2910.
MacEwan (Grant), 5964.
McFadden (David), 5414.
MacFarlane (Alan), 268.
McFarlane (Larry A.), 5965.
MacFarquhar (Roderik), 7515.
McGee (Timothy), 2983.
McGiffert (Michael), 4489.
McGill (George S.), 3652.
MacGillivray (Don), 5496.
McGinn (Robert E.), 5206.
McGraw (Joseph), 3655.
McGuire (Brian), 2436.
McGuire (J.E.), 5207.
McGuire (Peter J.), 6408.
McGuire (William), 5136, 5374.
Machaut, v. Guillaume de Machaut.
Machet (Anne), 53.
Machiavelli (Niccolò), 4103, 5101.
Maciejewska (Maria Krystyna), 5311.
Maciejewski (Jarosław), 999.
McIntire (C.T.), 6989.
MacIntyre (Martha), 645.
Mack (John), 644.
Mack (Karlheinz), 4845.
McKay (Derek), 3187.
McKay (John P.), 5783.
McKenna (John W.), 2637, 3989.
Mackenzie (D.N.), 1368.
MacKenzie (Jeanne), 3886.
Mackenzie (John), 6739.
MacKenzie (Norman), 3886.
McKeown (Thomas), 5208.
Mackie (Nicola K.), 1817, 1818.
McKinley (William), 3697.

McKinney (Ronald H.), 5087.
McKirahan (Richard D.) Jr., 1606.
McKitterick (Rosamond), 2525.
McLaren (Angus), 6115.
McLaughlin (Peter), 4460.
Macleod (David I.), 6287.
MacLeod (Murdo J.), 6822, 6836.
McLoughlin (William G.), 4687.
Maclulich (T.D.), 5375.
MacMullen (Ramsay), 2228.
MacMurchy (Helen), 6284.
McNeal (R.A.), 1431.
MacNeich (Richard S.), 7571.
McNeill (William H.), 682.
MacNiocaill (G.), 4067.
Macovei (Adrian), 6574.
McPherson (Andrew), 4908.
McPherson (Karen A.), 5376.
McSheffrey (Gerald M.), 6740.
McTague (John J.), 7063.
Macura (Vladimír), 4292.
McWhiney (Grady), 3656.
McWhirr (Alan), 2078.
Maczak (Antoni), 515, 6863.
Madajczyk (Czesław), 4824, 7102, 7131.
Maddison (Angus), 5664.
Madeyski (Stanislaw), 3440.
Madison (James), 3529, 3541, 3549, 6543, 6668.
Madolski (Andrzej), 2429.
Madrasch-Groschopp (Ursula), 4995.
Mährdel (Christian), 678.
März (Eduard), 5588.
Maga (Timothy P.), 3657.
Magdalino (Paul), 2356.
Magidov (V.M.), 573.
Magister (Karl-Heinz), 5271.
Magnou-Nortier (Elisabeth), 2828.
Magnus VI Eriksson, king of Norway and Sweden, 2611.
Magomedov (M.G.), 2552.
Magos (George), 6096.
Magraw (Roger), 3841.
Maguin (Martine), 3034.
Maguire (Maria), 6617.
Magyari (András), 4024.
Mahibou (Sidi Mohamed), 7544.
Mahon (John K.), 3658.
Mahoney (Richard D.), 7339.
Mai (Gunther), 6462.
Mai (Joachim), 7340.
Maiburg (U.), 2171.
Maier (D.J.E.), 6741.
Maier (Hans), 4561.
Maier (Joachim), 3330.
Maiorescu (Titu), 5362.
Maisel (Witold), 6575.
Maistre (Joseph de), 6937.
Maitland (Alexander), 5377.
Maizlish (Stephen E.), 3659.
Majan (Bert de), curé de Stutzheim, 4549.
Majewski (Karol), 476.
Major-Poetzl (Pamela), 574.
Makarov (N.I.), 7275.
Makdisi (George), 2506.
Makedones, Macédoniens, dynastie, Byzance, 2291.

INDEX OF NAMES

Makkabäer (die), v. Maccabées (les).
Makkai (László), 390.
Malakassēs (J.T.), 7341.
Malakhovskij (K.V.), 4470.
Malalas (Johannes), 2367.
Malavolta (M.), 1744.
Malchus Philadelphensis, 1724.
Malcomson (A.P.W.), 6289.
Malebranche (Nicolas), 5015.
Małecki (Jan), 4177.
Maleinos (Eustathios), 2371.
Maletz (Donald J.), 5088.
Malherbe (Abraham J.), 2229.
Malinescu (Iordache), 385.
Malinowski (Kazimierz), 7271.
Malitz (Jürgen), 1607.
Maljavin (V.V.), 7516.
Maljavkin (A.G.), 7411.
Mallett (Michael E.), 2638.
Małłin (Janusz), 4688.
Malmer (Brita), 109.
Malmgren (Charlotte Thune), 308.
Maloney (J.), 2088.
Malouin (Marie-Paule), 6288.
Maltby (William S.), 3505.
Maltezou (Chryssa), 2357, 4014.
Malthus (Thomas Robert), 6142.
Malyš (A.I.), 6463.
Mamatsēs (T.), 2305.
Mamczarz (Irène), 5562.
Mamina (Ion), 6464.
Mamluks, dynasty, 2699.
Mammach (Klaus), 3331.
Mamōnē (Kyriakē), 7064.
Mančal (Josef), 1999.
Mancaş (Mihaela), 5415.
Manchester (William), 3660, 3962.
Mancuso (G.), 1900.
Mandel (David), 4397.
Manderscheid (Hubertus), III.
Mandle (J.R.), 6823.
Mandle (W.F.), 4063.
Mane (Perrine), 2829.
Manet (Edouard), 5458.
Manfred (A.Z.), 3842.
Manfredini (A.), 1081.
Mangas (J.), 1901.
Manger (Klaus), 2911.
Manikofskij (Aleksej Alekseevič), 4412.
Manilius (Marcus), 2011.
Mann (Friedhelm), 484.
Mann (Kristin), 6742.
Mann (U.), 1192.
Mannerheim (Gustav), 3729.
Manning (Kenneth R.), 5209.
Manning (Patrick), 7552.
Manolache (Anghel), 886.
Mansberger (Floyd), 6005.
Mansel (Philip), 3843.
Mansfield (Katherine) [pseud.of Kathleen Mansfield Beauchamp], 5319.
Mansuelli (Guido Achille), 2096.
Mantau (Udo), 850.
Mantinband (James H.), 1423.
Manuel I, roi de Portugal, 2406.

Manuel (Frank E.), 4490.
Maprayil (Cyriac), 6651.
Marasco (Gabriele), 1432.
Maraud (S.), 646.
Marcelli (U.), 4104.
Marceau (William), 4562.
Marchena Fernández (Juan), 6824.
Marcianus (Aelius), 1875.
Marciniak (Ryszard), 4185.
Marcolino (Venicio), 4516.
Marcone (Arnaldo), 2000.
Marcos Casquero (Manuel A.), 2136.
Marcot (François), 7272.
Marcus, Evangelista, Sanctus, 2149.
Marcus Aurelius Antoninus (Annius Verus), empereur romain, 1910.
Marcus (Harold G.), 6652.
Marcus (Joseph), 4183.
Marek (Bruno), 3147.
Marenbon (John), 2997.
Marès (Antoine), 7065, 7132.
Margeret (Jacques), 4329, 4351.
Margerison (Kenneth), 3844.
Maria Kazimiera d'Arquien, épouse du roi Jan III Sobieski de Pologne, 4175, 6911.
Maria Theresia, röm.-deutsche Kaiserin, Königin von Ungarn u. Böhmen, 3445.
Marichal (Robert), 3, 4, 453.
Marie-Louise, impératrice des Français, 3775.
Mariën (M.-E.), 1165.
Marin (George), 7355.
Marin (M.), 2142.
Marinbach (Bernard), 6290.
Marinescu (Beatrice), 4214, 6990.
Marinescu (Florin), 54.
Marinescu (Ion M.), 1819.
Marinescu-Bîlcu (Silviu), 1096.
Marius Victorinus Afer, 2181.
Markel (Hanni), 647.
Markel (Michael), 5270.
Markopoulou (A.), 2287.
Markov (D.F.), 575.
Markowski (Mieczysław), 2991.
Marks (I.), 6116.
Marks (Sally), 7066.
Markus (Edward), 5650.
Markus (Robert Austin), 2172.
Marlborough (John Churchill, 1st duke of), 3907.
Marlborough (Sarah Jennings, duchess of), 3907.
Maron (Gottfried), 4689.
Marosi (E.), 6664.
Marouzeau (J.), II.
Marquet (Mario), 3845.
Marr (Wilhelm), 3401.
Marrone (Stefen P.), 2998.
Marrus (Michael R.), 3846.
Marsden (William E.), 4025.
Marshall (George Catlett), 7380, 7384.
Marshall (Herbert), 5536.
Marshall (Peter), 2999.

Marstrander (Lyder), 1140.
Martel (Marie-Thérèse de), 6878.
Martelli (F.), 2001.
Martí (José Julián), 3486.
Martin (Annick), 2230.
Martin (Bernd), 3423.
Martin (G.), 4067.
Martin (Henri-Jean), 43.
Martin (Hervé), 531.
Martin (Jean), 6743.
Martin (John E.), 5966.
Martin (P.M.), 6710.
Martin (Robert B.), 5378.
Martin (Robert F.), 4691.
Martin (Roland), 1690.
Martín Duque (Ángel J.), 2583.
Martín Rodríguez (José Luis), 2830.
Martinelli (Bruno), 5967.
Martínez Barrera (Jorge), 5089.
Martínez de Artieda (A.), 2358.
Martínez Díaz (Nelson), 4453.
Martínez Diez (Gonzalo), 718.
Martínez Millan (José), 4563.
Martínez-Pinna (J.), 1820.
Martini (Fritz), 3086.
Martini (Wolfram), 1688.
Martinus, Archiep. Bracarensis, Sanctus, 2272.
Martinus, Ep. Turonensis, Sanctus, 2273.
Marton (I.), 4037.
Martynenko (A.K.), 6465.
Martz (Linda), 3506.
Marvell (Andrew), 5295.
Marvick (Elizabeth Wirth), 3847.
Marvin (Miranda), 2079.
Marx (Jacques), 5090.
Marx (Karl), 333, 340, 345, 803, 1046, 1516, 4383, 4384, 5003, 5020, 5038, 5053, 5584, 5590, 5591, 5599, 5604, 6384, 6385, 6387, 6388, 6394, 6412, 6422, 6424, 6431, 6438, 6463, 6480, 6481, 6505.
Mârza (Iacob), 55.
Masefield (John Edward), 5318.
Masi (Michael), 2437.
Masini (P.C.), 4096.
Masinissa, roi des Numides, 2052.
Maślankiewicz (Kazimierz), 5257.
Malsov (N.N.), 4398.
Mason (David T.), 5984.
Mason (George), 6557, 6811.
Mason (Thomas A.), 3529.
Massaud (Jean), 1087.
Massey (Stephen J.), 5091.
Massinissa, v. Masinissa, roi des Numides.
Masson (Philippe), 3848.
Masters (P.M.), 1070.
Mastrocinque (Attilio), 1471.
Matei (Alexandru V.), 106.
Matei (Gheorghe), 178.
Matějček (Jiří), 6291.
Mathias (Peter), 5665.
Mathieu (Rémi), 7481.

INDEX OF NAMES

Matichescu ((Olimpiu), 4212.
Matko (D.J.I.), 5619.
Matsumura (Takai), 5785.
Mattéi (Jean-François),1608.
Mattejiet (Roswitha), 2498.
Mattejiet (Ulrich), 2498.
Matteo d'Aquasparta, 2998.
Mattheisen (Donald J.), 3221.
Matthew (Donald), 2500.
Matthews (A.), 4062.
Matthews (Mervyn), 4926.
Matthias, röm.-deutscher Kaiser, 3337.
Matusak (Piotr), 7268, 7273.
Matuszewski (Jacek Stefan), 2639.
Matvievskaja (G.P.), 892.
Matz (Friedrich), 82.
Mauel (Kurt), 5210.
Mauleón (M.D.), 1719.
Maur (Eduard), 5607, 6117.
Maurand (Claude), 1093.
Maurer (Helmut), 2640.
Maurikios, empereur de Byzance, 2294.
Mauropos (Johannes), 2344.
Mauss (Marcel), 524.
Mavrodin (V.V.), 6118.
Mavrogordatos (George Th.), 4015.
Max (Stanley M.), 7342.
Maxey (David W.), 5968.
Maxim (Mihai), 6864.
Maximianus Etruscus, 2018.
Maximilian I., röm.-deutscher Kaiser, 3326, 3400.
Maximilian II., röm-deutscher Kaiser, 3400, 6867.
Maximilian II Emanuel, Kurfürst von Bayern, 3371.
Maximilianus Maria Kolbe, Sanctus, 4575.
Maximinus Thrax (Gaius Julius Verus), empereur romain, 2243.
Maximus Confessor, Sanctus, 2995.
Maxwell (Gordon) S.), 2064.
Maxwell (Lucien Bonaparte), 3666.
Maxwell (Robert S.), 5786.
May (Ernest R.), 6653.
May (Glenn A.), 6695.
May (Henry F.), 4825.
Mayer (Hans Eberhard), 2584.
Mayer (Jacob), 3661.
Mayer (Johann Tobias), 5137.
Mayer (Karl Herbert), 7572.
Mayer (Martin), 5537.
Mayeur (Jean-Marie), 3864.
Maza (Sarah C.), 6292.
Mazal (Otto), 11.
Mazar (B.), 1349.
Mazarin (Giulio Mazarini, dit), cardinal, 3824.
Mazouer (Charles), 893.
Mazzei (Rita), 5874.
Mazzi (Maria Serena), 2831.
Mazzini (Giuseppe), 4098, 6969.
Mbitsiadou-Ioannidou (Geōrgia), 5969.
Mčedlov (M.P.), 5590.
Mecenseffy (Grete), 4621.
Mecu (Nicolae), 417.

Medici, famiglia,4099, 5279.
Medick (Hans), 5787.
Medvedev (Roy), 4399.
Medvedev (Zhores A.), 4400.
Meeks (Wayne A.), 2173.
Megaloi Komnenoi, Grands Comnènes, dynastie de Trébizonde, 2315.
Megasthenēs, 1656.
Meggs (Philip B.), 5490.
Mehmed (Mustafa Ali), 770.
Mehring (Franz), 3329.
Mehringer (Hartmut), 3243.
Meid (W.), 501.
Meier (Christian), 1609, 1805.
Meier (J.P.), 2162.
Meiggs (Russell), 1193.
Meiji, Japanese historical period, 4127.
Meilland (J.M.), 1610.
Meirat (J.), 1312.
Meissner (Andrzej), 4186.
Meißner (Bruno), 1278.
Meißner (Günter), 910.
Mejlakh (B.S.), 4428.
Melanchthon (Philipp), 4620, 4675.
Mele (Alfonso), 1665.
Meletinskij (E.M.), 2912.
Melichar (Václav), 7343.
Meller (Stefan), 3754.
Mellick (J.S.D.), 5379.
Mel'nikov (Ju. M.), 7344.
Mel'nikov (R.M.), 4401.
Mel'nikova (A.S.), 6052.
Mel'vil' (Ju. K.), 5092.
Melvin (Patricia Mooney), 6293.
Melzer (Arthur M.), 5093.
Melzer (Emanuel), 4185.
Menache (Sophia), 2742.
Ménard (Jacques), 2143.
Menard (Russell R.), 6825.
Menasseh ben Israel, 6898.
Mencía (Carmen), 6991.
Mende (Fritz), 5290.
Mendeleev (Dmitrij Ivanovič), 5194.
Mendelsohn (Ezra), 3188.
Mendel'son (E.S.), 5875.
Mendelssohn (Peter de), 3086.
Mendès France (Pierre), 3737.
Meneghini (G.B.), 5538.
Menemencioglu (Melâhat), 5015.
Menk (Gerhard), 4927.
Menning (Carol Bresnahan), 3333.
Menning (Ralph R.), 3333.
Menu (Bernadette), 1219.
Meral (J.), 5380.
Mercader Riba (Juan), 3507.
Mercer (John), 6819.
Mercier (Charles), 2130.
Mercier (Désiré-Joseph), cardinal, 7067.
Merhautová (Anežka), 2945.
Merigi (Marco), 6576.
Mérovingiens (les), dynastie, 72, 137, 2427, 2543, 2545, 2936, 3051, 3098.
Merrifield (Ralph), 1940.
Merritt (Lucy Shoe), 240.
Mersenne (Marin), 5141.
Merten (Elke W.), 1941.

Mervé, saint populaire, 3054.
Meščerjakov (M.T.), 3508.
Meščerjakov (V.P.), 5381.
Meseberg-Haubold (Ilse), 7067.
Mesinger (Jonathan S.), 4771.
Messalla Corvinus (Marcus Valerius), 2002.
Metaxas (Iōannēs), 4010.
Metcalf (D.M.), 125.
Metcalf (George R.), 4928.
Mette (Hans Joachim), 1407.
Metternich (Clemens Lothar Wenzel, Fürst von), 3427, 3432, 4989.
Metuševskaja (O.S.), 1942.
Metz (Karl Heinz), 434.
Metzger (Bruce M.), 2115.
Metzger (Martin), 1212.
Metzler (Giuseppe), 951.
Metzler (Jeannot), 1141.
Meurers-Balke (J.), 1097.
Meuthen (Erich), 2388, 2641.
Meyer (Charles), 846.
Meyer (Horst), 27.
Meyer (Jean), 3164.
Meyer (Jørgen Christian), 1821, 1943.
Meyer (Manfred), 3334.
Meyer-Noirel Germaine), 89.
Meynac (Jean-Pierre), 3859.
Mezler-Andelberg (Helmut), 708.
Mi Fu, 7537.
Micalella (D.), 1611.
Micewski (Boleslaw), 4564.
Michaël III, empereur de Byzance, 2348.
Michaēl (Michaēl Dem.), 6614.
Michael (Reuven), 423.
Michalczyk (Marian), 2438.
Michałkiewicz (Stanisław), 446.
Michel le Syrien, chroniqueur, 2603.
Michel (Jacques), 3849.
Michel (Pierre), 5280.
Michelangelo Buonarroti, 5273, 5469.
Michelet (Jules), 434.
Mickun (Nina), 5666.
Micu-Klein (Ion Inocențiu), 4224, 4250.
Middlebrook (Martin), 7239.
Middleton (Henry), 6956.
Miele (Michele), 4565.
Mieleszko (Jadwiga), 6917.
Mierse (William E.), 1210.
Mieszczankowski (Mieczysław), 5970.
Miethke (Jürgen), 2642, 4109.
Migeotte (L.), 1503.
Mignot (Liêu), 7457.
Mihaěscu (Haralambie) 2359.
Mihai Viteazul [le Brave], prince de Valachie, 4221, 6881.
Mihai-Enăchiuc (Viorica), 2832.
Mihail (Tiberiu), 998.
Mihnea III, prince de Valachie, 4256.
Mikalson (Jon D.), 1666.
Mikes (George), 5382.

Miket (R.), 1153.
Mikhailov (B. Ja.), 6437.
Mikhijlova (A.V.), 5541.
Mikhajlovskij (Nicolaj Konstantinovič), 5020.
Miklukho-Maklaj (Nikolaj Nicolaevič), 5197.
Mikulinskij (S.R.), 5231.
Mildmay (Sir Walter), 4964.
Milescu (Nicolae), 4837.
Milin (Miodrag), 4216.
Militzer (Klaus), 2833.
Miljukova (V.I.), 7346.
Mill (John Stuart), 3778, 6684.
Millar (Fergus), 1335, 1902.
Millares Carlo (Agustín), 12.
Miller (D.G.), 1612.
Miller (Ignaz), 2643.
Miller (James), 4187.
Miller (James E.), 7347.
Miller (Jeffrey H.), 7579.
Miller (John), 3850.
Miller (John William), 578.
Miller (Justin), 5211.
Miller (Randall M.), 4566.
Miller (Rory [MacDonald]), 6053.
Miller (Sally M.), 6466.
Miller (Samuel J.), 4567.
Milles (Dietrich), 6467.
Millet (Hélène), 3089.
Millet (Olivier), 4692.
Millett (Allan R.), 3662.
Millman (Thomas R.), 4671.
Milner (Roger), 5788.
Milns (R.D.), 1788.
Milov (L.V.), 13.
Miltiades, Papa, Sanctus, 2187.
Milton (John), 5309.
Milton (Joyce), 3682.
Milza (Pierre), 3851.
Mimler (Manfred), 6902.
Minaev (L.M.), 6468.
Minc (I.I.), 4386, 4402.
Mîndruț (Stelian),766, 4033.
Minenko (N.A.), 648.
Miner (H. Craig), 5789.
Miners (N.J.), 6696.
Ming, Chinese dynasty, 7495, 7508.
Mintz (Matityahu), 4403.
Mintz (Steven), 6294.
Minty (Karl-Heinz), 3224.
Mioc (Damaschin), 769.
Miodońska (Barbara), 5470.
Miouny (Gabriel), 6309.
Miozzi (Massimo), 353.
Miquel (Pierre), 7068.
Mirak (Robert), 3663.
Miron (Vasile Gh.), 309.
Misaēlidē (K.), 7064.
Mishkinsky (Moshe), 6470.
Misiou (D.), 2306.
Misiunas (Romuald J.),4404.
Misiurek (Jerzy), 4693.
Míšková (Alena), 2398.
Missner (Marshall), 5094.
Mistretta (Maria Beatrice), 3052.
Mitchell (Allan), 4507.
Mitchell (Otis C.), 3335.
Mitchell (Richard H.), 4123.
Mitchell (Stephen), 1765.
Mitchison (Rosalind), 3963.
Mithridates VI Eupator, roi du Pont, 1480.
Mithridatids (the), dynasty of Pontus, 1823.
Mitran (Gheorghe), 5491.
Mitrea (Bucur), 126.
Mittendorfer (Rudolf), 7348.
Mitterauer (Michael), 2826, 6295.
Mittmann (S.), 201.
Mizruchi (Ephraim H.), 683.
Mnemon von Side, 1620.
Moačanin (N.), 6664.
Mocanu (Vasile), 6469.
Mocioiu (Nicolae), 6471.
Mocsy (Istvan I.), 4034.
Modola (Doina), 5539.
Modrzejewski (Joseph), 1174, 1175, 1248, 1393.
Moe (Dagfinn), 1092.
Möbius (Friedrich), 2942.
Möhring (Hannes), 2585.
Møller (Anders Monrad), 5876.
Möller (Horst), 3271, 3336.
Mönch von Salzburg (der), 2874.
Mörke (Olaf), 3338.
Mörner (Magnus), 6826.
Möser (Justus), 798.
Mötsch (Johannes), 2439.
Moggi (Mauro), 1613.
Mogoșanu (Florea), 1023.
Mohammed le Prophète, 2493, 2697, 2700.
Mohl (Robert von), 793.
Moisard (Boris), 5473.
Moise (Edwin E.), 7393.
Moiseev (V.A.), 7517.
Moisuc (Elena), 4220.
Moisuc (Viorica), 7081.
Mokrecova (I.P.), 2965.
Mokrzecki (Lech), 5212.
Mokyr (Joel), 5668.
Molčanov (A.A.), 1403.
Molčanov (V.F.), 4826.
Moldovan (Roman), 5669.
Moldovan (Ștefan), 385.
Molenda (Antoni), 6472.
Moles (J.), 1614, 1822.
Molev (E.A.), 1823.
Molina González (F.), 717.
Mollat (Michel), 2824, 2835.
Mollenkopf (John H.), 3664.
Mollier (Jean-Yves), 6588.
Molnar (Amedeo), 980, 2401.
Molson, family, 5893.
Momdžjan (Kh. N.), 5095.
Momigliano (Arnaldo), 406, 500.
Mommsen (Hans), 3244, 3339.
Mommsen (Wolfgang J.), 269, 472, 745.
Mommsen (Thedor), 435.
Monaghan (E. Jennifer), 4929.
Monegier du Sorbier (Marie-Aude), 270.
Money (Keith), 5540.
Monière (Denis), 3478.
Monnet (Denis), 3794.
Monroe (James), 7042.
Monroy (Douglas), 6473.
Montaigne (Michel Eyqyem de), 5280.
Montanus, martyr Carthagine, Sanctus, 2119.
Montcada, familia, 2855.
Montclos (Xavier de), 4491.
Monter (William), 6296.
Montesquieu (Charles Louis de Secondat, baron de), 4594, 5040, 5064, 5089.
Montgolfier (Jacques Etienne), 5177.
Montgolfier (Joseph Michel), 5177.
Montgomery (Hugo), 1473.
Montgomery of Alamein (Bernard Law Montgomery, 1st viscount), 7217, 7223, 7234.
Montmorin (Gilbert de), évêque de Langres, 4530.
Mook (W.G.), 1044.
Moorcraft (Paul), 4460.
Moore (Barrington) Jr., 436.
Moore (Dennis), 5281.
Moore (James A.), 1039.
Moore (Joe), 4122.
Mooore (John Hebron), 5790.
Moore (R.J.), 6697.
Moorehead (John), 2553, 2554.
Morantz (Toby Elaine), 631, 649.
Moraux (Paul), 1449.
Moravánsky (Akos), 5442.
Moravcová (Dagmar), 3340, 6474.
Moravia (Sergio), 5214.
Moraw (Peter), 2645.
Morawiecki (Lesław), 1824.
Mordek (Hubert), 494.
More (Sir Thomas),v. Thommas Morus, Sanctus.
Moreau (Brigitte), IX.
Moreau (Jean), 202.
Morel (Jean-Paul), 1533.
Moren (Gudmund), 5971.
Morgan (Augustus De), v. De Morgan (Augustus).
Morgan (Edmund S.), 6827.
Morgan (John D.), 2080.
Morgan (Michael L.), 1615.
Morgan (N.J.), 2966.
Morgan (Peter F.), 5383.
Morgan (Philip D.), 5096.
Morgan (Ted), 3064.
Morgen (Konrad), 3394.
Morgenroth (Hermann), 1732.
Mori (Giorgio), 5699.
Morin (Yvan), 46.
Morineau (Michel), 5877.
Morionone (Nino), 1742.
Morison (Samuel Eliot), 437.
Moritz (Werner), 2810.
Morny (Charles duc de), 3790.
Morone (Giovanni), cardinale, 6874.
Morozov (K.A.), 4405.
Morpeth (Lord), v. Carlisle (Georg William Frederick Howard, 7th earl).
Morrell (Jack), 5188.
Morris (Colin), 2568.
Morris (Cynthia Taft), 5670.
Morris (Eric), 7240.
Morris (Jan), 5443.
Morris (R.A.), 3965.
Morris (R.J.), 6297.
Morris (Richard), 927.
Morisey (Will), 3852.
Morrissey (Thomas E.),3090.
Morrisson (C.), 90, 127.
Morse (Jedidiah) 4702, 4713.

Morsink (Johannes), 1616.
Mortensen (Peder), 1028.
Mortier (R.), 5097.
Morton (Desmond), 354, 7133.
Morton (Harry), 6858.
Mosby (John Singleton), 3699.
Moscalu (Emil), 1142.
Moscati (Sabatino), 1336.
Moschetti (Guiscardo), 2743.
Moser (Johann Jakob), 6539.
Moser (Rupert), 650.
Mosk (Carl), 6298.
Moskovich (Wolf), 4406.
Moskovitch (Allan), 5608.
Mosley (Paul), 6744.
Moss (B.H.), 459.
Moss (Emily H.), 1057.
Mossay (Justin), 2265.
Moßbrucker (Brigitte), 2002.
Mossé (Claude), 1534.
Mostov (Stephen G.), 5671.
Moţ (Tiberiu), 4216.
Mothes (Gerlinde), 2646.
Motta (Giovanna), 851.
Mottu-Weber (Liliane), 5791.
Motz (Marylin Ferris), 6299.
Motzki (Harald), 6944.
Moudouès (Rose-Marie), 994.
Moulin (Jean), 3821.
Mountbatten of Burma (Edwina, countess), 3944.
Mountbatten of Burma (Louis Montbatten, 1st earl), 6701, 7440.
Mourelos (Giannēs), 7069.
Mourgues (Marcelle), 651.
Moutet (Aimée), 5792.
Movila (Toader), 4264.
Mowery (David C.), 5793.
Moyer (Albert E.), 5215.
Moygnihan (Ruth Barnes), 3665.
Mozart (Constanze), 5512.
Mozart (Wolfgang Amadeus), 5512.
Mroczko (Marian), 7070.
Mrozek (Donald J.), 6300.
Mrozewicz (L.), 1945.
Mroziński (Michał), 4528.
Mudée (Gabriel), 438.
Mudry (P.), 1577.
Muel-Dreyfus (Francine), 4930.
Mühlberg (Dietrich), 4819.
Mühlen (Karl-Heinz zur), 4694.
Müller (Ernst), 4619.
Müller (Felix), 2836.
Müller (Gerhard), 947.
Müller (H.H.), 1010.
Müller (Hans-Joachim), 694.
Müller (Harald), 4996.
Müller (Hermann-Josef), 2913.
Müller (Karlheinz), 1337.
Müller (Michael G.), 6903.
Müller (Peter), 5268.
Müller (Reimar), 1386, 1548, 1617, 1618.
Müller (Ulrich), 2909.
Müller (Wolfgang C.), 3451.
Müller-Beck (Hansjürgen), 1048, 1067.
Müller-Luckner (Elisabeth), 3308.
Müller-Seidel (Walter), 5263.

Münzer (Friedrich), 439.
Muesas (Miguel de), 6830.
Muir (Edward), 448.
Mukerjee (R.), 5878.
Mukhamadiev (A.G.), 128.
Mularska-Andziak (Lidia), 7349.
Muldowny (John), 6285.
Mullaney (Marie Marmo), 6475.
Muller (Ernest), 4695.
Mulliez (Jacques), 5972.
Mulvey (Christopher), 4827.
Mumprecht (Vroni), 1436.
Mun (Albert, comte de), 4559.
Mundelein (George William), cardinal, 4550.
Munier (Charles), 471.
Munn (Charles), 6054.
Munot (Barbara), 5486.
Munro (J. Forbes), 6745.
Munslow (Barry), 6746.
Munteanu (Gavril), 385.
Munteanu (Ioan), 4216.
Murăraşu (Dumitru), 5384.
Murat (Jachim), maréchal de France, roi de Naples, 6950.
Murav'eva (L.L.), 2440.
Murena, Varro M., v. Terentius Varro Murena.
Mureşan (Camil), 178, 3189.
Murga (José Luis), 1903.
Murphy (Lawrence R.), 3666.
Murphy (M.), 4067.
Murphy (Richard Charles), 6119.
Murray (Alexander Callander), 2744.
Murray (David J.), 5216.
Murray (Oswyn), 1474.
Murray (P.M.), 1694.
Murray (Robert K.), 3667.
Murray (Stephen O.), 653.
Murry (John Middleton), 5319.
Murtorinne (Eino), 4492.
Musallam (B.F.), 852.
Muşat (Mircea), 772.
Muşeţeanu (Crişan), 2081.
Mussies (Gerhard), 2140.
Mussolini (Benito), 3496, 6649, 7178.
Mustaţă (Cătălin), 2616.
Musti (D.), 1604.
Muth (Franz-Christoph), 2441.
Muth (Robert), 501.
Mutz (Alfred), 129.
Muzzili (Giuliano), 6055.
Mylius (Klaus), 7443.
Mylläri (Juhani), 5471.
Myl'nikov (A.S.), 364.
Mylonas (G.E.), 1404.
Mylōnas (Theodōros), 4031.
Myška (Milan), 5794.
Myška (Věroslav), XIX.
Myśliński (Jerzy), 5011.
Myyrä (Jarmo).

N

Na'aman (Shlomo), 4772.
Nabrings (Arie), 579.
Nachtergael (Georges), 1173.
Nachvátal (Bořivoj), 2502.

Nadal i Farreras (J.), 716.
Nadeau (Vincent), 46.
Nadal (B.), 1825.
Nävdal-Larsen (Bodil), 6879.
Naff (William E.), 5098.
Naffah (Christiane), 302.
Nafziger (E. Wayne), 4149.
Nagel (Paul C.), 3668.
Nagy (Zsuzsa L.), 4035.
Naik (J.P.), 7444.
Naimark (Norman M.), 4407.
Naison (Mark), 6476.
Najdus (Walentyna), 6477.
Najock (Dietmar), 1732, 1738.
Nakamura (Takafusa), 5672.
Nálepka (Ján), 7260.
Namowicz (Tadeusz), 5268.
Nandy (Ashis), 7445.
Napoléon Ier, empereur des Français, 465, 3826, 3845, 3965, 5298, 6944.
Napoléon III, empereur des Français, 6588, 6974, 6979.
Narinskij (M.M.), 3853.
Naročinskij (A.L.), 454, 6494.
Nasatir (Abraham P.), 6794.
Nash (George H.), 3669.
Nashat (Guity), 4045.
Nasrallah (Joseph), 982.
Nasser (Gamal Abdel), 3493.
Năstase (D.), 2360, 4605.
Naster (Paolo), 502.
Năsturel (P.Ş.), 2609.
Naumann (Friedrich), 3384.
Nawyn (William E.), 4696.
Nazarewicz (Ryszard), 7134.
Nazzaro (A.V.), 2144.
Ndenye, dynastie africaine, 7555.
Neamţu (Alexandru), 4218.
Nečaev (S.G.), 5002.
Neck (Rudolf), 3419, 3420.
Nečkina (M.V.), 4324.
Nedelcea (Tudor), 767.
Nederman (Cary J.), 3001.
Nedkvitne (Arnved), 2454.
Nedorezov (A.I.), 6618.
Needell (Jeffery D.), 3458.
Needham (John Tuberville), 5236.
Neff (Helmut), 3854.
Negev (Avraham), 2288.
Negrepontē-Delibanē (Maria), 5795.
Néher-Bernheim (Renée), 5271.
Nehring (Karl), 6880.
Neitmann (Klaus), 2647.
Nekrasov (V.F.), 4408.
Nelken-Terner (Antoinette), 7571.
Nelli (Humbert S.), 6301.
Nelson (Anna Kasten), 3670.
Nelson (C.A.), 1745.
Nelson (Lawrence J.), 3671.
Nemeş (Emil), 2047.
Németi (Ioan), 1095, 3131.
Nemirovskij (A.I.), 1713, 1746, 1747.
Nemitz (Kurt), 3341.
Nenci (Giuseppe), 1504.
Nerantzē-Barmazē (B.), 2289.
Néraudau (Jean-Pierre), 2055.
Nero (Claudius Caesar), empereur romain, 1788, 1795.

Nerod (V.A.), 6478.
Nerses Magnus, Patriarcha Armeniae, Sanctus, 2274.
Nersesjanc (V.S.), 6553.
Nersisjan (M.G.), 785.
Nerva (Marcus Cocceius), empereur romain, 1909, 2260.
Neshamit (Sara), 4773.
Nesvadba (František), 7136.
Nesvadkík (Lumír), XIX.
Netzer (Y.), 1314.
Neudorfer (Heinz W.), 2231.
Neufeld (Maurice F.), 6378.
Neugebauer (O.), 7553.
Neugebauer (Wolfgang), 3147.
Neuhaus (Helmut), 3337, 4697.
Neuman (Mark), 3966.
Neumann (Günter), 1405.
Neunheuser (Burkhard), 941.
Neuschaffer (Hubertus), 5919.
Neve (P.), 1291.
Nevelev (G.A.), 5385.
Nevenham (Thomas), 4064.
Nevin (Michael), 5589.
Nevler (V.E.), 4110.
Newbould (Ian), 3967.
Newbury (Colin), 6747.
Newby (P.H.), 2701.
Newdigate (Sir John), 6602.
Newell (W.R.), 1619.
Newitt (Malyn), 5879.
Newman (John Henry), cardinal, 4544.
Newman (Robert P.), 7351.
Newton (Sir Isaac), 5157, 5182, 5207.
Nicholas (Stephen), 5796.
Nicholls (David J.), 4698.
Nick (Rainer), 3434.
Nickell (Lesley J.), 2967.
Nicodim (saint), v. Nikodemus Hagiorites.
Nicolae-Vǎlceanu (Ivanciu), 5574.
Nicolet (Claude), 5099.
Nicollier (Béatrice), 4615.
Niculae (Vasile), 4211, 6464.
Ní Dhonnchadha (Máirín), 2745.
Niebuhr (Barthold Georg), 440.
Niebuhr (H. Richard), 5047.
Niederhellmann (Annette), 2932.
Niedhart (G.), 6654.
Nielsen (Torben), 282.
Niemann (Dietmar), 3284.
Nieminen (Mauri), 6120.
Niethammer (Lutz), 6274.
Nietto Sortia (J.M.), 2526.
Nietzsche (Friedrich), 5014, 5050, 5105, 5121, 5127.
Nifontov (A.S.), 5797.
Nigāhbān ('Izzat U.), 1123.
Nigham (M.L.), 7446.
Nikodemos Hagiorites, saint de l'Eglise orthodoxe, 3031.
Nikol (John), 4101.
Nikolaidou (Eleurtheria), 5798.
Nikolaj I Pavlovič, empereur de Russie, 4433.
Nikolaus von Kues, Kardinal, 2388, 3058, 3095.
Nikolay-Panter (Marlene), 2587.
Nikol'skij (N.M.), 4606.
Nikon (Nikita Minin), Patriarch, 4600.
Niléhn (Lars H.), 4828.
Nilson (Bengt), 7071.
Nilsson (Göran B.), 355.
Nini (Yehuda), 7412.
Niosi (Jorge), 5799.
Nipperdey (Thomas), 3342.
Nişcov (Viorica), 417.
Nissen (Hans-Jörg), 1213, 1275.
Nitschke (August), 3091.
Nitz (Hans-Jürgen), 3035.
Nitz (Kiyoko Kurusu), 7241.
Niven (John), 3672.
Niven (Sir Rex), 6705.
Nixon (L.), 1402.
Nixon (Richard Milhous), 7317.
Njammasch (Marlene), 7447.
Noack (Lutz), I.
Noakes (Jeremy), 3343.
Nobel (Alfred), 4833.
Nobert (Peter), 955.
Noble (Charles), 5964.
Noble (Frank), 3120.
Nobles (Gregory H.), 6828.
Noda Senkô-in (Narisuke), 4741.
Noël (Bernard), 5473.
Noisette (Patrice), 6088.
Nollé (J.), 1620.
Nolte (Ernst), 5100, 6479.
Nolte (Hans-Heinrich), 405.
Nonn (Ulrich), 2527.
Nonnos, 1565.
Nony (D.), 108.
Norberg (Dag), 2416.
Nordenfalk (Carl), 2145.
Nore (Ellen), 386.
Norfolk, dukes of, 3974.
Norrington (A.L.P.), 56.
North (Michael), 5973.
North (Robert), 955.
Nortier (Michel), 723.
Nortmann (Hans), 1143.
Norton (W.), 203.
Norwich (Alfred Duff Cooper, 1st viscount), 3882.
Norwich (John Julius), 653.
Nosko (Leopold), 4829.
Nosková (A.), 5501.
Nosov (N.E.), 791.
Nougaret-Chapalain (Christine), 5218.
Noutsos (Panagiōtēs), 5101.
Novak (Maximilian E.), 5302.
Novara (A.), 2003.
Novosel'cev (A.P.), 2588.
Novoselov (B.N.), 7135.
Novotný (Karl), 5800.
Nowak (Jan), 7268.
Nowak (Jerzy Robert), 3218.
Nowak (Tadeusz Marian), 5220.
Nowak (Werner), 1475.
Nowak (Zenon Hubert), 3040.
Nunis (Doyce B.) Jr., 3673.
Nunn (Frederick M.), 3193.
Nuorteva (Jussi), 5102.
Nurek (Mieczysław), 7189.
Nurse (P. Hampshire), 5272.
Nußbaum (Norbert), 2968.

Nutkiewicz (Michael), 5103.
Nutton (V.), 894.
Nwabueze (B.O.), 6556.
Nye (Ronald L.), 5974.
Nyeko (Balam), 4276.
Nygaardsvold (Johan), 7137.
Nystazopoulou-Pelekidou (M.), 2361.

O

Oakeshott (Michael), 580.
Oallde (Petru), 4248.
O'Beirne (Ranelagh John), 752.
Oberer (Michael), 6121.
Oberhammer (Gerhard), 7439.
Obermann (Heiko A.), 4516.
Obermann (Karl), 6394.
Oberschelp (Reinhard), 3345.
Obote (Apollo Milton), 4322.
O'Brien (A.F.), 2648.
O'Brien (Gerard), 6302.
O'Brien (Patrick K.), 5678, 5801.
Obst (Karin), 2837.
Obst (Milan), 5519.
O'Byrne (Eileen), 4513.
O'Connell (Deirdre), 6379.
O'Connor (Carol A.), 6303.
O'Connor (Timothey Edward), 4409.
Ó Cróinín (Dáibhí), 69.
O'Dowd (Mary), 4067.
Öhrnberg (Kaj), 74.
Östberg (Eva), 6304.
Östman (Hans), 5303.
Østmo (Einar), 1098.
Oexle (Otto Gerhard), 2838.
Özgen (Engin), 1214.
O'Fahey (R.S.), 4267.
Offa, king of Mercia, 3120.
Offen (Karen), 4932.
Offer (Avner), 6305.
Officer (Lawrence), 6056.
Offner (Jerome A.), 7573.
Öffner (John), 6993.
O'Flynn (J.M.), 1826.
Ogden (Charles Kay), 5019.
Ogonowski (Zbigniew), 4714.
O Grada (C.), 6095.
Ohly (Friedrich), 2895.
Oikonomidē (N.), 2362.
Okladnikov (A. P.), 577, 759, 1041, 5940.
Okulicz-Kozaryn (Łucja), 2839.
Olai (Birgitta), 5975.
Olaru (Alexandru), 5222.
Olausson (Deborah S.), 1099.
Olberg (Gabriele von), 2746.
Oldenstein-Pferdehirt (B.), 1904.
Ol'derogge (D.A.), 617.
Oldoni (Massimo), 2443.
O Leary (C.), 4067.
O'Leary (Patrick), 4997.
Olesch (Reinhold), 148.
Olien (Diana Davids), 3968.
Olivari (Michele), 5282.
Oliver (James H.), 1505.
Oliver (M.R.), 3413.
Olivier (Daniel), 292.
Olivier (Jean-Marie), 270.
Olivier (Lucien), 2082.
Olivieri Secchi (Sandra), 6307.

Ol'khovskij (E.R.), 4998.
Olmstead (Frederick Law), 3531.
Olshausen (Eckart), 1998.
Olson (Alison G.), 5880.
Olson (Keith W.), 3674.
Olsson (Sven-Olof), 5802.
Olszewski (Daniel), 4568.
Olszewski (Marian), 7103.
Olteanu (Constantin), 6469.
Olteanu (Ştefan), 2840.
Olympiodōros, 1724.
O'Meara (Dan), 3216.
O'Meara (Domenic J.), 3002.
Onuf (Peter S.), 4719, 6829, 6834.
Opitz (Helmut), 2174.
Oppenheim (Israel), 4774.
Oppenheimar (Aharon), 1338.
Oppenheimer (J. Robert), 5179.
Oppenheimer (Jo), 5223.
Oppenheimer (Sal.) jr., Bankhaus, 6071.
Oppl (Ferdinand), 6121.
Oprescu (Paul), 7072.
Orabona (L.), 2232.
Oracki (Tadeusz), 4188.
Orbe (A.), 2146.
Orda (Klaus), 175.
Orduna Germán, 2649.
O'Reilly (Kenneth), 3675.
O'Reilly (Leonora), 6186.
O'Reilly (Patrick), 503.
Oreškova (S.F.), 4311.
Origenēs, Adamantios, 2179, 2197.
Orlandi (Giovanni), 2481.
Orlandi (T.), 2147.
Orléans (Philippe Ier, duc d'), 3752.
Orlov (A.S.), 7242.
Ornato (Ezio), 35.
Ornea (Zigu), 5386.
Orobio de Castro (Isaac Baltasar), 4765.
Orosius (Paulus), 2207.
Oroz Reta (José), 2136.
Orrieux (Claude), 1249.
Orrman (Eljas), 3132.
Ors (Álvaro d'), 1905, 1906.
Ortego (Teógenes), 2049.
Ortiz (Altagracia), 6830.
Orwin (Donna), 4934.
Osborne (Thomas R.), 3855.
Osheim (Duane J.), 3092.
Ošibkina (S.V.), 1068.
Osler (Margaret J.), 5104.
Osmond (Fabrice), 3856.
Osten (Gert von der), 5472.
Ostenc (Michel), 4111.
Osterhammel (Jürgen), 5881.
Osterwalder (Marcus), 5473.
Ostoja-Zagórski (Janusz), 496.
Oswald von Wolkenstein, 2741, 2874.
Oswald (James), 5080.
Oţetea (Andrei), 4213.
Othik (John), 5673.
Otruba (Gustav), 5804.
Ott (Hugo), 3346.
Otte (Marcel), 1069.
Otto I. der Große, röm.-deutscher Kaiser, 2743.
Otto IV., röm.-deutscher Kaiser, 2397.
Otto (Stephan), 581.

Ottonen (die), röm.-deutsche kaiser, 2567, 2582.
Ó Tuathaigh (Gearóid), 4048.
Ó Tuathaigh (M.A.G.), 4062.
Outram (Dorinda), 4862.
Ouy (Gilbert), 280.
Ovčinnikov (V.G.), 4597.
Ovčinnikova (L.V.), 3347.
Ovendale (R.), 7352.
Overbeck (Bernhard), 2083.
Overesch (Manfred), 3348.
Ovidius Naso (Publius), 1984.
Owen (A.), 6577.
Ozment (Steven), 6308.

P

P. (Freiherr von), 6912.
Pace (David), 5224.
Pach (Zsigmond Pál), 231.
Pacheco (Josephine F.), 6557.
Packe (Michael St. John), 2650.
Packer (James), 2084.
Paclt (Jaromír), 5519.
Maczkowski (Andrzej), 4999.
Paddaya (K.), 582.
Paderecki (Igancy Jan), 4195.
Padovese (Luigi), 2233.
Padró i Parcerisa (Josep), 1166.
Pärssinen (Leena), 721.
Pätzold (Günter), 4872.
Page (David), 6698.
Page (Joseph A.), 3407.
Paige (D.D.), 5320.
Paillat (Claude), 3857.
Paine (Thomas), 3686.
Păiuşan (Radu), 4249.
Păiuşan (Vasile), 6881.
Palacki (József), 4222.
Palafox (Jordi), 6070.
Palaiologoi, famille et dynastie de Byzance, 2366.
Palaiologos (Theodoros), 2349.
Pălănceanu (Elena), 4236.
Palasiewicz (Artur), 265.
Palgrave (William Gifford), 6961.
Pall (Francisc), 4250.
Palliser (David M.), 3969.
Palm (Charles G.), 3516.
Palma (Marco), 14.
Palmberg (Mai), 6748.
Palmer (Alan), 6655.
Palmer (Annette), 7243.
Palmer (Benjamin M.), 4662.
Palmer (Bryan D.), 6445, 6482.
Palmer (D.W.), 2234.
Palmer (M.), 173.
Palmer (Robert E.A.), 1946.
Palmer (Ronald Vere), 173.
Palmieri (Patricia A.),4035.
Palmieri (Stefano), 2842.
Palmieri (Vincenzo), 1434.
Palsson (H.), 2706.
Paltz (Johannes von), 4516.
Paluch (Dorota), 1824.
Palumbo (Michael), 3349.
Panagiotakēs (Nikolaos), 5543.

Panagiotopoulos (Basilēs), 6122.
Panagiotou (Kōnstantinos St.), 1624.
Panayotopoulos (A.J.), 5674.
Pančenko (A.M.), 5308.
Pandit (H.N.), 7448.
Panecki (Tadeusz), 7138.
Panehsi, king's son of Cush, 1255.
Pánek (Jaroslav), 4294.
Pangle (Thomas L.), 5105.
Pani Ermini (Letizia), 3036.
Panico (Guido), 5976.
Pankova (N.G.), 7554.
Pankrat'ev (V.P.), 4323.
Pankratova (A.M.), 6483.
Panov (B.V.), 3462.
Pantazopoulos (N.), 4016.
Pantoni (Giuliana L.), 2791.
Panzac (Daniel), 5882.
Pap (Francisc), 5883.
Papacostea (Şerban), 2843.
Papacostea (Victor), 3194.
Papacostea-Danielopolu (Cornelia), 3194, 5267.
Papadēmētriou (Panagiōtēs), 7270.
Papadopoulos (Stelios), 652.
Papadopoulou (E.), 2363.
Papageōrgiou (Giōrgos)5805.
Papagiannakēs (Lephterēs), 5806.
Papagiannē (E.), 2364.
Papaioannou (Apost.), 295.
Papaioannou (M.M.), 5544.
Papandreou (Nikēphoros), 5387.
Papanikolaou (Geōrgios), 441.
Papaoikonomou (Giannēs), 1691.
Papastamou (Stamos), 6309.
Papastratēs (Orestēs Thr.), 441.
Papathanasopoulos (Kōnstantinos), 5807.
Papathanassopoulos (Thanassēs), 6578.
Papias Hierapolitanus, 2220, 2222.
Papineau (Louis-Joseph),46, 293, 3482.
Pappa (Hellē), 5591.
Paquette (Pierre), 5808.
Paradeisēs (Alexandros), 920.
Paravicini (Werner), 2445.
Pardailhé-Galabrun (Annik), 6123.
Pareto (Vilfredo), 320.
Parfenow (V.N.), 1827.
Paricio (Javier), 1873.
Parigger (Harald), 2392.
Pariseau (Jean), 6310.
Pariset (Jean-Daniel), 6866.
Parisse (Michel),2969, 3037.
Parker (Carese M.), 3533.
Parker (Christopher), 356.
Parker (David), 3858.
Parker (Derek), 895.
Parker (Julia), 895.
Parker (R.A.C.), 3970.
Parker (Robert), 1667.
Parker (Rowland), 896.
Parker (S. Th.), 1814.
Parkerson (Philipp T.), 7574.

Parks (J.D.), 6656.
Parming (Tönu), 4410.
Pârnuţă (Gheorghe), 886.
Parpart (Jane L.), 5809.
Parpola (Simo), 1276, 1277.
Parrini (Carl P.), 5592.
Parris (Carl D.), 4304.
Parrish (Michael), 7244.
Parsons (James J.), 6124.
Parsons (Karen Toombs), 3676.
Parsons (R.J.), 1433.
Parsons (Stanley B.), 3675.
Parssinen (Terry M.), 6311.
Pârvan (Vasile), 442.
Pascal (Jean), 3860.
Paschal (Pierre de), 443.
Pascu (Ştefan), 178, 358, 385, 773, 774, 885, 886, 4218, 4219, 4251.
Pascual (Jean-Paul), 7413.
Paskoff (Paul R.), 5810.
Paskov (S.S.), 583.
Pasquier (Roger), 6749.
Pasternak (Burton), 7520.
Pasternak (Boris L.), 5350, 5359.
Pastor (Peter), 7096.
Pastoureau (Michel), 91, 92.
Pašuto (V.P.), 5992.
Pašuto (V.T.), 2486.
Paszkiewicz (Henryk), 2528.
Pasztory (Esther), 7575.
Paterson (Hamish M.), 4917.
Patoura (S.), 1947.
Patrich (Joseph), 1339.
Patricius, Apostolus Hibernorum, Sanctus, 2275.
Patrinelēs (Ch. G.), 6125.
Pătroiu (Ion), 5977.
Patry (Robert), 3861.
Patschovsky (Alexander), 3086.
Pattenden (Philipp), 2365.
Patterson (Henry), 4050.
Patze (Hans), 584, 702, 2726.
Paul (Alice), 3605.
Paul (Ellen Frankel), 5106.
Paulhart (Herbert), IV.
Pauli (Ludwig), 2083.
Paulsen (George E.), 6994.
Paulus, Apostolus, Sanctus, 2133, 2173, 2229, 2256, 2276.
Paulus, martyr Ptolemaide, Sanctus, 2128.
Paulus IV [Giampietro Carafa], Papa, 6874.
Paulus (Rudolf), 4617.
Păun (Octav), 642.
Pavan (M.), 2005.
Pavel I Petrovič, empereur de Russie, 6946.
Pavlov (Ivan Petrovič), 5253.
Pavlov (Vladimir M.), 171.
Pavlova (Anna), 5540.
Pavolini (C.), 1388.
Pavlů (Irena), 1040.
Pawlak (Józef), 509.
Payen (Jean-Charles), 2914.
Payne (Kenneth W.), 653.
Payne (Michael), 57.
Pazdur (Jan), 585.
Peach (W. Bernard), 5018.
Peale (Charles Willson), 5476.

Pearce (R.D.), 6750.
Pearl (Jonathan L.), 4569.
Pearsall (Derek A.), 2915.
Pearson (John), 744.
Pearson (R.), 3195.
Pearson (Ralph L.), 4936.
Pędowski (Karol), 6373.
Pedreschi (Luigi), 3466.
Peel (J.D.Y.), 4150, 4461.
Peel (Sir Robert), 3967, 4552.
Peetre (A.), 667.
Pegg (Carl H.), 3196.
Pegg (Michael A.), 296.
Peiresc (Nicolas Claude Fabri de), 5142.
Pekelis (M.), 5545.
Pelagonius, 1738.
Pelger (Hans), 3436.
Pelikan (Jaroslav), 944.
Pelinka (Anton), 3423, 3434, 3448.
Pellech (Christine), 1625.
Pelletier (Y.), 1415.
Pelling (Henry), 6508.
Pellizer (E.), 853.
Pelosi (Hebe Carmen), 6995.
Peloso (Vincent C.), 4162.
Peltonen (Martti), 7245.
Peltonen (Matti Tapani), 5811.
Peñalver (X.), 1100.
Penati (A.), 2034.
Penkower (Monty Noam), 7190.
Penn (William), 6772, 6797, 6798, 6804, 6827.
Pennaod (G.), 70.
Pensabene (P.), 1835.
Pentagolas (Gerasimos E.), 897.
Pepys (Samuel), 5291.
Percy, family of Mississippi, 3547.
Péreire (Jacob Rodrigues Pereira, dit), 5217.
Perelomov (L.S.), 7500.
Perényi (János), 586.
Perez (Joseph), 3208.
Pérez (Louis A.) Jr., 6996.
Pérez de los Cobos (Pedro Luis), 2589.
Pérez-Mallaína Bueno (Pablo E.), 5812.
Pérez-Prendes (José Manuel), 816.
Perfahl (Brigitte), 6484.
Perham (Dame Margery), 6706.
Peri (Vittorio), 2235.
Periandros, tyran de Corinthe, 1483.
Perikhanjan (A.G.), 1369.
Periklēs, 1461, 1512.
Perjés (Géza), 3350.
Perkins (Dwight H.), 7479.
Perlis (Riwka), 7139.
Perlman (Isadore), 2062.
Perlmann (Joel), 4937, 6312.
Pernée (Lucienne), 401.
Pernoud (Georges), 2844.
Pernoud (Régine), 2844.
Perón (Juan Domingo), 3406, 3407, 3410, 3411.
Perret (André), 2590.
Perrot (Claude-Hélène), 7555.
Perrot (Jean-Claude), 5593.
Persell (Stuart Michael), 6681.
Pertek (Jerzy), 7246.
Pertue (Michel), 3862.
Peruzzi (E.), 165.
Pervain (Iosif), 4210.
Peša (Václav), 4296, 6485.
Pestana (Carla Gardina), 4699.
Petculescu (Constantin), 4212.
Peter (Rodolphe), 4700.
Peterajová (Ludmila), 5419.
Peters (Ursula), 2916.
Peterson (Norma Lois), 3677.
Peterson (Paul E.), 4939.
Petersson (Birgit), 6313.
Petit (Carlos), 2747.
Petit (Jacques), 281.
Petitjean Roget (Jacques), 75.
Petitmengin (P.), 2178.
Petolescu (Constantin C.), 1828.
Petráň (Josef), 4938.
Petrescu (Aurel), 5388.
Petrescu-Dîmboviţa (Mircea), 242.
Petri (Franz), 504.
Petri (Olaus), 4655.
Petricioli (M.), 7073.
Petrikovits (Harald von), 587, 1829.
Petropoulos (J.A.), 4017.
Petrosjan (Ju. A.), 4311.
Petrovskaja (I.F.), 5546.
Petrucci (Armando), 4, 15.
Petry (Ludwig), 505.
Petter (Bruce), 6723.
Pettersson (Jan Erik), 5978.
Pettersson (Ronny), 5979.
Pettigrew (Eileen), 6126.
Petty (Sir William), 5710.
Pétur Pétursson, 4701.
Petzold (Joachim), 3351.
Peyer (Hans Conrad), 2796.
Peyronnet (Georges), 2447.
Pfaff (R.W.), 3055.
Pfeifroth (Burkard), 1048.
Pfeifroth (Ingrid), 1048.
Pfister (Friedrich), 444.
Pflanze (Otto), 3308.
Pflaum (Hans Georg), 1948.
Pfrommer (M.), 1389.
Phatourou-Hesychakē (Kanto), 5444.
Pheidias, Phidias, 1485.
Phidias, v. Pheidias.
Philaretus Medicus, 1435.
Philip (Ian), 297.
Philipp von Schwaben, deutscher König, 2397.
Philipp I., Herzog von Pommern-Wolgast, 4537.
Philipp (Werner), 667, 2505.
Philippe II Auguste, roi de France, 115, 2560.
Philippe III le Bon, duc de Bourgogne, 2445, 2613, 2631, 2664.
Philippe (Robert), 2651.
Philippi (Maja), 4252.
Philippos II, roi de Macédoine, 1460, 1476.
Philippos V, roi de Macédoine, 1300.
Philippson (Robert), 1626.
Philippus Arabs (Marcus Julius), empereur, 1918.

Phillips (J.H.), 5547.
Phillips (Joseph W.), 4702.
Phillips (Mark), 359.
Philōn Alexandrinos, 1292, 1296.
Philostratos (Phlabios), 1436.
Phoropoulos (N.L.), 748.
Photios, Patriarcha Byzantinus, 2290.
Phountoulēs (I.M.), 2236.
Piaget (Jean), 5230.
Piaget (Jean), 5230.
Piasecki (Henryk), 4189.
Piast, dynastie, 2978.
Piber (Andrzej), 265.
Picasso (Pablo Ruiz y), 5457, 5473.
Picchio (Riccardo), 713.
Piccirelli (L.), 1506.
Pichler (Gerhart), 3437.
Pichler (Johannes W.), 817.
Pičikjan (I.R.), 1692.
Pick (Eckhart), 4878.
Pickerodt (Irmgard), 1830.
Pickford (Ian), 5492.
Pickl (Eckhart), 6529.
Pickl (Ingeburg), 6927.
Pickl (Othmar), 708.
Picon (François-René), 5980.
Piekalkiewicz (Janusz), 7247.
Piérart (M.), 1507.
Pierce (Charles E.), 5304.
Pierre II, comte de Savoie, 2590.
Pierre Vigier de la Rousselle, 2630.
Pietri (Charles), 456.
Pietri (Luce), 2237, 2238.
Pietrow (Bianka), 6657.
Pietrzak (Jerzy), 4190.
Pietschmann (Horst), 6817.
Piggott (Stuart), 1043.
Pilát (Jan), 7353.
Pilatus (Pontius), 1843.
Pilichowski (Czesław), 7140.
Piłsudski (Józef), 4170, 4178.
Pinard (Yolande), 6358.
Pinaud (Pierre-François), 6579.
Pini (Antonio Ivan), 2685.
Pini (Ingo), 82.
Piniès (Jean-Pierre), 654.
Pinkus (Benjamin), 4411.
Pinney (Thomas), 433.
Pinoteau (Hervé), 91.
Pinsky (Edward), 3678.
Piotrovskij (B.B.), 427, 445, 1013, 4834.
Piotrowicz (Ludwik), 204.
Piotrowski (Walerian), 5225.
Pippidi (Andrei), 4253.
Pippidi (Dionisie M.), 1429.
Piquet-Marchal (Marie-Odile), 5108.
Pirenne (Henri), 2493.
Pisani (Donald J.), 5981.
Pisarev (Dmitrij Ivanovič), 5029.
Pisarev (Ju. A.), 7074.
Pisecky (Ursula), IV.
Pisier (Georges), 3736.
Pisier-Kouchner (Evelyne), 4372.
Piskurewicz (Jan), 4863.
Piso (Ioan), 1748.
Pistohlkors (Gert von), 4335.

Pithis (John A.), 1435.
Pitkänen (Kari), 6079.
Pitsula (James M.), 6314.
Pitt (William 1st earl of Chatham), v. Chatham (William Pitt, 1st earl of).
Pitt (William) [the Younger], 3917.
Pitte (Jean-Robert), 205.
Pitts (Brent A.), 2917.
Pius VI [Giannangelo Braschi], Papa, 4506.
Pius IX [Giovanni Maria, conte di Mastai-Ferretti], Papa, 4509.
Pius XI [Ambrogio Damiani Achille Ratti], Papa, 4504.
Pivovar (E.J.), 230.
Pivovarov (Ja. N.), 7323.
Piwoński (Henryk), 3045.
Place (Francis), 3945.
Plank (David N.), 4939.
Plaschka (Richard Georg), 4845.
Plaskin (Glen), 5548.
Platina (Battista) [pseud. di Bartolomeo Sacchi], 4650.
Platōn, 484, 797, 989, 1406, 1543, 1552, 1554, 1585, 1594, 1597, 1608, 1615, 1638, 1640, 1642, 1650, 2010, 2244, 2254, 5077, 5121.
Platonova (N.G.), 854.
Platelle (Henri), 3093.
Platt (D.C.M.), 6058.
Platt (Harold L.), 6127.
Platt (Jennifer), 5226.
Plaudis (Arturs), 4438.
Playfair (Giles), 5549.
Plehve, v. Pleve (Vjačeslav Konstantinovič).
Plekhanov (Georgij Valentinovič), 5083, 6456.
Plessis (René), 3859.
Pleşu (Catrinel), 5310.
Pleticha (Eva), 298.
Pleticha (Heinrich), 699.
Pleve (Vjačeslav Konstantinovič), 7450.
Plevza (Wiliam), 4296.
Plimak (E.G.), 5109.
Plinius Minor (Gaius P. Caecilius Secundus), 1985.
Plöchl (Willibald M.), 4607.
Ploeşteanu (Grigore), 4254.
Plōtinos, 1637.
Plott (John C.), 990.
Plucknett (T.F.T.), 6530.
Plümacher (Eckhard), 2104.
Plummer (John), 2970.
Plumpe (Gottfried), 5814.
Plunkett (Horace), 4064.
Pobre (fray Juan), 7584.
Poche (Emanuel), 2971.
Podlecki (Anthony I.), 1627.
Podlesnyj (P.T.), 6658.
Podobedova (O.I.), 38.
Podrimavský (Milan), 4297.
Poesch (Jessie), 5416.
Poeschl (Viktor), II, 2031.
Pogge von Strandmann (Hartmut), 7075.
Poggendorf (Johann Christian), 5227.

Poher (Alain), 7348.
Pohl (Hans), 809, 5813.
Pohlkamp (Wilhelm), 2239.
Poidevin (Raymond), 3197, 7354.
Poirier (J.), 127.
Poitrineau (Abel), 6128.
Pokorny (Rudolf), 2448.
Pokrovskij (N. N.), 4423, 5389.
Polachek (James M.), 7521.
Polak (Edmund), 7140.
Polakowska (Anna), 999.
Polanyi (Karl), 1197.
Pole (J.R.), 3198.
Pole (Sir William de la), 2795.
Polgár (László), 4586.
Polikarpov (V.V.), 4412.
Polívka (Miloslav), 3094.
Poljakov (Ju. A.), 454, 7274.
Poljakova (Elena), 5551.
Poljakova (L.), 5550.
Poljanskij (Ju. I.), 5231.
Polk (James K.), 3533.
Pollard (A.J.), 2652.
Pollard (Gordon C.), 7576.
Pollard (Sidney), 5676, 5815.
Poleross (Friedrich B.), 3438, 6927.
Polonsky (Antony), 761.
Polreichowá (Helena), 3679.
Poltavskij (M.A.), 710.
Polybios, 795, 1223, 2183.
Pool (E.H.), 1628.
Poma (G.), 1907.
Pomeroy (Robert W.) III, 516.
Pomey (P.), 2057.
Pomian (Krzysztof), 588.
Pompadour (Antoinette Poisson, marquise de), 3770.
Pompeius (Gnaeus P. Magnus), 1774, 1853.
Pompeius (Sextus P. Magnus), 1847.
Pond (Arthur), 5413.
Ponomareva (I.A.), 4413.
Pons (Georges), 3038.
Ponting (Kenneth G.), 2779.
Pope (Alexander), 5294.
Pope (Clayne L.), 5655.
Popescu (Anicuţa), 6531.
Popescu (Eufrosina), 4217, 4255.
Popescu (Marin Matei), 4256.
Popescu-Puţuri (Ion), 4213.
Popescu-Sireteanu (Ion), 166.
Popioł-Szymańska (Aleksandra), 6059.
Popiołek (Kazimierz), 446.
Popoff (Michel), 91.
Popovici (George), 447.
Popper (Karl), 5044.
Porat (Dina), 7141.
Porphyrios, 2181.
Porter (Bernard), 6682.
Porter (Frank W.) III, 360.
Porter (Roger B.), 3680.
Poseidōnios Rhodios, 1607.
Postel (Jacques), 5219.
Postel-Lecocq (Silvie), IX.
Postnikova-Loseva (M. M.), 854.
Postolache (Tudorel), 5582.
Potter (David), 6882.

Potter (George R.), 4703.
Potter (Janice), 6831.
Potter (Jeremy), 2653.
Potthast (Barbara), 6952.
Potts (D.T.), 206.
Potvin (Claude), 3467.
Potvin (Gilles), 5520.
Pouchelle (Marie-Christine), 2918.
Poulat (Emile), 4500.
Poulle (Emmanuel), 2919.
Poulsen (J.), 1124.
Pound (Ezra Loomis), 5320, 5374.
Poussou (Jean-Pierre), 3164, 5677.
Powell (Edward), 2748.
Powell (Lady Vilet), 5391.
Powers (Richard Gid), 3681.
Powys (John Cowper), 5321.
Pozzetta (George E.), 3574.
Prada (Michel), 6579.
Pradalié (Gérard), 2845.
Prandi (Luisa), 1508.
Prange (Wolfgang), 3352.
Prato, famiglia, 251.
Pratt (Norman T.), 2006.
Pratt (V.), 1629.
Preda (Eugen), 7191.
Preisigke (Friedrich), 1221.
Přemysl, dynastie, 2535, 3126.
Preobraženskij (A.A.), 5679.
Press (Volker), 5693, 6905.
Preston (Paul), 3509.
Prétot (Xavier), 818.
Preu (Peter), 6580.
Prevenier (Walter), 2846.
Preziosi (Donald), 1693.
Příbram (Jan), 2398.
Pribytkovskij (L.N.), 4265.
Price (Jacob M.), 5885.
Price (Richard), 5018.
Price (Roger), 5982, 6315.
Pricker (D.P.), 3863.
Pricoco (Salvatore), 2175.
Pridham (Geoffrey), 3343.
Primakov (E.M.), 3201.
Primo de Rivera (Miguel), marqués de Estella, 3497.
Pringle (Denys), 3133.
Prinz (Friedrich), 685.
Prior (Robin), 7142.
Priskos hō Rhētōr, 1724.
Pritsak (Omeljan), 2665.
Proctor (J.H.), 4704.
Proctor (Raymond L.), 7248.
Pronovost (Gilles), 6316.
Propertius (Sextus), 1977.
Proschwitz (Gunnar von), 3744.
Protopopov (V.V.), 2982.
Proust (Marcel), 5322.
Provazník (Vladimír), 783.
Provenzo (Eugene H.) Jr., 4889.
Provost (Sylvie), 46.
Pruckov (N.I.), 5363.
Prude (Jonathan), 5816.
Pruski (Witold), 5983.
Pryce-Jones (David), 5392.
Pryor (Frederic L.), 1102.
Pryor (John H.), 2592.
Przewlocki (Jan), 7076.
Przybylski (Henryk), 4195.
Przybysewski (Boleslaw), 2972.
Przybysz (Kazimierz), 7143.

Przywara (Leslaw), 1034.
Ptolemaios II Philadelphos, roi d'Egypte, 1220.
Ptolemaios (Klaudios), 185.
Ptolémées (les), dynastie, 1231, 1232, 1236, 1248, 1252, 1256.
Puchert (Berthold), 5886.
Pučkov (P.I.), 7593.
Pudovkin (Svevolod Illarionovič), 5536.
Pinder (Tilman), 5247.
Pürer (Heinz), 5012.
Pufendorf (Samuel), 5103.
Pugh (David G.), 4830.
Puhvel (J.), 1630.
Puig (Henri), 7578.
Pullan (Brian S.), 4775.
Purcell (Mary), 271.
Purcell (N.), 1949.
Purš (Jaroslav), 589.
Pursell (Carroll W.) Jr., 5680.
Pușcariu (Ioan), 4244.
Puschner (Uwe), 5001.
Pusey (James Reeve), 7522.
Puškareva (I.M.), 4414.
Pussey (Gérard), 5473.
Puškin (Aleksandr S.),5385, 5393.
Pycior (Helena M.), 5228.
Pycke (Jacques), 3071.
Pythagoras, 1425, 1597.

Q

Qadhafi (Mu'ammar al-), 4130.
Qing, Chinese dynasty, v. Ch'ing.
Quack (Sibylle), 6486.
Quadrigarius (Quintus Claudius), 1741.
Quaegebeur (Jan), 16, 502.
Quaglia (Armando), 2451.
Quaglioni (Diego), 799, 2654.
Quataert (Donald), 4319.
Quataert (Jean H.), 6317.
Queller (Donald E.), 2749.
Quétel (Claude), 5219.
Quigley (Carroll), 800.
Quillet (Jeannine), 2655.
Quinn (Alison M.), 4464.
Quinn (David Beers), 3971, 4464.
Quirinus, Ep. Sisciae, Sanctus, 2474.
Qviller (Bjørn), 1535.

R

Raabe (Paul), 41.
Ra'anan (Gavriel D.), 4415.
Rabb (Theodore K.), 361.
Rabello (A.M.), 1340.
Rabenschlag-Kräußlich (Jutta), 6487.
Rabinach (Anson), 3439.
Rackham (O.), 207.
Radice (R.), 1292.
Radkau (Joachim), 5681.
Radošević (Ninoslava), 2366.
Radosh (Ronald), 3682.
Radu de la Afumați, prince de Valachie, 4262.

Radu (Andrei), 4831.
Rădulescu (Maria Eliza), 397.
Rădulescu-Zoner (Șerban), 6962.
Radzyner (Joanna), 3440.
Raeder (Joachim), 2085.
Raeff (Marc), 3202.
Raevskij (V.F.), 4416.
Rafaj (Pavel), 5143.
Raffe (David), 4908.
Ragsdale (Hugh), 6946.
Ragsdale (John P.), 4941.
Rahne (Hermann), 3353.
Raichle (Donald R.), 4942.
Raitenau (Wolf Dietrich), v. Wolf Dietrich von Raitenau, Erzbischof von Salzburg.
Raitt (Jill), 4570.
Rajak (Tessa), 1341.
Rak (Jiří), 383.
Rakhmaninov (Sergej Vasil'evič), 5556.
Rákóczi (Ferenc II), prince de Transylvanie), 4029.
Raková (Svatava), 7077.
Ralling (Christopher), 4471.
Ram (Hanna), 4083.
Rambervillers(Alphonse de), 5142.
Ramesses, pharaons d'Egypte, v. Ramses.
Ramge (Hans), 3137.
Ramos (Donald), 6707.
Ramos (Rosa María), 7578.
Ramses II, pharaon d'Egypte, 1246.
Ramses IV, pharaon d'Egypte, 1251.
Rancoeur (René), 5258.
Randall (Stephen J.), 3683.
Randers-Pehrson (Justine Davis), 2555.
Randi (E.), 3003.
Randsford (Oliver), 5229.
Ranelagh (John O'Beirne), 4066.
Ranjitsinhji (Kumar Shri), maharaja of Nawanagar, 7450.
Ranger (Terence), 4461.
Ranke (Leopold von), 448.
Ránki (György), 6660, 7192.
Rankin (H.D.), 1631.
Ranlett (John), 6319.
Rantanen (Tuula), 721.
Rantz (B.), 1908.
Rao (Anna Maria), 4113.
Raptes (Nikolaos S.), 5230.
Rashed (Roshdi), 2920.
Rasnicyn (V.G.), 4134.
Rassweiler (Anne D.), 4417.
Rathbone (D.W.), 131, 1950.
Rathenau (Walther), 3299.
Rathmann (Lothar), 3146, 3171.
Raschnevsky (Paul), 7414.
Rausch (Wilhelm), 4836, 6134.
Raušenbakh (B.V.), 5190.
Raveggi (Sergio), 2831.
Ravitch (Diane), 4907.
Rawlinson (Sir Henry Creswicke), 6973.
Rawson (Elizabeth), 2007.
Ray (Edward John), 5575.
Ray (Rajat K.), 5817.

Rayback (Joseph G.), 3684.
Raynaud-Lacroze (Eugène), 7078.
Ražid (Subhi Anwar), 1125.
Razilevskaja (N.A.), 5240.
Rea (J. R.), 1433.
Reagan (Ronald),3534, 3647, 3680.
Real (Willy), 3234, 3354.
Reardon (B.P.), 1632.
Rebas (Hain), 2656.
Rebel (Herman), 3441.
Rèche (Albert), 856.
Redi (Francesco), 5201.
Redon (Odile), 2847.
Reece (R.H.W.), 7469.
Reed (Charles A.), 1016.
Reed (James), 7079.
Reed (Michael), 3972.
Reedy (W. Jay), 5110.
Reese (William J.), 6498.
Regehr (T.D.), 3471.
Reginswindis, puellula Lauffae, Sancta, 2532.
Régnier (Catherine), 280.
Regond (Annie), 5474.
Reháková (M.), 4280.
Rehbock (Philip F.), 5232.
Rehman (Inamur), 7449.
Reich (Leonard S.), 5233.
Reichardt (Rolf),3797, 3840.
Reichman (Henry), 4418.
Reid (Anthony), 7470.
Reid (Donald), 5818.
Reid (G.S.), 3413.
Reid (John G.), 4943.
Reid (Thomas), 5080.
Reidy (Joseph P.), 3525.
Reiff (Janice L.), 6320.
Reiffenstein (Ingo), 2394.
Reinalter (Helmut), 3167.
Reinboldt (Anne), 5142.
Reinert (Paul), 5819.
Reingold (Nathan), 5138.
Reinhard (David W.), 3685.
Reinhard (Wolfgang), 3337, 6683.
Reinhardt (Karl), 449.
Reinhardt (Stephan), 4988.
Reischauer (Edwin O.),4124.
Reiter (Norbert), 3190.
Reith (John Charles Walsham Reith, 1st baron of Stonehaven), 5788.
Reitterer (Hubert), 6927.
Rek (Stanislaw), 2593.
Remesal-Rodríguez (J.), 1951.
Remigius, Ep. Remensis, Sanctus, 2277.
Remond (René), 3864, 3865, 7259.
Rempel' (L.I.), 7405.
Renard (J.-P.), 2457.
Rendić-Miočević (Duje),1477.
Renger (Christian), 4944.
Renger (Johannes), 1275.
Renonciat (Annie), 5475.
Renouf (A.), 7356.
Renoux (Charles), 2130.
Renzi (William A.), 4419.
Repgen (Konrad), 506, 3242, 7080.
Retegan (Simion), 4257.
Réthy (Andor), 5312.
Reulecke (Jürgen), 6488.
Reuter (Peter W.), 3866.
Reuter (Timothy), 3019.

Reuther (Walter Philip), 6391.
Reviv (Hanoch), 1342.
Revunenkov (V.G.), 3867.
Reymond (Bernard), 4983.
Reynes (Geneviève), 5305.
Reynolds (Craig J.), 7471.
Reynolds (David), 7193.
Reynolds (Henry), 6859.
Reynolds (Joyce M.), 1263.
Reynolds (Roger E.), 219, 2750.
Reynolds (Terry S.), 901.
Rezachevici (Constantin), 6923.
Rezeau (Pierre), 3046.
Řezníček (Jiří), 4293.
Rhee (Syngman), 7387.
Rhodes (Benjamin D.), 6661.
Rhodes (Cecil John), 6732.
Rhouphos Ephesios, 1445.
Rials (Stéphanie), 3868.
Ribuffo (Leo P.), 4705.
Ricci (Giovanni), 6321.
Ricci (Matteo), 188.
Rice (Bradley R.), 3556.
Rice (C. David), 5861.
Rice (Dennis G.), 5493.
Rice (E.E.), 1220.
Rice (Kym S.), 6322.
Rich (J.W.), 1952.
Richard, Graf von Cornwall, deutscher König, 2397.
Richard II, king of England, 2615.
Richard III, king of England, 2653, 2663.
Richard (Jean), 2529, 2594.
Richard (Jean-Claude), 1720.
Richard (Lionel), 6323.
Richardi (Hans-Günter), 3357.
Richards (J.F.), 855.
Richards (Jeffrey), 3020.
Richards (Robert J.), 5234.
Richardson (Bonham C.), 6832.
Richardson (Edgar P.), 5476.
Richardson (Elmo), 5984.
Richardson (Joanna), 5394.
Richardson (P.), 2260, 6116.
Richardson (W.F.), 1749.
Riché (Pierre), 2530.
Richelieu (Armand Jean du Plessis, cardinal de), 3768, 3847, 4817.
Richeson (David R.), 3471.
Richlin (Annie), 2008.
Richmond (Douglas W.), 4140.
Richter (Daniel K.), 7577.
Richter (Karel), 7249.
Richter (Karl), 5263.
Richter (Michael), 2507.
Rico Linaje (Raquel), 5887.
Ricuperati (Giuseppe), 357.
Riḍwān ('Ali), 1250.
Rieckenberg (Hans Jürgen), 2395, 3095.
Riedenauer (Erwin), 591.
Riedmann (J.), 711.
Riel (Louis), 3474.
Ries (Gerhard), 1195.
Ries (Julien), 1662.
Riesenfeld (Harald), 2156.
Riezler (Kurt), 3275, 3376.
Riezler (Sigmund v.), 3358.

Riftin (B.L.), 7485.
Rigaudière (Albert), 2848.
Říhovský (Jiří), 1122.
Riley (James C.), 6060.
Riley-Smith (Jonathan), 2595.
Rilinger (rolf), 1831.
Ringdal (Nils Johan), 549.
Ringelblum (Emanuel), 7144.
Ringrose (David R.), 5682.
Rioux (Jean-Pierre), 272, 3737, 3869.
Ripert (Aline), 6324.
Riposati (Benedetto), 1768.
Rischin (Moses), 4757, 4763.
Riska (Cecilia), VIII.
Ritter (Carl), 214.
Ritter (Gerhard A.), 418, 3355, 6325, 6581.
Rix (Herbert David), 4706.
Rizzo (S.), 1750.
Robaye (René), 438.
Robb (K.), 1599.
Robb (P.), 6699.
Robbe (Martin), 7390.
Robbe-Grillet (Ingrid), II.
Robbins (Caroline), 3686.
Robbins (Keith), 3973.
Robbins (Naomi C.), 3518.
Roberg (Burkhard), 3096, 4502.
Robert Ier, comte de Flandre, 21.
Robert II, comte de Flandre, 21.
Robert (Jean-Noël), 1953.
Robert (Lucie), 46.
Roberts (Sir Abraham), 3916.
Roberts (Henry), 5430.
Robertshaw (Peter), 644, 7556.
Robertson (John), 7194.
Robertson (N.), 1536, 1668.
Robespierre (Maximilien de), 3799, 3809.
Robin (Françoise), 2973.
Robin (Jean), 6215.
Robinet (I.), 7523.
Robins-Mowry (Dorothy), 4124.
Robinson (Denis M.), 7145.
Robinson (I.S.), 3050.
Robinson (Jack R. [Jackie]), 6361.
Robinson (John Martin), 3974.
Robinson (Philip), 6129.
Robinson (W.R.B.), 5985.
Robson (David W.), 4945.
Robson (Lloyd), 7594.
Roca-Puig (Ramón), 1751.
Rochat de La Vallée (Elisabeth), 5235.
Rochberg-Halton (F.), 1279.
Rochow (Ilse), 2367.
Rodbertus (Karl), 5595.
Rodin (Auguste), 5448.
Rodrigue (Aron), 4776.
Rodrigue (Denise), 657.
Rodriguez (François), 7578.
Rodríguez Aguilera de Prat, (Cesareo), 801.
Rodríguez Paniagua (José María), 5111.
Rodríguez-Pantoja (M.), 2148.
Rodziński (Witold), 7524.
Roe (Derek A.), 1053.

Roe (Shirley A.), 5236.
Roebke-Berens (Ruth D.), 3442.
Roebuck (P.), 4964.
Roeck (Bernd), 6326.
Röder (Werner), 3249.
Roederer (Pierre-Louis, comte de), 3844.
Röhl (John C. G.), 3228, 3359.
Römer (Claudia), 6867.
Röring (Christoph Wilhelm), 2009.
Roesler (Jörg), 5820.
Rösener (Werner), 3039.
Rogačev (A.N.), 1073.
Rogers (Earl M.), 5895.
Rogers (J.M.), 5494.
Rogers (Susan H.), 5895.
Rogge (Joachim), 4707.
Rogger (Hans), 4420.
Roggerone (G.A.), 2010.
Rohdziewicz (Piotr), 476.
Rohrlach (Peter P.), 3360.
Rokitjanskij (Ja. G.), 6385.
Roldán Hervás (José Manuel), 717, 1833.
Roll (Israel), 2087.
Rolland (P.), 2149, 2150.
Roller (Lynn E.), 1390.
Rollins (Alden M.), 1761.
Rollins (Peter C.), 5552.
Roloff (Hans-Gert), 1006.
Roman (D.), 132.
Roman (Elena), 899.
Roman (Yves), 1167.
Romaňák (Andrej), 4299.
Romanova (V.L.), 2965.
Romasco (Albert U.), 3687.
Romeo (Carlo), 15.
Romero (Oscar Arnulfo), obispo, 4526.
Romilly (Jacqueline), 1633.
Rommerskirchen (Giovanni), 951.
Romo (Ricardo), 6327.
Romodanovskaja (E. K.), 4423.
Romodin (V.A.), 691.
Ronen (Avraham), 1071.
Rontogiannes (P.), 749.
Rooke (Patricia T.), 6328.
Rooney (John W.) Jr., 3453.
Roos (Anna-Maria), 1145.
Roosen-Runge (Heinz), 58.
Roosevelt (Franklin Delano), 3575, 3590, 3595, 3647, 3687, 3717, 6577, 7130, 7161, 7180, 7193.
Roosevelt (Theodore), 3577.
Roques (D.), 2240.
Roques (René), 2241.
Rosas (Juan Manuel de), 3411.
Roşca (Alexandru), 5237.
Roşca (Ioan), 4223.
Rose (Kenneth), 3975.
Rosenbaum (H. Udo), 2156.
Rosenberg (Ethel), 3682.
Rosenberg (Julius), 3682.
Rosenberg (Pierre), 5477.
Rosenberg (Rainer), 4819.
Rosenberg (Wilhelm von), 4294.
Rosenhaft (Eve), 3361.
Rosenzweig (Roy), 6329.
Rosetti (Constantin A.), 4985.
Roskell (John S.), 2657.

Ross (Alan), 7450.
Ross (Alexander), family, 3471.
Ross (Arnold E.), 5133.
Ross (G.), 6662.
Ross (Lawrence Sullivan), 3555.
Ross (Lester A.), 133.
Ross (Robert), 6751.
Ross (Rodney A.), 273.
Rossabi (Morris), 7525.
Rosser (J.), 2368.
Rossetti (Livio), 1549.
Rossi (John P.), 3688.
Rossijanov (O.K.), 5395.
Rossini (Gioacchino Antonio), 5564.
Rost (Walter), 2658.
Rostand (Jean), 5244.
Rostas (Véronique), 5594.
Rostockij (B.I.), 5417.
Rostworowski (Emanuel),763.
Rostworowski (Marek), 4191.
Rotaru (Ion), 5261.
Rotaru (Rodica), 5261.
Rotermund (Hartmut O.), 4741.
Roth (Ann Macy), 1251.
Roth (Franz Otto), 3443.
Rothacher (Albrecht), 5683.
Rothe (Hans), 5347.
Rothermund (Dietmar), 5675.
Rothfels (Hans), 450.
Rothschild, family, 6030.
Rothwell (William), 2458.
Rott-Zebrowski (Teotyn), 17.
Rotundo (Anthony E.), 6330.
Roubaud (François), 5684.
Rougerie (Jacques), 5776.
Rouillard (Jacques), 6489.
Rouillard (Pierre), 1537.
Rousse (Jean), 3808.
Rousseau (Jean-Jacques), 5026, 5037, 5043, 5057, 5059, 5061, 5064, 5093, 5130, 5400.
Rousseau (Renée), 6490.
Rousselle (Aline), 1391.
Rousset (Paul), 2596.
Roustan-Verrières (Jean-Marie), 3870.
Rout (Leslie) Jr., 7109.
Roux (Jean-Pierre), 786.
Rowan (Eric), 5418.
Rowecki (Stefan), 7277.
Rowell (Geoffrey), 4708.
Rowland (Leslie S.), 3525.
Rowland (R.J.), 1837.
Rowley (Trevor), 2597.
Roymans (N.), 134.
Roy (Zo-Ann), 616.
Rozanova (Zofia), 981.
Rožanskaja (M.M.), 2897.
Rozenblit (Marsha L.),4777.
Rozenfel'd (B. A.), 892, 2878, 2897.
Rubanova (I.I.), 5417.
Rubellin-Devich (Jacqueline), 6604.
Rubin (G.R.), 6532.
Rubin (Joan Shelley), 4832.
Robin (Ze'ev), 2369.
Rubinsohn (Zeev), 1838.
Ruble (Blair A.), 4422.
Ruckhäberle (Hans-Joachim), 6383.
Rudnickaja (E.L.), 5002.
Rudolf II., röm.-deutscher Kaiser, 3337.

Rudoph (Günther), 5595.
Rürup (Reinhard), 3362.
Rüsen (Jörn), 592.
Rufinus (Tyrannius, presbyter aquileiensis, 2131.
Rufus von Ephesos, v. Rhouphos Ephesios.
Ruge (Wolfgang), 3363.
Ruggiero, conte d'Andria, 2719.
Ruiz Aleman (Joaquín) 3510.
Ruiz Asensio (José Manuel), 12.
Ruiz-Domenec (José E.), 2849.
Rumpel (Roland), 2531.
Runcie (Robert),archbishop, 1478, 1538.
Runciman (Steven), 2307.
Runnels (C.N.), 1694.
Rupke (Nicolaas A.), 5238.
Rupp (D.W.), 1031.
Rupp (David), 925.
Rupp (E. Gordon), 4709.
Ruppert (Wolfgang), 5821.
Rupprecht (Hans-Albert), 1221.
Ruschenbusch (Eberhard), 1478, 1538.
Rush (Michael), 3977.
Russell (Mattie U.), 274.
Russell (Peter A.), 5986.
Russell (Peter E.), 6533.
Russo (François), 593.
Russocki (Stanisław), 2508.
Russu (Ion I.), 451, 1429, 1722.
Rusu (Adrian Andrei), 2459.
Rusu (Doina), 7016.
Rusu (Mircea), 4258.
Rutenburg (V.I.), 2512.
Ruth (Arne), 3313.
Rutkowski (Adam), 7144.
Rutkowski (Ernst), 3415.
Rutkowski (Jan), 452.
Rutland (Robert A.), 3529.
Rutman (R.E.), 4328.
Ruyt (F. de), 1714.
Ryan (A.N.), 3971.
Ryan (Christopher J.), 3004.
Ryan (Dennis P.), 6331, 7595.
Ryan (John A.), 4547.
Rybakov (B.A.), 238, 1012.
Rybicki (Paweł), 507.
Rybikov (A. Ju.), 6385.
Rydell (Robert), 3689.
Ryder (M.L.), 857.
Ryndzjunskij (P.G.), 4424, 6332.
Rystedt (Eva), 1715.
Ryženkova (M.R.), 4326.
Ržeševskij (O.A.), 7129.

S

Saad (Elias N.), 7557.
Saavedra (Pegerto), 5822.
Sabatier (Maurice), 1072.
Sabbah (Guy), 2153.
Sabban (Françoise), 658.
Sabbidēs (Alexēs G. K.), 1839, 2370.
Saccaro-Battista (Giuseppa), 5112.
Sachs (Carolyn E.), 5987.
Sachs (Hans), 2923.
Sacks (Kenneth), 1439.
Sackville (Victoria Josephine

Sackville-West, Lady), 5352.
Sackville-West (Vita), v. Sackville (Victoria Josephine S.-W., Lady).
Sadat (Anwar al-), 3489, 3493.
Saddlemeyer (Ann), 5326.
Sadek (M.M.), 1440.
Sadek (Vladimír), 4778.
Safrai (Shmuel), 1316.
Safrai (Ze'ev), 1343.
Sagaster (Klaus), 491.
Sage (M.M.), 2242.
Sagebiel (Herta), 3285.
Sahai-Achuthan (Nisha), 7423.
Sahgal (Nayantara), 7451.
Šāhpur Ier, roi de Perse, 1367.
Saidah (Roger), 1179.
Saint (Andrew), 5553.
St. Aubin (Giles), 2659.
Saint-Denis (A.), 2850.
Saint-Etienne (Christian), 6061.
Saint-Germain (Claude Louis, comte de), 3488.
St. Joseph (J.K.S.), 2059.
Saint-Marc (Michèle), 6062.
Saint-Pierre (Charles Irénée Castel, abbé de), 3825.
Saint-Simon (Claude Henri de Rouvroy, comte de), 6418.
Saint-Simon (Louis de Rouvroy, duc de), 3735.
Sainte-Beuve (Charles-Augustin), 5323.
Saitta (Armando), 2509.
Saizu (Ioan), 5615.
Sakellarakis (J.A.), 82.
Sakellariou (M.B.), 747.
Sakharov (A.N.), 2598.
Sakmuster (Thomas), 4036.
Sakson (Andrzej), 3364.
Salāh al-Dīn, dit Saladin, sultan d'Egypte et de Syrie, 2585, 2701.
Saladino (Gapsare I.), 3523.
Salanter (Israel), 4755.
Salemme (Carmelo), 2011.
Salerio (Carlo), 7583.
Saletti (C.), 2089.
Salinger (Sharon V.), 6491.
Salisbury (Harrison Evans), 7526.
Salisbury (Robert V.), 4163.
Salles (Jean-François), 1686.
Sallmann (Klaus), 1728, 2012.
Sallustius (Gaius S. Crispus), 1981.
Salmerio (Ricardo), 2460.
Salmon (Eric), 5554.
Salmond (John A.), 3690.
Salmonowicz (Stanisław), 6906.
Salmony (Alfred), 7527.
Salote Tupou, queen of tonga, 6862.
Salskov Roberts (H.), 1716.
Saltzgaber (Jan M.), 4623.
Salza Prina Ricotti (Eugenia), 1954.
Samaran (Charles), 453.
Sammut (Carmel), 6752.

Samostrzelnik (Stanisław), 5470.
Samponaro (Frank N.), 4141.
Sampson (Adamantios), 659.
Samsonov (A.M.), 427, 454, 7250.
Samsonowicz (Henryk), 2851.
Samuel (Alan E.), 1252.
Samuels (Warren J.), 590.
Samuelsson (Lars), 4710.
Samveljan (K. Kh.), 4047.
Sancery (Jacques), 1840.
Sánchez-Albornoz (Claudio), 2461, 2751.
Sánchez de la Vega (J.), 449.
San Miguel (Guadalupe) Jr., 4947.
Sand (Aurore Dupin, baronne Dudevant, dite George), 5324.
Sanderlin (Sarah), 2462.
Sanderson (G.N.), 6753.
Sanderson (Michael), 6333.
Sandford (Gregory W.) 3365.
Sandhu (Kernial Singh), 7472.
Sandiford (Keith A. P.), 6334.
Sandmann (Mechthild), 3041.
Sandner (Margit), 7357.
Şandru (D.), 5988.
Sandström (Åke), 6063.
Săndulescu (Al.), 417.
Sanie (Silviu), 490.
Sanlaville (P.), 180.
Šanskij (D.N.), 387.
Santa Anna (Antonio López de), 4141.
Santa Clara (Dom Frei Joaquín de), 4567.
Santorelli (P.), 2144.
Santoro (R.), 1909.
Santos Yanguas (Narciso), 2243.
Santucii (Antonio A.), 5113.
Sapieha (Aleksander), 6149.
Saprykin (S. Ju.), 1695.
Sarafēs (Marion), 4002.
Šarapov (Ju. P.), 4425.
Sarbej (V.G.), 790.
Sardelēs (Dēmētrēs), 5239.
Sarkissian (I.), 2013.
Sarkisyanz (Manuel), 7459.
Sarmiento (Domingo Faustino), 3411.
Sarpi (Paolo), 5132.
Sarrēs (Neoklēs), 7358.
Sarring (Kevin Lee), 2084.
Sartine (Antoine de), comte d'Alby, 3849.
Sartori (M.), 1441.
Săsărman (Gheorghe), 5423.
Sassanides (les), dynastie, 84, 751, 1369.
Sasse (Barbara), 2852.
Sasu (Aurel), 4210.
Sauer (Siegfried), 866.
Saulnier (Christiane), 1706.
Saumaise (Claude), 4817.
Saunders (G.), 4333.
Saunders (J.W.), 5283.
Saunders (William B. R.), 2371.
Saupe (Lothar), 25.
Sautel (Gérard), 805.
Sautter (Udo), 6492.
Sav (Corneliu), 6881.

Savickaja (R.M.), 6377.
Savigny (Friedrich Karl von), 6598.
Savigny (Karl Friedrich von), 3234.
Sawicki (Tadeusz), 7251.
Sawyer (John F.A.), 1038.
Sax (Benjamin C.), 5114.
Saxer (V.), 2244.
Sayed (Ramadan el-), 1253.
Sayre (Stephen), 6774.
Sazonov (Sergej D.), 4419.
Sbolopoulos (Kōnstantinos), 6663.
Sborōnos (N.), 858, 4002.
Sborōnos (Nikos G.), 4019, 4974.
Sbrega (John J.), 7195.
Scalia (G.), 2481.
Scaliger (Joseph), 455.
Scally (Robert), 6335.
Scanlon (James Edward), 4948.
Ščapova (Ju. L.), 1196.
Scarano Ussani (Vincenzo), 1910.
Scarci Piacentini (Paola), 1752.
Scarlat (Mircea), 5269.
Scarpatetti (B. M. von), 290.
Scarr (Deryck), 6754.
Scarre (Christopher), 1076.
Scattergood (V.J.), 2660.
Ščepkina-Kupernik (T.), 5555.
Ščerbakova (A.A.), 5240.
Ščerbina (V.R.), 5265.
Schaap (Klaus), 3366.
Schachermeyr (Fritz), 1634.
Schade (Ludwig), 2132.
Schadt (Jörg), 3232.
Schaefer (Donald F.), 5989.
Schäfer (Hermann), 5685.
Schäfer (Peter), 1344.
Schäfer-Lichtenberg (Christa), 1345.
Schäferdiek (Knut), 2151, 2277, 3097.
Schaeffer (Norma), 3600.
Schaeffer-Forrer (Claude F.-A.), 1280.
Schäffle (Albert), 3170.
Schaeper (thomas J.), 5596.
Schaendlinger (Anton C.), 6867.
Schamoni (Wolfgang), 5396.
Schanze (Frieder), 2923.
Scharf (Claus), 7305.
Scharf (Lois), 3691.
Scharfe (Wolfgang), 196.
Schattauer (T.H.), 2372.
Schatz (Heribert), 986.
Schaumann (Ralf), 5813.
Scheel (Heinrich), 3367.
Scheers (Simone), 502.
Scheffer (Charlotte), 1717.
Schefold (Karl), 2245.
Scheibelreiter (Georg), 3098.
Scheible (Heinz), 4620.
Scheibler (Ingeborg), 1696.
Scheld (Stefan), 4647.
Schele (Linda), 7579.
Schemann (Ludwig), 3341.
Schembs (Hans-Otto), 3237.
Schemper (Ingeborg), 5495.
Scherl (Adolf), 5519.
Schich (Winfried), 2489.

Schieder (Theodor), 245, 3174, 3176, 3278, 3368, 3433, 3892.
Schieder (Wolfgang), 3324.
Schieffer (Rudolf), 2105, 2482.
Schiffers (Reinhard), 3230.
Schildt (Runar), 5404.
Schilen (J. Alvar), 7252.
Schiller (Gertrud), 220.
Schilling (Heinz), 504.
Schilling (Robert), 508.
Schimmel (Annemarie), 987.
Schimpf (Wolfgang), 4864.
Schindler-Pittet (Chantal), 5763.
Schinkel (Harald), 7011.
Schiøler (T.), 2090.
Şchiopu (Michaela), 5310.
Schlaich (Klaus), 3337.
Schleich (T.), 1955.
Schleier (Hans), 594.
Schlereth (Thomas J.), 595.
Schlesinger (Walter), 3099.
Schlieben-Lange (Brigitte), 6350.
Schlosser (Hans), 2752.
Schlüter (Anne), 4871.
Schlumbohm (Jürgen), 6261.
Schmädeke (Jürgen), 3380.
Schmaltz (Bernhard), 1697.
Schmaus (Michael), 941.
Schmelzer (Matthias), 4621.
Schmeruk (Hone), 59.
Schmid (Alois), 3369.
Schmid (Anton), 697.
Schmid (Karl), 2433, 2541, 3100.
Schmid (W. Thomas), 1635.
Schmid (Walter), 2014.
Schmidt (Christian D.), 667.
Schmidt (Georg), 3370.
Schmidt (Gustav), 7057.
Schmidt (Hajo), 5115.
Schmidt (Hans), 3371.
Schmidt (J.U.), 1539.
Schmidt (Paul Gerhard), 2449.
Schmidt (Peter W.), 3372.
Schmidt (Siegfried), 3203, 4850.
Schmidt (Walter), 246, 362, 5003.
Schmidt (Waltraud), 5653.
Schmidt-Chazan (Mireille), 71.
Schmiedt-Thielbeer (Erika), 1165.
Schmidt-Wiegand (Ruth), 2932.
Schmithals (Walter), 2246.
Schmitt (Carl), 3246.
Schmitt (Charles B.), 3005.
Schmitt (Eberhard), 3797.
Schmitt (Emile), 2259.
Schmitt (Götz), 1346.
Schmitt (Karl M.), 4142.
Schmitthenner (Walter), 2015, 2023.
Schmitz (Rudolf), 890, 898.
Schmitz (Walter), 3373.
Schmoll-Eisenwerth (Joseph Adolf), 5448.
Schmukler (Nathan), 5650.
Schneider (Annerose), 4616, 4711.
Schneider (Erika), 4865.
Schneider (H.), 1956.

Schneider (Karl Heinz), 5990.
Schneider (Konrad), 135.
Schneider (Max), 928.
Schnell (R.L.), 6328.
Schnell (Rüdiger), 2921.
Schnurbein (Siegmar von), 2091.
Schober (Gottlieb), 4722.
Schochow (Werner), 416.
Schoelcher (Victor), 3747.
Schönberger (Hans), 2092.
Schöne (Albrecht), 5140.
Schöneburg (Karl-Heinz), 3276.
Schönemann (Bernd), 4949.
Schönert (Jörg), 5263.
Schönert-Röhlk (Frauke), 5813.
Schönfeld (Roland), 5888.
Schöpf (Hans-Georg), 1636.
Schoeps (Julius H.), 3311.
Schofield (Roger), 6132.
Scholarios (Georgios), v. Gennadius II.
Scholl (Reinhold), 1254.
Schoos (Jean), 6883.
Schopenhauer (Arthur), 5086.
Schoppmeyer (Heinrich), 2853.
Schott (Richard L.), 3692.
Schoultz (Lars), 3408.
Schrader (Robert Fay), 3693.
Schramm (Gottfried), 789, 2556.
Schramm (Karl-Heinz), 7291.
Schrepfer (Susan R.), 5823.
Schröder (Hans-Jürgen), 7305.
Schröder (Jan), 6528.
Schroeder (Paul W.), 6997.
Schrödinger (Erwin), 5030.
Schröer (Alois), 4712.
Schröter (Harm G.), 7082.
Schubert (E.H.), 4833.
Schubert (Ernst), 2942, 6337.
Schubert (Franz), 5567.
Schubert (Kurt), 60.
Schubert (Ursula), 60.
Schüppach (Werner), 6338.
Schütte (Hans-Friedrich), 596.
Schuetz (Mardith), 4572.
Schuffenhauer (Werner), 5017.
Schuh (Franzjosef), 3444.
Schulin (Ernst), 393.
Schulte (Bernd F.), 6998.
Schultz (Helga), 6582.
Schulz (Constance B.), 5116.
Schulze (Winfried), 3337, 5899, 6884.
Schumacher (Leonhard), 1841.
Schuman (Robert), 7348.
Schumann (Clara), 5513.
Schumpeter (Joseph Alois), 5588.
Schustereit (Hartmut), 7196.
Schutz (Herbert), 1168.
Schuyler (David), 3531.
Schwab (Heinrich W.), 2984.
Schwabe (Klaus), 3356.
Schwärzel (Renate), 5820.
Schwandner (E.L.), 1698.
Schwarte (Karl-Heinz), 1842.
Schwartz (Daniel R.), 1843.
Schwartz (Joshua), 1347.
Schwarz (Werner), 2702.

Schwarzfuchs (Simon), 6755.
Schwarzmaier (Hansmartin), 2532.
Schneider (Dorothy), 5824.
Schweinitz (Karl de), v. De Schweinitz (Karl).
Schwetchine (Madame), 3745.
Schwitalla (Johannes), 3374.
Schwyzer (Hans R.), 1637.
Sclafer (Jacqueline), 283.
Scobey (Margaret), 5192.
Scot (Reginald), 4533.
Scott (Anthony), 5686.
Scott (H.M.), 3187.
Scott (John) [editor], 4997.
Scottus (John), v. Eriugena (Johannes Scotus).
Scranton (Philip), 5825.
Screech (M.A.), 5272.
Screen (J.E.O.), 720.
Scudéry (Madeleine de), 5299.
Scurtu (Ioan), 774, 4217, 4259.
Sealander (Judith), 3694.
Seale (Petrick), 7415.
Sealey (Raphael), 1509.
Seaman (Lewis Charles B.), 2650.
Searle (G.R.), 3978.
Sebes (József S.), 4598.
Sebeşanu (N.), 4608.
Sedlak (Michael W.), 4951, 4952.
Sedlov (A.V.), 7409.
Sedykh (V.N.), 3871.
Segal (Erich), 1622.
Segal (J.-B.), 1222.
Segelberg (Eric), 3101.
Segerstedt (Torgny), 4866.
Serge (Luciano), 5991.
Seibert (Jakob), 1479.
Seibt (Ferdinand), 782, 3102.
Seibt (W.), 90.
Seide (Gernot), 4609.
Seidenberg (D.A.), 6756.
Seidensticker (Edward), 4125.
Seidler (Michael J.), 5117.
Seidman (Steven), 5118.
Seifert (Arno), 597.
Seifert (Siegfried), 5287.
Seiffert (Hans Werner), 5292.
Seip (Jens Arup), 551, 598.
Seip (Terry L.), 3695.
Seipel (Dr. Ignaz), 3419.
Sekula (Allan), 5496.
Selecki (B.P.), 1957.
Séléucides (les), dynastie, 751, 1281, 1432, 1471.
Seldjoukides (les), dynastie, 2462, 2696.
Sellers (Charles Coleman), 5476.
Sellnow (Irmgard), 7558.
Šelokhaev (V.V.), 4426.
Šelov (D.B.), 1480.
Seltmann (Ingeborg), 2599.
Selwyn (Georges Augustus), bishop, 6852.
Semenjuk (N.M.), 162.
Semenov (S.A.), 1103.
Semenova (L.N.), 660.
Semmelweis (Ignaz Philipp), 5150.
Sen Katayama, v. Katayama (Sen).

Senac (Philippe), 2510.
Senatorov (A.I.), 6493.
Sendall (Bernard), 5826.
Seneca (Lucius Annaeus), 1759, 1971, 2006, 2016.
Senge (Angelika), 5119.
Senna-Martinez (João Carlos), 1104.
Senning (Calvin F.), 3979.
Seppinen (Ilkka), 5889.
Şerban (Constantin), 6664, 6924.
Şerbănescu (Ilie), 7355.
Serczyk (Władysław Andrzej), 6925.
Sergeev (O.I.), 4427.
Sergienko (G. Ja.), 790.
Serjeantson (S.W.), 7595.
Šerkovina (R.I.), 7452.
Sermoise (Pierre de), 2661.
Serova (O.V.), 4114.
Serrano (Carlos), 7578.
Serres (Olivier de), 5958.
Sertorius (Quintus), 1802.
Servatius (Gustav), 2102.
Servius Tullius, roi de Rome, 1820.
Sesboüé (Bernard), 2108.
Šestakova (V.P.), 5541.
Seston (William), 456.
Settas (Dem. Chr.), 661.
Sève (Marie-Madeleine) 3872.
Ševelenko (A. Ja.), 18.
Severinus, Noricorum Apostolus, Sanctus, 2227, 2278, 3029.
Sévigny (Albert), 3470.
Sevost'janov (G.N.), 3543, 3624, 6437.
Sevrin (Jean-Marie), 1662.
Sexton (Donald J.), 7253.
Seyboth (Reinhard), 4493.
Sgard (Jean), 5000.
Shackleton (Sir Ernest Henry), 4471.
Shafer (Byron E.), 3696.
Shahar (Shulamith), 2854.
Shakespeare (William), 5271.
Shammas (Carlos), 5687.
Shammas (Carole), 6339.
Shapiro (Barbara J.), 5120.
Sharaf (Abd al-Hamid), 7415.
Sharett (Moshe), 7360.
Sharp (Andrew), 3980.
Sharpe (J.A.), 6605.
Sharpe (Richard), 2152, 2275.
Sharples (R.W.), 1408.
Shatzman (Israel), 1348.
Shaw (Brent D.), 1958.
Shaw (Duncan), 742.
Shaw (George Bernard), 5325, 5351.
Shaw (J.S.), 6340.
Shay (Talia), 1126.
Shea (William L.), 6833.
Shedden (Leslie), 5496.
Shek (Ben-Z.), 5397.
Sheldon (Rose Mary), 2084.
Shemilt (Denis), 599.
Shendge (Malati J.), 19.
Shenout, Shenute, Coptic abbot, 2158.
Sheppard (Julia), 260.
Sherborne (J.W.), 2660.
Sherman (Richard B.), 3697.
Sherwin-White (S.M.), 1281.

Shewmaker (Kenneth E.), 3536.
Shewsbury (John Talbot, 1st earl of), 2652.
Shideler (John C.), 2855.
Shilhav (Yaakov Moshe), 4953.
Shinan (Avigdor), 842.
Shinar (Pessah), 4740.
Shiner (John F.), 3698.
Shirazi (ash-), 2897.
Shirley (C.G.), 1734.
Shirley (John W.), 5241.
Shlaim (Avi), 7360, 7361.
Shorrock (William I.), 6665.
Short (Wallace M.), 3581.
Shoshan (Boaz), 2856.
Showalter (Dennis), 3222.
Shuffelton (Frank), 3517.
Shukster (M.B.), 2260.
Shumsky (Neil L.), 3519.
Siatkowski (Janusz), 714.
Siaw (Laurence K.L.), 7473.
Sibley (Marilyn McAdams), 5004.
Sicard (Germain), 807.
Sickingen (Franz von),3334.
Sicre Díaz (José Luis),1294.
Siddall (William R.), 5827.
Siderēs (Nikos), 6341.
Sidney (Sir Philip), 5281.
Sieben (Hermann Josef), 3103.
Siedt (Veronika), 5820.
Siegelbaum (Lewis H.),4429.
Siegfried von Westerburg, Erzbischof von Köln, 2566.
Siepel (Kevin H.), 3699.
Sierpowski (Stanislaw),7083.
Sievers (Sharon L.), 4126.
Sigebert de Gembloux, 2882.
Siger de Brabant, 3004.
Sigmund von Luxemburg, röm.-deutscher Kaiser, 2624, 3080, 3090.
Sikorski (Krzysztof), 265.
Sikorski (Władysław), 265, 4176, 4200, 7200.
Silano (Giulio), 2421.
Silber (Norman Isaac), 5688.
Silbey (Joel H.), 3700.
Silin (A.S.), 7084.
Silvanus (Titus Plautius), 1788.
Silver (Harold), 4954.
Silver (Morris), 1197, 1350.
Silvester I, Papa, Sanctus, 2239.
Silvester II [Gerbert], Papa, 2443.
Simensen (Jarle), 7559.
Simeon Stylites, Sanctus, 2190.
Simion (Victor), 931.
Simionescu (Cristofor), 885.
Simionescu (Paul), 600, 662.
Simmons (R.C.), 6770.
Simms (D.L.), 2017.
Simon (Hans G.), 2092.
Simon (Manfred), 5828.
Simon (Mihai), 1105.
Simon (Richard), 4517.
Simon de Cramaud, cardinal, 3017.
Simonetti (A.), 1351.
Simonetti (Manlio), 2247.
Simons (H.J.), 3216a.
Simons (R.E.), 3216a.

Simonsohn (Shlomo), 2686.
Simovček (Ján), 7276.
Simpson (Colin), 3981.
Simpson (Renate), 4955.
Simsch (Adelheid), 5689.
Şincai (Gheorghe), 457.
Sindico (Domenico), 5712.
Sinel'nikov (I.M.), 6388.
Singer (Barnett), 6342.
Singhal (Damodar), 7453.
Siniscalco (Paolo), 2176.
Sinuhe, 193.
Sinycin (A.M.), 6247.
Siorokas (Geōrgios), 6907.
Sirago (V.A.), 1959.
Sirat (Colette), 2687.
Sirazdinov (S. Kh.), 2898.
Sîrbu (Valeriu), 1146.
Sirianni (Carmen), 6399.
Širinja (K.K.), 3375.
Sirks (A.J.B.), 1911.
Sirokorad (L.D.), 5583.
Šiškin (V.A.), 7085.
Sitari (Taimi), 6343.
Sitkoff (Harvard), 3572.
Siračev (Nikolaj V.), 3701.
Sivéry (Gérard), 2600, 2857.
Sixtus IV [Francesco della Rovere], Papa, 2434.
Sizonenko (A. I.), 6666, 6671.
Sjuzjumov (Mikhail Jakolevič), 458.
Skalnik (Kurt), 3435.
Skansjö (Sten), 2858.
Skardon (Alvin W.), 4956.
Skibicki (Monika), 3235.
Skibiński (Franciszek),7254.
Skidelsky (Robert), 5597.
Skladaný (Marián), 5829.
Sklar (Martin J.), 5592.
Sklenář (Karel), 363, 1040.
Škljaž (I.M.), 6757.
Skorupová (Anna), XIX.
Skowronek (Jerzy), 4194, 6667.
Skrjabin (Aleksandr Nikolaevič), 5505.
Skrynnikov (R. G.), 208, 2662.
Skupinska-Løvset (Ilona), 2093.
Skylitzes (Johannes), 2291.
Sládek (Oldřich), 5143.
Sladkovskij (M.I.), 7518.
Slater (Miriam), 6344.
Slatta (Richard W.), 3409.
Slavenov (V.P.), 7362.
Sláma (Jiří), 1040.
Slavici (Ioan), 5362.
Slavina (T.A.), 5445.
Slezák (Lubomír), 4300.
Ślisz (Andrzej), 5011.
Sloan (Herbert), 6834.
Sloan (Kay), 192.
Slovesnaja (N.G.), 7474.
Smadja (Elisabeth), 1199.
Small (David B.), 2094.
Small (Robin), 5121.
Smalley (Stephen), 2270.
Šmarinov (D.A.), 51.
Smedberg (Gunnar), 3104.
Šmeral (Bohumír), 7040.
Smetánka (Zdeněk), 2533.
Smeu (Georgeta), 576, 601.
Šmidt (S.O.), 787.
Smîrcea (Doina), 4217.
Smirtjukov (M.S.), 5896.

INDEX OF NAMES

Smith (Adam), 5594.
Smith (Alfred E.), 3589.
Smith (Charles D.), 3491.
Smith (Daniel Scott), 6133, 6320.
Smith (Dennis), 436.
Smith (Dwight L.), 615, 3465.
Smith (E. Timothy), 7363.
Smith (Ely Jelliffe), 5136.
Smith (F.E.), v. Birkenhead Frederick Edwin Smith,1st earl of).
Smith (G.R.), 7396.
Smith (H.-S.), 1222.
Smith (Jeffery A.), 5005.
Smith (Malcolm), 3740.
Smith (Morton), 1352.
Smith (Nicholas D.), 1638.
Smith (Ole Langwitz), 1443.
Smith (Paul H.), 6769.
Smith (Philip E.L.), 1028.
Smith (Richard K.), 5830.
Smith (Richard M.), 2859.
Smith (S.A.), 4430.
Smith (Steve), 7364.
Smith (Steven B.), 5122.
Smithson (Isaiah), 1639.
Smock (Raymond W.), 3535.
Smolana (Krzysztof), 5690.
Smolin (G. Ja.), 344.
Smolinsky (Heribert), 4574.
Smołka (Leonard), 5006.
Smyth (Alfred P.), 2511.
Snesaref (G.P.), 7416.
Snítil (Zdeněk), 7365.
Snodgrass (Anthony M.), 1699.
Snowden (Frank M.), Jr., 1392.
Snyder (K. Alan), 4713.
Snyderman (George S.), 7580.
Sobczak (Kazimierz), 7255.
Soboleva (E.V.), 4867.
Soboul (Albert), 459, 511, 3873.
Soden (Wolfram von), 1278.
Soderlund (Jean R.), 6772, 6835.
Sodini (J.P.), 2190.
Söderberg (Karl), 4957.
Soerries (R.), 2248.
Sösemann (Bernd), 3376.
Sofer (Sasson), 4084.
Sofronov (M.V.), 7500.
Sogrin (V.V.), 3702.
Sohlman (Ragnar), 4833.
Soikkanen (Timo), 3732.
Sokół (Zofia), 5007.
Sokolov (V.T.), 6345.
Sokolov (V.V.), 6658.
Sokolova (I.V.), 136.
Sokolova (O.I.), 5556.
Sokolova (Z.P.), 663.
Sokołowski (Marek), 7146.
Sōkratēs, 989, 1591, 1635, 1653.
Solakian (Daniel), 5993.
Sollars (Werner), 5242.
Solmsen (Friedrich), 1640.
Solnon (Jean-François), 3874, 6019.
Solomonik (E.I.), 1169.
Solov'ev (Vladimir Sergeevič), 5085.
Solovieff (Georges), 6947.
Soltow (Lee), 6064.

Soly (Hugo), 3164.
Sommerbauer(Ludwig Heinz), 602.
Sommerville (C. John), 4958.
Sonenscher (Michael), 5784, 6252.
Sonne (Conway B.), 4715.
Sonnemann (Rolf), 866.
Sonnet (Martine), 873.
Sonnino (Paul), 6908.
Sonnleitner (Käthe), 2601.
Sopocko (A.A.), 209.
Sorabji (R.), 993.
Sordi (Marta), 1481.
Sorel (Agnès), 2651.
Sorkin (David), 4959.
Šormová (Eva), 5519.
Sosson (J.-P.), 937.
Soubeille (Georges), 443.
Sourdel (Dominique), 2463, 2506.
Sourdel-Tomine (Janine),328, 2463, 2506.
Souyri (Pierre), 5691.
Soverini (P.), 1753.
Sowa (Kazimierz Zbigniew), 507.
Sowerwine (Charles), 6346.
Sozomenus (Hermias), 2153.
Spadolini (Giovanni), 4115.
Spägele (Udo), 424.
Spahn (Martin), 3261.
Spalding (Frances), 5478.
Spallanzani (Lazzaro), 5199.
Spaltenstein (Fr.), 2018.
Spang (Paul), 859.
Spanos (Nicholas P.), 4835.
Spartacus, 1838.
Spate (O.H.K.), 5692.
Spector (David), 5994.
Spector (Ronald H.), 3703.
Spector (Shmuel), 7147.
Speer (Lothar), 2602.
Speirs (Dorothy E.), 5327.
Speller (L.A.), 2154.
Spence (Richard), 3021.
Spencer (Herbert), 5106.
Spencer (S.), 5566.
Spencer (Warren F.), 6999.
Spenser (Edmund), 5281.
Sperber (Jonathan), 3377.
Speterēs (Tōnēs),5420, 5479.
Sphyroeras (B.), 4016.
Spickard (Paul R.), 3704.
Spieckermann (Marie-Luise), 4799.
Spiegel (Gabrielle M.),2924.
Spiegel (Nathan), 1641.
Spiers (Edward M.), 3982.
Špiesz (Anton), 4301, 5831.
Spindel (Donna J.), 6348.
Spindler (Konrad), 1147.
Spindler (Max), 703.
Spinei (Victor), 2603.
Spinoza (Baruch), 5111.
Spiterēs (Tōnēs), v. Speterēs (Tōnēs).
Spitery (Eliane), 1045.
Spitzer (Alan B.), 3983.
Spolopoulos (Kōnstantinos), 4018.
Spooner (Frank C.), 6065.
Spotov (B.M.), 3705.
Spranz (Bodo), 7581.
Springer (M.), 1754.
Sprute (J.), 2019.
Spry (Irene M.), 3471.
Spurný (František), 922.

Spurr (S.), 1960.
Spyridakis (Stylianos V.), 1482.
Spytihněv Ier, duc de Bohême, 2533.
Squeri (Lawrence), 4116.
Srba (Bořivoj), 5519.
Sribnai (Jean-Pierre), 7457.
Stabernau (Hanspeter),2513.
Stabridou-Zafraka (Alkmēnē), 2373, 2374.
Staburova (E. Ju.), 7528.
Stacey (Charles Perry), 460.
Stacey (Judith), 7529.
Stachell (S.E.), 5867.
Stachura (Peter D.), 3379.
Staël (Germaine Necker, baronnesse de Staël-Holstein, dite Mme de), 5345.
Stafford (Paul), 7197.
Stafford (Pauline), 2860.
Stagg (J.C.A.), 6668.
Stagl (Justin), 175.
Stahl (Alan M.), 137.
Stahl (Irene), 2442.
Stahl (M.), 1483.
Stalin (Iosip Vissarionovič Džugašvili, dit), 4333, 4339, 4368, 4372, 4395, 4441, 4921, 6657, 7218, 7258, 7367.
Stalley (R.F.), 1642.
Stammers (Neil), 3984.
Stampacchia (Mauro), 5995.
Stan (Apostol), 4214, 4243.
Stan (Valeriu), 4260, 6583.
Stančev (Stefan), 5373.
Stanciu (Ion Gh.), 4960.
Stancliffe (Clare), 2273.
Stănescu (Nichita), 114.
Stanford (Dennis J.), 7565.
Stanford (W.B.), 1643.
Stang (Haakon), 603.
Stanislavskaja (A.M.),6948.
Stanislavskij (A.L.), 4432.
Stanislavskij (Konstantin Sergeevič Alekseev), 5551, 5557.
Stanisław August Poniatowski, roi de Pologne, 5439.
Stanislawski (Dan), 6837.
Stanislawski (Michael),4433.
Stanley, Lords, 743.
Stanley (Brian), 5890.
Stanley (George F.G.), 3471.
Stanley (Laurie C.C.), 4716.
Stanu (Ioan St.), 5848.
Stanwood (Frederick), 7086.
Starr (Chester G.), 1846.
Starr (Ivan), 1282.
Starr (S. Frederick), 5558.
Stasch (F.), 4516.
Stasiewski (Bernhard), 5028.
Stathakopoulos (Manos), 5446.
Stathē (Sasa K.), 7367.
Statius (Publius Papinius), 1733, 1992.
Staubach (Nikolaus), 2925.
Staufer (die), Dynastie, 2739, 2947, 2981.
Stauffer (Richard), 4479.
Stauropoulou (Benetia),4001.
Stavinskij (B. Ja.), 7397.
Stavrou (Theofanis George), 5421.
Stawecki (Piotr), 7020.
Stazio (Attilio), 138.

Stead (Philip John), 3875.
Stearns (Peter N.), 604.
Stebleva (I.V.), 2926.
Stecenko (A.K.), 4023.
Steckel (Richard H.), 5694.
Stefan Batory, roi de Pologne, prince de Transylvanie, 6885.
Ştefan (Alexandra), 1372.
Štefan (Jiří), 917.
Ştefănescu (Barbu), 5996.
Ştefănescu (Cornelia), 5310.
Ştefănescu (Ştefan), 178, 365, 774, 4261.
Stefke (Gerald), 2861.
Steger (Bernd), 3226.
Stehkämper (Hugo), 847.
Stehlíková (Blanka), 5419.
Stehlin (Stewart A.), 7087.
Steible (Horst), 1272.
Steidle (W.), 1446.
Steig (Margaret F.), 4717.
Steiger (Günter), 4850.
Stein (Robert), 5891.
Stein (Wolfgang Hans), 6539.
Steinberger (Peter J.), 5123.
Steinborn (Hans-Christian), 5997.
Steindorff (Ludwig), 2464.
Steiner (Gerhard), 3381.
Steiner (Herbert), 3147.
Steiner (Klaus), 5017.
Steinmann (M.), 290.
Stel'makh (V.G.), 3706.
Stelzer (Winfried), 2753.
Stemberger (Günter), 1353.
Stemplowski (Ryszard), 3162.
Stendhal (Henri Beyle, dit), 5333, 5398.
Stengers (Jean), 6758.
Stenkula (Carl Gustaf), 6351.
Stepanov (G.V.), 4811.
Stepanskij (A.D.), 6352.
Stepeldon (Walter), 2615.
Stephanus, Protomartyr, Sanctus, 2231.
Stephen (Sir James Fitzjames), 5041.
Stephens (David), 4961.
Stephens (J.N.), 4117.
Stern (Eliyahu), 4197.
Stern (Ephraim), 1354.
Stern (Henri), 461, 512.
Stern (Menahem), 1316, 1355.
Stern (Samuel Miklos), 3006.
Stěsimbrotos Thasios, 1453.
Stevens (Robert), 4962.
Stevenson (Thomas B.), 2095.
Stewart (J. Douglas), 5480.
Stiglitz (Herma), 2068.
Stilgoe (John R.), 5832.
Stimson (Henry Lewis), 7369.
Stock (Brian), 2927.
Stockley (David), 605.
Stockmeier (Peter), 2177, 2278.
Stoddart (Jennifer), 6358.
Störmer (Wilhelm), 2534.
Stoia (Mircea), 435.
Stoicescu (Nicolae), 775, 4262.
Stojanow (Valery), 26.
Štokalo (I.Z.), 5221.
Stokes (Eric), 6700.
Stokes (H.J.W.), 7154.
Stokowski (Leopold), 5206.

Stoll (David), 4718.
Stolleis (Michael), 6066, 6525.
Stolypin (Pëtr Arked'evič), 4360, 4413.
Stone (Norman), 3204.
Stone (Shelley C.) III, 1847.
Stoppino (Mario), 400.
Storchová (Ilona), 7310.
Stoß (Veit), v. Stwosz(Wit).
Stourzh (Gerald), 425, 7368.
Stout (Harry S.), 4719.
Stoy (Manfred), 239.
Strabōn, 1410.
Strahl (Christer), 4273.
Strasburger (Hermann), 2020, 2023.
Strasser (Gregor), 3379.
Strasser (Otto), 7126.
Stråth (Bo), 5833.
Stratmann (Karl-Wilhelm), 4871.
Stratos (Andreas N.), 2307, 2375.
Strauch (Judith), 7530.
Straus (André), 5776.
Strauss (Herbert A.), 3249.
Strelcyn (Stefan), 462.
Strelka (Joseph P.), 1006.
Ştrempel (Gabriel), 299.
Stricker (der), 2913.
Stricker (Frank), 6495.
Stricker (Gerd), 4610.
Stroescu (Sabina Cornelia), 628.
Stroheker (Karl), 474.
Stroici (Mateiaş), 4264.
Stromquist (Shelton), 5834.
Strouhal (Evžen), 1040.
Struble (Rhode), 4720.
Struck (Wolf-Heino), 3382.
Strum (Harvey), 7369.
Strumingher (Laura S.), 4963.
Strus (J.), 4512.
Struthers (James), 5598.
Struve (Tilman), 2862.
Strzelczyk (Jerzy), 3105.
Stuard (Susan Mosher), 2863.
Stuart, dynasty, 3885, 3898, 3955, 3956, 6163.
Stubbe (Henry), 4665.
Stubbings (Frank), 4964.
Stučevskij (I.A.), 1255.
Stuchlik (Karl-Heinz), 6496.
Stürner (Wolfgang), 2465.
Stuhlmacher (P.), 2168.
Stump (Wolfgang), 3383.
Sturma (Michael), 3414.
Stuttinger (Daniel), 6927.
Štverák (Vladimír), 900.
Stwosz (Wit), 2972.
Styles (John), 6607.
Sublette (William L.), 3673.
Suchodolska (Ewa), 4196.
Suchodolski (Bogdan), 5257.
Süleyman I Kanumi, sultan ottoman, 6867.
Suetonius Tranquillus (Gaius), 1864, 2024.
Sueur (Jean-Jacques), 6558.
Sugano (Karin), 2266.
Sugeman (D.), 6532.
Suggs (H. Lewis), 3707.
Sugranyes de Franch (Ramón), 3007.
Sukhanov (V.I.), 4207.
Šul'govskij (A.F.), 3199.

Sulickaja (T.I.), 7370.
Sulla (Lucius Cornelius), 1810.
Sullivan (Antony Thrall), 6759.
Sullivan (Eileen P.), 6684.
Sullivan (Henry W.), 5559.
Sulpicius Severus, 1986, 2273.
Summerfield (Penelope) 6354.
Summerville (James), 4965.
Sundhausen (Holm), 5695, 7198.
Sundin (Jan), 566.
Suñe Blanco (Beatriz), 4066.
Suny (Ronald Grigor), 4434.
Suolahti (Jaakko), 1962.
Suppan (Arnold), 6136.
Suratteau (Jean-René), 5124.
Surchat (Pierre Louis), XVIII.
Suret-Canale (Jean), 6760.
Surman (Zdzisław), 606.
Surratt (Jerry L.), 4722.
Susini (G.), 1647.
Sutcliffe (Anthony), 548.
Sutherland (Christine), 4435.
Sutherland (Donald M.G.), 3834.
Suttner (Ernst Christoph), 4837.
Sutton (Anne), 2663.
Sutton (Inez), 5998.
Suzdalev (P.K.), 5560.
Svaguljak (M.N.), 4436.
Svas'jan (K.A.), 5306.
Svedov (A.A.), 7371.
Sverčevskaja (A.K.), 4838.
Sverdlov (M.B.), 2864.
Sverre, king of Norway, 2604.
Svetačev (M.I.), 4437.
Svjatoslav, grand prince de Kiev, 2598.
Swagerty (William R.), 6795.
Swanick (Eric L.), 3468.
Swanson (Dorothy), 6378, 6380.
Sweet (Leonard I.), 4723.
Święcki (Tomasz), 4198.
Swietek (Francis R.), 3106.
Świeżawski (Stefan), 3008.
Swift (Jonathan), 5297.
Syllaba (Theodor), 4967.
Symcox (Geoffrey), 4118.
Syme (Sir Ronald), 463, 1755, 1848, 1912.
Symmachus (Quintus) Aurelius), 1742, 2000.
Synesios Kyrēnaïkos, 2240.
Synge (John Millington), 5326.
Szabo (Franz A.J.), 3445.
Szabó (M.), 140.
Szabo (S.F.), 3206.
Szafran-Szadkowska (Lucyna), 366.
Szafrańska (Amelia), 4508, 4575.
Szarota (Tomasz), 7144, 7277.
Szczepanik (Krzysztof), 4459.
Szczucki (Lech), 4714.
Szczurkiewicz (Tadeusz), 509.
Szefer (Andrzej), 7148, 7150.
Szemiński (Jan), 6838.
Szendrey (Thomas), 367.

T

Taagepera (Rein), 4404.
Ṭabarī (Abu Ja'far Mohammed ibn Jarir al-), 2441.
Taborelli (L.), 1963.
Tacciu (Elena), 5399.
Tacfarinas, chef numide, 1815.
Tacheva-Hitova (Margarita), 1394.
Tacitus (Publius Cornelius), 1718, 1865, 1975, 2026, 3898.
Tackmark (Sven-Erik), 5321.
Taftă (Lucia), XVII.
Taglieschi d'Anghari, famiglia, 4093.
Takaki (Ronald), 5999.
Talbot (John), v. Shrewsbury (John Talbot, 1st earl of).
Talonen (Jouko), 4724.
Tamaki (Norio), 6067.
Tamar (David), 4780.
Tamborra (Angelo), 4119.
Tamnes (Rolf), 7372.
Tamny (Martin), 5207.
Tanaşoca (Nicolae-Şerban), 3194.
Tandeter (Enrique), 5696.
Taneev (Sergej Ivanov), 5507.
Tanger (Terence), 3178.
Tangeraas (Lars), 6949.
Tannery (Mme Paul), 5141.
Taparel (Henri), 2664.
Tapié (Victor-Lucien), 464.
Tapsell (R.F.), 686.
Tardieu (J.-P.), 6839.
Tarle (Evgenij Viktorovič), 465.
Tarling (Nicholas), 6701.
Tarquinia, gens, 1917.
Tarrant (Jacqueline), 2411.
Tartakover (Aryeh), 7199.
Tartakovskij (A.G.), 607.
Tatham (A.), 211.
Taube (Erika), 7421.
Taube (Manfred), 7421.
Tavardon (P.), 2376.
Tavares (Maria José Pimenta Ferro), 2665, 2865.
Taylor (Alan J.P.), 466.
Taylor (Barbara), 6497.
Taylor (Brian), 4725.
Taylor (Jean Gelman), 6702.
Taylor (Keith Weller), 7475.
Taylor (Robert J.), 3532.
Taylor (Simon), 2390.
Taylor (Wayne), 3533.
Tazbir (Janusz), 4199, 4576, 4714, 4726, 4968, 5125.
Tagewell (Littleton Waller), 3677.
Tchang (Laurent), 7457.
Tchernov (E.), 1106.
Tebbutt (Melanie), 6068.
Tedde (Pedro), 5626.
Teichova (Alice), 5697.
Ţeicu (Dumitru), 2377.
Teissier (Philippe), 5307.
Teitelbaum (Kenneth), 6498.
Teitge (Hans-Erich), 61.
Tellechea Idígoras (José I.), 4727.

Tellenbach (Gerd), 2895.
Temin (Peter), 6000.
Temple (Sir William), 3920.
Temporini (Hildegard), 1769.
Tenenti (Alberto), 4839.
Tengwall (David), 6685.
Tennstedt (Florian), 6499.
Tennyson (Alfred Tennyson, 1st baron), 5378.
Teodor (Dan Gh.), 3134.
Teodor (Pompiliu), 312, 389.
Teplov (L.F.), 6761.
Teply (K.), 6664.
Ter-Akopjan (N.B.), 1046.
Terentius Varro Murena, 1793.
Teresińska (Izabella), 999.
Terlicki (Olgierd), 4200.
Ternes (Charles-Marie), 1968.
Terrell (Jennifer), 7585.
Terrot (Noël), 4969.
Terry (Andrée), 5244.
Terry (Sarah Meiklejohn), 7200.
Tertullianus (Quintus Septimius Florens), 2178, 2215.
Terwiel (B.J.), 7476.
Tessin (Carl Gustaf), 3744.
Teuteberg (Hans Jürgen), 6139, 6175, 6211.
Thackeray (William Makepeace), 5340.
Thadden (Rudolf v.), 4494.
Thale (Mary), 5126.
Theiner (Peter), 3384.
Themistios, 1979, 2323.
Themistoklēs, 1506.
Theocharēs (Rēginos Th.), 862.
Theoderich der Große, König der Ostgoten, 2393, 2554.
Theodor (Radu), 777.
Theodora, impératrice de Byzance, 2287.
Theodorescu (Răzvan), 4840.
Theodoretus, Ep. Cyrensis, 2244.
Theoharis (Athan), 3587.
Theophanēs, chroniqueur byzantin, 2292, 2294, 2367.
Theophilos, empereur de Byzance, 2368.
Theuerkauf (Gerhard), 2467.
Thevenin (André), 1074.
Thévet (André), 176.
Thielbeer (Heide), 4970.
Thiers (Louis Adolphe), 3772.
Thillaud (Pierre), 6355.
Thimme (Roland), 7011.
Thirsk (Joan), 6001.
Thivierge (Nicole), 6288.
Thobie (Jacques), 3876.
Thomas Aquinas, Sanctus, 2457.
Thomas Morus, Sanctus, 5073, 5084.
Thomas (D.O.), 5018.
Thomas (Daniel H.), 6669.
Thomas (Gregory), 57.
Thomas (Heinz), 2514.
Thomas (Hugh), 608.
Thomas (J. David), 1257.
Thomas (John L.), 4841.
Thomas (Keith), 687.

Thomas (Lewis Gwynne), 3471.
Thomas (Lewis Herbert), 513, 3471.
Thomas (Marie A.), 4611.
Thomas (P.D.G.), 6770.
Thomas (R. Hinton), 5127.
Thomas (Roger G.), 6762.
Thomas (S. Bernard), 7531.
Thomas (Stuart W.) Jr., 6348.
Thomason (S.K.), 1644.
Thomaz (Luíz Filipe Ferreira Rei), 6703.
Thompson (A.R.), 7595.
Thompson (E.P.), 354.
Thompson (Gerald), 3708.
Thompson (Kenneth W.), 3985.
Thompson (Margaret), 141.
Thompson (Paul), 5835.
Thompson (Wesley E.), 1484.
Thomson (John A.F.), 2666.
Thoreau (Henry), 5389.
Thornton (John K.), 7560.
Thornton (M.K.), 1964.
Thornton (R.L.), 1964.
Thoukydidēs, 1478, 1572.
Thoutmosis Ier, pharaon d'Egypte, 1244.
Thrower (James), 609.
Thue (Lars), 4821.
Thümmler (Heinzpeter), 5599.
Thüringer (Walter), 4620.
Thuillier (Guy), 6069.
Thukydides, v. Thoukydidēs.
Thurn (Hans), 2291.
Thurston (Gary), 5563.
Tibendarana (Peter Kazenga), 4971.
Tiberius (Julius Caesar Augustus), empereur romain, 1865.
Tiberius I Constantinus, empereur de Byzance, 2294.
Tibiletti (Giuseppe), 2249.
Tibullus (Albius), 1974, 2002.
Tiemann (Dieter), 556.
Tierney (Mark), 276.
Tikhomirov (M.N.), 467.
Tikhvinskij (I.L.), 445.
Tikhvinskij (S.L.), 6620.
Till (Nicholas), 5564.
Tiller (Veronica E. Velarde), 3709.
Tilly (Louise A.), 5698.
Timaios, 1647.
Timoteo Álvarez (Jesús), 7088.
Timotheos, général athénien, 1468.
Timur i Leng, Turkic conqueror, 7394.
Ţintă (Aurel), 6002.
Tinterow (Gary), 5457.
Tishby (I.), 2688.
Tishby (Peretz), 62.
Tito (Josip Broz, dit), 7367.
Titulescu (Nicolae), 7089.
Tjäder (Jan-Olof), 4.
Tjerneld (Andreas), 4274.
Tjurina (A.P.), 6003.
Toacă (Ion), 4211.
Tobi (Yosef), 4781.
Tocqueville (Charles Alexis

INDEX OF NAMES

Henri Clérel, baron de), 3745, 5081.
Todeschini (Giacomo), 2689.
Todesco (Brigitte), 3859.
Töpfer (Bernhard), 802.
Töpfer (Michael), 3043.
Togan (George), 2102.
Togliatti (Palmiro), 4106.
Tokarev (S.A.), 636.
Toland (John), 5070.
Toll (William), 6356.
Tolstoj (Lev Nikolaevič), 5265.
Tolstoj (V.P.), 5481.
Tomczak (Andrzej), 430, 684.
Tomiak (Janusz), 6928.
Tomicki (Jan), 4201, 6500, 6501.
Tomicki (Piotr), 4182.
Tomlinson (R.A.), 1700.
Tommila (Päiviö), 6135.
Tone (Theobald Wolfe), 4052.
Topolski (Jerzy), 452, 610, 4191.
Torbacke (Jarl), 4275, 6357.
Torcy (Jean-Baptiste Colbert, marquis de), 6888.
Torga (Miguel), 5337.
Torkelsen (Edwin), 2604.
Torrence (Robin), 1015.
Torres (F.), 3737.
Tortarolo (Edoardo), 357, 6840.
Tortella (Gabriel), 6070.
Torti (Anna), 2876.
Torzecki (Ryszard), 4824.
Tosi (Luciano), 6137.
Tosstorff (Reiner), 6381.
Touati (Pierre-Yves), 4782.
Toubert (Hélène), 2974.
Toullelan (Pierre-Yves), 277, 6861.
Toury (Jacob), 3385, 5008.
Tousch (Pol), 6941.
Touwaide (A.), 1447.
Townsend (Molly), 3986.
Townshend (Charles), 3987.
Toy (John), 3047.
Toye (William), 5266.
Tracey (Michael), 5936.
Traglia (A.), 2022.
Trajanus (Marcus Ulpius), empereur romain, 1786, 1909, 2084.
Trajdos (Tadeusz Mikołaj), 3107.
Tran Tam Tinh (V.), 1756.
Trandafirescu (Natalia), 5848.
Tranié (Jean), 3877.
Trask (David P.), 516.
Treadgold (Warren T.), 2293.
Treadway (John D.), 7090.
Trefilova (L.A.), 5939.
Treder (Hans-Jürgen), 902.
Trela (Elżbieta), 4973.
Trendall (Arthur Dale), 1701.
Trennert (Robert A.), 3710.
Třeštík (Dužan), 2469, 2435, 2945.
Treue (Wilhelm), 6071, 6360.
Treuil (René), 1047.
Triaud (Jean-Louis), 7544.
Tribout de Morembert (Henri), 729.

Triebel-Schubert (Ch.) 1485.
Trifonov (D.K.), 5583.
Trigger (Bruce G.), 1258.
Tripp (Dietrich), 6535.
Tripp (Joseph F.), 6584.
Tristram (Robert J.), 469.
Troebst (Stefan), 7374.
Trofimenkoff (Susan Mann), 6358.
Trōianos (Sp.), 2378.
Tropper (Christine), 300.
Trouillard (Jean), 3009.
Trousset (Pol), 1965.
Trousson (Raymond), 5400.
Troxell (Hyla A.), 142.
Trudel (Marcel), 6841.
Trukhanovskij (V.G.), 3988.
Truman (Harry S.), 3586, 3592, 3647, 7337.
Trzeciakowski (Lech), 4193.
Tsafrir (Yoram), 1316, 2126.
Tsai (Shih-Shan Henry), 7001.
Tsaras (G.), 2379.
Tsilimingra (Kaitē), 903.
Tsimhoni (Daphne), 6138.
Tsiobaridou (Theanō N.), 4457.
Tsopanakes (Agapētos), 1645.
Tsoukalas (Kōnstantinos), 4974.
Tucă (Florian), 6469.
Tucker (George Holbert), 5401.
Tucker (Nancy Bernkopf), 7375.
Tudge (L.), 5551.
Tudor, dynasty, 3969, 3989, 6163.
Tudor (Dumitru), 178.
Tudor (Gheorghe), 5574.
Tudoran (Georgeta), 4211.
Tudoran (Pompiliu), 4263.
Tuganova (O.E.), 4842.
Tuilier (André), 2928, 3108, 4975.
Tukan (Boris), 4406.
Tulard (Jean), 9633, 6950.
Tulenbaev (B.A.), 7417.
Tully (Alan W.), 6842.
Tumarkin (D.D.), 7596.
Tumarkin (Nina), 4439.
Tumins (Valerie A.), 4600.
Túpac Amaru II, Indian chief, 6838.
Turcan (Robert), 2035.
Turek (Adolf), 2477.
Turgenev (Ivan S.), 5350.
Turgot (Anne Robert Jacques), 5579.
Turnau (Irena), 5497.
Turner (Eric Gardner), 1433.
Turner (Gerard L'Estrange), 5245.
Turner (Lynn Warren), 3711.
Turpin, archevêque de Reims, 2472.
Turtledove (Harry), 2292.
Tusa (Vincenzo), 1356, 1707.
Tuschel (Elisa), 6926.
Tustari, Karaite family, 2678.
Tutino (John), 6843.
Twigg (J.D.), 4976.
Twight (Ben W.), 3712.
Twitchett (Denis), 7533.
Twomey (Michael J.), 5700, 7454.

Twyacke (Sarah), 212.
Tych (Feliks), 6502, 6503.
Tygiel (Jules), 6361.
Typaldos-Iakōbatos (Geōrgios), 4868.
Tyson (Alan), 5530.
Tyszkiewicz (Jan), 2866.
Tyszkiewicz (Teresa), 5311.
Tzaferis (Vassilios), 1357.

U

Ünal (Rahmi Hüseyin), 369.
Uhr (Carl G.), 5600.
Uitz (Erika), 2867.
Ulam (Adam B.), 7376.
Ulbert (G.), 2097.
Ulbricht (Walter), 3365.
Ullmann (Hans-Peter), 6072.
Ullmann (Manfred), 1445.
Ullmann (Walter), 7201.
Ullrich (Volker), 7091.
Ulpianus (Domitius), 1860.
Ulveling (Paul), 2985.
Ulvioni (Paolo), 4843.
Unruh (Georg-Christoph v.), 809.
Unstead (Robert John), 688.
Unterreitmeier (Hans), 2930.
Unwin (P.T.H.), 4209.
Urban (Helmut), 30.
Urban (Loslo K.), 7092.
Urban (R.), 1849.
Urbańczyk (Stanisław), 148.
Urbańska (Zofia), 7099.
Urbanus V [Guillaume de Grimoard], Papa, 3015.
Ursu (D.P.), 3207.
Ursulescu (Nicolae), 1107.
Ušakov (F.F.), 6948.
Ušakov (V.A.), 3713.
Usova (N.T.), 5139.
Uzjanov (A.N.), 7468.

V

Vacha (J.E.), 5565.
Václav, duc de Bohême, v. Wenceslaus Pius, dux Bohemiae, Sanctus.
Vacuro (V.E.), 5393.
Váczy (Leona), 5312.
Vagapova (N.M.), 5417.
Vagnetti (Lucia), 1128, 1689.
Vail (Leroy), 6763.
Vaisey (Douglas), 6376.
Vaivre (Jean-Bernard de), 93.
Vajda (Georges), 2703.
Vale (Juliet), 2868.
Văleanu (Ivanciu-Nicolae), 5582.
Valens (Flavius), empereur romain, 1856.
Valentinianus II, empereur romain, 1850.
Valentinianus III, empereur romain, 1863.
Valerianus (Publius Licinius), empereur romain, 2214, 2242.
Valerio (Nuno), 5701.
Valerius (Gerhard), 4577.
Valickaja (A.P.), 5128.
Valjuženič (A.V.), 6504.
Vallat (Jean-Pierre), 2098.

Vallet (Georges), 1510.
Valsecchi (Franco), 3192.
Van Amerongen (Martin), 5566.
Van Belle (A.), 936.
Van Buren (Martin), 3672, 3684.
Van Compernolle (René), 1540.
Van Cortlandt (Philip), 6815.
Van Dantzig (Albert), 6764.
Vandenbossche (André), 805.
Van den Sanden (W.), 134.
Van der Horst (P.W.), 2155.
Van der Meer (Lammert Bouke), 1710.
Vandermoere (Nele), 1069.
Van der Veken (G.), 1232.
Van der Woude (Adrien), 3164.
Van Dessel (P.), 1237.
Van de Walle (Etienne), 6142.
Van Dülmen, v. Dülmen (Richard van).
Van Eenoo (R.), V.
Van Effenterre (Henri),1511.
Van Esbroeck (M.), 2261.
Van Gucht (W.), 1237.
Van Helten (Jean Jacques), 6765.
Van Kirk (Sylvia M.), 3471.
Van Kley (Edwin J.), 370.
Van Laak (Ursula), v. Laak (Ursula van).
Van Mingroot (E.), 483.
Van Ossel (Paul), 2099.
Van Rey (Manfred), 143.
Van Seters (John), 1201.
Vanslov (V.V.), 5422.
Van Stekelenburg (A. V.), 2250.
Van't Dack (Edmond), 1237.
Vanuxem (Jacques), 5411.
Van Zeist (Willem), 1108.
Vardy (Agnes Huszar), 428, 495.
Vardy (Steven Bela), 428, 495.
Vares (P.A.), 7202.
Varet (G.), 528.
Varg (Paul A.), 6670.
Varga (Endre), 7203.
Vargas (Getulio Dornellas), 3454.
Varret (Laurence), 4982.
Varro (Marcus Terentius), 1734.
Varro Murena, v. Terentius Varro Murena.
Varthema (Lodovico di), 4466.
Vasa, dynastie, 5408.
Vasile (Radu I.), 6140.
Vasil'ev (A.M.), 3403.
Vasil'ev (Ju. V.), 7377.
Vasil'ev (M.N.), 7596.
Vasiliev (Valentin), 1148.
Vasnecov (Apollinarij Mikhajlovič), 5454.
Vasold (Manfred), 7378.
Vassort (Jean), 6141.
Vătămanu (Adrian), 4264.
Vattula (Kaarina), 861.
Vattuone (Riccardo), 1486, 1647.
Vaughan (Mary Kay), 4143.

Vaughan (Megan), 6362.
Vaughan (W.E.), 6004.
Vaughn (William Preston), 3714.
Vavrinek (V.), 2296.
Vázquez (Concepción), 2470.
Vega (Lope de), 5282.
Vegas Latapié (E.), 3495.
Veličanskaja (L.A.), 6480.
Vélissaropoulos (J.), 1490.
Velleius Paterculus (Gaius), 1747.
Vellekoop (C.), 2986.
Vencl (Slavomil), 1040.
Vendrand-Voyer (Jacqueline), 1913.
Venizelos, v. Benizelos.
Venturi (Franco), 4208.
Venturini (Alain), 3135.
Venturino (Diego), 388.
Vera (D.), 1850.
Verbeke (Werner), 2881.
Verbík (Antonín), 4303.
Verchau (Ekkhart), 5402.
Verdenius (W.J.), 468.
Verdeş (Ion), 886.
Veremis, v. Beremēs.
Veress (Dániel), 4215.
Vergilius Maro (Publius), 1973, 1991, 2014, 2015, 2020, 2023, 2027, 2031.
Verhaege (F.), 1008.
Verhelst (Daniel), 3025.
Verlinden (Charles), 2869.
Vermander (J.M.), 2251.
Vermaseren (Maarten Jozef), 1757.
Vermeersch (Jeannette), 6490.
Vermes (Gábor), 3446.
Vernadsky (George), 4600.
Verney, family, 6344.
Vernon (Claire), 728.
Vertov (Dziga), 5536.
Veselý (Zdeněk), 7380.
Vetişanu (Vasile), 442.
Veyne (Paul), 1669, 1966.
Vezin (Jean), 3.
Vezina (Raymond), 46.
Vial (Eric), 3136.
Vickers (Daniel), 5702.
Vico (Giambattista), 469.
Victor III [Desiderio da Montecassino], Papa,3028.
Victor (Ulrich), 1648.
Vidal (Daniel), 4728.
Vidal (Fernando), 5246.
Vidal-Naquet (Pierre), 1649, 1650.
Vieillard (Jeanne), 470.
Vierhaus (Rudolf), 611.
Viguerie (Jean de), 4578.
Viitaniemi (Matti), 5837.
Vílchez (M.), 1651.
Villa (Paola), 1075.
Villain-Gandossi (Christiane), 2536.
Villard (Laurence), 306.
Villeneuve (Roland), 4579.
Villiers (Hugues), 7458.
Vincent (Elizabeth), 5135.
Vincent (Jean-Noël), 7256.
Vincentius a Paulo, Sanctus, 4529.
Vinogradov (Ju. G.), 1487.
Vinogradov (V.N.), 3386, 6992, 7003, 7093.
Vinokurov (Ju. N.), 7285.

Vinovskis (Maris A.), 4978.
Viola (Lynne), 4440.
Viollet-le-Duc (Eugène Emmanuel), 5424.
Viré (Ghislaine), 1758.
Virgilius (Fergal), Ep. Salisburgensis, Sanctus, 3105.
Virtanen (Keijo), 234.
Vischer (Eduard), 440.
Viscido (L.), 2931.
Visky (K.), 1967.
Visser (E.), 444.
Vissière (Isabelle), 4599.
Vissière (Jean-Louis), 4599.
Vitcu (Dumitru), 4225.
Vittinghoff (Friedrich),1845.
Vittorio Amadeo II, duca di Savoia, re di Sardegna e di Sicilia, 4118.
Vives Azancot (Pedro A.), 6844.
Vivet (Jean-Pierre), 43.
Vivona (S.), 1977.
Vlad III Ţepeş [l'Empaleur], prince de Valachie, 2634.
Vlădescu (Cristian M.), 1851.
Vladimir Ier le Grand, grand-prince de Kiev, 2580.
Vlček (Eduard), 6518.
Vlček (Emanuel), 2533.
Vleeming (S.P.), 1232.
Vocelka (Karl), 3337.
Voejkova (I.), 4844.
Vogel (Barbara),5703, 6559.
Vogel (Bernhard), 6505.
Vogel (Cyrille), 471, 3109.
Vogel (Jürgen), 6585.
Vogelsang (Reinhard), 2425.
Vogelsang (Thilo), 7280.
Vogler (Bernard), 3164.
Vogler (Günter), 3387, 4690.
Vogt (Joseph), 1370, 1398.
Vogt-Göknil ('Ulyā), 2975.
Voicu (Constantin), 5237.
Voigt (Angelika), 3284.
Volin (M.S.), 6318.
Volk (Ludwig), 3225.
Volkonskaja (Marija Nilolaevna, knjaginja), 4435.
Volkov (Shulamit), 3388.
Vollet (Hans), 196.
Vologeses Ier, roi des Parthes, 1366.
Voltaire (François Marie Arouet, dit), 5059, 5307.
Voneche (J. Jacques), 5246.
Von Laue (Theodore H.), 4441.
Vons (P.), 144.
Voordeckers (Edmond), 2380.
Vornicu (Mihai), 417.
Vorob'eva (A.K.), 5584.
Vorob'ev (M.V.), 7534.
Vorob'ev (V.M.), 4442.
Voroncova (Ju. V.), 614.
Vos (M.F.), 307.
Voskresenskaja (N.O.), 279.
Voskresenskaja (N.S.) 5955.
Voß (Jürgen), 229.
Vovelle (Michel), 904, 4580.
Vrbata (V.), 5501.
Vrubel', v. Zabela.
Vuillemin-Diem (Gudrun), 3000.

INDEX OF NAMES

Vulcanius (Bonaventura), 5277.
Vul'fius (P.A.), 5567.
Vygodskij (David), 4788.

W

Waard (Cornelis), 5141.
Wacher (J.), 1836.
Wacholder (Ben Zion), 1358.
Wachtel (Nathan), 5696.
Wachter (Johannes), 3417.
Wackenroder (Wilhelm Heinrich), 5335.
Wadl (Wilhelm), 3447.
Wagner (David L.), 2933.
Wagner (Fritz), 3400.
Wagner (Georg), 709.
Wagner (Richard), 5510, 5523, 5565, 5566.
Wagner (Robert), 2073.
Wagner (William G.), 4443.
Wah (Chin Kin), 7381.
Wahl (Volker), 3294.
Wahlbom (Hans), 4729.
Wailes (Bernard), 2537.
Wailes (Stephen L.), 2934.
Waitz (Georg), 693.
Wakefield (Walter L.), 4581.
Wakelyn (Jon L.), 4566.
Walaszek (Adam), 6363.
Wald (Kenneth D.), 3991.
Walda-Walde (Měrćin), 695.
Walder (Andrew G.), 7535.
Waldmann (Bernhard), 2935.
Waldmann (Peter), 3410.
Waldren (William H.), 1049.
Waldstein-Wartenberg (Berthold), 94.
Walicki (Andrzej), 6506.
Walker (Alan), 5568.
Walker (Doreen E.), 3479.
Walker (James), 4730.
Walker (John A.), 5327.
Walker (Juliet E.K.), 3715.
Walker (Lawrence A.), 4582.
Walker (Lawrence D.), 4582.
Walker (Nancy), 6909.
Wall (Irwin M.), 6507.
Wall (Richard), 6215.
Wallace (Anthony F. C.), 5838.
Wallace-Hadrill (Andrew), 2024.
Wallace-Hadrill (J.M.), 510, 3013.
Wallenberg (Raoul), 7151.
Waller (P.J.), 3992.
Waller (Robert J.), 5839.
Wallerstein (Immanuel), 5704.
Walliman (Isidor), 3268.
Wallot (Jean-Pierre), 46, 3480.
Walpen (Robert), 2515.
Walpole (Ronald N.), 2472.
Walser (Gerold), 474, 2100.
Walser (Harald), 3448.
Walsh (David), 4731.
Walsh (Judith E.), 7455.
Walsh (Katherine), 4509.
Walsh (Lorena S.), 6825.
Walsh (Richard J.), 2480.
Walter (Bernd), 3319.
Walter (François), 4278.
Walter (Rolf), 7004.
Walters (K.R.), 1512.

Walters (William D.), 6005.
Walther (Hans), 2449.
Walton (John K.), 6364.
Walton (Julian C.), 4068.
Walvin (James), 6365.
Wandel (Eckhard), 6032.
Wanderwitz (Heinrich), 2473.
Wandruszka (Adam), 3419, 3420.
Wang P'an, 188.
Wankel (H.), 1652.
Wankenne (André), 1852.
Wanner (Gerhard), 7094.
Wapiński (Roman), 4202.
Ward (W. Peter), 3471.
Ward (William A.), 1259.
Wardetzky (Jutta), 5569.
Warmbrunn (Paul), 4496.
Warnicke (Retha M.), 6366.
Warren (Harris Gaylord), 5009.
Warren (Mercy Otis), 4797.
Warwick (Peter), 6766.
Wasa, dynastie, v. Vasa.
Washington (Booker T.), 3535, 3613.
Washington (George), 3713, 6771.
Wasicki (Jan), 3390.
Wasowicz (Aleksandra),1513.
Wasserstrom (Robert), 6822, 6836.
Waterbolk (H.T.), 1044.
Waterbury (John), 3493.
Waters (Neil L.), 4127.
Watkins (Susan Cotts), 6142.
Watson (Andrew M.), 2704.
Watson (Ian), 6367.
Watson (Patty Jo), 1016.
Watts (Eugene J.), 3716.
Watts (Michael), 6006.
Waugh (Scott L.), 2667, 2754.
Wauthier-Wurmser (Bernhard), 2975.
Wawrykowa (Maria), 3391.
Wayne (Michael), 6007.
Weatby (Hilda), 4940.
Weaver (Carolyn L.), 5602.
Webb (Beatrice), 3886.
Webb (Diana M.), 2538.
Webb (George Ernest), 5248.
Webber (Alan), 6022.
Weber (Angelina), 2870.
Weber (Henri), 4583.
Weber (Max), 472, 1345, 5050.
Weber (Volker), 1930.
Weber (Wolfgang), 2755.
Weber-Kellermann (Ingeborg), 6368.
Weber-Will (Suzanne), 6608.
Webernig (Evelyne), 2756.
Webster (Daniel),3536, 3537.
Webster (John), 5508.
Webster (Noah), 4929.
Wedderburn (A.J.M.), 514.
Weeks (Louis B.), 4732.
Wegner-Korfes (Sigrid),7005.
Wehgartner (I.), 305.
Wehler (Hans-Ulrich), 3392, 6672.
Wehner (Gerd), 7204.
Weichsel (Lebrecht), 5227.
Weidemann (Margarete), 72, 2936.
Weidenhaupt (Hugo), 3284.
Weidner (Ernst), 1278.

Weiers (Michael), 491.
Weiher (Gerhard), 3223.
Weil (Gérard E.), 2690.
Weilemann (Peter), 7382.
Weiller (Raymond), 145.
Weinbaum (Marvin G.),7383.
Weindling (Paul), 879.
Weinert (Jürgen), 2157.
Weinfurter (Stefan), 3393.
Weingarten (Ralph), 7149.
Weingartner (James J.), 3394.
Weinrich (Lorenz), 2452.
Weinstein (Barbara), 5840.
Weintraub (Stanley), 5325.
Weinzierl (Erika), 3435.
Weir (Robert M.), 6845.
Weis (Eberhard),4591, 6560, 6950a.
Weisbord (Merrily), 3481.
Weisbrot (Robert), 4733.
Weiser (W.), 146.
Weisert (Hermann), 906.
Weiß (Christoph), 3226.
Weiss (John H.), 3878, 4846.
Weiß (Michael), 4252.
Weiss (Nancy J.), 3717.
Weiß (Otto), 4592.
Weiß (Wisso), 864.
Weissbach (Lee Shai), 5841.
Weißensteiner (Johann), 2474.
Weisser (Henry), 3993.
Weißer (Ursula), 2705.
Weisz (George), 4979.
Welch (David), 5570.
Welfen (die),Dynastie, 3338.
Wellas (Michael B.), 2937.
Wellek (René), 5044.
Wellenreuther (Hermann), 6846.
Wells (Berit), 308.
Wells (H.B.), 116.
Wells (Roger), 3994.
Welter (George), 4853.
Welwei (Karl-Wilhelm), 1514.
Wenceslaus Pius, dux Bohemiae, Sanctus, 2469.
Wendel (Günter), 5255.
Wendelborn (Gert), 4734.
Wendt (Wolf Rainer), 6369.
Wenning (R.), 1359.
Wenzel, deutscher König, Herzog von Böhmen, 2621.
Wenzel (Horst), 2929.
Werking (Richard Hume), 5726.
Werner (Ernst), 4313, 4735.
Werner (Michael), 3311.
Wernhart (K.R.), 7597.
Wernicke (Horst), 2539.
Wertheim (Arthur Frank), 6145.
Wesley (John), 4631, 4642, 4663.
Wessel (Horst A.), 5842.
Wesselényi (István), 4024.
West (Delno C.), 3110.
West (Ellis M.), 6561.
West (Nigel), 3995.
West (William C.), II.
Westerberg (Karin), 1050.
Westerink (L.G.), 2290.
Westman (Robert), 5249.
Westminster (Bendor, Golden Duke of), 3922.
Weston (Charles H.) Jr., 4144.

INDEX OF NAMES

Westphall (Victor), 3718.
Westre (Ed.), 1757.
Wetherell (David), 4736.
Wetzel (Klaus), 4737.
Wexler (Imanuel), 7384.
Weyl (Robert), 3879.
Whatley (Warren C.), 6008.
Wheatley (Paul), 7472.
Wheaton (Barbara Ketcham), 865.
Wheaton (Bruce R.), 5250.
Wheeler (Gerald E.), 3719.
Wheeler (William Bruce), 6114.
Whelan (Frederick G.),1653.
Whisnant (David E.), 4847.
Whitaker (Ian), 1170.
Whitby (L. Michael), 2294.
White (Eric Walter), 5571, 5572.
White (Eugene Nelson), 6073.
White (Landeg), 6763.
White (M.), 1654.
White (Richard), 3720.
White (Ruth), 3482.
White (Stephen), 4069.
White (Timothy R.), 1731, 1734.
Whitehead (David), 1414, 1515.
Whitehorne (J.E.G.), 1433.
Whitehouse (David), 2493.
Whiting (R.C.), 6143.
Whitney (James), 4909.
Whittaker (C. R.), 1200, 1396.
Whittington (G.), 194, 213.
Whyte (I.D.), 194, 213.
Wiboroda, virgo et martyr, Sancta, 2471.
Wichmann (Jörg), 4783.
Wicken (Olav), 5843.
Wickert-Micknat (Gisela), 1541.
Wickham (Lionel R.), 2117.
Wicks (Jared), 4584.
Wicksell ([Johan Gustav] Knut), 5600.
Widmer (Paul), 2025.
Widonen (die), Adelsgeschlecht, 2548.
Widukind, Sachsenhäuptling, 2541.
Wieckhardt (George G.), 4444.
Wieland (Christoph Martin), 5285, 5292.
Wierzchosławski (Szczepan), 7006.
Wiese (Carl), 6707.
Wiesemann (Falk), 3284.
Wieflecker (Hermann), 708.
Wieshöfer (Josef), 439.
Wiesner (Jürgen), 1449.
Wießner (Gernot), 932.
Wikander (Charlotte), 308.
Wikander (O.), 2090.
Wiking (Staffan), 3209.
Wilamowski (Jacek), 4458, 4459.
Wilbur (Elvira M.), 6009.
Wilhelm I., deutscher Kaiser, 3258.
Wilhelm II., deutscher Kaiser, 3333, 3359, 7066, 7074.
Wilhelm, Graf von Holland, deutscher König, 2397.

Wilhelm (Johannes), 2976.
Wilhelmsen (Alexandra), 3512.
Wilken (Robert L.), 2269.
Wilkie (Robert), 5496.
Wilkins (Nigel), 2938.
Will (Edouard), 1240.
Will (Pierre-Etienne), 7536.
Will (Wolfgang), 1488.
Willard (Germaine), 3738.
Willcox (William B.), 3524.
Wille (Günther), 2026.
Willett (Shelagh M.), 4129.
Willequet (Jacques), 6625.
William II Rufus, king of England, 2559.
William III, king England a. Ireland, 4902.
Williams (Aubrey Willis), 3690.
Williams (David), 5129.
Williams (Eric), 4304.
Williams (George Huntston), 4510, 4738.
Williams (Gordon), 2027.
Williams (Jeffrey), 7095.
Williams (Keith), 6765.
Williams (L. Pearce), 5251.
Williams (M.E.W.), 5252.
Williams (Martin), 4070.
Williams (Penry), 3996.
Williams (R.D.), 2252.
Williams (Robert A.) Jr., 6536.
Williamson (Harold F.), 4952.
Williamson (Jeffrey G.), 6281.
Williamson (Philip), 6704.
Williamson (Samuel R.) Jr., 7096.
Willingham (William F.), 3721.
Willis (James F.), 7097.
Willman (Robert), 6537.
Willms (C.), 1109.
Willms (Johannes), 3395.
Wills (Garry), 3722.
Wils (Lode), 371.
Wilsher (J.C.), 372.
Wilson (A.N.), 5309.
Wilson (Bob), 1051.
Wilson (Clyde N.), 3521.
Wilson (Eva), 2977.
Wilson (Everett A.), 4585.
Wilson (Keith M.), 6673.
Wilson (Michael), 5482.
Wilson (Nigel Guy), 20, 2381.
Wilson (Raymond), 3723.
Wilson (Robert McL.), 514.
Wilson (Roger John A.), 2101.
Wilson (Stephen), 984.
Wilson (Woodrow)3538, 3577, 3602, 3603, 3605, 3648, 7042.
Wiltschek (Franz), 3428.
Wimmer (Jan), 6926, 6929.
Winch (Donald), 3155.
Winchester (Simon), 5443.
Winckelmann (Eduard), 2397.
Windholz (George), 5253.
Windisch (Rudolf), 778.
Winfield (David), 2382.
Winfield (June), 2382.
Winge (Harald), 4821.
Winkelmann (Friedhelm), 2308, 2383.
Winkler (Iudita), 2102.
Winkler (Joachim), 4861.
Winkler (Ulrike), IV.
Winniczuk (Lidia), 1399.
Winnington-Ingram (R.P.), 1655.
Winston (Colin M.), 3411.
Winter (Eduard), 689.
Winter (F.E.), 1702.
Winter (Ingelore M.), 3396.
Winter (J.E.), 1702.
Winter (Jay Murray), 6508.
Winters (Kenneth), 5520.
Winters (Stanely B.), 425.
Wippermann (Wolfgang),803.
Wipszycka (Ewa), 1400.
Wirth (Gerhard), 1853.
Wirth (Günther), 4685.
Wirth (Jean), 988.
Wise (George), 5254.
Wismes (Armel de), 5892.
Wiśniewski (Stanisław),465.
Wisotzky (Klaus), 5844.
Wistrich (Robert S.), 3449.
Witek (John W.), 373.
Withers (C.W.J.), 168.
Wittelsbach (Ferdinand v.), v. Ferdinand von Wittelsbach, Kurfürst von Köln.
Wittelsbacher (die), Dynastie, 2534, 6900.
Wittgenstein (Ludwig Josef Johann), 5019.
Witthöft (Harald), 147.
Wittram (Heinrich), 6370.
Wittwer (Walter), 3398.
Wituch (Tomasz), 4120.
Władysław II Jagiełło, roi de Pologne, 2429, 3107.
Wohl (Anthony S.), 5256.
Wójcik (Zbigniew), 4203, 6911, 6926.
Wójcik-Góralska (Danuta), 6885.
Wojnarowicz (Stanisława), 426.
Wojtas (Andrzej), 6010.
Wojtyła (Karol), v. Johannes Paulus II, Papa.
Wolf Dietrich von Raitenau, Erzbischof von Salzburg, 6868.
Wolf (Ferdinand), 5003.
Wolf (Gunther), 2605.
Wolf (Hartmut), 2227.
Wolf (Jürgen), 1830.
Wolf (Lothar), 169.
Wolff (Hans Julius), 1393.
Wolff (Philippe), 716, 968.
Wolfram (Herwig), 1171, 1854.
Wolgast (Eike), 878.
Woliński (Janusz), 6865.
Wollasch (Joachim), 2433, 2468, 3042.
Wollmann (Volker),319, 378.
Wolski (Józef), 1542.
Wolter (Heinz), 7007.
Wong (John Yue-Wo), 7008.
Wong (R. Bin), 6371.
Wood (Ellen Meiksins), 5130.
Wood (Ian), 3051.
Wood (John Cunningham), 5603.
Wood (Neal), 2028, 5131.

INDEX OF NAMES

Wood (Shirley E.), 5893.
Wood Ellem (Elizabeth), 6862.
Woodbridge (John D.), 4517.
Woodhead (Christine), 374.
Woods (Robert L.) Jr., 613.
Woodward (David R.), 3997.
Woodward (Ralph Lee) Jr., 4146.
Wooten (Cecil W.), 2029.
Wootten (David), 5132.
Worcester (Robert M.), 3998.
Wormald (Patrick), 2871.
Wortley (John), 2385.
Wren (Daniel A.), 4980.
Wright (Anthony), 6509.
Wright (Frank Lloyd), 5434.
Wright (George C.), 3724.
Wright (Gordon), 6609.
Wright (Thomas C.), 6847.
Wrzesiński Wojciech), 3399.
Wünsche (Renate), 7295.
Wünsche (Rosemarie), 694.
Wulf (Peter), 3397.
Wunder (John R.), 6538.
Wunschheim (Johannes), 706.
Wurfaft (Lewis D.), 7456.
Wurtzbacher-Rundholz (In grid), 3400.
Wußing (Hans), 880.
Wyczański (Andrzej), 6349.
Wyczawski (Hieronym Eugeniusz), 4573.
Wylie (William N.T.), 6511.
Wynot (Edward D.) Jr., 4204.
Wypszycka (Ewa), 2253.
Wyrwa (Dietmar), 2254.
Wyrwa (Tadeusz), 7279.

X

Xenophanēs, 1448.
Xenophōn, 1619.
Xenopol (A.D.), 7279.

Y

Yahalom (Shlomith), 4784.
Yahaya (A.D.), 6767.
Yahil (Leni), 7151.
Yahuda (Michael), 7385.
Yaney (G.), 6011.
Yang (Wei-chen), 7496.
Yannopoulos (P.A.), 2295.
Yapp (W.B.), 2939.
Yarshater (Ehsan), 751.
Yavetz (Zvi), 1855.
Y'Blood (William T.), 7257.
Yehuda (Zvi), 4135.
Yellin (Joseph), 2062.
Yener (K. Aslihan), 1215.
Yoshitsu (Michael M.), 7386.
Young (Dwight W.), 2158.
Young (James Harvey), 6610.
Young (Michael W.), 5706.
Young (P.B.), 3707.
Young (Peter), 5845.
Young (T. Cuyler), 1028.
Younger (Calton), 4071.
Yoyotte (Jean), 396.
Yrwing (Hugo), 2476.
Yudelman (David), 3217.
Yule (George S.S.), 4739.
Yun (Wi-Whang), 7387.
Yversen (Jean), 6878.

Z

Zabarella (Francesco), cardinale, 3090.
Zabela (Nadežda Ivanova, épouse Vrubel'), 5560.
Žabkar (L.V.), 1260.
Zaccagnini (Carlo), 1202.
Zacharias, Rhētōr, 2224.
Zacher (Hans F.), 6564.
Zafrani (Haïm), 758.
Zagladin (V.V.), 731, 3511.
Zagvozdkina (M.N.), 6372.
Zahariade (Mihail), 1856, 1914.
Zahavi (Gerald), 5846.
Zahorski (Andrzej), 515.
Zahrnt (Michael), 1489.
Zajončkovskij (P.A.), 4328.
Żak (Jan), 496.
Zakharina (V.F.), 4445.
Zakharova (L.G.), 4446.
Zakrzewska-Dubasowa Mirosława), 6353.
Zalis (Henri), 5403.
Zaller (Robert), 3894, 3999.
Zambrini (Andrea), 1656.
Zambucka (Kristin), 7598.
Zampolli (Antonio), 1742.
Zandee (Jan), 1256.
Zane (Elena G.), 384.
Zane (G.), 384.
Zarickij (A.A.), 7298.
Zarnickij (B.E.), 3211.
Zarnowski (Janusz), 3161, 6512.
Zarodov (K.I.), 4447.
Zaruckij (I.M.), 4432.
Zaslavsky (Victor), 4448.
Zasulich (Vera), 4337.
Zavadskaja (E.P.), 3727.
Zavadskaja (E.V.), 7527.
Zawadski (Konrad), 6910.
Zazoff (Hilde), 375.
Zazoff (Peter), 375, 1203.
Zbyszewska (Zofia), 6373.
Ždanov (Andrej), 4415.
Zdfk (Jindřich), v. Jindřich Zdfk.
Zecchini (Giuseppe), 1857, 2030.
Žečev (Tonco), 5373.
Zeckhauser (Richard J.), 6113.
Zegkinēs (Eustratios), 1077.
Zehnacker (H.), 508.
Zeilinger (Heidi), 5285.
Zeisler (Kurt), 3266.
Zelenin (I.E.), 4449.
Zeller (Olivier), 6144.
Zelzer (Michaela), 2159.
Zemek (Metoděj), 2477.
Zenger (E.), 1359.
Zēnōn, fonctionnaire de l'Egypte anc.,1249, 1254.
Zernack (Klaus), 668, 6336, 6674.
Zevelev (A.I.), 376.
Zewell (Rudolf), 3450.
Zezina (M.R.), 249.
Zgórniak (Marian), 3513, 6930.
Zibelius (Karola), 1247.
Ziegengeist (Gerhard), 5373.
Ziegler (Walter), 497.
Zielińska (Bożena), 7099.
Zieliński (Henryk), 4205.
Zieliński (Zygmunt), 4497.
Ziemke (Earl F.), 7258.
Zientara (Benedykt), 2540.
Žigalov (I.M.), 4450.
Žilin (P. A.), 4451, 6447, 7152.
Zilynskij (Bohdan), 2478.
Zimand (Roman), 5390.
Zimdars-Swartz (Sandra), 3110.
Zimmer (Eric), 4785.
Zimmer (G.), 1698.
Zimmermann (Albert), 3000.
Zimmermann (Clemens), 6012.
Zimmermann (Moshe), 3332, 3401.
Zimmermann (Volker), 2940.
Zinsmaier (Paul), 2397.
Ziōgas (Panayiotēs Ch.), 4981.
Zlatkin (I. Ja.), 7422.
Zlobin (V.I.), 6513.
Zlydnev (V.I.), 235.
Żmigrodzka (Maria), 4194.
Zola (Emile), 5327, 5356.
Zolotarev (V.A.), 7009.
Zonhoven (L.M.J.), 1216.
Zorn (Wolfgang), 3402.
Zorzetti (N.), 853.
Zōsimos, 1856.
Zotov (A.F.), 614.
Zotz (Thomas), 2787.
Zub (Alexandru), 377, 442, 473.
Zuck (Virpi), 5404.
Zuckert (C.H.), 1657.
Züchner (Christian), 1052.
Zürcher (Walter), 1418.
Žukov (A.A.), 7561.
Žukov (Ju. N.), 4452.
Zuntz (Günther), 170.
Zur (Yaakov), 4786.
Żurowska (Klementyna), 2978.
Zweig (Ronald), 4085.
Zwicker (U.), 1698.
Zwierlein (Otto), 1759.
Zwingli (Huldrych), 4645, 4707.
Zylberberg (Michel), 6074.
Żymierski (Michał), 4184.
Zysberg (André), 3128, 3880.

GEOGRAPHICAL INDEX

A

Aachen (Nordrhein-Westf., BRD), 3373. - Reliquiar des Eustathius Maleinus, 2371.
Abergavenny (Monm., England), 5985.
Acadie (région, Canada), 3467, 3477.
Accon, v. Acre (Israël).
Achaia (rég., Grèce), 1501.
Acquarossa (Italia), 1715, 1717.
Acre (Israël), 3075.
Adamawa (rég., Nigeria et Cameroun), 7545.
Adlun (Lebanon), Prehist. site, 1053.
Adrianopoli, Andrinople, v. Edirne (Turquie).
Agäis, Aegean Sea, v. Egée (mer).
Äthiopien, v. Ethiopie.
Afghanistan, 691, 1121, 3212-3214, 5875, 6651.
Afrique, 183, 344, 479, 617, 678, 3144, 3156, 3158, 3191, 5649, 5675, 5809, 7256, 7286, 7311, 7339, 7366, 7371, 7390. - A. antique, 1371, 1769, 2202. - A. byzant., 127, 2328. - A. centrale, 4595, 6707, 6710, 6723. - A. coloniale, 6705-6767. - A. de l'Est, 6745. - A. de l'Ouest, 4597, 4886, 5082, 6721. - A. du Nord, 928, 3501, 3746. - A. du Sud, 3183, 6722. - A. Noire, 3139, 5229, 5332, 5609, 6718, 6760. - A. précoloniale, 7543-7561. - A. préhist., 1083. - A. subsaharienne, 3209. - A. tropicale, 920, 3207. - British A., 6724. - Commonwealth A., 5613.
Afro-Americans, v. Noirs d'Amérique, s.v. Noirs.
Agate Basin (Wyoming, U.S. A.), Prehist. site, 7565.
Agde (Hérault, France), Flotte, 5862.
Ahhiyawā (royaume, Proche-Orient anc.), 1288.
Aigina (Griechenland), Symposion "Griech. u. röm. Rechtsgesch.", 1393.
Aigion (Péloponnèse, Grèce), Région, 5945.

Aijalon (Park of, Israel), 1326.
Ainu (people), 1021.
Aitape Inland (Papua New Guinea), 6081.
Aix-en-Provence (Bouches-du-Rhône, France), Colloque Hist. des Idées polit., 221. - Colloque L'or au moyen âge, 2841.
Akkad (Mésopotamie), 1264, 1267, 1271.
Alabama (state, U.S.A.), 4990.
Alasia, v. Enkami(Chypre).
Alaska (state, U.S.A.), 192, 3621, 5827.
Alba (cité romaine, Ardèche, France), 2076.
Alba Iulia (Roumanie), Batthyaneum, 55.
Albania, Albanie, v. Shqipria.
Albi (Tarn, France), 733.
Alemannen (german. Volk), 2409, 2545, 2549.
Alexandria (auj. Iskanderija, Egypte), 1232, 1252, 1412, 2253, 5882.
Alger, 6894. - Juifs, 3219.
Algérie, 4740, 6720, 6728, 6755, 6759.
Aljustrel (Portugal), Mine antique, 1924.
Allaria (Grèce anc.), 1482.
Allegany Seneca Indians (New York, U.S.A.) 7580.
Almaden (La Mancha, España), Conversos, 2671.
Almería (España), 2060.
Alpen, Alpes, 591. - A.-Rheintal, 2083.
Alsace (rég., France), 741, 3755, 3879, 5909.
Altai Mountains (Central Asia), Sayan-A. region, 7517.
Altenstadt (Hessen, BDR), Röm. Kastelle, 2092.
Amazonia (reg., S. America), Rubber boom, 5840.
American Indians, v. Indiens d'Amérique.
Amérique, 5887, 6124, 6399. - A. centrale, 6790, 6822, 6836, 7571. - A. coloniale, 6768-6847. - A. du Nord, 6108, 6182, 6902, 6955. - A. du Nord britannique, 5135. - A. du Sud, 3193, 6666. - A. espagnole, 4521, 4590, 6826, 6839, 6844, 6847. - A.

6839, 6844, 6847. - A. franç., 3463. - A. latine, 3162, 3177, 3191, 3199, 3208, 3210, 3483, 4718, 5561, 5675, 5690, 5700, 5952, 6036, 6050, 6209, 6646, 6671, 6817, 6987, 7310, 7377. - A. précolombienne, 7562-7581.
Amiens (Somme, France), Charte C.G.T., 6392.
Amsterdam (Pays-Bas), Allard Pierson Museum, 1710. - Insurance, 6065.
Amur (region, U.S.S.R.), 1041, 6627.
Anatolie (rég., Turquie), 1112, 1205, 1208, 1215, 1286, 1765, 5674. - A. médievale, 7406. - A. ottomane, 7410.
Ancona (Marche, Italia), 2825. - Battaglia [1944], 7213.
Andalucía (reg., España), 2820.
Angers (Maine-et-Loire, France), "Apocalypse",93.
Anglo-Normans, 2591.
Anglo-Saxons, 510, 2390, 2516, 2570, 2871, 2957, 3073, 3124.
Anjou (rég., France), 161, 3877, 6165. - Comté, 2558. - Cour [1378-80], 2973.
Ann Arbor (Mich., U.S.A.), Univ. of Mich., Library, 2158.
Annonay (Ardèche, France), 5747.
Antilles (archipel et mer), 3163, 4750, 4818, 6823, 6830, 6832, 7243. - A. franç., 6223.
Antiochia (auj. Antakya, Turquie), 1956, 2162.
Any-Ndenye (peuple africain), 7555.
Aoba (island, Vanuatu, Oceania), 7590.
Apache Indians, v. Jicarilla Apache.
Apulia, v. Puglia.
Apulum (auj. Alba Iulia, Roumanie), 1721, 1722.
Aquileia (Friuli-Venezia Giulia, Italia), Concilio [381], 2116, 2235.
Arabie, Arabes, 206, 1440, 1445, 2337, 2417, 2470, 2678, 2679, 2705, 2905, 3006, 3146, 3171, 4318,

GEOGRAPHICAL INDEX

7030, 7181, 7324, 7360, 7396, 7401, 7404, 7415. - A. romaine, 1781. - Cf. Saudi Arabia.
Aragón (reg., España), 2204, 2670, 2822. - Reino, 2817.
Aramaei (peuple de l'Antiquité), 1222.
Arc (riv., Provence, France), Haute vallée, 5967.
Arcadia, v. Arkadia.
Arctique (océan), 209.
Ardabil (East Azerbaijan), Iran), 2417.
Ardeal, v. Transilvania.
Argentan (Orne, France), 6107.
Argentina, 3404-3411, 4826, 6044, 6050, 6262, 6788, 7576.
Argolis, Argolide (rég., Grèce), 197.
Arkadia (rég., Grèce), 1484.
Arles (Bouches-du-Rhône, France), Krönung Kaiser Friedrichs I. Barbarossa, 2571.
Arlon (Luxembourg, Belgique), Chemin de fer A.-Luxembourg-Trier, 5819.
Armagh (N. Ireland), 2275, 4067, 4560.
Armenia (rég., Asie occid.), 1853, 2261, 2314. - Armenians in the U.S.A., 3663. - Arméniens, 254, 6353. - A. en Pologne, 4166. - A. en Turquie, 785.
Arras (Pas-de-Calais, France), 2783.
Artois (rég., France), 2786, 6249.
Arvidsjaur (Norrbotten, Sweden), Parish, 4710.
Aryans (the), Aryens (les), 7389.
Ashdod (Israel), 1314.
Ashkenazim, Juifs A., 4077.
Ashland (Va., U.S.A.), Randolph-Macon Coll., 4948.
Asie, 275, 327, 344, 1806, 3191, 5675, 5860, 7389-7542. - A. centrale, 110, 237, 641, 4371, 4381, 4609, 6640, 7086, 7400, 7402, 7405, 7408, 7416-7418, 7512. - A. coloniale, 6686-6704. - A. de l'Est, 477, 6641, 6983, 7079, 7195, 7556. - A. du Sud, 5934. - A. du Sud-Est, 5923, 7457-7476. - A. du Sud-Ouest, 478, 1009, 1028. - A. Mineure anc., 475, 1191, 1207, 1209, 1362, 1389. - A. Mineure moderne, 7064, 7073. - Dutch Asia, 6702. Province romaine, 1891, 1892, 1912. - Vorder-A., 1278.
Aspen (Colo., U.S.A.), Chicago-A. cultural reform, 4789.
Aspern (Vorort von Wien, Österr.), Schlacht, 3428.

Assisi (Umbria, Italia), Colloquium Propertianum, 1977.
Assyria, Assyrie, 1276,1278.
Asturias (reg., España), 1807. - Reino asturleonés, 2461, 2751.
Asunción (Uruguay), Prensa, 5009.
Atchison (Kan., U.S.A.), A., Topeka a. Santa Fe railroad, 5735.
Athenai, Athènes, 1252, 1465, 1466, 1468, 1470, 1488, 1492-1495, 1499, 1502, 1503, 1507-1509, 1516, 1517, 1520, 1526, 1532, 1536, 1542, 1573, 1653, 1666, 1668. - Am. School of Class. Stud., 240. - Biblioth. nat., 288. - Ecole franç., 228. - Nationalmuseum, 82. - Roman A., 1505. - Seebund, 1478. Symposium in the Swedish Institute, 1680.
Athos (Mont, Grèce), 2360, 4605.
Atlanta (Ga., U.S.A.), Jews, 4744, 4747. - Schools, 4939.
Atlantic region (Canada), 3468.
Atlantique (océan), 2835, 3148, 7257. - North Atlantic Treaty, 7363.
Attikē (rég., Grèce), 99, 1466, 1681, 1682.
Augsburg (Bayern, BRD), 3402, 4496. - Arme, 6326. - Exequien Karls V., 4519. - Religionsfriede [1555], 6884. - St. Ulrich u. Afra, 289.-Wandmalerei, 2976.
Augst (Basel, Schweiz), 129.
Aunis (rég., France), 3033, 5944.
Aurillac (Cantal, France), 6233.
Auschwitz, v. Oświęcim.
Australia, 3412-3414, 5753, 5757, 5760, 5900, 6131, 6851, 6859, 7037, 7124, 7154, 7194, 7224, 7302, 7327, 7589.
Austronesia, 7591.
Auvergne (rég., France), 1130, 2955, 5474.
Aveyron (dépt., France), 1093.
Avignon (Vaucluse, France), Papauté, 2642.
Azerbaïdjan (rép., U.R.S.S.), 4794.
Aztec Indians, Aztèques, 627, 7564, 7573, 7575.

B

Babylon, Babylonia, 1264, 1265, 1268, 1274, 1279, 1281, 1338, 1347.
Bactria (pays, Asie anc.), 1692. - Kushan B., 7409.
Bad Homburg (Hessen, BRD),

Deutsch-franz. Historikerkolloquium, 229.
Baden (ehem. Territorium, BRD), 3232, 3264, 3289, 3330, 3346, 3354, 3359, 5685, 6072. - Großherzogtum, 3234. - Markgrafschaft, 6012.
Baden-Baden (Baden-Württ., BRD), 3254.
Baden-Württemberg (Land, BRD), 1048, 2757, 6544.
Baetica (prov. romana, España), 1887, 1951.
Bagamoyo (Tanzania), District, 6343.
Baia (Roumanie), 3114.
Bajkal (lac, U.R.S.S.), 4384.
Bajuwaren (german. Stamm), 2545.
Bakhtiyari (tribe of Iran), 4040.
Baleares (islas, España), 1049, 2869.
Bălgarija, Bulgarie, 128, 713, 714, 1090, 1118,2593, 2979, 3459-3462, 4844, 5373, 7056, 7163, 7374.
Balkans, Balkaniques (pays, peuples, etc.), 364, 1150, 1788, 3180, 3190, 3194, 5883, 6667, 6992, 7024, 7074.
Baltimore (Md., U.S.A.), 6390. - Johns Hopkins Institute of the Hist. of Medicine, 876. - Welch medical Library, 876.
Baltique (mer, pays, peuples, etc.), 1078, 2489, 2656, 3021, 3040, 4335, 4404, 4654, 5919, 6370, 6410, 7168.
Bamberg (Bayern, BRD), Stadtrecht, 2392.
Bamboula (hill at Larnaka, Cyprus), 1686.
Banat (rég., Roumanie), 1082, 1152, 3115, 4216, 4248, 4249, 4608, 4849, 5851, 6002, 6881.
Bandung (Indonesia), Conference [1955], 7325.
Bangor (co. Down, N. Ireland), Computus, 69.
Banská Bystrica (Slovaquie, Tchécoslovaquie), 5829.
Bar (rég., France), Duché, 722, 7298.
Barbados (island a. state, West Indies), 5932.
Barbarie, Barbareschi, 6872.
Barbastro (Huesca, España), Asedio [1064/65], 2569.
Barcelona (España), Diócesis, 2421. - Papiros, 1752. - Semana trágica [1909], 3499.
Basel (Stadt u. Kanton, Schweiz), 2818. - Bandindustrie, 5740.- Bistum, 6887. - Mission, 6727.
Basques (peuple, Espagne et France), 4579, 6355.
Batavia, v. Jakarta.
Bath (Som., England), Diocese, 4717.

Battle (Sus., England), Conference on Anglo-Norman Studies, 2591.
Bayern (Land, BRD), 119, 697, 703, 2097, 2473, 2474, 2572, 3243, 3296, 3315, 3358, 3369, 3371, 3393, 3402, 4591, 4592, 4854, 4855, 5001, 5435, 6072, 6269, 6270, 6560, 6868, 6905, 6950a. - Königreich, 3263. - Kur-B., 6238.
Bayeux (Calvados, France), Tapisserie, 2969.
Bayreuth (Bayern, BRD), Kartenhist. Colloquium, 196.
Béarn (rég., France), 6542.
Bearsden (Scotland), 1932.
Beauce (rég., France),5922.
Beauvais (Oise, France), 3817.
Beira (anc. prov., Portugal), 1104.
Belfast (N. Ireland), 3889, 3891, 3942, 4064, 4067. - Edwardian B., 6231.
Belgique, V, 371, 438, 712, 1008, 1091, 2099, 3452, 3453, 6210, 6521, 6625, 6669, 6715, 6725, 6936, 6972, 7067, 7179, 7269.
Belize, 634, 637.
Bellagio (Lombardia, Italia), Convegno "Città antica ...", 1183.
Belogorsk (Crimea, U.S.S.R.), Mousterian sites, 1066.
Belorussija, Russie Blanche (rép., U.R.S.S.), 4377, 7112, 7278, 7298.
Benevento (Campania, Italia), 2549. - Concilio [1545], 4565.
Bengal (reg., India a. Bangladesh), 6595.
Benghazi (Libya), 1261.
Beograd, Belgrade (Yougoslavie), Conférence [1948], 7342.
Beragh (N. Ireland), 3960.
Berbères (peuple, Afrique du Nord), 2240.
Berenice, v. Benghazi.
Berkshire (co., England), 3966.
Berlin, 440, 4809, 5354, 7146, 7218.- Bekleidungsindustrie, 6164.- Bistum, 3022. - Blockade [1948-49], 7361. - Brandenburger Tor, 6622. - Historikerkongreß d. DDR, 679. - Juden, 3290. - Krisen [1948, 1961], 7293. - Polizei, 3227. - Rencontre assyriol., 1275. - Symposium Aristotelicum, 1449. - Vertrag [1926], 7058. - "Weltbühne", 4995.
Bermuda (archip.), 173.
Bern (Stadt u. Kanton, Schweiz), 779. - Bibliotheken, 290.
Bernburg (Bez. Halle, DDR), Kreis, 1165.

Besançon (Doubs, France), Table ronde "Cadastres et espace rural", 1376.
Beyrouth (Liban), 7398.
Bétique (la), v. Baetica.
Béziers (Hérault, France), 83.
Biafra (region, Nigeria), 4149.
Biberach (Baden-Württemberg, BRD), 4496.
Bihor (dépt., Roumanie), 5996.
Bilá Hora, Weißer Berg (Böhmen, Tschechoslowakei), Schlacht [1620], 6876.
Bilād as-Sūdān, v. Sudan (area).
Bilzingsleben (Bez. Erfurt, DDR), Homo erectus, 1056.
Birmanie, v. Burma.
Birmingham (Warwick, England), 6148.
Bischheim (Bas-Rhin, France), Juifs, 4782.
Bivolari (Roumanie), Juifs, 4779.
Black Sea, v. Noire (mer).
Bodensee, Lac de Constance, 2640.
Böhmen, v. Čechy.
Boğazköy, Hattusa (Turquie), 1287, 1291. - Keilschrifturkunden, 1283.
Bohême, Bohemia, v. Cechy.
Boian (Roumanie), Civilisation néolith., 1080.
Boiōtia (rég., Grèce), 207.
Bolivia, v. Alto Perú, s.v. Perú.
Bologna (Emilia-Romagna, Italia), Ebrei, 2685. - Exequien Karls V., 4519.
Bolsena (Lazio, Italia), Poggio Moscini, 2057.
Bongo (people of Africa), 6762.
Bonn (Nordrh.-Westf., BRD), 440. - Historia-Augusta-Colloquium, 1725.- Univ., 4944.
Bordeaux (Gironde, France), 856, 1167, 2630, 2776, 5677. - Commerce, 5857.- Ormée, 3831, 3856.
Borneo (island), 4725.
Bosna, Bosnie (rég., Yougoslavie), 3442.
Bosporus (anc. royaume), 116.
Boston (Mass., U.S.A.), 33, 3537, 4928. - Banking, 6040. - Irish, 6331.- Saloons, 6208.
Bostra (mod. Busra, Syria), Coinage, 121.
Bothnia (Gulf of), 2793.
Bourbon (île), v. Réunion.
Bourdeille (Dordogne, France), Abri Pont-d'Ambon, 1057.
Bourgogne (rég., France), 198, 287, 724, 2608, 2664, 2718, 2737, 2949, 3837, 4817.
Brăila (Roumanie), 6471. - Dépt., 4226.-Plaine, 1146.

Brandenburg (ehem. Territorium, DDR), B.-Preußen, 3380; 6897.
Brasil, 3454-3458, 6026, 6785.
Braunschweig (Stadt u. ehem. Territorium, BRD), 4949. - Hansestadt, 3338.
BRD (Bundesrepublik Deutschland), 555, 745, 1001, 1139, 3226, 3257, 3347, 4379, 6109, 6347, 6585, 7306, 7318, 7346.
Bremen (Freie Hansestadt, BRD), 2513, 2544, 5833. - Juden, 3256.
Brescia (Lombardia, Italia), San Salvatore/Santa Giulia, 3060.
Breslau, v. Wrocław.
Bressanone (Trentino-Alto Adige, Italia), 3058. - Colloque internat. d'héraldique, 91.
Brest (Biélorussie, U.R.S.S.), Diocèse, 4555.
Bretagne (rég., France), 161, 726, 838, 2447, 3061, 3860, 3877, 4515.
Brindisi (Puglia, Italia), Convegno virgiliano,1973.
Britain, v. Great Britain.
British Columbia (prov., Canada), 3479.
British Empire, 6305.
British North America, 5135, 6770.
Brixen, v. Bressanone.
Brno (Tchécoslovaquie), 4281, 4303.
Brookwood Labor College (Katonah, N.Y., U.S.A.), 4874.
Bruxelles (Belgique), Bibliothèque royale, 42. - Congrès internat. des Lumières, 4798. - Exequien Karls V., 4519. - Hôpitaux, 6936. - Insurrection [1830], 3453.
Brześć, v. Brest (Biélorussie).
Brzesko (Cracovie, Pologne), Juifs, 4779.
Buchenwald (Bez. Erfurt, DDR), KZ, 7140.
Bucovina (rég., Roumanie), 4787.
București, Bucarest (Roumanie), Biblioth. de l'Académie, 54, 299. - "Contemporanul", 4987. - Musée de l'art, 310.
Budapest, 4026, 4760. - Internat. econ. Hist. Congress, 231.
Buenos Aires, 6155.
Bulgaria, Bulgarie, v. Bălgarija.
Bundelkhand (reg., Madhya Pradesh, India), 7446.
Burgau (ehem. jülichsches Amt), 2475.
Burgos (España), Provincia, 718.
Burma, Birmanie,6686, 6701, 7457, 7461.
Burundi, 6715.

GEOGRAPHICAL INDEX 373

Byrsa (anc. citadelle de Carthage), 1329.
Byzantion, 20, 77, 90, 97, 126, 127, 244, 458, 672, 862, 1765, 1839, 1947, 2048, 2193, 2224, 2279-2385, 2506, 2517, 2694, 2928, 3108, 4253, 4981. - Concile I [381], 2236. - Fall [1453], 2641.

C

Caen (Calvados, France), 3861. - Congrès nat. des Soc. savantes, 222.
Caesarea (auj. Cherchell, Algérie), 2077.
Caesarea Maritima (Palestine anc.), 1775.
Cagliari (Sardegna, Italia), 2327.
Caire (Le), Cairo (Egypte), Geniza, 2679, 2688.
Calabar (Nigeria), Vieux-C., 5858.
Calabria (reg., Italia), 1789. - C. bizantina, 2319.
Calais (Pas-de-Calais,France), Conquête [1558], 6882.
Calchaquí (río, Argentina), 7576.
Caldy (island, Pembrokeshire, Wales), 4676.
California (state, U.S.A.), 5741, 5782, 5764, 5908, 5959, 5974.
Cambodge, 7464.
Cambrai (Nord, France), Diocèse C.-Arras, 3070.
Cambridge (England), 896.- Colleges, 2880. - Colloquium "Minoan society", 1402. - Emmanuel College, 4964. - Univ., 4976.
Cameroun, 6706.
Campania (reg., Italia), 848, 2098, 5976.
Canada: Bibl. hist. gén., VI. - Sci. auxil., 133. - Ouvrages gén., 354, 421, 513, 615, 616, 860.- Hist. pol. mod., 3463-3482, 4468. - Hist. relig. mod., 4671. - Hist. Culture intellect. mod., 5032, 5133, 5148, 5266, 5348, 5375, 5428, 5462, 5520. - Hist. écon. soc. mod., 5598, 5608, 5648, 5755, 5758, 5799, 5857, 5911, 5986, 5994, 6076, 6078, 6126, 6146, 6192, 6253, 6328, 6376, 6482. - Relations internat. mod., 6799, 6810, 6841, 7133, 7307, 7320. - Atlantic C., 4671. - Bas-C., 3480. - English C. 354, 3469, 5348, 6328. - Upper C. 5986. - C. franç., 616, 5799. - Cf. Nouvelle France.
Canarias (islas), 6124.
Cantabria (reg., España ant.), 1060.

Cape-Breton (island, Canada), Presbyterians, 4716.
Cape of Good Hope (prov., South Africa), 6734.- Gentry, 6751.
Cappadoce, v. Kappadokia.
Carales, v. Cagliari.
Carei (Satu-Mare, Roumanie), 3131.
Carélie, v. Karelija.
Caribbean, v. Antilles.
Carinthie, v. Kärnten.
Carisle (Pa., U.S.A.), 3710.
Carnuntum (bei Petronell, N.-Ö., Österreich), 2068.
Caroline Islands (Pacific), 7592, 6856.
Carpates (montagnes), Bassin, 1133, 3125. -C. roumaines, 777.
Cartagena (Colombia), 6783.
Carthago, Carthage, 90, 1312, 1324, 1329, 1336, 1351, 1356, 1842. - Concile [256], 2208.
Casamance (fleuve, Sénégal), Compagnie commerciale et agric., 6749.
Căscioarele (Roumanie), Site néolith., 1080.
Castilla (reg., España), 2470, 2526, 2589, 2717, 2819, 2827, 4727, 5849.
Castro (Italia), Sculpture étrusque, 1714.
Cataluña (reg., España), 716, 2855, 3074.
Caucase, Caucasus, v. Kavkaz.
Caux (pays de, Normandie, France), 6177.
Cayenne (Guyane franç.), Juifs, 6820.
Čechy, Bohême: Sci. auxil., 119. - Ouvrages gén., 326, 383, 685, 782, 820, 922, 1004. - Moyen Age, 2398, 2478, 2524, 2580, 2610, 2612, 2628, 2813, 2852, 2938, 2945, 2064, 2971, 3116, 3126. - Hist. polit. mod., 3415, 3437, 4289, 4292, 4294, 4299, 4300. - Hist. Culture intellect. mod., 5243, 5262, 5419, 5467, 5501, 5519, 5550. - Hist. écon. soc. mod., 5607, 5794, 5800, 5804, 5960, 6100, 6243, 6291. - Relations internat. mod., 6978, 7040, 7264.
Cecora, v. Tutora.
Celtes (les), Kelten (die), VII, 134, 140, 168, 1139, 1141, 1147, 1784, 2066, 2431, 2511, 3091.
Cerisy-la-Salle (Manche, France), Rencontre, 626.
Československo, Tchécoslovaquie: Bibl. hist. gén., XIX. - Ouvrages gén., 248, 270, 589, 781-783.- Hist. polit. mod., 3141, 4279-4303. - Hist. Culture intellect. mod., 4903, 5368, 5519. - Hist. écon. soc. mod., 6048, 6455. -

Relations internat. mod., 6618, 7013, 7050, 7054, 7065, 7104, 7136, 7249, 7260, 7276, 7365.
Ceuta (ciudad española, Africa del N.), 7403.
Cévennes (massif montagneux, France), 832.
Ceylon, v. Sri Lanka.
Chad, v. Tchad.
Chaironeia (anc. city, Greece), Battle [338 B.C.], 1473.
Chalcedon (auj. Kadiköy, Turquie), Concile [451], 2107, 2218.
Chaldaea (rég., Mésopotamie), 2034.
Chambri (peuple of New Guinea), 632.
Champagne (rég., France), 3788. - Comtes, 2774.
Chantilly (Oise, France), Colloque internat. de Sinologie, 224.
Charavines (Isère, France), 1078.
Charente (dépt., France), 1087, 5944.
Charleston (S.C., U.S.A.), 3618. - "South Carolina Gazette", 5005.
Chartres (Eure-et-Loire, France), 734.
Cheb, Eger (Bohême, Tchécoslovaquie), Juifs, 2675. - Egerland, 2739.
Chełm (Lublin, Pologne), Juifs, 4779.
Chełmno, Kulm (Bydgoszcz, Pologne), Pays, 7006. - K.er Recht, 810.
Chenon (Charente, France), Dolmens, 1087.
Cherokee Indians, 4687.
Chersonesus [Thaurica](auj. Crimée, U.R.S.S.), 1169. - Byzantine Ch., 136.
Chesapeake Bay (U.S.A.), 5885, 6825.
Cheshire (co., England), 2766, 6148.
Chicago (Ill., U. S. A.), 5711. - Catholicism, 4550. - German workers, 5768. - Saloons, 6208.
Chieti (Abruzzi, Italia), Symposium Heracliteum, 1549.
Chile, 3483, 3484, 6037, 6112, 6402.
Chillón (España), Conversos, 2671.
Chimú (prehistoric kingdom, Peru), 7568.
Chine: Sci. auxil., 188, 191. - Ouvrages gén., 224, 370, 373, 658, 962, 978. - Hist. relig. mod., 4593, 4594, 4598. - Hist. Culture intellect. mod., 5045, 5235. - Hist. écon. soc. mod., 5881, 6090, 6371. - Relations internat. mod., 6620, 6627, 6643, 6650, 7001, 7008, 7033, 7286, 7304, 7332, 7351, 7352, 7370, 7375,

7378, 7385. - Hist. Asie, 7392, 7393, 7473, 7477-7537.
Chocim, v. Khotin.
Choctaw Indians, 3720.
Chota Nagpur (reg., India), 7436.
Chypre, v. Kypros.
Cilicia (Asie Mineure), 7069. - Armenian C., 2329.
Cimmerii, Cimmériens (peuple de l'Antiquité), 1156, 1208.
Cincinnati (Ohio, U.S.A.), 5671.
Cirencester (Gloucestershire, England), 2078.
Cîteaux (Côte-d'Or, France), Ordre, 970, 2436, 2964, 3039, 3034.
Clairveaux (abbaye, comm. de Ville-sous-la-Ferté, Aisne, France), 2408.
Clonmacnois (co. Offaly, Ireland), Annals, 2462.
Cluj (Roumanie), 1095. - Commerce, 5883. - Procès antifascistes [1935, 1937], 4227.
Cluny (Saône-et-Loire, France), Cluny III, 2949. - Ordre, 2403, 3034, 3042.
Coimbra (Portugal), 2780, 2845.
Colchide, Colchis, v. Kolchis.
Colonia Valentia, v. s. v. Valence (Drôme, France).
Como (Lombardia, Italia), Convegno "Città antica ...", 1183.
Comores (îles), 5879, 6743.
Condate, v. s.v. Rennes.
Congo (Rép. pop.), Congo franç., 6749.
Congo Belge, v. Zaïre.
Connecticut (state, U.S.A.), 5751.
Constanţa (Roumanie), Trésor monétaire, 126.
Constantinople, v. Byzantion, Istanbul.
Coptes (les), 396, 2147, 2230. - Ecriture, 16.
Córdoba (España), 1812.
Corée, v. Korea.
Cork (city, Ireland), 4067.
Cornwall (co., England), 3948.
Coro (Venezuela), Juifs, 4742.
Coron, v. Korone.
Corrèze (dépt., France), 4982.
Corse (île, France), Magniotes, 6083.
Cortona (Toscana, Italia), Colloque Modes de contacts ..., 241.
Corvey (Abtei, Nordrhein-Westf., BRD), 2433.
Cosaques, Cossacks, v. Kazači.
Costa Rica, 3485.
Costişa-Botoşani (civilisation, Roumanie), 3134.
Cowley (quarter of Oxford, England), 6143.
Crac des Chevaliers (auj. Qalat al Hosn, Syrie), 2333.
Cree Indians (Canada), 649.
Crète, v. Krētē.
Crimea, Crimée, v. Krym.
Criş (riv., Roumanie-Hongrie), Civilis. néolith. Starčevo-C., 1107.
Crişana (rég., Roumanie), 1082.
Crna Gora, Montenegro (rép., Yougoslavie), 7090.
Croatie, v. Hrsvatska.
Cuba, 3486, 5921, 6977, 6996. - Missile crisis [1962], 7336.
Cuceu (Roumanie), Trésor monétaire, 106.
Cucuteni (Roumanie), Civilisation néolith. C.-Tripolje, 1084.
Cuenca (España), Hospital de Santiago, 2811.
Cunaxa, v. Kounaxa (Mesopotamia).
Cunetio (mod. Marlborough, Wilts., England), Coin treasure, 100.
Curaçao (île, Antilles néérland.), 4742.
Curia romana, v. Vaticano.
Cush (anc. empire, Ethiopia), 1255.
Cyclades, v. Kyklades.
Cyprus, v. Kypros.
Cyrene, v. Kyrene.
Częstochowa (Katowice, Pologne), 7150. - Icône de Notre-Dame, 981.

D

Dąbrowa Górnicza (Katowice, Pologne), Bassin, 6472, 7150.
Dachau (Bayern, BRD), KZ, 3357.
Dacia, Daci, 435, 772, 1161, 1162, 1429, 1778, 2056. - D. Inferior, 1851. - D. preromana, 106. - D. Ripensis, 1801. - D. Superior, 2039. - Daco-Romani, 1771, 2195.
Dalmacija, Dalmatie (rég., Yougoslavie), 1477, 4455.
Damase, Damascus (auj. Dimashq, Syrie), 7404, 7413.
Danebury (Hants, England), Hillfort, 1131.
Danmark, 1124, 2724, 2760, 3181, 3487, 3488, 5863, 5927, 6020, 6111, 6268, 6863, 6892, 6895.
Danube, v. Donau.
Dardanelles (détroit, Turquie), 7039, 7084.
Darfur (prov., Sudan), Sultanate, 4267.
DDR (Deutsche Demokratische Republik), 246, 362, 544, 1011, 1165, 2954, 3122, 3276, 3328, 3365, 5664, 5709, 5820, 6534, 7284.
Decazeville (Aveyron, France), Métallurgie, 5818.
Deir el-Medineh (Egypte), 1224, 1228, 1239.
Dēlos (île, Grèce), 1664.
Delphoi, Delphes (Grèce, anc.), 1676. - Cnidian Lesche, 1685.
Demotica, v. Didymoteichōn.
Denver (Colo., U.S.A.), 3637.
Derby (England), Porcelain, 5493.
Dessau (Bez. Halle, DDR), Kreis, 1165.
Deutschland: Allg. hist. Bibliogr., I. - Hilfswiss., 64, 155, 162, 171. - Allg. Werke, 229, 267, 269, 296, 305, 325, 338, 349, 403, 463, 487, 504, 505, 556, 572, 594, 668, 689, 692-705, 771, 778, 793, 809, 815, 824, 834, 850, 995, 997, 1001, 1006. - Vorgesch., 1143. - Altertum, 1586, 2069. - Mittelalter, 2394, 2397, 2402, 2414, 2452, 2467, 2499, 2514, 2545, 2567, 2602, 2621, 2623, 2632, 2674, 2713, 2730, 2733, 2736, 2787, 2809, 2867, 2909, 2921, 2930, 2941, 2962, 2968, 3026, 3076. - Allg. Gesch. d. Neuzeit, 3142, 3164, 3170, 3179, 3185, 3192, 3197, 3202, 3220-3402, 3432, 3776, 3854, 4086, 4284, 4342, 4411, 4436. - Religionsgesch. d. Neuzeit, 4487, 4491, 4492, 4497, 4502, 4506, 4524, 4548, 4561, 4577, 4622, 4627, 4651, 4666, 4689, 4696, 4697, 4737, 4758, 4785, 4786. - Bildungsgesch. d. Neuzeit, 4799, 4807, 4819, 4822, 4871-4873, 4877, 4879, 4898, 4913, 4918, 4970, 4972, 4989, 4994, 5006, 5014, 5017, 5021, 5028, 5055, 5068, 5078, 5080, 5107, 5127, 5193, 5260, 5287, 5310, 5357, 5437, 5451, 5541, 5559, 5565, 5569, 5570. - Wi. u. Sozialgesch. d. Neuzeit, 5586, 5627, 5635, 5645, 5699, 5766, 5768, 5769, 5814, 5821, 5828, 5842, 5844, 5868, 5886, 5888, 6032, 6071, 6105, 6119, 6158, 6164, 6172-6174, 6227, 6234, 6240, 6257, 6317, 6325, 6336, 6374, 6383, 6409, 6420, 6428, 6451, 6474, 6487, 6488, 6496, 6499, 6510.- Rechtsgesch. d. Neuzeit, 6516, 6526, 6528, 6535, 6572, 6581, 6598. - Internat. Beziehungen d. Neuzeit, 6642, 6657, 6674, 6679, 6709, 6855, 6866, 6884, 6891, 6905, 6920, 6925, 6934, 6954, 6964, 6998, 7004, 7005, 7007, 7010-

GEOGRAPHICAL INDEX

7279 passim, 7280, 7296, 7305, 7309, 7316, 7319, 7321. - Gesch. Asiens, 7478.
Didyma (auj. Yenihisar, Turquie), 1522.
Didymotheichōn (Grèce), Juifs, 4776.
Dijon (Côte-d'Or, France), Juifs, 2683. - Table ronde "Les Cyclades", 187.
Diyala (riv., Iran-Iraq), Basin, 1273.
Dinkelsbühl (Bayern, BRD), 4496.
Dnepr (riv., U. S. S. R.), Dneprostroi experience, 4417.
Dobrogea (rég., Roumanie), 77, 1082, 1137, 1915.
Domme (Dordogne, France), 1063.
Donau, Danube (fleuve),321, 1829, 2033, 7342. - D.-Tal, 6660. Bas-D., 1947, 2603. - Latin danubien, 157.
Dor (auj. Nasholim, Israël), 2324.
Dortmund (Nordrh.-Westf., BRD), Deutsch-franz. Kolloquium [1982], 556.
Douai (Nord, France), 2788.
Dresden (DDR), Bezirk, 694.
Dublin (Ireland), Diocesan archives, 271. - Muray papers, 271. - Philos. Soc., 4857. - Working class, 6200.
Dubrovnik, Ragusa (Yougoslavie), 2863, 4455.
Düren (Nordrhein-Westf., BRD), 2475.
Düsseldorf (Nordrhein-Westfalen, BRD), 3284.
Dundee (Scotland), 4064.
Dunkerque (Nord, France), 735. - 2e Guerre mondiale, 7220, 7237.
Durham (England), 6148.
Durostorum (auj. Silistra, Bulgarie), 2081.
Dynów (Rzeszów, Pologne), Juifs, 4779.
Dzungaria (reg., China), 7422.

E

Ebrei, v. Juifs.
Echterdingen (Baden-Württemberg, BRD), Pietismus, 4617.
Echternach (Luxemburg), 2985.
Ecuador, 5913.
Edinburgh (Scotland), 4899.
Edirne (Turquie), Bataille [378], 1850.
Edmonton (Alta., Canada), Strathcona, 3471.
Edom (reg., anc. Palestine), 1038.
Egée (mer), 1047, 1119, 1187, 1288, 4317, 7341.
Eger (Böhmen), v. Cheb.
Egypte, Antiquité, 45, 65, 79, 163, 396, 1166, 1216-1235. - E. gréco-romaine, 1174. - E. romaine, 1231, 1257, 1745, 1769, 1799, 1897, 1937, 1950, 2230. - E. romano-byzant., 1832, 2225. - E. byzant., 2325. - E. des Mamelouks,2699, 2856. - Epoque mod. et contemp., 3489-3494, 6029, 6042, 6673, 6944, 7383.
Eidgenossenschaft, v. Schweiz.
Eifel (Hochland, BRD), 6941.
El-Lejjun (Jordan), Roman camp, 1814.
El Salvador, 4585.
Elsaß, v. Alsace.
Emilia Romagna (reg., Italia), 2096, 4087.
Emsland (Landschaft, Niedersachsen, BRD), KZ, 3319.
England: Auxil. Sci., 36, 133, 212.- General Works, 268, 347, 356, 811, 827, 830, 971.- Prehist., 1017. - Middle Ages, 2447,2450, 2458, 2516, 2521, 2557, 2561, 2562, 2564, 2570, 2579, 2590, 2608, 2615, 2630, 2637, 2646, 2657, 2660, 2666, 2732, 2748, 2768, 2772, 2775, 2803, 2806, 2808, 2859, 2876, 2909, 2815, 2967, 3073, 3124. - Mod. polit. Hist., 3164, 3168, 3198, 3881-3999 passim, 4464. - Mod. relig. Hist., 4475, 4489, 4498, 4636, 4638, 4652, 4657, 4668, 4676, 4681, 4739. - Hist. mod. Culture, 4799, 4827, 4880, 4885, 4918, 4958, 4972, 5076, 5120, 5205, 5238, 5274, 5276, 5302, 5303, 5331, 5332, 5348, 5358, 5452, 5466, 5480, 5492, 5508, 5527, 5572. - Mod. econ. a. soc. Hist., 5622, 5687, 5904, 5948, 5966, 6101, 6132, 6148, 6163, 6199, 6214, 6230, 6241, 6280, 6294, 6319, 6333, 6364, 6366, 6409, 6442, 6487. - Mod. legal Hist., 6541, 6581, 6592, 6594, 6600, 6605, 6607. - Mod. internat. Relat., 6673, 6700, 6810, 6840, 6896, 6928, 6965, 6989, 6991, 7003, 7008, 7071, 7091, 7157, 7177, 7195.
Enkami, Alasia (Chypre), 1280.
Ephesos (anc. ville, Asie Mineure), 1892. - Synode [449], 2218.
Epidauros (Argolide, Grèce anc.), 1700.
Epirus, Epire (rég., péninsule balkanique), 167, 655, 6976.
Erbaba (Turkey), Prehist. site, 1108.
Ercolano, v. Herculaneum.
Erfurt (DDR), Bezirk, 696.
Glasmalerei, 2954.
Erythrée (prov., Ethiopie), 7311.
Escaut, Schelde (fleuve), 1993. - Dépt. de l'E., 6593.
Esclaves (Côte des), Slave Coast (Afrique occid.), 6764.
Eskilstuna (Suède), 5647. - Industrie, 5802.
España: Ciencias auxil., 12. - Obras gen., 716-718, 801, 804, 816.- Prehist., 1037, 1052, 1060. - Hist. romana, 1764, 1817, 1923, 2049. - Edad media, 2428, 2681, 2688, 2723, 2956, 3023. - Hist. gen. mod., 3495-3513, 3718, 3874, 4086. - Hist. relig. mod., 4596, 4612.- Hist. Cultura mod., 4796, 5158, 5282. - Hist. econ. y soc. mod., 5610, 5612, 5626, 5644, 5666, 5682, 5725, 5812, 5889, 5913, 6021, 6058, 6070. - Relac. internac. mod.,6777, 6790, 6791, 6794, 6822, 6824, 6826, 6836, 6844, 6893, 6896, 6931, 6931, 6933, 6991, 6993, 6995, 7173, 7179, 7221, 7248.
Essex (co., England), 2521.
Estonija, Eesti (rép., U.R. S.S.), 4410.
Estremoz (Alentejo, Portugal), Foires, 5869.
Etablissements Français de l'Océanie, v. Polynésie Française.
Ethiopie, 719, 962, 1059, 1072, 3082, 3725-3727, 6652, 7160, 7553.
Etruria, Etrusci, 123, 150, 1708-1717.
Euboia (île, Grèce), 661, 6960.
Euphrate (fleuve), Vallée, 180.
Eurasie, 603, 7419.
Europe: Sci. auxil., 40, 199. - Ouvrages gén., 224, 363, 367, 370, 373, 575, 636, 640, 665, 667, 672, 676, 829, 837, 839, 913, 926, 1005.- Préhist., 1020, 1040, 1055, 1058, 1061, 1069, 1109, 1129, 1156, 1160, 1168. - Antiquité, 1196, 1469, 1790. - Moyen Age, 2481, 2489, 2490, 2491, 2493, 2500, 2501, 2505, 2508, 2530, 2540, 2555, 2707, 2777, 2779, 2797, 2801, 2802, 3010, 3014, 3129. - Hist. gén. mod., 3143, 3150, 3153, 3160, 3165, 3174-3176, 3181, 3184, 3194, 3196, 3200, 3204, 3206, 4119, 4192, 4221, 4319. - Hist. relig. mod., 4685, 4762, 4775. - Hist. Culture intellect. mod., 4810, 4836, 5045, 5118, 5157, 5165, 5235, 5255,

5262. - Hist. écon. soc. mod., 5623, 5652, 5678, 5683, 5829, 5853, 5894, 5899, 6026, 6034, 6035, 6065, 6110, 6146, 6215, 6245, 6295, 6296, 6308, 6371, 6399, 6409, 6460. - Relations internat. mod., 6654, 6655, 6662, 6669, 6682, 6683, 6840, 6899, 6904, 6918, 6946, 6960, 6974, 6979, 6998, 6999, 7002, 7023, 7131, 7180, 7188, 7200, 7234, 7235, 7279, 7280, 7331, 7334, 7346, 7348, 7354, 7382, 7384. - E. Centrale, 199, 363, 575, 676, 1159, 1160, 2489, 2508, 3167, 3170, 3172, 4762, 4836, 4845, 5417, 5693, 5697, 5801, 6134, 6623, 7027, 7077, 7132. - E. Centrale-Orientale, 3161, 3188, 6406, 6969, 7192. - E. de l'Est, 667, 2490, 2491, 3195, 4685, 6956, 7163, 7322. - E. de l'Ouest, 837, 2540, 3164, 3211, 7057, 7138. - E. du Nord-Est, 640. - E. du Nord-Ouest, 2777. - E. du Sud-Est, 575, 676, 1129, 4840, 4845, 5409, 5417, 6149, 6990, 7027, 7047.
Euskal Herria (España), Menhires, 1100.
Evanston (Ill., U. S. A.), 6089.
Exeter (Dev., England), Cathedral, 2387.

F

Făgăraş (Roumanie), Pays, 7032.
Fairfax (co., Va., U.S.A.), 6811.
Falkland Islands, 6768. - Campaign [1982], 7350.
Fanjeaux (Aude, France), Colloque, 2494.
Fanti (people of Africa), 6737.
Far East v. Extrême-Orient, s.v. Orient.
Fashoda (mod. Kodok, Sudan), Crisis [1898], 6964.
Fayoum (prov., Egypte), 1229, 1231, 1242.
Fiji (archip., Oceania), 158.
Filipinas, Philippines, 3719, 6691, 6695.
Firenze, Florence (Toscana, Italia, 359, 2831, 2983, 4089, 4099, 5275, 6180, 6183. - Museo archeol., 303. - Repubblica, 4117.
Flandre (rég., Europe occid.), 2613, 2749, 3026, 5752, 6154. - F. wallonne, 2786. - Comté, 2846.
Flaran (abbaye, Gers, France), Journées internat. d'Hist., 970.
Fleurance (Gers, France), 5857.
Florence, v. Firenze.
Florida (state, U. S. A.), 6896.
Fontevraud (Maine-et-Loire, France), Rencontre d'Hist. relig., 973.
Forez (rég., France), 1130, 6222.
Formosa, v. Taïwan.
Forssa (Häme, Finnland), Cotton mill, 6276.
France: Bibl. hist. gén., IX. - Sci. auxil., 3, 29, 35, 43, 53, 71, 76, 81, 83, 89, 108, 117, 133, 169, 176, 181, 190, 202, 205. - Ouvrages gén., 229, 254, 256, 272, 285, 301, 302, 306, 314, 329, 349, 379, 515, 536, 556, 572, 602, 618, 657, 684, 722-741, 799, 807, 824, 831, 840, 846, 865, 873, 893, 909, 996. - Préhist., 1014, 1075, 1076, 1089, 1093. - Moyen Age, 2404, 2436, 2458, 2488, 2494, 2518, 2519, 2560, 2561, 2563, 2574, 2575, 2608, 2617, 2636, 2652, 2670, 2733, 2737, 2767, 2790, 2804, 2829, 2834, 2844, 2848, 2857, 2892, 2894, 2917, 2951, 2965, 2970, 3030, 3046, 3062, 3087, 3117, 3128, 3136. - Hist. gén. mod., 3164, 3483, 3488, 3734-3880, 3914, 4241, 4371. - Hist. relig. mod., 4475, 4556, 4558, 4559, 4569, 4571, 4578, 4678, 4695, 4698, 4700. - Hist. Culture intellect. mod., 4803, 4804, 4829, 4831, 4839, 4846, 4852, 4890, 4905, 4906, 4909, 4915, 4916, 4930, 4932, 4963, 4969, 4979, 4982, 5000, 5064, 5095, 5099, 5130, 5158, 5176, 5214, 5258, 5290, 5353, 5411, 5427, 5432, 5455, 5482, 5483, 5521, 5532, 5534, 5547. - Hist. écon. soc. mod., 5587, 5593, 5596, 5630, 5638, 5677, 5684, 5724, 5734, 5776, 5792, 5818, 5841, 5868, 5877, 5882, 5891, 5914, 5936, 5972, 5982, 6019, 6028, 6046, 6060, 6061, 6062, 6069, 6088, 6103, 6115, 6128, 6162, 6169, 6171, 6179, 6198, 6203, 6216, 6227, 6236, 6238, 6244, 6252, 6283, 6286, 6288, 6292, 6315, 6342, 6346, 6375, 6403, 6404, 6409, 6436, 6457, 6507. - Hist. Droit mod., 6552, 6558, 6570, 6579, 6588, 6591, 6604, 6609. - Relations internat. mod., 6642, 6659, 6665, 6676, 6677, 6681, 6716, 6718, 6728, 6752, 6755, 6759, 6792, 6799, 6813, 6861, 6866, 6877, 6887, 6890, 6891, 6899, 7901, 6922, 6931, 6934, 6935, 6940, 6941, 6947, 6950a, 6954, 6968, 6993, 7005, 7020, 7029, 7031, 7035, 7035, 7053, 7055, 5065, 7069, 7078, 7100, 7115, 7117, 7153, 7158, 7166, 7177, 7186, 7186, 7212, 7233, 7256, 7259, 7272, 7299, 7305, 7316, 7319, 7321, 7330, 7335, 7354, 7357, 7362, 7370.
Franche-Comté (rég., France), 3874.
Franken, Francs (german. Stamm), 510, 1160, 2415, 2427, 2525, 2871, 3013.
Franken (Landschaft, BRD), 147, 298, 921, 6269, 6337. - Main-F., 2534.
Frankfurt am Main (Hessen, BRD), Bürgertum, 6264. - Hl.-Geist-Spital, 6255. - Juden, 3237.
Frankfurt an der Oder (DDR), Univ., 4861.
Franklin (Tenn., U.S.A.), Battle [1864], 3654.
Freiburg (Schweiz), v. Fribourg.
Freiburg im Breisgau (Baden-Württ., BRD), 4551. -Theol. Fak., 4879.
Fribourg, Freiburg (ville et canton, Suisse), 4278.
Friedberg (Bayern, BRD), Röm. Militäranlage, 2091.
Friedberg (Burgstelle bei Meilen, Zürich, Schweiz), 2836.
Friesland (Landschaft, N.-W.-Europa), 2824.
Fulda (Hessen, BRD), Abte, 3041.
Futuna (île, Pacifique), 646.

G

Galatia (rég., Asie Mineure anc.), 2246.
Galicia (reg., España), 1456, 5725, 5822.
Galicja, Galicija (rég., Pologne et Ukraine), 6429, 6477.
Galilaea, Galilée (rég., Palestine anc.), 1134.
Gallia, Gaule, 112, 113, 202, 1158, 1796, 1803, 1872, 1890, 1944, 1989, 2237, 2503, 3044, 3069, 3127. - G. Cisalpina, 1784. - G. Transalpina, 132.
Gallipoli, v. Gelibolu.
Galveston (Texas, U.S.A.), 6290.
Gand (Belgique), v. Gent.
Gard (dépt., France), 3796.
Gaule, v. Gallia.
Gdańsk (Pologne), Enseignement, 4876. - Juifs, 4197. - Luthéranisme, 4628. - Océanographie, 5212.

GEOGRAPHICAL INDEX

Geertruidenberg (Pays-Bas), Conférences [1710], 6888.
Gelibolu, Gallipoli (Turquie), 4317, 7012.
Genève (ville et canton, Suisse), 6887. - Acad., 4856. - Incunables, 52.
Genova (Liguria, Italia), 2391, 2764, 2791, 3148. - Archivi, 2389. - Filatoi, 5748.
Gent, Gand (Belgique),6593. - Colloque "Néolithique anc.", 1101.
Georgia (state, U. S. A.), 3550, 3610, 6000, 6218.
Georgia, Géorgie (rép., U.R.S.S.), v. Gruzija.
Georgievsk (Russie), Traité 1783], 4326.
Gera (DDR), Bezirk, 696.
Germanen (die), 1154, 1160, 1168, 2744, 2925, 3119, 3137.
Germania, 1718, 1834, 1935.
Gertruydenberg, Geertruidenberg.
Getae, Gètes (peuple de l'Antiquité), 772, 1142, 1164.
Ghana, 5998, 6727, 6737, 6740, 6741, 6762, 7554.
Glamorgan (co., Wales), 3950.
Glasgow (Scotland), Buchanan & Simson, 5885.
Glevum (mod. Gloucester, England), 210.
Goa (India), 6703.
Göteborg (Sweden), 5833. - Banking, 6015.
Göttingen (Niedersachsen, BRD), Gelehrte Anzeigen, 4864. - Hansestadt, 3338.
Gold Coast, v. Ghana.
Good Hope (prov., South Africa), v. Cape of Good Hope.
Goodenough (isl., D'Entrecasteaux Archip., Papua New Guinea), 5706.
Gorgippia (Russie du Sud anc.), 1695.
Gortyne (Crète anc.), Stèle, 1691.
Goten (german. Volk), 1171, 1856, 2423, 2460.
Gothenburg, v. Göteborg.
Gotland (île, Suède), 2476. - Monnaies, 109.
Granada (España), 717, 1833.
Graubünden (Kanton, Schweiz), 6887.
's-Gravenhage, La Haye (Pays-Bas), Musées, 1710.
Graz (Steiermark, Österreich), Joanneum, 4884.
Great Britain: Gen. hist. Bibliogr., X. - General Works,260, 263, 291, 335, 372, 742-745, 877, 888, 927. - Prehist., 1024, 1153. - Roman Hist.,1816, 1997, 2043, 2059, 2069, 2078, 2101.- Middle Ages, 2977, 3047. - Mod. polit. Hist., 3179, 3250, 3277,

3881-3999, 4013, 4080, 4083, 4085. - Mod. relig. Hist., 4709, 4743. - Hist. mod. Culture, 4955, 5039, 5041, 5071, 5146, 5186, 5188, 5194, 5232, 5256, 5425, 5487, 5504, 5383. - Mod. econ. a. soc. Hist., 5576, 5589, 5600, 5603, 5611, 5613, 5616, 5627, 5631, 5633, 5665, 5676, 5736, 5756, 5771, 5775, 5778, 5785, 5796, 5815, 5826, 5854, 5866, 5867, 5881, 5894, 5961, 5965, 6022, 6037, 6042, 6044, 6050, 6051, 6094, 6176, 6213, 6227, 6297, 6311, 6334, 6354, 6367, 6405, 6425, 6434, 6440, 6448, 6508, 6509. - Mod. legal Hist., 6562, 6589, 6595. - Mod. internat. Relations, 6651, 6652, 6661, 6680, 6682, 6684, 6690, 6699, 6717, 6727, 6737, 6745, 6753, 6757, 6765, 6770, 6903, 6940, 6943, 6952, 6981, 6984, 6990, 7023, 7059, 7063, 7082, 7086, 7088, 7108, 7127, 7135, 7145, 7146, 7159, 7160, 7162, 7167, 7173, 7189, 7193, 7201, 7204, 7219, 7236, 7253, 7297, 7328, 7342, 7352. - Hist. Asia, 7426.
Great Lakes (N. America), 6217.
Grèce, 270, 746-750. - Préhist., 1110, 1120. - Antiquité, II, 2, 9, 10, 96, 130, 138, 154, 156, 159, 163, 165, 170, 408, 489, 639, 894, 989, 990, 1174, 1187, 1221, 1236, 1248, 1252, 1296, 1298, 1305, 1319, 1324, 1360, 1362, 1363, 1370-1702, 1703, 1705, 1707, 1711, 1865, 1989, 1992, 2005, 5591, 7407. - Hist. Eglise anc., 2245. - Hist. byzant., 2336, 2358. - Hist. gén. mod., 167, 652, 655, 4000-4019, 4317. - Hist. relig. mod., 4602, 4745. - Hist. Culture intellect. mod., 4813, 4868, 4931, 4974, 4981, 5024, 5048, 5077, 5330, 5344, 5358, 5365, 5387, 5406, 5420, 5436, 5459, 5479, 5483, 5544. - Hist. écon. soc. mod., 5660, 5674, 5795, 5798, 5806, 5807, 6017, 6125, 6152, 6453. - Hist. Droit mod., 6578. - Relations internat. mod., 6624, 6663, 6948, 6970, 7000, 7019, 7064, 7160, 7178, 7265, 7267, 7270, 7341, 7345, 7379. - Cf. Magna Graecia.
Greifswald (Bez. Rostock, DDR), Hexenprozesse 6587.
Grenoble (Isère, France), Biblioth., 286.

Grisons, v. Graubünden.
Gródek (Byalystok, Pologne), Juifs, 4779.
Groningen (Pays-Bas), Symposium C-14, 1044.
Gruzija, Géorgie (rép., U.R.S.S.), 1094, 1211.
Guadalajara (estado, México), 5661, 6807.
Guajira (península, Colombia), Indios, 5980.
Guatemala, 4020, 4021, 4966, 5962.
Gürzenich (Nordrh.-Westf., BRD), Jülichsches Amt, 2475.
Guinée (Rép.), 5863.
Gumelnița (Roumanie), Civilisation néolith., 1105.

H

Habsburgermonarchie, v. Österreich-Ungarn.
Haithabu (ehem. Handelsplatz, Schleswig-Holstein, BRD), 2765.
Haiti, 4022, 4023, 4770.
Halland (prov., Suède), 5979.
Hallstatt (O.-Ö., Österr.), Kultur, 1148.
Hambach (Rheinland-Pfalz, BRD), Fest [1832], 3264.
Hamburg (Freie u. Hansestadt, BRD), 135. - Zollbücher, 2861.
Hamilton (Ont., Canada), Birth control clinic, 5164.
Ḥammat Gader (mod. Umm Qeis, Jordan), 2126.
Hammath Tiberias (Israel), 1313.
Hampshire (co., Mass., U.S.A.), 6828.
Hannover (Stadt u. ehem. Territorium, Niedersachsen, BRD), 3240. - Niedersächs. Hauptstaatsarchiv, 278.
Hanse (die), 2539, 2851.
Hardangervidda (mountain plateau, Norway), 1092.
Harlem (distr., New York City, U.S.A.), 6476.
Harrison (co., Texas, U.S.A.), 3568.
Hattuša, v. Boğazköy.
Hatunqolla (Perú), 7567.
Havre (Le, Seine-Maritime, France), 739.
Hawaii (island, Pacific), 5999, 6853, 7596.
Haye (La), v. 's-Gravenhage.
Hegra (auj. Meda'in Saleh, Arabie Séoudite), 1672.
Heidelberg (Baden-Württ., BRD), Univ. 878, 906.
Heiliger Stuhl, v. Vaticano.
Heiliges Land, v. Palestine.
Helsinki (Finnland), Clothes, 6275.
Heptanêsos, Iles Ioniennes (Grèce), 6942.
Herat (Afghanistan), Jews, 3214. - Timurid H., 7394.

Herculaneum (Italia ant.), 2, 489.
Hereford (Herefordshire, England), 3951.
Hessen (Land, BRD), 704, 2787, 5247.
Hethiter, v. Hittites.
Hibernia (mod. Ireland), Collectio Hibernensis, 2750 Cf. Ireland.
Hildesheim (Niedersachsen, BRD), Inschriften, 2395. - Lamberti-Kirche, 3095.
Hilversum (Pays-Bas), 7113.
Hinzert (SS - Sonderlager, Rheinland-Pfalz, BRD), 7118, 7123.
Histria (auj. Istria, dépt. de Constanţa, Roumanie), 1429.
Hittites, 1283-1291, 1630.
Holland (prov., Pays-Bas), 5947.
Hollywood (Calif., U.S.A.), 5552.
Holstein (ehem. Territorium, BRD), 1135, 5997.
Holy Land, v. Palestine.
Hong Kong (Brit. colony, China), 7530. - H.K. a. Shanghai Banking Corp., 6045.
Hongrie, v. Magyarország.
Horvat 'Ammudim (Israel), 1331.
Horvat Teiman (Kuntillet 'Ajrud, Israel), 1301.
Houston (Texas, U.S.A.), 6127.
Hrsvatska, Croatie (rép., Yougoslavie), 2735, 4458, 4459, 7198.
Hudson Bay (Canada), Company, 3471.
Hungary, v. Magyarország.
Hyde Park (township, N.Y., U.S.A.), 6089.

I

Iapigia (reg. stor., Puglia, Italia), 1703.
Iaşi (Roumanie), 4225. - Congrès écon. [1882, 1884], 5615. - Institut d'Hist. "A.D. Xenopol", 242.
Iberia, Ibérica (península), 681, 1145, 1155, 1166, 1293, 1537, 2023, 4811. - I. preromana, 1151.
Iberia (rég. hist., Géorgie, U.R.S.S.), 1211.
Iesolo (Veneto, Italia), Basilica paleocrist., 2198.
Ijesha (subgroup of the Yoruba), 4150.
Ikaria (île, Grèce), 748.
Ikongo (Mont, Madagascar), 619.
Ile-de-France (rég., France), 727, 2953, 3032.
Ilesha (Nigeria), 4150.
Iliberri (Granada, España), 1833.
Illinois (state, U. S. A.), 6005.

Illyria, Illyrie (rég. hist., Balkans), 1157, 1477, 1850.
Incas (Indios, Perú), 627, 7567, 7574.
Inchiquin (co. Cork, Ireland), 2648.
India (subcontinent), 379, 962, 987, 4598, 4783, 5817, 6256, 6454, 6688, 6690, 6692, 6697-6700, 6704, 6756, 7423-7456. - East Indian Comp., 5878.
India (Republic), 6039, 7289, 7314.
Indiana (state, U.S.A.), 3560, 6212.
Indien (Océan), 5879, 5884.
Indiens d'Amérique, American Indians, 615, 3569, 3634, 3693, 3706, 3710, 4160, 4670, 6536, 6782, 6787, 6813, 6822, 6836.
Indochine, 7222, 7307, 7327. - I. française, 7241.
Indogermanen (die), 1032.
Indonesia, 7462.
Indus (fleuve), Bassin, 1121.
Insulindia, 4466.
Iōannina (Grèce), Colloque de Folklore, 655. - Corporations, 5805.
Iōnes, Ioniens (subdivision des anc. Grecs), 1673.
Ionienne (mer), 6907.
Ioniennes (îles), v. Heptanēsos.
Iowa (state, U.S.A.), 3581, 4901, 5824.
Iran, 751, 962, 1360-1369, 1489, 2417, 2678, 4038-4045, 6372, 7364.
Iraq, 1065, 1125, 4046, 4047.
Ireland: Gen. hist. Bibl., X, XII. - Auxil. Sci., 69. - General Works, 257, 276, 752, 821, 916. - Prehist., 1113. - Middle Ages, 2507, 2511, 2520, 2537, 2619, 2635, 2716, 2812, 3097, 3113. - Mod. polit. Hist., 3911, 3928, 3952, 3958, 3959, 3961, 3986, 3987, 4048-4071. - Mod. relig. Hist., 4509, 4552, 4633. - Mod. econ. a. soc. Hist., 5668, 5961, 6054, 6095, 6200, 6206, 6289, 6302, 6335, 6379, 6417, 6426. - Mod. internat. Relations, 6617, 7170, 7175.
Iroquois Indians (N. America), 7577.
Isère (dépt., France), 3859.
Islam (religion, pays, peuples, etc.), 852, 892, 978, 987, 2322, 2405, 2424, 2494, 2506, 2691-2705, 2956, 2975, 2989, 2996, 3007, 3491, 3492, 4315, 4740, 4748, 4753, 4754, 4767, 4781, 5494, 6698, 6944, 7396, 7410, 7433, 7557.
Island (île et rép.), 2611,

3079, 4072, 4701, 5865, 7162.
Israel, 1019, 1349, 4073-4085, 4759, 4780, 4953, 6168, 7360.
Istanbul, Constantinople, 2463, 4074, 4767, 6878, 7064. - Archives de la Présidence du Conseil, 255. - Eglise des Saints-Apôtres, 2312. - Grecs, 6624. - Hagia Sophia, 2340. - Monastère d'Anthémion, 2373. - Monastère de Moselé, 2373. - Mss. anciens du Coran, 2405. - Musée de Topkapi Saray, 304. - Seraglio Octateuch, 2311.
Italia: Sci. ausil., 4, 44, 48, 53, 59, 86, 124, 154, 159, 165. - Opere gen., 349, 753, 754. - Antichità, 1388, 1389, 1703-1707, 1802, 1895, 1919, 1930, 1950, 1960, 1961, 2005. - Stor. Chiesa ant., 2113, 2175, 2233. - Stor. bizantina, 2370. - Medioevo, 2420, 2538, 2546, 2549, 2553, 2618, 2638, 2654, 2669, 2684, 2782, 2829, 2842. - Stor. polit. mod., 3192, 3349, 3466, 3851, 4086-4120. - Stor. relig. mod., 4745, 4761, 4769. - Storia movim. intell. mod., 4839, 4893, 4894, 5166, 5433, 5444, 5503, 5562. - Stor. econ. e soc. mod., 5573, 5621, 5667, 5699, 5874, 5877, 5995, 6025, 6038, 6055, 6137, 6155, 6262, 6301, 6458. - Relazioni internaz. mod., 6625, 6649, 6665, 6875, 6951, 6989, 6932, 6971, 6972, 7025, 7073, 7122, 7174, 7347, 7363. - Cf. Magna Graecia.
Itálica (España ant.), 1723.
Izbet Sartah (Israel), 1317.
Izmir (Turquie),Juifs, 4309.

J

Jaćwięgi, Jatwingen (altslaw. Volk), 2839.
Jaffa, v. Yafo (Israel).
Jakarta, Batavia (Indonésie), 6702.
Jamaica, 7338.
James Bay (Canada), 649. - Fur trade, 631.
Jannina, v. Ioannina.
Japan, Japon: Ouvrages gén., 351, 583, 755. - Hist. polit. mod., 3704, 4121-4127. - Hist. relig. mod., 4598, 4741. - Hist. Culture intellect. mod., 4946, 5366. - Hist. écon. soc. mod., 5672, 5683, 5926, 6039, 6187, 6298, 6400. - Hist. Droit mod., 6527. - Relations internat. mod., 7128, 7174,

GEOGRAPHICAL INDEX

7222, 7224, 7225, 7241, 7315, 7332, 7386, 7387. - Hist. Asie, 7392, 7506. - Hist. (avant 1868), 7538-7541.
Jedbawne (Białystok, Pologne), Juifs, 4779.
Jelebu (Negri Sembilan, Malaysia), 7473.
Jena (Bez. Gera, DDR), Univ. 3310, 4850.
Jericho (Cisjordanie), 1126.
Jerusalem, 1320, 1332, 1359, 2324, 3018, 3079, 3133, 4749, 7326. - Christians, 6138. - Coin finds, 97. - Intern. numismatic convention [1983], 130. - Knights of St. John, 94, 2521.-Latein. Königreich, 2854. - Patriarcat, 2205. - Saint-Sépulcre, 2196.
Jews, v. Juifs.
Jicarilla Apache Indians, 3709.
Jordan, Jordanie (royaume), 1038, 7399.
Joux (vallée de, Vaud, Suisse), 5763.
Judaea, Judée (rég., Palestine anc.), 1305, 2087. - Prov. romaine, 1843.
Juden, Judíos, v. Juifs.
Jülich (Nordrhein-Westf., BRD), Herzogtum, 2475.
Jugoslavija, Yougoslavie, 4455-4459, 4919, 6150, 6638, 7367, 7374.
Juifs, Jews: Sci. auxil., 59, 60, 62, 217. - Ouvrages gén., 382, 423, 618, 673, 704, 758, 782, 842, 883, 929, 962. - Antiquité, 1263, 1292-1359 passim, 1744. - Hist. Eglise anc., 2210, 2212, 2213, 2269. - Moyen Age, 2668-2690, 2737, 3006, 3086. - Hist. polit. mod., 3159, 3177, 3188, 3214, 3219, 3248, 3256, 3272, 3284, 3288, 3290, 3303, 3311, 3327, 3339, 3341, 3385, 3388, 3401, 3404, 3423, 3431, 3438, 3450, 3494, 3585, 3590, 3661, 4740-4786 passim. - Hist. Culture intellect mod.,4792, 4807, 4953, 4991, 4994, 5008, 5217. - Hist. écon. soc. mod., 5618, 5637, 5671, 5737, 5946, 6096, 6101, 6102, 6158, 6185, 6254, 6312, 6421, 6425, 6470, 6501. - Hist. Droit mod., 6546, 6597. - Relations internat. mod., 6720, 6755, 6820, 7030, 7102, 7105-7108, 7112, 7116, 7119, 7139, 7141, 7144, 7147, 7149, 7190, 7199, 7263, 7269. - Hist. Asie, 7412. - Cf. Ashkenazim, Sephardim.
Jumilla (España), 2589.
Jurchen (people, East Asia), 7534.

K

Kabala (Macédoine, Grèce), 5853.
Ka'be-ye Zartošt (Denkmal, Fars, Iran), Inschrift Šāhpurs I., 1367.
Kärnten, Carinthie (Land, Österreich), 2756, 3447, 6567.
Kainopolis de Cyrénaïque (auj. Maaten al Uqla, Libye), 1262.
Kaiseraugst (Aargau, Schweiz), 129.
Kaliningrad, Königsberg (U.R.S.S.), Juden, 3385.
Kalisz (Pologne), Destruction [1914], 7015.
Kalmar (Suède), 4270.
Kamčatka (péninsule, U.R.S.S.), 1021.
Kāmid el-Lōz (Syrie), 1026.
Kandy (Sri Lanka), Highlands, 6689.
Kansas (state, U. S. A.), 3652.
Kappadokia, Cappadoce (rég., Turquie), 4601.
Karatepe (anc. monastère bouddhiste près de Termez, U.R.S.S.), 7397.
Karelija, Carélie (rép., U.R.S.S.), 4405, 6108.
Karl-Marx-Stadt (DDR), Bezirk, 694.
Karnak (Egypte), 1244,1251.
Kassel (Hessen, BRD), Reg.-Bezirk, 2456.
Katanga, v. Shaba.
Katonah (N.Y., U. S. A.), Brookwood Labor Coll., 4874.
Kattegat (détroit), 211.
Kavkaz, Caucase (montagnes, U.R.S.S.), 237, 1156, 4381, 5367, 7229, 7418.
Kazači, Cosaques (populations, U.R.S.S.), 4365, 4367, 4427.
Kazakhstan (rép., U.R.S.S.), 7417.
Kelten (die), v. Celtes.
Kent (Ohio, U.S.A.), Kent State univ., 262.
Kentucky (state, U.S.A.), 3622, 4732, 6064.
Kenya (rép.), 4128, 6744, 6756, 7546.
Keōs (île, Grèce), 5431.
Kephalēnia (île, Grèce), 2313.
Kerkyra, Corfou (île, Grèce), 4008.
Kerry (co., Rep. of Ireland), 5710.
Khanty (people of Siberia), 663, 4336.
Khartoum (Sudan), 1088.
Kazhar (anc. people a. empire, U.S.S.R.), Khaganate, 2552.
Khorezm (reg., U.S.S.R.), 7416.
Khotin (Ukraine, U.R.S.S.), Bataille [1621], 4190.
Kiangsi (prov., China)7521.
Kibwort Harcourt (Leicestershire, England), 845.
Kiev (Ukraine, U.R.S.S.), Russie de K., 2547, 2588, 2885.
Kilimanjaro, v. Uhuru.
Kiman Faris (Fayoum, Egypt), 1242.
Kirkland Lake (Ont., Canada), 5781.
Kisvárda (Szabolcs-Szatmár, Hongrie), Juifs, 4779.
Kition (Chypre anc.), 1686.
Kleinasien, v. Asie Mineure.
Knoxville (Tenn., U.S.A.), 6114.
Koblenz (Rheinland-Pfalz), 6184.
Köln (Nordrh.-Westf., BRD), 847. - Erzbischöfe, 2455. - Erzkanzler, 2629.- Gaffeln, 2833. - Gestapogefängnis, 3235. - Kommunistenprozeß [1852], 6424. - Nuntiatur, 4502.
Königsberg (Ostpreußen), v. Kaliningrad (U.R.S.S.).
Köthen (Bez. Halle, DDR), Kreis, 1165.
Kolchis, Colchide (rég., Asie Mineure anc.), 1211.
Kom Oshim (Fayoum, Egypt), 1242.
Komi (people of Russia), 640.
Kondon (Amur Region, U.S.S.R.), Prehist. site,1041.
Kongo Belge, v. Zaïre.
Konstanz (Baden-Württemb., BRD), Konzil, 3063, 3080, 3090, 3102. - K.-Weingartner Liederhandschrift, 2981.
Korea, Corée, 1064, 6632, 6633, 7286, 7299, 7387.
Korōnē (Péloponnèse, Grèce), 2338.
Korinthos (Grèce), 1483. - Ligue, 1489.
Kouang-Tchéou-Wan (auj. chan-chiang, Chine), Bail franç., 6634.
Kounaxa, Cunaxa (Mesopotamia), Battle [401 B.C.], 1361.
Kourno (Lakonia, Grèce), 1702.
Krak des Chevaliers, v. Crac des Chevaliers.
Kraków, Cracovie (Pologne), 4177, 6958. - Archives, 2972. - Univ., 2991.
Krefeld (Nordrhein-Westf., BRD), Seidengewerbe, 5770.
Krētē, Crète (île, Grèce), 1482, 4018, 5259, 5444, 5449, 5543. - Bataille [1941], 7254. - Minoan C., 1403.
Kroatien, v. Hrvatska.
Kronštadt (Russie), 4362.
Krym, Crimée (péninsule, U.R.S.S.), 1066, 4406. - Guerre [1853-56], 4390, 6966.
Kulikovo Pole (Russie), Bataille [1380], 238.

Kulm, v. Chełmno (Pologne).
Kursk (Russie), Bataille [1943], 7228, 7231, 7247.
Kwato (Papua New Guinea), 4736.
Kyklades, Cyclades (îles, Grèce), 187.
Kypros, Chypre, Cyprus, 715, 1050, 1114, 1117, 2363, 7329, 7358.
Kyrēnē, Cyrène (Afrique du Nord anc.), 1261-1263.

L

La Befa (Italia), Villa romana, 2053.
Lagos (Nigeria), 6735, 6742.
Lakōnikē (rég., Grèce), 1702.
Lamasba (auj. 'Aïn Merwana, Algérie), 1958.
Lambeth (borough, London), L. Palace library, 284.
Lampeter (Cardiganshire, Wales), Librairies, 291.
Lamu (island, Kenya), 7546.
Lancashire (co., England), 2766, 6148.
Lang-Yeh (distr., Shantung, China), 7507.
Langobarden, Longobardi (german. Volk), 86, 2546, 2842.
Langres (Haute-Marne, France), Diocèse, 4530.
Languedoc (rég., France), 654, 1166, 1524, 2828, 3850, 4728, 5765. - Bas-L., 832. - Cf. Occitanie.
Laon (Aisne, France), Chapitre, 3089. - Hôtel Dieu, 2850.
La Plata, v. Plata (Río de la).
Lapons, Lapps, v. Sami.
Laredo (Texas, U. S. A.), 3619.
Laterano, Latran palazzo, Roma), 3° Concilio [1179] 3012.
Latin America, v. Amérique latine, s.v. Amérique.
Latina (lingua), 1, 3, 4, 18, 25, 157, 283, 290, 1429, 1445, 1719, 1997, 2215, 2449, 2490, 2874, 2909, 2925, 3055.
Latium, v. Lazio.
Latvija, Lettonie (rép., U.R.S.S.), 4357, 4438, 4984.
Lauffen (Baden-Württemberg, BRD), Reginswindis-Tradition, 2532.
Lausanne (Vaud, Suisse), 780. - Colloque hippocratique, 1577.
Lazio (reg., Italia), 2067.
Lazise (prov. di Verona, Italia), 2743.
Lebanon, v. Liban.
Leeds (Yorks., England), 6185.
Leeward Islands, 6814.
Legnica (Pologne), Bataille [1241], 2581.
Leiden, Leyde (Pays-Bas),

Rijksmuseum van Oudheden, 307.
Leinster (prov., Ireland), Celtic L., 2511.
Leipzig (DDR), 3375. - Bezirk, 694.
Leningrad (Russie), 4397, 4422, 4430, 4452, 5533, 5726, 6395, 6433, 6637. - Fondation, 6118.
Lenino (Biélorussie, U.R.S.S.), Bataille [1943],7255.
León (España), Reino, 2407.
Lesbos (île, Grèce), 1678.
Lesotho, 4129.
Lettland, Lettonie, v. Latvija.
Leukas, Leucade (île, Grèce), 749, 6341.
Leuven, Louvain (Brabant, Belgique), Colloquium Egypt a. the Hellenistic world, 1237. - Cf. Louvain-la-Neuve.
Levant (rég.), 1179, 1187, 2762, 4534.
Liban, Lebanon, 193, 1053, 7350.
Libya, Libye, 4130, 4740.
Liechtenstein, 2477.
Liège (Belgique),6236, 6565.
Lille (Nord, France), 2763.
Limburg (hist. Landschaft, Belgien-Niederlande), Bistum, 986.
Limoges (Haute-Vienne, France), Causses, 1093.
Lincoln, Lincs., England), 2477. - Cathedral, 2966.
Lincolnshire (co., England), 102.
Linz (O.-Ö., Österreich), 3422.
Little Rock (Ark., U.S.A.), 4928.
Litva, Lituanie (rép., U.R.S.S.), 2427, 3107, 4369, 4377, 4755, 4773, 4968, 5852, 7116. - Grand-Duché, 2633.
Liutizen (slaw. Stammesverband), 2576.
Liverpool (Lancs., England), 6148, 6335.
Livonija, Livland (rég., U.R.S.S.), 5919.
Livorno (Toscana, Italia), Ebrei, 4095, 5618.
Lixhe (comm. de Visé, prov. de Liège, Belgique), Etablissement romain, 2099.
Lodi (Lombardia, Italia), 1752.
Loën (établissement romain à Lixhe, Belgique), 2099.
Loir-et-Cher (dépt., France), 3811.
Loire (fleuve, France),Châteaux, 6190.
Lombardia (reg., Italia), 1712, 2737. - Regno lombardo-veneto, 6038, 6575.
London, 1940, 3910, 3913, 3932, 4686, 5871, 7137. - Art, 5413, 5450. - British Library, 2963. - Corresponding Soc., 5126. - Covent Garden, 5553. -

Downing Street, 3921. - Intern. Socialist Congress [1896], 6503.- Londinium, 210. - Morning Chronicle, 6148. - Morning Post, 4013. - Palaeontology, 5163. - Virginia merchants, 5880.
Longobardi, v.Langobarden.
Lorch (Baden-Württ., BRD), Basilika, 2257.
Lorient (Morbihan, France), Commerce, 5872.
Lorraine, Lothringen (rég., France), 722, 725, 3734, 6282. - Nieder-L., 2527.
Lorsch (Hessen, BRD), Abtei, 3035.
Los Angeles (Calif., U. S. A.), 6327, 6473.
Louisville (Ky., U.S.A.), 3724.
Louvain-la-Neuve (Brabant, Belgique), Symposium Nazianzenum, 2265. - Cf. Leuven.
Low Countries, v. Pays-Bas (territoire hist.).
Lucca (Toscana, Italia), 2761. - Repubblica, 4086.
Luck (Ukraine, U.R.S.S.), Diocèse, 4555.
Lübeck Schleswig-Holstein, (BRD), 813. - Silbergeld, 2861.
Lüneburg (Niedersachsen, BRD), Hansestadt, 3338. - Totenbücher, 2468.
Lund (Malmöhus, Suède), 6351. - Diocèse, 4729. - Museum of classical antiquities, 308. - Symposium on Bronze Age,1127. - Univ., 5144.
Lutetia, Lutèce (auj. Paris), 210.
Lutizen, v. Liutizen.
Luxembourg (Grand-Duché), XIII, 145, 756, 859, 1008, 1141, 2073, 4131, 5757, 5819, 6625, 6883, 6941, 7123.
Luzern (Stadt u. Kanton, Schweiz), 836. - Stadtbevölkerung, 6338.
Lužki (dépt. Vitebsk, Biélorussie), Front [1941], 7232.
Lvov, Lwów (Ukraine, U.R.S.S.), 4824.
Lycksele (Västerbotten, Sweden), Parish, 4710.
Lykia, Lycia (rég., Asie Mineure anc.), 142, 1182.
Lyon (Rhône, France), 3872, 6144. - Colloque: Patrie gauloise d'Agrippa, 2503. - Concile II [1274], 2062, 3096. - Diocèse, 967. - Foires, 6024. - Médecine, 5189. - Monnayage, 118.

M

Maas, v. Meuse (fleuve).
Macedonia, Macédoine (rég., Balkans), 167, 655, 680,

747, 1373, 1389, 2122, 2321, 4007, 7374.
Mâcon (Saône-et-Loire, France), Diocèse, 4571. - Région, 2789.
Madagascar, 619, 6743.
Madeira (île portug., Atlantique), 2406.
Madrid, 5682, 6074. - Bibl. de la R. Acad. de la Hist., 185.- Pacte [1953], 7349.
Mähren, v. Morava.
Magdeburg (DDR), Totenbücher, 2468.
Maghreb (rég., Afrique du Nord, 4740, 4751, 7550.
Magna Graecia, Megale Hellas, 138, 1472, 1510, 1659, 1665, 1689, 1705.
Magyarország, Hongrie: Ouvrages gén., 330, 367, 771. - Préhist., 1122. - Moyen Age, 2453, 2884. - Hist. polit. mod., 3426, 3446, 4024-4037, 4215, 4343. - Hist. relig. mod., 4522, 4779. - Hist. Culture intellect. mod.,5312, 5395, 5442. - Hist. écon. soc. mod., 5642, 5888, 5950, 6096. - Relations internat. mod., 6635, 6899, 6988, 7151, 7169, 7203. - Cf. Osterreich-Ungarn.
Main (Fluß, BRD), 1903, 1993.
Maine (rég., France), 161, 3877.
Maine (state, U.S.A.), 5902.
Maine-et-Loire (dépt., France), 3811.
Mainz (Rheinl.-Pfalz, BRD), 698, 1841, 1933. - Erzkanzler, 2629. - Informationsbüro [1833-48], 4989. - Jakobinerfrauen, 3381. - Jurist. Fak., 6529. - Röm. Ruderschiffe, 2066. - Univ., 4878.
Makedonia, v. Macedonia.
Makkah, La Mecque (Arabie Saoudite), 2463.
Malacca (Malaysia), 7472.
Malawi, 4133, 6362.
Malaya, 6693, 7460.
Malaysia, 7381, 7473.
Maldegem (Flandre-Orient., Belgique), Site préhist., 1069.
Malibu (Calif., U. S. A.), J. Paul Getty museum, 68.
Mallorca (Baleares, España), 2869.
Malmö (Suède), 5833.
Mammouth (Le, grotte à Domme, Dordogne, France), 1063.
Mancha, La (reg., España), 2671.
Mandelieu-La Napoule (Alpes-Maritimes, France), Penn-Paris-Dumbarton Oaks-Colloquium, 2506.
Mangbetu (people of Africa), 6731.

Mani (rég., Péloponnèse, Grèce), Magniotes en Corse, 6083.
Mansi (peuple de l'U.R.S.S.), 663.
Ma'oz Hayyim (Israel),1357.
Marburg (Hessen, BRD), Tagung "Landesbeschreibungen Mitteleuropas"199.
Maredsous (abbaye, Belgique), Centre Informat. et Bible, 2115.
Mari (Mésopotamie anc.), 1266.
Mariana Islands (Pacific), 4596, 7584.
Marlik (Gilan, Iran), Metal vessels, 1123.
Marne (dépt., France) 3859.
Maroc, 757, 758, 4134, 4135, 4740, 4768, 7543.
Marqab, Margab (anc. castle, Syria), 2333.
Marquises (îles, Polynésie franç.), 7585.
Marseille (Bouches-du-Rhône, France), 732, 3880. -Colloque "Conversion au XVIIe s.", 4480. - Négociants, 4534. - Cf. Massalia.
Marshall Islands (Pacific), 7592.
Martine, La (grotte à Domme, Dordogne, France), 1063.
Martinique (île, Antilles franç.), 75.
Maryland (state, U.S.A.), 259, 360.
Mas-Saintes-Puelles (Aude, France), 4581.
Masada (anc. fortress, Israel), 1310, 1355.
Masclianae (auj. Hadjeb el Aioun, Tunisie), 2040.
Massachusetts (state, U.S. A.), 3551, 3552, 3598, 5816, 6533, 6776, 6828, 6831.
Massachusetts Bay (U. S. A.), 4699.
Massalia (auj. Marseille, France), 1529.
Mauretania (prov. romaine, Afrique du N.), 1818.
Mavera-un-nahr, Transoxiana (anc. prov., Central Asia), 110.
Maya (Indios), 7572, 7579.
Maynooth (Kildare, Ireland), Roy. Cath. Coll., 4545.
Mazury (rég., Pologne), 4168, 4188, 4795.
Mecca, v. Makkah.
Mecklenburg (ehem. Territorium, DDR), 692, 963, 3306, 5906, 7340.
Mecque (La), v. Makkah.
Mediaş (Roumanie), Röm. Siedlung "Gura Cîmpului", 2102.
Méditerranée (mer), 673, 925, 1031, 1117, 1158, 1166, 1178, 1193, 1469, 1524, 2536, 2668, 2679, 2715, 2807, 3148, 5882,

5883, 6979, 7073, 7294.
Meilen (Zürich, Schweiz), Burgstelle Friedberg, 2836.
Mélanésie, 638.
Melfi (Basilicata, Italia), Costituzioni, 2465.
Melka-Kunturé (Ethiopie), Site paléolith. 1059, 1072.
Melno (See, Polen), Friede [1422], 2647.
Mêlos, Milo (île, Grèce), 88, 1465.
Mendola (Trento-Alto Adige, Italia), Settimana di studio, 3011.
Mérida (España), 2074.
Meroë (Rep. of the Sudan), Pyramides, 1241.
Merseburg (Bez. Halle, DDR), Totenbücher, 2468.
Mesoamerica, v. Amérique centrale, s.v. Amérique.
Mesopotamia, 1189, 1264-1282, 1327.
Messênia (rég., Péloponnèse, Grèce), Terza guerra [464-455 a.C.], 1459.
Metz (Moselle, France), 137. - Kloster St. Arnulf,2419.
Meurthe-et-Moselle (dépt., France), 722.
Meuse, Maas (fleuve), 1993.
Meuse (dépt., France), 722.
México (Estados Unidos de), 421, 3583, 4136-4144,4947, 5661, 5712, 5915, 6023, 6051, 6473, 6666, 6782, 6806, 6807, 6843, 6994, 7562, 7573, 7578, 7581.
México (ciudad, México), Bourbon M., 6816.
Michigan (lake, N. America), 3600.
Michigan (state, U.S.A.), 6299.
Midian (anc. Arab. people), 1038, 1322.
Midlands (reg., England), 2806, 6148.
Midway Islands (Pacific), Battle [1942], 7208.
Milano (Lombardia, Italia), 2794, 5398. - Ducato, 2686. - Reg. milanese, 2778.
Milêtos (auj. Balat, Turquie), 141, 1463, 1507.
Mimbres Indians (U.S.A.), 7570.
Mississippi (riv., U.S.A.), Valley, 6794.
Mississippi (state, U.S.A.), 3547.
Missouri (riv., U.S.A.), M. Pacific Railway, 5789.
Mkoa wa Ruvuma (rég., Tanzanie), 650.
Mnichovo Hradiště (Bohême, Tchécoslovaquie), 5935.
Moab (rég., Palestine ancienne), 1038.
Moçambique (Rép.), 4145, 5847, 6746, 6763.
Mömpelgard, v. Montbéliard
Moesia (anc. région, Balkans), M. Inferior, 1394, 1876, 1945. - M. Prima,

1801. - M. Superior, 1778.
Moinhos de Vento (Arganil, Portugal), Nécropole néolith., 1104.
Moissac (Tarn-et-Garonne, France), Manuscrits, 5.
Moldova, Moldavie (rég., Roumanie), 662, 1096, 1107, 2616, 2626, 2790, 2843, 4213, 4264, 5515, 5737, 5957, 6574, 6869.
Molise (reg. stor., Italia), 2781.
Mongolie, Mongols, 759, 2496, 2851, 7421.
Montauban (Tarn-et-Garonne, France), Cour des Aides et Finances, 3781.
Montbéliard (Doubs, France), Principauté, 6539.
Montecassino (abbazia, Cassino, Italia), 3028.
Montpellier (Hérault, France), Région, 6251.
Montréal (Québec, Canada), 6358. - Colloque "Arts mécan. au Moyen Age",2873. - Ecole polytechn., 4853. - Industrialisation, 6288.
Morava, Mähren (rég., Tchécoslovaquie), 922, 2945, 3415, 5168. - Großmähr. Reich, 2547.
Morbihan (dépt., France), 3811.
Moriscos (los), 4748.
Morocco, v. Maroc.
Morvan (rég., France), Haut-M., 2082.
Moselle (dépt., France), 80, 722.
Moskva, Moscou, 244, 2528, 2606, 4329, 4444, 4611, 5533, 6395. - Bataille [1941], 7215. - Workers, 6247.
Mosquitos (Costa de, Nicaragua), 6760, 6952.
Mosul (Iraq), Juifs, 1330.
Moudros (Lesbos, Grèce), Armistice [1918], 7018.
Mrhila (Djebel, Tunisie), 2040.
München (Bayern, BRD), Bayer. Hauptstaatsarchiv, 2456. - Krise [1938], 7180. - Nuntiatur, 7080.
Münster (Nordrhein-Westf., BRD), 3285. - Wiedertäufer, 4697.
Munda (people of India), 7436.
Muntenia (rég., Roumanie), 1780, 2193, 5715, 6140.
Muqdisho (Somalie), 6708.
Murcia (España), 1166.
Murlo (prov. di Siena, Italia), Poggio Civitate, 1715.
Muyuw, v. Woodlark (isl.).
Mykēnē, Mycènes (Grèce), 82, 1128, 1404, 1405.

N

Nabataei, Nabatéens (peuple, Arabie anc.), 1339.
Nag Hammadi (Egypte), 2143, 2146.
Nancy (Meurthe-et-Moselle, France), Breton Frères, 5868. - Colloque internat. "Les Correspondances", 227. - Négriers, 5892. - Symposium internat. Hist. forestière, 223, 822.
Nantucket (isl., Mass., U.S.A.), 5702.
Napoli (Campania, Italia), Regno, 2620, 4091, 4113.
Naq'a (Sudan), Löwentempel, 1247.
Narbonnaise, Gallia narbonensis (prov. romaine), 1524, 1872.
Narbonne (Aude, France), 1167. - Diocèse, 3015. - Région, 3815.
Narragansett Bay (R.I., U.S.A.), 6789.
Nashville (Tenn., U.S.A.), Meharry Medical College, 4965.
Nassau (ehem. Territorium, BRD), Grafschaft, 4927. - Orden vom Goldenen Vlies, 6883.
Natal (prov., S. Africa), 6712.
Natchez (Miss., U.S.A.), District, 6007.
Navajo Indians, 3720.
Navarra, Navarre (rég., Espagne et France), 2358, 2497, 2583.
Nebraska (state, U.S.A.), 5965.
Nederland, Pays-Bas, XV, 134, 275, 307, 371, 504, 958, 1008, 1710, 3164, 4156-4158, 5405, 5464, 6525, 6625, 6764, 6936, 7113.
Negev (désert, Israël) 2288, 5946.
Negroes, v. Noirs.
Neiße (Fluß, Mitteleuropa), Oder-N.-Linie, 7200.
Neubrandenburg (DDR), Bezirk, 692.
Neuchâtel, Neuenburg (canton, Suisse), 6887.
Neuwied (Rheinland-Pfalz, BRD), 3291.
New Brunswick (prov., Canada), 3471.
New England (area, U. S. A.), 4464, 4702, 4721, 5717, 5902, 6670, 6787.
Newfoundland (island, Canada), 6890.
New Guinea (island), 6087, 6855.
New Hampshire (state, U.S. A.), 3537, 3711.
New London (Conn., U.S. A.), 4719.
New South Wales (state,Australia), 3414.
New York (state, U.S.A.), 3545, 3684, 6831.
New York (N.Y., U.S.A.), 3562, 6800, 6818, 6821, 7333. - Banking, 6040. - Central Park, 3531.- Corporation, 6524. - Cotton exchange, 5873. - Harlem, 6476. - Italians, 6155. - Jews, 4763, 6254. - Metropolitan Opera, 5537. - Milk Committee, 6293. - Puerto Ricans, 6267.
New Zealand (islands, Pacific), 4152, 5900, 6131, 6851, 6852.
Ngoni (people of Africa), 650.
Nicaea, Nikaia (auj. Iznik, Turquie), 2361.
Nicaragua, 4146, 6837, 6952.
Nice (Alpes-Marit., France), 3135.- Terra Amata, 1075.
Niederösterreich (Land, Österreich), 300, 3130, 3437.
Niedersachsen (Land, BRD), 278, 702, 3345, 5643,5654.
Niger (Rép.), 6726.
Nigeria (Fed. of), 4147-4150, 4971, 6006, 6556, 6705, 6706, 6736, 6747, 6750, 6767.
Nijmegen (Pays-Bas), Rijksmuseum Kam, 1710.
Nil (fleuve), 1088, 1196.
Nîmes (Gard, France), Hôtel-Dieu, 6252.
Nin (Croatie, Yougoslavie), 2464.
Nörvenich (Rheinland-Pfalz, BRD), Jülichsches Amt, 2475.
Noire (mer), Black Sea, 1513, 2389, 2664, 2764, 3848. - North B.S. cities, 1480. - Northern B.S. area, 1825. - Northwest B. S. area, 177.
Noirs, Blacks, Negroes, 1392, 5892. - N. au Belize, 637. - N. d'Afrique, 3215, 5332, 5858. - N. d'Amérique, 49, 3525, 3530, 3559, 3618, 3622, 3707, 3715, 3717, 3724, 4640, 4661, 4936, 4965, 5917, 6159, 6218, 6320, 6785, 6803, 6835, 7243.
Nonantola (Emilia-Romagna, Italia), Scrittura, 14.
Nord-Pas-de-Calais (rég. admin., France), 108.
Noreia (heute Neumarkt, Steiermark, Österreich), Schlacht [113 v. Chr.] 1154.
Norfolk (co., England), 2775. - Dukes of N., 3974.
Norfolk (Va., U.S.A.), Anti-inoculation riots, 6520. - "Journal and Guide", 3707.
Norge, Norvège, XIV, 2454, 2604, 4151, 4821, 5843, 5931, 5971, 6571, 6949, 7137, 7219, 7372.
Normandie (rég., France), 626, 723, 2607, 3877, 6205, 7217.
Normands, Normannen, Normans, 2559, 2597, 2719, 2781, 3028.
Norra Vedbo (reg., Sweden), 3111.

GEOGRAPHICAL INDEX

Norris (Tenn., U. S. A.), Dam, 6285.
Norrland (distr., Suède), 5912.
North Carolina (state, U.S. A.), 3642, 4924, 6348.
Northern Rhodesia, v. Zambia.
Northumberland (co., England), 6148.
Northwest Territories (Canada), 3471.
Norvège, Norway, Norwegen, v. Norge.
Nouvelle-Calédonie, 3736.
Nouvelle-France (Canada), 186, 6775, 6813.
Nouvelle-Guinée, v. New Guinea.
Nouvelles-Hébrides, v. Vanuatu.
Nowy Targ (Cracovie, Pologne), Juifs, 4779.
Nürnberg (Bayern, BRD), Blutschutzgesetz [1935], 6597. - Mykenol. Colloquium, 1405. - Ratsverlässe, 2442. - Reichstag [1355-56], 2731. - Prozeß [1945-46], 6611, 7097, 7369.
Numidie (rég., Afrique du Nord anc.), 1199.
Nyasaland, v. Malawi.

O

Oberösterreich (Land, Österreich), 706.
Occident, 8, 42, 669, 904, 966, 1128, 1191, 2428, 2483, 2506, 2641, 2797, 2857, 2891, 2893, 3011, 3067, 3072, 5488, 6013, 6306, 6316, 6515, 6536, 6654.
Occitanie (rég. linguist., France), 2892. - Cf. Languedoc.
Océanie, 275. - O. coloniale, 6848-6862. - O. précoloniale, 7582-7598.
Odenwald (Gebirge, BRD), 3035.
Odessa (Ukraine, U.R.S.S.), "Den", 4991.
Odorhei (Roumanie), 4222.
Östergötland (co., Sweden), 109, 5975.
Österreich: Allg. hist. Bibliogr., IV. Hilfswiss., 11, 34, 189. - Allg. Werke, 425, 602, 706-711, 817. - Röm. Gesch., 2068. - Mittelalter, 2474, 2720, 2753. - Allg. Gesch. d. Neuzeit, 3415-3450. - Religionsgesch. d.Neuzeit, 4607, 5621. - Bildungsgesch. d. Neuzeit, 4829, 4950, 5008, 5012, 5086, 5307, 5464. - WiWi.- u. Sozialgesch. d. Neuzeit, 5739, 6136, 6409, 6484, 6485, 6500, - Rechtsgesch. d. Neuzeit, 6596. - Internat. Beziehungen d. Neuzeit, 6877, 6903, 6914, 6922, 6975, 7120, 7166, 7187, 7357, 7368.
Österreich-Ungarn, 3415, 3426, 3431, 3440, 3446, 4025, 4284, 5008, 5657, 5658, 6635, 7040, 7090, 7094.
Öttingen (Bayern, BRD), Deutschordenskommende, 2809.
Ohio (state, U.S.A.), 3557, 3659, 5943.
Olbia (anc. colonie grecque, Ukraine, U.R.S.S.), 1487.
Oldenburg (Niedersachsen, BRD), 3366.
Olmütz, v. Olomouc.
Olomouc, Olmütz (Moravie, Tchécoslovaquie), 2396.
Oltenia (rég., Roumanie), 107, 1082, 5977.
Olympic National Park (Wash., U.S.A.), 3712.
Oman (sultanate), 4153.
Onezskoe Ozero, Lake Onega (Russia), 1068.
Ontario (prov., Canada), 5148, 5154, 5162, 5223, 6445, 6489.
Oran (Algérie), 6720.
Oraon (people of India), 7436.
Oregon (state, U. S. A.), 3721.
Orel (Russie, U.R.S.S.), Bataille [1941], 7247.
Orient, 502, 929, 1500, 1782? 2428, 2483, 2588, 2897, 2898, 2996, 3201, 6013, 7000. - Extrême-O., 398, 1064. - Extr.-O. russe, 4387, 4437. - Moyen-O., 671, 6673, 7420. - Proche-O., 671, 4313, 4780, 6956, 7286, 7345. - Proche-O. anc., 1178, 1181, 1190, 1196, 1197, 1204-1369. - O. latin, 125.
Orkney Islands (Scotland), 1086.
Osage Indians, 6794.
Ostia Antica (Lazio, Italia), 1928.
Ostpreußen, v. s.v. Preußen.
Ostsee, v. Baltique.
Oswego (N.Y., U. S. A.), 7106.
Oświęcim, Auschwitz (Pologne), Camp de concentration, 3829.
Oulu (Finlande), Univ., 4859.
Oxford (England), 5429, 6143. - Ashmolean Museum, 125, 311, 5451. - Bodleian Library, 297. - Colleges, 2880. - Cowley, 6143. - Libraries, 291. - Protestant reformers, 4639. - Univ., 4900.
Oxyrhynchus (auj. Behnesa, Egypte), 1233. - Papyri, 1433.

P

Pacifique (Océan), 666, 4470, 4485, 5692, 5860, 7122, 7216, 7595. - Cf. Océanie.
Padova (Veneto, Italia), 5620.
Paisley (Scotland), 4064.
Pakistan, 7433, 7449, 7452.
Palaepharsalus, v. Pharsalos.
Palenque (Chiapas, México), 7581.
Palestine (région, Proche-Orient), 201, 1025, 1333, 1344, 1352, 2093, 2205, 2216, 2594, 2596, 3075, 4075, 4079-4081, 4753, 4851, 7063, 7181. - P. byzant., 2369. - P. latine, 2595.
Panamá (República), 4154. - Canal zone, 3606.
Pannonia (rég. hist.), 111, 1882.
Pantikapaion (mod. Kerč', Ukraine), Hekateion,1670.
Papal state, v. Stato ecclesiastico.
Papua New Guinea, 629, 635, 645, 5706, 6081.
Paraguay, 4155, 4896.
Paraíba (Brésil), Compagnie de Pernambuco et P., 5617.
Paris, 727, 2999, 3482,3744, 3787, 3849, 3851, 3854, 4817, 5871, 6123. - Acad. des Sci., 4862. - Architecture, 5440. - Archives Diplomat., 276. - Archives Nat., 252, 256. - Bastille, 3840. - Biblioth. de l'Abbaye de St. Victor, 280. - Biblioth. Nat., 32, 283. - Collège des Irlandais, 36. - Collège Louis-le-Grand, 4975. - Conférence [1919-1920], 7027, 7081. - Elections [1852], 3806. - Jardin des Plantes, 5184. - Ligue [1585-1594], 3786. - Louvre, 306, 1691. - Lutetia, 210. - Presse protestante, 4983. - Révolution [1848], 3758. - "Revue de P.", 4985. - Traité [1856], 6963. - Univ., 2742, 2875, 3108, 4541.
Paros (île, Grèce), 1482.
Parthia (rég., Iran anc.), 751, 1366, 1369, 1853.
Pascua (isla de), Ile de Pâques, 7587.
Passarowitz (auj. Požarevac, Yougoslavie), Paix [1718], 6909.
Passau (Bayern, BRD), 2227. - Bischöfe, 2410.
Paterson (N.J., U. S. A.), Strike [1913], 6423.
Patmos (île, Grèce),Patriarcat, 2279.
Pavia (Lombardia, Italia), 2089. - Certosa, 2948.
Pawnee Indians, 3720.

Pays-Bas (royaume), v. Nederland.
Pays-Bas (territoire hist.), 3164, 5559, 6871, 6908.
Pearl Harbor (Hawaii), Attack [1941], 7109.
Peaux-Rouges, v. Indiens d'Amérique.
Pékin, Pei-king (Chine), 7333. - Mission franç., 4599.
Peloponnēsos (péninsule, Grèce), 95, 2357, 5438, 6122.
Pennsylvania (state, U.S. A.), 5810, 6772, 6798, 6835, 6846.
Pentagon (building, Va., U.S.A.), Vietnam war papers, 7288.
Périgord (rég., France), 730, 740, 2821.
Périgueux (Dordogne, France), 2805.
Pernambuco (Etat, Brésil), 6785. - Compagnie de P. et Paraíba, 5617.
Perú, 4159-4163, 4553, 5913, 6053, 6812, 6838, 7568. - Alto P., Bolivia, 6773.
Petersburg, v. Leningrad.
Petite-Nation (riv., Canada), Seigneurie, 5901.
Petorca (valle, Aconcagua, Chile), 6112.
Petra (ville anc., Jordanie), 1672.
Petrograd, v. Leningrad.
Peuls (peuple africain), 7545.
Pfalz (Landschaft, BRD), Kurfürstentum, 2614, 2645. - Ober-Pf., 3236.
Pforzheim (Baden-Württemberg, BRD), 2504.
Phanagoreia (anc. colonie grecque, péninsule de Taman', Russie), 1033.
Pharsalos (mod. Pharsala, Greece), Palaepharsalus, 2080.
Philadelphia (auj. Alaşehir, Turquieà, 2310.
Philadelphia (Pa., U.S.A.), Banking, 6040. - Commerce, 5859. - Exhibition [1876], 6194. - Female social structure, 6339. - Labor, 6491. - Meeting of the Soc. for the Hist. of Technol., 243. - Merchants, 6796. - Mortality, 4091. - Textile manufacture, 5825.
Philae (île, auj. Filah, Egypte), 1260.
Philippines, v. Filipinas.
Phoenicia, Phoenices (rég. et peuple, Proche-Orient anc.), 101, 1222, 1293, 1304, 1318, 1335, 1351, 1356.
Phoenix (Ariz., U.S.A.), 3710.
Piemonte (reg., Italia), 5991.
Pigeonnier (Le, grotte à Domme, France), 1063.

Piotrków Trybunalski (Pologne), Ritual [1631], 4557.
Plata (Río de la, América del Sur), Platine provinces, 3405.
Plauen (Bez. Karl-Marx-Stadt, DDR), 4294.
Poggio Civitate (Murlo, provincia di Siena, Italia), 1715.
Poitou (rég., France), 3038, 3877.
Polska, Pologne: Bibliogr. hist. gén., XVI. - Sci. auxil., 39, $\overline{122}$, 148. - Ouvrages gén., 267, 313, 352, 366, 382, 420, 476, 507, 515, 633, 641, 668, 670, 689, 714, 760-763, 814, 849, 999, 1005.- Préhist., 1077, 1079, 1115, 1116, 1144. - Moyen Age, 2430, 2581, 2616, 2622, 2639, 2647, 2673, 2682, 2800, 2851, 2866, 2991, 3045, 3107. - Hist. polit. mod., 3440, 3513, 4164-4205, 4377. - Hist. religieuse mod., 4473, 4497, 4501, 4508, 4531, 4535, 4554, 4557, 4564, 4573, 4576, 4589, 4688, 4726, 4774, 4779. - Hist. Culture intellect. mod., 4792, 4794, 4795, 4816, 4882, 4968, 4973, 4992, 4993, 5006, 5007, 5011, 5125, 5212, 5220, 5257, 5300, 5311, 5407, 5408, 5485, 5497. - Hist. écon. soc. mod., 5637, 5690, 5705, 5707, 5852, 5874, 5970, 5983, 6010, 6049, 6059, 6109, 6111, 6119, 6150, 6201, 6209, 6210, 6239, 6246, 6268, 6277, 6336, 6349, 6353, 6363, 6373, 6374, 6427, 6429, 6450, 6475, 6477, 6500, 6501, 6503, 6506, 6510. - Hist. Droit mod., 6540, 6548, 6575, 6606. - Relations internat. mod., 6619, 6667, 6674, 6863, 6865, 6869, 6870, 6873, 6879, 6897, 6903, 6925, 6930, 6943, 6957, 6966, 6978, 6988, 7015, 7020, 7023, 7029, 7058, 7070, 7092, 7098-7279 passim. - Hist. Asie, 7335. - Małopolska, Petite P., 39.
Polynésie (îles, Pacifique), 6881, 7597.
Polynésie Française (territ. d'Outre-mer), 277, 6861.
Pomor'e, White Sea coast area (Russia), 620.
Pomorze, Pommern (rég., Pologne), 4202. - P. Gdańskie, 7006. - P. Zachodnie, 7034.
Pompeii (Italia ant.), 1886, 1939, 2037, 2072.
Pont-d'Ambon (abri à Bourdeilles, Dordogne, France), 1057.

Pontus (anc. royaume et rég., Asie Mineure), 1823, 6961.
Porrentruy (Bern, Schweiz), Bibliotheken, 290.
Port Arthur (Tasmania, Australia), Penal settlement, 6849.
Porte du Grand Seigneur, v. Istanbul.
Portland (Oreg., U.S.A.), 3721, 6356. - Internat. exposition [1905], 3689.
Porto (Portugal), 5738.
Portugal, 2665, 2688, 2845, 2865, 3023, 4207, 4208, 4306, 4567, 5701, 5738, 5869, 6021, 6685, 6703, 6779.
Posen, v. Poznań.
Potosí (Bolivia), 5696. - Mita, 6786.
Pourrières (Var, France), 5967.
Powiśle (rég., Pologne), 4188.
Poznań, Posen (Pologne), Preuß. Provinz, 5933.
Praha, Prague, 781, 917, 2612, 3094, 4778, 5646, 7013. - Burg, 2533. - Italiens, 6875. - Philos. Fak., 4938.- Univ., 4967. - Vyšehrad, 2502.
Prémontré (Aisne, France), Ordre, 960, 5427.
Preußen, Prusse, 668, 670, 3121, 3168, 3240, 3241, 3245, 3258, 3280, 3287, 3292, 3305, 3306, 3353, 3355, 3389, 3392, 3398, 4473, 4539, 4881, 4998, 5689, 5703, 6549, 6559, 6608, 6674, 6895, 6946. - Brandenburg-P., 6897. - Herzogtum, 4688, 5973. - P. royale, 4968, 6263. - P. Teutonique, 6870. - Landsmannschaft Ost-P., 3364. - West-P., 5933.
Princeton (N.J., U.S.A.), Theolog. Seminary, 4682. - Univ., 5138.
Principautés Roumaines, 5267, 6583, 6963, 7002. - Cf. Moldova, Ţara Românească.
Provence (rég., France), 92, 651, 2510, 2909, 4580, 5967. - Haute-P., 5993, 6191.
Providence (R.I., U.S.A.), 4937. - Jews, 6312.
Provinces-Unies, v. Nederland.
Prusy, Pruzzen (altslaw. Volk), 2839.
Ptolemais (mod. El Manshâh, Egypt), 1232.
Puebla de Alcocer (España), 2671.
Pueblo Indians, 7570.
Puerto Rico, 4206, 5907, 6267, 6830.
Puglia, Apulia (reg., Italia), 1701.
Punici, v. Carthago.
Putna (Moldavie, Rouma-

GEOGRAPHICAL INDEX

nie), Monastère, 5498, 5515.
Pyrénées (montagnes), 1014.

Q

Qal'at Sem'an (Syrie), Sanctuaire de Saint-Siméon le Stylite, 2190.
Qatar (state), 4209.
Québec (ville et prov., Canada), 46, 292, 657, 3471, 3473, 3476, 4538, 4869, 4892, 5369, 5397, 5720, 5808, 5918, 6178, 6272, 6288, 6310, 6356, 6489.
Quercy (rég., France), 2845.
Quito (Ecuador), Provincia, 4814.
Qumran (Cisjordanie), 1297, 1358, 2164.

R

Racconigli (Piemonte, Italia), Accordo italo-russo [1909], 6971.
Raetia (anc. rég., Alpes centrales), 1813, 2051, 2100.
Rapa Nui, v. Pascua (Isla de).
Ras Shamra (Tell, Syrie), v. Ugarit.
Ravenna (Emilia-Romagna, Italia), 2330.
Ravensburg (Baden-Württ., BRD), 4496.
Regensburg (Bayern, BRD), Bombardierung [1943], 7239. - Pfalz- u. Burggrafen, 119.
Regina (Sask., Canada), Family Service Bureau, 6314.
Reichenau (Insel, Baden-Württ., BRD), Kloster, 2541, 2549.
Reims (Marne, France), 738, 2412.
Rennes (Ille-et-Vilaine, France), Diocèse: épidémies, 5218. - Condate, 210.
Rethymnon (Crète, Grèce), 4014.
Réunion (île), 4520.
Reval, v. Tallin.
Rhein, Rhin (Fluß), 1993. - Alpenrheintal, 2083. - Mittel-R., 3119. - Ober-R., 2947. - Rhein. Bund, 3278. - Röm. Provinzen am R., 1829.
Rheingau (Landschaft, Hessen, BRD), 3382.
Rheinisches Schiefergebirge, 5745.
Rheinlande, Rhénanie (Gebiet, W.-Europa), 2054, 3164, 3245, 3295, 3450, 5813, 6934. - Industrie, 5842. - Münzgesch., 143.
Rheinzabern (Rheinland-Pfalz, BRD), Terra sigillata, 2039.
Rhodesia, v. Zimbabwe.
Rhodos (île, Grèce), 2370.
Rhône (fleuve), Vallée, 113.
Rideau canal (Ont., Canada), 6511.
Rief bei Salzburg (Österreich), Arbeitstagung Österr. Hs.-Bearb., 2394.
Rieti (Lazio, Italia), Congresso di studi flaviani, 1768.
Riez (Alpes-de-Haute-Provence, France), Diocèse, 4571.
Riga (Lithuania, R.S.S.R.), Germans, 4370.
Rio de Janeiro, 3458.
Rio Grande (riv., Mexico a. U.S.A.), 3718.
Rio Grande do Sul (Etat, Brésil), 3454, 6779.
Rivesaltes (Pyrénées-Orientales, France), 6396.
Rochedane (Doubs, France), Abri paléolith., 1074.
Rocky Mountains (N. America), 6590.
Roma, 244, 440, 1737, 2045, 2055, 2162, 2194, 3079, 4009, 4800, 7202. - Arch. dei Frati Minori, 257. - Banco di R., 6031.-Chamberalin-Halifax visit [1939], 7197. - Colloqui stor., 225, 1005, 1374. - Deutsch. Archäol. Inst., 233. - Ebrei, 2676.- Ecole franç., 226. - Foro romano, 2046, 2239. - Foro traiano, 2084. - Monasteri, 3036. - Scuola stor., 353. - Terme di Caracalla, 2079, 2090. - Vescovi, 2218. - Imperium romanum, II, 67, 100, 104, 114, 124, 129, 144, 210, 336, 435, 438, 485, 489, 1154, 1165, 1257, 1340, 1353, 1366, 1367, 1374, 1377, 1379, 1382, 1393, 1399, 1471, 1703-2102, 2165, 2181, 2359, 2555, 2741, 2928, 2990, 7407.
România, Roumanie: Bibl. hist. gén., XVII. - Sci. auxil., 28, 37, 54, 55, 63, 81, 149, 151, 153, 166, 178, 183. - Ouvrages gén., 242, 299, 309, 321-323, 343, 350, 358, 365, 377, 417, 421, 447, 576, 623, 628, 642, 764-778, 885, 886, 899, 911, 931. - Préhist., 1023, 1080, 1082, 1085, 1095, 1107, 1111. - Antiquité, 1372. - Hist. byzant., 2377. - Moyen Age, 2523, 2832, 2840, 3031, 3118. - Hist. polit. mod., 3194, 4210-4264, 4343. - Hist. relig. mod., 4605, 4608, 4779. - Hist. Culture intellect. mod., 4787, 4804, 4831, 4849, 4887, 4960, 4985, 5058, 5213, 5222, 5237, 5261, 5269, 5310, 5312, 5373, 5399, 5403, 5415, 5423, 5502, 5506, 5509, 5516, 5539. - Hist. écon. soc. mod., 5574, 5581, 5582, 5615, 5669, 5850, 5851, 5886, 5916, 5938, 5977, 5988, 6140, 6397, 6435, 6464, 6469. - Hist. Droit mod., 6531, 6621, 6626. - Relations internat. mod., 6864, 6873, 6923, 6957, 6959, 6962, 6966, 6990, 7016, 7026, 7027, 7032, 7072, 7081, 7093.
Rossel Island (Louisiade archip., Papua New Guinea), 6857.
Rossija, Russie: Sci. auxil., 38, 105, 179. - Ouvrages gén., 238, 339, 387, 431, 620, 660, 788, 789, 914, 924, 1004. - Moyen Age, 2440, 2487, 2505, 2517, 2547, 2556, 2568, 2580, 2588, 2606, 2864, 2885. - Hist. polit. mod., 3202, 3286, 4271, 4324-4471 passim. - Hist. relig. mod., 4602-4604, 4606, 4609-4611. - Hist. Culture intellect. mod., 4802, 4851, 4867, 4918, 4972, 5128, 5194, 5240, 5308, 5350, 5363, 5364, 5368, 5412, 5421, 5445, 5468, 5546, 5563. - Hist. écon. soc. mod., 5584, 5628, 5629, 5632, 5641, 5679, 5718, 5726, 5783, 5797, 5942, 5992, 6009, 6011, 6043, 6086, 6130, 6312, 6318, 6332, 6352, 6410, 6439, 6461, 6470, 6483, 6506, 6513. - Hist. Droit mod., 6569. - Relations internat. mod., 6620, 6627, 6666, 6903, 6925, 6879, 6943, 6945, 6946, 6955, 6968, 6971, 6980, 6985, 6987, 6997, 7003, 7005, 7009, 7022, 7026, 7031, 7035, 7060, 7093.
Rostock (DDR), Bezirk, 692. -Hexenprozesse, 6587.
Rouen (Seine-Marit., France), 6157. Concile [1231], 3066.
Rouergue (rég., France), 5903.
Roussillon (rég., France), 1524.
Rudki (Ukraine), Juifs, 4779.
Ruhrgebiet (Nordrh.-Westf., BRD), 3377, 6274. - Bergarbeiter, 6467. - Bergbau, 5844.
Rupert's Land (former district, Canada), 3471.
Ruthenia, Ruthénie (rég., Europe de l'Est), 3107. -Transcarpathian R., v. Zakarpatskaja oblast'.

S

Saarbrücken (Saarland, BRD), Kolloquium "Siedlungs- u. Flurnamen", 3137.
Saarland (Land, BRD), 2054, 7330.
Sabah (state, Malaysia), 7463.
Sablonetum (röm. Kastell bei Ellingen, Bayern, BRD), 1813, 2051.
Sabtah, v. Ceuta.
Sachsen (ehem. Territorium, DDR), 324, 694, 3099.
Sahara (désert, Afrique), 1083.
Saint Augustine (Fla., U. S. A.), Spanish S. A., 6791.
Saint-Domingue (île), v. Haiti.
Saint-Gobain (Aisne, France), Compagnie, 5732.
Saint-Jean-d'Acre, v. Acre.
Saint Kitts a. Nevis (state, Caribbean), 5832.
Saint Louis (Mo., U.S.A.), 3716, 5861.
Saint-Omer (Pas-de-Calais, France), Journées numismat., 120.
Saint Petersburg, v. Leningrad.
Saintonge (rég., France), 3033, 5944.
Sami, Lapons, Lapps (peuple), 975, 1170.
Saïs (auj. Sa al Hajar, Egypte), 1253.
Sălaj (dépt., Roumanie), 1095.
Salem (Mass., U. S. A.), Witch panic [1692], 4835.
Salem (N.C., U.S.A.), 4722.
Salerno (Campania, Italia), 15. - Battles [1943], 7240.
Salzburg (Land u. Stadt, Österreich), 3425. - Kirchenprovinz, 4537.
Samaria, Samaritani (pays, peuple et secte, Palestine anc.), 1311.
Sambor (Ukraine), Juifs, 4779.
Samnites (popolo, Italia ant.), 1706.
San Antonio (Texas, U.S. A.), 3629, 6228. - Churches, 4572.
San Francisco (Calif., U.S. A.), Conference [1951], 7386.
San Joaquin Valley (Calif., U.S.A.), 5908.
San Luis Potosí (estado, México), 7578.
Sankt Gallen (Schweiz), 440.
Santa Fé (prov., Argentina), 6044.
Santa Fe (N. Mex., U.S. A.), 4808. - Atchison, Topeka a. S.F. railroad, 5735.
Santee Sioux Indians, 3723.
Santiago (España), 5639.

Saqqarâ (Egypt), North-S., 1222.
Sarawak (state, Malaysia), 7469.
Sardegna (isola, Italia), 1036, 1704, 2782.
Sardes, Sardis (anc. ville, Turquie), 141, 1210.
Sarmatae, Sarmates (peuple de l'Antiquité), 1163, 1850.
Sarmizegetusa (anc. ville, Roumanie), 1748. - Ulpia Traiana S., 2047.
Sarrasins, Saracens (i.e. musulmans), 87, 2510.
Sarthe (dépt., France), 3811.
Saskatchewan (prov., Canada), 4914.
Saskatoon (Sask., Canada), Univ., 4914.
Sătmar (Roumanie), 1095.
Satricum (Italia ant.), 1746.
Saudi Arabia, Arabie Saoudite), 1038, 3403, 7059.
Savigny (anc. abbaye, Manche, France), 3106.
Savoie (rég. et dépt., France), 737, 2590, 4118.
Sayan Mountains (Central Asia), S.-Altai region, 7517.
Sayn (Rheinland-Pfalz, BRD), Grafschaft, 4927.
Scandinavia, 282, 3047, 4487, 5414, 5876, 6131, 6359, 6555, 6901, 7082, 7253.
Scania, v. Skåne.
Scarsdale (N.Y., U.S.A.), 6303.
Schaumburg-Lippe (ehem. Territorium, Niedersachsen, BRD), 5990.
Schlesien, v. Śląsk (Polen), Slezsko (Tschechoslow.).
Schleswig-Holstein (Land, BRD), 3352, 3397, 4667, 5264.
Schmalkalden (Bez. Suhl, DDR), Bundesversammlung [1537], 3294.
Schwaben (Landschaft, BRD), 2640, 6269.
Schweinfurth (Bayern, BRD), Bombenangriff [1943], 7239.
Schweiz, Suisse: XVIII, 290, 296, 779, 780, 2054, 2531, 2640, 4277, 4278, 4518, 5624, 5713, 6383, 6887, 7120.
Schwerin (DDR), Bezirk, 692. - Bischöfl. Amt., 3022.
Scotland, 168, 194, 213, 742, 808, 1932, 2495, 3881, 3911, 3912, 3963, 4499, 4632, 4704, 4730, 4793, 4875, 4917, 5492, 5594, 5601, 6067, 6340, 6449.
Scythae, Scythia, 1013. - S. Minor, 1429.
Seattle (Wash., U. S. A.), Internat. exposition [1909], 3689.
Sebeş (riv., Roumanie), 37.

Seine (fleuve, France), Estuaire, 739. - Sources, 1132.
Seminole Indians, 3632.
Semlin, v. Zemun.
Seo de Urgel (Cataluña, España), Regencia [1820-1823], 3512.
Sephardim, Juifs S., 4077.
Sepik River (New Guinea), 632.
Serbie, v. Srbija.
Şercaia (Braşov, Roumanie), 1162.
Serres (Hautes-Alpes, France), Juifs, 2690.
Sevilla (España), 2770, 2791. - Congreso esp. de Est. clás., 1397.
Sèvres (Hauts-de-Seine, France), Traité [1920], 7018.
Seychelles (archip.), 4467, 6729, 6754.
Shaba, Katanga (prov., Zaïre), 6758.
Shanghai (China), Hong Kong a. Sh. Banking Corporation, 6045.
Shanidar Cave (Iraq), Prehist. site, 1065.
Shawnee Indians, 3588.
Shiloh (Tenn., U.S.A.), Battle [1862], 3656.
Shirvan, v. Širvan.
Shqipria, Albanie, 639, 2248, 3218, 7270.
Sibir', Sibérie, 208, 648, 4327, 4330, 4336, 4347, 4416, 4423, 4428, 4437, 4609, 5940.
Sibiu (Roumanie), Bataille S.-Cîineni [1916], 7021. - Diète [1863-64], 4244. - Musée Brukenthal, 301, 899.
Sicilia (isola, Italia), 23, 127, 851, 1324, 1356, 1481, 1510, 1661, 1673, 1705, 1707, 1776, 1847, 2668, 2400, 2773, 4101, 5854, 6188, 6872.
Sidi Krebish (Benghazi, Libya), 1261.
Siebenbürgen, v. Transilvania.
Siebenbürger Sachsen, 647, 3114, 4235.
Siegerland (Landschaft, Nordrhein-Westf., BRD), 5745.
Siena (Toscana, Italia), Contado, 2847.
Sierra Leone (rep.), 4265.
Siggeneben-Süd (neolith. Fundplatz, Schleswig-Holstein, BRD), 1097.
Simonopetra (couvent, Mont Athos, Grèce), 4605.
Sinaï (péninsule et mont, Egypte), 1106.
Singapore, 7381.
Siruela (España), Conversos, 2671.
Širvan (mod. Šemakha, Azerbajdžan, U.S.S.R.), Khanat, 7395.
Skåne (prov., Suède), 1099.
Skaraborg (Suède), 5636.

Skjeltorp in Skjelberg (Norway), Megalithic grave, 1098.
Silésie, v. Śląsk (Pologne), Slezsko (Tchécoslovaquie).
Śląsk, Schlesien, Silésie (rég., Pologne), 122, 505, 4515, 6477, 7150. - Górny Ś., Haute-S., 7076. - Ś. Cieszyński, S. de Cieszyn, 7043, 7266.
Slave Coast (W. Africa), 6735.
Slaves (peuples), 235, 364, 366, 623, 674, 689, 713, 2499, 2601. - S. de l'Est, 47. - S. de l'Ouest, 496. - S. du Sud, 711.
Slezsko, Silésie (Tchécoslovaquie), 922.
Slovensko, Slovaquie (rég., Tchécoslovaquie), 326, 342, 4282, 4283, 4288, 4297, 4298, 4301, 5419, 5550, 5831.
Smolensk (Russie), 4361.
Södermanland (co., Sweden), 5951.
Söderslätt (reg., Sweden), 2858.
Sønderjylland (rég., Danemark), 3123.
Somme (fleuve, France), Bataille [1916], 7062.
Somme (dépt., France), 3127.
Sorben (Volk, DDR), 695.
Soria (España), Mosaicos romanos, 2049. - Prov., 5749.
Soudan, v. Sudan.
South Africa (Rep.), 3215-3217, 5750, 6757, 6765, 6766.
South Australia (state, Australia), 6850.
South Carolina (state, U.S. A.), 5005, 6189, 6845.
Southern Rhodesia, v. Zimbabwe.
Sparta (Grèce), 1451, 1458, 1462, 1486, 1530, 1536.
Speenhamland (dist., Berks, England), 3966.
Speyer (Rheinland-Pfalz, BRD), Reichstag [1526], 3370.
Spoleto (Umbria, Italia), Ducato, 2548.
Sporades (îles, Grèce), 659.
Springfield (Mass., U.S.A.), 5651.
Srbija, Serbie (rép., Yougoslavie), 2714, 4455, 4919, 6945, 7110.
Sri Lanka, Ceylon, 6689, 7428.
S.S.S.R. (Sojuz Sovetskikh Socialističeskikh Respublik): Sci. auxil., 51. - Ouvrages gén., 249, 279, 294, 339, 544, 609, 625, 787-791, 796, 856. - Préhist., 1013, 1030, 1144. - Hist. romaine, 1838. - Moyen Age, 2486, 2965. - Hist. polit. mod., 3701, 4069, 4324-4447. - Hist. relig. mod., 4491. - Hist.

Culture intellect. mod., 4791, 4816, 4826, 4834, 4838, 4926, 4973, 5187, 5190, 5194, 5221, 5231, 5265, 5361, 5364, 5373, 5426, 5468, 5481, 5558. - Hist. écon. soc. mod., 5619, 5629, 5761, 5924, 5953, 5955, 6003. - Relations internat. mod., 6615-6658 passim, 7044, 7054, 7085, 7093, 7104, 7105, 7117, 7134, 7157, 7158, 7164, 7182, 7244, 7249, 7250, 7274, 7275, 7280-7388 passim. - Hist. Asie, 7423.
Staffordshire (co., England), 6148.
Stalingrad (auj. Volgograd, Russie), Bataille [1942-1943], 7210, 7250.
Starčevo (site néolith., Serbie, Yougoslavie), Civilisation S.-Criş, 1107.
Stato ecclesiastico, 4509, 6989.
Steiermark (Land, Österreich), 2738.
Stockholm, 2793. - Emigration, 6099. - Finances munic., 6063.- Medelhavsmuseet, 308. - National Museum, 308. - Poor-houses, 6248.
Stoicani-Aldeni (civilisation préhist., Roumanie), 1085.
Stony Indians (Canada), Medicine, 3471.
Stordø pyrite mine (Norway), 6170.
Strasbourg (Bas-Rhin, France), 314, 2911. - Colloques, 1185, 1395, 1790. - Diocèse, 4549. - Franciscains, 85.
Suceava (Roumanie), 309.
Sudan (area, Africa), 2692, 6734, 7550.
Sudan (Rep. of the), 644, 1247, 4266, 4267, 6717, 6719, 6753, 6761.
Sudetendeutsche, 4291, 7159.
Suède, v. Sverige.
Sufetula (auj. Sbeitla, Tunisie), 2040.
Suhl (DDR), Bezirk, 696.
Sukhona (riv., Russia), Basin, 1068.
Sumatra, 4754.
Sumer (Mésopotamie), 1264, 1267, 1269, 1272.
Suomi, Finlande: Bibl. hist. gén., VIII. - Ouvrages gén., 720, 721, 861. - Moyen Age, 3132. - Hist. polit. mod., 3728-3733. - Hist. relig. mod., 4492, 4677. - Hist. Culture intellect. mod., 4810, 4812, 4859, 5102, 5404, 5471. - Hist. écon. soc. mod., 5772, 5811, 5837, 5889, 6075, 6079, 6080, 6082, 6104, 6108, 6120, 6135, 6452. - Relations internat. mod., 6637, 6985, 7182, 7290.

Superior, Lake (N. America), 5773.
Surianu, Monts de (Roumanie), 2056.
Sutri (Lazio, Italia), Sinodo [1046], 2709.
Sverige, Suède: Sci. auxil., 109. - Ouvrages gén., 308, 355, 850. - Moyen Age, 2792, 2946, 3024. - Hist. polit. mod., 4268-4275. - Hist. relig. mod., 4677, 4720, 4724. - Hist. Culture intellect. mod., 4828, 4920, 5172, 5303. - Hist. écon. soc. mod., 5662, 5956, 5975, 5979, 6106, 6151, 6153, 6250, 6263, 6298, 6304, 6313, 6357, 6407. - Hist. Droit mod., 6545, 6550. - Relations internat. modernes, 6879, 7017, 7061, 7071, 7094, 7283, 7377.
Swahili (people of Africa), 7561.
Swansea (Glam., Wales), Colloquium, 1765.
Swaziland, 4276, 6711.
Sydney (N.S.W., Australia), 6854.
Syracuse (N.Y., U.S.A.), Ranke manuscripts, 448.
Syria, Syrie, 193, 1138, 1333.
Szczecin (Pologne), 760.
Szeklers (peuple, Roumanie), 4222, 6573.

T

T'ai-Yüan (Shanxi, China), 7507.
Taiwan, Formose (île, Chine), 7490.
Talarrubias (España), 2671.
Tallin, Reval (Estland, UdSSR), Kämmereibuch, 2425.
Tanala (peuple, Madagascar), 619.
Tanna (Vanuatu archip., Oceania), 7586.
Tanzania, 650, 6343, 7549.
Taos (N. Mex., U. S. A.), 4808.
Țara Românească, Valachie (rég., Roumanie), 107, 662, 769, 2843, 4214, 4241, 4813, 4837, 5524.
Taranto (Puglia, Italia), Convegno di studi sulla Magna Grecia, 1472, 1689.
Tarshish (España ant.), T. bíblico, 1295.
Taškent (Uzbekistan, U.S.S.R.), Agreement [1966], 7325.
Tasmania (isl. a. state, Australia), 7594.
Tatars (peuple), 128, 5220.
Tavoliere della Puglia (reg. geogr., Italia), 1081.
Tchad, Chad (rép.), 6706.
Tegernsee (Bayern, BRD), 2474.
Tel Dor (Israel), 1354.

Tel Masos (Egypt), 1230.
Teleneşti (Roumanie), Juifs, 4779.
Tell Abou Danné (prov. d'Alep, Syrie), 1138.
Tennessee (rib., U.S.A.), T. Valley Authority, 6285.
Tepai-i-Shakh (Tadzhikistan, U.S.S.R.), Archaeol. site, 7409.
Terebovlja (Ukraine), Juifs, 4779.
Termez (Uzbekistan, U.S.S.R.), Karatepe, 7397.
Terra Amata (à Nice, France), 1075.
Terre-Neuve, v. Newfoundland.
Texas (state, U.S.A.), 3568, 3583, 4947, 5004, 5786, 6228.
Thailand, 7466, 7471, 7474, 7476.
Thérouanne (Pas-de-Calais, France), Diocèse, 3070.
Thessalia (rég., Grèce), 2609, 5969, 6976.
Thessalonikē (Grèce), 750, 858, 2379, 4007, 5853. - Symposium Ancient Macedonia, 1373.
Thorikos (Attique, Grèce anc.), Calendrier, 68.
Thrakē, Thracia (pays et peuple, Balkans), 167, 655, 1119, 1150, 1387, 1394, 1961, 2033. - Traco-Gètes, 1142.
Thüringen (Landschaft, DDR) 696, 3310.
Tiberias (Israel), Hammath T., 1313.
Tibet (rég. auton., Chine), 103, 7407, 7491.
Tikhvin (Russie), 7230.
Timbuktu, v. Tombouctou.
Tirol (Land, Österreich), 711, 2769, 3058, 3448.
Tirreneo (mare, Mediterraneo), Pirateria, 1925.
Titelberg (Luxembourg), Kelt. Oppidum, 1141.
Titicaca (lago, Perú-Bolivia), 7567.
Tivoli (Lazio, Italia), Villa Hadriana, 2085.
Tokyo, 4125.
Toledo (España), 3506.
Toltec Indians, 7562.
Tombouctou (Mali), 7557.
Tonga Islands (Pacific), 6862.
Topeka (Kan., U.S.A.), Atchison, T. a. Santa Fe railroad, 5735.
Toronto (Ont., Canada), 5148, 5731. - Univ., 4940.
Toscana (reg., Italia), 2627, 2816, 3092, 4107.
Toul (Meurthe-et-Moselle, France), Diocèse, 3034.
Toulouse (Haute-Garonne, France), 3812. - Colloque Hist. des Idées polit., 221. - Comtes, 2908. - Diocèse, 968.
Tournai (Hainaut, Belgique), 3071. Diocèse, 3070.

Tours (Indre-et-Loire, France), 2238.
Trabzon, Trébizonde (Turquie), 2285, 2315, 6961.
Transilvania, Siebenbürgen (rég., Roumanie), 312, 319, 378, 435, 647, 773, 828, 1082, 1148, 1771, 2459, 4210-4264 passim, 4481, 4787, 4831, 4865, 5270, 5362, 5491, 5581, 5851, 5897, 7026, 7032. - Cf. Siebenbürger Sachsen.
Transoxiana, v. Maveraun-nahr.
Transvaal (prov., Rep. of S. Africa), 6765.
Trapani (Sicilia, Italia), Porto, 5856.
Trébizonde, v. Trabzon.
Trembowla, v. Terebovlja.
Trento (Trento-Alto-Adige, Italia), Concilio, 4537, 4664.
Trier (Rheinl.-Pfalz, BRD), 2439, 2587. - Erzbistum, 2577, 3081. - Erzkanzler, 2629. - Kurfürstentum, 2643. - Symposion "Röm.-byzant. Ägypten", 1832.
Trieste (Friuli-Venezia Giulia, Italia), 7282. - Comunità greco-orientale, 295.
Trinidad and Tobago (state, W. Indies), 4304.
Tripolitania (rég., Libye), 2052.
Trøndelag (co., Norway), 1140.
Trois-Evêchés (anc. gouvernement, France), 722.
Tswana (people of S. Africa), 6733.
Tubetube (isl., Engineer Group, Papua New Guinea), 645.
Tübingen (Baden-Württemb., BRD), Symposion "Evangelium u. Evangelien", 2168. - Univ., 4968.
Türkiye, Turquie: Sci. aux. 26. - Ouvrages gén., 254, 302, 304, 328, 368, 369, 374, 770, 784-786, 962, 1007. - Préhist., 1108. - Moyen Age, 2626, 2634. - Hist. polit. mod., 3219, 3242, 3418, 4007, 4008, 4011, 4079, 4307-4319. - Hist. relig. mod., 4536, 4601. - Hist. Culture intellect. mod., 4838, 4981, 5024, 5220, 5346. - Hist. écon. soc. mod., 5704, 5798, 5870, 5882, 5883. - Relations internat. mod., 6624, 6626, 6664, 6864, 6865, 6881, 6904, 6910-6930, 6960, 6981, 7009, 7018, 7019, 7069, 7341, 7358. - Hist. Asie, 7406, 7410, 7413.
Tula (Hidalgo, México), 7562, 7566.
Tulare (Calif., U. S. A.), Experiment station, 5974.

Tun Huang (China), 7480.
Tunisie, 1965, 2040, 4305, 4306, 4740, 5174, 6665, 6752.
Ṭūr 'Abdīn (Turquie), 932.
Turkestan (reg., Central Asia), East T., 7408.
Turku (Finlande), 6082. - Intern. Seminar The Impact of Am. Culture, 234.
Tuskegee (Ala., U.S.A.), 3613.
Tutora (Roumanie), Bataille [1620], 4190.
Tziganes (peuple), 643.

U

Udruh (Israel), 2347.
Uganda, 4320-4323, 4635.
Ugarit (auj. Ras Shamra, Syrie), 1117, 1280.- Kingdom, 1325.
Uhuru, Kilimanjaro (mount, Tanzania), 6756.
Uighur (Turkic people, Central Asia), 7411.
Ukraine (rép., U.R.S.S.), 31, 790, 4342, 4365, 4367, 4436, 6429, 6478, 7036.
Ulpia Traiana, v. Sarmizegetusa.
Ulster (region, Ireland), 4064, 6129, 7175. - U. plantation, 4067.
Umbria (reg., Italia), 6137.
Umeå (Suède), 6219.
United Kingdom, v. Great Britain.
Uppsala (Sweden), Athletics, 6166. - Diocese, 3104.- Colloquium Apocalypticism, 1178. - County, 5978. - Hist. Soc., 337. - Municipal schools, 4957.- Univ., 2434, 4866.
Urach (Baden-Württ., BRD), Leinengewerbe, 5787.
Ural (monts, U. R. S. S.), 5939. - Sout U., 4356.
Urartu (ancient kingdom, Asia), 1214.
Urgel, v. Seo de Urgel.
Uruguay, 4453.
U.S.A. (United States of America): Auxil. Sci., 49, 50, 133. - Gen. Works, 234, 247, 253, 258, 274, 327, 341, 421, 425, 477, 529, 567, 571, 615. - Mod. polit. Hist., 3198, 3211, 3514-3724, 3741, 3970, 4054, 4142. - Mod. relig. Hist., 4477, 4486, 4522, 4566, 4634, 4641, 4649, 4653, 4661, 4662, 4670, 4672, 4691, 4696, 4723, 4754a, 4757-4759, 4771, 4784. - Hist. mod. Culture, 4806, 4825, 4827, 4830, 4832, 4841, 4842, 4847, 4869-4981 passim, 5039, 5054, 5096, 5181, 5192, 5194, 5200, 5204, 5215, 5242, 5253, 5376, 5380, 5416, 5535, 5552, 5565. - Mod. econ. a.

GEOGRAPHICAL INDEX

soc. Hist., 5575, 5592, 5600, 5605, 5622, 5633, 5640, 5663, 5688, 5716, 5719, 5728, 5730, 5742, 5754, 5762, 5777, 5779, 5790, 5793, 5823, 5832, 5847-6513 passim. - Mod. legal Hist., 6514-6610 passim. - Mod. intern. Relations, 6616-6674 passim, 6691, 6695, 6738, 6768-6848 passim, 6853, 6931-7388 passim. - Hist. Asia, 7391. - Pre-columbian America, 7569, 7570.
Ustí nad Labem (Bohême, Tchécoslovaquie), 783.
Utrecht (Pays-Bas), Collection "Meer", 1710. - Traité [1713-1714], 6890. - Univ., Inst. Archéol., 1710.

V

Vaduz (Liechtenstein), Archiv, 2477.
Valachie, v. Țara Românească.
Valais, Wallis (canton, Suisse), 2515, 6887.
Valangin (Neuchâtel, Suisse), 6887.
Valence (Drôme, France), Colonia Valentia, 1779.
Valencia (España), País, 200. - Reino, 2574.
Vandali, Wandalen (german. Volk), 2123.
Van Diemen's Land, v. Tasmania.
Vannes (Morbihan, France), Vannetais, 838.
Vanuatu (archip. a. rep., Oceania), 7586, 7590.
Vårfruberga (convent, Södermanland, Sweden), 3024.
Varna (Bulgarie), Civilis. néolith., 1105.
Vaticano (Città del), 2095, 4505, 7080, 7087, 7188. - Biblioteca, 1752. - Concilio I [1869-70], 4509.
Vatopedi (monastère, Mont Athos, Grèce), Octateuch, 2355.
Velsen (Pays-Bas), 144.
Vendée (rég., France),3877.
Vendôme (Loir-et-Cher, France), Fresques de la Trinité, 2974. - Vendômois, 6141.
Veneto (reg., Italia), 5727, 5905.
Venezia (Italia), 2636, 4008, 4089, 4843, 6907. - Arsenale, 6084. - Inquisizione, 4775.
Venezuela, 4454, 5780, 6982, 7004.
Venosa (Basilicata, Italia), Convegno di studi, 2004.
Veracruz (estado, México), 6785.
Versailles (Yvelines, France), Architecture, 5447.

- Traité [1919], 7010.
Verulamium (anc. Roman town, Herts., England), 2058.
Vesuvio (vulcano, Campania, Italia), 2086.
Vich (Cataluña, España), Diócesis, 3074.
Vichy (Allier, France), Gouvernement, 3746, 3829.
Vietnam, 7323, 7467, 7475. - Guerre, 7288, 7300. - North V., 7393.
Vikings, 2706-2708, 2724, 2765, 2950.
Villeneuve (Aveyron, France), Causses, 1093.
Vil'njus (Lituanie, U.R.S.S.), Univ., 4848.
Vimy (Pas-de-Calais, France), Bataille [1917],7095.
Vindeln (Norrland, Suède), 5912.
Vindolanda (mod. Chesterholm, England), 2041.
Vipasca (auj. Aljustrel, Baixo Alentejo, Portugal), Tables de bronze, 1924.
Virgin Islands (W. Indies), American V.I., 6784.
Virginia (state, U.S.A.), 3617, 3631, 3655, 5880, 6278, 6793, 6803, 6819, 6833, 6834.
Visigothi, Westgoten (german. Volk), 2407, 2428, 2747.
Vivarais (rég., France), 2076.
Volhynia, v. Volyn'.
Volyn', Volhynia (reg., Ukraine), 7147.
Vorarlberg (Land, Österr.), 707, 3448.
Vosges (dépt., France), 722.
Vyšehrad (château fort, Prague), 2502.

W

Wadi Tbeik (Southern Sinai, Egypt), 1106.
Waikato River (New Zealand), War, 6851.
Waldenburg (Basel-Land, Schweiz), 2818.
Waldviertel (Landschaft, N.-Ö., Österreich), 3438.
Wales (principality, G.B.), 608, 3897, 3909, 5418, 6148, 6271, 6600.
Wallis, v. Valais.
Wamira (Papua NewGuinea), 635.
Warmia (région, Pologne), 4168, 4174, 4188, 4528, 4795.
Warszawa, Varsovie, 4204, 4863, 6258, 7271. - Ghetto, 7102, 7144. - Presse, 4999. - Soc. "Le Patronat", 6373. - Soc. scientif., 4860. - Symposium paléodémogr., 1144.
Washington (state, U.S.A.), 3584. - Supreme court, 6584.

Washington (D.C., U.S.A.), 3758, 5726, 5726, 7202, 7344.
Wasserbillig/Langsur (Luxemburg), Röm. Landgut, 2073.
Waterford (co., Ireland), 4068.
Waterloo (Brabant, Belgique), Bataille [1815], 6936.
Watten (Nord, France), Abbaye, 21.
Weimar (DDR), Klassik,5263. - Republik, 3185, 3261, 3262, 3268, 3269, 3286, 3287, 3300, 3310, 3340, 3341, 3347, 3363, 3386, 4627, 5645, 6323, 6443, 7034, 7046, 7047, 7087.
Weißer Berg, v. Bilá Hora.
Wellesley (Mass., U.S.A.), College, 4935.
Wells (Som., England), Diocese, 4717.
Wessex (anc. kingdom, England), 2582.
Western Australia (state, Australia), 3413, 5929.
Westerndorf (Bayern, BRD), Terra sigillata, 2039.
Westfalen (Landschaft, BRD), 705, 3245, 4712. - Frieden [1648], 3326. - Königreich, 3248.
Westgoten, v. Visigothi.
West Indies, 5863.
Westpreußen, v. s.v. Preußen.
Whitehaven (Cumb., England), 3883.
Wieliczka (Cracovie, Pologne), Juifs, 4779.
Wien, 3430, 3439, 4582, 6121, 6958. - Antisemitismus, 3449. - Architektur, 5442. - Ballhausplatz, 6635. - Jakobiner, 3444. - Juden, 4777. - Kongreß [1814-15], 3432. - Malerei, 2529. - Ministerialkonferenzen [1834], 3436. - Orthodoxe, 4607. - Papyri Erzherzog Rainer, 232. - Peterskirche, 6927. - Raum, 5495. - Schiedsspruch [1881], 6952. - Seminar f. osteurop. Gesch., 239. - Tschechen, 3437. - Türkenbelagerung [1683], 3418, 4167, 6910-6930. - Univ., 6927.
Wikinger, v. Vikings.
Williamsburg (Va., U.S.A.), Coll. of William a. Mary, 4902.
Wilno, v. Vil'njus.
Winchester (Southampton, England), College, 2896.
Wolfenbüttel (Niedersachsen, BRD), Herzog-August-Bibliothek, 41.
Woodlark (isl., Papua New Guinea), 629, 7583.
Worms (Rheinland-Pfalz, BRD), Reichstag [1521], 3370.
Wrocław, Breslau (Pologne),

Univ., 606.
Württemberg (hist. Territorium, BRD), 3168, 6072, 6462, 6560.
Würzburg (Bayern, BRD), Martin-von-Wagner-Museum, 305.

X

Xanten (Nordrhein-Westfalen, BRD), Deutsch-franz. Historikertreffen, 863.
Xanthos (auj. Kinik, Turquie), 1206.

Y

Yafo, Jaffa (part of Tel Aviv-Yafo, Israel), 4083.
Yagua (indios, Perú), 624.
Yangtze (riv., China), 7509.
Yavne (Israel), Rabbis, 2260.
Yémen (région, Arabie), 4076. - Juifs, 7412.
Yiddish (langue), v. Juifs.
Yorkshire (co., England), 6148.
Yoruba (people of Africa), 4150.
Youngstown (Ohio, U.S.A.), 262. - State Univ., 4956.
Yukon (riv., N. America), 5827.

Z

Zagros (mountains, Asia), 1016.
Zaïre (Rép.), Congo belge, 6725. - Royaume, 7560.
Zakarpatskaja oblast', Transcarpathian oblast, (Ukraine), 7201.
Zambia, 4941.
Zaragoza (España), 1777, 2822.
Zemun, Semlin (Serbie, Yougoslavie), Judenlager, 7110.
Zimbabwe (Rep.), 4460, 4461, 6713, 6732, 6744.
Zimnicea (Roumanie), Nécropole gète, 1164.
Zomba (Malawi), Lunatic asylum, 6362.
Zsitvatorok ("Zitva- [heute Žitava-] Mündung", Slowakei), Friede [1606], 6880.
Zwettl (N.-Ö., Österreich), Symposium: Griechenland ... während der "Dark ages", 1187.

Ref Z 6205 I 61 v.52 1983